氏族大全 譯註 2

[下平聲]

역주자 소개

김 만 원(金萬源)

서울대학교 중어중문학과 학사 / 석사 / 박사
대만대학교 중문과 방문학자
강릉대학교 인문과학연구소장
강릉원주대학교 인문대학장 겸 교육대학원장
현 강릉원주대학교 중어중문학과 교수

≪死不休－두보의 삶과 문학≫, 공저, 서울대학교출판부(2012.9)
≪두보 고체시 명편≫, 공역, 서울대학교출판문화원(2015.9)
≪山堂肆考 譯註≫(전20책), 도서출판역락(2014.11)
≪事物紀原 譯註≫(상 · 하), 도서출판역락(2015.12)

文淵閣欽定四庫全書
氏族大全 譯註 2 [下平聲]

초판 인쇄 2016년 12월 24일
초판 발행 2016년 12월 30일

역 주 김만원
펴낸이 이대현
펴낸곳 도서출판 역락
서울 서초구 동광로 46길 6-6 문창빌딩 2층
전화 02-3409-2058(영업부), 2060(편집부)
팩시밀리 02-3409-2059
이메일 youkrack@hanmail.net
등록 1999년 4월 19일 제303-2002-000014호

ISBN 979-11-5686-730-2 94820
979-11-5686-732-6 (전4권)

* 정가는 표지에 있습니다.
* 파본은 구입처에서 교환해 드립니다.

文淵閣欽定四庫全書本 中國古典叢書3：人物篇

氏族大全 譯註 2

□ 下平聲 □

元 無名氏 撰
金萬源 標點·校勘·譯註

역락

서 문

필자는 지금껏 중국의 고전과 관련하여 기본적인 지식과 정보들을 정리하기 위한 작업의 일환으로 2014년 11월에는 중국의 고사를 망라했다고 평할 수 있는 명나라 말엽 팽대익彭大翼의 ≪산당사고山堂肆考≫ 240권을, 2015년 12월에는 중국 고서에 나오는 어휘에 대해 그 조합 원리와 연원을 상세히 밝힌 송나라 신종神宗 때 고승高承이 엮은 ≪사물기원事物紀原≫ 10권을 대상으로 그에 관한 역주서를 세상에 선보인 바 있다. 그러나 이러한 작업을 진행하는 와중에 광범위한 지식과 다양한 정보의 세계에서 그 중심을 차지하는 것은 무엇보다도 사람과 책이라는 느낌을 지울 수 없었다. 그래서 이에 관한 작업으로 눈길을 돌리게 되었다. 금번 이 ≪씨족대전氏族大全≫ 22권의 역주서는 필자가 계획한 다음과 같은 기획물의 일환으로서 중국 고대 인물들을 대상으로 착수한 세 번째 결과물이다.

중국고전총서1 고사편 : ≪산당사고 역주≫ 20책 (2014.11.27)
중국고전총서2 어휘편 : ≪사물기원 역주≫ 2책 (2015.12.31)
중국고전총서3 인물편 : ≪씨족대전 역주≫ 4책 (출간예정)
중국고전총서4 도서편 : ≪사고전서간명목록 역주≫ 4책 (출간예정)

이 책 ≪씨족대전≫은 서명이 말해주듯 고대 중국인의 성씨의 유래와 그에 속한 각 인물에 관한 기록을 담은 것으로 원나라 때 출간되었으나 저자에 대해서는 알려지지 않았다. ≪씨족대전≫은 수록한 대상이 신화 전설상의 인물까지 포함하여 광범위하고 각 성씨마다 등장인물을 시대순으로 나열하여 열람하기 편하도록 정리하였다는 장점도 있지만 한편으로는 다음과 같은 몇 가지 단점도 발견된다.

첫째로 각 인물고사마다 고사성어식으로 표제자를 달면서도 어떤 경우는 이를 생략하기도 하여 일관성이 결여되었다는 지적을 받을 수 있다. 이를테면 전한 문제文帝 때 사람 '풍당馮唐'의 고사를 실으면서는 '백수낭관白首郎官'이란 제목을 달아 그 윤곽을 제시한 반면, 송나라 '풍직豐稷'의 고사와 관련해서는 아무런 제목도 달지 않은 것이 그러한 예이다. 둘째로 각 성씨의 말미에 성씨와는 무관한 어휘를 배열함으로써 독자에게 혼동을 줄 수 있다는 점을 들 수 있다. 이를테면 '동童'씨의 경우 어린아이를 뜻하는 말인 '동몽童蒙'이나 순수한 마음을 뜻하는 말인 '동심童心'처럼 성씨와는 무관한 어휘를 나열한 것이 그러한 예이다. 셋째로 실존 인물이 아니라 신화 전설 및 소설 속에서 허구로 설정된 인물까지도 포함하여 수록한 점을 들 수 있다. 넷째로 시대순 배열에 오류가 있어 순서가 뒤바뀐 경우도 이따금 눈에 띈다. 그럼에도 불구하고 이 책은 원나라 이전까지 거의 모든 인물에 관한 기록을 망라하고 있기에 중국의 고전을 연구하는 사람들에게 기초적이고도 소중한 자료를 제공해 준다는 평가를 받을 만하다.

≪씨족대전≫의 체례를 보면 ≪광운廣韻≫이나 ≪평수운平水韻≫ 등 기존 운서韻書의 운부韻部에 입각하여 상평성上平聲 5권・하평성下平聲 7권・상성上聲 4권・거성去聲 3권・입성入聲 2권 및 복성複姓 1권으로 분류하여 총 22권에 중국 고대 성씨를 안배하였다. 이를 본 역주서에서는 체례와 분량을 감안하여 제1책에 상평성 5권을, 제2책에 하평성 7권을, 제3책에 상성 4권을, 제4책에 거성 3권・입성 2권 및 복성 1권 등 6권을 분할 배치하고 말미에 전체 성씨 색인을 달아 검색에 편의를 제공하였다.

이 책은 시중에 표점본標點本이 출간되지 않아 사고전서본四庫全書本을 저본底本으로 하였다. 본 역주서의 작업은 이전의 주석서와 마찬가지로 '표점(구두점) 정리→교감→각주→번역'의 순차를 밟아 진행하였다. 이러한 일련의 작업은 개인의 천학비재淺學非才한 역량에 의존하였기에 오류가 있을 수 있다. 독자제현의 냉엄한 지적이 있으리라 생각한다. 끝으로 이 책의 출간을 위해 물심양면으로 도움을 주신 모든 분들에게 고개 숙여 깊이 감사드린다.

2016년 12월 23일

강원도 강릉시 청헌재淸軒齋에서 필자 씀

일 러 두 기

1 문연각흠정사고전서본 ≪씨족대전≫의 교감 및 역주 작업에 사용한 기호와 차서는 아래와 같다.

■ : 권제목卷題目 예) ■氏族大全卷一(씨족대전 권1)■

□ : 장제목章題目 예) □一東(1동)

◆ : 절제목節題目 예) ◆馮(풍씨)

▶ : 각 절제목 아래의 원문原文

▷ : 각 절제목 아래의 역문譯文

◇ : 항제목項題目 예) ◇能斷(판단력이 뛰어나다)

● : 각 항제목 아래의 원문原文

○ : 각 항제목 아래의 역문譯文

※ : 절제목 아래의 부록 예) ※女德婚姻(여덕과 혼인)

2 ≪씨족대전≫에 보이는 속자俗字나 통용되지 않는 이체자異體字는 저자의 의도나 문맥을 해치지 않는다고 판단되면 가급적 정자正字로 교체하였다. 단 자형에 차이가 많이 나는 것은 원전의 표기를 살렸다.

3 일상적인 한자어漢字語나 반복하여 출현하는 한자어인 경우는 우리말 뒤에 한자를 생략하였고, 원문에 동일한 한자어가 명기되어 있을 경우에도 가급적 우리말 뒤에 한자를 반복하여 명기하지 않았다. 다만 각주脚注에서는 모든 한자어 뒤에 괄호로 독음讀音을 명기하였는데, 우리말 독음은 본음本音이 아닌 두음법칙에 준한 한글 사전식 표기법에 의거하였음을 밝힌다. 한자어 뒤에 특별히 독음이나 해설을 보충할 때는 괄호를 사용하였지만, 한자를 우리말 뒤에 병기할 때는 괄호를 사용하지 않았다.

4 피휘자避諱字의 경우는 각 왕조의 황제의 이름으로 인한 경우 피휘하기도 하고 피휘하지 않기도 하였는데, 가급적 그 경위를 밝히려고 노력하였다.

5 각주는 양적인 문제 때문에 권卷이 바뀔 때마다 새 번호로 시작하

였다. 각주의 내용도 독자들의 편의를 위해 각 권을 단위로 새로 달았으나, 같은 권 안에서는 처음 출현했을 때만 각주를 달고 재차 출현하였을 경우는 중복을 피하기 위해 각주를 달지 않았다. 아울러 각주의 내용은 문맥을 이해하는 데 도움이 되는 내용을 위주로 기술하였다.

6 고유명사, 즉 인명人名이나 서명書名·지명地名·직명職名·연호年號 등의 경우 문장의 이해에 필요하다고 판단되는 경우에는 각주를 달았지만 일반적으로 널리 알려졌거나 본문을 통해 어느 정도 윤곽을 인지할 수 있는 경우는 생략하였다. 단, 현전하는 문헌으로 고증할 수 없는 경우는 그 연유를 밝혔다.

7 인명의 경우 자字나 호號·자호自號·묘호廟號·시호諡號·봉호封號·관호官號 등 별칭으로 표기된 경우, 특별한 경우가 아니면 일괄적으로 별칭을 앞에 적고 실명을 뒤에 적어서 이해하기 쉽도록 하였다. 아울러 인명 앞에는 독자의 이해를 돕기 위해 가급적 왕조명을 괄호로 병기하였다.

8 서명의 경우 사고전서본四庫全書本·속수사고전서본續修四庫全書本·사고전서존목총서본四庫全書存目叢書本 등의 명칭을 위주로 표기하였다. 단 십삼경주소본十三經注疏本은 '주소注疏'라는 명칭을 생략하고, ≪역경易經≫ ≪서경書經≫ ≪시경詩經≫ ≪좌전左傳≫ ≪공양전公羊傳≫ ≪곡량전穀梁傳≫ ≪주례周禮≫ ≪의례儀禮≫ ≪예기禮記≫ ≪논어論語≫ ≪맹자孟子≫ ≪효경孝經≫ ≪이아爾雅≫ 등 일반적인 통용 명칭을 사용하였다.

9 지명의 경우 지금의 성省 단위 행정 체계는 명청明淸 때부터 윤곽이 잡히기 시작하였다. 따라서 비록 고대의 행정 구역과 현대의 행정 구역에 다소 차이가 있더라도 고대 명칭을 그대로 사용하되 독자의 이해를 돕기 위해 현대의 성 명칭을 괄호로 앞에 병기하였음을 밝힌다.

10 이 책에서는 서문에서도 밝혔다시피 각 성씨의 말미에 성씨와 관련없는 어휘도 나열하였는데, 그중에는 정확한 내용을 알 수 없는

것들도 일부 있다. 이 경우 필자가 파악하지 못 한 것은 유보하는 의미에서 각주에 '미상'이란 말로 표기하였음을 밝힌다. 박물군자가 밝혀주기를 기대한다.

목 차

■氏族大全卷十一■

■氏族大全卷十二■

■氏族大全卷六■

□一先[1] (1선) 이하 下平聲(하평성)

◆田(전씨)

▶徵音. 鴈門. 陳厲公子名完, 謚敬仲, 仕齊, 以陳字爲田氏.

▷음은 치음에 속하고 본관은 (산서성) 안문군이다. (춘추시대) 진나라 군주 여공의 아들은 성명이 '진완陳完'이고 시호가 '경중'인데 제나라에서 벼슬길에 올라 '진'자를 '전'씨로 바꿨다.

◇貧賤驕人(빈천하기에 남에게 교만하게 굴다)

●田子方, 魏文侯以爲師. 文侯之子擊遇於道, 下車伏謁, 子方不爲禮. 擊問曰, "貧賤者驕人乎? 富貴者驕人乎?" 曰, "亦貧賤者驕人耳."(史記)

○(전국시대 때) 전자방을 위나라 문후는 스승으로 모셨다. 문후의 아들 위격魏擊이 길에서 그를 만나자 수레에서 내려서는 엎드려 인사를 올렸지만 전자방은 예를 표하지 않았다. 위격이 물었다. "빈천한 자가 남에게 교만하게 구는 법입니까? 아니면 부귀한 자가 남에게 교만하게 구는 법입니까?" 그러자 전자방이 대답하였다. "당연히 빈천한 자가 남에게 교만하게 굴기 마련이지요."(≪사기·위세가魏世家≫ 권44)

◇食客三千(식객이 3천 명이나 되다)

●田文, 號孟嘗君[2]. 父嬰, 號靖郭君, 齊威王公子也. 相齊十一年, 有子

---

1) 一先(일선) : 하평성下平聲 가운데 '첫 번째 선운先韻'을 뜻한다. 앞의 수치는 순차를 가리키고, 뒤의 '선先'은 운목韻目을 가리킨다. 독자의 이해를 돕기 위해 '이하 하평성'을 첨기한다.

2) 孟嘗君(맹상군) : 전국시대 제齊나라의 현자 전문田文의 호. '설공薛公'이라는 봉호封號로 불리기도 하였다. 진秦나라에 사신으로 갔다가 소왕昭王에게 살해될 뻔하였으나 '계명구도鷄鳴狗盜'하는 수하 덕택에 무사히 귀환한 고사로 알려졌다. 조趙나라 평원군平原君·위魏나라 신릉군信陵君·초楚나라 춘신군春申君과 함께 사공자四公子로 유명하다. ≪사기·맹상군전문전孟嘗君田文傳≫

四十餘人. 文賤妾子也, 以五月五日生, 長而豪俠. 招致天下賢士, 食客常數千人.

○(전국시대 때) 전문은 호가 맹상군이다. 부친 전영田嬰은 호가 정곽군으로 제나라 위왕의 공자이다. 11년 동안 제나라에서 승상을 지내며 아들을 40명 넘게 두었다. 전문은 천첩의 자식이지만 5월 5일 단오절에 태어나 자라서는 호탕하고 의협심이 강한 인물이 되었다. 천하의 현사들을 초빙하여 식객이 늘 수천 명에 달했다.

◇黃金橫帶(황금을 허리에 차다)

●田單多智習兵, 仕齊, 守卽墨[3], 用火牛[4]之策, 大破燕軍, 復齊七十餘城. 襄王封爲安平君. 攻狄不下, 問於魯仲連[5]. 對曰, "將軍之在卽墨, 坐則織簣[6], 立則杖揷[7], 有死之心, 無生之氣. 今將軍西有淄上之娛, 東有夜邑[8]之奉, 黃金橫帶[9], 而騁乎淄澠[10]之間, 有生之樂, 無死之心." 單厲氣巡城, 明日乃下.

○(전국시대 때) 전단은 지략이 뛰어나고 병법을 잘 알아 제나라에서 벼슬길에 올라 (산동성) 즉묵성을 지켰는데, 소꼬리에 불이 붙은 섶을 매다는 화공책을 활용하여 연나라 군대를 대파하고 제나라가 빼

권75 참조.

3) 卽墨(즉묵) : 전국시대 제齊나라 때 산동성에 설치한 현 이름이자 성 이름.

4) 火牛(화우) : 소꼬리에 불을 붙인 섶을 매달아 적진으로 돌격하게 하는 전술을 이르는 말.

5) 魯仲連(노중련) : 전국시대 제齊나라 사람. 조趙나라와 위魏나라를 설득하여 진秦나라를 물리치고, 연燕나라 장수를 설득하여 요성聊城을 돌려받기도 하였다. 공로를 세우고도 아무런 대가를 받지 않은 고사로 유명하다. ≪사기·노중련전≫권83 참조.

6) 織簣(직궤) : 대가지로 삼태기를 짜다. 자신만만하고 여유있는 태도를 상징한다.

7) 杖揷(장삽) : 가래를 손에 들다. '삽揷'은 '삽臿'과 통용자. 열심히 일하는 것을 상징한다.

8) 夜邑(야읍) : 전국시대 때 제齊나라가 산동성에 설치한 고을 이름. 전단田單의 봉토를 가리킨다.

9) 橫帶(횡대) : 허리에 차다.

10) 淄澠(치승) : 두 강물인 치수淄水와 승수澠水를 아우르는 말.

앗겼던 성 70여 군데를 수복하였다. 그래서 양왕이 그를 안평군에 봉하였다. 뒤에 (북방의) 적족을 공략하였으나 함락하지 못 하자 노중련에게 물었다. 그러자 노중련이 대답하였다. "장군께서 즉묵성에 계실 때는 앉으면 삼태기를 짜고 서면 가래를 손에 들고서 죽음을 각오하는 마음을 가지되 삶에 대한 미련이 없으셨습니다. 그런데 지금 장군께서는 서쪽으로 치수 가에서 노닐고 동쪽으로 야읍에서 바치는 예물을 누리며 황금을 허리에 찬 채 치수와 승수 일대에서 마음껏 노니시니 삶의 환락을 누리되 죽음을 각오하는 마음이 없으십니다." 전단이 분발하여 성을 순시하더니 이튿날 드디어 함락시켰다.

◇司馬兵法(≪사마병법≫)

●田穰苴, 田完之苗裔[11]也. 齊景公以爲將, 曰, "將受命之日, 則忘其家, 臨軍約束[12], 則忘其親, 援枹鼓之, 則忘其身." 齊威王使大夫[13]追論司馬[14]兵法, 附穰苴於其中, 號曰司馬穰苴兵法.

○(춘추시대 때 사람) 전양저는 전완의 후예이다. 제나라 경공이 자신을 장군에 임명하자 "왕명을 받는 날에는 가족을 잊고, 군대 앞에서 군법을 시행할 때는 부모를 잊고, 북채를 잡고서 북을 울리고 전투할 때는 자기 몸을 잊어야 합니다"라고 하였다. (전국시대 때) 제나라 위왕은 대부에게 ≪사마병법≫을 정리케 하면서 그속에 전양저의 병법을 덧붙이고는 ≪사마양저병법≫이라고 이름 지었다.

---

11) 苗裔(묘예) : 후예, 후손.

12) 約束(약속) : 구속하다, 제약하다. 여기서는 군율이나 군법을 가리킨다.

13) 大夫(대부) : 주周나라 때 신분 구분인 공公·경卿·대부大夫·사士의 하나. 삼공三公과 구경九卿 아래로 상대부上大夫·중대부中大夫·하대부下大夫가 있고, 그 밑으로 다시 상사上士와 중사中士·하사下士가 있었다. 후대에는 벼슬아치에 대한 범칭汎稱으로 쓰기도 하였다.

14) 司馬(사마) : 벼슬 이름. 주周나라 때는 육경六卿의 하나인 하관夏官으로서 군사를 관장하였고, 한나라 때는 삼공三公의 하나로서 재상이 되기도 하였다. 한나라 이후로는 왕부王府나 승상부丞相府·장군부將軍府 등에서 병마兵馬를 관장하던 벼슬이 되었고, 당나라 이후로는 주로 별가別駕·장사長史·녹사참군사錄事參軍事·참군사參軍事·녹사錄事·승丞·문학文學 등과 함께 자사刺史의 속관이 되었다. '사마병법'은 고대 병법서로 저자는 알려지지 않았다.

◇學黃老術(황로술을 배우다)

●田叔學黃老術[15]，事趙王，張敖爲郎中[16]．敖得罪，叔隨之至長安，事白．高祖召，與語，漢廷臣無出其右[17]者．拜漢中[18]守，後爲魯相[19]．少子仁．

○전숙이 황로술을 배워 조왕을 섬길 때 장오가 낭중을 맡았다. 장오가 죄를 짓자 전숙이 그를 따라 (섬서성) 장안에 도착해 사안을 아뢰었다. (전한) 고조가 그를 불러 대화를 가졌는데 한나라 조정 신하 가운데 그보다 뛰어난 자가 없었다. (섬서성) 한중군의 태수를 배수받았다가 뒤에 노국의 승상을 지냈다. 막내아들은 전인田仁이다.

◇一言寤意(한 마디 말로 황제의 생각을 깨우치다)

●田千秋[20]訟戾太子[21]寃，拜大鴻臚[22]．一言寤意，旬月[23]取宰相，封富民侯．

---

15) 黃老術(황로술) : 도교道敎에서 시조로 모시는 황제黃帝와 노자老子의 방술方術을 가리키는 말. '황로학黃老學'이라고도 한다.
16) 郞中(낭중) : 진한秦漢 이후 왕실의 호위와 시종을 관장하던 벼슬. 삼서三署의 관원인 오관중랑장五官中郞將·좌중랑장左中郞將·우중랑장右中郞將을 설치하여 관장케 하였다. 당송唐宋 때는 상서성尙書省 소속 육부六部의 산하 기관인 4사司(총 24사司)의 실무를 관장하는 기관장의 명칭이 되었다.
17) 出其右(출기우) : 그의 오른쪽으로 벗어나다. 즉 더 뛰어난 것을 말한다.
18) 漢中(한중) : 섬서성의 속군屬郡 이름. 후한 말엽 조조曹操의 '계륵鷄肋' 고사로 유명하다.
19) 魯相(노상) : 한나라 때 제후국인 노국魯國의 승상을 이르는 말.
20) 田千秋(전천추) : 전국시대 전제田齊의 후손으로 전한 무제武帝 때 대홍려大鴻臚와 승상 등을 역임하고 부민후富民侯에 봉해졌다. 소제昭帝가 그의 나이를 배려하여 수레를 타고 궁중을 출입할 수 있게 해 주어 '차천추車千秋'로도 불렸기에 후손들이 성씨를 '차'씨로 바꾸었다. ≪한서·차천주전≫권66 참조.
21) 戾太子(여태자) : 전한 무제武帝의 아들 유거劉據. '여戾'는 시호. 무제의 아들 여섯 명 가운데 무제와 위황후衛皇后 사이에 태어난 장남으로 일곱 살에 황태자에 책립되었으나 뒤에 전쟁에 패해 무제의 노여움을 샀고, 망명하여 폐위당했다. 모친의 성씨를 따서 '위태자衛太子'로도 불렸다. ≪한서·무오자전武五子傳·여태자유거전≫권63 참조.
22) 大鴻臚(대홍려) : 한나라 때 제후나 외국 사신의 알현을 주관하는 일을 관장하던 벼슬로 구경九卿의 하나. 뒤에는 '홍려경鴻臚卿'으로 개칭되었다.
23) 旬月(순월) : 10개월, 혹은 몇 개월. '수월數月'로 된 문헌도 있다.

○(전한) 전천추(?-B.C.77)는 (무제武帝의 장남인) 여태자의 억울함을 풀어주어 대홍려를 배수받았다. 한 마디 말로 황제의 생각을 깨우쳤기에 몇 개월 뒤에 재상에 오르고 부민후에 봉해졌다.

◇推轂(인재를 추천하다)

●田蚡, 漢景[24]王皇后母弟[25]也. 好儒術, 學盤盂[26]諸書.(孔甲有盤盂二十六篇) 武帝卽位, 蚡以肺腑爲相, 推轂[27]趙綰・王臧等. 所言皆聽, 封武安侯.

○전분(?-B.C.131)은 전한 경제의 부인인 왕황후의 동모 남동생이다. 유학을 좋아하여 ≪반우≫ 등 여러 서책을 공부하였다.(황제黃帝의 신하인 공갑이 ≪반우≫ 26편을 남겼다) 무제가 즉위하자 전분은 진심어린 충정을 인정받아 재상에 올라서 조관・왕장 등을 천거하였다. 그가 하는 말을 황제가 다 경청하더니 무안후에 봉해졌다.

◇荊株復茂(박태기나무가 다시 무성해지다)

●田眞[28]兄弟三人. 堂前有紫荊[29]一株, 茂甚, 共議破之爲三, 未幾, 枯死. 兄弟曰, "木同株, 因分析而憔悴, 況人兄弟, 孔懷[30]而可離乎?" 相

---

24) 漢景(한경) : 전한 경제景帝의 약칭.
25) 母弟(모제) : 부친은 다르나 같은 어머니에게서 태어난 남동생을 가리킨다. ≪사기・전분전≫권107과 ≪한서・전분전≫권52에서는 '동모제同母弟'라고 하여 전분田蚡과 전한 경제景帝의 부인인 왕황후王皇后가 동모同母 남매지간임을 명시하였다.
26) 盤盂(반우) : 그릇에 대한 총칭. 둥근 그릇을 '반盤'이라고 하고, 네모난 그릇을 '우盂'라고 한 데서 유래하였다. 여기서는 그릇에 새겨진 문구를 가리키는 말로서 ≪한서・예문지≫권30에 황제黃帝 때 신하인 공갑孔甲이 ≪반우≫ 26편을 지었다고 하였으나 오래 전에 실전되어 그 내용은 알려지지 않았다.
27) 推轂(추곡) : 장수가 출정할 때 황제가 격려의 뜻으로 수레바퀴를 밀어 주는 의식에서 유래한 말로 선비를 우대하여 천거하거나 뒤를 봐주는 것을 뜻한다.
28) 田眞(전진) : 위의 예문이 남조南朝 양梁나라 오균吳均(469-520)이 지은 소설류의 저술인 ≪속제해기續齊諧記≫에 전하는 것으로 보아 가공의 인물일 가능성이 높아 보인다.
29) 紫荊(자형) : 자색을 띤 가시나무인 박태기나무. 형제간의 우애를 상징한다.
30) 孔懷(공회) : 무척 그리워하다. 형제간의 우애를 읊은 ≪시경・소아小雅・상체常棣≫권16에서 유래한 말로 '공孔'은 '대大' '심甚'의 뜻.

感, 復合, 荊亦復茂.

○전진은 형제가 세 명이었다. 대청 앞에 박태기나무 한 그루가 무척 무성하게 자랐기에 그것을 셋으로 쪼개기로 상의하자 얼마 안 있어 말라죽고 말았다. 그러자 형제들이 말했다. "나무도 한 뿌리에서 자란 것을 쪼개려 하니 말라죽거늘, 하물며 사람이 형제로 태어나 서로 그리워하면서 떨어져 살아서야 되겠는가?" 형제가 서로 느끼는 바가 있어 다시 합치자 박태기나무도 다시 무성해졌다

◇泉石膏肓(자연을 사랑하는 은자)

●田游岩隱大白山, 後入箕山, 居許由[31]祠旁, 自謂爲東隣. 唐高宗幸嵩山, 親至其門, 田野服出拜曰, "臣所謂泉石膏肓[32], 烟霞痼疾[33]者." 召至京師[34], 拜崇文館學士[35], 宅居奉天宮左[36]. 天子自書榜其門曰, '隱士田游岩宅.' 與韓法昭・宋之問爲方外[37]友云.

○전유암은 (하북성) 태백산에 은거했다가 뒤에 기산으로 들어가 (당唐나라 요왕堯王 때 은자인) 허유의 사당 옆에 거주하며 자칭 ('동쪽

31) 許由(허유) : 당唐나라 요왕堯王 때 은자로 알려진 전설상의 인물. 요왕이 왕위를 선양하려고 하자 하북성 기산箕山에 은거하였고, 구주장九州長을 맡기려고 하자 영수潁水에서 귀를 씻었다는 고사가 진晉나라 황보밀皇甫謐(215-282)의 ≪고사전高士傳・허유≫권상에 전한다.

32) 泉石膏肓(천석고황) : 샘물과 바위를 좋아하는 병이 고황에 들다. 자연을 사랑하는 은자를 비유한다. '고황膏肓'은 심장과 횡경막 사이를 가리키는 말로, 여기에 병이 나면 치료가 어렵기 때문에 불치병이나 난치병을 의미한다.

33) 煙霞痼疾(연하고질) : 안개와 노을을 좋아하는 마음이 병이 되다. 자연을 사랑하는 은자를 비유한다.

34) 京師(경사) : 서울, 도읍을 이르는 말. 송나라 주희朱熹(1130-1200) 설에 의하면 '경京'은 높은 지대를 뜻하고, '사師'는 많은 사람을 뜻한다. 즉 높은 산에 의지하여 많은 사람이 모여 사는 곳이란 뜻에서 유래하였다. 여기서는 당나라 때 도성인 섬서성 장안을 가리킨다.

35) 學士(학사) : 위진魏晉 이후로 문학과 저술을 관장하던 벼슬. 당송唐宋 때는 학사원學士院을 두어 제고制誥를 전담케 하여 요직으로 꼽혔다. 홍문관학사弘文館學士・집현전학사集賢殿學士・숭문관학사崇文館學士 등이 있었으나 보통은 한림학사翰林學士를 지칭하는 말로 쓰였다. 또한 5품 이상은 학사, 6품 이상은 직학사直學士라고 구분하기도 하였다.

36) 左(좌) : 황제가 남향했을 때의 왼쪽, 즉 동쪽을 가리킨다.

37) 方外(방외) : 속세 밖, 선경仙境을 뜻하는 말.

이웃'이란 의미에서) '동린'이라고 하였다. 당나라 고종이 (하남성) 숭산에 행차했다가 몸소 그의 집을 방문하자 전유암은 야인의 복장을 한 채 나와서 절을 올리고는 말했다. "신은 이른바 샘물과 바위를 좋아하는 불치병에 걸리고, 안개와 노을을 좋아하는 고질병이 있는 은자이옵니다." 고종의 부름을 받아 (섬서성 장안의) 경사에 도착해서 숭문관학사를 배수받고 봉천궁 동쪽에 거처하였다. 천자가 손수 그의 대문 문패에 '은자 전유암의 집'이란 글을 적어 주었다. 한법소·송지문과 (속세를 초월한 관계인) '방외우'로 지냈다고 한다.

◇三世金吾(삼대에 걸쳐 금오장군을 지내다)

●田仁會仕唐, 爲平州刺史. 歲旱, 自暴[38]祈雨, 雨大至. 民歌曰, "父母育我兮田使君[39], 挺精誠兮上天聞. 中田致雨兮山出雲, 倉廩充實兮禮義申. 君常在兮不患貧." 遷右金吾[40]. 子歸道, 歸道子賓延, 三世竝爲金吾將軍.

○전인회는 당나라에서 벼슬길에 올라 (요녕성) 평주자사를 지냈다. 그해에 가뭄이 들어 자신을 희생해 기우제를 지내자 비가 크게 내렸다. 그래서 백성들이 다음과 같은 노래를 지었다. "부모님처럼 우리를 돌보시는 이는 바로 전사군(전인회), 온갖 정성을 다 쏟으시니 하느님도 그 소리를 들으셨네. 밭에서 비를 부르자 산에서 구름이 나와, 창고에 곡식을 가득 채우고 예의를 펼칠 수 있게 되었으니, 사군께서 늘상 계신다면 가난을 걱정할 일 없으리." 우금오장군으로 승진하였다. 아들은 전귀도田歸道(?-약 706)이고 전귀도의 아들은

38) 自暴(자폭) : 손수 햇볕에 맨몸을 드러내다. 스스로 희생하여 제를 올리는 것을 말한다. '폭暴'은 '폭曝'과 통용자.
39) 使君(사군) : 한나라 이후로 임금의 명을 받들고 외국에 사신으로 나가는 사람이나 지방에 내려가 근무하는 자사刺史·태수太守 등에 대한 존칭.
40) 右金吾(우금오) : 천자의 금위군禁衛軍을 통솔하는 최고위 무장인 십이위대장군十二衛大將軍 가운데 하나. ≪당육전唐六典≫권24에 의하면 십이위대장군十二衛大將軍은 좌우위左右衛·좌우효위左右驍衛·좌우무위左右武衛·좌우위위左右威衛·좌우영군위左右領軍衛·좌우금오위대장군左右金吾衛大將軍의 12명을 가리킨다.

전빈연田賓延으로 삼대에 걸쳐 나란히 금오장군을 지냈다.

◇聚書萬卷(서책을 만 권 모으다)

●田弘正初名興, 性忠孝. 好功名, 起樓聚書, 至萬餘卷. 唐憲宗時爲魏博[41]節度使[42]. 來朝, 上燕見麟德殿, 眷勞殊等, 進侍中[43]. 子布平蔡[44], 凡十八戰有功, 授御史中丞[45], 爲河陽節度使. 弘正徙成德軍[46]節度使, 父子同日拜命, 當時榮之.

○전홍정(764-821)은 본명이 '흥興'으로 천성적으로 충심과 효성이 깊었다. 공명을 좋아하여 누각을 짓고는 서책을 만 권 넘게 모았다. 당나라 헌종 때 (하북성 위주와 박주 일대를 관장하는) 위박절도사에 임명되었다. 그가 입조하자 헌종은 인덕전에서 연회를 베풀고 접견하면서 그에게 남다른 총애를 베풀더니 시중으로 승진시켰다. 아들 전포田布(785-822)는 (하남성) 채주를 평정하면서 도합 열여덟 번의 전투에서 공로를 세워 어사중승을 배수받고 (하남성) 하양절도사에 임명되었다. 전홍정이 (산서성) 성덕군절도사로 옮기면서 부자가 같은 날 임명을 받았기에 당시 사람들이 이를 무척 영예스러운

---

41) 魏博(위박) : 당나라 때 하북성 위주魏州와 박주博州 일대에 설치한 번진藩鎭 이름. ≪신당서≫권210에 '번진위박열전藩鎭魏博列傳'이 있다.

42) 節度使(절도사) : 당송唐宋 때 한 도道나 여러 주州의 군사·민정·재정 등을 관할하던 벼슬. 송 이후로는 실권이 없이 직함만 있었다.

43) 侍中(시중) : 황제의 측근에서 기거起居를 보살피고 정령政令을 집행하는 일을 관장하는 벼슬. 진晉나라 이후로 재상의 지위에까지 오르고, 수나라 때 납언納言 혹은 시내侍內라고 하였으며, 당송 이후로는 조정의 주요 행정 기관인 삼성三省 가운데 문하성門下省의 수장首長이 되었다.

44) 蔡(채) : 당나라 때 오원제吳元濟(783-817)가 반란을 일으킨 근거지인 하남성 채주蔡州를 가리킨다.

45) 御史中丞(어사중승) : 관리들의 비행을 규찰하고 탄핵하는 업무를 관장하는 기관인 어사대御史臺에서 어사대부御史大夫 다음 가는 벼슬. 시대마다 차이는 있으나 당송唐宋 때는 어사대부 휘하에 어사중승 외에도 시어사侍御史·전중시어사殿中侍御史·감찰어사監察御史 등이 있었다.

46) 成德軍(성덕군) : 당나라 때 설치한 군사 행정 구역 이름. ≪신당서·지리지≫권38의 '성덕군절도사成德軍節度使' 항에 "치소治所는 (산서성) 항주에 있고, 항주·조주·기주·심주 등 네 주를 관장한다(治恒州, 領恒·趙·冀·深四州)"고 하였다.

일로 여겼다.

◇御覽三十卷(≪어람≫ 30권을 바치다)

●田錫, 字表聖, 宋眞宗至道[47]中, 擢知制誥[48]. 召對, 上御覽三十卷·御屛風五卷, 詔褒之. 上嘗目之曰, "朕之汲黯[49]也!"

○전석(940-1004)은 자가 표성으로 송나라 태종 지도(995-997) 연간에 지제고에 발탁되었다. 태종의 부름을 받고 대면하는 자리에서 ≪어람≫ 30권과 ≪어병풍≫ 5권을 바치자 조서를 내려 포상하였다. 태종이 일찍이 그를 가리켜 "짐에게는 (전한) 급암과 같은 존재로다!"라고 말한 적이 있다.

◇照天蠟燭(하늘을 비추는 촛불 같은 인물)

●田況, 字元均, 治蜀, 人不忍欺, 號之曰'照天蠟燭,' 言聽斷明也. 天下顒顒[50], 望以爲宰相, 致太平. 宋嘉祐[51]中, 拜樞使[52].

○전황(1005-1063)은 자가 원균으로 (사천성) 촉주를 다스리자 사람들이 차마 속임수를 쓰려고 하지 않으며 그를 '조천납촉'이라고 불렀는데, 이는 송사를 듣고서 판단하는 것이 무척 명쾌하다는 말이다. 천하 사람들은 그를 흠모하여 재상이 되어서 태평성대를 이루기를 소망하였다. 송나라 (인종) 가우(1056-1063) 연간에 (추밀원의 장관인) 추밀사에 올랐다.

---

47) 至道(지도) : 북송北宋 태종太宗의 연호(995-997). 따라서 앞의 진종은 태종의 오기이다.

48) 知制誥(지제고) : 황명의 초안을 작성하는 일이나 그러한 업무를 관장하는 벼슬을 이르는 말.

49) 汲黯(급암) : 전한 무제武帝 때 사람(?-B.C.112). 자는 장유長孺. 태자선마太子洗馬·알자謁者·회양태수淮陽太守 등을 역임하였고, 황제의 면전에서 직간을 잘 하여 무제武帝가 그를 '사직지신社稷之臣'이라고 칭찬하였다. ≪사기·급암전≫권120, ≪한서·급암전≫권50 참조.

50) 顒顒(옹옹) : 사모하는 모양, 기대하는 모양.

51) 嘉祐(가우) : 북송北宋 인종仁宗의 연호(1056-1063).

52) 樞使(추사) : 군정을 관장하는 기관인 추밀원樞密院의 장관 추밀사樞密使의 약칭.

●田何受易於孫虞, 虞以傳丁寬, 寬以傳田王孫, 王孫以傳施仇・孟喜等. 漢言易者, 本之田何.

○전하는 손우에게 ≪역경≫을 전수하였고, 손우는 정관에게 전수하였으며, 정관은 전왕손에게 전수하였고, 전왕손은 시구와 맹희 등에게 전수하였다. 한나라 때 ≪역경≫을 연구한 사람들은 전하에 뿌리를 두었다.

●田延年, 字子賓. 宣帝之立, 延年以決疑定策, 封陽城侯.

○(전한) 전연년(?-B.C.72)은 자가 자빈이다. 선제가 즉위하자 전연년이 의문을 해결하고 정책을 결정하고는 양성후에 봉해졌다.

●田鳳, 字季宗, 爲郎[53]. 靈帝過其署曰, "堂堂乎! 張[54]京兆[55]田郎!"

○(후한) 전봉은 자가 계종으로 낭관을 지냈다. 영제가 그의 관서에 들러 "당당하구나! 경조부의 전랑은!"이라고 말한 적이 있다.

●田神功折節[56]謙損[57]. 唐大曆[58]中, 爲右僕射[59].

○전신공(?-774)은 자신을 낮추며 겸손한 태도를 견지하였다. 당나라 (대종) 대력(766-779) 연간에 우복야를 지냈다.

---

53) 郎(낭) : 황제의 호위와 시종・자문 등을 맡은 시종관侍從官에 대한 총칭. 의랑議郎・중랑中郎・상서랑尙書郎・시랑侍郎・낭중郎中・원외랑員外郎 등 다양한 직책이 생겼다.

54) 張(장) : 위의 예문은 후한 조기趙岐(약108-201)의 ≪삼보결록三輔決錄≫권2에 실린 기록을 인용한 것인데, 원문에 의하면 연자衍字이다.

55) 京兆(경조) : 한나라 때 도성 일대를 가리키는 말인 경조부京兆府의 약칭. 뒤에는 도성 일대의 속군屬郡으로 설치하기도 하였다.

56) 折節(절절) : 절조를 꺾다. 은거의 뜻을 접거나 몸을 낮추는 것을 말한다.

57) 謙損(겸손) : 겸손하고 사양을 잘 하다. '겸손謙遜'과 뜻이 유사하다.

58) 大曆(대력) : 당唐 대종代宗의 연호(766-779).

59) 僕射(복야) : 진秦나라 때 처음 설치되었고, 한나라 때는 5상서尙書 가운데 한 명을 복야에 임명하여 조정의 핵심 행정 기관인 상서성尙書省의 업무를 총괄하게 하였는데, 뒤에 권한이 막강해지자 좌・우복야를 두면서 당송唐宋 때까지 지속되었다. 보통 승상丞相의 지위를 겸하였다.

※婚姻(혼인)

●田敬仲[60]完, 懿氏卜妻[61]之曰, “吉. 是謂[62]‘鳳凰于飛.’”

○(춘추시대 진陳나라의 공자公子) 경중敬仲 전완田完에 대해 의씨의 아내가 점을 치고는 “길합니다. 이는 ‘봉황이 날아오른다’는 말입니다”라고 하였다.

●田豹, 晉人. 因令狐策[63], 求郡人張公徵女, 氷泮[64]成婚.

○전표는 진나라 때 사람이다. 영호책을 통해 고을 사람인 장공징의 딸에게 청혼하더니 얼음이 녹을 즈음에 결혼을 성사시켰다.

●藍田. 原田. 桑田[65]. 負郭田[66].

○(옥 생산지로 유명한 섬서성) 남전현. 농토. 뽕나무 밭. 성곽 밖에 있는 농토.

---

60) 敬仲(경중) : 춘추시대 진陳나라의 공자公子 전완田完의 자. 선공宣公의 아들인 태자太子 어구御寇가 살해되자 공자인 전손顓孫과 함께 제齊나라로 망명하였다.

61) 卜妻(복처) : 이는 ‘처복妻卜’으로 표기하는 것이 적절할 듯하다. 위의 예문은 ≪좌전左傳·장공莊公22년≫권8의 기록을 축약한 것인데, 원문에 의하면 의씨 가문에서 딸을 시집보내게 되어 점을 치자 의씨의 아내가 점괘에 대해 말한 것으로 되어 있다.

62) 謂(위) : 이는 현전하는 ≪시경≫에 실리지 않은 것으로 보아 일시逸詩 가운데 하나인 듯하다. 인용한 구절은 부부가 천생연분임을 비유한다.

63) 令狐策(영호책) : 진晉나라 때 술사. 그에 관한 기록은 ≪진서晉書·삭담전索紞傳≫권95에 간략히 전한다. ‘영호’는 복성複姓.

64) 氷泮(빙반) : 얼음이 녹다. 음력 2월 중춘仲春 무렵을 가리킨다. ‘반泮’은 ‘판判’으로 표기한 문헌도 있다.

65) 桑田(상전) : 뽕나무 밭. 인생무상을 의미하는 상전벽해桑田碧海의 준말.

66) 負郭田(부곽전) : 성곽 밖의 밭. 전국시대 소진蘇秦(?-B.C.284)이 육국六國의 공동재상이 된 뒤 전에 자신을 박대했던 가족들 앞에서 “만약 내게 (하남성) 낙양성 밖에 밭이 2경 있었더라면, 내가 어찌 육국 재상의 도장을 허리에 찰 수 있으리오?(使我有雒陽負郭田二頃, 吾豈能佩六國相印乎?)”라고 개탄했다는 ≪사기·소진전≫권69의 고사에서 유래한 말로, 세속적인 부귀영화를 추구하지 않고 편안하게 은거생활을 누리는 것을 상징한다.

◆錢(전씨)

▶徵音. 彭城. 顓帝[67]曾孫陸終生彭祖[68], 孫孚爲周錢府[69]上士[70], 因官爲氏.

▷음은 치음에 속하고 본관은 (강소성) 팽성현이다. (전설상의 임금인) 전욱顓頊 황제의 증손자인 육종이 팽조를 낳고, 그의 손자인 팽부彭孚가 주나라 때 전부를 관장하는 상사를 지냈기에 그참에 관직 이름을 성씨로 삼은 것이다.

◇詩中首選(시로 장원급제를 차지하다)

●錢起, 晚唐人. 少時寓驛舍, 聞人吟二句云, "曲終人不見, 江上數峯靑." 後十年, 就進士試, 試'湘靈[71]皷瑟[72]'詩. 起詩旣成, 思結句未得, 忽憶初年所聞驛舍二句以結之. 試官[73]李暐曰, "神句也!" 遂中首選[74]. 官至翰林學士[75]. 錢翊, 起之諸孫, 工詩. 有雪晴早朝詩[76]云, "紫微[77]晴

---

67) 顓帝(전제) : 전설상의 임금인 오제五帝 가운데 두 번째 황제인 전욱顓頊의 별칭. 씨氏는 '고양高陽'이고, 성姓은 '희姬'이며, 황제黃帝의 증손자이다. ≪제왕세기 · 오제≫권2 참조.

68) 彭祖(팽조) : 육종씨陸終氏의 셋째 아들로 하夏나라에서 은殷나라 말엽까지 8백 년을 살았다고 전하는 전설상의 인물. 성은 '전籛'이고, 이름은 '갱鏗'인데, 팽성彭城에 봉해진 조상이란 의미에서 '팽조'라는 별칭을 얻었다. 그에 관한 전기는 전한 유향劉向(약B.C.77-B.C.6)의 ≪열선전列仙傳≫권상과 진晉나라 갈홍葛洪(284-363)의 ≪신선전神仙傳≫권1에 보인다.

69) 錢府(전부) : 주周나라 때 재물을 관장하던 아홉 개의 관서인 구부九府 가운데 하나. ≪사기 · 화식열전貨殖列傳≫권129의 당나라 장수절張守節 정의正義에 의하면 '구부'는 태부太府 · 옥부玉府 · 내부內府 · 외부外府 · 천부泉府 · 천부天府 · 직내職內 · 직금職金 · 직폐職幣를 가리키는데, '천泉'과 '전錢'은 통용자였으므로 돈을 보관하는 '전부'는 '천부泉府'의 별칭으로 추정된다.

70) 上士(상사) : 주나라 때 신분 구분의 하나. 공경公卿 아래로 상대부上大夫 · 중대부中大夫 · 하대부下大夫가 있고, 그 밑으로 다시 상사上士와 중사中士 · 하사下士가 있었다.

71) 湘靈(상령) : 상수湘水의 수신水神을 이르는 말. 당唐나라 요왕堯王의 딸이자 우虞나라 순왕舜王의 황후인 아황娥皇과 여영女英 이비二妃가 순왕이 죽은 뒤 슬픔을 못 이겨 상수에 투신자살하여 수신이 되었다고 하는 상비湘妃를 가리킨다고 보는 설도 있다.

72) 皷瑟(고슬) : 슬을 연주하다. '고皷'는 '고鼓'의 속자.

73) 試官(시관) : 시험감독관. '고관考官' '주고主考' '주문主文'이라고도 한다.

74) 首選(수선) : 장원급제를 뜻하는 말. 따라서 앞의 '중中'은 동사이므로 거성去聲(zhòng)으로 읽는다.

75) 翰林學士(한림학사) : 당나라 현종玄宗 때 처음 설치된 한림원翰林院 소속 학사를 이르는 말. 황명이나 상소문 등 주요 문서의 초안을 작성하고, 황제의 비

雪帶恩光, 遶仗偏隨鴛鷺行[78]. 長信[79]月留寧避曉? 宜春花滿不飛香."
錢起詩多佳篇, 後五卷[80]多翊所作.

○전기(722-780)는 만당 때 사람이다. 어려서 역사에 기거하였다가 어떤 사람이 다음과 같은 두 구절을 읊조리는 소리를 들었다. "곡이 끝나도 사람은 보이지 않고, 강가 봉우리 몇 군데만 푸르네." 10년 뒤에 진사과에 응시하여 '상수의 수신이 슬을 연주하다'라는 제목의 시로 시험을 치르게 되었다. 전기가 시를 완성하고 나서 마지막 구절을 떠올렸지만 떠오르지 않다가 갑자기 어렸을 때 역사에서 들었던 두 구절이 생각나 그것으로 끝을 맺었다. 그러자 시험감독관인 이위가 "신이 만든 구절이로다!"라고 감탄해 하였다. 그래서 결국 장원급제를 차지하였다. 관직은 한림학사까지 올랐다. 전익은 전기의 손자 가운데 한 명으로 시를 잘 지었다. 그가 남긴 <눈이 개 아침 일찍 입조하며 지은 시>에 "궁중에 눈이 개고 은혜스런 광택을 띠니, 빙두른 의장대가 원추새와 백로의 줄을 따르네. 장신궁에 머문 달 어찌 새벽을 피하랴마는, 봄날에 어울리게 꽃들 만발했건만 향기가 날리지 않는구나"라고 하였다. 전기의 시는 아름다운 작품이 많지만, 그의 문집 뒤의 5권에는 전익이 지은 것도 많이 섞여 있다.

답批答을 대필하는 등 조정의 주요 문서에 관한 일을 관장하였기에 매우 명예로운 직책으로 여겼다.

76) 詩(시) : 이는 칠언율시七言律詩 <원외랑 왕공이 눈이 갠 이른 아침에 입조하며 지은 시에 화답하다(和王員外晴雪早朝詩)> 가운데 수련首聯과 함련頷聯을 인용한 것으로 전기錢起(722-780)의 문집인 ≪전중문집錢仲文集·칠언사운근체45수七言四韻近體四十五首≫권9에 전한다.

77) 紫微(자미) : 황제의 궁전을 일컫는 말. 중서성의 별칭이기도 하다. 당나라 때 중서성을 자미성으로 개칭한 적이 있다. 결국 조정을 가리킨다.

78) 鴛鷺行(원로항) : 원추새와 백로가 줄 짓는 것을 뜻하는 말로 조정 관원의 반열을 비유한다.

79) 長信(장신) : 한나라 때 황제의 모친인 태후太后가 거처하던 궁궐 이름으로 여기서는 당나라 궁궐을 비유적으로 가리킨다.

80) 後五卷(후오권) : 당나라 전기錢起(722-780)의 문집인 ≪전중문집錢仲文集≫ 10권 가운데 뒤의 5권을 가리킨다.

◇衣錦城(비단옷을 입은 사람들의 성)

●錢鏐[81], 字具羔, 世居杭州. 唐昭宗時, 爲鎭海軍節度使, 改鏐所居爲衣錦城, 宴故老山林, 皆衣以錦. 幼年常與群兒戲里中大木下, 署其木曰, '衣錦將軍.' 梁太祖賜之玉帶一匣・打毬[82]御馬十匹. 唐莊宗賜之玉冊[83]・金印. 故東坡[84]表忠觀碑[85], 有'金劵[86]玉冊, 虎符[87]龍節[88]'之說. 卒[89], 謚武肅王. 子元瓘, 瓘子俶. 趙太祖[90]時來朝, 賜劍履上殿[91], 詔書不名[92]. 太宗時復來朝, 留爲大師[93], 中書令[94]四十年. 俶

---

81) 錢鏐(전유) : 당나라 말엽 동창董昌의 반란을 진압하여 진해진동군절도사鎭海鎭東軍節度使에 올라서 양절兩浙 12주州를 다스리며 오월국吳越國을 창건, 중원과 외교 관계를 유지하면서 농업과 상업・무역을 발전시켰다. ≪구오대사・세습열전世襲列傳・전유전≫권133 참조.

82) 打毬(타구) : 나무로 공을 만들고 말을 타고서 막대기로 치는 놀이를 이르는 말. '격국擊鞠'이라고도 한다. 가죽으로 주머니를 만들어 그 속에 모발을 채워 넣어서 발로 차는 '답국蹋鞠'이란 놀이와 유사한 점이 있다.

83) 玉冊(옥책) : 천자가 천명을 받을 때 나타난다는 옥으로 만든 상서로운 책을 이르는 말.

84) 東坡(동파) : 송나라 때 대문호인 소식蘇軾(1036-1101)의 호. 호북성 황주黃州로 폄적당했을 때 동파에 거주한 데서 비롯되었다. 저서로 ≪동파전집東坡全集≫ 115권이 전한다. ≪송사・소식전≫권338 참조.

85) 表忠觀碑(표충관비) : 이는 동명의 제목으로 ≪동파전집・비10수碑一十首≫권58에 전한다. '표충관'은 절강성 항주杭州 용산龍山에 있는 도관道觀 이름.

86) 金劵(금권) : 황제가 공신에게 대대로 특권을 누릴 수 있다는 서약을 적어 하사하는 신물信物인 철권鐵劵에 대한 미칭美稱. 전한 고조高祖가 건국공신에게 하사한 데서 유래하였는데, 당나라 때부터 금으로 상감象嵌하면서 '금권'이라고 하였다.

87) 虎符(호부) : 황제가 신하에게 병권 장악과 군대 이동을 할 수 있는 권한으로 주는 신표信標.

88) 龍節(용절) : 황제가 하사하는 부절 가운데 하나. ≪주례周禮・지관地官・장절掌節≫권15에 의하면 물이 많은 지역에 나가는 사신에게 주는 용처럼 생긴 부절을 가리킨다.

89) 卒(졸) : 사대부가 죽었을 때 쓰는 말. ≪예기・곡례하曲禮下≫권5에 의하면 천자의 죽음은 '붕崩'이라고 하고, 공경公卿의 죽음은 '훙薨'이라고 하며, 대부大夫의 죽음은 '졸卒'이라고 하고, 사士의 죽음은 '불록不祿'이라고 하며, 평민의 죽음은 '사死'라고 하여 신분에 따라 죽음에 대한 표현에도 차이를 두었다.

90) 趙太祖(조태조) : 송나라 태조太祖 조광윤趙匡胤(927-976)을 가리킨다.

91) 劍履上殿(검리상전) : '검을 차고 신발을 신은 채 내전에 오를 수 있다'는 말로 공신에게 내리는 최고의 예우이자 특권을 말한다.

92) 不名(불명) : 이름을 입에 올리지 않다. 특별히 예우하는 것을 말한다.

七子, 惟濬・惟治・惟渲・惟灝・惟溍・惟演・惟濟.

○전유(852-932)는 자가 구고로 대대로 (절강성) 항주에서 살았다. 당나라 소종 때 진해군절도사에 임명하고 그의 거처를 '의금성'이라고 개명해 주자, 산림에서 원로들에게 연회를 베풀고는 모두에게 비단옷을 입혔다. 어려서는 늘 다른 아이들과 고을의 커다란 나무 아래서 놀이를 하며 그 나무에 '의금장군'이란 이름을 지어 주었다. (오대) 후량 때 태조는 그에게 옥 장식 허리띠 하나와 타구용 어마 열네 마리를 하사하였고, 후당 장종은 그에게 옥책과 금도장을 하사하였다. 그래서 (송나라) 동파선생東坡先生 소식蘇軾의 <표충관에 쓴 비문>에 '금권・옥책・호부・용절'이란 말이 있다. 죽은 뒤 '무숙왕'이란 시호를 받았다. 아들은 전원관錢元瓘이고, 전원관의 아들은 전숙錢俶이다. 전숙은 (송나라) 태조 조광윤趙匡胤 때 입조하여 검을 차고 신발을 신은 채 내전에 오를 수 있는 예우를 받았고, 태종 때는 다시 입조하여 궁중에 머물며 태사에 오르고 40년 동안 중서령을 지냈다. 전숙의 아들 일곱 명은 전유준錢惟濬・전유치錢惟治・전유선錢惟渲・전유호錢惟灝・전유진錢惟溍・전유연錢惟演・전유제錢惟濟이다.

◇楊劉齊名(양억・유균과 나란히 이름을 떨치다)

●錢惟演, 字師聖, 幼有俊才. 父俶使賦遠山詩云, "高爲天一柱, 秀作海三峯[95]." 俶深器之. 嘗自謂人以不得於黃紙[96]後書名爲恨. 文學與楊億

93) 大師(태사) : 재상의 지위인 삼공三公, 즉 태사太師・태부太傅・태보太保 가운데 하나. 그러나 뒤에는 태위太尉・사도司徒・사공司空을 삼공으로 설치하고, '큰 스승'이란 의미에서 삼공보다 높여 별도로 '상공上公'이라고 하면서 '삼사三師'로 세우기도 하였다. '태大'는 '태太'와 통용자.

94) 中書令(중서령) : 위진魏晉 이래로 국가의 기무機務・조령詔令・비기祕記 등을 관장하는 최고 행정 기관인 중서성中書省의 장관.

95) 海三峯(해삼봉) : 바다의 세 봉우리. 동해東海에 신선이 산다는 전설상의 봉래산蓬萊山・방장산方丈山・영주산瀛洲山 등 삼신산三神山을 가리킨다.

96) 黃紙(황지) : 관리를 전형하거나 고과를 조정하여 조정에 보고할 때 쓰던 노란 종이인 황마지黃麻紙의 준말. 결국 중서성中書省의 고관에 오르는 것을 비유적으로 가리킨다.

・劉筠齊名. 家聚書, 侔於祕府[97]. 宋咸平[98]中, 除知制誥・翰林學士, 尋[99]知樞密[100]. 謚文僖公. 子暄, 暄子景臻, 景臻子忱. 自俶至忱, 四世節度.

○전유연(962-1034)은 자가 사성으로 어려서부터 빼어난 글재주가 있었다. 부친 전숙錢俶이 그에게 먼 산을 소재로 시를 짓게 하자 "높이는 하늘을 떠받히는 기둥이요, 빼어나기는 동해에 있는 삼신산이로다"라고 하였다. 그래서 전숙이 무척 대견스러워 하였다. 전유연은 일찍이 스스로 남들에게 (중서성의 고관에 올라) 황마지 뒤에 서명하지 못 하는 것이 한스럽다고 말한 적이 있다. 그러나 글재주와 학문으로 양억・유균과 나란히 이름을 떨쳤다. 집에 서책을 모은 것이 궁중의 비부와 맞먹었다. 송나라 (진종) 함평(998-1003) 연간에는 지제고와 한림학사를 제수받았다가 얼마 안 있어 추밀사에 올랐다. 시호는 '문희공'이다. 아들은 전훤錢暄이고, 전훤의 아들은 전경진錢景臻이며, 전경진의 아들은 전침錢忱이다. 전숙에서 전침에 이르기까지 사대에 걸쳐 절도사에 올랐다.

◇父子兄弟建節(부자와 형제가 함께 부절을 세우다)

●錢景臻, 官至少師[101], 子忱亦至少師. 宋朝父子建節[102]者十三家, 景臻父子其一也. 兄弟建節者七家, 錢忱・錢愐其一也.

○전경진은 관직이 소사까지 올랐고, 그의 아들 전침錢忱 역시 소사까지 올랐다. 송나라 때 부자가 함께 부절을 세운 경우가 열세 가문인

97) 祕府(비부) : 궁중의 기밀문서와 서책을 관장하는 기관인 비서성祕書省의 별칭. '비각祕閣'이라고도 한다.
98) 咸平(함평) : 북송北宋 진종眞宗의 연호(998-1003).
99) 尋(심) : 얼마 안 있어, 곧.
100) 知樞密(지추밀) : 당나라와 오대 때 군사軍事를 총괄하던 추밀원樞密院의 수장인 추밀사樞密使를 송나라 때 개칭한 이름인 지추밀사知樞密事, 혹은 지추밀원사知樞密院事의 약칭.
101) 少師(소사) : 천자의 작은 스승인 삼고三孤, 즉 소사少師・소부少傅・소보少保 가운데 하나. 태자의 작은 스승인 태자소사太子少師의 약칭으로도 쓰였다.
102) 建節(건절) : 부절符節을 세우다. 한 지방을 통수하는 절도사節度使나 장수가 되는 것을 말한다.

데 전경진・전침 부자가 그중 하나이고, 형제가 함께 부절을 세운 경우가 일곱 가문인데 전침・전면 형제가 그중 하나이다.

◇嗜蟹(게를 좋아하다)

●錢昆, 字裕之, 倧之子, 隨俶歸朝[103]. 有文集十卷. 性嗜蟹, 求補外郡曰, "但得有蟹無監州處, 足矣." 官至祕書監[104].

○전곤은 자가 유지이고 전종錢倧의 아들로 (숙부인) 전숙錢俶을 따라 송나라에 귀순하였다. 문집 10권을 남겼다. 천성적으로 게를 좋아하여 외지 고을의 군수로 임명되기를 청하며 "단지 게가 있고 감독관이 없는 곳을 얻는다면 만족스러울 것입니다"라고 하였다. 관직은 비서감까지 올랐다.

◇父子制科(부자가 함께 제과에 급제하다)

●錢易, 昆之弟, 十七擧進士, 御試三題, 日中[105]皆就. 俊邁過人, 爲文章數千言, 頃刻可就. 蘇易簡曰, "錢易, 李白才也." 宋眞宗朝, 爲翰林學士. 章聖[106]嘗圖山水扇, 命易作詩[107], 末云, "好開今日太平基, 萬里山河歸掌握." 上喜之. 二子彦遠・明逸, 父子俱登制科[108].

○전역은 전곤錢昆의 동생으로 열일곱 살에 진사과에 응시했을 때 황제가 세 가지 시험문제를 내자 정오 무렵에 모두 완성하였다. 전역

103) 歸朝(귀조) : 다른 왕조로 귀순하다. 여기서는 전유錢鏐의 오월국吳越國에서 조광윤趙匡胤(927-976)의 송宋나라로 귀순한 것을 말한다.

104) 祕書監(비서감) : 국가의 경적經籍・도서圖書・저작著作 등을 관장하던 비서성祕書省의 장관을 이르는 말. 버금 장관은 '소감少監'이라고 하고, 휘하에 비서랑祕書郎・저작랑著作郎・교서랑校書郎 등의 속관을 거느렸다.

105) 日中(일중) : 해가 하늘 중앙에 오다. 즉 오전 11시에서 오후 1시 사이인 오시午時 때를 가리킨다.

106) 章聖(장성) : 송나라 태종太宗의 셋째 아들인 진종眞宗의 시호諡號 '응부계고신공양덕문명무정장성원효황제應符稽古神功讓德文明武定章聖元孝皇帝'의 약칭. ≪송사・진종본기眞宗本紀≫권6 참조.

107) 詩(시) : 위의 예시는 ≪씨족대전≫ 외에 인용된 문헌이 발견되지 않는 것으로 보아 일시逸詩인 듯하다.

108) 制科(제과) : 당송 때 진사시험 외에 황제가 친히 치르는 과거시험을 이르는 말. '전시殿試' '정시廷試'라고도 한다.

은 재주가 남달리 뛰어나 문장 수천 자를 지어도 순식간에 완성하였다. 그래서 소이간은 “전역은 (당나라) 이백의 재능을 타고났다”고 칭찬하였다. 송나라 진종 때 한림학사를 지냈다. 장성황제(진종)가 일찍이 부채에 산수화를 그리면서 전역에게 시를 지으라고 하자 말미에 “오늘날 태평성대의 기초를 잘 열었으니, 만 리 멀리 산하가 폐하의 손아귀로 들어오리라”고 하였다. 그래서 진종이 무척 기뻐하였다. 두 아들은 전언원錢彦遠과 전명일錢明逸로 부자가 함께 제과에 급제하였다.

◇急流勇退(다급한 상황에 처하면 용퇴하다)

●錢若水, 字淡成, 河南人, 十歲能屬文. 入華山, 陳摶[109]一見, 以爲有仙風道骨, 請麻衣道者[110]相之, 以火著[111]畫灰, 作‘做不得’三字, 徐曰, “急流中勇退人也!” 宋眞宗曰, “錢若水, 儒臣中知兵者也.” 位至樞副[112]. 年未四十, 致仕. 謚宣靖.

○전약수(960-1003)는 자가 담성이고 (하남성) 하남부 사람으로 열 살부터 글을 지을 줄 알았다. 화산에 들어갔을 때 진단이 그를 보자마자 신선과 도사의 풍골을 지녔다고 생각해 마의도자에게 부탁해서 그의 관상을 보게 하였는데, 불쏘시개로 재에 획을 그어서 ‘(신선이) 되려 해도 될 수 없다’는 세 글자를 쓰고는 천천히 말을 꺼냈다. “다급한 상황에 처하면 용퇴할 사람이로다!” 송나라 진종은 “전약수

109) 陳摶(진단) : 송나라 때 사람. 사호賜號는 ‘희이希夷’. 도사道士로서 이학理學을 추구하여 주돈이周敦頤(1017-1073)와 소옹邵雍(1011-1077)에게 영향을 주어 성리학性理學의 발단을 열었다는 평가를 받는다. ≪송사·진단전≫권457 참조.

110) 麻衣道者(마의도자) : 송나라 때 상술相術에 정통하였다고 전하는 인물로 신상에 관한 상세한 내용은 알려진 바가 없다. 그에 관한 기록은 소백온邵伯溫의 ≪문견록聞見錄≫권7과 승려 문영文瑩의 ≪상산야록湘山野錄≫권하에 전한다.

111) 火著(화저) : 다른 문헌에 의하면 불쏘시개를 뜻하는 말인 ‘화저火箸’의 오기이다.

112) 樞副(추부) : 군사기밀을 관장하는 추밀원樞密院의 버금 장관인 추밀부사樞密副使의 약칭.

는 유신 가운데 병법을 아는 사람이오"라고 하였다. 관직은 추밀부사까지 올랐다. 나이 채 마흔 살도 되기 전에 벼슬을 그만두었다. 시호는 '선정'이다.

◇安定門人(안정선생의 문인)

●宋神宗問大臣, "今安定[113]門人, 在朝爲誰?" 對曰, "錢藻之淵篤, 孫覺之純明, 范純仁之直溫, 錢公輔之簡諒."

○송나라 신종이 대신들에게 "지금 안정선생(호원胡瑗)의 문인 가운데 조정에 있는 인물은 누구인가?"라고 묻자, "전조는 깊이가 있으면서 독실하고, 손각은 순수하면서 명쾌하며, 범순인은 강직하면서도 온유하고, 전공보는 간결하면서 이해심이 깊사옵니다"라고 대답하였다.

※女德婚姻(여덕과 혼인)

◇燕洞宮(연동궁)

●錢妙眞二姊妹, 依陶隱居[114], 誦黃庭經[115], 積功修行三十年. 至梁普通[116]二年, 道成, 入洞. 唐天寶[117]七年, 奉勅建宮, 名燕洞宮, 卽茅

113) 安定(안정) : 송나라 때 대유大儒 호원胡瑗(993-1059)의 시호. 강소성 소주蘇州와 절강성 호주湖州에서 교수직을 맡아 30여 년 동안 제자 수천 명을 배출하면서 국자제주國子祭酒를 지냈다. 당시 시詩와 부賦 등 문학을 중시하던 풍조와 달리 호원은 경의經義와 시무時務를 중시하여 학교에 경전의 뜻을 공부하는 '경의재經義齋'와 실무를 연구하는 '치사재治事齋'를 설치하였다. ≪송사·유림열전儒林列傳·호원전≫권432 참조.

114) 陶隱居(도은거) : 남조南朝 양梁나라 때의 유명한 도사이자 은자인 도홍경陶弘景(452-536)의 별칭. 저서로 ≪진고眞誥≫ 20권, ≪고금도검록古今刀劍錄≫ 1권이 전한다. ≪양서·도홍경전≫권51 참조. '홍弘'은 청나라 건륭제乾隆帝의 휘諱(弘曆) 때문에 '굉宏'으로도 썼다.

115) 黃庭經(황정경) : 위진魏晉 때 신상 미상의 도사道士가 양생술養生術에 대해 적은 책. 처음에는 5언 4장으로 되어 있고, 나머지는 모두 7언으로 되어 있었다고 한다. 총 1권. 송나라 구양수歐陽修(1007-1072)의 ≪집고록集古錄≫권10, ≪송사·예문지≫권205 참조.

116) 普通(보통) : 양梁 무제武帝의 연호(520-526).

117) 天寶(천보) : 당唐 현종玄宗의 연호(742-756).

山[118]燕洞也. 至今有紫菖蒲・碧桃[119]在焉. 其姊披白鍊衣[120], 先入洞, 妹後至洞, 已扃矣. 宋淳化[121]五年, 夏侯嘉貞與道士五人往, 投龍[122]. 是夜雷霆, 其洞復開. 一吏深入, 遇道士, 與林檎[123]一枚, 食之, 絶粒. 田霖題詩[124]云, "燕口龍泓氣象淸, 錢眞[125]此處有遺靈. 仙兄去後師猶在, 女弟來時戶已扃. 雲片尙如披白鍊, 泉聲長似誦黃庭. 碧桃花發菖蒲紫, 留與人間作畵屛."

○전묘진 두 자매는 은자 도홍경陶弘景(452-536) 문하에서 ≪황정경≫을 익히고 30년 동안 공을 들여 수행하더니 (남조南朝) 양나라 (무제) 보통 2년(521)에 도를 터득하여 동굴로 들어갔다. 당나라 (현종) 천보 7년(748)에는 칙명을 받들어 도궁을 세우고는 '연동궁'이라고 이름 지었는데, 바로 (강소성) 모산에 있는 연동이다. 지금까지도 그곳에는 자색 창포와 벽도가 있다. 그들 중 언니가 흰 비단옷을 입고 먼저 동굴로 들어갔는데, 여동생이 뒤에 동굴로 들어가려고 하였지만 이미 빗장이 잠겨 있었다. 송나라 (태종) 순화 5년(994)에는 하후가정이 도사 다섯 명과 함께 찾아가 금룡을 던졌다. 그러자 그날 밤 우레가 치더니 동굴이 다시 열렸다. 한 관리가 깊숙이 들어가 한 도사를 만났는데, 그가 사과 한 개를 주어 그것을 먹었더니 곡기를 끊을 수 있었다. 이에 전임이 시를 지어 다음과 같이 읊었다. "연동 입구 용의 웅덩이에 기운이 맑은 것을 보니, 전도사가 살던

---

118) 茅山(모산) : 강소성에 있는 산 이름. 원래는 이름이 '구곡산句曲山'이었는데, 전한 때 도사 형제인 모영茅盈・모충茅衷・모고茅固가 이곳에서 득도하여 이름이 '모산'으로 바뀌었다.

119) 碧桃(벽도) : 복숭아나무의 일종.

120) 白鍊衣(백련의) : 흰 비단으로 만든 옷을 뜻하는 말인 '백련의白練衣'의 오기인 듯하다. 자형의 유사성으로 인한 필사 과정상의 단순 오기로 보인다.

121) 淳化(순화) : 북송北宋 태종太宗의 연호(990-994).

122) 投龍(투룡) : 금으로 만든 용의 동상을 던지는 일.

123) 林檎(임금) : 사과나무의 일종. 능금. '내금來禽' '흑금黑檎' '월림月臨'이라고도 한다.

124) 詩(시) : 이는 무제無題의 칠언율시七言律詩를 인용한 것으로 송나라 완열阮閱의 ≪시화총귀詩話總龜・신선문神仙門≫권45에 고사와 함께 전한다.

125) 錢眞(전진) : 전씨 성의 여도사를 이르는 말. '진眞'은 여자 도사를 뜻하는 말인 '여진女眞'의 준말.

이곳에는 신령한 기운이 남아 있구나. 신선이 떠난 뒤 스승은 여전히 남았지만, 여동생이 찾아왔을 때 문은 이미 잠겼네. 구름 조각은 아직도 흰 비단옷을 펼친 듯하고, 샘물 소리는 언제나 ≪황정경≫을 읊조리는 듯하니, 벽도꽃이 피고 창포꽃이 자색을 띤 것을 보면, 속세 사람들에게 그림 병풍을 만들 수 있게 해 주려고 남았나 보다."

◇得佳婿(훌륭한 사위를 얻다)

●錢供奉[126], 俶之近屬[127]. 柳開知潤州, 謁供奉, 見壁間畵一婦人甚美. 錢曰, "女弟笄[128]矣." 柳喜曰, "願求爲繼室[129]." 遂强委禽[130], 錢走价[131]白父. 父面奏, "柳開刦娶臣女." 仁宗曰, "柳開奇傑之士, 卿家可謂得佳婿矣. 朕爲卿媒, 可乎?" 錢拜謝而出.

○(송나라 때) 전공봉은 전숙錢俶의 가까운 친족 출신 사람이다. 유개가 (강소성) 윤주지주사(윤주자사)를 맡으면서 전공봉을 알현하였다가 벽에 한 아름다운 여인이 그려져 있는 것을 발견하였다. 그러자 전공봉이 말했다. "여동생이 비녀를 꽂을 나이가 되었답니다." 유개가 기뻐하며 말했다. "저의 후처로 삼고자 합니다." 급기야 강제로 결혼 예물을 보내자 전씨 집안의 하인이 이를 전공봉의 부친에게 아뢰었다. 부친이 황제의 면전에서 "유개가 신의 딸을 강제로 아내로

126) 供奉(공봉) : 임금을 주변에서 받들어 섬기는 업무나 혹은 그러한 직책을 이르는 말. 주로 시어사侍御史나 한림학사翰林學士 등을 가리킨다. '한림학사'를 현종玄宗 때는 '한림공봉翰林供奉'이라고 명명한 적이 있다. 위의 예문과 유사한 고사가 송나라 강소우江少虞의 ≪사실류원事實類苑≫권7과 팽승彭乘의 ≪묵객휘서墨客揮犀≫권4에도 전하는데, 모두 '전공봉'에 대해 실명을 밝히지 않아 신상은 알려지지 않았다.

127) 近屬(근속) : 친속親屬, 친족.

128) 笄(계) : 비녀, 비녀를 꽂다. 여기서는 결국 여자가 시집갈 나이가 되었다는 말이다.

129) 繼室(계실) : 원래는 제후諸侯의 원비元妃가 죽은 뒤 후처後妻로 삼은 두 번째 왕비를 이르는 말이었으나, 후에는 일반인의 후처를 가리키는 말로도 쓰였다.

130) 委禽(위금) : 기러기를 보내다. 즉 결혼 예물인 안폐雁幣를 보내는 것을 말한다.

131) 走价(주개) : 심부름꾼, 하인. '주개走介'로도 쓴다.

삼으려 하나이다"라고 아뢰자, 인종은 도리어 "유개는 훌륭한 선비이니 경의 집안은 훌륭한 사위를 얻게 된 셈이오. 짐이 경을 위해 중매를 서도 되겠소?"라고 하는 것이었다. 그래서 전공봉의 부친은 절을 올리고 사례를 하고는 물러났다.

●錢惟演之姑適劉氏. 子娶丁謂[132]之女.

○(송나라) 전유연(962-1034)의 고모는 유씨 가문에 시집갔다. 그리고 전유연의 아들은 정위의 딸에게 장가들었다.

●仗頭錢[133]. 食萬錢[134]. 擲金錢[135].

○지팡이에 늘 백 냥 가량을 매달고 다니다. 만 냥 짜리 식사를 하다. 금전을 던지다.

◆邊(변씨)

▶徵音. 隴西. 宋平公子邊之後, 以王父[136]字爲氏.

▷음은 치음에 속하고 본관은 (감숙성) 농서군이다. (춘추시대 때) 송나라 평공의 아들 변邊의 후손이 조부의 자를 성씨로 삼은 것이다.

---

132) 丁謂(정위) : 송나라 때 사람(966-1037). 자는 위지謂之 또는 공언公言이고 봉호는 진국공晉國公. 태종太宗 때 진사進士에 합격하여 상서좌복야尙書左僕射・사공司空・소문관태학사昭文館太學士 등 고관을 지냈다. ≪송사・정위전≫권283 참조.

133) 仗頭錢(장두전) : 지팡이 꼭대기에 걸어둘 정도의 돈을 이르는 말. 진晉나라 때 완수阮修가 늘 지팡이에 백 냥 가량의 돈을 매달고 다니며 언제든지 주점에서 술을 마셨다는 ≪진서・완수전≫권49의 고사에서 유래하였다.

134) 食萬錢(식만전) : 만 냥 짜리 식사를 하다. 사치가 매우 심한 것을 비유한다. 삼국 위魏나라 때 임개任愷나 진晉나라 하증何曾 모두 사치가 심하여 한 끼에 만 냥 짜리 식사를 하면서도 젓가락을 댈 데가 없다고 투덜거렸고, 하증의 아들인 하소何劭는 그보다 더 심해 한 끼에 2만 냥을 썼다는 고사에서 유래하였다.

135) 擲金錢(척금전) : 금전을 던지다. 당나라 현종玄宗 때 궁중의 비빈妃嬪들이 매년 봄이 되면 고독과 번민을 달래기 위해 금전을 던지며 놀았다는 고사가 ≪개원천보유사開元天寶遺事・희척금전戲擲金錢≫권2에 전한다.

136) 王父(왕부) : 할아버지의 별칭. 할머니는 '왕모王母'라고 한다.

●邊韶, 字孝先, 敎授常百餘人. 弟子或嘲之曰, "邊孝先, 腹便便[137], 懶讀書, 但欲眠." 韶應之曰, "邊爲姓, 孝爲字. 腹便便, 五經[138]笥. 但欲眠, 思經事. 寐與周公[139]通夢, 靜與孔子同意. 師而可嘲, 出何典記?" 漢桓帝徵爲大中大夫[140].

○변소는 자가 효선으로 학생들을 가르칠 때면 늘 인원이 백 명이 넘었다. 제자 중에 누군가 그를 놀리며 말했다. "변효선(변소)은 배만 뒤룩뒤룩, 독서는 게을리 하고 단지 잠만 잔다네." 변소가 이 말을 듣자마자 대답하였다. "변은 성씨요, 효는 자이라. 배가 뒤룩뒤룩한 것은 오경을 담은 책상자요, 단지 잠만 자는 것은 경전을 생각하는 것이라네. 잠에 들면 (주周나라) 주공과 꿈속에서 만나고, 조용히 있을 때는 (춘추시대 노魯나라) 공자와 같은 생각을 한다네. 스승을 모시면서 조롱해도 된다는 말이 어느 경전에 나오는고?" 후한 환제가 그를 불러 태중대부에 임명하였다.

◇顔冉之亞(안회顔回와 염경冉耕에 버금가다)

●邊讓, 字文禮, 善屬文. 作章華賦[141], 多艶麗之詞, 而終之以正, 亦如相如[142]之諷也. 蔡邕薦於何進曰, "生唐虞[143]則元愷[144]之次, 値[145]

---

137) 便便(편편) : 살이 찐 모양.

138) 五經(오경) : ≪역경易經≫ ≪서경書經≫ ≪시경詩經≫ ≪예기禮記≫ ≪춘추경春秋經≫을 아우르는 말. '육경六經'과 함께 결국 경전을 총칭한다.

139) 周公(주공) : 주周나라 무왕武王 희발姬發의 동생이자 성왕成王 희송姬誦의 숙부인 희단姬旦에 대한 존칭. 성왕이 나이가 어려 섭정攝政을 하였고, 성왕이 성장한 뒤 물러나 노魯나라를 봉토封土로 받았다. ≪사기·노주공세가魯周公世家≫권33 참조.

140) 大中大夫(태중대부) : 진秦나라 이후로 의론을 주관하던 벼슬. 태중대부大中大夫·중대부中大夫·간대부諫大夫가 있었다. '대大'는 '태太'와 통용자.

141) 章華賦(장화부) : 후한 변양邊讓의 작품으로 ≪후한서·변양전≫권110에 전한다. '장화'는 춘추시대 초楚나라 영왕靈王이 지은 누대 이름이다.

142) 相如(상여) : 전한 때 사부辭賦를 잘 짓기로 유명했던 문인인 사마상여司馬相如(?-B.C.117)의 이름. ≪한서·사마상여전≫권57 참조.

143) 唐虞(당우) : 요왕堯王이 세운 당唐나라와 순왕舜王이 세운 우虞나라를 아우르는 말.

144) 元愷(원개) : 오제五帝 가운데 제곡帝嚳 고신씨高辛氏 때의 여덟 명의 현신賢臣인 '팔원八元'과 전욱顓頊 고양씨高陽氏 때의 여덟 명의 현신인 '팔개八愷'

仲尼[146]則顔冉[147]之亞." 孔融亦薦其有俊逸才, 爲九江太守.

○(후한) 변양은 자가 문례로 글을 잘 지었다. <장화대를 읊은 부>를 지을 때 화려한 문사를 많이 구사하면서도 바른 말로 끝맺음을 하였으니 역시 (전한) 사마상여司馬相如의 풍유의 기법과 같았다. 채옹이 그를 하진에게 천거하며 "(요왕의) 당나라와 (순왕의) 우나라에서 태어났다면 열여덟 명의 현신賢臣인 팔원八元과 팔개八愷 다음갔을 것이고, (춘추시대 노魯나라) 중니(공자)를 만났다면 안회顔回와 염경冉耕에 버금갔을 것입니다"라고 하였다. 공융 역시 그에게 뛰어난 재능이 있다고 추천하여 (강서성) 구강군의 태수에 임명되었다.

◇邊羅漢(변나한)

●邊鎬初生, 父母夢謝靈運來, 故小名康樂[148]. 南唐主用之, 克湘潭, 號邊羅漢[149].

○변호가 처음 태어났을 때 그의 부모는 (남조南朝 유송劉宋 때 사람인) 사영운이 찾아오는 꿈을 꾸었기에 (사영운의 봉호를 따서) 어렸을 때 이름을 '강락'으로 지었다. (오대십국五代十國 때) 남당의 군주는 그를 기용하였다가 (호남성) 상담현 일대를 평정하자 그를 '변나한'으로 불렀다.

를 아우르는 말. 훌륭한 인재나 현신을 상징한다. '원개元凱'라고도 한다.

145) 値(치) : 만나다, 마주치다.

146) 仲尼(중니) : 춘추시대 노魯나라 사람 공자(공구孔丘)의 자. ≪사기·공자세가≫권47 참조.

147) 顔冉(안염) : 춘추시대 노魯나라 공자의 제자인 안회顔回와 염경冉耕를 아우르는 말. 두 사람 모두 덕행으로 이름이 높았다. ≪사기·중니제자열전仲尼弟子列傳≫권67 참조.

148) 康樂(강락) : 남조南朝 유송劉宋 때 산수시인山水詩人인 사영운謝靈運(385-433)의 봉호封號. 조부인 사현謝玄(343-388)이 전진前秦의 황제 부견苻堅(338-385)의 침략을 물리치고 강락공康樂公에 봉해진 것을 세습하였는데, 처음에는 강락공에 봉해졌으나 뒤에는 강락후康樂侯로 강등당했다. 반역죄로 기시형棄市刑을 당했다. ≪송서·사영운전≫권67 참조.

149) 羅漢(나한) : 범어梵語 'Arhat'의 음역音譯. 소승불교에서 번뇌를 끊고 삼계三界의 윤회에서 벗어나 가장 높은 경지에 오른 존자尊者를 이르는 말.

◇二十四氣(24기 가운데 한 사람)

●邊肅有文行. 宋眞宗景德[150]元年, 密采群臣有聞望者, 得二十四人, 召對崇政殿, 置於臺省[151]館閣[152]. 鞠仲謀・郝太沖・邊肅・朱協・李玄・馬京・何亮・衛太素・陳昭度・崔端・趙湘・姜嶼・滕涉・曹廣・周絳・謝濤・高謹微・張若谷・皇甫選・陸玄圭・李奉天・崔遵度・陳越(闕), 比唐修文館[153]學士. 好事者號爲二十四氣.

○변숙은 글재주가 뛰어나고 품행이 훌륭하였다. 송나라 진종은 경덕 원년(1004)에 여러 신하 가운데 명망 있는 사람들을 몰래 채용하면서 24명을 찾아 숭정전으로 불러들여서 책문策問하고 조정의 각 기관에 배치하였다. 국중모・학태충・변숙・주협・이현・마경・하량・위태소・진소도・최단・조상・강서・등섭・조광・주강・사도・고근미・장약곡・황보선・육현규・이봉천・최준도・진월(이하 미상) 등 24명으로 당나라 때 수문관학사에 비견된다. 호사가들은 그들을 '24기'라고 불렀다.

◆權(권씨)

▶徵音. 天水[154]. 顓帝之孫封楚, 楚若敖[155]之孫鬪緡尹[156]權, 因以爲氏.

▷음은 치음에 속하고 본관은 (감숙성) 천수군이다. (전설상의 임금인) 전욱顓頊

150) 景德(경덕) : 북송北宋 진종眞宗의 연호(1004-1007).

151) 臺省(대성) : 어사대御史臺와 상서성尙書省・중서성中書省・문하성門下省 등 조정의 주요 기관을 아우르는 말로 결국 조정을 가리킨다.

152) 館閣(관각) : 당송 때 도서의 관리와 국사 편찬 등 학문을 관장하던 소문관昭文館・사관史館・집현원集賢院이나 여러 장서각藏書閣에 대한 총칭.

153) 修文館(수문관) : 당나라 때 국가의 주요 도서의 편찬・감수・교정 및 제도・의례에 대한 심사를 관장하던 관서 이름. 뒤에는 '홍문관弘文館' '소문관昭文館'으로 개칭되기도 하였다.

154) 天水(천수) : 감숙성의 속군屬郡 이름.

155) 若敖(약오) : 춘추시대 초楚나라의 성씨. 약오씨若敖氏의 후손인 영윤令尹 자문子文(투구오도鬪穀於菟의 자)이 조카인 월초越椒가 반란을 일으키자 멸족滅族을 당해 후손에게 제삿밥을 얻어 먹지 못할까 걱정하였다는 고사로 유명하다.

156) 尹(윤) : 춘추시대 초楚나라에서 정치를 집행하던 최고 벼슬인 영윤令尹의 준말. 상경上卿이라고도 한다.

황제의 손자가 초나라에 봉해졌는데, 초나라 약오씨의 손자인 투민이 영윤의 권한을 누렸기에 그참에 이를 성씨로 삼은 것이다.

◇明經(경전에 정통하다)

●權會, 南齊[157]人, 少受鄭[158]易・詩・書・二禮[159]. 文義該洽, 諸儒所推.

○권회는 (북조北朝) 북제北齊 때 사람으로 어려서 (후한) 정현鄭玄의 ≪역경≫ ≪시경≫ ≪서경≫ ≪주례≫ ≪의례≫를 전수받았다. 경전의 의미에 대해 해박하였기에 모든 유학자들의 존경을 받았다.

◇智略(지략이 뛰어나다)

●權景宣, 字暉遠, 曉兵權, 有智略, 除南陽[160]守, 立碑頌德. 總戍著克敵之功, 布政垂稱職[161]之譽, 有國之良翰[162]歟!(北史[163])

○(북조北朝 북주北周) 권경선(?-약 567)은 자가 휘원으로 병권을 잘 발휘하고 지략이 뛰어났다. (하남성) 남양태수를 제수받자 비석을 세워서 공덕을 송축하였다. 변방 방어를 총괄할 때는 적을 물리치는 공로를 세우고, 정사를 펼칠 때는 직위에 어울린다는 칭송을 받았으니, 나라의 훌륭한 인재라는 명예를 누렸다.(≪북사・권경선전≫권61)

---

157) 南齊(남제) : 이는 북제北齊의 오기이다. 권회權會는 북조北朝 북제 때 사람으로 그의 전기는 ≪북제서北齊書≫권44와 ≪북사北史≫권81에 전한다.

158) 鄭(정) : 후한 때 대유大儒인 정현鄭玄(127-200)의 성씨. 자는 강성康成. 고문경학古文經學과 금문경학今文經學에 두루 정통하고 훈고학訓詁學에 밝아 ≪역경≫과 ≪서경≫ ≪시경≫을 비롯하여 ≪주례≫ ≪의례≫ ≪예기≫ ≪논어≫ 등 주요 경전經典에 주석서를 남겼다. ≪후한서・정현전≫권65 참조.

159) 二禮(이례) : ≪주례≫와 ≪의례≫를 아우르는 말. ≪예기≫를 포함한 말인 '삼례三禮'로 된 문헌도 있다.

160) 南陽(남양) : 하남성의 속군屬郡 이름.

161) 稱職(칭직) : 직책과 어울리다. 직무를 잘 처리하다.

162) 良翰(양한) : 훌륭한 인재나 보좌관을 뜻하는 말. '한翰'은 '간幹'과 통용자.

163) 北史(북사) : 당나라 이연수李延壽가 북조北朝의 북위北魏부터 수隋나라까지 도합 242년의 역사를 간략히 정리하여 서술한 사서史書. 총 100권. ≪사고전서간명목록・사부・정사류正史類≫권5 참조.

◇五州刺史(다섯 주에서 자사를 지내다)

●權懷恩, 唐高宗時, 爲萬年[164]令, 賞罰明信. 時語曰, "寧飮三斗塵, 毋逢權懷恩." 曆五州刺史, 威名赫然.

○권회은은 당나라 고종 때 (섬서성) 만년현의 현령을 지내면서 상벌을 분명하고 믿음이 가게 시행하였다. 그래서 당시에 "차라리 먼지를 서 말 마실지언정 권회은과 마주치지 마시게"라는 말이 돌았다. 다섯 주의 자사를 역임하며 위엄과 명성을 혁혁하게 떨쳤다.

◇縉紳羽儀(사대부들의 귀감)

●權德輿, 字載之, 四歲能詩. 唐德宗朝, 知制誥, 在西掖[165]八年, 風流醞藉, 爲縉紳[166]羽儀[167]. 結廬江南, 蓬蒿[168]晏如. 每遇一勝境, 得一佳句, 怡然獨笑, 如獲貴仕. 元和[169]中, 同平章事[170]. 父皐, 字子由, 在祿山[171]幕府[172], 度其必反, 逸去. 上召, 拜爲起居舍人[173], 不就,

---

164) 萬年(만년) : 전한 때 섬서성 임동현臨潼縣 부근의 고성촌古城村 남쪽에 설치한 현 이름. 원래는 전한 고조高祖 유방劉邦(B.C.247-B.C.195)의 부친의 무덤이었는데, 뒤에는 이 무덤을 관리하기 위해 현으로 설치하였다.

165) 西掖(서액) : 황명의 기초와 출납을 관장하는 중서성中書省의 별칭. 관서가 궁중 서쪽에 위치한 데서 유래하였다.

166) 縉紳(진신) : 원래는 홀笏을 신紳에 꽂는 것을 뜻하는 말로서 사대부나 벼슬아치를 비유한다. '진縉'은 꽂는다는 뜻으로 '진搢'과 통용자.

167) 羽儀(우의) : 기러기는 높은 곳에 있으면서 재덕을 갖추고 있어 의표儀表로 삼을 만하다는 고사에서 유래한 말로 모범이나 귀감을 뜻한다.

168) 蓬蒿(봉호) : 쑥에 대한 총칭. 가난한 집이나 은거생활을 상징한다.

169) 元和(원화) : 당唐 헌종憲宗의 연호(806-820).

170) 同平章事(동평장사) : 벼슬 이름인 동중서문하평장사同中書門下平章事의 약칭. 당나라 때 핵심 권력 기관인 상서성尙書省·중서성中書省·문하성門下省의 장관인 상서령尙書令·중서령中書令·문하시중門下侍中을 재상이라 하였는데, 상설하지 않는 대신 다른 집정관執政官들 가운데 선임하여 '동중서문하평장사同中書門下平章事'라 하고 재상으로 대우하였다. 명나라 초까지 이어지다가 폐지되었고, 그 지위와 명칭은 시대마다 약간의 차이가 있다.

171) 祿山(녹산) : 당나라 사람 안녹산安祿山(703-757). 호족胡族 출신으로 본명은 아락산阿犖山 혹은 알락산軋犖山. 현종玄宗 때 절도사節度使에 올랐고, 양귀비楊貴妃(719-756)의 양자가 되어 총애를 받았으나 양국충楊國忠과 갈등을 빚자 반란을 일으켜 장안長安을 점령하고 스스로 칭제稱帝한 뒤, 국호를 연燕, 연호를 성무聖武라고 하였다. 뒤에 장남 안경서安慶緖(?-759)에게 살해당했다. ≪신당서·역신열전逆臣列傳·안녹산전≫권225 참조.

名入卓行傳174). 子璩監察御史175).

○권덕여(759-818)는 자가 재지로 네 살 때부터 시를 지을 줄 알았다. 당나라 덕종 때 황명의 작성을 관장하느라 중서성에서 8년을 보내면서 풍류스러운 풍모로 사대부들의 귀감이 되었다. 강남에 집을 마련하되 초라한 초가집도 편안하게 받아들였다. 매번 빼어난 경관을 만나 아름다운 구절을 얻으면 흔쾌한 심경으로 홀로 미소를 띠며 마치 높은 벼슬을 얻은 것처럼 기뻐하였다. (헌종) 원화(806-820) 연간에는 동평장사에 올랐다. 부친 권고權皐는 자가 자유로 안녹산安祿山의 막부에서 지내다가 그가 틀림없이 반란을 일으키리라는 것을 알고는 도망쳤다. 헌종이 그를 불러 기거사인에 배수하였지만 취임하지 않았기에 이름이 ≪신당서·탁행전≫권194에 올랐다. 아들 권거權璩는 감찰어사를 지냈다.

◇名家駒(가문의 명예를 드날릴 인재)

●權邦彦, 字朝美, 七歲能讀毛詩176). 十三入郡庠177), 頭角嶄然178). 父

---

172) 幕府(막부) : 장군의 야전 막사, 또는 장군의 고문을 일컫는 말. 장수는 정해진 관서가 없어 주둔지에 장막을 치고 업무를 처리한 데서 유래하였다.

173) 起居舍人(기거사인) : 기거랑起居郎과 함께 황제의 언행을 기록하는 업무를 맡은 벼슬을 이르는 말. 문하성門下省 소속 기거랑은 황제의 왼쪽에서 수행하며 말을 기록하고, 중서성中書省 소속 기거사인은 황제의 오른쪽에서 수행하며 행동을 기록하였다.

174) 卓行傳(탁행전) : 행실이 훌륭한 사람의 전기를 이르는 말로 ≪신당서≫권194의 편명이다.

175) 監察御史(감찰어사) : 관리들의 비행을 규찰하고 탄핵하는 업무를 관장하는 기관인 어사대御史臺의 속관屬官. 어사대에는 위로 장관인 어사대부御史大夫와 버금 장관인 어사중승御史中丞, 그리고 시어사侍御史·전중시어사殿中侍御史 등의 상관이 있다. 감찰어사는 비록 품계品階는 낮으나, 실무를 관장하였기에 관원들이 가장 두려워하는 존재였다고 한다.

176) 毛詩(모시) : ≪시경≫의 한 종류로서 ≪노시魯詩≫ ≪제시齊詩≫ ≪한시韓詩≫가 금문시경今文詩經인 반면 ≪모시≫는 고문시경古文詩經이다. 전한 때 경학가經學家인 모형毛亨과 모장毛萇이 해설을 달아 전했다는 데서 유래하였다. 현전하는 ≪시경≫도 ≪모시≫이다.

177) 郡庠(군상) : 군에서 설치한 학교. 순왕舜王의 우虞나라 때 학교를 '상庠'이라고 하고 하夏나라 때 학교를 '서序'라고 한 데서 유래하였다는 설이 있는가 하면, 은殷나라 때 학교를 '서'라고 하고 주周나라 때 학교를 '상'이라고 한 데

奇之曰, "眞名家駒, 一日千里也!" 宋紹興[179]中, 獻十議以圖中興[180]. 時爲兵部尙書[181]·簽書事[182]. 楊誠齋[183]贊[184]云, "補天[185]重光, 扶日再中[186]."

○권방언(?-1133)은 자가 조미로 일곱 살에 ≪모시≫를 읽을 줄 알았다. 열세 살에는 군의 학교에 입학해 단연 두각을 나타냈다. 그래서 부친이 그를 대견하게 생각해 "진정 가문의 명예를 드날릴 인재이니 하루에 천 리를 달리겠구나!"라고 하였다. 송나라 (고종) 소흥(1131-1162) 연간에 열 가지 의견을 개진해 중흥을 도모하였다. 당시 병부상서와 첨서추밀원사簽書樞密院事를 겸직하였다. 성재誠齋 양만리

서 유래하였다는 설도 있다.

178) 嶄然(참연) : 우뚝한 모양, 돋보이는 모양.

179) 紹興(소흥) : 남송南宋 고종高宗의 연호(1131-1162).

180) 中興(중흥) : 한 왕조가 세력이 약해진 뒤 동일 왕조가 부흥하는 시기를 통칭하는 말. 후한後漢·동진東晉·남송南宋 등의 시기에 상용되었는데 여기서는 남송을 가리킨다.

181) 兵部尙書(병부상서) : 조정의 핵심 행정 기관인 상서성尙書省 소속 육부六部 가운데 병무를 관장하는 기관인 병부兵部의 장관을 이르는 말. 휘하에 시랑侍郎과 낭중郎中·원외랑員外郎 등을 거느렸다.

182) 簽書事(첨서사) : 첨서추밀원사簽書樞密院事의 약칭. '첨원簽院' '첨추簽樞'라고도 하는데, 동지추밀원사同知樞密院事·추밀부사樞密副使와 함께 추밀원樞密院의 장관인 추밀사樞密使나 지추밀원사知樞密院事를 보좌하는 역할을 담당하였다.

183) 楊誠齋(양성재) : 송나라 사람 양만리楊萬里(1124-1206). '성재'는 호. 자는 정수廷秀이고 시호는 문절文節. 보문각대제寶文閣待制를 지냈고, 한탁주韓侂胄(1152-1207)의 전횡을 개탄하다가 병사하였다. 시문에 조예가 깊어 육유陸游(1125-1210)·범성대范成大(1126-1193)·우무尤袤(1127-1194)와 함께 남송사대가南宋四大家로 불렸다. 저서로 ≪성재집誠齋集≫ 132권과 ≪성재시화誠齋詩話≫ 1권이 전한다. ≪송사·양만리전≫권433 참조.

184) 贊(찬) : 이는 <추밀사 겸 참지정사 권공(권방언)의 묘지명(樞密兼參知政事權公墓誌銘)>에서 두 구절을 인용한 것으로 ≪성재집·묘지명≫권124에 전한다.

185) 補天(보천) : 하늘이 새는 것을 메우다. 공공共工이 전욱顓頊과 황제 자리를 놓고 다투다가 화가 나 하늘을 떠받히는 기둥을 부러뜨리자 여와女媧가 오색 돌을 가져다가 메웠다는 ≪열자列子·탕문湯問≫권5의 고사에서 유래한 말로 천자를 보필하는 것을 비유한다.

186) 日再中(일재중) : 태양이 다시 중앙에 오다. 즉 해가 정오 무렵에 강한 빛을 발하는 것을 뜻하는 말로 천자가 권위를 되찾는 것을 비유한다.

楊萬里는 (그의 묘지명에서) "하늘(천자)을 메워 다시금 빛을 발하게 하고, 태양이 다시 하늘 중앙에 오도록 도우셨네!"라고 찬양하였다.

●權萬紀, 太宗朝, 爲治書侍御史[187], 因奏鑿山冶銀, 被黜.
○(당나라) 권만기는 태종 때 치서시어사를 맡았다가 산을 파서 은을 주조할 것을 상주한 일 때문에 축출당했다.

※婚姻(혼인)

●權德輿夫人[188], 崔造之女也. 德輿奇獨孤郁之才, 以女妻之. 憲宗曰, "德輿乃有佳婿!"
○(당나라) 권덕여(759-818)의 부인은 최호의 딸이다. 권덕여는 독고욱의 재능을 높이 사 딸을 그에게 시집보냈다. 그래서 헌종이 "권덕여가 마침내 훌륭한 사위를 얻었구려!"라고 하였다.

●權皐之妹, 妻福昌[189]尉[190]仲暮. 後能脫皐祿山之難.
○(당나라 때) 권고의 여동생은 (하남성) 복창현의 현위인 중모에게 시집갔다. 그래서 뒤에 안녹산의 난에서 권고를 탈출시킬 수 있었다.

◆燕(연씨)

▶羽音. 始興. 召公[191]奭封於燕, 其後以國爲氏.

---

187) 侍御史(시어사) : 주周나라 때 주하사柱下史에서 유래한 벼슬로서 위진魏晉 이후로는 주로 관리들의 비리를 규찰하였다. 당송唐宋 때는 어사대御史臺 소속으로 어사대부御史大夫・어사중승御史中丞 다음 가는 벼슬이었다. '치서시어사'는 문서를 관장하는 시어사를 가리킨다.
188) 夫人(부인) : 황제의 후처後妻인 비빈妃嬪이나 제후의 적처嫡妻에 대한 존칭. 후에는 고관의 부인에 대한 존칭으로도 쓰였다.
189) 福昌(복창) : 하남성의 속현屬縣 이름.
190) 尉(위) : 각 현의 현령縣令 휘하에서 현령의 업무를 도와 법률과 형벌을 관장하던 보좌관인 현위縣尉를 이르는 말. 현의 수장인 현령縣令과 보좌관인 현승縣丞보다 아래의 직책이었다.
191) 召公(소공) : 주周나라 무왕武王 희발姬發의 동생이자 성왕成王 희송姬誦의

▷음은 우음에 속하고 본관은 (광동성) 시흥군이다. (주周나라) 소공 희석姬奭이 연나라에 봉해지자 그의 후손이 나라 이름을 성씨로 삼은 것이다.

◇定樂(궁중 음악을 정리하다)

●燕肅, 字穆之, 仁宗朝, 考定雅樂[192], 巧思創物, 造指南車[193], 作蓮花漏. 世服其精, 擢龍圖[194]待制[195].

○(송나라) 연숙(961-1040)은 자가 목지로 인종 때 아악을 정리하였고, 남다른 발상으로 사물을 발명하는 솜씨가 뛰어나 (나침반을 설치한 수레인) 지남거를 만들고 (연꽃 모양의 물시계인) 연화루를 제작하였다. 세상 사람들이 그의 정교한 솜씨에 탄복하였기에 용도각 대제에 발탁하였다.

◇文武兼資(문관과 무관으로서의 자질을 겸비하다)

●燕達, 字逢辰, 善騎射, 以材武選, 隸親衛. 宋神宗嘗問之曰, "用兵愛克厥威乎?" 曰, "威非不用也, 以愛爲先." 上嘉之. 官至武康軍[196]節度使.

숙부인 희석姬奭. 강태공姜太公·주공周公·사관史官 윤일尹逸과 더불어 주나라의 '사성四聖'으로 불렸다. ≪사기·연소공세가燕召公世家≫권34 참조.

192) 雅樂(아악) : 교묘郊廟의 제례와 조정의 연향宴享 때 사용하는 궁중 음악을 이르는 말.

193) 指南車(지남거) : 나침반과 같은 기구를 설치한 수레를 이르는 말. '사남거司南車' '사방司方'이라고도 한다.

194) 龍圖(용도) : 송나라 때 자정전資政殿과 술고전述古殿 사이에 있었던 장서각藏書閣 이름으로 태종太宗의 서예와 문집 및 여러 전적과 그림·보물 등을 소장하였다. 송나라 때는 황제가 사망하고 나면 유작과 유품을 소장하는 장서각을 마련하고, 이를 관장하는 관원으로 학사學士·직학사直學士·대제待制를 배치하는 관례가 있었다. 태종太宗의 용도각龍圖閣, 진종眞宗의 천장각天章閣, 인종仁宗의 보문각寶文閣, 신종神宗의 현모각顯謨閣, 철종哲宗의 휘유각徽猷閣, 휘종徽宗의 부문각敷文閣, 고종高宗의 환장각煥章閣, 효종孝宗의 화문각華文閣, 광종光宗의 보모각寶謨閣, 영종寧宗의 보장각寶章閣, 이종理宗의 현문각顯文閣 등이 그러한 예이다. ≪송사·직관지職官志≫권162 참조.

195) 待制(대제) : 당나라 태종太宗 때부터 5품 이상의 경관京官 가운데 조정의 주요 기관에서 숙직하며 수시로 황제에게 자문을 주던 관직을 이르는 말.

196) 武康軍(무강군) : 절강성에 설치한 군사 행정 구역 이름.

○연달(1030-1088)은 자가 봉신으로 말타기와 활쏘기를 잘 하여 무관으로서의 자질 때문에 선발되어 친위부대에 예속되었다. 송나라 신종이 일찍이 그에게 "용병술에서는 권위를 잘 내세우는 것을 좋아하는가?"라고 묻자 "권위도 아니 쓰는 것은 아니옵니다만 사랑을 베푸는 것을 앞세워야 할 것입니다"라고 대답하였다. 그래서 신종이 그를 높이 평가하였다. 관직은 (절강성) 무강군절도사까지 올랐다.

●燕伋, 孔門弟子, 贈漁陽[197]伯, 進汧源[198]侯.

○(춘추시대 노魯나라) 연급은 공자 문하의 제자로서 어양백을 추증받았다가 견원후로 승진하였다.

●燕倉, 漢功臣也, 封宜城[199]侯.

○연창(?-B.C.74)은 전한 때 공신으로 의성후에 봉해졌다.

●燕鳳博綜經史, 明習陰陽讖緯[200]. 魏道武朝, 爲尙書[201].

○연봉(?-428)은 경서와 사서를 두루 섭렵하고 음양학과 참위설에 정통하였다. (북조北朝) 북위北魏 도무제道武帝 때 상서를 지냈다.

●士趍燕.

○무사들이 (북방의) 연나라로 달려가다.

---

197) 漁陽(어양) : 하북성의 속현屬縣 이름. 여기서는 봉토를 가리킨다.

198) 汧源(견원) : 섬서성의 속현 이름. 여기서는 봉토를 가리키는 말로 백작에서 후작으로 승격한 것을 말한다.

199) 宜城(의성) : 호북성의 속현 이름. 여기서는 봉토를 가리킨다.

200) 讖緯(참위) : 길흉화복을 점치거나 미래를 예언하는 내용을 담은 서책인 도참圖讖과 위서緯書를 아우르는 말.

201) 尙書(상서) : 한나라 이후로 정무政務와 관련한 문서의 발송을 주관하는 일, 혹은 그러한 업무를 관장하던 벼슬을 가리킨다. '상尙'은 '주관한다(主)'는 뜻이다. 후대에는 이부상서吏部尙書나 병부상서兵部尙書와 같이 그런 업무를 관장하는 상서성尙書省 소속 장관을 뜻하는 말로 쓰였다. 휘하에 시랑侍郎과 낭중郎中・원외랑員外郎 등을 거느렸다.

◆牽(견씨)

▶角音.

▷음은 각음에 속한다.

◇武功(무공을 자랑하다)

●牽招, 字子經, 魏文帝朝, 拜右中郎將[202]. 次子弘, 猛毅有父風, 隨鄧艾伐蜀有功, 拜振威護軍[203]. 在綿州, 築臺爲京觀[204], 以彰武功.

○견초(?-약 233)는 자가 자경으로 (삼국) 위나라 문제 때 우중랑장을 배수받았다. 그의 차남 견홍甄弘은 용맹스럽고 의젓하여 부친의 기풍을 지녔는데, 등애를 따라 촉나라를 정벌하였다가 전공을 세워 진위호군을 배수받았다. (사천성) 면주에 있을 때 누대를 쌓아 커다른 무덤을 만들어서 자신의 무공을 자랑한 일이 있다.

◇金谷友(금곡원의 벗)

●牽秀, 字成叔, 晉人. 博辯有文才, 弱冠得美名. 補新安令. 金谷[205]二十四友[206], 秀其一也.(見潘岳)

○견수(?-306)는 자가 성숙으로 진나라 때 사람이다. 말재주가 뛰어나고 글재주가 있어서 약관의 나이에도 명성을 떨쳤다. (안휘성) 신

---

202) 右中郎將(우중랑장) : 한나라 이후로 삼서三署의 장관인 오관중랑장五官中郎將·좌중랑장左中郎將·우중랑장右中郎將 가운데 하나로 궁중 호위를 관장하던 벼슬 이름.

203) 護軍(호군) : 진한秦漢 이후로 군대의 인사 및 중앙 군대를 관장하던 벼슬 이름.

204) 京觀(경관) : 전공을 과시하기 위하여 적군의 시체를 쌓고 그 위에 흙을 높이 덮어 만든 큰 무덤을 가리키는 말. '경京'은 '고高'나 '대大'의 뜻.

205) 金谷(금곡) : 진晉나라 석숭石崇(249-300)이 형주자사荊州刺史·위위경衛尉卿을 지내면서 사신과 상인들의 재물을 갈취하여 하남성 낙양洛陽에 만든 정원인 금곡원金谷園의 준말. 반악潘岳 등 24명의 문인들과 함께 시를 짓지 못하면 벌주를 건네며 교유한 고사로 유명하다. ≪진서·석숭전≫권33 참조.

206) 二十四友(이십사우) : 진晉나라 때 문인 반악潘岳·석숭石崇·좌사左思·육기陸機·육운陸雲·곽창郭彰·유곤劉琨·구양건歐陽建·두빈杜斌·왕수王粹·추영鄒穎·최기崔基·유괴劉瓌·주회周恢·진해陳眩·유눌劉訥·묘징繆徵·지우摯虞·제갈전諸葛詮·화욱和郁·견수牽秀·허맹許猛·유여劉與·두육杜育 등 24명을 가리킨다.

안현의 현령을 임명받았다. (하남성 낙양에 있는 석숭石崇의) 금곡원에서 교유한 24명의 친구들 가운데 손수도 그중 한 명이었다.(상세한 내용은 앞의 권5 '금곡우金谷友'항의 반악에 관한 기록에 보인다)

●膾牽207). 錦纜牽208).

○제삿고기. 비단 닻줄이 끌려가다.

◆全(전씨)

▶商音. 京兆.

▷음은 상음에 속하고 본관은 (섬서성) 경조군이다.

◇棄官(관직을 버리다)

●全柔, 錢唐人, 漢靈帝時, 擧孝廉209), 補尙書右丞, 値董卓亂, 棄官而歸. 子琮.

○전유는 (절강성) 전당군 사람으로 후한 영제 때 효렴과에 급제하여 상서우승에 임명되었으나 동탁의 반란을 만나는 바람에 관직을 버리고 귀향하였다. 아들은 전종全琮이다.

◇好施(남에게 베풀기를 좋아하다)

●全琮, 字子璜. 父使運米數千斛, 到吳市易, 琮散用210), 空船還曰, "所利非急, 而士大夫方有倒懸211)之急, 故振贍之." 龐統曰, "卿好施慕名,

---

207) 膾牽(회견) : 제사에 바치는 고기를 이르는 말. 비린내나는 날고기를 '회膾'라고 하고, 소・양・돼지 따위의 가축을 '견牽'이라고 한다.

208) 錦纜牽(금람견) : 비단으로 만든 닻줄이 끌리다. 이는 당나라 두보杜甫(712-770)의 칠언율시七言律詩 <성 서쪽 저수지에서 배를 띄우다(城西陂泛舟)> 가운데 제4구인 '낮이 긴 봄날에 비단 닻줄 끌리는 것을 천천히 바라보네(遲日徐看錦纜牽)'에 나오는 말을 인용한 것으로 청나라 구조오仇兆鰲(1640-1714)가 엮은 ≪두시상주杜詩詳註≫권3에 전한다.

209) 孝廉(효렴) : 한나라 때 관리를 선발하는 제도의 하나. 효렴과孝廉科 외에도 현량방정賢良方正・직언극간直言極諫 등의 과목이 있었다.

210) 散用(산용) : 재물을 대가를 받지 않고 함부로 쓰다.

211) 倒懸(도현) : 거꾸로 매달리다. 곤경에 처하거나 생활이 궁핍한 것을 비유한다.

有似汝南[212]樊子昭[213]，亦一時之佳也.” 仕吳，爲綏南將軍，封錢塘侯. 子懌，降魏.

○(삼국시대 때 사람) 전종(?-247)은 자가 자근이다. 부친(전유全柔)이 쌀 수천 가마를 운반해 오나라 저자로 가서 팔게 하였으나, 전종은 그것을 대가도 받지 않고 써버리고는 빈배로 돌아와 말했다. “이익을 추구하는 것이 급한 일이 아닌데 사대부가 한창 형편이 어려운 상황에 있기에 그를 도와주었습니다.” 방통이 말했다. “경은 베풀기를 좋아하고 명예를 중시하여 (하남성) 여남군 사람 번자소와 비슷한 데가 있으니 역시 한 시대를 풍미하는 준걸이라 하겠소.” 오나라에서 벼슬길에 올라 (남방을 평정하는 임무를 띤) 수남장군에 오르고 전당후에 봉해졌다. 아들 전역全懌은 위나라에 투항하였다.

◇三人方伯(세 사람 모두 방백에 오르다)

●全景文與沈攸之·孫超之, 微時同出東都, 引船過津, 有一人相之曰, “三人皆當爲方伯[214]. 苟有不驗, 相書[215]誤耳.” 後果然, 俱仕于宋.(南史[216])

○전경문은 심유지·손초지와 더불어 평민이었을 때 함께 (하남성 낙양) 동도를 나서 배를 타고서 나룻터를 지나게 되었는데, 어떤 사람

212) 汝南(여남) : 하남성의 속군屬郡 이름.
213) 樊子昭(번자소) : 후한 말엽에 덕행으로 이름을 떨친 사람이나 상세한 신상은 미상. ≪삼국지·촉지·방통전龐統傳≫권37, ≪세설신어世說新語·품조品藻≫권중 참조.
214) 方伯(방백) : 절도사節度使·관찰사觀察使나 자사刺史·태수太守 같은 지방의 수령을 이르는 말.
215) 相書(상서) : 삼국 위魏나라 주건평朱建平이 지은 관상술에 관한 책. 그러나 사서史書나 서지書誌에 언급이 없는 것으로 보아 오래 전에 실전된 듯하다. 대신 잔문殘文이 남조南朝 양梁나라 소통蕭統(501-531)의 ≪문선文選≫의 당나라 이현李賢 주 등에 인용되어 전한다.
216) 南史(남사) : 당나라 이연수李延壽가 남조南朝의 유송劉宋부터 진陳나라 말까지 도합 170년의 역사를 간략하게 정리하여 서술한 사서史書. 총 80권. 기존의 ≪송서宋書≫ 등의 내용을 보완한 것은 적고 삭제한 것이 많아 ≪북사北史≫보다는 못 하다는 평을 받는다. ≪사고전서간명목록·사부·정사류正史類≫권5 참조.

이 그들의 관상을 보고는 말했다. "세 분은 모두 분명 방백에 오르실 것입니다. 만약 그런 일이 생기지 않는다면 ≪상서≫가 잘못 된 것입니다." 뒤에 정말로 그의 말대로 되어 함께 (남조南朝) 유송劉宋에서 벼슬길에 올랐다.(≪남사・심유지전沈攸之傳≫권37)

◇易學(≪역경≫에 관한 학문)

●全綏, 字弘立, 錢塘人. 受易學, 得精微, 通老莊[217], 言玄[218]者皆推之.(北史[219])

○(남조南朝 남제南齊 때 사람) 전완全緩는 자가 홍립으로 (절강성) 전당군 사람이다. ≪역경≫에 관한 학문을 전수받아 정교한 이론을 습득하고 ≪노자≫와 ≪장자≫에 정통하였기에 현학玄學을 말하는 이들이 모두 그를 존중하였다.(≪남사・전완전≫권71)

●萬全. 圖全. 神全.

○만전을 기하다. 완전한 것을 도모하다. 정신이 온전하다.

◆連(연씨)

▶徵音. 上黨[220]. 齊大夫連稱之後.

▷음은 치음에 속하고 본관은 (산서성) 상당군으로 (춘추시대 때) 제나라 대부 연칭의 후손이다.

◇瓜戍(참외가 익을 때 수자리서러 가다)

●齊連稱父[221]・管至父[222]戍葵丘[223], 瓜時[224]而往, 及瓜而代.(莊[225]八

---

217) 老莊(노장) : 도가사상을 대표하는 ≪노자≫와 ≪장자≫를 아우르는 말.
218) 言玄(언현) : 현학玄學에 대해 말하다. '현학'은 ≪역경≫ ≪노자≫ ≪장자≫ 등 삼현三玄에 관한 학문을 가리킨다.
219) 北史(북사) : 이는 '남사南史'의 오기이다. 위의 내용은 ≪남사・전완전全緩傳≫권71에 전한다. 따라서 앞의 '전수全綏'도 남조南朝 남제南齊 때 사람인 '전완全緩'의 오기이다.
220) 上黨(상당) : 진한秦漢 때 산서성 남동쪽에 설치한 군郡 이름.
221) 父(부) : ≪좌전左傳・장공莊公8년≫권7의 원문에 의하면 연자衍字이다.
222) 管至父(관지보) : 앞의 연칭連稱과 함께 춘추시대 제齊나라 때 대부大夫.

年)

○(춘추시대 때) 제나라 연칭과 관지보는 (산동성) 규구로 수자리서러 갔는데, 참외가 익을 때 갔다가 (이듬해) 참외가 익을 때 다른 사람과 교대하였다.(≪좌전左傳 · 장공8년≫권7)

◇羽衣得道(도사의 옷을 입고서 도를 터득하다)

●連久道226), 字可久, 江湖得道之士, 年十二能詩. 父携見熊曲肱, 賦漁父詞227)云, "蘆花輕泛, 微瀾蓬牕. 獨自淸閒, 一覺遊仙. 好夢任他, 竹冷松寒." 曲肱亦贈以詩, 且曰, "此子富貴中留不住." 後果爲羽衣228)得道, 往來西山229).

○(송나라) 연구도는 자가 가구로 강호를 떠돌며 도를 터득한 선비로서 나이 고작 열두 살에 시를 지을 줄 알았다. 부친이 그를 데리고 웅곡굉을 알현하자 <어부의 노래>를 지어 "갈대꽃이 가볍게 떠다니니 쑥대로 엮은 창가에 파란이 이네. 홀로 한가로운 삶을 누리니 신선의 세계를 노니는 듯. (출세를 위한) 좋은 꿈을 다른 사람에게 맡기는 것은 겨울에도 꿋꿋한 대숲과 소나무가 있어서라네"라고 하였다. 웅곡굉도 시를 지어 주면서 "이 아이는 부귀한 생활 속에 머물

'보父'는 '보甫'와 통용자.

223) 葵丘(규구) : 춘추시대 제齊나라의 지명. 지금의 산동성 임치현臨淄縣 서쪽 일대.

224) 瓜時(과시) : 초가을 참외가 익을 때를 가리키는 말로 관리의 임기가 만료되는 것을 상징한다.

225) 莊(장) : 춘추시대 노魯나라 장공莊公을 가리킨다. 위의 예문은 ≪좌전左傳 · 장공8년≫권7에 전한다.

226) 連久道(연구도) : 신원 미상. 송나라 황승黃昇의 ≪화암사선花菴詞選≫속집 권10에서는 송나라 때 사람이라고 한 반면, 명나라 능적지凌迪知의 ≪만성통보萬姓統譜≫권28에서는 한나라 때 사람이라고 하는 등 문헌마다 차이가 있어 분명치 않다. 여기서는 전자를 따른다.

227) 漁父詞(어부사) : 전국시대 초楚나라 굴원屈原이 회왕懷王에게 축출당한 뒤 어부의 입을 빌어 읊었다는 노래 제목에서 유래한 말로 은자를 상징한다.

228) 羽衣(우의) : 전한 때 방사方士인 난대欒大가 새 깃털로 만든 옷을 입은 데서 유래한 말로 은자나 도사의 옷을 비유한다.

229) 西山(서산) : 진晉나라 때 도사 간대干大나 당나라 때 선녀 오채란吳采鸞의 고사에도 등장하는 산으로 은자나 도사의 거처를 상징한다.

지 못 하겠구나"라고 하였다. 뒤에 정말로 도사의 옷을 만들어 입고 도를 터득하여 서산을 왕래하였다.

◇四賢(네 명의 현자)

●連舜賓, 徐州人. 歲饑, 出穀萬石, 損價糶之, 惠及鄰邑. 歐公[230]表其墓. 二子庶・庠, 相繼登第. 初從學於二宋[231]. 故德安府[232]有四賢堂. 張文潛[233]爲之記.

○(송나라) 연순빈은 (강소성) 서주 사람이다. 그해에 기근이 들자 곡식 만 섬을 꺼내 가격을 낮춰서 판매를 하였는데 그 은혜가 이웃 고을까지 미쳤다. 구양수歐陽修가 그의 무덤에 비석에 세워 주었다. 두 아들인 연서連庶와 연상連庠은 서로 뒤를 이어가며 과거시험에 급제하였다. 처음에는 송상宋庠과 송기宋祁 형제 밑에서 공부하였다. 그래서 (호북성) 덕안부에는 (연서 형제와 송상 형제 등 네 명의 현자를 기리는 건물인) 사현당이 있다. 문잠文潛 장뇌張耒가 이에 대한 글을 남겼다.

●少連[234]. 仲連[235]. 惠連[236].

---

230) 歐公(구공) : 송나라 사람 구양수歐陽修(1007-1072)에 대한 존칭. 자는 영숙永叔이고 시호는 문충文忠. 저서로 ≪문충집文忠集≫ 158권 등이 전한다. ≪송사・구양수전≫권319 참조.

231) 二宋(이송) : 송나라 때 문인인 송상宋庠(996-1066)과 송기宋祁(998-1061) 형제를 아우르는 말.

232) 德安府(덕안부) : 호북성에 설치한 대단위 행정 구역 이름. 송상과 송기 형제는 호북성 덕안부의 속현屬縣인 안륙현安陸縣 사람이다.

233) 張文潛(장문잠) : 송나라 사람 장뇌張耒(1052-1112). '문잠'은 자. 황정견黃庭堅(1045-1105)・조보지晁補之(1053-1110)・진관秦觀(1049-1100)과 함께 소문사학사蘇門四學士 가운데 한 사람으로 시문에 조예가 깊고, 태상소경太常少卿과 여주지주사汝州知州事 등을 역임하였다. 저서로 ≪가산집柯山集≫(≪완구집宛邱集≫이라고도 함) 50권이 전한다. ≪송사・장뇌전≫권444 참조. 송나라 축목祝穆의 ≪방여승람方輿勝覽≫권31에서도 장뇌가 <사현당기(四賢堂記)>를 지었다고 하였으나 현전하는 ≪가산집≫에 실리지 않은 것으로 보아 실전된 듯하다.

234) 少連(소련) : ≪예기・잡기하雜記下≫권42에서 춘추시대 노魯나라 공자가 상례喪禮를 잘 알았다고 칭찬한 동이족東夷族 사람 이름. 당나라 송지문宋之

○(춘추시대 노魯나라 사람) 소련. (전국시대 제齊나라 사람) 노중련魯仲連. (남조南朝 유송劉宋 때 시인) 사혜련謝惠連.

◆宣(선씨)

▶徵音. 始平. 魯大夫宣伯之後, 以謚爲姓.

▷음은 치음에 속하고 본관은 (섬서성) 시평군이다. (춘추시대 때) 노나라 대부 선백의 후손이 시호를 성씨로 삼은 것이다.

◇三獨坐(삼독좌)

●宣秉, 字巨公, 漢建武[237]初, 拜御史中丞. 隸司隸校尉[238]·尙書令[239]會同, 竝專席[240]而坐, 京師號三獨坐. 性儉約, 常布衣蔬食. 帝幸其舍, 見而嘆曰, "楚國二龔[241], 不如雲陽[242]宣巨公." 卽賜布帛帳帷什物[243]. 所得祿俸, 輒散親族, 家無儋石[244]之儲.

○선병(?-30)은 자가 거공이다. 후한 (광무제) 건무(25-55) 초에 어사

問의 또 다른 이름이기도 하다.

235) 仲連(중련) : 전국시대 제齊나라 사람 노중련魯仲連의 이름. 조趙나라와 위魏나라를 설득하여 진秦나라를 물리치고, 연燕나라 장수를 설득하여 요성聊城을 돌려받기도 하였다. 공로를 세우고도 아무런 대가를 받지 않은 고사로 유명하다. ≪사기·노중련전≫권83 참조.

236) 惠連(혜련) : 남조南朝 유송劉宋 때 시인으로서 사영운謝靈運(385-433)의 조카인 사혜련謝惠連(397-433)의 이름. ≪송서·사영운전≫권67 참조.

237) 建武(건무) : 후한後漢 광무제光武帝의 연호(25-55).

238) 司隸校尉(사례교위) : 한나라 때 순찰巡察과 치안 업무를 관장하던 고위직 벼슬.

239) 尙書令(상서령) : 한나라 이후로 문서의 수발과 행정을 총괄하던 상서성尙書省의 장관을 이르는 말. 휘하에 육부六部를 설치하였고, 각 부의 장관인 상서尙書, 차관인 시랑侍郞, 실무자인 낭관郞官 등을 거느렸다.

240) 專席(전석) : 남과 함께 앉지 못 하여 따로 자리를 마련해 혼자서 앉는 것을 뜻하는 말. 자리를 겹치지 않고 앉는 것으로 보는 설도 있다.

241) 二龔(이공) : 전한 말엽 초국楚國 출신의 현자인 공승龔勝과 공사龔舍를 아우르는 말. ≪한서·왕공량공포전王貢兩龔鮑傳≫권72 참조.

242) 雲陽(운양) : 섬서성의 속현屬縣 이름. 여기서는 선병宣秉의 본관을 가리킨다.

243) 什物(십물) : 살림에 필요한 온갖 물품을 이르는 말.

244) 儋石(담석) : 한두 섬. 가난한 살림형편을 비유한다. '담儋'은 '석石'의 두 배인 두 섬을 뜻한다.

중승을 배수받았다. 사례교위·상서령을 따라 회동하였을 때 함께 자리를 독점하고 앉았기에 (하남성 낙양) 경사에서는 '삼독좌'라고 불렀다. 성품이 검소하여 늘 베옷을 입고 채식을 하였다. 광무제가 그의 숙소에 행차하였다가 이를 보고서는 감탄해 하며 말했다. "(전한 때) 초국 출신인 공승龔勝과 공사龔舍일지라도 (섬서성) 운영현 사람 선거공(선병)만은 못 할 것이오." 즉시 베와 비단·휘장 등 물품을 하사하였다. 자신이 받은 봉록은 늘 친족에게 나눠주었기에 집에는 한두 섬의 식량도 비축하지 않았다.

●董宣[245]. 節宣[246].
○(후한 사람) 동선. 신체의 기운을 소통시키다.

◆延(연씨)

▶羽音.
▷음은 우음에 속한다.

◇王佐才(왕을 보좌할 재능)

●延篤, 字叔堅, 博通經傳[247]. 漢桓帝拜爲議郞[248], 與朱穆等共著作東觀[249]. 李文德曰, "叔堅有王佐才, 奈何屈千里之足乎?" 欲引進之, 篤固辭. 爲京兆尹[250], 政用寬仁. 先是, 邊鳳爲尹, 亦有能名. 三輔[251]爲

245) 董宣(동선) : 후한 사람. 자는 소평少平. 하남성 낙양현령洛陽縣令을 지내며 공주의 노복을 가차없이 처벌할 정도로 강직한 성품을 지녔고, 법을 엄정하게 집행하여 '와호臥虎'라는 별명을 얻었다. ≪후한서·혹리열전酷吏列傳·동선전≫권107 참조.
246) 節宣(절선) : ≪좌전左傳·소공원년昭公元年≫권41에서 유래한 말로서 신체의 막힌 기운을 소통시키는 것을 뜻한다.
247) 經傳(경전) : 경서와 그에 대한 해설서를 아우르는 말.
248) 議郞(의랑) : 한나라 때 광록훈光祿勳 소속의 낭관郞官으로 자문에 응하고 인재를 초빙하는 업무를 맡아 보던 벼슬 이름.
249) 東觀(동관) : 한나라 때 궁중에 설치한 장서각 이름. 후한後漢 때 반고班固(32-92) 등이 ≪동관한기東觀漢紀≫를 편찬한 곳으로 유명하다. 뒤에는 국사를 편찬하는 곳의 별칭으로 쓰였다.
250) 京兆尹(경조윤) : 도성으로부터 백 리 안의 경기 지역을 관장하는 벼슬 이

之語曰, "前有趙張[252], 後有邊延." 卒, 鄕里圖其形於屈原[253]廟.

○연독(?-167)은 자가 숙견으로 경서와 해설서에 두루 정통하였다. 후한 환제 때 의랑을 배수받아 주목 등과 함께 동관에서 저작 활동에 참여하였다. 이문덕이 "숙견(연독)에게 왕을 보좌할 재능이 있으니 어찌 천리마의 발을 구부리게 해서야 되겠소?"라고 하며 그를 불러들이려 하였지만 연독이 한사코 사절하였다. 경조윤을 지낼 때 정사를 펼치면 관용과 은덕을 베풀었다. 이보다 앞서 변봉이 경조윤을 맡아 그 역시 능력이 있다는 명성을 얻었다. 그래서 경기 일대에서는 이와 관련해 "전에는 조광한趙廣漢과 장창張敞이 있더니 뒤에는 변봉과 연독이 있다네"라는 말이 돌았다. 생을 마친 뒤 고향 사람들이 (전국시대 초楚나라) 굴원의 사당에 그의 초상화를 그려넣었다.

●招延. 綿延[254]. 遷延[255].

○초빙하다. 끊임없이 이어지는 모양. 후퇴하는 모양.

◆堅(견씨)

▶角音.

▷음은 각음에 속한다.

름.

251) 三輔(삼보) : 전한 경제景帝 때 주작중위主爵中尉와 좌내사左內史・우내사右內史를 두었다가, 전한 무제武帝 때 장안 동쪽을 관장하는 경조윤京兆尹과 장릉長陵 이북을 관장하는 좌빙익左馮翊, 위성渭城 서쪽을 관장하는 우부풍右扶風으로 관제를 바꾸었는데, '삼보'는 이들 세 장관 혹은 그들이 관장하는 지역을 통칭한다. 결국 경기 지역을 가리킨다.

252) 趙張(조장) : 전한 때 경조윤京兆尹을 지낸 조광한趙廣漢과 장창張敞을 아우르는 말.

253) 屈原(굴원) : 전국시대 초楚나라 사람 굴평屈平. '원原'은 자字. 본명보다는 자로 더 알려졌다. 호는 영균靈均. 회왕懷王 때 삼려대부三閭大夫를 지내다가 참소를 당하자 ≪이소離騷≫를 짓고, 양왕襄王 때 다시 참소를 당하자 멱라강汨羅江에 투신자살하였다. ≪사기・굴원전≫권84 참조.

254) 綿延(면연) : 끊임없이 이어지는 모양.

255) 遷延(천연) : 뒤로 물러나는 모양. 후퇴하는 모양.

●堅鐔, 字子伋. 光武討河北, 召見, 拜偏將軍[256]. 每戰, 輒先當矢石, 以功封合肥[257]侯, 繪形雲臺[258].

○견담(?-50)은 자가 자급이다. (후한) 광무제가 하북 지역을 토벌할 때 그를 불러 접견하고 편장군에 임명하였다. 매번 전투를 벌일 때마다 먼저 화살과 돌을 맞으며 전공을 세워서 합비후에 봉해지고 운대에 초상화가 걸렸다.

●攻堅. 被堅[259]. 氷堅.

○견고한 곳을 공략하다. 갑옷. 얼음이 얼다.

◆先(선씨)

▶商音.

▷음은 상음에 속한다.

●先軫, 晉大夫. 文公城濮[260]之戰, 軫謀居多. 後入狄師, 死之. 狄人歸其元[261], 面如生. 子且居, 晉襄公以三命[262]命將中軍[263]. 是爲霍

---

256) 偏將軍(편장군) : 일부 군대를 관장하는 장군이나 부장군副將軍을 가리키는 말.

257) 合肥(합비) : 안휘성의 속현屬縣 이름.

258) 雲臺(운대) : 누각 이름. 후한後漢 광무제光武帝 유수劉秀(B.C.6-A.D.57)가 중신들과 국사를 논의하였고, 명제明帝가 부친인 광무제 때의 공신들의 업적을 기리기 위해 등우鄧禹(2-58) 등 28명의 초상화를 그려 넣은 장소로 유명하다.

259) 被堅(피견) : 갑옷을 뜻하는 말인 갑주甲冑의 별칭.

260) 城濮(성복) : 춘추시대 위衛나라의 지명. 하남성 진류현陳留縣 일대라고도 하고 산동성 복현濮縣 일대라고도 하는데, 여기서는 전자를 가리키는 것으로 보인다.

261) 歸其元(귀기원) : 그의 머리를 돌려보내다. 목이 잘린 사람의 머리를 원래의 장소로 되돌려주는 것을 뜻한다. '원元'은 '수首'의 뜻.

262) 三命(삼명) : 제후국의 벼슬인 상경上卿의 품계品階를 이르는 말. '명命'은 주周나라 때 품계를 의미하는 말로 후대 구품중정제九品中正制에서 '품品'의 수치가 작을수록 지위가 높은 것과는 반대로 구명제九命制에서는 수치가 클수록 지위가 높았다.

263) 中軍(중군) : 삼군三軍인 좌군左軍·중군中軍·우군右軍 가운데 가장 핵심 부대를 가리키는 말. 뒤에는 전의되어 주장主將이나 지휘부를 가리키는 말로

伯[264), 父爲蒲城[265)伯. 先蔑・先克・先穀, 皆其後也.

○선진(?-B.C.627)은 (춘추시대) 진나라 때 대부이다. 문공은 (하남성) 성복에서 전투를 벌일 때 선진의 계책을 많이 채용하였다. 선진은 뒤에 적족의 군대로 뛰어들었다가 그들에게 죽임을 당했다. 적족 사람들이 그의 머리를 돌려보냈는데 얼굴이 살아 있을 때 그대로였다. 아들 선차거先且居(?-B.C.622)를 진나라 양공이 삼명의 품계로 중군을 통솔하는 장수에 임명하였다. 선차거는 곽백에 봉해지고, 부친(선진)은 포성백에 봉해졌다. 선멸・선극・선곡 모두 그의 후손이다.

●爭先. 著鞭先.

○선두를 다투다. 채찍질을 하여 앞서가다.

□三蕭(3소)

◆蕭(소씨)

▶角音. 河南. 宋微子[266)之後, 支孫[267)封於蕭, 因邑命氏.

▷음은 각음에 속하고 본관은 (하남성) 하남군이다. 송(상商)나라 미자(계啓)의 후손 가운데 지손이 (안휘성) 소읍에 봉해지자 고을 이름을 따라 성씨를 명명한 것이다.

◇功第一(공적이 으뜸가다)

●蕭何起秦刀筆[268)吏, 後佐漢祖[269)成帝, 業功第一, 封酇侯, 食邑八千

도 쓰였다.

264) 霍伯(곽백) : 춘추시대 진晉나라 대부大夫 선차거先且居의 봉호.

265) 蒲城(포성) : 춘추시대 때 섬서성에 있었던 땅 이름. 뒤에는 현縣으로도 설치되었다.

266) 微子(미자) : 상商나라 마지막 왕인 주왕紂王의 형으로 본명은 계啓. 모친이 정식 왕비에 책립되기 전에 태어나 서출庶出 신분이고, 동생인 주는 모친이 왕비에 책립된 뒤에 태어나 적출嫡出 신분이다. '미微'는 봉호封號이고, '자子'는 존칭. 앞의 '송'은 상나라 후손들을 봉한 봉토를 가리킨다.

267) 支孫(지손) : 동일 종파의 자손을 이르는 말.

268) 刀筆(도필) : 칼과 붓. 옛날에 죽간에 글을 쓸 때 오자가 생기면 칼로 긁어

戶, 爲丞相.

○소하(?-B.C.193)는 진나라 때 문서를 관장하는 관리로 벼슬을 시작하였다가 뒤에 전한 고조(유방劉邦)를 도와 황제에 오르게 하면서 공적이 으뜸가 찬후에 봉해지고, 식읍을 8천 호 받았으며, 승상의 자리에 올랐다.

◇儒宗(유학의 종사)

●蕭望之, 字長倩. 漢地節[270]中, 上疏言事, 帝曰, "此東海[271]蕭生耶?" 擢平原太守. 雅[272]意本朝, 上疏自陳, 徵入守少府[273]. 宣帝察其明經持重材, 任宰相. 後受遺詔, 領尙書事, 圖形麟閣[274]. 八子最貴顯者三人, 育·咸·由.

○소망지(?-B.C.47)는 자가 장천이다. 전한 (선제) 지절(B.C.69-B.C.66) 연간에 상소문을 올려 국사에 대해 건의하자 선제가 "이 사람이 (산동성) 동해군 출신의 그 소선생인가?"라고 하고는 (산동성) 평원태수에 발탁하였다. 소망지는 평소 조정에 마음을 두어 상소문을 올려서 자신의 심경을 진술하였기에 선제의 부름을 받아 입궐해서 (재정을 총괄하는 기관인) 소부를 관장하게 되었다. 선제는 그가 경전에 밝고 뛰어난 재능을 지녔다는 것을 알고는 재상에 임명하였다. 뒤에 유명을 받아 상서의 업무를 총괄하고 기린각에 초상화가 걸렸다. 여덟 명의 아들 가운데 가장 고관에 오른 사람은 세 명으로 소육蕭育·소함蕭咸·소유蕭由이다.

낸 뒤 다시 쓴 데서 유래한 말로 결국 붓을 뜻한다.

269) 漢祖(한조) : 전한 고조高祖에 대한 약칭.

270) 地節(지절) : 한漢 선제宣帝의 연호(B.C.69-B.C.66).

271) 東海(동해) : 산동성의 속군屬郡 이름.

272) 雅(아) : 평소, 원래.

273) 少府(소부) : 진한秦漢 때는 세금에 관한 업무를 관장하던 기관의 장관을 이르는 말로 구경九卿의 하나였으나, 당송唐宋 때는 '태부太府'를 구경의 하나로 설치하면서 '소부'는 현縣에서 치안을 관장하는 현위縣尉의 별칭으로 쓰였다.

274) 麟閣(인각) : 한나라 때 장서각 이름인 기린각麒麟閣의 약칭. '기린'은 전설상의 동물 이름으로 상서로운 징조와 왕위를 상징한다. 고대 중국인들은 태평성대가 도래하면 기린이나 봉황이 출현한다고 생각하였다.

◇松石間意(자연의 흥취를 잘 표현하다)

●蕭思話從宋文帝, 登鍾山[275], 使於石上彈琴, 賜以銀鍾酒, 賞其有松石間意. 歷十二州牧[276]. 子惠開・惠休・惠明.

○소사화(400-455)가 (남조南朝) 유송劉宋 문제를 따라 (강소성) 종산에 올랐을 때 문제는 그에게 바위 위에서 금을 연주케 하고는 은술잔에 담긴 술을 하사하여 그가 자연의 흥취를 잘 표현한 것에 대해 포상하였다. 12개 주의 자사를 역임하였다. 아들은 소혜개蕭惠開・소혜휴蕭惠休・소혜명蕭惠明이다.

◇文酒賞會(글을 짓고 술을 마시는 모임을 결성하다)

●蕭介有器識, 與族兄琛・治及弟淑等爲文酒賞會. 宋武帝延後進二十餘人, 置酒賦詩, 介染翰成文, 文不加點. 臧盾以詩不成, 罰酒一斗. 盾飮盡, 言笑自若. 帝曰, "蕭介之文, 臧盾之飮, 皆卽席之美也." 仕齊, 爲尙書. 子叔佐・叔休.

○소개는 도량이 넓고 식견이 깊어 족형인 소침蕭琛・소흡蕭治 및 동생인 소숙蕭淑 등과 함께 글을 짓고 술을 마시는 모임을 결성하였다. (남조南朝) 유송劉宋 무제가 후진 20여 명을 초빙하여 술자리를 열고서 시를 지을 때 소개는 붓을 적셔 글을 지으면 문장을 조금도 수정하지 않았다. 장순이 시를 완성하지 못 해 벌주 한 말을 마시게 되었다. 장순은 술을 다 마시고는 태연자약하게 담소를 나누었다. 그러자 무제가 말했다. "소개의 글솜씨와 장순의 주량 모두 오늘 이 자리에서 칭찬할 만한 일이오." 남제南齊에서 벼슬길에 올라 상서를 지냈다. 아들은 소숙좌蕭叔佐와 소숙휴蕭叔休이다.

◇宗老(종실의 원로)

●蕭琛, 字彦瑜, 梁武帝以爲御史中丞. 嘗與御宴, 上以棗投琛, 琛取栗,

---

275) 鍾山(종산) : 강소성 금릉金陵(남경) 동쪽에 있는 산 이름. '자금산紫金山' 혹은 '장산蔣山'이라고도 한다.

276) 牧(목) : 자사刺史의 별칭. 주州의 장관인 자사는 '목牧'이라고 하고, 현縣의 장관인 현령은 '재宰'라고 한다.

擲上中面曰, “陛下[277]投臣以赤心[278], 臣敢不報以戰栗[279]?” 上呼之爲宗老[280].

○소침(478-529)은 자가 언유로 (남조南朝) 양나라 무제 때 어사중승을 지냈다. 일찍이 무제가 베푼 연회에 참석한 적이 있는데, 무제가 대추를 소침에게 던지자 소침은 밤을 들어서 무제에게 던져 얼굴을 맞히고는 “폐하께서 신에게 진심(대추)을 담아 던지셨으니 신이 어찌 감히 전율하는 심경(밤)으로 보답하지 않을 수 있겠나이까?”라고 하였다. 그래서 무제는 그를 ‘종로’라고 불렀다.

◇結蘭援桂(난초를 차고 계수나무 가지를 당기다)

●蕭大圜, 字仁顯, 梁武帝第二十子, 封晉熙郡王. 嘗曰, “知止知足[281], 蕭然[282]無慮. 北山之北, 棄絶人間, 南山之南, 超踰世網. 近瞻霞霧, 遠睇風雲. 藉翠草以蔭長松, 結幽蘭而援芳桂. 沽酪牧羊, 協潘生[283]之志. 畜雞種黍, 應莊叟[284]之言. 有朋自遠, 商確[285]古今, 田畯相過, 劇

---

277) 陛下(폐하) : 황제에 대한 존칭. ‘섬돌 아래 공손히 자리한다’는 의미에서 유래하였다. 황제皇帝에게는 ‘섬돌 아래 있다’는 의미의 ‘폐하陛下’를, 친왕親王이나 제후에게는 ‘전각 아래 있다’는 의미의 ‘전하殿下’를, 고관에게는 ‘누각 아래 있다’는 의미의 ‘각하閣下’를, 그리고 신분이나 연령이 높은 사람에게는 ‘발 아래 있다’는 의미의 ‘족하足下’를 사용함으로써 상대방의 지위가 낮아질수록 점차 거리를 가까이하는 의미가 담겨 있다.

278) 赤心(적심) : 붉은 심장. 진심이나 순수한 마음을 비유한다. 여기서는 쌍관법雙關法적 표현으로 붉은 색을 띤 대추를 비유하기도 한다.

279) 戰栗(전율) : 두려워서 떠는 모양. ‘밤 율栗’이 ‘떨 율慄’과 통용자이므로 여기서는 쌍관법雙關法적으로 밤을 비유하기도 한다.

280) 宗老(종로) : 종실의 원로. 소침蕭琛(478-529)이 양나라 무제武帝 소연蕭衍(464-549)과 같은 종씨이고 성품이 대담하기에 하는 말이다.

281) 知止知足(지지지족) : 멈추고 만족할 줄 알다. 욕심을 부리지 않는 것을 일컫는 말로서 ≪노자≫의 “만족할 줄 알면 욕을 당하지 않고, 멈출 줄 알면 위태롭지 않다(知足不辱, 知止不殆)”는 말에서 유래하였다.

282) 蕭然(소연) : 소탈한 모양, 여유로운 모양. 여기서는 탈속적인 모습을 뜻한다.

283) 潘生(반생) : 반선생. 진晉나라 때 저명한 문인인 반악潘岳(247-300)을 가리키는 말인 듯하다. 미남의 대명사로서 권세가에게 빌붙다가 사형을 당했다. ≪진서・반악전≫권55 참조.

284) 莊叟(장수) : 도가사상을 대표하는 전국시대 송宋나라 때 철학가 장자莊子

談[286]稼穡[287]."

○소대환(?-약 581)은 자가 인현으로 (남조南朝) 양나라 무제의 스무 번째 아들로서 진희군왕에 봉해졌다. 그는 일찍이 "멈출 줄 알고 만족할 줄 알면 여유로워 아무런 걱정이 없을 것이다. 북산 북쪽에서는 인간세상과 인연을 끊을 수 있고, 남산 남쪽에서는 속세의 그물에서 벗어날 수 있다. 가까이로는 노을과 안개를 볼 수 있고, 멀리로는 바람과 구름을 볼 수 있다. 비취빛 풀에 앉아 커다란 소나무 그늘에서 쉴 수도 있고, 향기 그윽한 난초를 차고서 향그러운 계수나무 가지를 당길 수도 있다. 연유를 팔고 양을 키우면서도 (진晉나라) 반선생(반악潘岳)의 포부를 이룰 수 있고, 닭을 키우고 보리를 심으면서도 (전국시대 송宋나라) 장자(장주莊周)의 말에 응대할 수 있다. 먼 곳에서 친구가 찾아오면 고금의 고사를 토론하다가 밭두렁을 지나며 농사에 대해 흉금없이 얘기할 수도 있다"고 말한 적이 있다.

◇紫標黃榜(자색으로 표기하고 황색으로 표기하다)

●蕭宏, 字宣達, 梁武帝[288]第六子. 性愛錢, 百萬一聚, 黃榜標之, 千萬一庫, 懸以紫標. 豫章王綜爲作錢愚論.

○소굉(473-526)은 자가 선달로 (남조南朝) 양나라 태조太祖의 여섯 번째 아들이다. 천성적으로 돈을 좋아해 백만 냥이 모이면 황색 팻말로 이를 표시하고, 천만 냥이 금고에 쌓이면 자색 팻말을 내다걸었다. 예장왕豫章王 소종蕭綜이 이 때문에 <돈을 좋아하는 어리석음에 대해 논하는 글>을 지었다.

(장주莊周)의 별칭.

285) 商確(상확) : 검토하다, 상의하다.

286) 劇談(극담) : 흉금을 터놓고 즐겁게 얘기하다.

287) 稼穡(가색) : 농사를 뜻하는 말. '가稼'는 곡식을 심는 것을 뜻하고, '색穡'은 곡식을 수확하는 것을 뜻한다.

288) 武帝(무제) : 이는 '태조太祖'의 오기이다. ≪양서梁書·소굉전≫권22에 의하면 소굉蕭宏(473-526)은 태조太祖 소순지蕭順之의 6남이자 무제武帝 소연蕭衍(464-549)의 동생이다.

◇五行俱下(다섯 줄을 한꺼번에 읽어 내려가다)

●蕭統, 字德施, 小字維摩289), 梁昭明太子也. 讀書, 五行俱下290). 五歲讀五經, 註文選291)三十卷, 註陶詩. 年三十一卒.

○소통(501-531)은 자가 덕시이고 어렸을 때 자가 유마로 (남조南朝) 양나라 (무제武帝 소연蕭衍의 장남인) 소명태자이다. 글을 읽을 때는 다섯 줄을 한꺼번에 읽어 내려갔다. 다섯 살에 오경을 읽더니 ≪문선≫ 30권에 주를 달고, (진晉나라) 도연명陶淵明의 시에 주를 달았다. 나이 서른한 살에 요절하였다.

◇良瑾(훌륭한 인재)

●蕭道度, 齊高祖兄也. 始兄弟俱受學於雷次宗292). 父問二子學業, 次宗曰, “其兄外明, 其弟內潤, 皆良瑾293)也.” 子鈞.

○소도도는 (남조南朝) 남제南齊 고조(소도성蕭道成)의 형이다. 처음에 형제는 함께 뇌차종에게서 학문을 전수받았다. 부친이 두 아들의 학업에 대해 묻자 뇌차종은 “형은 겉으로 총명하고 동생은 안으로 기름지니 모두 훌륭한 인재입니다”라고 하였다. 아들은 소균蕭鈞이다.

◇巾箱五經(두건 상자 속의 오경)

●蕭鈞嘗手自細書294)五經一卷, 置巾箱中, 名巾箱295)五經. 愛會稽296)

---

289) 維摩(유마) : 석가모니의 속가 제자인 유마힐維摩詰이나 그가 제자들과 대승불교大乘佛敎의 교리에 대해 문답한 내용을 기록한 책인 ≪유마힐경維摩詰經≫의 약칭.

290) 五行俱下(오항구하) : 다섯 줄을 한꺼번에 읽어 내려가다. 속독의 능력이 뛰어남을 말한다. ‘오항병하五行竝下’라고도 한다.

291) 文選(문선) : 남조南朝 양梁나라 무제武帝 소연蕭衍(464-549)의 맏아들인 소명태자昭明太子 소통蕭統(501-531)이 역대의 시·부賦·산문 등을 모아 엮은 시문詩文 선집選集. 원래는 30권이었으나 현재는 60권본으로 전한다. ≪사고전서간명목록·집부·총집류總集類≫권19 참조. ‘소명昭明’은 시호.

292) 雷次宗(뇌차종) : 남조南朝 유송劉宋 때 학자(386-448). 자는 중륜仲倫. 강서성 여산廬山에 은거하여 혜원대사慧遠大師(334-416)에게 ≪삼례三禮≫와 ≪모시毛詩≫를 전수받았다. ≪송서宋書·은일열전隱逸列傳·뇌차종전≫권93 참조.

293) 良瑾(양근) : 품질이 좋은 아름다운 옥. 훌륭한 인재를 비유한다.

山水曰, "身處朱門[297], 情遊江海. 形入紫闥[298], 意在靑雲[299]."

○(남조南朝 남제南齊) 소균은 일찍이 손수 잔글씨로 오경을 한 두루마리 안에 적어서 두건 상자 속에 두고는 이름하여 '건상오경'이라고 하였다. (절강성) 회계군의 산수를 좋아하였기에 "몸은 붉은 대문에 거처해도 마음은 강과 바다를 노닐고, 몸은 붉은 궁문으로 들어서도 마음은 청운(자연)에 가 있다네"라고 하였다.

◇蕭齋(소자운의 재실)

●蕭子雲, 字景喬, 善草隷. 嘗飛白[300]大書蕭字, 季約[301]得之, 結一亭, 扁爲蕭齋. 玉笥[302]山有群玉峯·九仙臺·金牛坡·白龍岩·棲霞谷, 山中有蕭子雲宅. 仕梁, 爲國子祭酒[303].

○소자운(487-549)은 자가 경교로 초서와 예서를 잘 썼다. 일찍이 '소'자를 비백체로 크게 쓰자 이약지李約之가 이를 얻어 정자를 짓

294) 細書(세서) : 잔글씨로 글을 쓰는 것을 이르는 말.

295) 巾箱(건상) : 두건을 보관하는 상자. 뒤에는 여러 가지 물품을 보관하는 상자를 의미하는 말로 쓰였다.

296) 會稽(회계) : 춘추전국시대 때는 절강성 소흥시紹興市 일대를 '회계'라고 하다가, 진한秦漢 때는 오군吳郡(강소성 소주시蘇州市 일대)으로 이전하였고, 후한後漢 이후로 다시 오군을 복원하면서 회계군 역시 원래 지역(절강성 소흥시 일대)으로 복원시켰다.

297) 朱門(주문) : 붉은 대문. 신분이 높은 고관대작이나 부호를 상징한다.

298) 紫闥(자달) : 자주빛을 띤 궁궐의 소문小門을 뜻하는 말로 결국 황궁을 가리킨다.

299) 靑雲(청운) : 자연 속에 은거하거나 고관에 오르는 것을 비유하는 말. 여기서는 전자를 가리킨다.

300) 飛白(비백) : 후한後漢 때 채옹蔡邕(133-192)이 고안한 서체로 획을 나는 듯이 그어 흰 색이 드러나 보이게 하였다. 팔분八分과 비슷하다.

301) 季約(계약) : 위의 예문과 유사한 내용이 송나라 축목祝穆의 ≪고금사문류취古今事文類聚≫속집권8 등 다른 문헌에도 전하는데, 이에 의하면 사람 이름인 '이약지李約之'의 오기이다. 이약지의 신상은 미상.

302) 玉笥(옥사) : 비급祕笈을 담는 귀한 상자를 뜻하는 말로 천제天帝가 이 산에 내려주었다는 전설에서 산 이름이 유래하였다.

303) 國子祭酒(국자제주) : 국가의 교육을 총괄하고 제사를 주재하는 기관인 국자감國子監의 장관 이름. 시대마다 차이가 있어 유림제주儒林祭酒·성균제주成均祭酒·국자제주國子祭酒·대사성大司成 등 다양한 명칭으로 불렸다.

고는 '소재'라는 편액을 달았다. (강서성) 옥사산에는 군옥봉·구선대·금우파·백룡암·서하곡이 있고, 산속에는 소자운의 저택이 있다. 소자운은 (남조南朝) 양나라에서 벼슬길에 올라 국자제주를 지냈다.

◇疾風勁草(세찬 바람이 불어야 풀이 억센 줄 알 수 있다)

●蕭瑀, 後梁[304]明帝子, 好經術. 歸唐, 封宋國公. 高祖嘗引升御榻, 呼爲蕭郎. 太宗以其武德[305]之季有讜言[306], 賜以詩云, "疾風知勁草[307], 板蕩[308]識誠臣." 拜太子太保[309], 同三品.

○소우(575-648)는 (남조南朝) 후량 명제의 아들로서 경학을 좋아하였다. 당나라에 귀순하여 송국공에 봉해졌다. 고조가 일찍이 그를 초빙하여 어좌에 오르게 하면서 '소랑'이라고 불렀다. 태종은 (고조) 무덕(618-626) 말엽에 바른 말을 하였다는 이유로 시를 하사하여 "세찬 바람이 불어야 풀이 억센 줄 알 수 있고, 세상이 어지러워야 충성스런 신하를 알아볼 수 있는가 보다"라고 하였다. 태자태보를 배수받으면서 삼품과 같은 품계로 대우받았다.

◇八葉宰相(8대에 걸쳐 재상에 오르다)

●蕭嵩, 唐開元[310]中, 與韓休竝相. 荊州進柑, 帝以紫帕羅包, 賜之. 本傳贊云, "蕭梁[311]興江左[312], 有功在民, 餘祉及後裔." 自瑀至遘, 凡八

---

304) 後梁(후량) : 남조南朝 때 진陳나라가 망한 뒤 선제宣帝 소찰蕭詧이 남방에 세운 나라 이름. 명제明帝는 소찰의 아들인 소규蕭巋의 시호이다. ≪주서周書·소찰전≫권48과 ≪주서·소규전≫권48 참조.

305) 武德(무덕) : 당唐 고조高祖의 연호(618-626).

306) 讜言(당언) : 바른 말, 직언.

307) 疾風知勁草(질풍지경초) : 거센 바람이 불어야 억센 풀을 알다. 어떠한 난관이 닥쳐도 뜻을 굽히지 않는 굳은 절조를 비유한다.

308) 板蕩(판탕) : 난세, 혼란기를 뜻하는 말. 주周나라 여왕厲王의 무도한 정치를 풍자한 ≪시경·대아大雅≫의 노래 제목인 <판板>과 <탕蕩>에서 유래하였다.

309) 太子太保(태자태보) : 태자궁의 벼슬로 태자태사太子太師·태자태부太子太傅와 함께 태자의 큰 스승격인 '태자삼사太子三師' 가운데 하나.

310) 開元(개원) : 당唐 현종玄宗의 연호(713-741).

葉宰相, 名德相望[313], 與唐興衰, 古未有也. 瑀(太宗朝)・嵩(元宗[314]朝)・華(肅宗朝)・復(德宗朝)・俛(穆宗朝)・寘(宣宗朝)・倣(懿宗朝)・遘(僖宗朝).

○소숭(?-749)은 당나라 (현종) 개원(713-741) 연간에 한휴와 함께 재상을 지냈다. (호북성) 형주에서 감귤을 바치자 현종은 자색 천으로 포장해서 그에게 하사하였다. ≪신당서・소숭전≫권101의 찬문에 "소연蕭衍이 세운 (남조南朝) 양나라가 강남에서 흥성하여 은혜를 백성에게 베풀었기에 넘치는 복이 후손에게까지 미쳤다"고 하였다. 소우蕭瑀로부터 소구蕭遘에 이르기까지 모두 8대에 걸쳐 재상을 지내며 명성과 덕망을 이어가면서 당나라와 흥망성쇠를 함께 하였으니 이는 일찍이 옛날에 없었던 일이다. 8대는 소우(태종 때)・소숭(현종 때)・소화蕭華(숙종 때)・소복蕭復(덕종 때)・소면蕭俛(목종 때)・소치蕭寘(선종 때)・소방蕭倣(의종 때)・소구(희종 때)를 가리킨다.

◇蕭夫子(소부자)

●蕭穎士, 字茂挺, 四歲能屬文, 觀書, 一覽卽成誦. 唐開元中, 擧進士, 對策[315]第一. 尹徽[316]・王桓[317]・盧異等執弟子禮, 受業, 號蕭夫子[318]. 與李華齊名, 號蕭李. 卒, 門人共謚曰文元先生. 李華三賢論云, "吾師事元魯山[319], 而友蕭・劉二功曹[320]." 三賢者, 賢人之達也. 劉,

311) 蕭梁(소량) : 무제武帝 소연蕭衍(464-549)이 세운 남조南朝 양梁나라를 가리킨다.
312) 江左(강좌) : 강남江南의 별칭. 남조南朝 때 왕조들이 수도를 장강의 왼쪽, 즉 장강의 동쪽인 건강建康(남경)에 정한 데서 유래하였다.
313) 相望(상망) : 끊이지 않고 이어진 모양, 매우 많은 모양.
314) 元宗(원종) : 당나라 현종玄宗의 별칭. '원元'은 청나라 강희제康熙帝의 휘避 때문에 '현玄'을 고쳐 쓴 것이다.
315) 對策(대책) : 정사政事나 경의經義에 대한 문제에 답안을 제시하는 일. '대책對冊'으로도 쓴다.
316) 尹徽(윤휘) : ≪신당서・소영사전≫권202에 의하면 '윤징尹徵'의 오기이다.
317) 王桓(왕환) : ≪신당서・소영사전≫권202에 의하면 '왕항王恒'의 오기이다.
318) 夫子(부자) : 스승이나 장자長者・고관・부친・남편 등에 대한 존칭. 춘추시대 노魯나라 공자의 제자들이 공자를 '부자'라고 부른 것이 그 대표적인 예이다.
319) 元魯山(원노산) : 당나라 사람 원덕수元德秀. 자는 자지紫芝. 노산현魯山縣

謂劉挺卿.

○소영사(708-759)는 자가 무정으로 네 살 때부터 글을 지을 줄 알았고, 서책을 보면 한 번 보고서 즉시 암송하였다. 당나라 (현종) 개원(713-741) 연간에 진사과에 급제하고 책시策試에서 장원을 차지하였다. 윤징尹徵·왕항王恒·노이 등이 제자의 예를 갖춰 학업을 전수받으면서 그를 '소부자'로 불렀다. 이화와 나란히 이름을 떨쳐 '소리'로 불렸다. 생을 마치자 문인들이 함께 '문원선생'이란 시호를 지어 주었다. 이화는 <세 현자에 대해 논하는 글>에서 "나는 원노산(원덕수元德秀)을 스승으로 섬기고 소영사와 유정경 두 공조참군과 친하게 지냈다"고 하였다. '삼현'은 달인의 경지에 오른 현자를 뜻하고, '유劉'는 유정경을 말한다.

◇江西三瑞(강서 일대의 세 가지 상서로운 일)

●蕭定基, 字平一, 宋景祐[321]中, 爲殿中侍御史[322]. 仁宗嘗題殿柱云, "彭齊之文章, 楊丕之淸操, 蕭定基之政事, 爲江西三瑞!"云. 三子汝諧·汝礪·汝器·孫服, 俱及第.

○소정기는 자가 평일로 송나라 경우(1034-1037) 연간에 전중시어사를 지냈다. 인종이 일찍이 궁전 기둥에 "팽제의 문장과 양비의 청렴한 절조·소정기의 정사는 강서 일대의 세 가지 상서로운 일이로다!"라고 적은 적이 있다고 한다. 세 아들 소여해蕭汝諧·소여려蕭汝礪·소여기蕭汝器와 손자 소복蕭服 모두 과거시험에 급제하였다.

의 현령縣令을 지내서 '원노산'이란 별칭으로 불렸다. 명리名利에 마음을 두지 않아 산수를 벗하고 금琴을 즐겼다. ≪신당서·탁행열전卓行列傳·원덕수전≫ 권194 참조.

320) 功曹(공조) : 군郡에서 서사書史를 관장하는 속관屬官인 공조참군功曹參軍의 약칭.

321) 景祐(경우) : 북송北宋 인종仁宗의 연호(1034-1037).

322) 殿中侍御史(전중시어사) : 관리들의 비행을 규찰하고 탄핵하는 업무를 관장하는 기관인 어사대御史臺 소속의 관원. 어사대부御史大夫·어사중승御史中丞·시어사侍御史 다음 가는 벼슬로서, 감찰어사監察御史보다는 품계가 높았다.

◇曉寒歌(새벽의 추위를 읊은 노래)

●蕭貫少時，夢至一宮殿，群女如神仙．一人授紙云，“此衍波牋．煩賦曉寒歌.” 援筆立[323]成云，“十二嶢關[324]隱宮綠[325]，獸猊呀酒[326]椒壁[327]馥．渴烏涓涓[328]不相續，轆轤[329]欲轉霏紅玉[330]．百刻[331]香殘隕蓮燭，五龍[332]吐水漫寒漿[333]．紅銷[334]佩魚[335]無左璫[336]，兩兩懸足瞻扶桑[337]．紅萍半規出波面，回首觚稜[338]九霞[339]絢．鳴鞘[340]遠從

---

323) 立(입) : 즉시, 바로.

324) 嶢關(요관) : 섬서성 남전현藍田縣 남동쪽에 있던 관문 이름. 전한 고조高祖가 진秦나라 군대를 물리친 곳으로 유명하다. 뒤에는 '청니관青泥關' '남전관藍田關'으로도 불렸다.

325) 宮綠(궁록) : 소관蕭貫의 시는 송나라 완열阮閱의 ≪시화총귀詩話總龜·기몽문紀夢門≫권34에도 전하는데, 이에 의하면 푸른 하늘을 뜻하는 말인 '공록空綠'의 오기이다.

326) 呀酒(하주) : 술을 뿜어내다. ≪시화총귀≫권34에는 '호염呼焰'으로 되어 있고, '하염呀焰'으로 되어 있는 문헌도 있는데, 문맥상 '주酒'는 '염焰'으로 하는 것이 자연스러워 보인다.

327) 椒壁(초벽) : 산초가루를 바른 벽. 후궁의 처소를 비유적으로 가리킨다. 산초가루는 해충을 막고 다산多産을 상징한다.

328) 涓涓(연연) : 눈물이나 빗물 따위가 끊이지 않는 모양.

329) 轆轤(녹로) : 우물 따위에 사용하는 도르래.

330) 紅玉(홍옥) : 붉은 광채가 도는 물건을 가리키는 말인데, 여기서는 우물의 장치를 가리키는 듯하다.

331) 百刻(백각) : 하루 24시간을 이르는 말. 옛날에는 물시계의 눈금을 100각으로 새겼다.

332) 五龍(오룡) : 각 방향을 관장하는 오색五色의 용. 즉 동방 청룡·남방 적룡·중앙 황룡·서방 백룡·북방 흑룡을 아우르는 말. 여기서는 우물 근처의 석상이나 장식물을 가리키는 말로 보인다.

333) 寒漿(한장) : 차가운 음료. 시원한 우물물을 가리킨다.

334) 紅銷(홍소) : ≪시화총귀≫권34에 의하면 '홍견紅絹'의 오기이다.

335) 佩魚(패어) : 5품 이상 관리들이 차고 다니던 물고기 모양의 주머니. 3품 이상은 금을, 5품 이상은 은을 장식하였다.

336) 左璫(좌당) : 환관의 별칭. 환관이 갓의 왼쪽에 옥을 장식한 데서 유래하였다.

337) 扶桑(부상) : 동쪽 해가 뜨는 곳에 있다는 전설상의 뽕나무.

338) 觚稜(고릉) : 사물의 뾰족한 모서리 부분을 이르는 말.

339) 九霞(구하) : 하늘의 별칭. '구천九天'이라고도 한다.

340) 鳴鞘(명초) : 채찍 끝에 달린 가죽 따위를 휘둘러 소리내는 것을 이르는 말. 여기서는 황제나 황제의 의장을 비유적으로 가리키는 듯하다.

天上來, 大劍高冠滿前殿." 仙曰, "子詩甚有奇語, 異日必貴." 宋祥符[341]中, 試'天下如置器'賦, 蔡齊榜[342]登第.

○소관은 어렸을 때 꿈속에서 한 궁전에 도착해 신선처럼 보이는 여인들을 만났다. 그러자 한 여인이 종이를 주면서 말했다. "이것은 연파지라는 종이입니다. 폐가 되겠지만 <새벽의 추위를 읊은 노래>를 지어 주십시오." 그래서 소관이 붓을 당겨 즉시 다음과 같은 시를 완성하였다. "열두 개의 관문이 있는 요관이 푸른 하늘을 가렸는데, 사자 향로가 불꽃을 뿜어내니 산초 바른 후궁의 벽에 향기가 감도네. 까마귀가 목이 말라 물줄기가 이어지지 못 하자, 우물의 도르래가 돌려고 붉은 옥을 날리네. 하루종일 남은 향이 연꽃 모양의 촛불에서 떨어지고, 오룡이 물을 뱉으니 시원한 우물물이 가득하구나. 붉은 비단옷 입고 패어를 찬 사람 중에 환관은 없고, 둘씩 짝지어 발을 올려놓고 동쪽 하늘을 바라보는데, 붉은 부평초처럼 반원(해)이 물 위로 솟구쳐, 고개 돌려 모퉁이를 바라보니 하늘이 눈부시다. 소리내는 채찍이 멀리 하늘로부터 내려오니, 큰 검 찬 호위병과 높은 갓 쓴 고관들이 전각 앞을 가득 메우네." 그러자 여신선이 말했다. "그대의 시에 기발한 말이 많은 것을 보니 훗날 반드시 귀한 몸이 될 것이오." 송나라 (진종) 대중상부(1008-1016) 연간에 '천하를 다스리는 것은 마치 그릇을 배치하는 것과 같다'라는 제목의 부를 시험쳤을 때 채제가 장원인 합격자 명단에 이름을 올렸다.

●蕭育少與朱博爲友. 長安語曰, "蕭朱結綬[343]." 元帝朝爲相.

○소육은 어려서부터 주박(?-B.C.5)과 친한 사이였다. 그래서 (섬서성) 장안에는 "소육과 주박이 서로 인끈을 묶어 주었다"는 말이 돌았다. (전한) 원제 때 재상에 올랐다.

---

341) 祥符(상부) : 북송北宋 진종眞宗의 연호인 대중상부大中祥符(1008-1016)의 준말.

342) 蔡齊榜(채제방) : 채제蔡齊가 장원급제한 과거시험에서의 급제자 명단을 가리킨다.

343) 結綬(결수) : 인끈을 묶다. 즉 벼슬살이하는 것을 비유한다.

●蕭文琰與江拱344)擊鉢345)立韻.

○(남조南朝 남제南齊 때) 소문염은 강홍江洪과 함께 바리때를 치고서 압운자를 세웠다.

●蕭靈346)讀'烝嘗347)伏臘348)'爲'伏獵.' 嚴挺之曰, "省中349)有伏獵侍郎350)乎?"

○(당나라) 소경蕭炅은 '가을 제사·겨울 제사·복사伏祀·납제臘祭'를 읽으면서 '복렵'이라고 하였다. 그러자 엄정지가 말했다. "조정에 어떻게 ('복랍'을) '복렵'이라고 읽는 시랑이 있을 수 있단 말인가?"

※女德婚姻(여덕과 혼인)

◇孝誠感瑞(효심이 상서로운 징조를 불러오다)

●唐蕭氏女, 父爲撫州長史351), 卒, 母繼亡. 蕭氏年十六, 喪還, 貧不能

---

344) 拱(공) : ≪남사·우희전虞羲傳≫권59에 의하면 '홍洪'의 오기이다.

345) 擊鉢(격발) : 바리때를 치다. 바리때를 쳐서 나는 잔향이 사라질 때까지 짧은 시간 안에 시를 완성하는 것을 말한다.

346) 蕭靈(소영) : 위의 예문과 유사한 내용이 ≪신당서·엄정지전≫권129에 전하는데, 원문에 의하면 '소경蕭炅'의 오기이다.

347) 烝嘗(증상) : 제사에 대한 총칭. 종묘의 제사 중 봄 제사를 '약礿'이라고 하고, 여름 제사를 '체禘'라고 하고, 가을 제사를 '상嘗'이라고 하고, 겨울 제사를 '증烝'이라고 하는 데서 유래하였다.

348) 伏臘(복랍) : 여름의 제사인 복사伏祀와 겨울의 제사인 납제臘祭를 아우르는 말. 혹은 그러한 제사를 지내는 복일伏日과 납일臘日을 가리키기도 한다. 하지 뒤 세 번째 경일庚日을 '초복'이라고 하고, 동지 뒤 세 번째 무일戊日을 '납일'이라고 한다.

349) 省中(성중) : 조정, 궁중宮中. 원래는 '금중禁中'이라고 하다가 한漢나라 효원황후孝元皇后 부친의 휘諱가 '금禁'이기 때문에 '성중'이란 표현이 생겼다고 한다. '궁중에 들어가면 잘 살펴서 함부로 행동하지 않는다'는 뜻에서 유래하였다.

350) 侍郎(시랑) : 조정의 각 행정 기관의 버금 장관에 해당하는 벼슬. 즉 중서시랑中書侍郎·문하시랑門下侍郎 및 상서성尙書省의 이부시랑吏部侍郎·호부시랑戶部侍郎 등을 말한다. '복랍시랑'은 무식한 사람을 비유한다.

351) 長史(장사) : 한나라 이후로 승상부丞相府나 장군부將軍府에서 병마兵馬를 관장하던 벼슬. 당나라 이후로는 주로 자사刺史의 속관이었는데, 자사 휘하에

達, 舟人捨棺去. 蕭結廬水濱, 穿壙成墳. 朝夕有縞兎[352]・馴烏・菌芝之祥. 人高其行, 欲求與婚. 女曰, "誠能致二喪, 還家, 請事君子." 於是楊含聘焉. 及旣葬, 釋服成姻.

○당나라 때 소씨 집안에 딸이 있었는데, 부친은 (강서성) 무주장사를 지내다가 생을 마쳤고 모친도 뒤를 이어 사망하였다. 소씨는 나이 열여섯 살에 상여를 끌고 돌아가려고 했지만 가난해서 그리할 수가 없었고, 뱃사람도 관을 버려두고 사라졌다. 소씨는 물가에 여막을 짓고 구덩이를 파서 무덤을 마련하였다. 그러자 조석으로 흰 토끼・말을 알아듣는 까마귀・영지초가 자라는 상서로운 징조가 나타났다. 사람들이 그녀의 행실을 높이 평가해 그녀에게 청혼하고자 하였다. 그러자 그녀가 말했다. "진실로 부모님의 상례를 치르고 집으로 돌아갈 수 있다면 귀하를 섬기겠나이다." 그래서 양함이 그녀에게 청혼하였다. 장례를 치르고 나자 상복을 벗고 혼례를 치렀다.

◇死節(절조를 지키다가 죽다)

●韋雍妻蕭氏. 因朱克融亂, 雍被刦, 妻呼曰, "願死君前." 賊斷其臂, 殺雍, 蕭氏死. 詔贈蘭陵縣君.

○(당나라 때) 위옹은 소씨에게 장가들었다. 주극융이 반란을 일으켜 위옹이 강탈을 당하자 아내가 말했다. "그대 앞에서 죽고 싶습니다." 반군이 그녀의 팔을 자르고 위옹을 죽이자 소씨도 죽음을 맞았다. 그래서 그녀를 난릉현군에 추봉하라는 조서가 내려졌다

◇鳳簫(봉황의 울음소리를 잘 흉내내는 소사簫史)

●簫史風神超邁, 善吹笙, 作鳳鳴. 秦穆公以女弄玉妻之. 居十數年, 有鳳凰止其屋, 公爲作鳳臺. 夫婦止其上. 一日弄玉乘鳳, 簫史乘龍, 升天去.

는 품계品階의 고하에 따라 별가別駕・장사長史・사마司馬・녹사참군사錄事參軍事・참군사參軍事・녹사錄事・문학文學 등의 속관이 있었다. ≪신당서・백관지≫권49 참조.

352) 縞兎(호토) : 흰 토끼. 상서로운 징조를 상징하는 동물로 '백토白兎'라고도 한다.

秦人爲作鳳女祠.

○(춘추시대 때) 소사는 풍류가 넘쳐 생을 잘 불어 봉황의 울음소리를 흉내낼 줄 알았다. 진나라 목공이 딸 농옥을 그에게 시집보냈다. 10여 년이 지나 봉황이 그의 지붕에 깃들었기에 목공이 그들을 위해 봉대를 지어 주었다. 그래서 부부가 거기에 거처하였다. 어느날 농옥은 봉황을 타고 소사는 용을 타고서 승천하여 사라졌다. 진나라 사람들은 그들을 위해 봉녀사를 지어 주었다.

◇聖世才郎(태평성대의 재주 있는 젊은이)

●蕭防, 南昌人, 爲句容縣簿353). 縣有玉晨觀・華陽洞. 防遊之, 俄至一門曰, '蘂珠殿.' 一人紫袍, 稱東方大夫, 爲華陽洞主. 謂曰, "公之遠祖, 蕭史眞人354), 命董雙成355), 與汝成婚." 令梁玉淸356)引上殿, 見一女子交拜. 玉淸致辭云, "華陽玉女357), 聖世才郎, 仙凡358)契合, 如鳳求凰. 今夕相偶, 和鳴鏘鏘359), 壽等天地, 慶衍360)無疆." 宴終, 恍如夢覺. 尋玉晨觀, 至縣, 休官, 入山.

○(전한) 소방은 (강서성) 남창현 사람으로 (강소성) 구용현의 주부를 지냈다. 구용현에는 옥신관과 화양동이 있었다. 소방은 그곳을 유람하다가 어느새 한 대문에 도착했는데 '예주전'이라고 적혀 있었다. 자색 도포를 입은 사람이 나타나 자칭 '동방대부'라고 하였는데 바로 자양동의 주인이었다. 그가 소방에게 말했다. "그대의 먼 조상은 (춘추시대 진秦나라 때) 소사라는 도사로서 동쌍성에게 그대와 결혼하라고 명하였소." 양옥청을 시켜 그를 데리고 전각에 오르게 하자

---

353) 簿(부) : 한나라 이후로 문서 처리를 관장하는 속관屬官인 주부主簿의 약칭. 중앙 및 지방의 각 행정 기관에 모두 설치하였다.

354) 眞人(진인) : 득도한 도사나 신선에 대한 별칭. 남자 도사는 '진인'이라고 하고, 여자 도사는 '원군元君'이라고 한다.

355) 董雙成(동쌍성) : 서왕모西王母의 시녀로 알려진 전설상의 선녀 이름.

356) 梁玉淸(양옥청) : 직녀성織女星의 시녀로 알려진 전설상의 신녀 이름.

357) 玉女(옥녀) : 선녀의 별칭.

358) 仙凡(선범) : 선녀와 범인. 즉 동쌍성과 소방을 가리킨다.

359) 鏘鏘(장장) : 소리가 낭랑한 모양.

360) 慶衍(경연) : 복록이 넘치다, 경사가 계속되다.

한 여자를 만나 절을 주고받았다. 양옥청이 축사를 올려 말했다. “화양동의 선녀와 태평성대의 재주 있는 젊은이가 선녀와 범인으로서 결혼을 하게 되었으니 이는 마치 수컷 봉황이 암컷 봉황을 만난 격이로다. 오늘 저녁 서로 부부의 연을 맺어 조화로운 소리를 울리게 되었으니 수명은 천지와 같을 것이고 복록은 무한할 것이라.” 연회가 끝나자 황홀하니 마치 꿈에서 깬 듯하였다. 소방은 옥신관을 찾았다가 현에 도착하자 관직을 그만두고 산으로 들어갔다.

◇愛女(딸을 사랑하다)

●蕭咸, 張禹女婿[361]. 禹奏帝[362]曰, “臣一女愛甚於男, 遠嫁[363]蕭咸, 不勝父子私恩, 願與相近.” 徙爲弘農太守.

○(전한) 소함은 장우(?-B.C.5)의 사위이다. 장우가 성제成帝에게 “신은 외동딸을 아들보다 더 사랑합니다만 멀리 소함에게 시집을 갔습니다. 부녀의 정을 이길 수 없기에 가까이서 살기를 바라옵니다”라고 아뢰자 성제가 그를 위해 소함을 (하남성) 홍농태수로 전근시켜 주었다.

◇蕭郎(소씨 젊은이)

●蕭嵩姿皃偉秀, 娶會稽賀晦之女. 夏榮善相曰, “蕭郎位高年艾[364], 一門盡貴.” 後賀氏入覲玄宗, 呼爲親家母, 以嵩子衡尙[365]新昌公主[366]也.

○(당나라) 소숭(?-749)은 용모가 잘 생겼는데 (절강성) 회계군 사람

361) 女婿(여서) : 딸의 남편. 즉 사위를 뜻한다.

362) 帝(제) : ≪한서·장우전≫권81에 의하면 성제成帝를 가리킨다.

363) 遠嫁(원가) : 멀리 시집가다. ≪한서·장우전≫권81에 의하면 소함蕭咸이 감숙성 장액태수張掖太守를 발령받았기에 한 말이다.

364) 年艾(년애) : 장년 혹은 노년의 나이를 이르는 말로 장수를 뜻한다. ‘애艾’는 ‘장長’ ‘노老’의 뜻.

365) 尙(상) : 공주에게 장가가는 것을 뜻하는 말. 남자가 몸을 낮추어 신분이 높은 공주를 ‘존중한다’는 의미에서 유래하였다. 반면 공주가 신분이 낮은 집안에 시집가는 것은 ‘하가下嫁’라고 한다.

366) 新昌公主(신창공주) : 당나라 현종의 열한 번째 딸. ‘신창’은 봉호. ≪신당서·제제공주열전諸帝公主列傳·현종이십구녀전玄宗二十九女傳≫권83 참조.

하회의 딸에게 장가들었다. 하영이 관상을 잘 보았는데, “소랑은 고관에 오르고 장수를 누려 가문 사람들 모두 귀한 신분이 될 것입니다”라고 하였다. 뒤에 하씨의 딸이 입궐하여 현종을 조알하자 현종이 그녀를 ‘친가모’라고 불렀다. 그리고 소숭의 아들 소형蕭衡에게 신창공주를 시집보냈다.

●蕭安[367]以女妻袁筠.
○(당나라 때) 소안은 딸을 원균에게 시집보냈다.

●蕭穎士愛李談之(女[368]), 以女妻之. 談, 字中庸.
○(당나라) 소영사(708-759)가 이담의 딸을 사랑하자 이담이 딸을 그에게 시집보냈다. 이담은 자가 중용이다.

●蕭瑒, 後周人. 帝欲妻以公主, 相者言無貴妻之相, 乃止.
○소양은 (오대) 후주 때 사람이다. 황제가 공주를 시집보내려고 하였으나 관상가가 귀한 아내를 얻을 관상이 아니라고 하는 바람에 그만두었다.

●飄蕭[369]. 苞蕭.
○어지러이 날리는 모양. 더부룩이 자란 쑥.

◆姚(요씨)

▶商音. 吳興. 舜生於姚墟, 故謂之姚虞. 子孫因以爲氏.
▷음은 상음에 속하고 본관은 (강소성) 오흥군이다. (우나라) 순왕이 요허에서 태어났기에 그를 ‘요우’라고 하였다. 자손들이 그참에 이를 성씨로 삼은 것이다.

---

367) 蕭安(소안) : 당나라 때 사람. ‘소초蕭楚’로 된 문헌도 있는데 어느 것이 맞는지 불분명하기에 위의 예문을 따른다.
368) 女(녀) : 문맥상 이 글자가 누락된 것으로 추정되기에 첨기한다.
369) 飄蕭(표소) : 비나 바람이 어지러이 날리는 모양.

◇試考功(관리의 고과를 평가하는 법에 대해 시험치다)

●姚平受易於京房[370]. 漢元帝令房, 上弟子曉考功課吏[371]者, 房上中郎[372]姚平·任良, "願以爲刺史, 試考功法."

○요평은 경방에게서 ≪역경≫을 전수받았다. 전한 원제가 경방에게 명하여 제자 가운데 관리의 고과를 평가하는 업무에 밝은 자를 추천하게 하자, 경방은 중랑을 맡고 있던 요평과 임양을 천거하며 "저들을 자사에 임명코자 하신다면 관리의 고과를 평가하는 방법에 대해 시험하시옵소서"라고 아뢰었다.

◇救時之相(시대를 구한 재상)

●姚崇, 字元之. 唐開元中, 以十事要說天子, 翌日拜相. 崇嘗問齊澣曰, "余爲相, 何如管晏[373]?" 對曰, "公可謂救時之相." 贊[374]云, "崇善應變, 以成天下之務. 璟[375]善守法, 以持天下之正." 張說撰神道碑[376]云,

---

370) 京房(경방) : 전한 때 사람으로 초연수焦延壽에게 ≪역경≫을 배워 ≪경씨역전京氏易傳≫을 저술하였고, 낭중郎中과 위군태수魏郡太守를 역임하였으며, 원제元帝 때 재앙에 대해 여러 차례 상주하다가 석현石顯의 미움을 사서 죽임을 당했다. ≪한서·경방전≫권75 참조.

371) 考功課吏(고공과리) : 공적을 살피고 관리로서의 업무를 평가하다. 즉 관리의 고과考課를 평가하는 일을 말한다.

372) 中郎(중랑) : 진한秦漢 이후로 궁중의 호위와 시종을 담당하던 삼서三署의 관원인 오관중랑장五官中郎將·좌중랑장左中郎將·우중랑장右中郎將 등을 아우르는 말.

373) 管晏(관안) : 춘추시대 때 제齊나라의 명재상인 관중管仲과 안영晏嬰을 아우르는 말.

374) 贊(찬) : 이는 ≪신당서·요숭전≫권124의 찬문贊文을 가리킨다.

375) 璟(경) : 당나라 때 사람 송경宋璟(663-737)의 이름. 시호는 문정文貞. 직언을 잘 하고 법집행이 공정하였으며, 간신 장역지張易之(?-705)와 장창종張昌宗(?-705)을 처형하고 태평공주太平公主를 출궁시킬 것을 상주하였다. 현종玄宗 때 형부상서刑部尙書를 지내고 광평군공廣平郡公에 봉해졌다. 요숭姚崇(650-721)와 함께 명재상으로 이름을 떨쳤다. ≪신당서·송경전≫권124 참조.

376) 神道碑(신도비) : 죽은 사람의 행적을 적어 묘비에 새긴 글. 당나라 장열張說의 신도비는 <개부의동삼사와 상주국을 지내고 (강소성) 양주자사와 대도독을 추증받았으며 양국공에 봉해지고 시호가 문정공인 고 요숭姚崇의 비문을 황명을 받들어 짓다(故開府儀同三司·上柱國, 贈揚州刺史·大都督, 梁國公姚文貞公碑, 奉勅撰)>라는 제목으로 ≪장연공집張燕公集≫권18에 전한다.

"八柱[377]承天, 高明之位列, 四時成歲, 亭毒[378]之功存." 封梁國公, 謚文獻. 三子彝・弈・异, 皆至卿位.

○요숭(650-721)은 자가 원지이다. 당나라 (현종) 개원(713-741) 연간에 열 가지 정사를 가지고 천자에게 요약하여 유세하고서 이튿날 재상을 배수받았다. 요숭이 일찍이 제한에게 "내가 재상을 맡은 것이 (춘추시대 제齊나라) 관중管仲・안영晏嬰과 비교해서 어떠하오?"라고 묻자 제한이 "공은 가히 시대를 구한 재상이라고 말할 만합니다"라고 대답한 일이 있다. ≪신당서・요숭전≫권124의 찬문에서는 "요숭은 임기응변을 잘 하여 천하의 주요 업무를 성사시켰고, 송경宋璟은 법률을 잘 지켜 천하의 바른 이치를 유지하였다"고 평하였다. 장열은 그의 신도비를 지어 "나라의 중책을 맡아 천자를 보필하였기에 고명한 지위에 서셨고, 사시사철 풍년을 이루어 백성을 양육하는 공로를 보존하셨다"고 하였다. 봉호는 양국공이고 시호는 '문헌'이다. 세 아들 요이姚彝・요혁姚奕・요이姚异 모두 구경九卿의 지위에 올랐다.

◇詩人(시인)

●姚合工詩. 唐元和中, 調武功[379]尉, 號姚武功, 遷監察御史. 選唐詩二十三家, 爲極玄集. 閒居詩[380]云, "日日長門閉, 鄰家亦懶過." "頭風春飮少, 眼暈夜書多." "一日看除目[381], 三年[382]損道心." 又[383]"聽琴知

377) 八柱(팔주) : 하늘을 떠받힌다는 전설상의 여덟 군데 산을 이르는 말. 여기서는 천자를 보필하는 대신을 비유적으로 가리킨다.

378) 亭毒(정독) : 양육하다, 키우다. ≪노자・귀생貴生50≫권하의 '정지독지亭之毒之'에서 유래한 말로 '정亭'은 '성成'과 음과 뜻이 통하고, '독毒'은 '숙熟'과 음과 뜻이 통한다.

379) 武功(무공) : 섬서성의 속현屬縣 이름.

380) 詩(시) : 위의 예시 가운데 앞의 두 연은 현전하는 요합姚合의 ≪요소감시집姚少監詩集≫에 실리지 않은 것으로 보아 실전된 듯하고, 세 번째 것은 오언율시五言律詩 <한적한 삶을 읊은 시 상편 50수(閒適上五十首)> 가운데 제8수의 수련首聯을 인용한 것으로 ≪요소감시집≫권5에 전한다.

381) 除目(제목) : 관직을 제수하는 문서를 일컫는 말.

382) 三年(삼년) : 지방관의 임기를 가리키는 말. 고대 중국에서는 3년마다 고과성적을 매겨서 지방관을 교체하거나 승진시켰다.

道性，尋藥得詩題.” “寫方多識藥，失譜廢彈琴.” 皆佳句也. 爲金州守，項斯贈詩[384]云，“官壁題詩遍，衙庭看鶴多.”

○요합(약 779-약 846)은 시를 잘 지었다. 당나라 (헌종) 원화(806-820) 연간에 (섬서성) 무공현의 현위를 발령받았기에 '요무공'으로 불리다가 감찰어사로 승진하였다. 당나라 시인 23명의 시를 골라 ≪극현집≫을 엮었다. <한적한 삶을 읊은 시>에서는 "날마다 문을 닫았더니, 이웃집도 들르는 일이 드물구나"라고 하고, "머리에 풍질이 생겨 봄술을 덜 마시니, 눈이 침침한데도 밤에 글을 많이 읽게 되네"라고 하고, "어느날 발령장을 본 뒤로, 3년 임기 동안 도심이 줄어들었네"라고 하였다. 또 "금소리 들으며 도를 깨닫고, 약을 찾으며 시의 제재를 얻는다네"라고 하고, "처방전을 쓰다 보니 약을 많이 알게 되고, 악보를 잃었더니 금을 연주하지 않게 되었네"라고 하였는데, 모두가 아름다운 구절들이다. (섬서성) 금주자사를 지낼 때는 항사가 시를 보내 "관청 벽에는 시를 써 놓은 것이 가득하고, 관아 마당에서는 학을 구경하는 일이 잦군요"라고 하였다.

◇象溪子(≪상계자≫)

●姚岩傑以詩酒遊江左. 唐乾符[385]中，顔標典鄱陽，創鞠場[386]，請岩傑記之. 標易三字，岩傑怒，覆碑於地，以詩寄標云，“爲報顔公識我麽? 我心惟只與天和. 眼前俗物關情[387]少，醉後靑山入夢多. 田子[388]莫嫌彈

---

383) 又(우) : 이는 각기 <한적한 삶을 읊은 시 상편 50수(閒適上五十首)> 가운데 제18수의 경련頸聯과 <한가로이 지내면서 흥을 풀다(閒居遣興)> 가운데 경련을 인용한 것으로 ≪요소감시집姚少監詩集≫권5에 전한다.

384) 詩(시) : 이는 오언율시五言律詩 <금주자사 요합에게 드리다(贈金州姚合使君)> 가운데 함련頷聯을 인용한 것으로 송나라 계민부計敏夫의 ≪당시기사唐詩紀事・항사≫권49에 전한다. 시제詩題에서 '사군使君'은 자사에 대한 존칭.

385) 乾符(건부) : 당唐 희종僖宗의 연호(874-879).

386) 鞠場(국장) : 가죽으로 주머니를 만들어 그 속에 모발을 채워 넣어서 발로 차던 놀이인 '축국蹴鞠'을 할 수 있는 장소를 이르는 말. 오늘날의 축구장과 유사하다. 원래는 군사 훈련용 목적에서 비롯되었다고 한다. '국鞠'은 '국踘'으로도 쓰고, '축국蹴鞠'은 '답국踏鞠' '답국蹋鞠'이라고도 한다.

387) 關情(관정) : 관심을 갖다, 마음을 움직이다.

388) 田子(전자) : 전국시대 제齊나라 사람 맹상군孟嘗君 전문田文에 대한 존칭.

鋏恨, 甯生[389]休唱飯牛歌. 聖朝[390]若有蒼生計, 也合[391]公車到薜蘿[392]." 有文集二十卷. 號象溪子[393].

○요암걸은 시를 짓고 술을 즐기면서 강남 땅을 유람하였다. 당나라 (희종) 건부(874-879) 연간에 안표가 (강서성) 파양현을 다스리면서 축구장을 건설하고는 요암걸에게 그에 관한 글을 지어달라고 부탁하였다. 그러나 안표가 세 글자를 바꾸자 요암걸이 화가 나서 땅바닥에 비석을 엎어버리고는 다음과 같은 시를 지어 안표에게 부쳤다. "안공에게 보답하려 했건만 저를 제대로 아시는지요? 제 마음은 오직 하늘과 조화를 이루는 것이랍니다. 눈앞에 속물에는 관심이 적기에, 취한 뒤 청산이 꿈속으로 들어오는 일이 많지요. (춘추시대 때 제齊나라) 전선생(전문田文)은 (풍환馮驩이) 장검을 두드리며 내뱉은 원망을 싫어하지 않았고, (위衛나라 출신) 영선생(영척甯戚)은 (제齊나라 환공桓公의 인정을 받아) 소에게 밥을 주면서 부르던 노래를 멈추었지요. 성군의 시대에 만약 백성을 잘 살게 할 계책이 있다면, 의당 관가의 수레가 은자가 사는 곳을 찾아야 하는 법입니다." 문집 20권을 남겼는데 ≪상계자≫라고 한다.

사군자四君子의 한 명으로 존경을 받았다. 식객食客인 풍환馮驩이 장검을 두드리며(彈鋏) 대접이 소홀하다고 불만을 터뜨리자 전문이 일일이 그의 요구를 다 들어주었기에, 뒤에 다른 식객은 다 떠나도 풍환만은 그의 곁을 지키며 은혜에 보답하였다는 고사가 ≪사기・맹상군전≫권75에 전한다.

389) 甯生(영생) : 춘추시대 위衛나라 사람 영척甯戚의 별칭. '영甯'은 '영寗'으로도 쓴다. 영척이 제齊나라 성문 밖에서 환공桓公이 나오기를 기다리며 소에게 밥을 주면서 노래(飯牛歌)를 불렀다가 기용되어 상경上卿에 올랐다는 고사가 전한 유안의 ≪회남자淮南子・도응훈道應訓≫권12에 전한다. 앞의 '탄협彈鋏'과 마찬가지로 '반우飯牛'도 선비가 등용되기를 바라는 마음을 비유한다.

390) 聖朝(성조) : 자신의 왕조나 조정을 높여 부르는 말. 여기서는 당나라를 가리킨다.

391) 合(합) : 의당, 마땅히. '당當'의 뜻.

392) 薜蘿(벽라) : 덩굴풀인 벽려와 여라를 아우르는 말. 은자의 옷을 비유하는 말로 여기서는 요암걸 자신을 비유적으로 가리키는 듯하다.

393) 象溪子(상계자) : 당나라 요암걸의 별호이자 문집 이름. 그러나 ≪전당시全唐詩≫권667에 의하면 오래 전에 실전되고 위의 시 한 수만 남았다고 한다.

◇旱魚(가뭄을 맞은 물고기)

●姚鵠, 唐人, 作旱魚詩[394], 上苗相公[395]云, "似龍鱗已足, 惟是欠登門[396]. 日裏腮猶濕[397], 泥中目未昏. 乞鉏防蟻穴, 望水瀉金盆. 他日能爲雨, 先當報此恩."

○요혹은 당나라 때 사람으로 <가뭄을 맞은 물고기를 읊은 시>를 지어 재상 묘진경에게 바쳤는데 내용은 다음과 같다. "용처럼 비늘 이미 충분한데도, 아직 용문산을 오르지 못 했을 뿐입니다. 햇살 아래서도 아가미는 여전히 축축하고, 진흙 속에서도 눈은 아직 흐릿하지 않답니다. 호미로 개미굴을 막아 주시기를 바라고, 물을 금대야에 부어 주시기를 바라나니, 훗날 (용이 되어) 비를 내릴 수 있게 된다면(고관에 오른다면), 먼저 틀림없이 이 은혜에 보답하겠습니다."

◇釣魚宴(고기를 낚는 연회에 참석하다)

●姚鉉, 宋淳化中, 春日苑中釣魚小宴. 鉉詩先成, 有'花枝冷濺昭陽[398]雨,

---

394) 旱魚詩(한어시) : 이는 오언율시五言律詩 <가뭄을 맞은 물고기를 읊은 노래를 지어 재상 묘진경苗晉卿에게 바치다(旱魚詞, 上苗相公)>의 전문을 인용한 것으로 송나라 이방李昉(925-996)의 ≪문원영화文苑英華 · 기증寄贈17≫권263에 전한다. 제목에서 '한어旱魚'는 곤궁한 처지에 있는 요혹姚鵠 자신을 비유하는 말인 듯하다.

395) 苗相公(묘상공) : 당나라 때 명재상인 묘진경苗晉卿에 대한 존칭. 현종玄宗이 촉蜀으로 몽진蒙塵한 뒤 숙종肅宗의 부름을 받아 좌상左相을 배수받았고, 경사京師를 평정하고서 한국공韓國公에 봉해졌으며 태보太保에 올랐다. ≪신당서 · 묘진경전≫권140 참조. '상공'은 재상을 높여 부르는 말이다.

396) 登門(등문) : 용문산을 오르는 것을 뜻하는 말인 '등용문登龍門'의 준말. 봄에 바다의 물고기가 황하의 도화랑桃花浪이 불어날 때 하남성 용문산의 폭포수를 거슬러 오르면 용이 된다는 설화에서 유래한 말로 과거시험에 급제하거나 권세가에게 인정을 받는 것을 비유한다. 일설에 용문산은 광서성 교주交州에 있다고도 한다.

397) 腮猶濕(시유습) : 아가미가 아직 축축하다. 물고기가 용문산을 오르지 못 하면 아가미가 말라서 죽는데, 아직 아가미가 축축하다는 것은 자신의 재능이 아직은 녹슬지 않았다는 것을 비유적으로 표현한 말인 듯하다.

398) 昭陽(소양) : 한나라 때 섬서성 장안長安의 미앙궁未央宮에 있던 전각 이름. ≪삼보황도三輔黃圖≫권3에 의하면 미앙궁에는 소양昭陽 · 비상飛翔 · 증성增成 · 합환合歡 · 난림蘭林 · 피향披香 · 봉황鳳凰 · 원앙鴛鴦 등 여덟 개의 전각이 있었다고 한다.

釣線斜牽太液[399]風'之句, 賜白金百兩. 時輩榮之, 以比'奪袍[400]''賜花[401]'等故事.

○요현(968-1020)은 송나라 (태종) 순화(990-994) 연간에 봄날 궁원에서 고기를 낚는 조촐한 연회에 참석하였다. 요현이 시를 먼저 완성하였는데, '꽃가지를 소양전의 비가 차갑게 적시고, 낚시줄을 태액지의 바람이 비스듬히 끌고가네'라는 구절을 지어 백금 백 냥을 하사받았다. 당시 사람들이 이를 영광스런 일로 여겨 '도포를 빼앗다'나 '어사화를 하사하다'라는 고사에 견주었다.

◇知遇(재상의 인정을 받다)

●姚嗣宗, 宋慶曆[402]中, 題詩於驛壁云[403], "踏碎賀蘭[404]石, 掃淸西海塵. 布衣[405]能辨此, 可惜作窮人." 韓魏公[406]見而奇之, 遂奏補[407].

---

399) 太液(태액) : 한나라 때 섬서성 장안의 건장궁建章宮 북쪽에 있던 연못 이름. ≪삼보황도三輔皇圖≫권2 참조. 여기서는 앞의 '소양전'과 마찬가지로 송나라 때 황궁을 비유적으로 가리킨다.

400) 奪袍(탈포) : 비단 도포를 빼앗다. 당나라 측천무후則天武后가 하남성 낙양洛陽의 용문산龍門山을 유람하다가 신하들에게 시를 지으라고 하면서 먼저 완성한 사람에게 비단 도포를 하사하겠다고 하였는데, 기거랑起居郎 동방규東方虬가 시를 완성하여 하사품을 받았지만 뒤에 송지문宋之問이 더 아름다운 시를 짓자 측천무후가 도포를 빼앗아 송지문에게 주었다는 고사가 ≪탁이기卓異記≫에 전한다. ≪탁이기≫는 1권본으로 저자에 대해서는 이고李翶(772-841)・진고陳翶・진한陳翰 등 여러 설이 있다.

401) 賜花(사화) : 어사화御賜花를 하사하다. 당나라 때 곡강曲江에서 진사과 급제자들에게 연회를 열어 주고 어사화를 하사하였다는 고사가 전한다.

402) 慶曆(경력) : 북송北宋 인종仁宗의 연호(1041-1048).

403) 云(운) : 이는 송나라 완열阮閱의 ≪시화총귀詩話總龜・지기문志氣門≫권3 등 각종 시화詩話에도 네 구절만 전하는 것으로 보아 오언절구五言絶句인 듯하다. 다른 문헌에는 모두 '궁인窮人'이 '궁린窮鱗'으로 되어 있는데 의미상에 차이는 없어 보인다.

404) 賀蘭(하란) : 영하성에 있는 산 이름. 서하국西夏國의 군주인 조원호趙元昊가 이곳을 근거지로 삼아 송나라에 대항한 것으로 유명하다.

405) 布衣(포의) : 베옷. 벼슬에 오르지 않은 평민 신분을 상징한다.

406) 韓魏公(한위공) : 송나라 사람 한기韓琦(1008-1075)에 대한 존칭. 추밀부사樞密副使・동중서문하평장사同中書門下平章事를 역임하며 범중엄范仲淹(989-1052)과 함께 이름을 날렸으나, 왕안석王安石(1021-1086)과 대립하여 관직에서 물러났다. 위국공魏國公에 봉해졌다. 저서로 ≪안양집安陽集≫ 50권이 전

後知尋州, 能除虎暴.

○요사종은 송나라 (인종) 경력(1041-1048) 연간에 역참의 벽에 다음과 같은 시를 지었다. "하란산의 바위를 부수고, 서해의 먼지를 깨끗이 씻으리라. 평민 신분으로도 이를 할 수 있으련만, 애석하게도 곤궁한 처지에 있는 사람이라네." 위국공魏國公 한기韓琦가 이를 보고서는 대견하게 여겨 결국 조상의 벼슬에 준해 관직에 임명할 것을 상주하였다. 뒤에 (영하성) 심주지주사(심주자사)를 맡아 호랑이로 인한 해악을 제거하였다.

◇青城隱士(청성산의 은자)

●姚平仲, 字希晏, 靖康[408]中, 爲太尉[409]. 後得道於山中, 過九十, 紫髯委地[410]. 與譙定[411]爲青城[412]隱士.

○요평중(약 1099-?)은 자가 희안으로 (송나라 흠종) 정강(1126-1127) 연간에 태위에 올랐다. 뒤에는 산속에서 득도하더니 90세가 넘어서도 자색 수염이 바닥에 닿았다. 초정과 함께 (사천성) 청성산의 은자가 되었다.

◇騎牛圖(소를 타는 모습을 그린 그림)

●姚鏞, 宋南渡[413]後人, 號雪蓬. 以功除贛守[414], 命工繪其像騎牛於澗

한다. ≪송사·한기전≫권312 참조.

407) 奏補(주보) : 조상의 벼슬에 준해 자손에게 관직을 줄(補) 것을 상주하던(奏) 송나라 때 제도를 이르는 말.

408) 靖康(정강) : 북송北宋 흠종欽宗의 연호(1126-1127).

409) 太尉(태위) : 진한秦漢 이래 군정軍政을 총괄하는 벼슬로서 대사마大司馬로도 불렸다. 후에는 사도司徒·사공司空과 함께 삼공三公으로 불렸는데, 태위가 삼공 가운데 서열이 가장 높았다.

410) 委地(위지) : 땅바닥에 닿다. 수염이 무척 긴 것을 말한다.

411) 譙定(초정) : 송나라 사람. 자는 천수天授. 정이程頤의 제자로 ≪역경≫에 정통하였는데, 벼슬에 나가지 않고 은거한 채 스스로 호를 부릉거사涪陵居士라고 하였다. ≪송사·초정전≫권459 참조.

412) 青城(청성) : 사천성 성도시成都市 남서쪽에 있는 산 이름.

413) 南渡(남도) : 장강 이남으로 건너가다. 즉 남송 시기를 가리킨다.

414) 贛守(감수) : 강서성 장수章水와 공수貢水 일대에 위치한 감주贛州의 자사刺

谷之間. 趙東野題其圖云, "騎牛無笠又無蓑, 斷壠橫岡到處過. 暖日暄風不常有, 前村雨暗却如何?" 規之也. 未幾, 果以輕帥臣[415], 被劾. 人服東野之先見.

○요용은 송나라가 장강 이남으로 천도한 뒤인 남송 때 사람으로 호가 '설봉'이다. 공을 세워 (강서성) 감주자사를 제수받았는데도 화가를 시켜 골짜기에서 소를 타는 초상화를 그리게 했다. 그러자 조동야가 그 그림에 "소를 타고서 삿갓도 없고 도롱이도 없이, 높은 절벽과 길게 뻗은 언덕을 어느 곳이나 들르지만, 따사로운 햇살이나 따듯한 바람이 늘 있는 것은 아니니, 앞마을에 비가 내려 어둑해지면 어찌하려나?"라는 시를 지어 이를 풍자하였다. 얼마 안 있어 정말로 지방 수령에게 경솔하게 행동했다가 탄핵을 당하고 말았다. 그래서 사람들은 조동야의 선견지명에 감탄해 하였다.

◇錦江四俊(금강 일대의 네 준걸)

●姚勉, 字(闕[416]), 號雪坡, 瑞陽人. 宋寶祐[417]中, 狀元及第, 廷對[418]萬言, 爲文章數千言, 頃刻可就. 有雪坡集, 行世. 徐[419]太子舍人[420]. 與胡仲雲·劉元高·黃夢炎, 號錦江[421]四俊. 後皆顯宦.

○요면은 자가 성일成一이고 호가 설파이며 (강서성) 서양현 사람이다. 송나라 (이종) 보우(1253-1258) 연간에 과거시험에서 장원급제하였고, 전시殿試에서 만 자나 되는 글을 바쳤으며, 문장을 지으면

史에 대한 별칭.

415) 帥臣(수신) : 지방 수령首領의 별칭.

416) 闕(궐) : 궐문闕文. ≪대청일통지大淸一統志≫권251에 요면姚勉의 자를 '성일成一'이라고 하였기에 이를 따른다.

417) 寶祐(보우) : 남송南宋 이종理宗의 연호(1253-1258).

418) 廷對(정대) : 조정에서 천자의 물음에 응대한다는 뜻으로 전시殿試(정시廷試)를 가리킨다.

419) 徐(서) : 문맥상으로 볼 때 '제除'의 오기인 듯하다. 자형의 유사성으로 인한 필사 과정상의 단순 오기로 보인다.

420) 太子舍人(태자사인) : 태자궁太子宮 소속으로 여러 가지 잡무를 처리하는 벼슬 이름.

421) 錦江(금강) : 사천성 성도成都를 흐르는 강 이름. 이곳에서 비단을 빨면 깨끗해진다는 속설에서 유래한 이름으로 '탁금강濯錦江'이라고도 하였다.

수천 자를 순식간에 완성하였다. 문집으로 ≪설파집≫이 세간에 유행하였다. 태자사인을 제수받았다. 호중운・유원고・황몽염과 함께 (‘사천성 금강 일대의 네 준걸’이란 의미에서) ‘금강사준’으로 불렸다. 뒤에 모두 고관에 올랐다.

●姚義從學河汾[422], 北面[423]受王佐之道.

○(수나라 때) 요의는 왕통王通 밑에서 수학하여 그를 스승으로 모시고 왕을 보좌할 방도를 전수받았다.

●姚思廉, 唐瀛洲十八學士[424]中人.

○요사렴(557-637)은 당나라 (태종 때) 영주18학사 가운데 한 사람이다.

※女德婚姻(여덕과 혼인)

---

422) 河汾(하분) : 황하黃河와 분수汾水를 아우르는 말. 섬서성 남서부 일대를 가리키는 말로 수나라 때 왕통王通(584-618)이 제자들을 양성하던 곳이기에 왕통을 비유적으로 가리킨다.

423) 北面(북면) : 북쪽을 향하다. 매우 공경하는 것을 비유하는 말. 천자나 스승은 남향으로 앉고 신하나 제자는 북향으로 시립하기에 신하나 제자 노릇하는 것을 비유한다.

424) 瀛洲十八學士(영주십팔학사) : 당나라 때 태종太宗이 문학관학사文學館學士에 겸임케 한 사훈낭중司勳郎中 두여회杜如晦・기실고공낭중記室考功郎中 방현령房玄齡과 우지녕于志寧・군자제주軍諮祭酒 소세장蘇世長・천책부기실天策府記室 설수薛收・문학文學 저양褚亮과 요사렴姚思廉・태학박사太學博士 육덕명陸德明과 공영달孔穎達・주부主簿 이현도李玄道・천책창조참군사天策倉曹參軍事 이수소李守素・왕부기실참군사王府記室參軍事 우세남虞世南・참군사參軍事 채윤공蔡允恭과 안상시顔相時・저작랑섭기실著作郎攝記室 허경종許敬宗과 설원경薛元敬・태학조교太學助教 갑문달蓋文達・군자전첨軍諮典簽 소욱蘇勖 등 18명을 가리키는 말. 염입본閻立本에게 초상화를 그리게 하고 저양褚亮에게 찬문을 짓게 하였다. 설수가 죽은 뒤에는 동우주녹사참군東虞州錄事參軍 유효손劉孝孫을 불러 대신케 하였다. 이에 대한 상세한 내용은 ≪신당서・저양전褚亮傳≫권102에 전한다. ‘영주’는 동해東海에 신선이 산다는 전설상의 봉래산蓬萊山・방장산方丈山・영주산瀛洲山 가운데 하나로 조정을 비유한다.

◇守節養親(절조를 지키며 시부모를 모시다)

●姚玉京, 宋[425]倡家女也. 嫁小吏[426]衛敬瑜, 溺死, 玉京守節, 養公姑[427]. 與孤燕爲侶, 以紅縷[428]擊[429]其足. 玉京死, 孤燕尋至墳所, 悲鳴而死. 每淸風明月裏, 人見玉京與燕同遊漢水之間.

○요옥경은 (남조南朝) 유송劉宋 때 기방 출신 여인이다. 아전인 위경유에게 시집갔으나 남편은 물에 빠져 죽고 말았다. 요옥경은 절조를 지키며 시부모를 모시다가 짝 잃은 제비를 배필로 삼아 붉은 실을 제비의 발에 묶었다. 요옥경이 죽자 제비가 얼마 안 있어 그녀의 무덤이 있는 곳을 찾더니 슬피 울다가 죽고 말았다. 매번 시원한 바람이 불고 밝은 달이 뜨면 사람들은 요옥경이 제비와 함께 한수 일대를 노니는 것을 목격한다고 한다.

◇三女配三子(세 딸을 세 아들의 배필로 삼으려 하다)

●唐御史[430]姚生有一子二甥, 於條山[431]之陽, 結茅以居, 冀專藝學. 一日有寶馬數百, 從一夫人與三女至. 年皆十七八, 指以配三子. 謂曰, "但百日不泄, 令君長生, 位極人臣[432]." 三子以昏頑[433]爲憂, 夫人召孔宣父[434]示以六籍[435], 周尙父[436]示以兵法, 三子得才兼文武. 家僮告姚,

---

425) 宋(송) : 이는 당송唐宋의 '송'이 아니라 남조南朝 유송劉宋을 가리킨다.
426) 小吏(소리) : 지위가 낮은 하급관리를 이르는 말. 구실아치, 아전.
427) 公姑(공고) : 시아버지와 시어머니. 시아버지를 '공公'이라고 하고, 시어머니를 '고姑'라고 한다. '구고舅姑'라고도 한다.
428) 紅縷(홍루) : 붉은 실. 부부의 연을 상징한다.
429) 擊(격) : 문맥상으로 볼 때 '계繫'의 오기인 듯하다. 자형의 유사성으로 인한 필사 과정상의 단순 오기로 보인다.
430) 御史(어사) : 탄핵을 전담하는 기관인 어사대御史臺 소속의 벼슬에 대한 총칭. 당나라 때는 어사대를 헌대憲臺·숙정대肅正臺라 부르기도 하였다. 시대마다 다소 차이는 있으나, 보통 장관은 어사대부御史大夫, 버금 장관은 어사중승御史中丞이라고 하였으며, 휘하에 시어사侍御史·전중시어사殿中侍御史·감찰어사監察御史·어사승御史丞 등의 속관이 있었다.
431) 條山(조산) : 산서성 중조산中條山의 약칭. 은자의 거처로 유명하다.
432) 位極人臣(위극인신) : 지위가 신하 가운데 최고에 오르다. 즉 재상에 오르는 것을 말한다.
433) 昏頑(혼완) : 어리석고 사리에 어두운 모양.
434) 宣父(선보) : 춘추시대 노魯나라 공자(공구孔丘)에 대한 존칭. '선'은 시호이

姚召三子至, 神氣秀發, 占對[437]閑雅. 怪問之, 若不言, 鞭之, 具道本末. 姚館一碩儒與語曰, "吾見織女・婺女[438]・須女三星無光, 必此降禍三子." 遣歸山. 夫人與三子訣, 以湯飮之, 昏頑如故.

○당나라 때 어사를 지낸 요생에게는 아들 한 명과 생질 두 명이 있었는데, (산서성) 중조산 남쪽에 집을 짓고 거처하면서 경학에 전념하기를 바랐다. 하루는 보석을 장식한 말 수백 마리가 한 부인과 세 딸을 따라 도착하였다. 세 딸은 나이가 모두 열일고여덟 살 가량 되어 보였는데 세 아들을 지목하며 배필로 맞고자 하였다. 그 부인이 말했다. "단지 백 일 동안 발설하지 않는다면 그대들은 장수를 누리고 지위가 재상에 오를 것이네." 세 아들이 어리석고 사리분별을 하지 못 하는 점을 걱정하자 부인이 (춘추시대 노魯나라) 공선보(공자)를 불러 육경을 보여주고 주나라 상보(강태공)를 불러 병법을 보여주자 세 아들이 문무의 재능을 겸비할 수 있게 되었다. 집안의 어린 하인이 요생에게 이를 고하여 요생이 세 아들을 불렀는데, 도착하고 보니 신기가 넘쳐 구두로 응답하는 말이 여유롭고 뛰어나기 그지없었다. 요생이 괴이한 생각이 들어 물었더니 말을 하지 않을 듯하여 매질을 가하자 자초지종을 상세히 알려주었다. 요생의 집에 묵고 있던 한 석학이 그에게 말했다. "제가 보아하니 직녀・무녀・수녀 등 세 별이 빛을 잃은 것으로 보아 필시 이는 세 아들에게 화를 내리는

고, '보'는 남자에 대한 미칭美稱인 '보甫'와 통용자. 당나라 태종太宗이 공자를 '선보'로 존대하고 산동성 연주兗州에 사당을 세운 데서 유래하였다. 공자의 자인 중니仲尼와 결합하여 '선니宣尼'라고도 하였다.

435) 六籍(육적) : 육경六經, 즉 ≪역경≫ ≪서경≫ ≪시경≫ ≪춘추경≫ ≪예기≫ ≪악기≫를 아우르는 말. 결국 경전을 가리킨다.

436) 尙父(상부) : 주周나라 때 무왕武王의 스승이자 재상을 지낸 여망呂望의 별칭. '상부'는 '아버지처럼 존경하는 사람'이란 뜻에서 유래하였다. 한편 그의 자字라는 설도 있다. '상보尙甫'로도 쓴다. '부친인 태공太公이 만나기를 바랐다'는 뜻에서 '태공망太公望'이라고도 하고, 성이 강姜씨여서 '강태공姜太公'으로도 불렸다.

437) 占對(점대) : 구두로 응답하는 것을 뜻하는 말.

438) 婺女(무녀) : 이십팔수二十八宿 가운데 북방 현무玄武 7수 중 세 번째 별자리 이름. '직녀織女'의 별칭이라는 설도 있으나 위에서는 별개의 별자리로 보았다.

것입니다." 그래서 그들을 산으로 돌려보냈다. 부인이 세 아들과 작별하면서 탕약을 그들에게 먹이자 다시 전처럼 어리석어 사리분별을 못 하게 되었다.

◇擇壻(사위를 고르다)

●姚崇, 姚果毅之子也. 陳州刺史王當有女, 集州縣文武官, 令袁天綱[439] 擇婿. 天綱曰, "惟果毅有貴子, 可嫁之." 後果爲相.

○(당나라) 요숭(650-721)은 요과의의 아들이다. (하남성) 진주자사 왕당에게 딸이 있었는데, 주와 현의 문관과 무관들을 불러모으고는 원천강에게 사위감을 고르게 하였다. 그러자 원천강이 왕당에게 말했다. "오직 요과의에게 귀한 아들이 있으니 그에게 시집보내는 것이 좋을 듯합니다." 요숭은 뒤에 정말로 재상에 올랐다.

●姚顗, 字伯眞, 中條山處士[440]. 司空圖[441]以爲奇士, 以女妻之.

○(당나라) 요의는 자가 백진으로 (산서성) 중조산의 처사이다. 사공도가 그를 뛰어난 선비로 여겨 딸을 그에게 시집보냈다.

●姚合以女妻壽昌[442]詩人李頻.

○(당나라) 요합(약 779-약 846)은 딸을 (절강성) 수창현 출신의 시인인 이빈에게 시집보냈다.

●嫖姚.(霍去病[443]) 飄姚.(美貌)

---

439) 袁天綱(원천강) : 당나라 때 방사方士. ≪구당서·방기열전方伎列傳≫권191이나 ≪신당서·방기열전≫권204에서는 모두 '원천강袁天綱'으로 표기하였는데, '원천강袁天罡'이나 '원천강袁天剛'으로 표기한 문헌도 있다. '천강天綱'과 '천강天罡' '천강天剛'이 모두 별자리 이름이라서 혼용한 것으로 보인다.

440) 處士(처사) : 벼슬하지 않은 선비를 이르는 말.

441) 司空圖(사공도) : 당나라 말엽 사람(837-908). 자는 표성表聖이고 호는 지비자知非子. 예부낭중禮部郎中을 지내다가 산서성 중조산中條山에 은거하였다. 저서로 ≪사공표성문집司空表聖文集≫ 10권이 전한다. ≪신당서·사공도전≫권194 참조.

442) 壽昌(수창) : 절강성의 속현屬縣 이름.

○표조교위嫖姚校尉.(전한 곽거병의 직책) 표조.(아름다운 모양을 뜻하는 말)

◆銚(요씨)

▶音姚.
▷음은 '요'이다.

●銚期[444], 漢雲臺二十八將中人, 封安成侯.
○요기(?-34)는 후한 (명제) 때 운대에 초상화가 걸린 28명의 장수 가운데 한 사람으로 안성후에 봉해졌다.

◆刁(조씨)

▶徵音. 弘農. 齊大夫豎刁之後.
▷음은 치음에 속하고 본관은 (하남성) 홍농군으로 (춘추시대 때) 제나라 대부 수조의 후손이다.

◇百六掾(백육연)

●刁協好經籍, 博聞强記, 久宦中朝[445], 諳練舊事. 晉元帝收用賢俊百餘人, 協與焉. 時人謂之百六掾. 孫逵, 字伯通.
○조협(?-322)은 경전을 좋아하고 박문강기하더니 조정에서 오래도록 관직을 지냈기에 옛 고사를 잘 알았다. 진나라 원제가 어진 인재 백여 명을 기용할 때 조협도 거기에 참여하였다. 당시 사람들은 이들을 ('106명의 아전'이란 의미에서) '백육연'이라고 불렀다. 손자 조규刁逵는 자가 백통이다.

---

443) 霍去病(곽거병) : 전한 때 장수로 곽광霍光(?-B.C.68)의 이복형(?-B.C.117). 무제武帝 위황후衛皇后의 언니의 아들로 표조교위嫖姚校尉의 직책을 맡아서 외숙부인 위청衛青(?-B.C.106)을 따라 흉노 정벌에 공을 세웠고, 표기장군驃騎將軍과 대사마大司馬를 지냈다. ≪한서・곽거병전≫권55 참조.

444) 銚期(요기) : 원전에는 '음요音姚' 앞에 적혀 있으나 문맥상 여기에 위치시키는 것이 적절하기에 옮겨 적는다.

445) 中朝(중조) : 내조內朝의 별칭. 전한 무제武帝 이후로 내조內朝와 외조外朝의 구분이 생겼고, 내조를 '중조'라고도 하였다.

◇西崑集(≪서곤수창집≫)

●刁衎仕南唐, 爲祕書[446). 後歸宋, 直祕閣[447), 與張詠・丁謂・陳越・晁迥・李宗諤・薛映・李維・劉隲・舒雅・任隨・錢惟濟等十五人, 倡和成集, 命曰西崑[448)酬倡集. 楊大年[449)爲之序云, "雖榮於託驥[450), 亦愧於續貂[451)." 孫景純.

○조간(945-1013)은 (오대십국五代十國) 남당에서 벼슬길에 올라 비서성의 관리를 지내다가 뒤에는 송나라에 귀순하여 직비각을 지내며 장영・정위・진월・조형・이종악・설영・이웅・유즐・서아・임수・전유제 등 15명과 함께 시를 창화하여 문집을 만들고는 이름을 ≪서곤수창집≫이라고 하였다. 대년大年 양억楊億이 거기에 서문을 지어 "비록 파리가 천리마에 빌붙어 천 리를 가는 것보다 영광스럽기는 하지만, 개꼬리가 담비꼬리를 대신하여 행세하는 것보다는 부끄럽구나"라고 하였다. 손자는 조경순刁景純이다.

◇藏春塢(장춘오)

●刁約, 字景純. 宋康定[452)中, 與歐公同在館閣, 修禮書. 後直史館[453),

---

446) 祕書(비서) : 국가의 경적經籍・도서圖書・저작著作 등을 관장하던 기관인 비서성祕書省의 약칭.

447) 直祕閣(직비각) : 송나라 때 궁중의 도서를 관장하는 비각에 설치하였던 겸관兼官 이름. '직直'은 정식 관원이 아닌 임시직을 의미한다.

448) 西崑(서곤) : 서쪽의 곤륜산. 선계나 비서祕書가 소장된 곳을 상징하는 말로서 송나라 초엽 양억楊億(974-1020)을 중심으로 한 일련의 시파를 가리킨다.

449) 楊大年(양대년) : 송나라 초엽 사람 양억楊億(974-1020). '대년'은 자. 시호는 '문文'. 어려서부터 신동으로 알려져 11세에 비서성정자祕書省正字에 임명되었고, 한림학사翰林學士・공부시랑工部侍郞 겸 사관수찬史館修撰 등을 역임하였으며, 유균劉筠(971-1031)・전유연錢惟演(962-1034)과 함께 만당晩唐 이상은李商隱(약812-858)의 시풍을 본받아 서곤파西崑派를 형성하였다. 저서로 ≪무이신집武夷新集≫ 20권이 전한다. ≪송사・양억전≫권305 참조.

450) 託驥(탁기) : 파리가 천리마의 꼬리에 붙어 천 리를 가듯이 남의 권세나 위엄에 빌붙는 것을 비유한다.

451) 續貂(속초) : 담비 꼬리가 부족해서 개꼬리로 대신한다는 말로 빈둥거리고 노는 한량한 관리나 벼슬을 함부로 주는 행위를 비유한다.

452) 康定(강정) : 북송北宋 인종仁宗의 연호(1040).

453) 直史館(직사관) : 당송 때 사관史館에 소속되어 사서를 기록하던 벼슬을 이

浩然有山林志，掛冠454)而歸，築室潤州，號藏春塢，日遊息其中．東坡題云455)，“年抛造化甄陶456)外，春在先生杖屨中”云云．

○조약(?-약 1082)은 자가 경순이다. 송나라 (인종) 강정(1040) 연간에 구양수歐陽修와 함께 조정의 관각에서 근무하며 예법에 관한 서책을 편수하였다. 뒤에는 직사관을 지내다가 호연지기가 발동하여 산림에 은거하고자 하는 뜻을 품더니 벼슬을 그만두고 귀향하여 (강소성) 윤주에 집을 짓고서 ‘장춘오’라고 이름 짓고는 날마다 그곳에서 유람을 즐기며 휴식을 취하였다. 동파선생東坡先生 소식蘇軾이 시를 지어 “세월을 조화옹의 질그릇 밖으로 던져버렸으니, 봄은 선생의 지팡이와 신발 안에 있어라”라고 하였다.

●刁間，齊人．逐魚鹽之利，起家457)數千萬．

○조간은 (전국시대) 제나라 사람으로 물고기와 소금으로 이익을 취하여 집안의 재산을 수천만 냥으로 불렸다.

●刁韙，字子榮，仕東漢，爲尙書．以耆年賜几杖，劍履上殿．

○조위는 자가 자영으로 후한에서 벼슬길에 올라 상서를 지냈다. 노년 때문에 안궤와 지팡이를 하사받고 검을 차고 신발을 신은 채 내전에 오를 수 있는 예우를 받았다.

르는 말.

454) 掛冠(괘관) : 갓을 걸어 놓다. 전한 때 봉맹逢萌이 왕망王莽(B.C.45-A.D.23)의 신하가 되는 것이 싫어서 하남성 낙양洛陽 성문에 갓을 걸어 놓고 요동遼東으로 떠났다는 고사에서 유래한 말로 벼슬을 그만두는 것을 비유한다. 반대로 벼슬에 나가는 것은 갓을 쓰기 위해 ‘갓의 먼지를 턴다’는 뜻의 ‘탄관彈冠’이라고 한다.

455) 云(운) : 이는 칠언율시七言律詩 <멀리서 조경순의 장춘오를 읊은 시를 부치다(寄題刁景純藏春塢)> 가운데 함련頷聯을 인용한 것으로 소식蘇軾(1036-1101)의 ≪동파전집東坡全集 · 시83수詩八十三首≫권7에 전한다. ‘동파’는 소식의 호.

456) 甄陶(견도) : 진흙을 구워 도자기를 빚는 것을 뜻하는 말로 자연의 조화를 비유한다.

457) 起家(기가) : 집안을 일으키다. 벼슬에 오르거나 가문을 번창시키는 것을 말한다.

●刁玄, 吳人, 詐增讖文云, "黃旗458)紫蓋459)在東南."
○조현은 (삼국) 오나라 사람으로 거짓으로 예언을 보태 "(황제의 기운을 상징하는) 황색 깃발과 자색 수레덮개 모양의 구름이 동남방(오나라)에 있다"고 하였다.

※女德(여덕)

●刁氏, 梅聖兪460)妻也. 聖兪初受勅, 修唐書, 語刁氏曰, "吾修書, 可謂胡孫461)入布袋." 刁氏曰, "君爲仕, 何異鮎魚462)上竹竿?"
○조씨는 (송나라) 성유聖兪 매요신梅堯臣(1002-1060)의 아내이다. 매요신이 당초 칙명을 받고 ≪당서≫를 편수하면서 조씨에게 말했다. "내가 사서를 편수하게 되었으니 가히 원숭이가 베주머니에 들어왔다고 말할 만하오." 그러자 조씨가 대답하였다. "당신이 벼슬에 오른 것이 메기가 대막대기에 오르는 것과 무엇이 다르겠어요?"

◈晁(조씨)

▶角音. 京兆. 周景王子王子朝463), 亦作晁, 子孫因以爲氏.
▷음은 각음에 속하고 본관은 (섬서성) 경조군이다. 주나라 경왕의 아들 왕자조의

458) 黃旗(황기) : 노란 깃발 모양의 구름. 왕기王氣가 서린 곳을 나타내는 상서로운 조짐을 비유한다. 황제의 의장용 깃발이나 대장의 깃발을 지칭하는 말로도 쓰였다.
459) 紫蓋(자개) : 자줏빛 수레덮개 모양의 구름. '황기'와 마찬가지로 왕기의 상서로운 조짐을 비유한다. 황제의 수레를 지칭하는 말로도 쓰였다. 이상 두 어휘는 결국 손권孫權(182-252)이 오나라를 세울 징조를 가리킨다.
460) 梅聖兪(매성유) : 송나라 사람 매요신梅堯臣(1002-1060). '성유'는 자. 시에 뛰어나 소순흠蘇舜欽(1008-1048)과 함께 '소매蘇梅'로 불렸고, 인종仁宗 때 진사進士를 하사받아 국자감직강國子監直講·도관원외랑都官員外郎 등을 역임하였다. 저서로 ≪완릉집宛陵集≫ 60권이 전한다. ≪송사·문원열전文苑列傳·매요신전≫권443 참조.
461) 胡孫(호손) : 원숭이. '호손猢猻'으로도 쓴다.
462) 鮎魚(점어) : 메기.
463) 王子朝(왕자조) : 주周나라 경왕景王의 아들 희조姬朝의 별칭. 경왕敬王과 왕위를 다투다가 초楚나라로 망명하였으나, 경왕이 보낸 자객에게 암살당했다.

'조朝'를 '조晁'로도 썼기에 자손들이 그참에 이를 성씨로 삼은 것이다.

◇智囊(꾀주머니)

●晁錯學申韓[464]刑名[465]於張恢. 峭直刻深[466], 爲太子家令[467], 號智囊. 漢景帝朝, 爲御史大夫[468].

○조조(B.C.200-B.C.154)는 장회에게서 (전국시대) 신불해申不害와 한비자韓非子의 형명학을 배웠다. 성품이 강직하고 법집행이 엄격하여 태자가령을 지내며 '지낭'으로 불렸다. 전한 경제 때 어사대부에 올랐다.

◇好學長者(학문을 좋아하는 장자)

●晁迥, 字明遠. 宋眞宗稱爲好學長者[469], 知貢擧[470]. 眞宗賜詩云, "必以權衡[471]求實效, 莫敎蓬蓽[472]有遺材." 西崑酬倡者十五人, 迥其一也.

---

464) 申韓(신한) : 전국시대 때 법가法家 계통의 사상가인 신불해申不害와 한비자韓非子를 아우르는 말. ≪사기·노장신한열전老莊申韓列傳≫권63에 이들의 전기가 나란히 전한다.

465) 刑名(형명) : 법률을 나라를 다스리는 근간으로 삼는 학문. 전국시대戰國時代 때 신불해申不害·상앙商鞅·한비자韓非子로 대표되는 법치주의 학파를 가리킨다.

466) 峭直刻深(초직각심) : 성품이 강직하고 법집행이 엄격한 것을 이르는 말.

467) 太子家令(태자가령) : 태자궁太子宮에서 태자의 명령을 출납하는 일을 관장하는 벼슬. 진秦나라 때 처음 설치되어 태자첨사부太子詹事府의 속관이었고, 한나라 때는 태자소부太子少傅의 속관이 되기도 하였다.

468) 御史大夫(어사대부) : 관리들의 비행을 규찰하고 탄핵하는 업무를 관장하는 기관인 어사대御史臺의 주무 장관. 버금 장관으로 어사중승御史中丞이 있고, 휘하에 시어사侍御史와 전중시어사殿中侍御史·감찰어사監察御史·어사승御史丞 등을 거느렸다.

469) 長者(장자) : 나이나 신분, 인품이 높은 사람에 대한 존칭.

470) 知貢擧(지공거) : 당송 때 진사進士 시험을 총괄하기 위해 특별히 설치한 벼슬 이름. 처음에는 고공원외랑考功員外郎이 맡았으나 권위가 떨어지자 뒤에는 예부시랑禮部侍郎이 맡기도 하고, 각 부서의 상서尙書가 맡기도 하였다.

471) 權衡(권형) : 원래는 사물의 무게를 측정하는 저울추와 저울대를 지칭하는 말로 권력을 비유한다.

472) 蓬蓽(봉필) : 쑥대나 잡목으로 만든 대문을 뜻하는 말로 가난하고 누추한 집을 비유한다.

(詳ㄱ姓) 景祐中，爲翰林學士.

○조형(951-1034)은 자가 명원이다. 송나라 진종은 그를 '호학장자'라고 부르며 (과거시험을 관장하는 벼슬인) 지공거에 임명하였다. 진종이 시를 하사하여 "필시 권력을 바로 행사해 실효를 추구함으로써, 가난한 선비 가운데 버림받는 인재가 없도록 하라"고 하였다. 서곤파에 소속되어 시를 주고받은 사람이 열다섯 명인데 조형도 그중 한 사람이다.(앞의 '조'씨 절에 보인다) (인종) 경우(1034-1037) 연간에 한림학사를 지냈다.

◇一夕草五制(하룻밤에 제서制書 다섯 장을 기초하다)

●晁宗愨，逈之子也. 宋康定中，爲翰林學士. 一夕草將相五制，父子掌誥.

○조종각은 조형晁逈(951-1034)의 아들로 송나라 (인종) 강정(1040) 연간에 한림학사를 지냈다. 하룻밤은 장수와 재상 다섯 명의 제서(임명장)을 기초하게 되어 부자가 함께 황명의 초고를 관장한 일이 있다.

◇江西詩派(강서시파)

●晁沖之，字(叔用[473]). 知於后山[474]，呂居仁[475]江西詩派圖[476]二十五

---

473) 叔用(숙용) : 원문에 이 두 글자가 누락되었기에 보충한다.

474) 后山(후산) : 송나라 때 시인인 진사도陳師道(1053-1101)의 호. 자는 무기無己·이상履常. 증공曾鞏(1019-1083)의 제자로 서주교수徐州敎授·태학박사太學博士·비서성정자祕書省正字를 역임하였고, 황정견黃庭堅(1045-1105)과 함께 강서시파江西詩派의 대표적 시인으로 꼽힌다. 저서로 ≪후산집後山集≫ 24권 등이 전한다. ≪송사·진사도전≫권444 참조. '후后'는 '후後'로도 쓴다.

475) 呂居仁(여거인) : 송나라 사람 여본중呂本中(1084-1145). '거인'은 자. 호는 동래東萊이고 시호는 문청文淸. 시는 황정견黃庭堅(1045-1105)과 진사도陳師道(1053-1101) 등 강서시파江西詩派를 추종하였고, 벼슬은 중서사인中書舍人 등을 역임하였다. 저서로 ≪동래시집東萊詩集≫ 20권이 전한다. ≪송사·여본중전≫권376 참조.

476) 江西詩派圖(강서시파도) : 송나라 여본중呂本中이 지은 ≪강서시사종파도江西詩社宗派圖≫의 약칭. 지금은 송나라 왕응린王應麟(1223-1296)의 ≪소학감주小學紺珠≫권4에 간략한 명단만 전한다. 여본중은 ≪강서시파종파도≫와 더불어 ≪강서종파시집江西宗派詩集≫ 115권을 편찬하였는데, 그 영향을 받아

人, 沖之與焉. 有詩477)云, "男兒更老氣如虹, 短髮何嫌亂似蓬? 欲問桃花借顔色, 未甘着笑向東風."

○(송나라) 조충지는 자가 숙용이다. 후산后山 진사도陳師道(1053-1101)에게 인정을 받아 거인居仁 여본중呂本中(1084-1145)의 ≪강서시파도≫에 오른 25명 가운데 조충지도 끼게 되었다. 그는 시에서 "남아대장부 더 늙었어도 기상만은 무지개 같거늘, 짧은 머리 쑥대처럼 엉클어졌다고 싫어할 것 무에 있으랴? 복사꽃에게 고운 빛깔 빌려달라고 묻고 싶지만, 아직은 봄바람을 향해 달갑게 미소를 짓지 못 하네"라고 하였다.

◇奇士(빼어난 선비)

●晁詠之, 字知道, 少有異材. 東坡爲揚州時, 詠之兄補之478)爲倅479), 以詠之詩獻坡480). 坡曰, "有才如此, 獨不令一識面乎?" 後謁坡, 坡挽而上之, 謂坐客曰, "此奇士也!" 後擧宏詞481).

○조영지는 자가 지도로 어려서부터 남다른 재주가 있었다. 동파東坡 소식蘇軾이 (강소성) 양주자사를 지낼 때 조영지의 형인 조보지晁補

그 뒤로도 양만리楊萬里(1127-1206)의 ≪강서종파시서江西宗派詩序≫, 유극장劉克莊(1187-1267)의 ≪강서시파소서江西詩派小序≫, 청나라 장태래張泰來의 ≪강서시사종파도록江西詩社宗派圖錄≫ 등 관련 저술들이 쏟아져 나왔다.

477) 詩(시) : 이는 칠언절구七言絶句 <봄날을 읊은 시 2수(春日二首)> 가운데 제1수를 인용한 것으로 ≪송시초宋詩鈔·조충지구자집초晁沖之具茨集鈔≫권32에 전한다.

478) 補之(보지) : 송나라 때 문인 조보지晁補之(1053-1110)의 이름. 소식蘇軾(1036-1101)의 제자인 '소문사학사蘇門四學士' 가운데 한 사람으로 예부낭중禮部郎中과 하중부지부사河中府知府事를 역임하였고, 시서화詩書畵에 뛰어났다. 저서로 ≪계륵집鷄肋集≫ ≪조무구사晁無咎詞≫ ≪금취외편琴趣外篇≫ 등이 전한다. ≪송사·조보지전≫권444 참조.

479) 倅(쉬) : 보좌하다. 자사刺史의 부관副官을 뜻하는 말로서 당나라 때는 별가別駕, 송나라 때는 통판通判을 일컬었다.

480) 坡(파) : 송나라 소식蘇軾(1036-1101)의 호인 '동파東坡'의 준말.

481) 宏詞(굉사) : 학문이 폭넓고 문장이 뛰어나 조정의 문서를 기초할 만한 인재를 뽑기 위한 과거시험의 하나. 송나라 때는 굉사과宏詞科라고 하다가 휘종徽宗 때 사학겸무과詞學兼茂科라고 하였고, 고종高宗 때 박학굉사과博學宏詞科라고도 하였다.

之(1053-1110)가 통판을 맡으면서 조영지의 시를 소식에게 바치자 소식이 말했다. "이처럼 글재주가 뛰어난데도 어찌하여 일면식도 갖게 하지 않았소?" 뒤에 소식을 알현하자 소식이 그의 소매를 끌어당겨 자리에 오르게 하고는 좌객들에게 말했다. "이 사람이야말로 빼어난 선비라오!" 뒤에 굉사과에 급제하였다.

◇四學士(소문사학사蘇門四學士)

●晁補之, 字無咎, 詩有聲. 陳無己[482]戲之曰[483], "聞道新文能入樣, 相州紅纈[484]鄂州花[485]." 當時重此二物也. 在揚州, 與東坡倡和. 有雞肋[486]集百卷, 行於世. 王安國見而奇之. 與黃山谷[487]·秦觀·張耒[488]同遊東坡之門, 號四學士.

○조보지(1053-1110)는 자가 무구로 시로써 명성을 얻었다. 그러자

---

482) 無己(무기) : 송나라 사람 진사도陳師道(1053-1101)의 자.

483) 曰(왈) : 위의 예문은 평측平仄이나 대구對句상으로 볼 때 칠언율시七言律詩의 수련首聯이나 미련尾聯을 인용한 것으로 보이는데 현전하는 진사도의 ≪후산집後山集≫에 실리지 않고 다른 시화詩話에도 두 구절만 인용된 것으로 보아 일시逸詩인 듯하다.

484) 紅纈(홍힐) : 위의 예문은 ≪초계어은총화苕溪漁隱叢話·유자후柳子厚≫후집 권11에도 전하는데, 이에 의하면 붉은 비단을 뜻하는 '홍힐紅纈'의 오기이다.

485) 鄂州花(악주화) : 호북성 악주를 대표하는 꽃. 형제간의 우애를 읊은 ≪시경·소아小雅·상체常棣≫권16의 노랫말에서 유래한 말로 당체화棠棣花(산앵두나무꽃)를 가리킨다.

486) 雞肋(계륵) : 닭갈비. 후한 말엽 조조曹操가 한중漢中 땅을 차지한 뒤 갑자기 '닭갈비'란 명령을 내리자, 책략가인 양수楊脩가 한중 땅을 쓸모는 없지만 버리기는 아까운 닭갈비에 비유한 것이라는 것을 눈치채고 먼저 군장을 꾸렸다는 당나라 구양순歐陽詢(557-641)의 ≪예문류취藝文類聚·조부중鳥部中·계雞≫권91에 인용된 진晉나라 사마표司馬彪의 ≪구주춘추九州春秋≫에서 유래한 말로서 쓸모는 없지만 버리기는 아까운 사물을 비유한다. 여기서는 자신의 글에 대한 겸사謙辭의 뜻이 담겨 있다.

487) 黃山谷(황산곡) : 송나라 때 사람 황정견黃庭堅(1045-1105). '산곡'은 호. '부옹涪翁'이라고도 한다. 자는 노직魯直. 소식蘇軾(1036-1101)의 제자이자 강서시파江西詩派의 창시자로서 비서승祕書丞과 사천성 부주별가涪州別駕 등을 역임하였다. 저서로 ≪산곡집山谷集≫ 67권이 전한다. ≪송사·문원열전文苑列傳·황정견전≫권444 참조.

488) 耒(미) : '뢰耒'의 오기. 자형의 유사성으로 인한 필사 과정상의 단순 오기로 보인다.

무기無己 진사도陳師道가 장난삼아 시를 지어 "듣자하니 그대가 새로 지은 시는 본보기가 될 만하기에, (하남성) 상주의 붉은 비단과 (호북성) 악주의 꽃처럼 여겨진다고 하더군요"라고 하였다. 당시 사람들이 이 두 가지 사물을 중시하였기 때문이다. (강소성) 양주에 있을 때는 동파東坡 소식蘇軾과 시를 창화하였다. 문집으로 ≪계륵집≫ 100권이 세간에 유행하였다. (왕안석王安石의 동생인) 왕안국이 그를 보고서 재능을 인정해 주었다. 산곡山谷 황정견黃庭堅·진관·장뇌張耒와 함께 소식의 문하에서 어울렸기에 '소문사학사'로 불렸다.

◇揮翰手(붓을 휘두르는 솜씨)

●晁無斁有李廷珪[489]墨半丸[490], 山谷詩[491]云, "便令脫帽[492]管城公[493], 小試玉堂[494]揮翰手."

○(송나라) 조무택은 (오대五代 남당南唐 출신) 이정규가 만든 먹 반 토막을 가지고 있었다. 그래서 후산後山 진사도陳師道가 시를 지어 "바로 모자 벗은 관성공(붓)이 옥당(한림원)의 붓 휘두르는 솜씨(한림학사)를 어디 한번 시험해 보도록 하소서"라고 읊은 일이 있다.

---

489) 李廷珪(이정규) : 오대五代 남당南唐 출신으로 부친 이초李超와 함께 먹을 잘 만들어 명가를 이룸으로써 그들이 만든 먹이 천하의 보물로 인정받았다는 고사가 송나라 왕벽지王闢之의 ≪승수연담澠水燕談·사지事誌≫권9에 전한다.

490) 丸(환) : 먹을 세는 양사.

491) 詩(시) : 이는 '후산시後山詩'의 오기이다. 위의 예문은 칠언고시七言古詩 <오래 된 먹을 읊은 노래(古墨行)> 가운데 마지막 연을 인용한 것으로 송나라 진사도陳師道(1053-1101)의 ≪후산시주後山詩注≫권5에 전한다.

492) 脫帽(탈모) : 모자를 벗다. 여기서는 붓두껑을 벗겨 붓을 꺼내는 것을 비유하는 말인 듯하다.

493) 管城公(관성공) : 붓의 별칭. 당나라 한유韓愈(768-824)가 붓을 의인화하여 쓴 우화寓話인 <모영(붓)의 전기(毛穎傳)>에서 붓을 '관성자管城子'라고 부른 데서 유래한 말로 원문은 송나라 위중거魏仲擧가 엮은 ≪오백가주창려문집五百家注昌黎文集·잡문雜文≫권36에 전한다.

494) 玉堂(옥당) : 한림원翰林院의 별칭. '금란원金蘭院' '금서禁署' '금림禁林' '내서內署' '북원北院' '사림詞林' '오금鼇禁' '오두鼇頭' '오봉鼇峰' '오액鼇掖' '옥서玉署' '한원翰苑' 등 다양한 별칭으로도 불렸다.

◇古人風(고인의 기풍)

●晁元忠能詩，山谷答書[495]云，"未識足下[496]之面，而得足下之詩，興趣深遠，鬱然類騷[497]。" 又寄以詩[498]云，"著書蓬蒿[499]底，端有古人風。"

○(송나라) 조원충은 시를 잘 지었기에 산곡山谷 황정견黃庭堅이 답장에서 "귀하의 얼굴은 아직 잘 모르지만 귀하의 시를 얻었는데, 흥취가 심원한 것이 확연히 ≪이소≫와 흡사하더군요"라고 하였다. 또 시를 부쳐서 "쑥대 가득한 집에서 글을 지어서인지, 확실히 고인의 기풍이 담겼더군요"라고 하였다.

●晁說之，字以道，與陳叔易俱隱嵩山.

○(송나라) 조열지(1059-1129)는 자가 이도로 진숙이와 함께 (하남성) 숭산에 은거하였다.

●晁次膺工於詞，宣和[500]間，充協律郎[501].

---

495) 答書(답서) : 이는 <조원충에게 답하는 글(答晁元忠書)>이란 제목으로 황정견黃庭堅의 ≪산곡집山谷集≫권19에 전한다.

496) 足下(족하) : 상대방에 대한 존칭. '상대방의 발 아래 공손히 자리한다'는 의미에서 유래하였다. 황제皇帝에게는 '섬돌 아래 있다'는 의미의 '폐하陛下'를, 친왕親王이나 제후에게는 '전각 아래 있다'는 의미의 '전하殿下'를, 고관에게는 '누각 아래 있다'는 의미의 '각하閣下'를, 그리고 신분이나 연령이 높은 사람에게는 '발 아래 있다'는 의미의 '족하足下'를 사용함으로써 상대방의 지위가 낮아질수록 점차 거리를 가까이하는 의미가 담겨 있다.

497) 騷(소) : 전국시대 초楚나라 사람 굴원屈原(약B.C.340-B.C.278)이 조정에서 축출당한 뒤 회재불우懷才不遇의 심경에서 지었다고 전하는 초사 작품인 ≪이소離騷≫의 약칭. '이離'는 만나다는 뜻이고, '소騷'는 근심을 뜻한다. 즉 굴원이 시름에 젖어 지었다는 뜻이다. 후한 왕일王逸의 ≪초사장구楚辭章句≫권1에 전한다.

498) 詩(시) : 이는 오언고시五言古詩 <조원충에게 부치는 시 10수(寄晁元忠十首)> 가운데 제2수의 마지막 연을 인용한 것으로 ≪산곡집≫외집外集권3에 전한다.

499) 蓬蒿(봉호) : 쑥에 대한 총칭. 전한 사람 장중위張仲蔚가 쑥이 가득 자란 초라한 집에서 길을 하나만 내고서 은거생활을 했다는 진晉나라 황보밀皇甫謐의 ≪고사전高士傳≫권중의 고사에서 유래한 말로 은자의 거처를 상징한다.

500) 宣和(선화) : 북송北宋 휘종徽宗의 연호(1119-1125).

501) 協律郎(협률랑) : 태상시太常寺에 소속되어 음악을 관장하던 벼슬 이름. 시

○(송나라) 조차응은 사를 잘 지어서 (휘종) 선화(1119-1125) 연간에 협률랑에 임명되었다.

※婚姻(혼인)

●晁無咎娶杜純次女, 與馬希說・崔延孫爲連襟[502].

○(송나라) 무구無咎 조보지晁補之(1053-1110)는 두순의 차녀에게 장가들어 마희열・최연손과 동서가 되었다.

●晁煇娶呂誨女, 與鞠承之・吳安詩爲連襟.

○(송나라) 조휘는 여회의 딸에게 장가들어 국승지・오안시와 동서가 되었다.

●晁無咎以女妻梁頤吉.

○(송나라) 무구無咎 조보지晁補之(1053-1110)는 딸을 양이길에게 시집보냈다.

◆橋(교씨)

▶角音. 梁國喬氏, 黃帝[503]之後.

▷음은 각음에 속하고 (안휘성) 양국이 본관인 '교喬'씨로서 황제黃帝의 후손이다.

◇禮學(≪예기≫의 학파)

●橋仁從大戴[504]學, 註禮記四十九篇, 號橋君學. 小戴以博士論石渠[505],

대에 따라 '협률도위協律都尉' '협률교위協律校尉'라고도 하였다.

502) 連襟(연금) : 동서. '연금連衿' '연금連妗' '연겹連裌' '연메連袂'라고도 한다.

503) 黃帝(황제) : 전설상의 임금. 성은 유웅씨有熊氏이고 이름은 헌원軒轅. ≪사기史記・오제본기五帝本紀≫권1에서는 황제를 '오제五帝'(황제黃帝・전욱顓頊・제곡帝嚳・요堯・순舜)의 첫 번째 임금으로 설정한 반면, 속수사고전서본續修四庫全書本 ≪제왕세기・자개벽지삼황自開闢至三皇≫권1에서는 '삼황三皇'(복희伏羲・신농神農・황제黃帝)의 마지막 임금으로 설정하고, 대신 오제의 첫 번째 임금으로 소호少皞를 설정하는 등 설에 따라 차이가 있다.

授禮記於梁人喬仁・楊榮. 由是有橋・楊之學. 洪506)武帝, 大鴻臚.

○교인은 대대(대덕戴德)로부터 수학하여 ≪예기≫ 85편에 주를 달면서 '교군학'으로 불렸다. 소대(대성戴聖)는 박사의 신분으로 (궁중의 장서각인) 석거각에서 논쟁을 벌이다가 ≪예기≫를 (안휘성) 양국 출신 교인과 양영에게 전수하였다. 이 때문에 교씨와 양씨의 두 학파가 생겨났다. 교인은 전한 무제 때 대홍려를 지냈다.

◇斗酒隻雞(술 한 말과 닭 한 마리)

●橋玄見曹操而異之. 操後經玄墓, 祭以斗酒隻雞, 感其知己也. 漢建寧507)中, 爲司空508), 遷大尉.

○교현(109-183)은 조조(155-220)를 보고서 그를 각별하게 대하였다. 조조가 뒤에 교현의 무덤을 지나다가 술 한 말과 닭 한 마리로 제를 올려 준 것도 교현이 자신을 알아준 데 대해 감격하였기 때문이다. 교현은 후한 (영제) 건녕(168-171) 연간에 사공에 올랐다가 태위로 승진하였다.

●橋庇, 魯人, 明易學.

○교비는 (전국시대) 노나라 사람으로 ≪역경≫에 관한 학문에 정통하

---

504) 大戴(대대) : 전한 때 유학자인 대덕戴德의 별칭. 그가 엮은 예경禮經인 ≪대대예기大戴禮記≫를 가리킬 때도 있다. ≪대대예기≫는 총 13권으로 북조北朝 북주北周의 노변盧辯이 주를 달았다. 고본古本 ≪예기≫의 204편을 85편으로 재편집하였으나 47편이 실전되었다. 한편 대덕의 조카 대성戴聖은 '소대'라고 하고 그가 엮은 예경은 ≪소대예기小戴禮記≫라고 하는데, 일반적으로 ≪예기≫는 후자를 가리킨다. ≪사고전서간명목록・경부・예류禮類≫권2 참조. 따라서 뒤의 49편은 '대대'와 '소대'를 혼동한 데서 비롯된 '85편'의 오기인 듯하다.

505) 石渠(석거) : 한나라 때 미앙궁未央宮 북쪽에 있던 궁중의 장서각藏書閣 이름.

506) 洪(홍) : 문맥상으로 볼 때 한漢의 오기인 듯하다. 자형의 유사성으로 인한 필사 과정상의 단순 오기로 보인다.

507) 建寧(건녕) : 후한後漢 영제靈帝의 연호(168-171).

508) 司空(사공) : 벼슬 이름. 소호少昊 때 처음 설치되었는데, 주周나라 때는 동관冬官으로서 치수와 토목공사를 관장하였고, 한나라 이후로는 태위太尉・사도司徒와 함께 삼공三公의 하나였다.

였다.

●河橋. 午橋[509]. 藍橋[510]. 鵲橋[511].
○황하에 설치한 다리. 자오교. 남교. 오작교.

◆喬(교씨)

▶角音. 梁國. 本作橋, 其後有去木爲喬者.
▷음은 각음에 속하고 본관은 (안휘성) 양국이다. 본래는 '교橋'로 썼으나 그의 후손 중에 누군가가 '나무 목木' 부수를 제거하고 '교喬'로 썼다.

◇神君(신군)

●喬智明, 字元達, 仕晉, 爲隆慮[512]令, 以德行著稱, 號曰神君.
○교지명(?-313)은 자가 원달로 진나라에서 벼슬길에 올라 (하남성) 융려현의 현령을 지냈는데, 덕행으로 이름을 떨쳐 '신군'으로 불렸다.

◇仙童(선동)

●喬順二子隱湘州棲霞谷, 服飛龍藥, 二十年不饑. 魏文帝詩[513]云, "西山有仙童, 不飮亦不食."

---

509) 午橋(오교) : 하남성 낙양현洛陽縣 남쪽 10리 되는 곳에 있는 다리 이름이자 당나라 배도裴度(765-839)의 별장인 오교장午橋莊의 약칭. '오교'는 북쪽(子)에서 남쪽(午)으로 곧장 뻗은 다리를 뜻하는 말인 '자오교子午橋'의 준말.
510) 藍橋(남교) : 섬서성 남전현藍田縣 남동쪽 남계藍溪에 있는 다리 이름. 당나라 때 배항裴航이 선녀 운영雲英을 만난 선굴仙窟이 있었다고 전한다. 남녀간의 연애 장소를 상징한다.
511) 鵲橋(작교) : 칠석날 견우와 직녀가 만날 수 있도록 까막까치(烏鵲)가 은하수에 놓는다는 다리인 오작교烏鵲橋의 약칭. '작량鵲梁'이라고도 한다.
512) 隆慮(융려) : 한나라 때 하남성에 설치한 현縣 이름이자 산 이름.
513) 詩(시) : 이는 악부시樂府詩 <버들가지를 꺾으며 부르는 노래(折楊柳行)> 가운데 한 연을 인용한 것으로 ≪송서宋書·악지樂志≫권21이나 송나라 곽무천郭茂倩의 ≪악부시집樂府詩集·상화가사相和歌辭≫권37, 명나라 장보張溥(1602-1641)의 ≪한위육조백삼가집漢魏六朝百三家集·위문제집魏文帝集≫권25 등에 전한다.

○교순의 두 아들은 (호남성) 상주의 서하곡에 은거하며 비룡약을 복용하여 20년 동안 허기를 느끼지 않았다. 그래서 (삼국) 위나라 문제가 시에서 "서산에 선동이 있는데, 물도 마시지 않고 밥도 먹지 않는다네"라고 하였다.

◇啖松腴(송진을 먹다)

●喬同學道, 年八十益壯. 坡詩514)云, "結茅松山啖松腴515)云云. 烱然516)蓮花出泥塗." 爾來八十, 胷垂胡517), 上山如飛, 嗔人扶.

○(송나라) 교동은 도를 익혀 나이 80살에도 더욱 건장하였다. 동파東坡 소식蘇軾이 시에서 "송산에 초가집을 짓고 송진을 먹으니,(중략) 확연히 연꽃이 진흙탕에서 피어오르는 듯하네"라고 말한 적이 있다. 그뒤로 80세가 되면서 가슴에서 수염이 자랐고 나는 듯이 산을 올랐기에 남이 부축하면 화를 냈다.

◇瑚璉質(호련처럼 고귀한 자질)

●喬敍, 字禹功, 爲大博518). 知欽州, 坡詩519)云, "喬侯瑚璉520)質, 淸廟521)當薦盥522)." 再知施州, 坡詩, "愧無負郭田二頃, 空有載行書五

---

514) 詩(시) : 이는 칠언고시七言古詩 <교동을 전송하면서 하군에게 부치는 시 6수(送喬仝寄賀君六首)> 가운데 제1수에서 두 구절을 발췌하여 인용한 것으로 송나라 소식蘇軾의 ≪동파전집東坡全集≫권17에 전한다.

515) 松腴(송유) : 송진. 고대 중국인들은 이것으로 단약으로 만들어 먹으면 장수한다고 믿었다.

516) 烱然(경연) : 분명한 모양, 아주 흡사한 모양.

517) 垂胡(수호) : 수염을 늘어뜨리다. '호胡'는 '호수胡鬚' 혹은 '호염胡髥'의 준말.

518) 大博(태박) : 도성의 최고교육기관인 태학太學에서 학생들을 가르치는 업무를 관장하는 벼슬인 태학박사太學博士의 약칭. '태大'는 '태太'와 통용자.

519) 詩(시) : 이는 오언고시五言古詩 <태학박사太學博士 교서喬敍가 화답시를 보이기에 다시 차운하여 답시를 쓰다(喬太博見和, 復次韻答之)> 가운데 한 연을 인용한 것으로 소식蘇軾의 ≪동파전집東坡全集≫권6에 전한다.

520) 瑚璉(호련) : 종묘의 제사에 사용하는 제기祭器를 이르는 말. 훌륭한 인재를 상징한다.

521) 淸廟(청묘) : 제왕의 종묘宗廟인 태묘太廟의 별칭. 조정을 비유적으로 가리킬 때도 있다.

車523)."

○(송나라) 교서는 자가 우공으로 태학박사를 지냈다. (광서성) 흠주지주사(흠주자사)를 맡자 동파東坡 소식蘇軾이 시를 지어 "교선생(교서)은 호련처럼 고귀한 자질을 지니셨으니, 종묘에서 의당 제사를 받드셔야 하지요"라고 하였다. 다시 (호북성) 시주지주사를 맡자 소식은 시를 지어 "(전국시대 때 공동 재상에 오른 소진蘇秦처럼) 성곽 밖에 밭 2경이 없는 것을 부끄러워하시더니, 허탈하게도 수레 다섯 대 분량의 서책을 싣고서 길에 오르시네"라고 하였다.

◇三賢(세 명의 현자)

●喬執中以經術教授, 與孫莘老524)・秦少游525)齊名, 號三賢.

○(송나라) 교집중은 경학에 정통하여 교수직을 맡고 신로莘老 손각孫覺・소유少游 진관秦觀과 함께 나란히 명성을 떨치며 '삼현'으로 불렸다.

※婚姻(혼인)

●喬公二女皆國色, 孫策納大喬526), 周瑜納小喬. 策曰, "喬公二女, 雖流

---

522) 薦盥(천관) : 제사를 받들다. '관盥'은 제사에서 울창주鬱鬯酒를 따르는 의식을 뜻한다.

523) 書五車(서오거) : 수레 다섯 대 분량의 서책을 이르는 말. 전국시대 송宋나라 혜시惠施가 다방면에 조예가 깊어 책이 수레 다섯 대 분량이나 되었지만 도가 사리에 어긋나고 말이 정도에 맞지 않았다는 ≪장자莊子・천하天下≫권10의 고사에서 유래한 말로 많은 독서량을 비유한다.

524) 孫莘老(손신로) : 송나라 사람 손각孫覺(1028-1090). '신로'는 자. 강서시파江西詩派의 거두인 황정견黃庭堅(1045-1105)의 외숙부로서 경학經學에 조예가 깊어 교집중喬執中・진관秦觀(1049-1100)과 함께 '삼현三賢'으로 불렸다. 비서소감祕書少監・우간의대부右諫議大夫・이부시랑吏部侍郎・어사중승御史中丞 등의 고관을 역임하였다. ≪송사・손각전≫권344 참조.

525) 秦少游(진소유) : 송나라 사람 진관秦觀(1049-1100). '소유'는 자. '태허太虛'라고도 한다. 태학박사太學博士와 비서성정자祕書省正字 등을 역임하였고, 황정견黃庭堅(1045-1105)・조보지晁補之(1053-1110)・장뇌張耒(1052-1112)와 함께 소문사학사蘇門四學士의 한 사람으로 시문에 뛰어난 재능을 보였다. 저서로 ≪회해집淮海集≫ 49권이 전한다. ≪송사・진관전≫권444 참조.

離, 得吾二人爲婿, 亦足歡也."

○(삼국 오吳나라 때) 교공의 두 딸은 모두 천하 제일의 미녀인데, (손권孫權의 형인) 손책이 큰 딸을 첩실로 들이고 주유가 작은 딸을 첩실로 들였다. 그러자 손책이 말했다. "교공의 두 딸은 비록 가족과 헤어졌지만 우리 두 사람을 남편으로 얻었으니 역시 흡족해 할 것이오."

●遷喬[527]. 重喬[528].

○교목으로 옮기다. 창문의 갈고리.

◆譙(초씨)

▶曹大夫食采於譙, 因氏.

▷(춘추시대 때) 조나라 대부가 (안휘성) 초읍을 식읍으로 받아 그참에 이를 성씨로 삼은 것이다.

◇保志全高(고상한 의지를 잘 보전하다)

●譙玄, 獨行[529]之士. 漢成帝朝, 對策, 拜議郎. 王莽時不仕. 公孫述[530]連聘不至, 賜以毒藥. 太守自齎書, 至玄廬, 玄嘆曰, "保志全高, 死亦何恨?"

○초현은 소신이 강하고 기행을 좋아하던 선비였다. 전한 성제 때 책시策試에 응시하여 의랑을 배수받았다. (신新나라) 왕망 때는 벼슬길

---

526) 大喬(대교) : 후한 말엽 교공喬公의 맏딸을 이르는 말. 맏딸은 손책孫策(175-200)의 첩실이 되고, 막내딸은 주유周瑜(175-210)의 첩실이 되었다고 한다.

527) 遷喬(천교) : 교목으로 옮기다. 벌목꾼 때문에 꾀꼬리가 골짜기에서 나와 교목으로 둥지를 옮긴다는 내용의 ≪시경·소아小雅·벌목伐木≫권16의 노랫말에서 유래한 말로 짝을 찾는 것을 비유한다.

528) 重喬(중교) : 창문에 붉은 깃털을 매다는 데 사용하는 갈고리를 이르는 말. ≪시경·정풍鄭風·청인淸人≫권7의 노랫말에서 유래하였다.

529) 獨行(독행) : 소신이 강하고 기행을 일삼는 것을 이르는 말.

530) 公孫述(공손술) : 전한 말엽 사람(?-36)으로 자는 자양子陽. 왕망王莽(B.C.45-A.D.23)의 신新나라 천봉天鳳(14-19) 연간에 사천성 성도成都에 도읍을 정하고 황제를 자칭하다가 광무제光武帝에 의해 제거당했다. ≪후한서·공손술전≫권43 참조.

에 나가지 않았다. (사천성 촉 땅의) 공손술이 계속해서 불러도 찾아오지 않아 독약을 내렸다. 태수가 손수 칙서를 들고 자신의 집을 찾아오자 초현이 탄식하며 말했다. "고상한 의지를 잘 보전하였으니 죽는다 한들 무슨 여한이 있으리오?"

◇涪陵居士(부릉거사)

●譙定, 涪州玉溪人, 自號涪陵居士[531]. 伊川[532]·山谷繼責於涪, 深加敬仰. 涪有四賢樓在北岩, 乃伊川·山谷·尹焞·譙定也. 宋建炎[533]中, 許翰薦于朝, 以布衣召行在[534], 賜通直郎[535].

○초정은 (사천성) 부주의 옥계현 사람으로 스스로 호를 '부릉거사'라고 하였다. 이천선생伊川先生 정이程頤와 산곡山谷 황정견黃庭堅이 계속해서 부주로 폄적당했을 때 그에게 깊은 존경심을 표했다. 부주에는 사현루가 북암에 있는데, ('사현'은) 바로 정이·황정견·윤돈·초정을 가리킨다. 남송 (고종) 건염(1127-1130) 연간에 허한이 조정에 천거해 평민의 신분으로 행재소로 소환되어 통직랑을 하사받았다.

●譙周, 蜀人, 著述五經解百餘篇. 仕晉, 拜騎都尉[536].

○초주(약 201-270)는 (삼국) 촉나라 사람으로 오경에 대한 해설서 백여 편을 저술하였다. 진나라에서 벼슬길에 올라 기도위를 배수받

---

531) 居士(거사) : 학식과 덕망을 겸비하고서도 벼슬하지 않거나 은거한 사람에 대한 호칭.

532) 伊川(이천) : 송나라 때 대유大儒인 정이程頤(1033-1107)의 존호. 저서로 ≪이정문집二程文集≫ 15권이 전한다. ≪송사·도학열전道學列傳·정이전≫권 427 참조.

533) 建炎(건염) : 남송南宋 고종高宗의 연호(1127-1130).

534) 行在(행재) : 임금이 출행할 때 머무는 곳인 행재소行在所의 약칭.

535) 通直郎(통직랑) : 당송 때 29종의 문산관文散官 가운데 서열 17위인 종6품하從六品下에 해당하던 직책인 통직산기시랑通直散騎侍郎의 약칭.

536) 騎都尉(기도위) : 전한 무제武帝 때 처음 설치된 삼도위三都尉, 즉 봉거도위奉車都尉·부마도위駙馬都尉·기도위騎都尉 가운데 하나로 기병騎兵을 통솔하던 벼슬.

았다.

●譙熙, 周子[537]也. 抗節[538]玉立[539], 不交於世. 桓溫薦之.
○(진晉나라) 초희는 초주譙周(약 201-270)의 아들이다. 지조가 굳건하여 속인과 교유하지 않았다. 환온이 그를 천거하였다.

●譙秀, 字元彦. 李雄據蜀, 屢召不起, 服弊衣, 躬耕野藪.
○(진晉나라) 초수는 자가 원수이다. 이웅이 (사천성) 촉 땅을 할거하고 여러 차례 불렀지만 벼슬에 오르지 않으면서 다 떨어진 옷을 입은 채 들판에서 몸소 농사를 지었다.

◆焦(초씨)

▶角音. 中山[540]. 周武王封神農[541]之後於焦, 子孫因氏焉.
▷음은 각음에 속하고 본관은 (하북성) 중산군이다. 주나라 무왕이 신농의 후손을 (하남성) 초읍에 봉하였기에 자손들이 그참에 이를 성씨로 삼은 것이다.

◇易學(≪역경≫에 관한 학문)

●焦延壽從孟喜學易, 授之京房, 分六十四卦, 更直日用事, 以風雨寒暑爲候. 房尤精, 延壽常曰, "得我道以亡身者, 京生也." 漢元帝朝, 爲三老[542].

---

537) 子(자) : 명나라 능적지凌迪知의 ≪만성통보萬姓統譜≫권30에서는 '동생(弟)'이라고 하였으나, 명나라 매정조梅鼎祚의 ≪서진문기西晉文紀≫권18 등 대부분의 문헌에서는 '아들(子)'이라고 하였기에 이를 따른다.
538) 抗節(항절) : 절조를 굳게 지키다.
539) 玉立(옥립) : 옥처럼 우뚝 서다. 지조가 굳건한 것을 비유한다.
540) 中山(중산) : 춘추시대 말엽 선우족鮮虞族이 지금의 하북성 정현定縣과 당현唐縣 일대에 세운 나라 이름. 뒤에 조趙나라에 멸망당했다. 진한秦漢 이후로는 제후국이나 군郡으로 설치되었다.
541) 神農(신농) : 전설상의 임금인 삼황三皇 가운데 두 번째 황제. 농사 짓는 법을 처음으로 백성들에게 가르쳤다고 한다.
542) 三老(삼로) : 고을의 장로長老를 가리키는 말. 상고시대에는 재상을 지내다가 물러난 국가 원로를 지칭하다가 진한秦漢 이후로는 시골의 향리鄕里에서 고을의 교화敎化를 담당하던 벼슬 이름으로 쓰였다. ≪한서·백관공경표百官公卿表≫권19에 의하면 10리마다 '정亭'을 설치하고서 10정亭을 '향鄕'이라고

○초연수는 맹희에게서 ≪역경≫을 배워 이를 경방에게 전수하면서 64괘로 나누고 다시 일상사에 적용하여 바람·비·추위·더위를 징후로 삼았다. 경방이 특히 ≪역경≫에 정통하였기에 초연수는 늘상 "내 학문을 이어받아 육신을 초월할 자는 경방이다"라고 하였다. 전한 원제 때 삼로를 지냈다.

◇蝸廬[543](달팽이처럼 생긴 집)

●焦先自結草廬於河間[544], 號蝸牛廬, 呻吟其中. 後野火燒之, 乃露寢, 雪中袒臥, 百餘歲卒. 皇甫謐稱, 其棄榮味, 釋衣裳, 曠然[545]以天地爲棟宇, 羲皇[546]以來, 一人而已.

○(삼국 위魏나라) 초선은 (하북성) 하간군에 손수 초가집을 짓고서 ('달팽이 집'이라는 의미에서) '와우려'라고 이름 짓고는 그속에서 힘든 생활을 하였다. 뒤에 들불이 그곳을 태우자 결국 노숙을 하게 되었고 눈 속에서 옷을 벗고 눕기도 하더니 백 살이 넘어서 생을 마쳤다. (진晉나라) 황보밀은 그가 명예심을 버리고 옷을 벗어던졌기에 속세를 초월하여 하늘과 땅을 집으로 삼은 것은 복희伏羲 황제 이래로 오직 그 한 사람뿐이라고 칭송하였다.

◇飮仙(술 마시는 신선)

●唐焦遂口吃[547], 對客不出一言, 醉後, 應答如響. 飮中八仙歌[548]云,

하고 향마다 삼로三老·질秩·색부嗇夫·유요游徼를 두었는데, 삼로는 교화를 관장하였다고 한다.

543) 蝸廬(와려) : 달팽이 껍질처럼 작고 둥근 집. 초라한 집을 비유하거나 자기 집에 대한 겸사謙辭로 쓰인다.

544) 河間(하간) : 하북성의 속군屬郡 이름.

545) 曠然(광연) : 마음을 비운 모양.

546) 羲皇(희황) : 삼황오제三皇五帝의 첫 번째 황제인 복희씨伏羲氏의 별칭. 태평성대를 상징한다.

547) 口吃(구흘) : 말을 더듬다, 말솜씨가 어눌하다.

548) 飮中八仙歌(음중팔선가) : 당나라 두보杜甫(712-770)가 이백李白·하지장賀知章·이적지李適之·여양왕汝陽王 이진李璡·최종지崔宗之·소진蘇晉·장욱張旭·초수焦遂 등 8명을 대상으로 지은 동명의 악부시樂府詩 가운데 한 연을 인용한 것으로 청나라 구조오仇兆鼇(1640-1714)의 ≪두시상주杜詩詳註≫권2

"焦遂五斗方卓然549), 高談雄辯驚四筵."

○당나라 초수는 말을 더듬어 손님 앞에서 한 마디도 꺼내지 않다가 술에 취한 뒤에는 마치 메아리처럼 응답하곤 하였다. (두보杜甫는) <술 마시는 여덟 명의 신선을 읊은 노래>에서 "초수는 술 다섯 말에 비로소 기상이 살아나, 고상하고 웅장한 담론으로 사방에 자리한 사람들을 놀라게 만든다네"라고 하였다.

◇健人(사내대장부)

●焦度, 字文績, (少有550))氣幹, 弓馬絶倫. 宋武551)曰, "眞健人也!"(南史)

○초도는 자가 문적으로 어려서부터 기백과 재능이 있었고, 활쏘기와 말타기에 남다른 재주를 보였다. 그래서 (남조南朝) 유송劉宋 무제武帝가 "진정 사내대장부로다!"라고 하였다.(≪남사·초도전≫권46)

◇狀元焦(장원급제자 초도焦蹈)

●焦蹈, 宋元豐552)中, 因禮部553)貢院554)火, 別試, 蹈爲魁. 好事者詩云, "不因南省555)火, 安得狀元焦?" 放榜556)後, 六日卒.

○초도(?-1085)는 송나라 (신종) 원풍(1078-1085) 연간에 예부 관하

에 전한다.

549) 卓然(탁연) : 기상이 드높은 모양.

550) 少有(소유) : 원전에 의하면 이 두 글자가 있는 것이 구법상 자연스럽기에 첨기한다.

551) 宋武(송무) : 남조南朝 유송劉宋 무제武帝의 약칭.

552) 元豐(원풍) : 북송北宋 신종神宗의 연호(1078-1085).

553) 禮部(예부) : 상서성尙書省 휘하에서 교육과 과거를 관장하던 기관을 이르는 말. 그 장관인 예부상서禮部尙書나 차관인 예부시랑禮部侍郎의 약칭으로 쓸 때도 있다.

554) 貢院(공원) : 공거貢擧를 치르는 장소, 즉 과거시험장을 가리킨다. '공위貢闈' '시원試院' '시위試闈'라고도 한다.

555) 南省(남성) : 상서성의 별칭. 당나라 때 중서中書·문하門下·상서尙書 삼성三省이 궁궐의 남쪽에 있었는데, 그중에서도 상서성이 가장 남쪽에 위치했기 때문에 이런 별명이 붙었다. 여기서는 결국 휘하 기관인 예부를 가리킨다.

556) 放榜(방방) : 과거시험 합격자 명단을 공표하는 것을 이르는 말.

의 과거시험장에 불이 나는 바람에 별도로 실시하는 시험에서 장원급제를 차지하게 되었다. 그러자 어느 호사가가 시를 지어 "상서성(예부)에 불이 나지 않았다면, 어찌 장원급제한 초씨를 볼 수 있으리오?"라고 하였다. 과거시험 합격자 명단이 발표된 뒤 엿새만에 죽고 말았다.

◇嚴毅(품행이 의젓하다)

●焦千之, 字伯强, 客歐陽公[557]所. 呂公著見其嚴毅方正, 延致之, 使教諸子希哲等, 俱成令器[558].(呂氏家傳[559]) 東坡有與求惠山泉詩[560], 云, "赤泥[561]開方印[562], 紫餅[563]截圓玉. 故人憐我病, 蒻籠[564]寄新馥."

○(송나라) 초천지는 자가 백강으로 구양수歐陽修의 처소에서 기거하였다. 여공저가 그의 의젓하고 방정한 품행을 알고서 그를 초빙하여 여희철呂希哲 등 아들들을 가르치게 해 모두 훌륭한 인재로 키웠다. (≪여씨가전≫) 동파東坡 소식蘇軾이 <혜산의 샘물을 구하는 것을 읊은 시>를 준 일이 있는데, 시에서 "네모난 도장이 찍힌 붉은 진흙을 여니, 떡 모양의 찻잎이 동그란 옥처럼 잘려 있구나.(중략) 친구가 내 병세를 안타깝게 생각해, 부들로 짠 바구니에 새로 장만한 향초를 담아서 부쳤네"라고 하였다.

---

557) 歐陽公(구양공) : 송나라 사람 구양수歐陽修(1007-1072)에 대한 존칭. 자는 영숙永叔이고 시호는 문충文忠. 저서로 ≪문충집文忠集≫ 158권 등이 전한다. ≪송사·구양수전≫권319 참조. '구공歐公'으로 약칭하기도 한다.

558) 令器(영기) : 훌륭한 인재. '영令'은 '미美'의 뜻.

559) 呂氏家傳(여씨가전) : 송나라 여희철呂希哲(1039-1116)이 지은 ≪여씨가숙광기呂氏家塾廣記≫의 별칭인 듯하다. 총 1권. ≪송사·예문지≫권203 참조.

560) 詩(시) : 이는 오언고시五言古詩 <초천지가 혜산의 샘물의 구하는 것을 읊은 시(焦千之求惠山泉詩)> 가운데 제9연과 제12연을 발췌하여 인용한 것으로 ≪동파전집東坡全集·시76수詩七十六首≫권3에 전한다.

561) 赤泥(적니) : 항아리의 주둥이를 막는 데 쓰던 붉은 진흙을 이르는 말.

562) 方印(방인) : 정방형의 도장. 여기서는 항아리를 봉인할 때 사용하는 네모난 도장을 가리킨다.

563) 紫餅(자병) : 찻잎을 벽돌이나 떡 모양으로 만든 것을 이르는 말. 즉 단차團茶의 일종.

564) 蒻籠(약롱) : 여린 부들로 짠 바구니를 이르는 말.

※女德(여덕)

●焦仲卿565)妻能詩. 鄭子敬家藏玉臺後集566), 乃李仲康所選. 有曰, "仲卿死, 其妻不事二夫, 庶幾發乎情, 止乎禮義."

○(후한 사람) 초중경의 아내는 시를 잘 지었다. (송나라 때) 정자경의 집에서는 ≪옥대후집≫을 소장하고 있었는데, 바로 (당나라 때) 이강李康이 선집한 것이다. 거기에는 "초중경이 죽자 그의 아내는 두 지아비를 섬기지 않았으니, (시의 내용은) 거의 감정에서 우러나왔으나 예의에서 끝맺음을 하였다"는 말이 있다.

●沃焦567). 爨下焦568).(桐) 山岳焦569).(早)

○(전설상의 산 이름인) 옥초산. 부뚜막 아래서 타다.(오동나무에 관한 고사이다) 산악이 불타다.(가뭄을 비유한다)

◆苗(묘씨)

▶羽音. 東陽. 楚大夫伯棼570)之子賁皇奔晉, 又與之苗, 因氏焉.

---

565) 焦仲卿(초중경) : 후한 사람. 신상은 미상. 그의 아내가 지었다고 하는 장편 서사시인 <공작이 남동쪽으로 날아가네(孔雀東南飛)>가 남조南朝 진陳나라 서능徐陵(507-583)의 ≪옥대신영玉臺新詠≫권1에 전한다.

566) 玉臺後集(옥대후집) : 당나라 이강李康이 엮은 시선집. 총 10권. ≪신당서·예문지≫권60 참조. 따라서 '중仲'은 연자衍字인 듯하다. 아마도 서능의 ≪옥대신영≫ 10권을 모방하여 엮은 시선집인 듯하다.

567) 沃焦(옥초) : 동해 남쪽에 있다는 전설상의 석산石山 이름.

568) 爨下焦(찬하초) : 부뚜막 아래서 타다. 후한 채옹蔡邕(133-192)이 부뚜막 아래서 오동나무가 타는 소리를 듣고서 금琴의 재료로 적절하다고 판단해 그것으로 금을 만들고는 꼬리 부분에 불에 탄 자국이 있어서 이름을 '초미금焦尾琴'으로 지었다는 고사가 ≪후한서·채옹전≫권90에 전한다.

569) 山岳焦(산악초) : 산악이 불타다. 이는 당나라 두보杜甫(712-770)의 오언고시五言古詩 <우레(雷)> 가운데 첫 구절인 "큰 가뭄이 들어 산악이 불타네(大旱山嶽焦)"란 구절에서 유래한 말로, 시는 청나라 구조오仇兆鰲(1640-1714)의 ≪두시상주杜詩詳註≫권15에 전한다. 따라서 뒤의 아침을 뜻하는 말인 '조早'는 가뭄을 뜻하는 말인 '한旱'의 오기이다.

570) 伯棼(백분) : 춘추시대 초楚나라 대부大夫로 장왕莊王에게 반기를 들었다. 그에 관한 기록은 ≪좌전左傳·선공宣公4년≫권21에 전한다.

▷음은 우음에 속하고 본관은 (절강성) 동양군이다. (춘추시대 때) 초나라 대부 백분의 아들 분황이 진나라로 망명하였다가 다시 함께 묘족 땅으로 갔기에 그래서 이를 성씨로 삼은 것이다.

◇延英召對(연영전에서 황제의 부름을 받아 독대하다)

●苗晉卿, 字元輔. 唐天寶初, 與宋遙爲吏侍[571]. 李林甫委以銓事, 分甲乙丙三科. 代宗朝, 攝冢宰[572], 日入政事堂[573], 聽入閤不趍[574]. 上御小延英[575], 召對. 宰相對小延英, 自晉卿始. 秉政七年, 練達事體. 子粲爲郎中.

○묘진경(685-765)은 자가 원보이다. 당나라 (현종) 천보(742-756) 초에 송요와 함께 이부시랑을 지냈다. 이임보가 관리의 전형에 관한 업무를 맡기자 갑과·을과·병과 세 과목으로 나눴다. 대종 때 총재(이부상서)를 대행하면서 날마다 정사당에 들어갔는데 내각에 들어설 때 종종걸음으로 걷지 않아도 된다고 허락받았다. 또 대종은 소연영전으로 행차하여 그를 불러들여서 대면하기도 하였다. 재상이 소연영전에서 황제를 대면하는 것은 묘진경으로부터 비롯되었다. 7년 동안 정사를 좌우하면서 정사의 본질을 잘 꿰뚫어보았다. 아들

---

571) 吏侍(이시) : 상서성尙書省 소속 육부六部 가운데 관리들의 인선人選과 전형銓衡을 관장하는 이부의 버금 장관인 이부시랑吏部侍郞의 준말. 장관은 '상서尙書'라고 하고, 차관을 '시랑'이라고 하며, 휘하에 낭중郞中과 원외랑員外郞을 거느렸다.

572) 冢宰(총재) : 주周나라 때 육경六卿 중 우두머리 격인 천관天官의 장관. 후대에는 이부상서吏部尙書의 별칭으로 쓰였다. '태재太宰'라고도 한다.

573) 政事堂(정사당) : 당송 때 재상이 정사를 총괄하여 처리하던 곳을 가리키는 말. 당나라 때는 문하성門下省에 두었다가 중서성中書省으로 옮기기도 하였고, 송나라 때는 상서성尙書省에 두기도 하였다.

574) 趍(추) : 종종걸음으로 걷다. '추趨'와 통용자. 부모나 어른 앞에서 공경의 뜻을 표하기 위해 빠르지도 느리지도 않게 걷는 걸음걸이를 뜻한다. ≪논어·계씨季氏≫권16에 공자의 아들인 "공이孔鯉가 종종걸음으로 뜨락을 지났다(鯉趨而過庭)"는 말이 보인다.

575) 小延英(소연영) : 당나라 때 궁전인 연영전延英殿의 부속 건물. 재상인 묘진경苗晉卿이 연로하여 거동이 불편하자 황제가 이곳으로 불러 예우했다는 고사가 있다. 숙종肅宗 때란 설이 있고 대종代宗 때란 설이 있으나 ≪신당서·묘연경전≫권140에는 대종으로 되어 있다.

묘찬苗粲은 낭중을 지냈다.

◇兄弟登科(형제가 나란히 과거시험에 급제하다)

●苗愔, 唐長慶[576]二年登第, 次弟惲登太和[577]五年第, 小弟恪登太和八年第. 愔爲虞部員外郎[578], 與修禊[579]會.(見白居易)

○묘음은 당나라 (목종) 장경 2년(822)에 과거시험에 급제하였고, 둘째 동생인 묘운苗惲은 (문종) 태화 5년(831)에 실시한 과거시험에 급제하였으며, 막내동생인 묘각苗恪은 태화 8년(834)에 실시한 과거시험에 급제하였다. 묘음은 우부원외랑을 지내면서 '수계회'에 참여하였다.(상세한 내용은 뒤의 '백白'씨 절 '백거이' 항에 보인다)

◇行本文華(실천을 뿌리로 삼고 문장을 꽃으로 삼다)

●苗蕃少喪父, 受業於母夫人, 第進士. 韓愈爲作墓誌銘[580], 有云, "有行以爲本, 有文以爲華." 爲太原府參軍[581].

○(당나라) 묘번은 어려서 부친을 여의고 부인에 봉해진 모친의 슬하에서 학업을 전수받아 진사과에 급제하였다. 한유가 그를 위해 묘지명을 지었는데, 거기에는 "실천을 뿌리로 삼고 문장을 꽃으로 삼았

---

576) 長慶(장경) : 당唐 목종穆宗의 연호(821-824).

577) 太和(태화) : 당唐 문종文宗의 연호(827-835).

578) 虞部員外郎(우부원외랑) : 상서성尙書省의 육부六部 가운데 공부상서工部尙書 휘하의 네 부서(司)인 공부工部·둔전屯田·우부虞部·수부水部 가운데 황제의 산택과 동산에 관한 업무를 관장하는 부서인 우부虞部의 속관을 이르는 말. 우부낭중虞部郎中의 지휘를 받으며 실무를 관장하였다.

579) 修禊(수계) : 음력 3월 3일 상사절에 물가에 나가서 재액災厄을 막기 위해 제를 올리는 일.

580) 墓誌銘(묘지명) : 이는 <당나라 (산서성) 태원부의 참군을 지낸 고 묘군(묘번苗蕃)의 묘지명(唐故太原府叅軍苗君墓誌銘)>을 가리키는 말로 송나라 위중거魏仲擧가 엮은 ≪오백가주창려문집五百家注昌黎文集·지명志銘≫권25에 전한다.

581) 參軍(참군) : 한나라 이후로 왕부王府나 장수·사신·자사·태수 휘하에서 군무軍務를 참모參謀하던 벼슬에 대한 통칭. 시대와 기관에 따라 자의참군諮議參軍·기실참군記室參軍·기병참군騎兵參軍·사사참군司士參軍·공조참군功曹參軍·법조참군法曹參軍·녹사참군사錄事參軍事 등 다양한 이름의 참군이 있었다.

다"는 말이 있다. (산서성) 태원부의 참군을 지냈다.

◇試館職(관직館職을 시험치다)

●苗振, 宋仁宗朝及第, 召試館職[582]. 晏殊曰, "宜稍溫習." 振曰, "安有三十年老娘而倒綳孩兒[583]者乎?" 旣試, 果不中.(筆談[584])

○묘진이 송나라 인종 때 과거시험에 급제하였다가 황제의 부름을 받아 관직을 시험치게 되자 안수가 말했다. "의당 좀더 공부를 해야겠소." 그러자 묘진이 대답하였다. "30년 동안의 경험이 있는 노련한 산파가 아이를 거꾸로 싸서 안는 일이 어찌 있을 수 있겠습니까?" 그러나 시험을 치르고 나자 정말로 낙방하고 말았다.(≪동헌필록東軒筆錄≫권7)

●苗發, 唐大曆十才子[585]中人

○묘발은 당나라 대력십재자 가운데 한 사람이다.

●苗訓爲趙太祖軍校[586], 知天文, 見日下黑光摩盪[587], 曰"天命也."

○묘훈은 (송나라) 태조 조광윤趙匡胤 휘하에서 장교를 지냈는데, 천문학에 정통하여 태양 아래 흑점이 변화를 일으키는 것을 보고서는

582) 館職(관직) : 당송 때 소문관昭文館·사관史館·집현원集賢院에서 저술·편집·교정 등의 일을 맡아 보던 관직에 대한 통칭.

583) 倒綳孩兒(도붕해아) : 아기를 거꾸로 싸서 안다. 노련한 사람이 잠시 실수하는 것을 비유한다. '붕綳'은 '붕繃'으로도 쓴다.

584) 筆談(필담) : 송나라 심괄沈括(1031-1095)이 다양한 문장과 소설가의 이야기를 모아 놓은 ≪몽계필담夢溪筆談≫의 약칭. ≪필담≫ 26권, ≪보필담補筆談≫ 2권, ≪속필담續筆談≫ 1권 등 총 29권으로 이루어져 있다. ≪사고전서간명목록·자부·잡가류雜家類≫권13 참조. 그러나 위의 예문은 현전하는 ≪몽계필담≫에 보이지 않는다. 대신 송나라 위태魏泰의 ≪동헌필록東軒筆錄≫ 권7에 전하는 것으로 보아 여기서는 ≪동헌필록≫의 별칭으로 쓰인 듯하다.

585) 大曆十才子(대력십재자) : 당나라 대종代宗 대력大曆(766-779) 연간에 활동했던 10명의 대표적 문인을 아우르는 말. 즉 노윤盧綸·길중부吉中孚·한굉韓翃·전기錢起(722-780)·사공서司空曙·묘발苗發·최동崔峒·경위耿湋·하후심夏侯審·이단李端을 가리킨다.

586) 軍校(군교) : 군대에서 업무를 보좌하는 군관軍官을 이르는 말.

587) 摩盪(마탕) : 서로 어우러져 변화를 일으키는 현상을 이르는 말.

"(황제에 즉위하는 것은) 천명이옵니다"라고 하였다.

●苗昌裔, 五代末, 爲司天監[588], 相地西洛[589].

○묘창예는 오대 말엽에 사천감에 올라 (하남성) 낙양이 도읍지로 적절한지 관상을 살폈다.

●苗舜臣, 宋天聖[590]中, 爲司天監主簿[591].

○묘순신은 송나라 (인종) 천성(1023-1031) 연간에 사천감 소속 주부를 지냈다.

※婚姻(혼인)

●苗氏有知人之鑒, 特選韋皐爲婿.

○(당나라 때) 묘씨는 사람을 알아보는 안목이 있어서 특별히 위고(745-805)를 남편감으로 골랐다.

●苗氏, 盧府君[592]夫人也, 以季女妻韓愈.

○(당나라 때) 묘씨는 노부군(노이盧貽)의 부인으로 막내딸을 한유(768-824)에게 시집보냈다.

---

588) 司天監(사천감) : 당나라 때 천문과 역법을 관장하던 기관인 태사국太史局(혹은 혼천국渾天局이라고도 하였다)을 송나라 때 고친 이름. 여기서는 그 장관을 가리킨다.

589) 西洛(서락) : 서경西京인 낙양洛陽의 별칭. 당나라 때는 섬서성 장안長安을 '서경西京'이라 하고 하남성 낙양을 '동경東京'이라고 하였으나, 송나라 때는 도읍이 개봉開封이고, 낙양이 개봉보다 서쪽에 있었기에 개봉을 '동경'이라고 하고 낙양을 '서경'이라고 하였다.

590) 天聖(천성) : 북송北宋 인종仁宗의 연호(1023-1031).

591) 主簿(주부) : 한나라 이후로 문서 처리를 관장하는 속관屬官을 이르던 말. 중앙 및 지방의 각 행정 기관에 모두 설치하였다.

592) 府君(부군) : 한나라 이후로 자사나 태수 등 지방 장관에 대한 존칭. 송나라 위중거魏仲擧가 엮은 ≪오백가주창려문집五百家注昌黎文集·묘지명≫권34에 수록된 <(하남성) 하남부에서 법조참군을 지내신 고 노군의 부인의 묘지명(故河南府法曹參軍盧君夫人墓誌銘)>에 의하면 '노부군'의 본명은 노이盧貽이다.

●苗如蘭女有賢行，適盧貽.
○(당나라 때) 묘여란의 딸은 품행이 어질더니 노이에게 시집갔다.

●黍苗. 揠苗[593]. 菊苗.
○기장싹. 조장하다. 국화싹.

◆饒(요씨)

▶羽音. 平陽.
▷음은 우음에 속하고 본관은 (산서성) 평양군이다.

◇百鍊奇鋒(예리한 칼날을 수없이 갈다)

●饒次守與徐師川[594]·胡少汲[595]·謝夷李[596]·林子仁[597]·潘邠老[598]·吳君裕·楊信祖[599]·吳迪吉, 會飲于賦歸堂, 可謂一時之盛.

---

593) 揠苗(알묘) : 싹을 뽑아올리다. "송나라 사람 중에 어떤 사람이 자신이 심은 싹이 자라지 않는 것을 안타깝게 생각해 그것을 뽑아올리고는 아무것도 모른 채 집으로 돌아와 가족에게 '오늘 병나게 생겼소. 내가 싹이 자라도록 도와주었으니 말이오'라고 하였다. 그의 아들이 부리나케 달려가 보았더니 싹이 말라 죽어 있었다(宋人有閔其苗之不長而揠之者, 芒芒然歸, 謂其人曰, '今日病矣, 予助苗長矣.' 其子趨而往視之, 苗則槁矣)"는 ≪맹자孟子·공손추상公孫丑上≫권3의 고사에서 유래한 말인 '알묘조장揠苗助長' 혹은 '발묘조장拔苗助長'의 준말로서 나쁜 일을 조장하는 것을 비유한다.

594) 徐師川(서사천) : 송나라 시인 서부徐俯(?-1140). '사천'은 자. 호는 동호거사東湖居士. 황정견黃庭堅(1045-1105)의 외조카로 강서시파江西詩派의 일인이며, 참지정사參知政事를 지냈다. ≪송사·서부전≫권372 참조.

595) 胡少汲(호소급) : 송나라 시인 호직유胡直孺. '소급'은 자. 호는 서산노인西山老人. 병부상서兵部尙書를 지냈다. 청나라 여악厲鶚(1692-1752)의 ≪송시기사·호직유≫권34 참조.

596) 李(리) : '계季'의 오기. '사이계謝夷李'는 '유이계劉夷季'로 표기한 문헌도 있는데 어느 것이 맞는지는 불분명하다.

597) 林子仁(임자인) : 송나라 시인 임민공林敏功. '자인'은 자. 강서시파江西詩派의 일인인 동생 임민수林敏修와 함께 '이림二林'으로 불렸다. ≪송시기사·임민공≫권33 참조.

598) 潘邠老(반빈로) : 송나라 시인 반대림潘大臨. '빈로'는 자. 호는 가산柯山. 동생 반대관潘大觀과 함께 강서시파江西詩派 시인으로 시명을 떨쳤다. 명나라 이현李賢의 ≪명일통지明一統志·황주부黃州府≫권61 참조.

599) 楊信祖(양신조) : 송나라 시인 양부楊符. '신조'는 자. ≪송시기사·양부≫권

潘賦詩云, “胡子雲中白鶴, 林甥初發芙蓉. 吳十[600]九成雅奏, 饒三百練奇鋒. 南州[601]復見高士, 東山行起謝公[602]. 吳生可斥南郡[603], 老夫[604]寧附石崇[605]? 冠蓋[606]城南高會, 山陰未掃淸風. 客散日銜西壁, 主人不過[607]樽空.” 徐師川云, “不工.” 遂去一字爲五言. 至‘老夫附石崇,’ 坐客大笑.

○(송나라) 요차수는 사천師川 서부徐俯・소급少汲 호직유胡直孺・사이계謝夷季・자인子仁 임민공林敏功・빈로邠老 반대림潘大臨・오군유・신조信祖 양부楊符・오적길과 함께 부귀당에 모여 술을 마셨는데 가히 한 시대의 성대한 모임이라 칭할 만하였다. 반대림이 시를

33 참조.

600) 十(십) : 뒤의 ‘삼三’과 마찬가지로 형제간의 항렬을 나타내는 애칭을 뜻하는 말인데, 여기서는 오군유吳君裕를 가리키는 듯하다.

601) 南州(남주) : 남쪽 지방에 대한 범칭. 강서성 예장군豫章郡이나 하남성 남양군南陽郡의 별칭으로 쓸 때도 있다.

602) 謝公(사공) : 진晉나라 사람 사안謝安(320-385)에 대한 존칭. 자는 안석安石. 왕희지王羲之(321-379)・허순許詢・지둔支遁(314-366) 등과 동산東山에서 노닐다가 마흔 살이 넘어서야 출사하여 환온桓溫(312-373)의 사마司馬가 되었다. 태원太元(376-396) 때 조카 사현謝玄(343-388)을 추천하여 전진前秦의 부견苻堅(338-385)을 비수淝水에서 물리침으로써 태부太傅에 올랐다. ≪진서・사안전≫권79 참조.

603) 南郡(남군) : 진晉나라 사람 환현桓玄(369-404)의 별칭. 대사마大司馬 환온桓溫(312-373)의 서자로 태어나 남군공南郡公에 습봉襲封되었다. ≪진서・환현전≫권99 참조. 환현이 어렸을 때부터 거위 싸움에서 패하자 시기심이 강해 몰래 종형從兄들의 거위들을 죽였다는 고사가 남조南朝 유송劉宋 유의경劉義慶(403-444)의 ≪세설신어世說新語・분견忿狷≫권하에 전한다. 여기서는 막내뻘인 오적길吳迪吉이 작시作詩에 대해 남다른 욕심이 있는 것을 비유하는 말로 쓰인 듯하다.

604) 老夫(노부) : 나이 든 사람이 자신을 칭하는 말. 여기서는 반대림 자신을 가리킨다.

605) 石崇(석숭) : 진晉나라 사람(249-300). 형주자사荊州刺史・위위경衛尉卿을 지내면서 사신과 상인들의 재물을 갈취하여 하남성 낙양洛陽에 금곡원金谷園을 짓고서 석숭・반악 등 24명의 문인들을 모아 시를 짓지 못 하면 벌주를 건네며 교유하였다. ≪진서・석숭전≫권33 참조.

606) 冠蓋(관개) : 벼슬아치들이 쓰는 갓과 타는 수레의 덮개. 사대부나 벼슬아치를 비유한다.

607) 過(과) : ‘도道’로 표기한 문헌도 있는데, 문맥상 해학이 더 넘치기에 이를 따른다.

지어 "호선생(호직유)은 구름 속의 백학이요, 임조카(임민공)는 갓 피어난 부용꽃이로다. 오십(오군유)이 아름다운 절주를 여러 번 완성하니, 요삼(요차수)은 예리한 칼날을 수없이 가는구나. 남방 땅에서 다시금 고상한 선비들을 만나니, 동산에서 (진晉나라 때) 사공(사안謝安) 같은 인물이 등장하였네. 오선생(오적길)이야말로 남군공(환현桓玄)을 물리칠 만하거늘, 노부가 어찌 석숭에게 빌붙으리오? 사대부들 성남에서 멋진 모임을 열었는데, 산 북쪽이라 시원한 바람이 아직 사라지지 않았네. 손님들 흩어지며 날마다 서쪽 벽에 직함을 적지만, 주인은 술동이 비었다고 말하지 않네"라고 하였다. 그러자 서부는 "시가 좋지 못 하오"라고 말하고는 급기야 한 자씩 삭제하여 오언시로 만들어버렸다. 그래서 '노부는 석숭에게 빌붙네'라는 구절에 이르자 좌객들이 모두 박장대소하였다.

◇江西詩派(강서시파)

●饒節, 字德操, 工詩, 宗山谷與陳無己等二十五人爲法嗣[608]. 呂居仁作江西傳衣[609]詩派圖.

○(송나라) 요절은 자가 덕조로 시를 잘 지었는데, 산곡山谷 황정견黃庭堅과 무기無己 진사도陳師道 등 25명을 조종으로 받들며 후계자를 자처하였다. 거인居仁 여본중呂本中이 강서시파의 전수 과정을 담은 ≪강서시사종파도江西詩社宗派圖≫를 지었다.

◇下第詩(과거시험에 낙방하고서 지은 시)

●饒竦, 宋熙寧[610]中, 擧進士下第, 以詩投荊公[611]云, "又還垂翅下青

608) 法嗣(법사) : 스승의 업적을 이어받은 후계자를 이르는 말.

609) 傳衣(전의) : 의발을 전수하다. 큰 스님이 제자에게 자신이 쓰던 옷과 바리때를 물려주는 데서 유래한 말로 스승이 제자에게 학문이나 기술을 전수하는 것을 비유한다.

610) 熙寧(희녕) : 북송北宋 신종神宗의 연호(1068-1077).

611) 荊公(형공) : 송나라 신종神宗 때 신법新法의 주창자인 왕안석王安石(1021-1086)에 대한 존칭. '형공'은 왕안석의 봉호인 형국공荊國公의 준말. 저서로 ≪임천문집臨川文集≫ 100권이 전한다. ≪송사·왕안석전≫권327 참조.

霄[612], 歸指臨川去路遙. 二畝荒田都賣却, 要錢準備納青苗[613]."
○요송은 송나라 (신종) 희녕(1068-1077) 연간에 진사과에 응시하였다가 낙방하자 다음과 같은 시를 지어 형국공荊國公 왕안석王安石에게 투서하였다. "또다시 날개를 늘어뜨린 채 하늘(과거시험)에서 떨어져, 돌아가는 길에 (강서성) 임천 땅을 가리키려니 갈 길이 멀기만 하네. 두 마지기 황량한 밭을 모두 매각하였으니, 노잣돈을 준비하려면 청묘전이라도 받아야 하려나."

●饒威仕爲魯陰[614]太守, 有惠政, 得吏民心.
○(한나라 사람) 요위는 (하남성) 노양태수에 올라 선정을 베풀어 민심을 얻었다.

※女德婚姻(여덕과 혼인)

●饒娥, 字瓊眞. 父勣醉漁, 遇風卒起, 不能舟, 溺死. 娥聞走, 哭水上, 氣盡伏死. 明日黿鼉蛟魚, 浮死萬數. 鄕人葬娥鄱水上. 柳子[615]爲作碑[616].
○(당나라 때 여인) 요아는 자가 경진이다. 부친 요적饒勣이 술에 취해 고기잡이를 하다가 바람이 갑자기 일어나는 바람에 배를 조종하지 못 해 익사하고 말았다. 요아가 이 소식을 듣고서 달려가 물가에서 통곡을 하다가 기운이 다하여 엎어져 사망하였다. 그러자 이튿날 자라와 악어・교룡・물고기 등이 만으로 헤아릴 정도로 수없이 떠올

612) 靑霄(청소) : 하늘. 조정朝廷이나 과거급제를 상징한다.
613) 靑苗(청묘) : 송나라 때 왕안석王安石(1021-1086)이 곡식이 여물기 전에 농토의 면적에 따라서 농민들에게 돈을 대여해 주던 신법新法 제도인 청묘법靑苗法이나 그 돈인 청묘전靑苗錢의 약칭.
614) 魯陰(노음) : '노양魯陽'으로 표기한 문헌도 있는데, 사서史書나 지리지에 노양군에 관한 기록은 있어도 노음군에 관한 기록이 없기에 이를 따른다.
615) 柳子(유자) : 당나라 때 문인인 유종원柳宗元(773-819)에 대한 존칭.
616) 碑(비) : 이는 <요아의 비문(饒娥碑)>이란 제목으로 유종원의 ≪유하동집柳河東集・비9수碑九首≫권5에 전한다.

라 죽었다. 고을 사람들이 요아를 파수 물가에 장사지내 주었다. 유종원이 그녀를 위해 비문을 지었다.

●饒利用617)家于臨晉618), 富於財. 劉孟堅新第, 授臨晉簿, 見利用富於資鏹619), 以妹嫁之.
○(송나라) 요이용은 (산서성) 임진현에 거처하며 재물을 많이 모았다. 유맹견이 갓 과거시험에 급제하여 임진현의 주부를 배수받았다가 요이용이 재산이 많은 것을 알고서는 여동생을 그에게 시집보냈다.

●豐饒. 春饒620). 物色饒.
○풍요롭다. 새가 시끄럽게 지저귀다. 물색이 풍부하다.

◆堯(요씨)

▶羽音.
▷음은 우음에 속한다.

●堯君素仕隋, 爲擊鷹郎將621), 從屈突通622), 拒唐師於河東. 爲木鵝623), 係表於頸, 浮之黃河, 河陽太守得之, 達於東都. 唐太宗詔曰,

---

617) 饒利用(요이용) : ≪강서통지江西通志≫권49에 의하면 송나라 진종眞宗 때 사람이나 상세한 신상은 미상.
618) 臨晉(임진) : 산서성의 속현屬縣 이름.
619) 資鏹(자강) : 재산. 재물. '강鏹'은 화폐나 돈꿰미를 뜻한다.
620) 春饒(춘요) : 당나라 백거이白居易(772-846)의 ≪백씨장경집白氏長慶集·율시律詩≫권25에 수록된 <급사중給事中 엄휴복嚴休復에게 화답하다(酬嚴給事)> 가운데 "새가 봄에 시끄럽게 울어대지 않는다면, 옥쇄선랑(엄휴복)께서 어찌 알 수 있으리오?(不緣啼鳥春饒舌, 玉瑣仙郎那得知?)"라는 구절에서 유래한 말로 새가 시끄럽게 지저귀는 것을 뜻한다.
621) 擊鷹郎將(격응낭장) : 수나라 때 설치한 무관 이름.
622) 屈突通(굴돌통) : 수당 때 사람(557-628). 시호는 충忠. 수나라에서 벼슬을 지내다가 당나라에 귀순하여 병부상서兵部尙書와 도독都督 등을 지냈다. ≪신당서·굴돌통전≫권89 참조.
623) 木鵝(목아) : 물의 깊이를 측정하기 위해 나무로 만든 거위 모양의 기구 이름.

"桀犬吠堯, 有乖倒戈[624]之志. 疾風勁草, 實表歲寒[625]之心." 又節義[626]序論曰, "盛烈所著, 與河海以爭流, 峻節所標, 共竹松而俱茂."

○요군소(?-618)는 수나라에서 벼슬길에 올라 겨응낭장을 맡았다가 굴돌통을 따라 (산서성) 하동군에서 당나라 군대에 항거하였다. (강물의 깊이를 재기 위해) 나무 거위를 만들어 목에다가 표지를 묶은 뒤 황하에 띄우자 (하남성) 하양태수가 이를 발견해서 (하남성 낙양) 동도에 전달하였다. 그러자 당나라 태종이 조서를 내려 말했다. "(하夏나라) 걸왕의 개가 (당唐나라) 요왕을 보고 짖는 것은 창을 거꾸로 돌리겠다는 뜻을 드러내는 것이지만, 세찬 바람이 불 때 꿈쩍않는 억센 풀이야말로 실로 변치않는 지조를 지닌 마음을 나타내는 법이로다." 또 ≪북사北史・절의열전節義列傳≫권85의 서론에서는 "강한 지조로 드러낸 바는 하해와 물줄기를 다툴 것이요, 빼어난 절조로 표방한 것은 대나무・소나무와 더불어 함께 무성할 것이다"라고 하였다.

●吠堯. 誦堯.

○(당나라) 요왕을 보고 짖다. 요왕을 노래하다.

◆昭(소씨)

▶商音. 太原.

▷음은 상음에 속하고 본관은 (산서성) 태원군이다.

●昭奚恤, 楚人, 江乙惡之. 楚宣王問群臣曰, "北方畏昭奚恤, 何如?" 江乙曰, "北方之畏昭奚恤也, 其實畏王之甲兵也."

○소해휼은 (전국시대) 초나라 사람으로 강을이 그를 미워하였다. 초

624) 倒戈(도과) : 창을 돌려 아군을 공격하다. 결국 반기를 드는 것을 말한다.

625) 歲寒(세한) : 한겨울의 추위. ≪논어・자한子罕≫권9의 "날이 추워진 뒤라야 소나무와 측백나무가 시들지 않는다는 것을 알 수 있다(歲寒, 然後知松栢之後彫也)"는 고사에서 유래한 말로 굳은 절조를 비유한다.

626) 節義(절의) : 사서史書의 편명. 위의 예문은 ≪위서魏書・절의열전≫권87과 ≪북사北史・절의열전≫권85에 모두 보이는데, 여기서는 후자를 취한다.

나라 선왕이 신하들에게 물었다. "북방 사람들이 소해휼을 두려워하는 것은 어찌된 일인가?" 그러자 강을이 대답하였다. "북방 사람들이 소해휼을 두려워하는 것은 사실 전하의 군대를 두려워하는 것이옵니다."

■氏族大全卷六■

■氏族大全卷七■

□五爻(5효)

◆包(포씨)

▶羽音. 土黨[1]. 楚大夫[2]申包胥[3]之後, 以王父[4]字爲氏.

▷음은 우음에 속하고 본관은 (산서성) 상당군이다. (춘추시대) 초나라 대부 신포서(분모발소棼冒勃蘇)의 후손이 조부의 자를 성씨로 삼은 것이다.

◇魯論章句(≪노시≫와 ≪논어≫에 관한 장구학)

●包咸, 字子良, 少事右師細君[5], 習魯詩[6]·論語. 漢光武時入, 授皇太子論語, 包氏章句[7]出焉. 永平[8]中, 選大鴻臚[9], 賜以几杖, 入朝不趍[10], 贊謁[11]不名[12]. 經傳[13]有疑, 遣小黃門[14]就問. 上以有師傅之

---

1) 土黨(토당) : 산서성의 속군屬郡인 '상당上黨'의 오기. 자형의 유사성으로 인한 필사 과정상의 단순 오기로 보인다.

2) 大夫(대부) : 주周나라 때 신분 구분인 공公·경卿·대부大夫·사士의 하나. 삼공三公과 구경九卿 아래로 상대부上大夫·중대부中大夫·하대부下大夫가 있고, 그 밑으로 다시 상사上士와 중사中士·하사下士가 있었다. 후대에는 벼슬아치에 대한 범칭汎稱으로 쓰기도 하였다.

3) 申包胥(신포서) : 춘추시대 초楚나라 대부大夫 분모발소棼冒勃蘇의 별칭. '신'은 봉호이고 '포서'는 자. '분모棼冒'는 복성複姓. 신申나라에 봉해져 '신포서申包胥'라고도 하였다.

4) 王父(왕부) : 할아버지의 별칭. 할머니는 '왕모王母'라고 한다.

5) 右師細君(우사세군) : 후한 초 박사博士. '우사'는 복성複姓. ≪후한서·포함전≫권109에 포함의 스승으로 등장할 뿐 상세한 신상은 알려지지 않았다.

6) 魯詩(노시) : 한나라 때 유행한 금문시경今文詩經 가운데 하나. ≪노시魯詩≫를 비롯하여 ≪제시齊詩≫ ≪한시韓詩≫는 금문으로 쓰여져 '금문시경'이라고 한 반면, 공자의 집에서 출토된 고문으로 쓰여진 ≪시경≫에 모공毛公이 주를 단 ≪모시毛詩≫는 '고문시경古文詩經'이라고 하였다. 고문시경의 출현 후 금문시경은 진실성 문제로 퇴출당해 대부분 실전되었다.

7) 章句(장구) : 경전經典을 장章과 구句로 분석하여 연구하는 학문을 지칭하는 말.

8) 永平(영평) : 후한後漢 명제明帝의 연호(58-75).

9) 大鴻臚(대홍려) : 한나라 때 제후나 외국 사신의 알현을 주관하는 일을 관장하던 벼슬로 구경九卿의 하나. 뒤에는 '홍려경鴻臚卿'으로 개칭되었다.

恩, 賞賜俸祿, 增於諸卿, 咸皆散與諸生之貧者.

○포함은 자가 자량으로 어려서 우사세군을 스승으로 섬겨 ≪노시≫와 ≪논어≫을 배웠다. 후한 광무제 때 입궐하여 황태자에게 ≪논어≫를 가르쳤기에 포씨의 장구학은 여기서 유래하였다. (명제) 영평(58-75) 연간에 대홍려에 발탁되면서 안궤와 지팡이를 하사받아 입조할 때 종종걸음으로 걷지 않고 황제를 알현할 때 이름을 호명하지 않는 예우를 받았다. 경전과 해설서에 의문이 생기면 소황문을 시켜 그를 찾아가서 자문을 구했다. 명제는 사부의 은혜를 입었다고 생각해 상으로 봉록을 하사하면서 구경보다 더 늘렸는데, 포함은 모두 학생 가운데 가난한 이에게 나눠주었다.

◇吳中四士(오 땅의 네 선비)

●包融, 唐開元[15]中, 爲集賢院學士[16], 與賀知章・張旭・張若虛齊名, 號吳中[17]四士.

○포융은 당나라 (현종) 개원(713-741) 연간에 집현원학사에 임명되어 하지장・장욱・장약허와 함께 나란히 이름을 떨치며 '오중사사'로 불렸다.

---

10) 趍(추) : 종종걸음으로 걷다. '추趨'와 통용자. 부모나 어른 앞에서 공경의 뜻을 표하기 위해 빠르지도 느리지도 않게 걷는 걸음걸이를 뜻한다. ≪논어・계씨季氏≫권16에 공자의 아들인 "공이孔鯉가 종종걸음으로 뜨락을 지났다(鯉趨而過庭)"는 말이 보인다.

11) 贊謁(찬알) : 의전 절차를 외치는 안내자의 도움을 받아 알현하는 일.

12) 不名(불명) : 이름을 입에 올리지 않다. 특별히 예우하는 것을 말한다.

13) 經傳(경전) : 경서와 그에 대한 해설서를 아우르는 말.

14) 小黃門(소황문) : 한나라 때 황문시랑黃門侍郎보다 직급이 한 단계 낮은 환관을 지칭하는 말. 뒤에는 환관의 별칭으로도 쓰였다.

15) 開元(개원) : 당唐 현종玄宗의 연호(713-741).

16) 學士(학사) : 위진魏晉 이후로 문학과 저술을 관장하던 벼슬. 당송唐宋 때는 학사원學士院을 두어 제고制誥를 전담케 하여 요직으로 꼽혔다. 홍문관학사弘文館學士・집현원학사集賢院學士・숭문관학사崇文館學士 등이 있었으나 보통은 한림학사翰林學士를 지칭하는 말로 쓰였다. 또한 5품 이상은 학사, 6품 이상은 직학사直學士로 구분하기도 하였다.

17) 吳中(오중) : 춘추시대 오吳나라의 수도가 있던 오현吳縣(지금의 강소성 소주시蘇州市) 일대를 이르는 말.

◇青雲[18]之士(청운의 뜻을 품은 선비)

●包佶・韓洄・盧貞・李衡, 皆出劉晏[19]門下, 唐貞元[20]以來, 相繼掌天下財賦. 佶臥病詩寄劉長卿云, "惟有貧兼病, 能令親愛疏. 歲時俱放過, 身世付空虛. 肌弱秋添絮, 頭風髮廢梳. 波瀾[21]喧衆口, 藜藿[22]靜吾廬云云. 十年江海隔, 離恨不[23]知予."

○포길・한회・노정・이형은 모두 유안의 문하에서 배출되어 당나라 (덕종) 정원(785-805) 이래로 서로 뒤를 이어가며 국가 재정을 관장하였다. 포길은 병석에서 시를 지어 유장경에게 부쳤는데 내용은 다음과 같다. "단지 가난하고 병마에 시달리는 몸이라서, 친지들을 멀어지게 할 수 있었기에, 명절도 모두 지나치면서, 신세를 허무함에 맡겼답니다. 몸이 허약해 가을에도 솜옷을 덧입고, 머리에 통풍이 들어 머리카락 빗는 일도 없지요. 파란만장한 삶이라면 구설수에 오르겠지만, 명아주와 콩잎을 먹는 처지인지라 저희 집은 조용하답니다.(중략) 10년 동안이나 강과 바다로 가로막혔는데, 이별의 한을 품은 저를 선생께서 알아주십니다."

◇不持一硯(벼루 하나도 챙기지 않다)

●包拯, 字希仁, 天性嚴厲, 未嘗有笑容. 人謂包公笑, 比黃河淸[24]. 知端州, 歲滿[25], 不持一硯, 歸爲京尹[26], 令行禁止, 閭里童稚, 亦知其名.

---

18) 靑雲(청운) : 자연 속에 은거하거나 고관에 오르는 것을 비유하는 말. 여기서는 후자를 가리키는 듯하다.

19) 劉晏(유안) : 당나라 때 사람. 자는 사안士安. 어려서 신동과神童科에 급제하여 비서성정자祕書省正字에 임명되었고, 전운사轉運使를 맡아 현종玄宗 때 안사安史의 난으로 피폐해진 국가 재정을 튼튼히 하는 데 큰 공을 세웠으며, 경조윤京兆尹에 올랐다. ≪신당서・유안전≫권149 참조.

20) 貞元(정원) : 당唐 덕종德宗의 연호(785-805).

21) 波瀾(파란) : 파도, 물결. 변화가 많고 기복이 심한 세상사를 비유한다.

22) 藜藿(여곽) : 명아주와 콩잎. 거친 음식이나 가난한 삶을 상징한다.

23) 不(불) : 위의 시는 송나라 계민부計敏夫의 ≪당시기사唐詩紀事≫권40 등에도 전하는데 다른 문헌에 의하면 '자子'의 오기이다. 자형의 유사성으로 인한 필사 과정상의 단순 오기로 보인다.

24) 黃河淸(황하청) : 황하의 물이 맑아지다. 불가능한 일이나 상서로운 징조를 비유하는데 여기서는 전자의 의미로 쓰였다.

語曰, "關節[27]不到, 有閻羅包老." 天下呼爲包待制[28], 又曰包家. 詩[29]曰, "直幹終爲棟, 直鋼不作鉤." 宋慶曆[30]中, 爲御史中丞[31], 拜樞密[32]. 謚孝肅.

○포증(999-1062)은 자가 희인으로 천성적으로 근엄하였기에 웃는 얼굴을 보인 적이 없었다. 그래서 사람들은 포증의 웃음을 두고 황하가 맑아지는 것에 비유하였다. (광동성) 단주지주사(단주자사)를 맡았다가 임기를 마치면서 벼루 하나도 챙기지 않았고, 도성으로 돌아와 경조윤을 맡으면서 금지령을 엄격히 시행하였기에 고을 아이들조차도 그의 이름을 알았다. 그래서 시중에는 "뇌물로 관리를 매수할 수 없는 것은 염라대왕 같은 포어르신이 있어서라네"라는 말이 돌았다. 천하 사람들은 그를 '포대제'로 부르고, '포가'로 부르기도 하였다. 그는 시를 지어 "곧은 줄기가 결국 마룻대가 되고, 곧은 쇠는 갈고리가 되지 않는 법이다"라고 읊은 적이 있다. 송나라 (인종) 경력(1041-1048) 연간에 어사중승을 맡았다가 추밀사를 배수받았다. 시호는 '효숙'이다.

●包鼎, 宣州人, 以畵虎名家.

○(송나라) 포정은 (안휘성) 선주 사람으로 호랑이 그림을 잘 그려 이름이 알려졌다.

---

25) 歲滿(세만) : 임기를 채우다. 즉 지방관의 임기 3년이 지난 것을 말한다.
26) 京尹(경윤) : 경기 일대를 관장하는 벼슬인 경조윤京兆尹의 약칭.
27) 關節(관절) : 뇌물을 먹여서 관리를 매수하는 일을 일컫는 말.
28) 待制(대제) : 당나라 태종太宗 때부터 5품 이상의 경관京官 가운데 조정의 주요 기관에서 숙직하며 수시로 황제에게 자문을 주던 관직을 이르는 말.
29) 詩(시) : 이는 송나라 호자胡仔의 ≪초계어은총화苕溪漁隱叢話≫전집前集권26 등 다른 문헌에도 한 연만 전하는 것으로 보아 일시逸詩인 듯하다.
30) 慶曆(경력) : 북송北宋 인종仁宗의 연호(1041-1048).
31) 御史中丞(어사중승) : 관리들의 비행을 규찰하고 탄핵하는 업무를 관장하는 기관인 어사대御史臺에서 어사대부御史大夫 다음 가는 벼슬. 시대마다 차이는 있으나 당송唐宋 때는 어사대부 휘하에 어사중승 외에도 시어사侍御史·전중시어사殿中侍御史·감찰어사監察御史 등이 있었다.
32) 樞密(추밀) : 당송唐宋 때 국가의 군사 업무를 총괄하던 기관인 추밀원樞密院이나 그 장관인 추밀사樞密使의 약칭.

●綠籜包. 虎皮包.
○푸른 대껍질로 싸다. 호랑이 가죽으로 싸다.

◇巢(소씨)

▶商音. 彭城. 上古有巢氏[33]之後也.
▷음은 상음에 속하고 본관은 (강소성) 팽성현으로 상고시대 사람 유소씨의 후손이다.

◇洗耳(귀를 씻다)

●巢父昔因年老, 以樹爲巢, 寢其上, 號曰巢父. 堯讓天下於巢父, 巢父曰, "君之牧天下, 猶予之牧犢, 無用天下爲." 莊子[34]有'樊仲父牽牛飮水, 見巢父洗耳, 驅牛而還, 恥令牛飮其下流也.'
○소보는 옛날에 나이를 많이 먹자 나무를 둥지 삼아 그 위에서 잠을 자며 자칭 '소보'라고 하였다. (당唐나라) 요왕이 천하를 소보에게 선양하려고 하자 소보가 말했다. "그대가 천하를 다스리는 것은 마치 내가 송아지를 키우는 것과 같으니 천하를 가져다가 써먹을 데가 없소." ≪장자≫에는 '번중보가 소를 끌고 물을 먹이다가 소보가 귀를 씻는 것을 보고서는 소를 몰고서 돌아갔으니 내려오는 물을 소에게 먹이기 부끄러워서였다'는 고사가 전한다.

◇重義(의리를 중시하다)

●巢谷, 字元修, 與二蘇[35]同鄉, 二蘇在朝, 未嘗一見. 坡[36]謫海表[37],

33) 有巢氏(유소씨) : 나무 위에 집을 짓고 살았다는 전설상의 인물.
34) 莊子(장자) : 전국시대 사상가인 송宋나라 장주莊周에 대한 존칭이자 그의 도가사상을 담은 책 이름. 총 33편 10권. 진晉나라 곽상郭象(?-312)이 주를 달았다. ≪사고전서간명목록·자부·도가류道家類≫권14 참조. 그러나 위의 예문은 현전하는 ≪장자≫에 보이지 않고, 다른 문헌에서는 모두 출처를 ≪일사전逸士傳≫이라고 하였다. 또 위의 얘기는 허유許由가 요왕堯王에게 더러운 얘기를 들었다고 영수潁水에서 귀를 씻자 소보巢父가 그 물을 자기 소에게 먹일 수 없다며 소를 끌고 상류로 올라갔다는 진晉나라 황보밀皇甫謐(215-282)의 ≪고사전高士傳≫권상의 고사로 잘 알려져 있다. 아마도 주周나라 선왕宣王 때 강직한 신하인 번중보樊仲父의 고사가 전래 과정에서 허유·소보의 고사와 뒤섞이면서 와전된 듯하다.

谷徒步，訪子由[38]，握手相泣．又訪坡海南，自循[39]至新，病而死．夷堅志[40]云，“紹興[41]八年，無錫縣有道人曰，‘眉山[42]巢谷.’年一百一十七歲，瞳子碧光烱然．以十月二十一日遍告邑中，還館閉戶而去．蜀有巢菜[43]，東坡名元修菜.”

○(송나라) 소곡은 자가 원수로 소식・소철 형제와 동향 사람이지만 소식・소철 형제가 조정에 있을 때 일면식을 가진 적도 없었다. 그러나 동파(소식)가 바다 밖 해남도로 폄적가자 소곡은 걸어서 자유(소철)를 방문하여 손을 잡고 함께 눈물을 흘렸다. 또 해남도로 소식을 찾아가던 중 (광동성) 순주循州에서 신주新州에 도착하자 병이 나 죽고 말았다. ≪이견지≫에서는 “(고종) 소흥 8년(1138)에 (강소성) 무석현에 어떤 도인이 나타나더니 ‘(사천성) 미산현 출신인 소곡이오’라고 하였다. 나이가 117세인데도 눈동자에서 푸른 광채가 번뜩였다. 10월 21일에 고을에 두루 알리고는 숙소로 돌아가 문을 닫고서 자취를 감췄다. (사천성) 촉 땅에는 (소곡의 성씨를 딴) 소채가

---

35) 二蘇(이소) : 송나라 때 대문호인 소식蘇軾(1036-1101)과 소철蘇轍(1039-1112) 형제를 아우르는 말.

36) 坡(파) : 송나라 때 대문호 소식蘇軾의 호인 ‘동파東坡’의 준말. 호북성 황주黃州로 폄적당했을 때 동파에 거주한 데서 비롯되었다. 저서로 ≪동파전집東坡全集≫ 115권이 전한다. ≪송사・소식전≫권338 참조.

37) 海表(해표) : 바다 밖. 즉 유배지인 해남도를 가리킨다.

38) 子由(자유) : 송나라 사람 소철蘇轍(1039-1112)의 자. 호는 영빈유로潁濱遺老. 부친인 소순蘇洵(1009-1066) 및 형 소식과 함께 당송팔대가唐宋八大家의 일인으로 유명하다. 저서로 ≪난성집欒城集≫ 96권이 전한다. ≪송사・소철전≫권339 참조.

39) 循(순) : 뒤의 ‘신新’과 함께 광동성의 속주屬州 이름.

40) 夷堅志(이견지) : 송나라 홍매洪邁(1123-1202)가 괴이한 이야기를 모아 엮은 책. 원래는 총 420권이었으나, 지금은 사고전서四庫全書에 갑甲・을乙・병丙・정丁・무戊 각 10권씩 50권본으로 전한다. ≪이견지지夷堅支志≫라고도 한다. ‘이견’은 ≪열자列子≫에서 유래한 말로, ‘박물군자博物君子’를 뜻한다. ≪사고전서간명목록・자부・소설가류≫권14, 송나라 조희변趙希弁의 ≪군재독서지郡齋讀書志・습유拾遺≫부지附志권5하 참조. 위의 예문은 현전하는 ≪이견지≫에 실리지 않은 것으로 보아 일문 가운데 하나인 듯하다.

41) 紹興(소흥) : 남송南宋 고종高宗의 연호(1131-1162).

42) 眉山(미산) : 사천성의 속현屬縣 이름. 소식蘇軾 형제의 고향으로 유명하다.

43) 巢菜(소채) : 야생에서 자라는 완두콩처럼 생긴 식물 이름.

있는데, 소식은 (소곡의 자를 따서) '원수채'로 불렀다"고 하였다.

●巢堪, 漢章帝朝, 爲太常[44]. 時曹褒請著成漢禮, 堪言, "一世大典, 非褒所能定." 後拜司空[45].

○소감은 후한 장제 때 태상경을 지냈다. 때마침 조포가 한나라의 예법에 관한 책을 지을 것을 주청하자 소감은 "한 시대의 주요 법전은 제가 정리할 수 있는 것이 아닙니다"라고 말했다. 뒤에 사공을 배수받았다.

●巢尙之與戴發興仕宋武帝朝, 參謀內外, 權重當時.

○소상지는 대발흥과 함께 (남조南朝) 유송劉宋 무제의 조정에서 벼슬에 올라 안팎의 국사를 도모하는 데 참여하여 당시 막강한 권력을 행사하였다.

●憎巢. 鳳來巢. 燕定巢[46].

○새가 둥지를 트는 것을 싫어하다. 봉황이 날아드는 둥지. 제비가 만든 둥지.

◆茅(모씨)

▶商音. 東海[47]. 周公[48]第三子封於茅, 曰茅叔. 子孫以國爲氏.

---

44) 太常(태상) : 예악禮樂과 천문天文에 관련된 업무를 관장하는 기관인 태상시太常寺나 그 장관인 태상경太常卿의 약칭. 태상경은 구경九卿 중에서도 서열이 가장 높은 고관高官이었다.

45) 司空(사공) : 벼슬 이름. 소호少昊 때 처음 설치되었는데, 주周나라 때는 동관冬官으로서 치수와 토목공사를 관장하였고, 한나라 이후로는 태위太尉·사도司徒와 함께 삼공三公의 하나였다.

46) 燕定巢(연정소) : 이는 당나라 두보杜甫(712-770)의 칠언율시七言律詩 <초당이 완성되다(堂成)> 가운데 경련頸聯의 말구末句인 '자주 와서 지저귀던 제비가 새 집으로 정하였네(頻來語燕定新巢)'에서 따온 말인 듯하다. 시는 청나라 구조오仇兆鰲(1640-1714)의 ≪두시상주杜詩詳註≫권9에 전한다.

47) 東海(동해) : 산동성의 속군屬郡 이름.

48) 周公(주공) : 주周나라 무왕武王 희발姬發의 동생이자 성왕成王 희송姬誦의 숙부인 희단姬旦에 대한 존칭. 성왕이 나이가 어려 섭정攝政을 하였고, 성왕이

▷음은 상음에 속하고 본관은 (산동성) 동해군이다.

◇死諫(죽음을 각오하고 간언하다)

●茅焦, 秦人. 始皇遷太后[49], 諫而死者, 二十七人. 焦解衣, 伏質[50]殿下曰, "聞天有二十八宿[51], 欲滿其數." 秦皇悟曰, "先生起就衣. 今願受教." 以爲上卿[52]. 楊子[53]曰, "茅焦歷井幹[54], 諫秦王, 可謂劘虎牙矣."

○모초는 진나라 때 사람이다. 시황제가 태후의 거처를 옮기려 할 때 간언하다가 죽은 사람이 27명에 이르자 모초가 옷을 벗고 전각 아래 형틀에 엎드리며 말했다. "듣자하니 하늘에 28수가 있다고 하니 그 수치를 채우고자 합니다." 진나라 시황제가 무슨 말인지 깨닫고 말했다. "선생은 일어나 옷을 입으시오. 이제 가르침을 받겠소." 모초를 상경에 임명하였다. 그래서 (전한) 양웅揚雄은 "모초는 우물 난

성장한 뒤 물러나 노魯나라를 봉토封土로 받았다. ≪사기·노주공세가魯周公世家≫권33 참조.

49) 太后(태후) : 황제의 모친에 대한 존칭. '황태후皇太后'라고도 한다. 진나라 시황제가 태후의 부정을 의심해 거처를 섬서성 옹주雍州로 옮겨 감금하려 한 사건을 가리킨다.

50) 伏質(복질) : 형틀에 엎드려 허리가 잘리는 사형을 당하는 일. '질質'은 '질鑕'과 통용자로 '침椹'(형틀)의 뜻.

51) 二十八宿(이십팔수) : 28개의 별자리. 동방 청룡靑龍 7수인 각角·항亢(수성壽星: 진辰)·저氐·방房·심心(대화大火: 묘卯)·미尾·기箕(석목析木: 인寅), 북방 현무玄武 7수인 두斗·우牛(성기星紀: 축丑)·여女·허虛·위危(현효玄枵: 자子)·실室·벽壁(추자娵訾: 해亥), 서방 백호白虎 7수인 규奎·누婁(강루降婁: 술戌)·위胃·묘昴·필畢(대량大梁: 유酉)·자觜·삼參(실침實沈: 신申), 남방 주작朱雀 7수인 정井·귀鬼(순수鶉首: 미未)·유柳·성星·장張(순화鶉火: 오午)·익翼·진軫(순미鶉尾: 사巳)을 말한다. 괄호 안은 12성차星次인데, 28수의 배열은 시계 반대 방향으로 진행되기에 성차의 배열과는 상반된다.

52) 上卿(상경) : 군주 다음 가는 최고의 집정관執政官을 가리키는 말로서 '정경正卿'이라고도 한다.

53) 楊子(양자) : 전한 사람 양웅揚雄(B.C.53-A.D.18)에 대한 존칭인 '양자揚子'의 오기. 비록 문자상에 차이는 있으나 위의 예문과 유사한 내용이 양웅의 저서인 ≪법언法言·중려편重黎篇≫권7에 보인다. ≪법언≫은 양웅이 ≪논어≫를 본떠 지은 책으로 당나라 이궤李軌(?-619)와 유종원柳宗元(773-819), 그리고 송나라 때 송함宋咸·오비吳祕·사마광司馬光(1019-1086) 등이 주를 달았다. 총 13편 10권. ≪사고전서총목·경부·유가류儒家類≫권91 참조.

54) 井幹(정간) : 우물에 설치하는 '정井' 자 모양의 난간을 이르는 말.

간을 지나는 위험을 무릅쓰고 진나라 황제에게 간언하였으니 가히 호랑이 이빨을 잘랐다고 말할 만하다"라고 평하였다.

◇戲赤城(신선세계에서 노닐다)

●茅濛, 字初成, 隱華山, 修道, 秦始皇三十一年九月, 龍駕白日昇天. 民謠云, "神仙得者茅初成, 駕龍上昇入太淸[55]. 時下玄州[56]戲赤城[57], 繼世而往在我盈[58]."

○모몽은 자가 초성으로 화산에 은거하여 도를 닦다가 진나라 시황제 31년(B.C.216) 9월에 용을 타고서 대낮에 승천하였다. 그래서 민요에 "신선의 도를 터득한 사람은 모초성(모몽), 용을 타고서 위로 올라 태청(하늘)으로 들어갔네. 때로 현주로 내려와 적성에서 노닐었는데, 대를 이어가더니 우리 모영茅盈에 이르렀네"라는 구절이 있다.

◇三茅君(세 명의 모군)

●茅盈, 濛玄孫[59], 得道, 金陵[60]句曲山上昇, 爲東嶽[61]上卿·司命[62]君

---

55) 太淸(태청) : 하늘의 별칭. 혹은 신선이 사는 세 장소인 옥청玉淸·상청上淸·태청太淸의 하나를 가리키기도 한다.

56) 玄州(현주) : 북해北海에 있다는 전설상의 섬 이름으로 ≪해내십주기海內十洲記≫에서 말한 십주十洲 가운데 하나이다. '주州'는 '주洲'로도 쓴다.

57) 赤城(적성) : 전설상의 신선 세계를 이르는 말.

58) 盈(영) : 전한 때 도사 모영茅盈. 진秦나라 때 도사 모몽茅濛의 후손으로 동생인 모고茅固·모충茅衷과 함께 강소성 구용현句容縣 구곡산句曲山에 은거하여 도를 닦아서 선계에 올라 모영은 사명진군司命眞君, 모고는 정록진군定籙眞君, 모충은 보생진군保生眞君이 되었다고 한다. 명나라 요용현廖用賢의 ≪상우록尙友錄·모몽전茅濛傳≫권7 참조.

59) 玄孫(현손) : 고손자나 먼 후손을 이르는 말.

60) 金陵(금릉) : 지금의 강소성 남경시南京市의 옛 이름. 전국시대 초楚나라가 설치하였던 것을 삼국 오吳나라 때 '건업建業'으로, 진晉나라 때 '건강建康'으로 개명하였으며, 남조南朝 시기 왕조들이 모두 이곳에 도읍을 정했다.

61) 東嶽(동악) : 중국을 대표하는 다섯 개의 산, 즉 오악五嶽 가운데 하나. '오악'에 대해서는 여러 설이 있으나 동악東嶽 태산泰山·남악南嶽 형산衡山·서악西嶽 화산華山·북악北嶽 항산恒山·중악中嶽 숭산嵩山의 후한 정현鄭玄(127-200)의 설이 일반적이다. '악嶽'은 '악岳'으로도 쓴다.

62) 司命(사명) : 삼태성三台星 가운데 서쪽에 있는 두 별의 이름으로 삼공三公 가운데 태부太傅를 비유한다. 북두칠성 가운데 아래의 여섯 개의 별을 두 개

·太元眞人63), 居赤城. 時來句曲, 鄕人名句曲爲茅君山. 荊公64)詩65)云, "一峯高出衆山巓, 疑隔塵沙道里千云云. 人間已立嘉平66)帝, 地上誰通句曲天云云." 長弟固爲武威太守, 次弟震爲江西太守. 二弟聞兄得仙, 棄官學道. 後固爲句曲眞人·定保右禁郞, 震爲保命地仙67)主司68). 是爲三茅君. 茅山詩69)云, "白雲生處龍池杳, 明月歸時鶴馭空."

○(전한) 모영(B.C.145-?)은 모몽茅濛의 후손으로 도를 터득해 (강소성) 금릉의 구곡산에서 승천하여 동악상경·사명진군·태원진인이 되어서 적성에 거주하였다. 때로 구곡산에 내려왔기에 고을 사람들이 구곡산을 모군산으로도 불렀다. (송나라) 형국공荊國公 왕안석王安石은 시에서 "봉우리 하나가 뭇 산 꼭대기로 높이 솟았는데, 먼지 모래 너머로 거리가 천 리는 되지 않을까?(중략) 인간세상에 이미 가평제(시황제)를 세웠거늘, 지상에서는 누가 구곡산 하늘과 통할까?(후략)"라고 하였다. 맏동생인 모고茅固는 (감숙성) 무위태수를 지내고 밑의 동생인 모진茅震은 (강서성) 강서태수를 지내고 있었다. 두 동생은 형이 신선이 되었다는 얘기를 듣자 관직을 버리고 도를 닦았

씩 묶어 '삼태성'이라고 하는데, 그중 서쪽의 별을 '사명司命'이라고 하고, 가운데 별을 '사중司中'이라고 하며, 동쪽의 별을 '사록司祿'이라고 한다. 사명은 벼슬을 관장하는 별로서 삼공三公 가운데 태부太傅(혹은 사도司徒)를 상징하고, 사중은 종실宗室을 관장하는 별로서 태사太師(혹은 태위太尉)를 상징하며, 사록은 봉작封爵을 관장하는 별로서 태보太保(혹은 사공司空)를 상징한다.

63) 眞人(진인) : 득도한 도사나 신선에 대한 별칭. 남자 도사는 '진인'이라고 하고, 여자 도사는 '원군元君'이라고 한다.

64) 荊公(형공) : 송나라 신종神宗 때 신법新法의 주창자인 왕안석王安石(1021-1086)에 대한 존칭. '형공'은 왕안석의 봉호인 형국공荊國公의 준말. 저서로 ≪임천문집臨川文集≫ 100권이 전한다. ≪송사·왕안석전≫권327 참조.

65) 詩(시) : 이는 칠언율시七言律詩 <대모산에 오르다(登大茅山)> 가운데 수련首聯과 경련頸聯을 발췌하여 인용한 것으로 ≪임천문집≫권25에 전한다.

66) 嘉平(가평) : 섣달 납일臘日의 별칭. 진나라 시황제가 모영茅盈에 관한 얘기를 듣고서 신선을 찾고자 하여 납일을 '가평'으로 개명하였다는 고사에서 유래하였다. 여기서는 결국 시황제를 가리킨다.

67) 地仙(지선) : 인간 세계에 머물러 사는 신선을 이르는 말.

68) 主司(주사) : 과거시험을 주관하는 벼슬아치를 일컫는 말. '주고主考' '주문主文'이라고도 한다. 여기서는 가상의 신선세계 벼슬을 가리킨다.

69) 詩(시) : 이는 칠언율시七言律詩 <소모산에 오르다(登小茅山)> 가운데 경련頸聯을 인용한 것으로 위의 시와 함께 ≪임천문집≫권25에 나란히 전한다.

다. 그래서 뒤에 모고는 구곡진인·정보우금랑이 되고, 모진은 보명지선주사가 되었다. 이들이 바로 삼모군이다. (왕안석은 또) <모군산에 올라 지은 시>에서 "흰 구름 피어오르는 곳에 용의 연못 아득한데, 밝은 달 돌아갈 때인데도 학 탄 사람 보이지 않네"라고 하였다.

◇殺雞饌母(닭을 잡아 모친에게 드리다)

●茅容, 字季偉, 年四十餘, 耕于野, 與等輩避雨樹下. 容坐愈恭, 郭林宗[70]見而異之, 寓宿焉. 旦日容殺雞供母, 自以草蔬與客共飯. 林宗拜之曰, "卿賢乎哉!" 勸令學, 卒以成德. 後林宗遣容, 追及徐穉, 於途與共言稼穡[71]事.

○(후한) 모용은 자가 계위로 나이 마흔 살이 넘어서도 들판에서 농사를 짓다가 동료들과 나무 아래서 비를 피하였다. 모용이 앉아 있을 때도 더욱 공손한 태도를 보이자 임종林宗 곽태郭太가 대견하게 생각해 자기 집에 머물게 하였다. 아침에 모용이 닭을 잡아 모친에게 드리면서 자신은 나물을 손님들과 함께 먹었다. 곽태가 그에게 절을 하며 말했다. "경은 어진 사람이구려!" 그에게 공부를 권하여 마침내 덕업을 이루게 하였다. 뒤에 곽태가 모용에게 서치를 따르게 하였는데 길에서 함께 농사 얘기나 주고받았다.

●茅茷, 晉城濮[72]之戰, 以茷·祈滿[73]爲中軍[74]大夫.(僖廿八)

---

70) 郭林宗(곽임종) : 후한 사람 곽태郭太(128-169). '임종'은 자. 호는 유도有道. 본명은 '태泰'이나 남조南朝 유송劉宋 범엽范曄(398-445)이 ≪후한서≫를 지으면서 부친의 휘諱 때문에 '태泰'를 '태太'로 고쳐서 표기하였다. 경전에 정통하고 담론에 능하여 이응李膺(?-169)과 친분을 맺으면서 명성을 떨쳤으나, 출사하지 않고 수천 명의 제자를 양성하였다. ≪후한서·곽태전≫권98 참조.

71) 稼穡(가색) : 농사를 뜻하는 말. '가稼'는 곡식을 심는 것을 뜻하고, '색穡'은 곡식을 수확하는 것을 뜻한다.

72) 城濮(성복) : 춘추시대 위衛나라의 지명. 하남성 진류현陳留縣 일대라고도 하고 산동성 복현濮縣 일대라고도 하는데, 여기서는 전자를 가리키는 것으로 보인다.

73) 祈滿(기만) : 춘추시대 진晉나라 때 군마와 깃발을 관장하던 관리인 '기만祈瞞'의 오기.

74) 中軍(중군) : 삼군三軍인 좌군左軍·중군中軍·우군右軍 가운데 가장 핵심 부

○모벌은 (춘추시대) 진나라 때 (하남성) 성복에서의 전투에 참여하였는데, 당시 모벌과 기만을 중군대부에 임명하였다.(≪좌전左傳・희공僖公28년≫권15)

●茅夷鴻, 邾大夫, 請救于吳. 卽茅成子也.(哀七)

○모이홍은 (춘추시대) 주邾나라 때 대부로 오나라에서 구원병을 요청하였다. 바로 (시호가 '성자'인) 모성자란 사람이다.(≪좌전・애공哀公7년≫권58)

●草茅. 剪茅. 仙茅[75]. 結茅[76].

○띠풀. 띠풀을 자르다. 선모. 초가집을 짓다.

□六豪(6호)

◆陶(도씨)

▶徵音. 濟南. 陶唐氏[77]之後, 在夏爲御龍氏, 在商爲豖韋氏. 周代商, 以商民七族封康[78], 叔陶[79]居其一焉. 繼命陶叔爲司徒[80], 授康叔[81]以人民, 以國爲氏.

▷음은 치음에 속하고 본관은 (산동성) 제남군이다. 도당씨(요왕)의 후손은 하나라

대를 가리키는 말. 뒤에는 전의되어 주장主將이나 지휘부를 가리키는 말로도 쓰였다.

75) 仙茅(선모) : 서역西域이 원산지인 약초 이름.

76) 結茅(결모) : 띠풀을 엮다. 즉 초가집을 짓는 것을 말한다.

77) 陶唐氏(도당씨) : 전설상의 황제인 오제五帝 가운데 요왕堯王의 국호이자 씨를 이르는 말.

78) 康(강) : 주周나라 때 지명. 지금의 하남성 우주시禹州市 서북쪽 일대.

79) 叔陶(숙도) : 뒤에 나오는 '도숙陶叔'의 오기인 듯하다. 도숙은 복성.

80) 司徒(사도) : 상고시대 관직의 하나로서 국가 재정과 관련한 업무를 관장하였다. 주周나라 때는 지관地官이었고, 후대에는 민부民部・호부상서戶部尙書에 해당한다. 한나라 이후로는 이 직명을 민정民政을 관장하는 삼공三公의 하나로 지정하기도 하였다.

81) 康叔(강숙) : 주周나라 무왕武王 희발姬發의 아홉 번째 동생인 희봉姬封. 처음에 강康에 봉해졌다가 주공周公이 무강武康을 죽인 뒤 위군衛君에 봉하였고, 뒤에는 성왕成王 희송姬誦이 그를 사구司寇에 임명하였다. ≪사기・위강숙세가衛康叔世家≫권37 참조.

때는 어룡씨라고 하였고, 상나라 때는 시위씨라고 하였다. 주나라가 상나라를 대신하면서 상나라 유민 7개 종족을 (하남성) 강에 봉하였는데 도숙도 그중 하나를 차지한다. 이어서 도숙을 사도에 임명하자 강숙에게 백성을 주면서 나라 이름을 성씨로 삼은 것이다.

◇三世封侯(삼대에 걸쳐 제후에 봉해지다)

●陶舍, 漢初爲左司馬[82], 以功封愍侯. 子青襲封夷侯, 孝景朝, 拜相. 青九世孫敦, 安帝朝, 拜大司徒[83]. 敦之孫同, 漢末避亂, 江東[84]生子丹, 仕吳, 爲揚武將軍, 封柴桑侯. 子侃.

○도사는 전한 초엽에 좌사마를 지내다가 전공을 세워 민후에 봉해졌다. 아들 도청陶青은 이후에 습봉되었다가 경제 때 재상을 배수받았다. 도청의 9대손인 도돈陶敦은 (후한) 안제 때 대사도를 배수받았다. 도돈의 손자인 도동陶同은 후한 말엽에 난을 피해 강동 지역에서 아들 도단陶丹을 낳았는데, 도단은 (삼국) 오나라에서 벼슬길에 올라 양무장군을 지내고 시상후에 봉해졌다. 도단의 아들은 도간陶侃이다.

◇龍梭(용으로 변한 베틀북)

●陶侃, 字士行, 少時漁於雷澤[85], 網得一織梭, 掛於壁. 有頃, 雷雨, 化爲龍, 去. 善相者師圭謂曰, “君左手中指豎理, 當爲公. 若徹于上, 貴不

---

82) 司馬(사마) : 벼슬 이름. 주周나라 때는 육경六卿의 하나인 하관夏官으로서 군사를 관장하였고, 한나라 때는 삼공三公의 하나로서 재상이 되기도 하였다. 한나라 이후로는 왕부王府나 승상부丞相府·장군부將軍府 등에서 병마兵馬를 관장하던 벼슬이 되었고, 당나라 이후로는 주로 별가別駕·장사長史·녹사참군사錄事參軍事·참군사參軍事·녹사錄事·승丞·문학文學 등과 함께 자사刺史의 속관이 되었다.

83) 大司徒(대사도) : 주周나라 때 육경六卿의 하나로서 국가 재정을 관장하는 지관地官의 장관. 전한 애제哀帝와 평제平帝 때는 대사마大司馬·대사공大司空과 함께 삼공三公의 반열에 오르기도 하였다.

84) 江東(강동) : 장강 동쪽 일대. 곧 동진東晉 및 남조南朝 때 도읍을 정했던 강소성 건강建康(남경) 일대를 가리키는데, 강남江南의 별칭으로도 쓰였다.

85) 雷澤(뇌택) : 하남성에 있는 연못 이름인 뇌하택雷夏澤의 약칭. 우虞나라 순왕舜王이 즉위하기 전에 물고기를 잡던 곳으로 유명하다.

可言.” 侃以針刺之, 見血, 灑壁, 成公字. 晉成帝咸和86)中, 都督87)交·廣·荊·江等八州軍事, 封長沙88)公. 年七十六, 薨89), 贈大司馬90). 謚曰桓. 次子瞻, 瞻子宏, 宏子綽, 綽子延壽, 嗣爲長沙公.

○도간(259-334)은 자가 사행으로 어렸을 때 (하남성) 뇌택에서 물고기를 잡다가 베틀북 하나가 그물에 걸리자 이를 벽에 걸어두었다. 얼마 뒤 우레가 치고 비가 내리자 베틀북이 용으로 변해 사라졌다. 뛰어난 관상가인 사규가 도간에게 말했다. “그대 왼손 중지에 손금이 수직으로 있는 것을 보면 분명 삼공에 오를 것입니다. 만약 위쪽까지 곧장 뻗는다면 어디까지 오를지 말로 다 표현할 수가 없습니다.” 그래서 도간은 바늘로 그곳을 찔러 피를 보이고는 벽에 뿌려서 ‘공’자를 만들었다. 진나라 성제 함화(326-334) 연간에 (광동성) 교주·광주와 (호북성) 형주·(강서성) 강주 등 8개 주의 군사업무를 총괄하는 도독을 맡았다가 장사군공에 봉해졌다. 나이 76세에 생을 마치면서 대사마를 추증받았다. 시호는 ‘환桓’이다. 차남은 도첨陶瞻이고, 도첨의 아들은 도굉陶宏이며, 도굉의 아들은 도작䠷綽이고, 도작의 아들은 도연수陶延壽인데, 도연수는 뒤를 이어 장사군공에 봉해졌다.

◇木屑竹頭(톱밥과 대나무 조각까지도 아끼다)

●侃爲廣州刺史, 朝運百甓於齋外, 暮運於齋內, 以自勞也. 移鎭荊州, 檢攝軍事, 未嘗少間91). 嘗語人曰, “大禹92)聖人, 乃惜寸陰. 衆人當惜分

---

86) 咸和(함화) : 진晉 성제成帝의 연호(326-334).

87) 都督(도독) : 군사軍事 업무를 총괄하는 장관을 이르는 말.

88) 長沙(장사) : 호남성의 속군屬郡 이름. ‘장사공’은 봉호인 장사군공長沙郡公의 준말.

89) 薨(홍) : 제후나 공경公卿 등 고관이 죽었을 때 쓰는 말. ≪예기·곡례하曲禮下≫권5에 의하면 천자의 죽음은 ‘붕崩’이라고 하고, 공경의 죽음은 ‘홍薨’이라고 하고, 대부大夫의 죽음은 ‘졸卒’이라고 하고, 사士의 죽음은 ‘불록不祿’이라고 하고, 평민의 죽음은 ‘사死’라고 하여 신분에 따라 죽음에 대한 표현에도 차이를 두었다.

90) 大司馬(대사마) : 진한秦漢 때 군정軍政을 총괄하는 벼슬로 삼공三公의 하나. 후에는 태위太尉라고 개칭하였고 삼공 가운데 서열이 가장 높았다.

陰." 嘗造船, 其木屑竹頭, 皆令籍而掌之. 後皆獲其用. 其綜理微密, 皆此類也.

○(진晉나라) 도간(259-334)은 (광동성) 광주자사를 지낼 때 아침이면 수많은 벽돌을 관청 밖으로 옮겼다가 저녁이면 관청 안으로 옮기면서 자신의 몸을 단련하였다. (호북성) 형주로 자리를 옮겨 진수할 때는 군사업무를 검열하면서 한시도 쉬지 않았다. 그는 늘 사람들에게 "(하나라) 우왕은 성인임에도 오히려 아주 짧은 시간도 아꼈소. 사람들은 시간을 아낄 줄 알아야 할 것이오." 늘 배를 만들면 톱밥과 대나무 조각조차도 모두 장부에 적어서 관리케 하였다. 뒤에 모두 적재적소에 사용하였다. 그는 치밀하게 관리하는 능력이 늘 이와 같았다.

◇八天折翼(여덟 개의 천문에 올랐다가 날개가 부러지다)

●侃少時夢生八翼, 飛而上天, 見天門九重, 登其八, 惟一門不得入, 閽[93]擊之, 墜地, 折其左翼. 後都督八州, 每思折翼之祥而自抑. 梅陶[94]云, "陶公機明神鑒似魏武, 忠順勤勞似孔明[95]."

○(진晉나라) 도간(259-334)은 어렸을 때 꿈속에서 날개가 여덟 개 생겨 날아서 승천하였다가 아홉 겹으로 된 하늘의 궁문을 발견하고서 그중 여덟 개에 올랐으나 오직 하나의 문만 들어가지 못 했는데, 문지기가 자신을 공격해 땅에 떨어지면서 왼쪽 날개가 부러지는 꿈을 꾸었다. 뒤에 8개 주의 도독을 맡으면서 매번 날개가 부러진 징조를 생각해 스스로 몸을 낮췄다. 그러자 매도가 말했다. "도공(도

---

91) 少間(소간) : 조금 쉬다, 틈을 내다.
92) 大禹(대우) : 하夏나라 우왕禹王에 대한 존칭.
93) 閽(혼) : 문지기를 이르는 말.
94) 梅陶(매도) : 진晉나라 때 사람. 자는 숙진叔眞. 상서尙書를 지냈고, 인물을 품평하는 '월단평月旦評'을 창시한 것으로 유명하다. 남조南朝 유송劉宋 유의경劉義慶(403-444)의 ≪세설신어世說新語·방정方正≫권중의 남조南朝 양梁나라 유효표劉孝標 주 참조.
95) 孔明(공명) : 삼국시대 촉蜀나라 승상 제갈양諸葛亮(181-234)의 자. ≪삼국지·촉지·제갈양전≫권35 참조.

간)은 임기응변이 뛰어나고 안목이 높은 점은 (삼국) 위나라 무제(조조曹操)와 비슷하고, 충성스럽고 근면한 점은 (삼국 촉나라) 공명(제갈양諸葛亮)과 흡사하다오."

◇羲皇上人(희황상인)

●陶元亮[96], 在晉名淵明, 在宋名潛. 世號靖節先生. 侃曾孫也. 宅邊有五柳, 著五柳先生傳[97], 以自況親老家貧. 謂親朋曰, "聊欲絃歌[98], 以爲三徑[99]之資, 可乎?" 執事者[100]聞之, 起爲彭澤令. 公田[101]悉令吏種秫[102], 妻子固請種粳, 乃以二頃五十畝種秫, 五十畝種粳. 在官八十餘日, 卽解印綬去, 賦歸去來詞[103], 以遂其志. 性不解音聲, 蓄素琴[104]一張, 絃徽[105]不具. 每朋酒之會, 輒撫弄以寄意曰[106], "自得琴中趣, 何勞絃上聲?" 貴賤造[107]之, 有酒輒設. 若先醉, 則謂客曰, "我醉欲眠,

---

96) 元亮(원량) : 진晉나라 도연명陶淵明(365-427)의 자.

97) 五柳先生傳(오류선생전) : 이는 도연명陶淵明 자신의 자서전적인 글로서 ≪도연명집·잡문雜文≫권5에 전한다.

98) 絃歌(현가) : 금슬琴瑟 같은 현악기에 맞추어 시가를 읊조리다. "자유子游 언언言偃이 (산동성) 무성현령을 지낼 때 공자가 무성현에 가서 현악기와 노래소리를 들었다(子游爲武城宰, 子之武城, 聞絃歌之聲)"는 ≪논어·양화陽貨≫권17의 고사에서 유래한 말로 예악禮樂을 통해 교화敎化를 베풀거나 선정善政을 펼치는 것을 비유한다. '현絃'은 '현弦'으로도 쓴다.

99) 三徑(삼경) : 세 길. 전한 사람 장후藏詡가 왕망王莽(B.C.45-A.D.23) 때 벼슬을 그만두고 귀향하여 집 앞에 길을 세 개만 내고서 각각 소나무(松)·국화(菊)·대나무(竹)를 심고는 두 친구와 은둔생활을 하였다는 ≪한서·장후전≫권72의 고사에서 유래한 말로서 은자나 은둔생활을 상징한다.

100) 執事者(집사자) : 모종의 업무를 관장하는 사람이나 권세가를 이르는 말.

101) 公田(공전) : 정전제井田制에 의해 운영되는 농토를 일컫는 말. 농토를 '정井' 자 모양으로 9등분하고 가운데 농토를 8가구가 공동으로 경작하여 조세로 바치던 땅을 가리킨다.

102) 種秫(종출) : 수수를 심다. 이는 도연명이 술을 좋아하여 술의 재료인 수수를 심으려고 했다는 말이다.

103) 歸去來詞(귀거래사) : 이는 도연명陶淵明이 은거하면서 지은 노래로서 ≪도연명집·잡문雜文≫권5에 전한다.

104) 素琴(소금) : 아무런 장식이 없는 소박한 금을 이르는 말.

105) 絃徽(현휘) : 금琴의 현과 기러기발을 아우르는 말.

106) 曰(왈) : 이는 다른 문헌에도 모두 두 구절만 인용되어 전하는 것으로 보아 일시逸詩인 듯하다.

卿且去.” 一日郡將候之, 逢其酒熟, 取頭上葛巾, 漉酒, 畢還, 復著之. 嘗言, “夏月虛閒, 高臥[108]北窗之下, 淸風颯至, 自爲羲皇上人[109].” 宅邊多種菊, 每携酒, 吟咏其間. 其飮酒詩[110]云, “採菊東籬下, 悠然見南山.” 又云, “秋菊有佳色, 裛露掇其英.” 嘗於九日[111]無酒, 出宅邊, 摘菊盈把. 頃之, 江州太守遣白衣[112]人, 送酒至, 便醉飮而歸. 晉義熙[113]末, 徵爲著作郞[114], 不就. 所著文章, 義熙以前, 明著晉代年月, 自宋永初[115]以來, 惟書甲子而已. 故朱子[116]書[117]云, “晉徵士[118]卒.” 五子儼·俟·份·佚·佟. 祖茂武昌太守, 父姿城[119]太守, 史逸其名.

○도원량(365-427)은 진나라 때는 이름을 ‘연명’이라고 하였다가 (남조南朝) 유송劉宋 때는 이름을 (은거를 뜻하는 말인) ‘잠’으로 바꿨다. 세간에서는 그를 ‘정절선생’으로 부른다. 도간陶侃(259-334)의 증손자이다. 집 주변에 버드나무를 다섯 그루 심고서 ≪오류선생전≫을 지어 스스로 부모가 연로하고 집안이 가난한 것을 빗대어 표현

107) 造(조) : 찾아가다, 이르다.

108) 高臥(고와) : 베개를 높이 베다. 한적한 삶이나 은거생활을 상징한다.

109) 羲皇上人(희황상인) : 은자의 별칭. 복희伏羲 황제 때의 유유자적한 삶을 누리던 사람이란 뜻에서 유래하였다.

110) 詩(시) : 이는 동명의 연작시連作詩 20수 가운데 제5수와 제7수의 한 연을 인용한 것으로 ≪도연명집≫권3에 전한다.

111) 九日(구일) : 음력 9월 9일 중양절重陽節을 이르는 말.

112) 白衣(백의) : 흰 옷. 평민이나 하인의 신분을 상징한다.

113) 義熙(의희) : 진晉 안제安帝의 연호(405-418).

114) 著作郞(저작랑) : 위진魏晉 이후로 국사의 편찬에 관한 업무를 관장하던 비서성祕書省 소속의 관원을 이르는 말. 상관으로 비서감祕書監·비서소감祕書少監·비서랑祕書郞 등이 있다.

115) 永初(영초) : 유송劉宋 무제武帝의 연호(420-422).

116) 朱子(주자) : 송나라 때 성리학性理學의 집대성자이자 대문호인 주희朱熹(1130-1200)에 대한 존칭. 자는 원회元晦이고, 호는 회옹晦翁 혹은 회암晦庵이며, 시호는 문文. 저서로 ≪회암집晦庵集≫ 112권 등 다수가 전한다. ≪송사·도학열전道學列傳·주희전≫권429 참조.

117) 書(서) : 이는 주희의 ≪자치통감강목資治通鑑綱目≫권24의 기록을 가리킨다.

118) 徵士(징사) : 조정의 초빙을 받으나 응하지 않는 덕망이 높은 은사에 대한 존칭. ‘징군徵君’이라고도 한다.

119) 姿城(자성) : 사서나 지리지에 등장하지 않아 소재지가 분명치 않다. 하남성 양성襄城의 오기가 아닐까 싶다. 박물군자가 밝혀주기를 기대한다.

하였다. 그가 친지들에게 “애오라지 금을 연주하고 노래 부르며 집 앞에 길을 세 개 내는 풍류를 즐기고 싶은데 괜찮을까요?”라고 말했다. 집정관이 이 얘기를 듣게 되자 그를 (강서성) 팽택현의 현령으로 기용하였다. 도연명이 공전에 모두 관리를 시켜 (술의 재료인) 수수를 심게 하자 아내는 한사코 멥쌀을 심으라고 간청하였다. 그러자 2경 50무에는 수수를 심고 50무에는 멥쌀을 심었다. 관직에 80일 남짓 있다가 즉시 도장끈을 풀어 관직을 그만두고 떠나며 <귀거래사>를 지어 자신의 의지를 확고히 하였다. 천성적으로 음악을 잘 몰라 소박한 금 하나를 마련하면서 현과 기러기발도 갖추지 않았다. 매번 친구들과 술자리를 갖게 되면 번번이 금을 어루만지며 뜻을 담아 “자연스레 금의 흥취를 얻었으니, 어찌 힘들게 현을 연주해 소리를 낼 필요가 있으리오?”라고 말하곤 하였다. 고관이든 평민이든 자신을 찾아오면 늘 술자리를 마련해 주었다. 만약 먼저 취하면 손님에게 “내 술이 취해 잠을 자고 싶으니 잠시 자리 좀 비켜 주시오”라고 하였다. 하루는 군의 장수가 그에게 인사차 찾아왔다가 술이 익은 것을 알고는 머리에 쓰고 있던 칡베 두건을 벗어 술지게미를 거르더니 이를 마치자 돌아가면서 다시 그것을 머리에 썼다. 도연명은 일찍이 “여름철 한가로우면 북창 아래서 베개를 높이 베고 누우니, 시원한 바람이 불어오면 절로 희황상인이 된다네”라고 말한 적이 있다. 집 주변으로 국화를 많이 심고는 매번 술을 들고서 그속에서 시를 읊조리곤 하였다. 그는 <술을 마시며 지은 시>에서 “동쪽 울타리 아래서 국화를 따는데, 멀리 남산이 눈에 들어오네”라고 하고, 또 “국화가 아름다운 빛깔을 띠었기에, 이슬을 받으며 그 꽃봉오리를 따네”라고 하였다. 한번은 9월 9일 중양절에 술이 없자 집 주변으로 나가 국화를 손에 가득 땄다. 그러자 얼마 뒤 (강서성) 강서태수가 백의를 입은 사람을 시켜 술을 보내오고는 취하도록 마시고서 돌아갔다. 진나라 (안제安帝) 의희(405-418) 연간에 황제의 부름을 받아 저작랑에 임명되었으나 취임하지 않았다. 그는 문장을 지으면서 (안제) 의희 이전에는 진나라 때 연월을 밝혔으나, 유송 (무제) 영초(42

0-422) 이후로는 단지 갑자로 날짜만 표기하였을 뿐이다. 그래서 (송나라) 주자(주희朱熹)는 글에서 "진나라 때 징사가 죽었다"고 하였다. 다섯 아들은 도엄陶儼·도사陶俟·도빈陶份·도일陶佚·도동陶佟이다. 조부 도무陶茂는 (호북성) 무창태수를 지냈고, 부친은 자성태수를 지냈으나 사서에 이름이 기록되지 않았다.

◇潯陽三隱(심양군의 세 은자)

●靖節居柴桑120), 周續之入廬山, 劉遺民121)入匡山122). 時號爲潯陽123)三隱.

○(진晉나라 때) 정절선생 도연명(365-427)은 (강서성) 시상산에 은거하고, 주속지는 여산으로 들어갔으며, 유유민은 광산으로 들어갔다. 그래서 당시 사람들이 이들을 '심양삼은'으로 불렀다.

◇華陽眞逸(화양진일)

●陶弘景, 字通明, 年十歲得葛洪神仙傳124), 晝夜硏尋, 便有養生之志曰, "仰靑天, 覩白日, 不覺爲遠矣!" 宋末爲諸王侍讀125). 齊永明126)中, 脫朝服, 掛神武門上, 表辭祿. 上賜束帛·月給·茯苓127)五斤·白蜜128)二斤, 以供服餌. 止句容129)句曲山第八洞130), 宮名金壇華陽之天, 周

---

120) 柴桑(시상) : 한나라 때 강서성에 설치한 속현屬縣 이름이자 산 이름.
121) 劉遺民(유유민) : 진晉나라 사람 유정지劉程之. '유민'은 호. 자는 중사仲思. 강서성 여산廬山에 은거하였다.
122) 匡山(광산) : 보통은 강서성 여산廬山의 별칭으로 쓰이나 여기서는 여산의 한 봉우리로 본 듯하다. 은殷나라 때 광속匡俗 형제가 움막을 짓고 은거했다는 데서 이름이 유래하였다.
123) 潯陽(심양) : 강서성의 속군屬郡 이름.
124) 神仙傳(신선전) : 진晉나라 갈홍葛洪(284-363)이 엮은 84명의 신선에 관한 전기서. 총 10권. ≪사고전서간명목록·자부·도가류≫권14 참조.
125) 侍讀(시독) : 황제나 태자, 친왕親王 등에게 경서經書를 강독하는 일을 전담하던 벼슬 이름.
126) 永明(영명) : 남제南齊 무제武帝의 연호(483-493).
127) 茯苓(복령) : 소나무 뿌리에 기생하는 구멍장이버섯과의 버섯. 향료와 약재에 쓰인다.
128) 白蜜(백밀) : 희고 깨끗한 꿀. 술이나 여지荔枝를 비유할 때도 있다.

回百五十里. 山中立館, 號華陽陶隱居, 晩號華陽眞逸131), 又曰華陽眞人. 性愛松風, 庭院皆植松. 每聞其響, 欣然爲樂. 有時獨遊泉石, 望者以爲仙人. 築三層樓, 自處其上, 弟子處其中, 賓客132)至其下. 與物遼絶, 善辟穀133)導引134)之術, 年八十五, 無病而逝. 謚貞白先生.

○도홍경(452-536)은 자가 통명으로 나이 열 살 때 (진晉나라) 갈홍의 ≪신선전≫을 얻자 밤낮으로 연구하더니 양생술을 펼치겠다는 의지를 품으며 "하늘을 우러르고 태양을 바라보니 자신도 모르게 심원한 경지에 이르게 되는구나!"라고 하였다. (남조南朝) 유송劉宋 말엽에는 여러 친왕의 시독을 지냈다. 남제南齊 (무제) 영명(483-493) 연간에는 관복을 벗어 신무문 위에 걸어놓고는 상소문을 올려 봉록을 사양하였다. 무제가 그에게 비단과 월급・복령 다섯 근・꿀 두 근을 하사하여 식량을 장만케 하였다. (강소성) 구용현 구곡산의 제8동으로 들어가 도궁道宮 이름을 '금단화양지천'이라고 하였는데 둘레가 150리에 달했다. 산속에 건물을 짓고서 자칭 '화양도은거'라고 하다가 만년에는 호를 '화양진일'이라고도 하고 '화양진인'이라고도 하였다. 천성적으로 소나무에 부는 바람을 좋아하여 정원에 온통 소나무를 심었다. 매번 거기서 나는 음향을 들으며 즐겁게 소일거리로 삼았다. 어떤 때는 혼자서 산수를 유람하면 멀리서 보는 사람들이 그를 신선으로 생각하였다. 3층 짜리 누각을 지어 자신은 윗층에 거처하고 제자들은 중간층에 머물게 하면서 손님들은 아래층으로 오게 하였다. 다른 사람들과 관계를 끊은 채 벽곡술과 도인술을 잘 펼쳤기에 나이 85세가 되어서도 아무런 병 없이 생을 마쳤다. 시호는

---

129) 句容(구용) : 강소성의 속현屬縣 이름.
130) 第八洞(제팔동) : 도교에서 신선들이 사는 별천지를 이르는 말인 36동천洞天 가운데 하나. 도서道書에서는 신선들이 사는 곳을 '36동천' '72복지福地'라고 한다.
131) 眞逸(진일) : 은자나 도사에 대한 존칭. '진인眞人'과 뜻이 유사하다.
132) 賓客(빈객) : 손님에 대한 총칭. '빈賓'은 신분이 높은 손님을 가리키고, '객客'은 수행원과 같이 신분이 낮은 손님을 가리키는 데서 유래하였다.
133) 辟穀(벽곡) : 곡기를 끊다, 밥을 먹지 않다. 도교에서 솔잎이나 대추를 먹으면서 행하는 도인導引 따위의 수련법을 말한다.
134) 導引(도인) : 신체 수련이나 호흡 조절 등을 통해 행하는 양생술의 일종.

'정백선생'이다.

◇山中宰相(산속의 재상)

●弘景與梁武有舊, 及卽位, 書問不絶, 冠蓋135)相望136), 給黃金·朱砂·曾靑137)等物. 後合飛丹138), 色如霜雪, 服之體輕. 帝益重之, 賜以鹿皮巾139)屨, 加禮聘, 不至. 惟畵作兩牛以獻, 一散放水草之間, 一著金籠頭140), 有人執繩, 以杖驅之. 帝笑曰, "此欲爲曳尾之龜141), 豈可致之?" 國家每有大事, 無不咨詢, 日中142)常數信. 時謂山中宰相.

○도홍경陶弘景(452-536)은 (남조南朝) 양나라 무제와 오래 전부터 친분이 있어 무제가 즉위한 뒤로도 서신의 왕래가 끊이지 않았기에 벼슬아치들이 끊임없이 그에게 황금과 주사·증청 등의 선약의 재료를 선물하였다. 뒤에 (단약인) 비단을 합성하자 마치 서리나 눈처럼 고왔는데 이를 복용하면 몸이 가벼워졌다. 무제가 더욱 그를 존중하여 사슴 가죽으로 만든 두건과 신발을 하사하고 예물을 보태주었지만 찾아가지 않았다. 단지 소 두 마리를 그림으로 그려 바쳤는데, 한 마리는 수초 사이에 방목되어 있고 한 마리는 머리에 금을 장식한 굴레를 뒤집어 쓴 채 어떤 사람이 줄을 잡고서 막대기로 몰고 있

---

135) 冠蓋(관개) : 벼슬아치들이 쓰는 갓과 타는 수레의 덮개. 사대부나 벼슬아치를 비유한다.

136) 相望(상망) : 끊이지 않고 이어진 모양, 매우 많은 모양.

137) 曾靑(증청) : 단약丹藥의 재료가 되는 오석五石인 단사丹砂·웅황雄黃·백반白礬·증청曾靑·자석磁石 가운데 하나.

138) 飛丹(비단) : 도교에서 잘 정제된 단약을 이르는 말.

139) 鹿皮巾(녹피건) : 사슴 가죽으로 만든 두건. 은자가 쓰는 것이기에 은자를 상징한다.

140) 籠頭(농두) : 마소의 머리에 씌우는 굴레를 이르는 말.

141) 曳尾之龜(예미지귀) : 꼬리를 끄는 거북. 전국시대 때 초楚나라 위왕威王이 대부大夫를 파견하여 장자莊子에게 벼슬에 오를 것을 종용하였으나, 장자가 '차라리 죽어서 이름을 남길지언정 진흙탕 속에서 꼬리를 흔드는 거북의 신세가 되지는 않겠다'며 거절하였다는 진晉나라 황보밀皇甫謐(215-282)의 ≪고사전高士傳·장주莊周≫권중의 고사에서 유래한 말로 속세에 부화뇌동하거나 벼슬을 추구하는 것을 비유한다. '도미지귀掉尾之龜'라고도 한다.

142) 日中(일중) : 해가 하늘 중앙에 오다. 즉 오전 11시에서 오후 1시 사이인 오시午時 때를 가리킨다.

었다. 그래서 무제는 미소를 지으며 "이는 꼬리를 끄는 거북처럼 벼슬에 나가지 않겠다는 뜻이니 어찌 그를 조정으로 불러들일 수 있으리오?"라고 하였다. 나라에 큰 일이 생길 때마다 늘 그에게 자문을 구했기에 한낮에도 늘상 서신이 오가곤 하였다. 그래서 당시 사람들은 그를 '산중재상'이라고 하였다.

◇雪水烹茶(눈 녹인 물을 가져다가 차를 끓이다)

●陶穀, 字秀實, 自謂, "頭骨當珥貂冠[143]." 宋建隆[144]中, 爲翰林承旨[145], 文冠一時. 子炳登第, 上曰, "穀不能訓子." 命中書[146]. 覆試[147]始此. 納党太尉[148]家姬爲妾. 一夕取雪水, 烹茶, 問曰, "党家有此風味否[149]?" 曰, "彼粗人[150], 安識此風味?"

---

143) 珥貂冠(이초관) : 담비 꼬리를 장식한 갓. 한나라 이후로 시종관侍從官이 쓰던 모자로 매미 모양의 장식품과 담비 꼬리를 꽂기에 '초선관貂蟬冠' '선관蟬冠' '선면蟬冕'이라고도 한다. 결국 고관에 오르는 것을 상징한다.

144) 建隆(건륭) : 북송北宋 태조太祖의 연호(960-962).

145) 翰林承旨(한림승지) : 한림학사翰林學士들을 이끌며 조정의 중요한 조령詔令이나 관리의 임명과 파면, 조정 안팎의 상주문 등 주요 업무를 총괄하는 한림원翰林院의 장관을 이르는 말.

146) 中書(중서) : 위진魏晉 이래로 국가의 기무機務·조령詔令·비기祕記 등을 관장하는 최고 행정 기관인 중서성中書省의 약칭. '중성中省'이라고도 한다.

147) 覆試(복시) : 초시에 합격한 사람이 제2차로 시험을 치르거나, 시험을 잘못 실시하는 바람에 다시금 시험을 치르는 것을 이르는 말. 여기서는 후자를 가리킨다.

148) 党太尉(당태위) : 송나라 태조太祖 때 사람 당진党進. ≪송사·당진전≫권260에는 당진이 태위에 올랐다는 기록이 없으나 여러 차례 절도사節度使를 지냈고, ≪송사≫에 당씨는 당진이 유일하며, 시기적으로도 도곡과 동시대 인물이란 점에 비추어 볼 때 '당태위'는 당진을 가리키는 말로 추정된다. 또한 비록 청나라 때 저서이긴 하지만 ≪송패류초宋稗類鈔·호광豪曠≫권15에서도 유사한 내용을 인용하면서 '당태위진党太尉進'이라고 하여 '당진'임을 명시하였다. '태위'는 군정軍政을 총괄하던 벼슬로 삼공三公 가운데서도 가장 서열이 높았다.

149) 否(부) : 부가의문문을 만드는 어말조사語末助詞.

150) 粗人(조인) : 거친 사람. 보통은 부정적인 의미로 쓰이나 다른 문헌에 의하면 도곡陶穀이 첩실의 말을 듣고서 부끄러워하였다는 말이 덧붙여져 있는 것으로 보아 여기서는 성품이 호방하여 자잘한 일에 신경쓰지 않는 사람이라는 반어적인 의미로 쓰인 듯하다.

○도곡(903-970)은 자가 수실로 스스로 “두개골이 이초관과 잘 어울린다오”라고 하였다. 송나라 태조 건륭(960-962) 연간에 한림승지에 올라 문장으로 한 시대를 풍미하였다. 아들 도병陶炳이 과거시험에 급제하자 태조는 “도곡이 아들을 제대로 가르쳤을 리가 없소”라고 말하고는 중서성에 명령을 내렸다. 시험을 다시 치르는 제도는 여기서 비롯되었다. 당태위(당진党進)의 총희를 첩실로 들였다. 어느 날 저녁 눈 녹인 물을 가져다가 차를 끓이며 물었다. “당공(당진)의 집에도 이런 풍류가 있었소?” 그러자 그녀가 대답하였다. “그는 성품이 호방한 사람이거늘 어찌 이런 풍류를 알겠습니까?”

◇佚老堂(일로당)

●陶子駿, 宋熙豐151)間人. 作佚老堂. 東坡有詩152), 末云, “能爲五字詩, 仍戴漉酒巾153). 人呼小靖節, 自是154)葛天民155).”

○자준子駿 도기陶驥는 송나라 (신종) 희녕熙寧(1068-1077)·원풍元豊(1078-1085) 때 사람으로 일로당을 지었다. 동파東坡 소식蘇軾은 시의 말미에서 “오언시를 잘 짓고, 게다가 술 거르는 칡베 두건을 썼네. 남들은 (진晉나라 도연명陶淵明의 호를 따서) ‘후배 정절’이라고 부르지만, 스스로는 갈천씨 때 사람이라고 하네”라고 하였다.

◇繼老堂(계로당)

●陶弼, 字商翁, 有文武材, 工詩. 宋神宗朝人, 一生仕宦廣西, 晚守欽順二州. 有詩156)云, “冷酒十分無客送, 輕車一兩有民攀. 將老未聞金作

151) 熙豐(희풍) : 북송北宋 신종神宗 때의 연호인 희녕熙寧(1068-1077)과 원풍元豊(1078-1085)을 아우르는 말.

152) 詩(시) : 이는 오언고시五言古詩 <자준子駿 도기陶驥의 일로당에 대해 쓴 시 2수(陶驥子駿佚老堂二首)> 가운데 제2수의 마지막 2연을 인용한 것으로 송나라 소식蘇軾(1036-1101)의 ≪동파전집東坡全集·시81수詩八十一首≫권13에 전한다.

153) 漉酒巾(녹주건) : 술을 거르는 데 쓰는 두건인 갈건葛巾을 이르는 말.

154) 自是(자시) : ≪동파전접≫권13에는 ‘자호自號’로 되어 있다.

155) 葛天民(갈천민) : 속세를 초월한 사람을 이르는 말. ‘갈천’은 전설상의 황제라고도 하고, 상고시대 고을 이름이라고도 한다.

印157), 師寒猶用鐵爲衣.” 父及姪皆嘗爲賓州守, 作繼老堂.

○도필은 자가 상옹으로 문무의 재주를 겸비하였으면서 시를 잘 지었다. 송나라 신종 때 사람으로 평생 광서성 일대에서 벼슬을 하다가 만년에는 (광서성) 흠주欽州와 순주順州 두 주를 다스렸다. 그는 시에서 “시원한 술 가득해도 배웅해 주는 손님 없지만, 날랜 수레 한 대를 백성들이 떠나지 말라며 잡아당기네. 노년에 아직 금도장을 만들었다는 말을 듣지 못 했건만, 군인들 추운데도 여전히 쇠로 갑옷을 만들어 입는구나”라고 하였다. 부친과 조카들도 모두 (광서성) 빈주에서 자사를 지내며 계로당을 지었다.

●陶璜, 晉武時爲交州牧158). 子威爲蒼梧159)大守.

○도황(?-290)은 진나라 무제 때 (광서성) 교주자사를 지냈다. 아들 도위陶威는 (호남성) 창오태수를 지냈다.

●陶回從陶侃, 平蘇峻160), 有功, 封安樂伯.(今瑞州)

○(진晉나라) 도회(286-336)는 도간을 따라 소준을 평정하면서 공을 세워 안락백에 봉해졌다.(안락은 지금의 강서성 서주이다)

●陶臻, 字彦遐, 有謀略, 仕晉, 爲南郡161)守.

---

156) 詩(시) : 이 시는 현전하는 도필陶弼의 ≪옹주소집邕州小集≫에 두 구절만 실린 것으로 보아 전래 과정이 순탄치는 않았던 듯하다.

157) 金作印(금작인) : 금으로 도장을 만들다. 3품 이상의 고관에 오르는 것을 비유한다.

158) 牧(목) : 자사刺史의 별칭. 주州의 장관인 자사는 ‘목牧’이라고 하고, 현縣의 장관인 현령은 ‘재宰’라고 한다.

159) 蒼梧(창오) : 호남성의 속군屬郡이자 산 이름. 순왕舜王의 장지葬地가 있는 곳으로 유명하다.

160) 蘇峻(소준) : 진晉나라 때 사람(?-328). 자는 자고子高이고 봉호는 소릉공邵陵公. 응양장군鷹揚將軍·관군장군冠軍將軍을 역임하며 주견周堅과 왕돈王敦(266-324)의 반란을 평정하여 병권을 장악하였다. 그러나 유양庾亮(289-340)이 병권을 빼앗으려고 하자 조약祖約(?-330)과 함께 반란을 일으켜 수도인 강소성 건강建康을 함락하여 정권을 장악하였다가 온교溫嶠(287-329)와 도간陶侃(257-332)에 의해 살해당했다. ≪진서·소준전≫권100 참조.

○도진은 자가 언하로 지략이 뛰어나 진나라에서 벼슬길에 올라 (호북성) 남군태수를 지냈다.

●陶季直徵召不起, 號曰徵君162). 後仕宋, 爲上蔡163)令.

○도계직은 부름을 받고도 벼슬에 나가지 않아 '징군'으로 불렸다. 뒤에 (남조南朝) 유송에서 벼슬길에 올라 (하남성) 상채현의 현령을 지냈다.

●陶沔, 唐竹溪六逸164)中人.(見李白)

○도면은 당나라 때 (죽계에 은거한 여섯 명의 은자인) '죽계육일' 가운데 한 사람이다.(상세한 내용은 뒤의 이백에 관한 기록에 보인다)

●陶八八得道, 授顔眞卿刀圭165)碧霞丹166).

○(당나라) 도팔팔은 도를 터득한 뒤 안진경에게 도규단과 벽하단을 만들어 주었다.

※女德婚姻(여덕과 혼인)

◇黃鵠歌(고니의 노래)

●烈女陶嬰, 夫死守義. 魯人求之, 嬰作黃鵠(一作鶴)歌云, "早寡七年兮不雙飛, 宛頸167)獨宿兮想其故雌"云云. 魯人聞之曰, "斯女不可得也!"(列女

---

161) 南郡(남군) : 한나라 때 호북성에 설치한 군郡 이름. 베트남 중부에 설치한 일남군日南郡의 약칭으로 쓸 때도 있다.

162) 徵君(징군) : 조정의 초빙을 받으나 응하지 않는 덕망이 높은 은사에 대한 존칭. '징사徵士'라고도 한다.

163) 上蔡(상채) : 하남성의 속현屬縣 이름.

164) 竹溪六逸(죽계육일) : 당나라 때 산동성 태안주泰安州 조래산徂徠山에 은거하여 술과 시로 소일하던 이백李白·공소보孔巢父·한준韓準·배정裴政·장숙명張叔明·도은거陶隱居 등 여섯 명의 문인을 아우르는 말.

165) 刀圭(도규) : 가루로 된 선약 이름. 약을 담는 그릇을 뜻하는 말로 보는 설도 있다.

166) 碧霞丹(벽하단) : 전설상의 선약 이름.

傳168))

○열녀 도영은 남편이 죽자 절조를 지켰다. 노나라 사람이 청혼하자 도영은 <고니의 노래>('혹鵠'은 '학鶴'으로 된 판본도 있다)를 지어 "일찌감치 과부가 되어 7년 동안 짝과 함께 날지 못 하면서, 목을 구부린 채 홀로 잠을 자며 예전의 침실 휘장을 그리워하네"라고 하였다. 노나라 사람이 이 얘기를 듣고서는 "이 여인은 절조를 빼앗을 수 없겠구나!"라고 하였다.(≪열녀전・정순전貞順傳≫권4)

◇南山霧豹(남산 안개 속에 사는 표범)

●陶答子爲大夫, 治陶169)二年, 名譽不興, 家産三倍. 其妻諫曰, "能薄而官大, 是謂家害, 無功而家昌, 是謂積殃. 今夫子170)貪富圖大. 妾聞南山有玄豹, 霧雨七日而不下食者, 何也? 欲以澤其毛衣, 而成其文章耳. 故藏以避害."

○도답자가 대부가 되어 도읍을 2년 동안 다스렸으나 명예는 세우지 못 하고 재산만 세 배로 불어났다. 그러자 그의 아내가 충고하였다. "능력이 부족한데 관직이 높으면 이를 가문의 해악이라고 하고, 아무런 공적이 없는데도 재산이 번창하면 이를 재앙이 쌓인 것이라고 합니다. 이제 당신은 부를 탐하고 고관을 꾀하고 계십니다. 소첩이 듣자하니 남산에 검은 표범이 있는데, 안개와 빗속에 7일 동안 지내면서 먹이를 먹으러 내려오지 않는다고 하던데 어째서이겠습니까? 그저 털에 윤기가 흘러서 무늬가 완성되기를 바라는 것일 뿐입니다. 그래서 숨어서 해악을 피할 수 있답니다."

---

167) 宛頸(완경) : 목을 구부리다. 실의에 젖은 상태를 상징한다.

168) 列女傳(열녀전) : 전한 유향劉向(약B.C.77-B.C.6)이 귀감이 될 만한 여인들에 대해 기록한 전기류傳記類의 책으로 작자 미상의 속편 1권까지 총 8권이다. ≪사고전서간명목록・사부・전기류≫권6 참조.

169) 陶(도) : 춘추전국시대 때 지명. 춘추시대 월越나라 사람 범이范蠡가 은둔한 곳으로 유명하나 정확한 위치는 알려지지 않았다.

170) 夫子(부자) : 스승이나 장자長者・고관・부친・남편 등에 대한 존칭. 춘추시대 노魯나라 공자의 제자들이 공자를 '부자'라고 부른 것이 그 대표적인 예이다. 여기서는 남편을 가리킨다.

◇苦節(고생을 마다하지 않다)

●靖節再娶翟氏, 能安苦節[171). 夫耕于前, 妻鋤于後.

○(진晉나라) 정절선생 도연명(365-427)은 책씨와 재혼하였는데 그녀는 고생스러운 생활을 마다하지 않았다. 그래서 남편은 앞에서 밭을 갈고 아내는 뒤에서 호미질을 하였다.

◇母成子名(모친이 아들의 명성을 이루게 하다)

●陶丹聘新淦[172)湛氏爲妾, 生侃. 家貧, 湛氏紡績供給, 使交結名勝[173).

○(삼국 오吳나라) 도단은 (강서성) 신감현 사람 담씨를 첩실로 맞아 도간陶侃을 낳았다. 집이 가난하여 담씨는 방적을 해서 생계를 꾸리면서도 아들에게 명망 높고 재능 있는 선비들과 사귀게 했다.

◇世姻(대대로 사돈관계를 맺다)

●靖節母夫人[174), 孟嘉[175)第四女也. 嘉本娶陶侃第十女, 後以二女妻侃子茂之二子. 一生靖節, 一生敬遠.

○(진晉나라) 정절선생 도연명(365-427)의 모친은 맹가의 넷째 딸이다. 맹가는 본래 도간의 열 번째 딸을 아내로 맞았다가 뒤에 두 딸을 도간의 아들인 도무陶茂의 두 아들에게 시집보냈다. 그래서 한 딸은 도연명을 낳고, 다른 한 딸은 도경원陶敬遠을 낳았다.

◇婿有奇表(사위감에게 범상치 않은 기상이 있다)

●陶謙年十四綴帛于幡, 乘竹馬而戱, 邑中兒童隨之. 蒼梧太守出, 遇於途,

---

171) 苦節(고절) : 고생을 하면서도 절조를 굽히지 않는 것을 이르는 말.

172) 新淦(신감) : 강서성의 속현屬縣 이름.

173) 名勝(명승) : 명망이 높고 재능이 뛰어난 선비를 이르는 말.

174) 夫人(부인) : 황제의 후처後妻인 비빈妃嬪이나 제후의 적처嫡妻에 대한 존칭. 후에는 고관이나 명사의 부인에 대한 존칭으로도 쓰였다.

175) 孟嘉(맹가) : 진晉나라 때 사람. 자는 만년萬年. 중양절 날 환온桓溫(312-373)을 따라 용산龍山에 올랐다가 모자가 떨어진 줄 모르고 뒷간에 간 동안 손성孫盛이 이를 놀리는 글을 짓자, 돌아와 즉시 답문答文을 지어서 좌중을 감동시켰다는 고사로 유명하다. ≪진서晉書·맹가전≫권98 참조.

悅之, 許妻以女. 夫人怒曰, "陶家兒遊戲無度, 何可妻?" 公曰, "彼有奇表[176], 長必成材." 卒妻之. 後爲徐州牧, 封溧陽[177]侯.

○(후한) 도겸(132-194)이 나이 열네 살에 깃발에 비단을 묶고 죽마를 타고 놀자 고을 아이들이 그를 뒤따랐다. (호남성) 창오태수가 외출했다가 길에서 마주치고는 그가 마음에 들자 딸을 시집보내겠다고 허락하였다. 부인이 화가 나서 말했다. "도씨집 아이는 도에 지나치게 놀기만 하거늘 어찌하여 딸을 그에게 시집보낼 수 있단 말입니까?" 그러자 태수가 말했다. "저 아이에게는 범상치 않은 기상이 있으니 장성하면 틀림없이 훌륭한 재목이 될 것이오." 결국 그에게 딸을 시집보냈다. 도겸은 뒤에 (강소성) 서주자사가 되어 율양후에 봉해졌다.

◇陶李洞(도리동)

●陶李洞者, 昭州平樂縣, 有二仙廟. 相傳, 唐時太尉陶英謫居于此, 與李氏聯姻, 後二姓居洞中者數百家, 世世爲婚.

○도리동이란 고을은 (광서성) 소주 평락현에 있는데 그곳에는 (두 신선을 모신 사당인) 이선묘가 있다. 전하는 말에 의하면 당나라 때 태위에 오른 도영이 이곳에서 폄적생활을 하면서 이씨와 사돈을 맺었고, 그뒤로 두 성씨로서 고을에 거주한 이가 수백 가구가 되면서 대대로 혼인관계를 맺었다고 한다.

●鬱陶[178]. 陳陶[179]. 鈞陶[180].

---

176) 奇表(기표) : 범상치 않은 기운, 비범한 의표를 이르는 말.
177) 溧陽(율양) : 강소성의 속현屬縣 이름. 여기서는 봉호를 가리킨다.
178) 鬱陶(울도) : 수증기나 구름 따위가 빽빽하게 뭉친 모양이나 상념에 젖어 우울한 모양을 뜻하는 말.
179) 陳陶(진도) : 오대십국五代十國 남당南唐 때 은자이자 시인(?-약 885). 자는 숭백嵩伯이고 호는 삼교포의三敎布衣. 천문과 역수曆數에 정통하고, 강서성 홍주洪州 서산西山에 은거하였다. 송나라 용곤龍袞의 ≪강남야사江南野史·진도전≫권8 참조. 지명인 진도사陳陶斜의 준말을 가리킬 때도 있다.
180) 鈞陶(균도) : 돌림판으로 도자기를 만드는 일. 인재를 양성하거나 국정을 장악하는 것을 비유한다.

○우울한 모양. 진도. 돌림판으로 도자기를 빚다.

◆曹(조씨)

▶商音. 譙國. 顓帝[181]元孫[182]陸終第三子爲曹氏.

▷음은 상음에 속하고 본관은 (안휘성) 초국이다. (전설상의 임금) 전욱顓頊 황제의 후손인 육종의 셋째 아들이 성을 조씨로 한 데서 유래하였다.

◇一鼓作氣(첫 번째로 북을 치면 사기가 일어나다)

●曹劌從魯師, 與齊戰于長勺[183]曰, "夫戰, 勇氣也. 一鼓作氣, 再而衰, 三而竭."

○(춘추시대 때) 조귀는 노나라 군대를 따라 제나라와 장작에서 전투를 벌이며 "무릇 전투의 승패는 용기에 달려 있습니다. 첫 번째로 북을 치면 사기가 일어나지만, 두 번째로 칠 때면 쇠약해지고, 세 번째 칠 때가 되면 고갈되고 맙니다"라고 말했다.

◇奮三尺劍(세 자 되는 검을 휘두르다)

●曹沫[184]以勇力事莊公, 爲將. 齊魯會盟于柯[185], 沫以匕首[186]刦桓公, 歸魯侵地. 戰國策[187]曰, "沫奮三尺之劍, 一軍不能當. 使操銚耨[188]居

---

181) 顓帝(전제) : 전설상의 임금인 오제五帝 가운데 두 번째 황제인 전욱顓頊의 별칭. 씨氏는 '고양高陽'이고, 성姓은 '희姬'이며, 황제黃帝의 증손자이다. ≪제왕세기・오제≫권2 참조.

182) 元孫(원손) : 고손자나 후손을 뜻하는 말인 '현손玄孫'의 다른 표기. '원元'은 청나라 강희제康熙帝의 휘避 때문에 '현玄'을 고쳐 쓴 것이다.

183) 長勺(장작) : 춘추시대 노魯나라 땅 이름. 그러나 정확한 위치는 알려지지 않았다.

184) 曹沫(조매) : 춘추시대 노魯나라 장공莊公 때 장수인 조귀曹劌의 별칭. 제齊나라 환공桓公과 회맹會盟하는 자리에 검을 들고 들어가 요구 조건을 성사시키고 검을 버렸다는 ≪공양전公羊傳・장공13년≫권7의 고사로 유명하다. '매沫'는 '말沫'로 표기한 문헌도 있는데, 여기서는 조말曹沫로 표기한 ≪사기・자객열전・조말전≫권86의 표기를 따른다.

185) 柯(가) : 춘추시대 때 제齊나라에 있었던 땅 이름. 지금의 산동성 동아현東阿縣 근처 일대.

186) 匕首(비수) : 단검을 이르는 말. 머리(首)를 화살촉(匕)처럼 만든 데서 유래하였다.

隴, 不若農人.”

○(춘추시대 노魯나라) 조말曹沫(조귀曹劌)은 용기와 힘이 뛰어나 장공을 섬기면서 장수에 올랐다. 제나라와 노나라가 (산동성) 가읍에서 회맹을 가졌을 때 조말이 비수를 이용하여 (제나라) 환공을 협박해서 침략한 땅을 노나라에 다시 돌려주게 하였다. ≪전국책·제책齊策3≫권10에서는 "조말이 세 자 되는 검을 휘두르자 군대 전체도 당해내지 못 했지만, 만약 그에게 호미를 손에 들고 밭두렁에 있으라고 한다면 솜씨가 농부보다도 못 할 것이다"라고 하였다.

◇趣裝入相(서둘러 짐을 꾸려 입궐해서 재상에 오르다)

●曹參與蕭何同起, 佐漢祖卽位, 定元功189)十八人位次. 參第五, 封平陽侯. 蕭何薨, 參告舍人190)趣裝曰, “吾將入相.” 及爲相, 一遵何約束191). 百姓歌曰, “蕭何爲法, 較若畫一. 曹參代之, 守而勿失. 載其淸靜, 民以寧壹192).” 子窋爲中大夫193). 次子時·時子襄, 皆尙194)公主.

○조참(?-B.C.190)은 소하(?-B.C.193)와 함께 벼슬길에 올라 전한 고조(유방劉邦)의 즉위를 도우고 개국공신 18인의 위상을 정하였다.

---

187) 戰國策(전국책) : 주周나라 때 전국시대 역사를 각 제후국별로 서술한 사서史書. 후한 고유高誘의 주가 있으나 실제로는 송나라 요굉姚宏이 보충한 것도 있다. 제2-4권과 제6-10권은 고유의 원주原注이고, 나머지 제1·5권은 요굉의 보주補注이다. 총 33권. ≪사고전서간명목록·사부·잡사류雜史類≫권5 참조.

188) 銚耨(요누) : 호미에 대한 총칭. ‘요銚’는 큰 호미를 뜻하고, ‘누耨’는 긴 호미를 뜻한다. 결국은 농기구를 가리킨다.

189) 元功(원공) : 큰 공이나 그러한 공을 세운 공신을 이르는 말. ‘원元’은 ‘대大’의 뜻. 여기서는 개국공신을 가리킨다.

190) 舍人(사인) : 전국시대와 한나라 때 왕이나 고관이 개인적으로 두어 집안 일을 돕게 하던 벼슬. 당송 때는 중서사인中書舍人의 약칭으로도 쓰였다.

191) 約束(약속) : 구속하다, 제약하다. 여기서는 법령을 가리킨다.

192) 寧壹(영일) : 일관성 있는 정책으로 평안을 누리다.

193) 中大夫(중대부) : 진한秦漢 이후로 의론을 주관하던 벼슬 가운데 하나. 태중대부大中大夫·중대부中大夫·간대부諫大夫가 있었다.

194) 尙(상) : 공주에게 장가가는 것을 뜻하는 말. 남자가 몸을 낮추어 신분이 높은 공주를 ‘존중한다’는 의미에서 유래하였다. 반면 공주가 신분이 낮은 집안에 시집가는 것은 ‘하가下嫁’라고 한다.

조참은 제5위를 차지해 평양후에 봉해졌다. 소하가 죽자 조참은 사인에게 서둘러 짐을 꾸리라고 알리면서 “내가 장차 입궐하여 재상을 맡을 것이네”라고 하였다. 재상에 오르고 나서는 한결같이 소하가 만든 법령을 따랐다. 그래서 백성들은 노래를 지어 “소하가 만든 법령은 비유하자면 ‘한 일’자를 긋듯이 분명하다네. 조참이 그를 대신해서는 이를 지키며 바꾸지 않았네. 그 청정함 때문에 백성들은 평안을 누린다네”라고 하였다. 아들 조줄曹窋은 중대부를 지냈고, 차남 조시曹時와 조시의 아들 조양曹襄은 모두 공주에게 장가들었다.

◇善算術(산술에 정통하다)

●曹元理善算術. 過陳廣漢家, 算有俎上烝豚·廚中荔枝, 何不設, 廣漢大驚.

○(전한 사람) 조원리는 산술에 정통하였다. (친구인) 진광한의 집에 들렀다가 도마 위에 찐 돼지고기와 주방 안에 여지가 있는데도 어째서 음식으로 차리지 않았는지 계산해 내자 조광한이 대경실색하였다.

◇書倉(서고)

●曹曾, 濟陰人, 從歐陽歙受尚書[195]. 積石爲倉以藏書, 號曹氏書倉.(漢光武時人)

○(후한) 조증은 (산동성) 제음현 사람으로 구양흡으로부터 ≪서경≫을 전수받았다. 돌을 쌓아서 창고를 만들어 서책을 소장하고는 ‘조씨서창’으로 불렀다.(조증은 후한 광무제 때 사람이다)

◇三葉侍中(삼대에 걸쳐 시중을 지내다)

●曹褒, 字叔通, 父充傳慶氏禮[196], 爲博士. 褒傳父業, 博物識古, 爲儒

---

195) 尙書(상서) : ≪서경≫의 별칭. ‘상尙’은 ‘고古’의 뜻이므로 ‘오래된 역사책’이란 의미에서 유래하였다.

196) 慶氏禮(경씨례) : 전한 때 후창后倉의 제자인 경보慶普가 정립한 ≪예기≫를 가리키는 말.

者宗. 漢章帝徵拜博士. 條正冠婚吉凶[197]制度, 爲百五十篇, 上之. 父子三葉爲侍中[198].

○조포(?-102)는 자가 숙통으로 부친 조충曹充에게서 경씨(경보慶普)의 ≪예기≫를 전수받아 박사가 되었다. 조포는 부친의 가업을 전수받아 박학다식하였기에 유학자들에게 존경을 받았다. 후한 장제가 그를 불러 박사에 임명하였다. 조포는 관혼상제에 관한 제도를 조목조목 정리하여 150편의 글을 지어서 장제에게 바쳤다. 부자가 삼대에 걸쳐 시중을 지냈다.

◇五色綵棒(오색 비단으로 감싼 몽둥이)

●曹操, 字孟德, 小字阿瞞. 漢桓帝朝, 擧孝廉[199], 爲郎[200], 除洛陽北部都尉[201], 造五色[202]棒, 垂門左右各十枚, 有犯禁者, 不避豪强[203], 皆棒殺之. 嘗行軍失道, 三軍[204]皆渴. 操曰, "前有梅林, 結子甘酸, 可止渴." 士卒聞之, 口皆出水. 後爲魏祖[205].

---

197) 冠婚吉凶(관혼길흉) : 관례冠禮·혼례婚禮·길례吉禮(제례)·흉례凶禮(상례)를 아우르는 말. 즉 관혼상제冠婚喪祭를 가리킨다.

198) 侍中(시중) : 황제의 측근에서 기거起居를 보살피고 정령政令을 집행하는 일을 관장하는 벼슬. 진晉나라 이후로 재상의 지위에까지 오르고, 수나라 때 납언納言 혹은 시내侍內라고 하였으며, 당송 이후로는 조정의 주요 행정 기관인 삼성三省 가운데 문하성門下省의 수장首長이 되었다.

199) 孝廉(효렴) : 한나라 때 관리를 선발하는 제도의 하나. 효렴과孝廉科 외에도 현량방정賢良方正·직언극간直言極諫 등의 과목이 있었다.

200) 郞(낭) : 황제의 호위와 시종·자문 등을 맡은 시종관侍從官에 대한 총칭. 의랑議郞·중랑中郞·상서랑尙書郞·시랑侍郞·낭중郞中·원외랑員外郞 등 다양한 직책이 생겼다.

201) 都尉(도위) : 벼슬 이름. 전국시대 때는 장수의 속관이었고, 전한 경제景帝 이후로는 태수의 군무軍務를 보좌하는 속관이었으며, 당송唐宋 이후로는 훈관勳官이었다. 군위軍尉라고도 한다.

202) 五色(오색) : 정색正色인 청·적·황·백·흑색의 다섯 가지. 상서로운 징조를 상징한다.

203) 豪强(호강) : 권세가를 이르는 말.

204) 三軍(삼군) : 군대의 편제 단위. 주周나라 때 1군은 군사가 12,500명이었는데, 천자는 6군을, 제후는 작위에 따라 3군·2군·1군을 거느렸다. 후대에는 전군前軍·중군中軍·후군後軍, 혹은 보군步軍·기군騎軍·거군車軍을 가리키면서 군대에 대한 통칭으로 쓰였다.

○조조(155-220)는 자가 맹덕이고 어렸을 때 자가 아만이다. 후한 환제 때 효렴과에 급제하여 낭관을 지내다가 (하남성) 낙양의 북부를 관장하는 도위를 제수받자, 오색봉을 만들어 출입문 좌우에 각기 열 개씩 걸어두고는 범법자가 있으면 권세가도 마다하지 않고 모두 그 몽둥이로 격살하였다. 일찍이 행군하다가 길을 잃어 군인들이 모두 목말라하자 조조가 말했다. "앞에 매화나무숲이 있고 열매가 달고 새콤하게 맺혔으니 갈증을 없앨 수 있을 것이오." 병사들이 이 얘기를 듣고서 모두들 입에서 침을 흘렸다. 뒤에 (삼국) 위나라 태조가 되었다.

◇七步八斗(일곱 걸음 안에 시를 완성하면서 여덟 말을 차지하는 글재주)

●曹植, 字子建. 魏文帝忌其才, 欲害之, 令作詩, 限七步成. 植應聲曰, "煮豆燃豆箕[206], 豆在釜中泣. 本是同根生, 相煎何太急?" 謝靈運言, "天下文章止一碩[207]. 子建獨得八斗." 建安[208]以曹劉[209]爲絶唱. 封陳思王[210].

○조식(192-232)은 자가 자건이다. (형인 삼국) 위나라 문제(조비曹丕)가 그의 글재주를 시기하여 그를 해코지하고자 시를 지으라고 하면서 일곱 걸음 안에 완성케 하였다. 조식은 그 소리를 듣자마자 "콩을 끓이느라 콩깍지를 태우니, 콩이 솥 안에서 눈물을 흘리네. 본시 같은 뿌리에서 태어났건만, 들들 볶아대는 것이 어찌 이리도

---

205) 魏祖(위조) : 삼국 위魏나라 태조太祖 조조曹操(155-220)의 준말. 묘호는 태조이고, 시호는 무제武帝이며, 후한 말엽의 봉호는 위왕魏王이다.

206) 煮豆燃豆箕(자두연두기) : 콩(豆)은 조식曹植(192-232) 자신을, 콩깍지('箕'는 '萁'의 오기)는 문제文帝 조비曹丕(187-226)를 비유함으로써 형인 조비가 동생인 자신을 괴롭힌다고 풍자하는 말이다. 그러나 위의 오언고시五言古詩는 조식의 작품이 아니라 위작僞作으로 보는 것이 통설이다.

207) 碩(석) : 열 말에 해당하는 도량형 단위인 '석石'과 통용자. 한 섬.

208) 建安(건안) : 후한後漢 헌제獻帝의 연호(196-220).

209) 曹劉(조류) : 후한 말엽 건안 시기를 대표하는 시인인 조식曹植(192-232)과 유정劉楨(?-217)을 아우르는 말.

210) 陳思王(진사왕) : 조식曹植의 별칭. '진陳'은 봉호이고 '사思'는 시호이다.

급할까?"라고 읊조렸다. (남조南朝 유송劉宋) 사영운은 "천하의 문장은 단지 한 섬에 그치는데 자건(조식) 혼자서 그중 여덟 말이나 차지한다"고 하였다. (후한 헌제) 건안(196-220) 때 조식과 유정劉楨을 절창이라고 하였다. 조식은 진사왕에 봉해졌다.

◇黃鬚兒(노란 수염을 기른 아이)

●曹彰, 字子文, 膂力[211]過人. 操曰, "黃鬚兒[212]竟大奇也." 封任城[213]王.

○(삼국 위魏나라 조조曹操의 아들인) 조창(약 190-233)은 자가 자문으로 완력이 누구보다도 강하였다. 그래서 조조가 "노란 수염을 기른 아이가 어디까지나 가장 훌륭하다오"라고 하였다. 임성왕에 봉해졌다.

◇稱象(코끼리의 무게를 재다)

●曹沖, 字倉舒, 五六歲, 智慧若成人. 時吳貢大象, 操欲知斤兩. 沖曰, "置象大船中, 而刻其水痕, 稱物以載之." 封節哀王. 植・彰・沖, 皆操子也.

○(삼국 위魏나라 조조曹操의 막내아들인) 조충(198-210)은 자가 창서로 대여섯 살에 지혜가 성인과 막먹었다. 당시 오나라에서 코끼리를 바쳐 조조가 그 무게를 알고 싶어하자 조충이 아뢰었다. "코끼리를 커다란 배에다 두고서 그로 인한 물자국을 표시한 뒤 물건의 무게를 재서 거기에 실어 비교하면 됩니다." 절애왕에 봉해졌다. 조식曹植・조창曹彰・조충 모두 조조의 아들이다.

◇競病詩('경競'과 '병病' 자를 운자로 삼아 시를 짓다)

●曹景宗, 字子震, 以膽勇聞, 梁武朝, 爲右衛將軍. 魏兵圍鍾離[214], 景

---

211) 膂力(여력) : 등골의 힘을 뜻하는 말로 결국 완력이나 체력을 뜻한다.
212) 黃鬚兒(황수아) : 노란 수염을 기른 아이. 조조曹操(155-220)의 아들인 조창曹彰(약 190-233)의 별명으로 뒤에는 용맹한 사람을 비유하는 말로 쓰였다.
213) 任城(임성) : 산동성의 속군屬郡 이름. 여기서는 봉호를 가리킨다.

宗解圍, 振旅凱還. 帝於光華殿宴飮聯句[215], 令沈約賦韻. 時用韻已盡, 惟餘競·病二字. 景宗操筆, 立[216]成云, "去時兒女悲, 歸來笳鼓[217]競. 借問行路人, 何如霍去病[218]?" 帝嗟嘆. 出行, 坐車幔帷曰, "昔在鄕里, 騎快馬如龍, 拓弓弦作霹靂[219]聲, 箭如餓鴟叫, 耳後風生[220], 鼻頭火出. 今來揚州, 作貴人, 閉置車中, 如三日新婦[221], 邑邑[222]使人氣盡." 謚壯侯.

○조경종(457-508)은 자가 자진으로 담력과 용기로 이름이 알려져 (남조南朝) 양나라 무제 때 우위장군에 올랐다. (북조北朝) 북위北魏의 군대가 (안휘성) 종리현을 포위하자 조경종이 포위를 풀고 군사력을 떨쳐서 개선장군이 되어 돌아왔다. 무제가 광화전에서 술자리를 베풀고 연구시를 지으면서 심약에게 운자에 맞게 시를 짓게 하였다. 그러자 때마침 운자를 다 사용하고 단지 '경'과 '병' 두 글자만 남았다. 조경종이 붓을 잡자 즉시 다음과 같은 시를 완성하였다. "떠날 때는 아녀자들이 슬퍼하더니, 돌아오자 다투어 음악소리 울리네. 길 가는 사람에게 물어보나니, (전한 때 장수) 곽거병과 비교해서 어떠하오?" 무제가 감탄해 하였다. 뒤에 조경중은 출행하게 되었을 때 수레의 휘장 안에 앉아 말했다. "옛날에 고향에서 지낼 때는

---

214) 鍾離(종리) : 안휘성의 속현屬縣 이름.

215) 聯句(연구) : 두 사람 이상이 모여 한 구절이나 한 연을 돌아가면서 지은 뒤 이를 모아서 시편을 완성하거나 그러한 작품을 이르는 말. 전한 무제武帝가 백량대柏梁臺에서 신하들과 함께 <백량시柏梁詩>를 지은 데서 유래하였다.

216) 立(입) : 즉시, 바로.

217) 笳鼓(가고) : 호드기와 북. 환영하기 위해 울리는 음악 소리를 가리킨다.

218) 霍去病(곽거병) : 전한 때 장수로 곽광霍光(?-B.C.68)의 이복형(?-B.C.117). 무제武帝 위황후衛皇后의 언니의 아들로 표조교위嫖姚校尉의 직책을 맡아서 외숙부인 위청衛靑(?-B.C.106)을 따라 흉노 정벌에 공을 세웠고, 표기장군驃騎將軍과 대사마大司馬를 지냈다. ≪한서·곽거병전≫권55 참조.

219) 礔礰(벽력) : 천둥. '벽력霹靂'과 통용자.

220) 耳後風生(이후풍생) : 귓전에서 바람소리가 나다. 매우 빨리 달리는 것을 비유한다.

221) 三日新婦(삼일신부) : 갓 시집온 새색시를 이르는 말. 신부가 혼례를 올린 지 3일 되는 날부터 부엌에 들어가 살림을 시작하는 풍습에서 유래한 말로 예법에 구애를 받아 자유롭지 못 한 것을 비유한다.

222) 邑邑(읍읍) : 답답하다, 목이 메다. '오읍於邑'이라고도 한다.

쾌마를 타면 용처럼 내달리고, 활줄을 당기면 천둥소리를 냈고, 화살을 쏘면 굶주린 솔개가 우는 듯한 소리를 냈으며, 귓전에 바람소리가 일고 코끝에서 불꽃이 이는 듯한 느낌을 가졌소. 그런데 이제는 (강소성) 양주에 와서 귀인이 되었건만 수레 안에 갇힌 신세가 마치 갓 시집온 새색시 같으니 답답하여 기운이 하나도 없구려." 시호는 '장후'이다.

◇契丹議和(거란과 화친을 논의하다)

●曹利用與契丹[223]議和曰, "割地之議, 死不敢聞." 敵不能屈.

○(송나라) 조이용(971-1029)은 거란과 화친을 논의하는 자리에서 말했다. "땅을 떼어달라는 얘기는 죽어도 감히 폐하께 아뢸 수 없소이다." 거란이 그를 굴복시키지 못 했다.

◇杏園詩(행원에서 지은 시)

●曹鄴, 字業之, 唐詩人. 作四怨三愁五情詩[224], 其一怨云, "庭花已結子, 岩花猶弄色. 誰令生處遠? 用盡青皇[225]力." 後舍人[226]韋慤薦之, 登第. 杏園[227]宴, 呈同年[228]云, "賢路非青雲, 十年行不至. 一旦公道開, 青

223) 契丹(거란) : 동호東胡의 한 종족. 북조北朝 북위北魏 때부터 거란이란 이름으로 불리기 시작했다. 오대五代 후량後梁 때 야율아보기耶律阿保機가 흩어졌던 부족들을 통일하고, 발해渤海·여진女眞·돌궐突厥 등을 정복하여 요遼나라를 건국하였다가 여진족의 금金나라에 의해 멸망당했다.

224) 四怨三愁五情詩(사원삼수오정시) : 이는 동명의 절구체絶句體 오언고시五言古詩 총 12수 가운데 <두번째 원망을 노래한 시(其二怨)>를 인용한 것으로 당나라 조업曹鄴(약 816-약 875)의 ≪조사부집曹祠部集≫권1에 전한다.

225) 青皇(청황) : 봄을 관장하는 신인 동방청제東方青帝를 이르는 말로 결국 조화옹의 신통력을 가리킨다. 사고전서본 ≪조사부집≫권1에는 '청공青工'으로 되어 있는데 의미상에 차이는 없는 듯하다.

226) 舍人(사인) : 당송 때 황명의 기초起草와 출납出納을 관장하는 중서성中書省 소속의 벼슬인 중서사인中書舍人의 약칭. 장관인 중서령中書令과 버금 장관인 중서시랑中書侍郎 다음 가는 고관高官이다.

227) 杏園(행원) : 섬서성 장안長安 동쪽 곡강지曲江池에 있는 살구나무 가득한 정원 이름. 진사과 급제자들에게 축하연을 베풀어 주던 곳으로 유명하다.

228) 同年(동년) : 합격동기생을 뜻하는 말. '같은 해에 합격했다'는 의미에서 유래하였다.

雲在平地.” 王荊公選唐百家詩229), 曹鄴一首, 曹唐二首, 曹松十三首.

○조업(약 816-약 875)은 자가 업지로 당나라 때 시인이다. <네 가지 원망·세 가지 근심·다섯 가지 정을 읊은 시>를 지었는데, 그중 원망을 읊은 시 한 수에서 “집마당에 핀 꽃은 이미 열매를 맺었건만, 산속 바위에 핀 꽃은 아직도 빛깔을 뽐내고 있나니, 누가 자란 곳을 먼 곳에 있게 해, 봄의 신통력을 다 쓴 것일까?”라고 하였다. 뒤에 중서사인 위각의 추천을 받아 과거시험에 응시해 급제하였다. 그래서 행원에서 연회에 참석했을 때 합격동기생에게 다음과 같은 시를 증정하였다. “현명한 길이 청운의 뜻을 이루는 것은 아니지만, 10년 동안 노력해도 도달하지 못 하다가, 하루아침에 공정한 길이 열려, 청운이 평지에 놓이게 되었네.” (송나라) 형국공荊國公 왕안석王安石이 당나라 때 시인 100명의 시를 모아 엮은 ≪당백가시선≫에는 조업의 시가 한 수, 조당의 시가 두 수, 조송의 시가 13수 실려 있다.

◇俎豆干戈(예기와 무기를 양손에 들다)

●曹彬, 字國華. 試周日, 左手提干戈, 右手取俎豆230), 斯須231)取一印232). 後佐趙太祖233)開國, 拜樞密使相, 贈濟陽王. 謚武惠.

○조빈(931-999)은 자가 국화이다. (오대) 후주後周에서 시험을 치르던 날 왼손에 무기를 들고 오른손에 예기禮器를 들더니 얼마 안 있어 관인官印(관직)을 하나 손에 넣었다. 뒤에 (송나라) 태조 조광윤趙匡胤을 도와 나라를 세우고서 추밀사와 재상을 배수받고 제양왕에 봉해졌다. 시호는 ‘무혜’이다.

---

229) 唐百家詩(당백가시) : 송나라 왕안석王安石(1021-1086)이 당나라 때 시를 골라 엮은 시선집. 총 20권. 그러나 신법新法을 강행한 왕안석에 대한 선입관 때문에 배격을 당했다. ≪사고전서간명목록·집부·총집류≫권19 참조.

230) 俎豆(조두) : 희생을 놓는 그릇과 절인 채소를 놓는 그릇. 제사에 사용하는 제기祭器를 뜻한다. 의미가 전이되어 예법禮法과 의식儀式을 뜻하기도 한다.

231) 斯須(사수) : 매우 짧은 순간을 이르는 말. ‘수유須臾’라고도 한다.

232) 取一印(취일인) : 도장을 하나 손에 넣다. 모종의 관직에 오른 것을 비유하는 말인 듯하다.

233) 趙太祖(조태조) : 송나라 태조太祖 조광윤趙匡胤(927-976)을 가리킨다.

◇舟中圖籍(배에 도서만 싣다)

●彬伐蜀凱還，輜重[234]甚多，皆圖書也，無銖[235]金寸錦之附．征江南回，舟中無他物，惟圖籍衣被而已．出師時，上許凱旋授以相印，及還賜錢百萬．彬曰，"好官不過多得錢耳，何必使相[236]?" 彬兩總樞密，五臨蕃翰[237]，位益高，志益下，寵愈厚，憂愈深．淸白如寒儒，坐武帳[238]中，止衣弋綈[239]紵絮[240]而已．

○(송나라) 조빈(931-999)은 촉나라를 정벌하고 개선하면서 수레에 물품을 많이 실었지만 모두 도서일 뿐 금이나 비단을 조금도 보태지 않았다. 강남 땅을 정벌하고 돌아올 때는 배안에 다른 물건을 싣지 않고 단지 도서와 옷·이불만 싣는 데 그쳤다. 군대를 출동할 때 태조는 개선하면 재상의 도장을 주고 돌아온 뒤에는 돈 백만 냥을 하사하겠다고 약속하였다. 그러자 조빈은 "좋은 관직이 돈을 많이 버는 데 불과하다면 어찌 절도사와 승상직을 맡을 필요가 있겠나이까?"라고 하였다. 조빈은 두 차례나 추밀원을 총괄하고 다섯 번이나 대신의 자리를 맡았지만 지위가 높아질수록 마음을 더욱 겸손하게 먹고, 총애가 두터워질수록 나라 걱정을 더욱 깊이 하였다. 가난한 선비처럼 청렴결백한 태도를 유지하였기에 장수의 막사에 있을 때는 단지 검은 비단에 모시 지스러기를 넣은 옷을 입었을 뿐이다.

---

234) 輜重(치중) : 군수품이나 탑재한 물품을 일컫는 말.
235) 銖(수) : 도량형 단위. 24분의 1냥. 매우 적은 양을 비유한다.
236) 使相(사상) : 송나라 때 절도사節度使로서 중서령中書令·시중侍中·중서문하평장사中書門下平章事 등을 겸임하던 벼슬. 공신이나 전직 재상을 우대하던 제도이다.
237) 蕃翰(번한) : 울타리와 기둥. ≪시경≫에서 유래한 말로 국가의 중신이나 대신을 비유한다.
238) 武帳(무장) : 제왕이나 대신이 사용하는 병기를 보관하는 장막. 무사의 문양을 새긴 휘장이란 설도 있다. 결국 장수직을 비유한다.
239) 弋綈(익제) : 검은 색의 두터운 비단을 뜻하는 말.
240) 紵絮(저서) : 솜 대용으로 사용하는 모시 지스러기를 이르는 말. 앞의 '익제弋綈'와 함께 검소한 차림을 상징한다.

◇三登將壇(세 차례 상장군上將軍의 단상에 오르다)

●彬諸子皆賢, 瑋·琮·璨繼領旄鉞[241]. 故陶弼觀王畫像詩[242]云, "蒐兵四把降王縛, 敎子三登上將壇.

○(송나라) 조빈(931-999)의 아들들도 모두 능력이 출중하였기에 조위曹瑋·조종曹琮·조찬曹璨이 뒤를 이어 장수직을 맡았다. 그래서 도필은 <제양왕濟陽王(조빈)의 초상화를 구경하고서 쓴 시>에서 "병사들을 모집하여 사방으로 항복한 왕들을 붙잡아 포박하더니, 아들 세 명도 상장군의 단상에 오르게 하였네"라고 하였다.

◇席上獻詩(즉석에서 시를 바치다)

●曹翰, 趙太祖名將也. 太宗朝, 數年不調, 因內宴獻詩[243]云, "三十年前學六韜[244], 美名常得與時髦[245]. 曾因國難披金甲, 不爲家貧賣寶刀. 臂健尙嫌弓力軟, 眼明猶識陣雲[246]高. 庭前昨夜西風起, 羞見團花舊戰袍." 上爲遷數官. 謚武毅公.

○(송나라) 조한(924-992)은 태조太祖 조광윤趙匡胤 휘하의 명장이다. 태종 때 몇 년 동안 발령을 받지 못 하자 내전에서의 연회에 참석한 김에 다음과 같은 시를 바쳤다. "30년 전 ≪육도≫를 배워, 명성을 늘 당시 준걸들과 함께 날렸네. 일찍이 국난 때문에 갑옷을 걸쳤고, 집이 가난하다고 해서 보도를 팔지 않았네. 팔이 튼튼해 오히

---

241) 旄鉞(모월) : 임금이 장수에게 병권兵權의 상징으로 하사하는 깃발과 도끼를 가리키는 말. 장수나 절도사의 직책을 가리킨다.

242) 詩(시) : 이는 현전하는 송나라 도필陶弼의 ≪옹주소집邕州小集≫에도 두 구절만 전하는 것으로 보아 일시逸詩인 듯하다.

243) 詩(시) : 이는 칠언율시七言律詩 <내전에서의 연회에 참석해 황명에 응해 짓다(內宴應制)>란 제목으로 송나라 여조겸呂祖謙(1137-1181)의 ≪송문감宋文鑑·칠언율시≫권24에 전한다.

244) 六韜(육도) : 고대 병법서의 하나. 주周나라 강태공 여상呂尙이 지었다고 전하지만 위서僞書이다. 문도文韜·무도武韜·용도龍韜·호도虎韜·표도豹韜·견도犬韜의 여섯 편으로 이루어져 있다. 총 6권. ≪사고전서간명목록·자부·병가류兵家類≫권9 참조.

245) 時髦(시모) : 당시의 인재들. '髦'는 준걸을 뜻한다.

246) 陣雲(진운) : 전쟁이 벌어질 듯이 살기를 띤 먹구름을 이르는 말. 전쟁 상황이나 진법에 대해 잘 파악하고 있는 것을 비유한다.

려 활의 강도가 약하다고 의심하고, 눈이 밝아 여전히 전쟁의 기운 높은 줄 알아보거늘, 뜨락 앞에 어젯밤 가을 바람이 일어났건만, 부끄럽게도 동그란 꽃무늬 아로 새겨진 옛 군복을 바라보고만 있구나." 태종이 그래서 여러 관직으로 승진시켜 주었다. 시호는 '무의공'이다.

◇鐵硯篇(쇠벼루에 관한 글)

●曹組, 字元龍, 六擧不第, 著鐵硯[247]篇以自見. 宋宣和[248]中, 召見玉華閣, 上親洒宸翰[249], 以賜之曰, "曹組, 文章之士!" 嘗命題作賦, 援筆立就, 深得古風. 兄緯, 字元象, 宋元符[250]中, 及第, 有詩文曰, '秋浦集.'

○조조는 자가 원룡으로 여섯 번 과거시험에 응시했다가 낙방했어도 <쇠벼루에 관한 글>을 지어 자신의 학구열을 드러냈다. 송나라 (휘종) 선화(1119-1125) 연간에 황제의 부름을 받아 옥화각에서 대면한 자리에서 휘종이 몸소 붓을 적셔 그에게 "조조는 문장을 잘 짓는 선비로다!"라는 서첩을 하사하였다. 일찍이 제목을 정하고 부를 짓게 하자 붓을 잡자마자 즉시 완성하였는데 옛 풍격을 잘 표출하였다. 형 조위曹緯는 자가 원상으로 송나라 (철종) 원부(1098-1100) 연간에 과거시험에 급제하였고, ≪추포집≫이라는 시문집을 남겼다.

◇詩禮名家(시와 예법으로 명성을 떨치다)

●曹覲, 字覿道, 詩禮名家, 宋皇祐[251]中, 爲康州刺史. 儂智高[252]犯城,

---

247) 鐵硯(철연) : 쇠로 만든 벼루. 학문의 정진에 의지를 잃지 않는 것을 비유한다.

248) 宣和(선화) : 북송北宋 휘종徽宗의 연호(1119-1125).

249) 洒宸翰(쇄신한) : 황제가 몸소 붓에 먹물을 적셔 글을 쓰거나 그림을 그리는 것을 이르는 말. '쇄洒'는 적신다는 뜻으로 '쇄灑'로도 쓰고, '신宸'은 황제를 상징하며, '한翰'은 붓을 뜻한다.

250) 元符(원부) : 북송北宋 철종哲宗의 연호(1098-1100).

251) 皇祐(황우) : 북송北宋 인종仁宗의 연호(1049-1053).

252) 儂智高(농지고) : 송나라 때 만이족蠻夷族 사람. 반란을 일으켜 나라 이름을 남천국南天國이라고 하고 인혜황제仁惠皇帝라고 자칭하였다가 적청狄靑(1008-1057)에게 토벌당했다. ≪송사·만이열전蠻夷列傳·광원주만전廣源州蠻傳≫

公曰, "豈有爲天子吏而避賊乎?" 城陷死, 罵不止, 子方生數月, 棄之竹園. 賊退, 妻視其子呱呱[253]而泣. 曾參政[254]贈詩云, "轉戰譙門[255]日再晡[256], 空拳還自把戈扶[257]. 身垂虎口猶安坐, 命在鴻毛[258]更疾呼. 柱下杲卿[259]存斷節, 袴中杵臼[260]得遺孤. 可憐邑邑雄豪氣, 不怕[261]山西士大夫[262]!" 朝廷爵其子, 以旌其忠.

○조근은 자가 적도로 시를 잘 짓고 예의범절이 밝아 명성을 떨치더니 송나라 (인종) 황우(1049-1053) 연간에 (광동성) 강주자사를 지냈다. 농지고가 성을 침범하자 조근은 "어찌 천자의 관리된 몸으로 반군을 피하는 일이 있을 수 있단 말인가?"라고 하였다. 성이 함락

권495 참조.

253) 呱呱(고고) : 갓난아이의 울음소리를 형용하는 말.

254) 參政(참정) : 송나라 때 처음으로 설치하여 재상에 버금가는 권한을 부여했던 참지정사參知政事의 약칭. '증참정'은 당송팔대가의 일인인 증공曾鞏이나 그의 동생인 증포曾布 혹은 증조曾肇 가운데 한 사람을 가리키는 말인 듯하나, 송나라 완열阮閱의 ≪시화총귀詩話總龜≫권1과 유극장劉克莊의 ≪후촌시화後村詩話≫권1, 채정손蔡正孫의 ≪시림광기詩林廣記≫권6 등 다른 문헌에서는 위에 인용된 칠언율시七言律詩의 저자에 대해 모두 원후지元厚之('후지'는 원강元絳의 자)라고 하였다. 이를 따른다. ≪씨족대전≫에서 무엇에 근거하여 작자를 '증참정'이라고 했는지 의문이다.

255) 譙門(초문) : 성루城樓 아래 있는 문을 가리키는 말.

256) 晡(포) : 해가 지기 시작하는 오후 3시부터 5시까지의 시간대인 신시申時의 별칭.

257) 戈扶(과부) : 다른 문헌에 의하면 창과 도끼 등 무기를 뜻하는 말인 '과부戈鈇'의 오기이다.

258) 鴻毛(홍모) : 큰기러기의 깃털. 보잘것없는 것을 비유한다.

259) 杲卿(고경) : 당나라 때 안진경顔眞卿(708-784)의 종형從兄인 안고경顔杲卿의 이름. 시호는 충절忠節. 안녹산安祿山의 반란 때 안녹산에게 사로잡혀서도 욕을 하며 항거하다가 천진교天津橋의 기둥(柱)에 묶인 채 살해당했다는 고사가 ≪신당서·충의열전·안고경전≫권192에 전한다.

260) 杵臼(저구) : 춘추시대 진晉나라 사람 공손저구公孫杵臼의 이름. 조삭趙朔이 도안가屠岸賈에게 멸문지화를 당할 때 의리를 발휘하여 조삭의 부인이 바지(袴) 속에 숨겼던 유복자인 조무趙武을 살려주고 자신은 목숨을 잃었다는 고사가 ≪사기·조세가趙世家≫권43에 전한다.

261) 怕(파) : 다른 문헌에 의하면 '괴愧'(혹은 '괴媿')의 오기인 듯하다.

262) 山西士大夫(산서사대부) : 다른 문헌에는 '산서대장부山西大丈夫'로 되어 있는 것으로 보아 용맹한 무사를 많이 배출한 산서성 병주幷州의 사내들을 가리키는 말인 듯하다.

되어 죽음을 당하면서도 욕을 멈추지 않았고, 아들이 겨우 태어난 지 몇 개월밖에 안 되었는데도 (마음이 흔들릴까 봐) 그를 대나무정원에 내다버렸다. 반군이 물러난 뒤 아내는 자신의 아기가 으앙거리고 우는 모습을 보고서 눈물을 흘렸다. 그래서 후지厚之 원강元絳이 다음과 같은 시를 증정하였다. "다시 성루 아래 초문에서 싸움을 벌여 날이 거듭 신시가 되어서도, 쇠뇌가 비면 다시금 몸소 창과 도끼를 손에 드셨다. 몸이 호랑이 입가에 있어도 오히려 편히 앉고, 목숨이 경각에 달렸어도 더욱 호통을 치셨다. (당나라 때) 반군에게 기둥에 묶여 살해당한 안고경顔杲卿처럼 끊겼던 절조를 보존하고, (춘추시대 진晉나라 때) 바지에 숨겼던 아이를 살리고 희생한 공손저구公孫杵臼처럼 유복자를 살리셨다. 가련하고 서글프지만 영웅호걸의 기상은, 산서 일대 사내대장부에 부끄럽지 않구나!" 조정에서 그의 아들에게 작위를 내려 그의 충성심을 표창하였다.

●曹仁, 操從弟也. 三軍服其勇. 封安平亭[263]侯.

○(삼국 위魏나라) 조인(168-223)은 조조曹操(155-220)의 종제이다. 모든 군대가 그의 용맹성에 감복하였다. 안평정후에 봉해졌다.

●曹休, 操從子. 操曰, "此吾家千里駒[264]也." 爲大司馬.

○(삼국 위나라) 조휴(?-228)는 조조의 조카이다. 조조는 "이 아이는 우리 집안의 천리마일세"라고 하였다. 대사마에 올랐다.

●曹眞, 操族子[265]. 明帝朝, 爲大司馬, 賜劍履上殿[266], 入朝不趨.

---

263) 亭(정) : 중국 고대의 마을 단위. 시골 마을에 10리마다 '정亭'을 설치하고 10정亭을 '향鄕'이라고 하였으며 10향鄕을 '현縣'이라고 하였다. 그래서 '현縣'은 사방 100리에 해당하므로 '백리百里'라고도 한다.

264) 千里駒(천리구) : 나이가 어리지만 총명한 사람을 비유하는 말. 전한 때 무제武帝가 하간헌왕河間獻王 유덕劉德(?-B.C.130)을 칭찬하면서 붙여준 별명에서 유래하였다.

265) 族子(족자) : 동족 형제의 아들, 즉 조카뻘의 일가친척을 이르는 말.

266) 劍履上殿(검리상전) : '검을 차고 신발을 신은 채 내전에 오를 수 있다'는

○(삼국 위나라) 조진(?-231)은 조조의 조카뻘 친척이다. 명제 때 대사마에 오르면서 검을 차고 신발을 신은 채 내전에 오르고 입조할 때 종종걸음으로 걷지 않아도 되는 예우를 받았다.

●曹禋·曹茂之與永和[267]修禊[268]會, 茂之成五言詩.

○(진晉나라) 조인과 조무지가 (목제) 영화(345-356) 연간의 수계회에 참석했을 때 조무지가 오언시를 완성하였다.

●曹憲仕隋, 爲祕書[269]學士, 與諸儒譔桂苑珠叢[270].

○조헌은 수나라에서 벼슬길에 올라 비서성학사를 지내면서 다른 유학자들과 함께 ≪계원주총≫을 편찬하였다.

●曹確, 唐咸通[271]中, 與畢諴同相, 俱有雅望. 世謂曹畢.

○조확은 당나라 (의종) 함통(860-873) 연간에 필함과 함께 재상직을 맡아 모두 명망을 얻었다. 그래서 세간에서는 그들을 '조필'이라고 하였다.

●曹松, 唐天復[272]初, 中第, 時稱五老榜[273].

○조송은 당나라 (소종) 천복(901-903) 초에 과거시험에 급제하여 당

말로 공신에게 내리는 최고의 예우이자 특권을 말한다.

267) 永和(영화) : 진晉 목제穆帝의 연호(345-356).

268) 修禊(수계) : 음력 3월 3일 상사절에 물가에 나가서 재액災厄을 막기 위해 제를 올리는 일.

269) 祕書(비서) : 국가의 경적經籍·도서圖書·저작著作 등을 관장하던 기관인 비서성祕書省이나 그 장관인 비서감祕書監의 약칭.

270) 桂苑珠叢(계원주총) : 수나라 때 제갈영諸葛潁 등이 편찬한 소학류小學類의 책. 총 100권. 오래 전에 실전된 듯하다. ≪신당서·예문지≫권57 참조.

271) 咸通(함통) : 당唐 의종懿宗의 연호(860-873).

272) 天復(천복) : 당唐 소종昭宗의 연호(901-903).

273) 五老榜(오로방) : 다섯 명의 노인이 급제한 과거시험 합격자 명단을 이르는 말. '오로'는 원나라 신문방辛文房의 ≪당재자전唐才子傳·조송≫권7에 의하면 조송을 비롯하여 왕희우王希羽·유상劉象·가숭柯崇·정희안鄭希顔 등 5인을 가리킨다.

시 '오로방'으로 불렸다.

※女德婚姻(여덕과 혼인)

◇溺抱父尸(물에 빠졌다가 부친의 시신을 끌어안고 나오다)

●曹娥, 會稽[274]上虞人. 父盱爲巫祝[275]. 漢順帝漢安[276]二年端午日, 至江上, 泝波濤迎神, 溺死. 娥年十四, 沿江號哭, 旬有七日, 投江而死, 抱父尸而出. 桓帝元嘉[277]元年, 縣長[278]度尙改葬娥於江南, 道傍爲之立碑, 命邯鄲子[279]作碑文.

○조아는 (절강성) 회계군 상우현 출신 여인이다. 부친 조우曹盱는 무축을 지냈다. 조우는 후한 순제 한안 2년(143) 단오절에 장강가에 나가 물살을 거슬러오르며 신맞이 제례를 벌이다가 물에 빠져 죽고 말았다. 조아는 당시 나이 열네 살에 장강을 따라 통곡하더니 17일 만에 장강에 투신자살하였다가 부친의 시신을 끌어안고 나왔다. 환제 원가 원년(151)에 상우현의 현장인 도상이 조아를 강남으로 이장시키고, 길옆에 그녀를 위해 비석을 세운 뒤 (제자인) 한단순邯鄲淳에게 비문을 짓게 하였다.

---

274) 會稽(회계) : 춘추전국시대 때는 절강성 소흥시紹興市 일대를 '회계'라고 하다가, 진한秦漢 때는 오군吳郡(강소성 소주시蘇州市 일대)으로 이전하였고, 후한後漢 이후로 다시 오군을 복원하면서 회계군 역시 원래 지역(절강성 소흥시 일대)으로 복원시켰다.

275) 巫祝(무축) : 굿을 담당하는 사람을 '무巫'라고 하고, 제사에서 기도를 담당하는 사람을 '축祝'이라고 한다. 뒤에는 점술과 제사를 관장하는 벼슬을 이르는 말이 되었다. '무사巫史'라고도 한다.

276) 漢安(한안) : 후한後漢 순제順帝의 연호(142-143).

277) 元嘉(원가) : 후한後漢 환제桓帝의 연호(151-152).

278) 縣長(현장) : 규모가 작은 현의 현령縣令을 가리키는 말. 현 가운데 만 호를 넘는 곳의 장관을 '현령縣令'이라고 하고, 만 호가 안 되는 곳의 장관을 '현장縣長'이라고 하였다.

279) 邯鄲子(한단자) : 후한 말엽·삼국 위魏나라 때 사람 한단순邯鄲淳에 대한 존칭. 도상度尙의 제자로서 문장을 잘 지었다. 저서로 소설류의 책인 ≪소림笑林≫ 3권이 있었다고 하나 오래 전에 실전되고 대신 다른 문헌에 산재되어 전한다.

◇司書仙(문서를 관장하는 신선)

●曹文姬, 本長安娼女, 姿艷絶倫, 尤工翰墨[280], 欲偶者, 請先投詩. 岷山[281]任生詩曰, "玉皇[282]殿前掌書仙, 一染塵心謫九天[283]. 莫怪濃香薰骨膩, 霞衣[284]曾帶御爐[285]烟." 女得詩曰, "眞吾夫也. 不然, 何以知吾事邪?" 遂事之. 朝夕相携微吟[286], 五年忽對任曰, "吾本天上司書仙人, 以情愛謫人寰. 二紀[287]將歸, 子可偕行." 騰雲而去. 後以所居爲書仙里.

○조문희는 본래 (섬서성) 장안의 기녀로서 용모가 무척 아름답고 특히 글재주가 뛰어나 어울리고자 하는 사람이 있으면 먼저 시를 지어 달라고 청하였다. (사천성) 민산현 출신 임생이란 사람이 시를 지어 말했다. "옥황상제의 궁전 앞에서 문서를 관장하던 선녀가, 한번 속인의 감정에 물드는 바람에 하늘에서 쫓겨났나 보다. 진한 향기가 뼛속까지 진하게 물들인다고 이상하게 생각하지 마시게, 선녀의 옷이 일찍이 옥황상제의 향로에서 나는 연기를 쏘여서라네." 그녀가 시를 보고서는 말했다. "진정 내 신랑감이로다. 그렇지 않고서야 어떻게 나에 관한 일을 알 수 있으리오?" 결국 그를 남편으로 섬겼다. 조석으로 서로 손을 잡고 시를 읊조리다가 5년 뒤에 갑자기 임생에

---

280) 翰墨(한묵) : 붓과 먹. 글솜씨나 서예를 비유적으로 가리킨다.

281) 岷山(민산) : 사천성의 산 이름이자 속현屬縣 이름. 농토가 비옥한 것으로 유명하다.

282) 玉皇(옥황) : 도교에서 말하는 최고의 신인 옥황상제玉皇上帝의 준말.

283) 九天(구천) : 도가에서 말하는 아홉 개의 하늘. 여기에는 균천鈞天·창천蒼天·변천變天·현천玄天·유천幽天·호천昊天·주천朱天·염천炎天·양천陽天을 가리킨다는 ≪회남자淮南子·천문훈天文訓≫권3의 설, 균천鈞天·창천蒼天·변천變天·현천玄天·유천幽天·호천顥天·주천朱天·염천炎天·양천陽天을 가리킨다는 ≪여씨춘추呂氏春秋·유시람有始覽≫권13의 설 등 여러 가지가 있다. 결국은 하늘, 천계天界를 가리킨다.

284) 霞衣(하의) : 안개로 만든 옷. 신선이나 선녀의 옷을 비유한다.

285) 御爐(어로) : 천자가 사용하는 향로. 여기서는 옥황상제의 향로를 가리킨다.

286) 微吟(미음) : 나지막한 목소리로 읊조리는 노래, 흥얼거리며 부르는 노래.

287) 紀(기) : 시간 단위. 보통은 12년을 뜻하는 말로 쓰이고 그 외에도 10개월, 25개월, 한 세대인 30년, 1500년 등 여러 가지 의미로 쓰이는데, 여기서는 대략 25개월을 뜻하는 말로 쓴 듯하다.

게 말했다. "저는 본래 천상에서 문서를 관장하던 신선이었는데, 애정을 품었다가 인간세상으로 폄적당한 것입니다. 50개월이 지나 장차 돌아가게 되었는데 당신도 함께 가실 수 있습니다." 구름을 타고서 사라졌다. 그래서 그뒤로 그녀가 살던 곳은 '서선리'로 불리게 되었다.

●曹氏・夏侯氏, 世爲婚姻. 故曹仁・夏侯淵等, 竝肺腑親舊, 貴重族門.
○조씨와 하후씨는 대대로 사돈관계를 맺었다. 그래서 조인과 하후연 등은 나란히 진심을 나누는 친지로서 가문을 빛냈다.

●曹氏・孫氏, 相爲婚姻. 操以弟女配孫策之弟匡, 又爲子彰娶孫賁之女.
○조씨와 손씨는 서로 사돈관계를 맺었다. (삼국 위魏나라) 조조曹操는 조카딸을 (오吳나라 손권孫權의 형인) 손책의 동생 손광孫匡에게 시집보내고, 또 아들 조창曹彰을 위해 손분의 딸을 며느리로 맞아들였다.

●曹義宗妹有姿色, 富人姓向者, 願納錢百萬, 求婚. 義宗貪鏹, 遂以妻之.
○(남조南朝 양梁나라 때) 조의종의 여동생이 미모가 출중하자 성이 상씨인 부자가 돈 백만 냥을 내놓으면서 청혼을 하였다. 조의종은 돈꿰미가 탐이 나 결국 여동생을 그에게 시집보냈다.

●曹壽, 字世叔, 娶班彪之女, 稱曹大家[288].
○(후한) 조수는 자가 세숙으로 반표의 딸에게 장가들었는데, 그녀는 '조대고'로 불렸다.

---

288) 曹大家(조대고) : 후한 반표班彪(3-54)의 딸이자 반고班固(32-92)・반초班超(32-102)의 여동생인 반소班昭(약49-120)에 대한 존칭. '대고大家'는 '대고大姑'와 같다. 조수曹壽에게 시집을 갔고, 자주 황궁에 들어가 황후皇后와 여러 귀인貴人의 스승 역할을 하였기에 존경을 받아 '조대고'로 불렸다. 반고의 뒤를 이어 ≪한서≫를 완성하였다. ≪후한서・열녀전列女傳・반소전≫권114 참조.

●曹洪, 操從弟也. 一女有姿色, 荀粲聘焉.

○(삼국 위魏나라) 조홍(?-235)은 조조曹操의 사촌동생이다. 외동딸이 용모가 아름다워 순찬이 청혼하였다.

●蕭曹[289]. 汝曹[290]. 劉曹[291]. 水曹[292]. 豪曹[293].(劍名)

○(전한) 소하蕭何(?-B.C.193)와 조참曹參(?-B.C.190). 너희들. (삼국 위魏나라) 유정劉楨(?-217)과 조식曹植(192-232). 수조참군. 호조검.(보검 이름이다)

◆高(고씨)

▶角音. 渤海. 齊太公[294]六代孫文公, 子高之孫傒, 以王父字爲氏

▷음은 각음에 속하고 본관은 (산동성) 발해군이다. (춘추시대) 제나라 강태공의 6대손은 문공이고 그의 아들 고高의 손자는 혜傒인데 조부의 자를 성씨로 삼은 것이다.

◇不徑不竇(샛길이나 물길로 다니지 않다)

●高柴[295], 字子羔, 執親之喪, 泣血三年, 未嘗見齒. 辟難[296]而行, 不徑

---

289) 蕭曹(소조) : 고조高祖 유방劉邦(B.C.247-B.C.195)을 도와 한나라를 건국한 일등공신인 소하蕭何(?-B.C.193)와 조참曹參(?-B.C.190)을 아우르는 말. 두 사람의 전기는 ≪한서≫권39에 나란히 전한다.

290) 曹(조) : 복수를 나타내는 접미사. '등等' '배輩'와 뜻이 같다.

291) 劉曹(유조) : 삼국 위魏나라를 대표하는 문인인 유정劉楨(?-217)과 조식曹植(192-232)을 아우르는 말.

292) 水曹(수조) : 수리水利에 관한 업무를 관장하는 벼슬인 수조참군水曹參軍의 준말.

293) 豪曹(호조) : 춘추시대 월越나라 때 장인匠人인 구야자歐冶子가 주조하였다고 전하는 전설상의 보검 이름.

294) 太公(태공) : 주周나라 문왕文王의 스승이자 무왕武王 때 재상인 여상呂尙의 별칭. '태공'은 부친에 대한 존칭으로 문왕이 여상을 만나 "우리 선친께서 그대를 기다린 지 오래되었소(吾太公望子, 久矣)"라고 말한 데서 '태공망太公望'이란 별칭이 생겼고, 무왕武王이 재상에 임명하고서 '부친처럼 모셨다'는 의미에서 여상의 성을 붙여 '강태공姜太公'으로도 불렀다. 제齊나라를 봉토로 받았다. ≪사기·제태공세가≫권32 참조.

295) 高柴(고시) : 춘추시대 위衛나라 사람으로 공자의 제자. 자는 '계고季羔', 혹은 '계고季皐' '자고子羔' '자고子皐'라고도 하였다. ≪사기·중니제자열전仲尼

不竇297).

○(춘추시대 위衛나라) 고시(B.C.521-?)는 자가 자고로 부친의 상여를 잡고서 3년 동안 피눈물을 흘리며 일찍이 이빨을 드러내고 웃은 적이 없다. 난을 피해 다니면서도 대로로 다니며 정정당당하게 행동하였다.

◇擊筑(축을 잘 연주하다)

●高漸離, 燕人, 善擊筑298), 送荊軻299)入秦刺秦王. 軻死, 漸離後以擊筑得幸, 置鉛筑中, 撲秦王, 不中300), 誅之.

○(전국시대 때) 고점리는 연나라 사람으로 축을 잘 연주하였는데, 진나라 시황제를 암살하러 진나라로 들어가는 형가를 전송하였다. 형가가 죽자 고점리는 뒤에 축을 잘 연주해서 총애를 얻더니 축 속에 납덩이를 감추어 진나라 시황제를 때려죽이려고 하였지만 명중시키지 못 하여 사형당하고 말았다.

◇漂麥(빗물에 보리를 떠내려보내다)

●高鳳, 字文通, 居南陽, 以農畝爲業, 而專精讀誦, 晝夜不息. 妻嘗之田, 曝麥于庭, 令鳳護雞. 會暴雨, 鳳持竿誦經, 不覺潦水301)漂麥. 後遂爲名儒. 漢元和302)間, 教授西唐山303)中.

○고봉은 자가 문통으로 (하남성) 남양군에 살면서 농업을 생업으로

弟子列傳≫권67 참조.

296) 辟難(피난) : 난을 피하다. '피辟'는 '피避'와 통용자.

297) 不徑不竇(불경부두) : 샛길로 다니지 않고 물길을 이용하지 않다. 대로로 다니며 정정당당하게 행동하는 것을 비유한다.

298) 筑(축) : 대나무를 이용해서 소리를 내는 고대 현악기 이름. 줄 수에 대해서는 5현·13현·21현 등 여러 설이 있다.

299) 荊軻(형가) : 전국시대 위衛나라 사람. 연燕나라 태자 단丹을 위해 진秦나라 시황제始皇帝(B.C.259-B.C.210)를 암살하려다가 실패하였다. ≪사기·자객열전刺客列傳·형가전≫권86 참조.

300) 中(중) : 맞추다, 명중시키다. 동사이기에 거성去聲(zhòng)으로 읽는다.

301) 潦水(요수) : 빗물이나 비가 내려서 고인 물을 이르는 말.

302) 元和(원화) : 후한後漢 장제章帝의 연호(84-86).

303) 西唐山(서당산) : 하남성 당주唐州에 있는 산 이름.

삼았지만 오로지 독서에 정진하여 밤낮으로 쉬지 않았다. 아내가 일찍이 밭에 나가면서 마당에 보리를 말리고는 고봉에게 닭을 지키라고 하였다. 마침 소나기가 내렸는데도 고봉은 막대기를 손에 든 채 경전을 읽느라 빗물이 보리를 떠내려보내는 것도 몰랐다. 뒤에 결국 훌륭한 유학자가 되었다. 후한 (장제) 원화(84-86) 연간에 서당산에서 교수직을 지냈다.

◇刺姦(간악한 관리들을 탄핵하다)

●高柔[304], 字文惠, 爲刺姦令史[305], 夙夜匪懈, 擁膝, 抱文書而寢.

○(삼국시대 위魏나라) 고유(174-263)는 자가 문혜로 (간악한 관리들을 탄핵하는) 자간영사를 맡아 밤낮으로 게으름을 부리지 않았기에 무릎을 감싸안은 채 문서를 안고서 잠을 자곤 하였다.

◇一代偉器(한 시대를 풍미하는 걸출한 인물)

●高允, 字伯恭, 北魏人. 少孤, 有奇度, 崔宏見而異之曰, "高子黃中[306]內潤, 文明外照, 必爲一代偉器." 孝文卽位, 拜中書令[307], 呼爲令公. 嘗幸其第, 惟草屋數間, 布被縕袍[308]. 帝曰, "古之淸貧, 有如此乎?" 賜帛五百匹·粟千斛. 年九十八. 子忱, 字士和, 爲長樂[309]太守.

○고윤(390-487)은 자가 백공으로 (북조北朝) 북위 때 사람이다. 어려서 부친을 여의었지만 뛰어난 풍도가 있었기에 최굉이 그를 보고

---

304) 高柔(고유) : 삼국시대 위魏나라 사람으로 조조曹操(155-220)에게 발탁되어 시어사侍御史·사공司空·태위太尉 등을 역임하였으며, 법을 공정하게 집행한 것으로 이름이 났다. ≪삼국지·위지·고유전≫권24 참조.

305) 令史(영사) : 한나라 때 처음 설치된 난대상서蘭臺尙書의 속관으로 문서 처리를 담당하던 벼슬. 후에는 상서성이나 문하성·중서성의 속관을 두루 칭하였다.

306) 黃中(황중) : 심장이나 마음을 이르는 말. 오행상 황색이 토土로서 중앙에 해당하고, 심장이 오장五臟 가운데 중앙에 위치한 데서 유래하였다.

307) 中書令(중서령) : 위진魏晉 이래로 국가의 기무機務·조령詔令·비기祕記 등을 관장하는 최고 행정 기관인 중서성中書省의 장관.

308) 縕袍(온포) : 지스러기 삼을 안에 넣은 초라한 옷. 청렴한 삶을 상징한다.

309) 長樂(장락) : 산동성의 속군屬郡 이름.

는 높이 평가해 "고선생은 마음이 윤택하고 문장이 밖으로 빛을 발하니 필시 한 시대를 풍미하는 걸출한 인물이 될 것이오"라고 하였다. 효문제가 즉위하자 중서령에 배수하고 '영공'으로 불렀다. 효문제가 일찍이 그의 집에 행차했는데 단지 초가집 몇 칸에 삼베 이불과 남루한 도포가 있을 뿐이었다. 그래서 효문제는 "옛날에 청빈한 선비라도 이만한 이가 있을까?"라고 하며 비단 5백 필과 곡식 천 휘를 하사하였다. 당시 나이가 98세였다. 아들 고침高忱은 자가 사화로 (산동성) 장락태수를 지냈다.

◇地上虎(지상의 호랑이)

●高昻, 字敖曹, 幼有壯氣, 龍唇豹頸, 姿體雄異. 常曰, "丈夫當橫行天下, 取富貴, 誰能端坐讀書, 作老博士耶?" 北齊神武以爲西南道大都督, 渡河, 祭河伯曰, "河伯, 水中之神, 高敖曹, 地上之虎."

○고앙(약 501-538)은 자가 오조로 어려서부터 기개가 뛰어났는데, 입술이 용처럼 생기고 목이 표범처럼 생겨 체형이 특이하였다. 그는 늘 "대장부라면 응당 천하를 돌아다니며 부귀를 취해야지 어찌 가만히 앉아 글이나 읽다가 늙은 박사로 죽을 수 있으랴?"라고 하였다. (북조北朝) 북제 신무제가 서남도대도독에 임명하자 황하를 건너다가 하백에게 제사를 올리며 말했다. "하백이 물의 신이라면 나 고오조는 지상의 호랑이로다!."

◇浮磬之精(경쇠의 재료 중에서 가장 정채로운 것)

●高琳, 字季珉. 其母嘗祓禊[310]泗濱, 見一石光潤, 持以歸. 是夜夢有仙, 告之曰, "石是浮磬[311]之精, 必生令子." 後生琳. 周文帝朝, 位上柱國[312], 封犍爲[313]郡公.

---

310) 祓禊(불계) : 한해의 재앙을 없애기 위해 지내는 제사의 종류인 불제祓祭와 계제禊祭. '불제祓除'라고도 한다.

311) 浮磬(부경) : 물에 떠 있는 것처럼 보이는 경쇠를 만들 수 있는 돌을 가리킨다.

312) 上柱國(상주국) : 벼슬 이름. 전국시대 초楚나라 때는 수도를 경비하는 사령

○고임(497-572)은 자가 계민이다. 그의 모친이 일찍이 사수 가에서 재앙을 없애기 위해 제를 올리다가 윤기가 도는 돌을 발견하고는 이를 가지고 돌아온 적이 있다. 그날 밤 꿈에 신선이 나타나 그녀에게 말했다. "그 돌은 경쇠의 재료 중에서도 가장 정채로운 것이라서 필시 훌륭한 아들을 낳을 것이오." 뒤에 고임을 낳았다. 고임은 (북조北朝) 북주北周 문제 때 상주국에 오르고 건위군공에 봉해졌다.

◇眞宰相(진정한 재상)

●高熲, 字昭玄. 隋文帝伐陳, 熲爲元帥[314], 功加上柱國, 爵齊國公. 執政柄, 殆二十年. 論者以爲眞宰相.

○고경(?-607)은 자가 소현이다. 수나라 문제가 (남조南朝의) 진나라를 정벌할 때 고경은 원수를 맡아 전공을 세워서 상주국이 보태지고 작위가 제국공에 올랐다. 정권을 잡은 것이 거의 20년에 달했다. 논자들은 그를 진정한 재상으로 평가하였다.

◇知人之鑒(사람을 잘 알아보는 안목)

●高孝基[315], 隋末爲吏侍[316]. 有知人之鑒, 見房玄齡[317]曰, "異日必爲

관이었고, 그 뒤로 총사령관에 해당하는 최고위 무관武官이었다가 당나라 이후로는 훈관勳官의 칭호로 쓰였다. 혹은 국가의 중책을 맡은 대신大臣의 별칭으로도 쓰였다.

313) 犍爲(건위) : 사천성의 속군屬郡 이름.

314) 元帥(원수) : 삼군三軍 중 핵심 부대인 중군中軍의 사령관을 이르는 말.

315) 高孝基(고효기) : 수나라 사람 고구高搆. '효기'는 자. 옹주사마雍州司馬·이부시랑吏部侍郎 등을 역임하였고, 당나라 초 명재상인 두여회杜如晦(585-630)와 방현령房玄齡(578-648) 등을 천거하여 인재를 잘 알아본다는 평을 받았다. 명나라 이현李賢의 ≪명일통지明一統志≫권32 참조.

316) 吏侍(이시) : 상서성尙書省 소속 육부六部 가운데 관리들의 인선人選과 전형銓衡을 관장하는 이부의 버금 장관인 이부시랑吏部侍郎의 준말. 장관은 '상서尙書'라고 하고, 차관을 '시랑'이라고 하며, 휘하에 낭중郎中과 원외랑員外郎을 거느렸다.

317) 房玄齡(방현령) : 당나라 때 명재상(578-648)으로 두여회杜如晦(585-630)와 함께 이름을 떨쳤다. ≪구당서·방현령전≫권66에서는 '교喬'가 본명이고 '현령玄齡'이 자라고 한 반면, ≪신당서·방현령전≫권96에서는 '현령'이 본명이고 '교'가 자라고 하였다. 그러나 상고上古 이후로 이름이 척자隻字이고 자

偉器.” 見杜如晦曰, “必任棟梁[318]之重.” 皆以子孫託之.

○효기孝基 고구高搆는 수나라 말엽에 이부시랑을 지냈다. 사람을 잘 알아보는 안목이 있어서 방현령을 보고서는 “훗날 틀림없이 훌륭한 인물이 될 것이다”라고 하였고, 두여회를 보고서는 “필시 나라의 중책을 맡을 것이다”라고 하였다. 그래서 자손들을 모두 그들에게 맡겼다.

◇金鏡(금을 장식한 거울)

●高馮, 字季輔, 唐貞觀[319]初, 拜監察御史[320], 遷中書舍人. 嘗賜鍾乳粉一劑曰, “汝進藥石[321]之言, 朕以藥石相報.” 爲吏侍, 善銓敍[322]人物, 帝賜金背鏡一, 以況其精鑒焉.

○고빙은 자가 계보로 당나라 (태종) 정관(627-649) 초에 감찰어사를 배수받았다가 중서사인으로 승진하였다. 태종이 일찍이 종유석 가루로 만든 환약을 한 알 하사하며 말했다. “그대가 보약 같은 말을 올리기에 짐이 약으로 그대에게 보답하는 것이오.” 이부시랑을 맡아 인사 업무를 잘 처리하자 태종이 뒷면에 금을 장식한 거울을 하나 하사하여 그의 정확한 안목에 빗대었다.

가 쌍자雙字인 경우가 많은 것에 비추어 볼 때 ≪구당서≫의 기록이 맞을 듯하다. 다만 이름보다는 자가 더 통용되었을 것이다.

318) 棟梁(동량) : 건물의 핵심적인 부분인 마룻대와 대들보. 나라의 중책이나 이를 맡을 훌륭한 인물을 비유한다.

319) 貞觀(정관) : 당唐 태종太宗의 연호(627-649).

320) 監察御史(감찰어사) : 관리들의 비행을 규찰하고 탄핵하는 업무를 관장하는 기관인 어사대御史臺의 속관屬官. 어사대에는 위로 장관인 어사대부御史大夫와 버금 장관인 어사중승御史中丞, 그리고 시어사侍御史・전중시어사殿中侍御史 등의 상관이 있다. 감찰어사는 비록 품계品階는 낮으나, 실무를 관장하였기에 관원들이 가장 두려워하는 존재였다고 한다.

321) 藥石(약석) : 약제와 돌침. 여러 가지 약에 대한 총칭. 매우 소중한 말을 비유한다.

322) 銓敍(전서) : 관리를 평가하여 서열을 정하는 일. 즉 인사 업무를 잘 처리하는 것을 말한다.

◇三世僕射(삼대에 걸쳐 복야에 오르다)

●高儉, 字士廉, 少敏慧. 隋薛道衡・崔祖濬, 皆宿臣顯重, 與爲忘年友. 唐貞觀中, 拜右僕射[323]. 士廉三世居此官, 世榮其貴. 六子履行・審行・眞行得名.

○고검(577-647)은 자가 사렴으로 어려서부터 총명하였다. 수나라 때 설도형과 최조준은 모두 고관에 올라 대단한 명성을 떨쳤는데도 고검과 나이를 초월하여 친구로 지냈다. 당나라 (태종) 정관(627-649) 연간에 우복야를 배수받았다. 고검은 삼대에 걸쳐 이 관직에 올랐기에 대대로 이를 영광으로 여겼다. 여섯 아들 가운데 고이행高履行・고심행高審行・고진행高眞行이 명성을 떨쳤다.

◇鵰鶚出塵(수리가 먼지에서 벗어나듯이 하다)

●高適, 字達夫, 擧有道科[324]. 唐肅宗朝, 從歌舒翰入朝, 拜左拾遺[325], 改太子詹事[326]. 杜甫贈以詩[327]云, "時來如宦達, 歲晚莫情疏." 又云[328], "當代論才子, 如公復幾人? 驊騮[329]開道路, 鵰鶚[330]出風塵.

---

323) 僕射(복야) : 진秦나라 때 처음 설치되었고, 한나라 때는 5상서尙書 가운데 한 명을 복야에 임명하여 조정의 핵심 행정 기관인 상서성尙書省의 업무를 총괄하게 하였는데, 뒤에 권한이 막강해지자 좌・우복야를 두면서 당송唐宋 때까지 지속되었다. 보통 승상丞相의 지위를 겸하였다.

324) 有道科(유도과) : 한나라 이후로 인재를 선발하던 과목인 효렴孝廉・유도有道・방정方正・수재과秀才(무재茂才)科 가운데 하나. 당나라 때에도 이백李白(701-762)이나 고적高適(700-765) 등이 유도과有道科에 천거되었다는 기록이 ≪구당서≫와 ≪신당서≫의 본전本傳에 보인다.

325) 拾遺(습유) : 당나라 측천무후則天武后(624-705) 때 처음 신설된 규간規諫을 관장하는 벼슬. 좌・우습유가 있었는데, 좌습유는 문하성門下省 소속이고 우습유는 중서성中書省 소속이었다. 송나라 때는 좌左・우정언右正言으로 개칭되었다.

326) 太子詹事(태자첨사) : 동궁東宮(태자궁)의 잡무와 물품 공급을 관장하던 벼슬 이름.

327) 詩(시) : 이는 오언율시五言律詩 <태자첨사太子詹事 고적高適에게 부치다(寄高三十五詹事)> 가운데 함련頷聯을 인용한 것으로 청나라 구조오仇兆鰲(1640-1714)의 ≪두시상주杜詩詳註≫권6에 전한다. 제목에서 '35'는 형제간의 항렬을 나타낸다.

328) 云(운) : 이는 오언율시五言律詩 <자사 고적高適에게 올리다(奉簡高三十五使君)> 가운데 미련尾聯을 제외한 세 연을 인용한 것으로 ≪두시상주≫권9에 전

行色秋將晩, 交情老更親.” 後代崔光遠爲西川331)節度332), 召拜散騎常侍333). 甫贈詩334)云, “美名人不及, 佳句法如何?”

○고적(700-765)은 자가 달부로 유도과에 급제하였다. 당나라 숙종 때 가서한을 따라 입조하여 좌습유를 배수받았다가 태자첨사로 전근하였다. 그러자 두보가 시를 기증하여 “때가 되어 고관에 오르면, 만년에도 우정 소홀히 하지 맙시다”라고 하고, 또 “당대에 재주 있는 사람을 논할 때, 그대 같은 이 또 몇 명이나 있을까요? 준마가 길을 열고, 수리가 풍진에서 벗어나는 듯합니다. 나그네 차림에 가을 저물어 가지만, 사귀는 정은 늙을수록 더욱 가깝습니다”라고 하였다. 뒤에 최광원을 대신해서 (사천성) 서천절도사를 맡았다가 황제의 부름을 받아 산기상시에 임명되었다. 그러자 두보가 시를 보내 “아름다운 명성은 남들이 따라잡지 못 하는데, 좋은 구절은 어떻게 지으신 것인지요?”라고 하였다.

◇知古(옛 고사를 잘 알다)

●高仲舒擢明經335), 博通典籍, 與崔琳爲中書舍人. 宋璟以“古事問仲舒,

한다. 제목에서 ‘사군’은 자사에 대한 존칭.

329) 驊騮(화류) : 꽃무늬가 있는 준마. 주周나라 목왕穆王의 팔준마八駿馬 가운데 하나로, 현종玄宗의 애마인 옥화총玉花驄을 비유할 때도 있다.

330) 鵰鶚(조악) : 맹금류인 수리에 대한 총칭. ‘악鶚’은 ‘조鵰’보다 몸집이 큰 수리를 가리킨다. 여기서는 앞의 ‘화류’와 함께 고적高適을 비유한다.

331) 西川(서천) : 당나라 때 검남도劍南道 소속 행정 구역. 당나라 현종玄宗 때 사천성 일대인 검남劍南은 동천東川과 서천西川으로 분할되면서 절도사가 두 명으로 증원된 적이 있다.

332) 節度(절도) : 당송唐宋 때 한 도道나 여러 주州의 군사・민정・재정 등을 관할하던 벼슬인 절도사節度使의 약칭. 송 이후로는 실권이 없이 직함만 있었다.

333) 散騎常侍(산기상시) : 황제의 곁에서 잘못을 간언하고 자문에 대비하는 직책으로, 실질적인 권한은 없었으나 대신大臣으로 겸직시키던 존귀한 벼슬이다. 당송 때는 좌・우산기상시를 두어 각각 문하성門下省과 중서성中書省에 나누어 소속시켰다.

334) 詩(시) : 이는 오언율시五言律詩 <서기 고적에게 부치다(寄高三十五書記)> 가운데 함련頷聯을 인용한 것으로 ≪두시상주≫권3에 전한다.

335) 明經(명경) : 한나라 때 경서經書에 밝은 사람에게 책문策問에 답하게 해서 인재를 뽑던 과거시험의 하나. 수隋나라 때 경전을 대상으로 하는 명경과와

今事問琳," 姚崇亦曰, "欲知古事問仲舒, 今事問齊瀚."

○(당나라) 고중서는 명경과에 급제한 뒤 전적을 두루 잘 알아 최임과 함께 중서사인을 지냈다. 송경은 "옛 고사는 고중서에게 묻고, 요즘 일은 최임에게 물으시오"라고 하였고, 요숭도 "옛 고사를 알고 싶으면 고중서에게 묻고, 요즘 일은 제한에게 물으시오"라고 하였다.

◇旌表(정문을 세워 표창하다)

●高崇文, 七世不異居[336]. 開元中, 再表其門. 高霞寓, 五世不異居. 建中[337]初, 旌表[338]其門.

○(당나라 때) 고숭문(746-809)은 7대에 걸쳐 친족들이 거처를 따로 갖지 않고 모여살았다. 그래서 (현종) 개원(713-741) 연간에 그의 가문을 거듭 표창하였다. 고하우는 5대에 걸쳐 친족들이 거처를 따로 갖지 않고 모여살았다. 그래서 (덕종) 건중(780-783) 초에 그의 가문에 정문을 세워 표창하였다.

◇刻石紀功(바위를 깎아 공로를 기록하다)

●高崇文有勇略. 元和[339]初, 劉闢叛蜀, 杜黃裳薦其才, 詔統兵討闢. 崇文卯受詔, 辰已出師. 與闢戰於鹿頭山, 八戰皆捷, 擒闢, 刻石紀功于鹿頭山, 封南平郡王. 子承簡除邢州刺史. 霞寓亦以從崇文討蜀功, 封威義郡王.

○(당나라) 고숭문(746-809)은 용기와 지략이 뛰어났다. (헌종) 원화(806-820) 초에 유벽이 (사천성) 촉주에서 반란을 일으키자 두황상이 그의 능력을 추천하는 바람에 군대를 이끌고 유벽을 토벌하라는

문재文才를 시험하는 진사과로 나뉘었고, 당송唐宋 때까지 이어지다가 송나라 때 진사시험으로 통일되면서 폐지되었다.

336) 不異居(불이거) : 거처를 달리하지 않다. 즉 친족들이 분가하지 않고 화목하게 모여사는 것을 말한다.

337) 建中(건중) : 당唐 덕종德宗의 연호(780-783).

338) 旌表(정표) : 충효로 모범적인 사람에게 정문旌門을 세워 주거나 편액을 하사해 표창하는 일.

339) 元和(원화) : 당唐 헌종憲宗의 연호(806-820).

조서가 내려졌다. 고숭문은 묘시卯時(새벽 5시-7시)에 조서를 받자 진시辰時(오전 7시-9시)에 이미 군대를 출동시켰다. 유벽과 녹두산에서 전투를 벌여 여덟 번 싸워서 여덟 번 모두 승리하고 유벽을 사로잡은 뒤 녹두산에 바위를 깎아 공로를 기록하고서 남평군왕에 봉해졌다. 아들 고승간高承簡은 (하북성) 형주자사를 제수받았다. 고하우도 고숭문을 따라 촉주를 평정한 공로로 위의군왕에 봉해졌다.

◇碧桃紅杏(푸른 복숭아나무와 붉은 살구나무)

●高蟾, 唐人, 累擧不第, 作詩[340]云, "天柱[341]數修[342]擎白日, 天門幾扇[343]鎖明時. 陽春發處無根蔕, 須仗東風次第吹." 上主司[344]侍郎云[345], "天上碧桃[346]和露種, 日邊[347]紅杏倚雲栽. 芙蓉生在秋江上, 不向東風怨未開." 明年李昭知擧[348], 及第.

○고섬은 당나라 때 사람으로 여러 차례 과거시험에 응시했으나 급제하지 못 하자 시를 지어 "하늘을 떠받히는 기둥 몇 개가 태양을 지탱하는데, 천상의 출입문 몇 개가 해 뜰 녘인데도 닫혀 있구나. 따사로운 봄기운이 피어오르는 곳에서 뿌리도 꼭지도 없으니, 모름지

340) 詩(시) : 이는 칠언절구七言絶句 <봄(春)>을 인용한 것으로 ≪전당시全唐詩·고섬≫권668에 전한다.

341) 天柱(천주) : 하늘을 떠받힌다는 전설상의 구리 기둥 이름. 전욱顓頊과의 전투에서 패한 공공共工이 화가 나서 들이받아 부러뜨리자 여와女媧가 오색돌로 수리하였다고 한다. 산이나 봉우리 이름을 가리킬 때도 있다.

342) 修(수) : 기둥을 세는 양사인 '조條'의 오기.

343) 扇(선) : 부채처럼 생긴 문짝을 뜻하는 말로 여기서는 문을 세는 양사로 쓰였다.

344) 主司(주사) : 과거시험을 주관하는 벼슬아치를 일컫는 말. '주고主考' '주문主文'이라고도 한다. 보통 예부시랑禮部侍郎이 이를 관장하였다.

345) 云(운) : 이는 칠언절구七言絶句 <과거시험에 낙방한 뒤 (섬서성) 영숭리에 사시는 예부시랑 고공에게 올리다(下第後, 上永崇高侍郎)>를 인용한 것으로 당나라 위곡韋穀이 엮은 ≪재조집才調集·고섬≫권8에 전한다.

346) 碧桃(벽도) : 신녀神女인 서왕모西王母가 전한 무제武帝에게 주었다는 전설상의 복숭아 이름. 여기서는 결국 조정을 비유적으로 가리킨다.

347) 日邊(일변) : 태양의 주변. 곧 황성이나 조정을 비유한다.

348) 知擧(지거) : 과거시험을 관장하는 일이나 그러한 업무를 관장하는 시험감독관을 뜻하는 말인 지공거知貢擧의 약칭.

기 봄바람 제 순서대로 불기를 기다려야 하나 보다"라고 하였다. 또 시험을 관장하는 예부시랑에게 바치는 시에서는 "천상의 푸른 복숭아나무는 이슬 내리는 곳에 심어져 있고, 황성 가까이 붉은 살구나무가 구름에 기대어 자라 있건만, 부용꽃은 가을 강가에서 자랐기에, 봄바람을 맞지 않아 원망스럽게도 아직 피지 못 했네(시험에 낙방하였네)"라고 하였다. 이듬해 이소가 과거시험을 관장하면서 합격하였다.

◇萬戶侯封(만호후에 봉해지다)

●高年, 字明道, 倜儻[349]豪偉, 不守小節. 每風月佳時, 賓朋宴集, 酒酣, 氣壯浩歌, 慷慨泣下云, "使我當高光[350]時, 萬戶侯[351]何足道哉?"

○고연은 자가 명도로 성품이 호탕하여 자잘한 예법에 얽매이지 않았다. 매번 풍광이 좋을 때면 손님이나 친구들과 함께 연회를 열었는데, 한창 주흥이 오르면 기세 높게 노래를 부르다가 비분강개한 표정으로 눈물을 흘리며 말했다. "만약 내가 (전한) 고조나 (후한) 광무제 때를 만났다면 만호후가 어찌 말할 거리가 되겠는가?"

◇南山三友(종남산의 세 친구)

●高懌, 字文悅. 聞种放[352]隱終南山, 懌亦築室豹子谷, 與張山堯・許勃, 號南山三友. 寇準薦之不起. 宋仁宗賜號安素居士[353].

○고역은 자가 문열이다. 충방이 (섬서성 장안 남쪽의) 종남산에 은거

---

349) 倜儻(척당) : 호방하여 세속적인 예법에 얽매이지 않는 모양.

350) 高光(고광) : 전한 고조高祖와 후한 광무제光武帝를 아우르는 말.

351) 萬戶侯(만호후) : 식읍이 만 호인 제후. 전한 때 개국공신인 장양張良(?-B.C.185)을 만호후에 봉하려고 하자 스스로 유후留侯에 봉해 줄 것을 자청하였다는 고사에서 유래한 말로 작위가 높은 제후나 고관대작을 상징한다.

352) 种放(충방) : 송나라 때 사람. 자는 명일明逸이고 호는 운계취후雲溪醉侯・퇴사退士. 산수와 은둔생활을 좋아하여 숭산嵩山과 화산華山을 왕래하다가 뒤에 장안 남쪽 종남산終南山에 거처를 마련하고 출사와 은거를 반복하였다. 벼슬은 사간司諫・공부시랑工部侍郎 등을 지냈다. ≪송사・충방전≫권457 참조.

353) 居士(거사) : 학식과 덕망을 겸비하고서도 벼슬하지 않거나 은거한 사람에 대한 호칭.

하고 있다는 소문을 듣자 고역도 표자곡에 집을 짓고 장산요·허발과 함께 하며 '남산삼우'로 불렸다. 구준이 추천하였으나 벼슬에 나가지 않았다. 송나라 인종이 '안소거사'라는 호를 하사하였다.

◇扶輦渡河(황제의 수레가 황하를 건너도록 돕다)

●高瓊, 宋景德[354]初, 契丹寇澶淵[355], 眞宗親征, 瓊扶輦渡河, 凱旋授檢校[356]太尉[357], 封衛國王. 諡烈武. 子十四人, 皆敎以知書.

○고경은 송나라 경덕(1004-1007) 초에 거란이 (하남성) 선연을 침공하여 진종이 몸소 정벌전에 나설 때 황제의 수레가 황하를 건너도록 돕고 개선하여 검교태위를 배수받고 위국왕에 봉해졌다. 시호는 무열이다. 아들 열네 명 모두 교육을 잘 받아 글을 알았다.

◇頤軒(이헌)

●高君素作頤軒[358], 請山谷[359]賦詩, 云[360], "辱莫辱多欲, 樂莫樂無求. 人生强學耳, 萬古一東流."

○(송나라) 고군소가 '이헌'을 짓고서 산곡山谷 황정견黃庭堅에게 그에

---

354) 景德(경덕) : 북송北宋 진종眞宗의 연호(1004-1007).

355) 澶淵(선연) : 지명. 지금의 하남성 복양시濮陽市 서쪽 일대. 당나라 때는 고조高祖 이연李淵(566-635)의 휘諱 때문에 선수현澶水縣으로 개명한 적이 있는데, 송나라 때는 거란족(요遼나라)과 격전을 벌인 곳으로 유명하다.

356) 檢校(검교) : 진晉나라 때 처음으로 생긴 일종의 산관散官. 대행 내지 점검의 의미를 지닌다.

357) 太尉(태위) : 진한秦漢 이래 군정軍政을 총괄하는 벼슬로서 대사마大司馬로도 불렸다. 후에는 사도司徒·사공司空과 함께 삼공三公으로 불렸는데, 태위가 삼공 가운데 서열이 가장 높았다.

358) 頤軒(이헌) : ≪역경≫의 64괘 가운데 이괘頤卦의 괘명卦名을 따서 지은 서재 이름.

359) 山谷(산곡) : 송나라 사람 황정견黃庭堅(1045-1105). '산곡'은 호. '부옹涪翁'이라고도 한다. 자는 노직魯直. 소식蘇軾(1036-1101)의 제자이자 강서시파江西詩派의 창시자로서 비서승祕書丞과 사천성 부주별가涪州別駕 등을 역임하였다. 저서로 ≪산곡집山谷集≫ 67권이 전한다. ≪송사·문원열전文苑列傳·황정견전≫권444 참조.

360) 云(운) : 이는 오언절구五言絶句 <이헌을 읊은 시 6수(頤軒詩六首)> 가운데 제4수를 인용한 것으로 ≪산곡집≫권5에 전한다.

관한 시를 지어달라고 부탁하자 황정견이 다음과 같은 시를 지었다. "치욕 중에 욕심을 많이 부리는 것보다 더 치욕스러운 일은 없고, 즐거움 중에 아무것도 추구하지 않는 것보다 더 즐거운 것은 없다네. 사람이 태어나 힘써 공부하면 그만, 만고에 걸쳐 강물은 한결같이 동쪽으로 흘러왔다네."

◇江西詩派(강서시파)

●高荷, 字子勉. 宋元祐[361]中, 太學[362]生也, 與山谷往來. 谷與之詩, 有云[363], "寒爐餘幾火, 灰裏撥陰何[364]." 與高元矩, 皆與江西詩派[365]. (見徐俯) 燕山平, 獻凱歌, 除直龍圖閣[366].

○고하는 자가 자면이다. 송나라 (철종) 원우(1086-1093) 연간에 태학생의 신분으로 산곡山谷 황정견黃庭堅과 왕래를 가졌다. 황정견이 그에게 시를 주었는데 거기에는 "겨울철 화로에 불기운이 조금 남았

361) 元祐(원우) : 북송北宋 철종哲宗의 연호(1086-1093).

362) 太學(태학) : 고대 중국에서 귀족의 자제들을 위해 도읍에 설치하였던 교육기관을 이르는 말.

363) 云(운) : 이는 오언율시五言律詩 <차운하여 자면子勉 고하高荷에게 화답하는 시 10수(次韻答高子勉十首)> 가운데 제4수의 미련尾聯을 인용한 것으로 ≪산곡집≫권10에 전한다.

364) 陰何(음하) : 남조南朝 양梁나라 때 시인인 음갱陰鏗과 하손何遜을 아우르는 말.

365) 江西詩派(강서시파) : 송나라 때 두보杜甫(712-770)의 시풍을 추종한 황정견黃庭堅(1045-1105)과 진사도陳師道(1053-1101) 등 일련의 시인들을 지칭하는 말. 송나라 여본중呂本中이 지은 ≪강서시사종파도江西詩社宗派圖≫란 서명에서 유래하였기에 '강서종파江西宗派'라고도 한다.

366) 龍圖閣(용도각) : 송나라 때 자정전資政殿과 술고전述古殿 사이에 있었던 장서각藏書閣 이름으로 태종太宗의 서예와 문집 및 여러 전적과 그림·보물 등을 소장하였다. 송나라 때는 황제가 사망하고 나면 유작과 유품을 소장하는 장서각을 마련하고, 이를 관장하는 관원으로 학사學士·직학사直學士·대제待制를 배치하는 관례가 있었다. 태종太宗의 용도각龍圖閣, 진종眞宗의 천장각天章閣, 인종仁宗의 보문각寶文閣, 신종神宗의 현모각顯謨閣, 철종哲宗의 휘유각徽猷閣, 휘종徽宗의 부문각敷文閣, 고종高宗의 환장각煥章閣, 효종孝宗의 화문각華文閣, 광종光宗의 보모각寶謨閣, 영종寧宗의 보장각寶章閣, 이종理宗의 현문각顯文閣 등이 그러한 예이다. ≪송사·직관지職官志≫권162 참조. '직용도각'은 용도각직학사의 준말.

어도, 재 속에서 (남조南朝 양梁나라) 음갱陰鏗과 하손何遜의 구절을 찾는다네"라고 하였다. 고원구와 함께 강서시파에 참여하였다.(상세한 내용은 앞의 권2 '서부'항에 보인다) 연산이 평정되자 개선가를 바치고서 직용도각을 제수받았다.

◇修學門庭(≪수학문정≫)

●高登, 字彦先, 漳浦[367]名儒也. 志節高亮, 少游太學. 宋靖康[368]中, 與陳東上書, 陳六賊[369]之害. 紹興中, 校文潮陽[370], 命題譏切秦檜, 長流容州, 遂立祠於容州學宮[371]. 有修學門庭[372], 傳於世.

○고등(?-1148)은 자가 언선으로 (복건성) 장포군 출신의 이름난 유학자이다. 의지가 드높고 절조가 분명하였는데 어려서부터 태학에서 공부하였다. 송나라 (흠종) 정강(1126-1127) 연간에 진동과 함께 상소문을 올려 여섯 간신의 해악을 진술하였다. (고종) 소흥(1131-1162) 연간에는 (광동성) 조양현에서 문서를 교정하다가 글을 지어 (거란과의 화친을 주도한) 진회를 신랄하게 비판하는 바람에 (광서성) 용주로 오랜 기간 유배당했기에 급기야 용주 학관에 사당이 세워졌다. 저서로 ≪수학문정≫이 세간에 전파되었다.

●齊高固入晉師, 桀[373]石投人曰, "欲勇者賈余餘勇."(成二)

○(춘추시대 때) 제나라 고고가 진나라 군대에 뛰어들어가 돌을 들어

---

367) 漳浦(장포) : 복건성의 속군屬郡 이름. 주州로 설치할 때는 '장주漳州'라고 하였다.

368) 靖康(정강) : 북송北宋 흠종欽宗의 연호(1126-1127).

369) 六賊(육적) : 송나라 때 과중한 세금과 대규모 토목공사로 국정을 어지럽힌 여섯 명의 간신을 아우르는 말. 채경蔡京(1047-1126)·주면朱勔(1075-1126)·양사성梁師成(?-1126)·이언李彦(?-1126)·왕보王黼(1079-1126)·동관童貫(1054-1126)을 가리킨다.

370) 潮陽(조양) : 광동성 조주潮州의 치소治所가 있던 현 이름. 당나라 때 한유韓愈(768-824)가 폄적당한 곳으로 유명하다.

371) 學宮(학궁) : 학교, 학관學館, 학사學舍의 별칭.

372) 修學門庭(수학문정) : 송나라 때 고등高登이 지은 유학儒學에 관한 책. 총 1권. ≪송사·예문지≫권205 참조. 오래 전에 실전된 듯하다.

373) 桀(걸) : 들다. '게揭'와 통용자.

서 그들에게 던지며 말했다. "용맹하기를 바라는 사람은 내게 남아 있는 용기를 사시오."(≪좌전左傳·성공成公2년≫권25)

●齊高强曰, "三折肱, 知爲良醫. 惟伐君爲不可."(哀[374]十三)

○(춘추시대 때) 제나라 고강이 말했다. "세 번 팔이 부러지면 좋은 의사를 알아보는 법이다. 다만 군주를 치는 것은 안 된다."(≪좌전左傳·정공定公13년≫권56)

●高賀, 公孫弘[375]故人也, 揚弘之惡. 弘曰, "寧逢惡賓, 勿逢故人."

○(전한) 고하는 공손홍의 오랜 친구인데도 공손홍이 나쁜 사람이라고 떠벌리고 다녔다. 그래서 공손홍은 "차라리 못된 손님을 만날지언정 오랜 친구를 만나서는 아니 되겠구먼"이라고 하였다.

●高頤, 漢人, 與弟君實·子文王, 一門三擧孝廉.

○고이는 한나라 때 사람으로 동생 고군실高君實·아들 고문왕高文王과 함께 한 가문에서 세 명이 효렴과에 급제하였다.

●高彪授書東觀[376], 靈帝詔東觀, 畵彪像, 以勸學者.

○(후한) 고표가 동관에서 ≪서경≫을 전수하자 영제가 동관에 조서를 내려 고표의 초상화를 그려 학생들에게 권면케 했다.

●高濟, 北魏人, 與邢穎·李熙·游雅, 號北朝四儁.(北史[377])

---

374) 哀(애) : '정定'의 오기이다. 위의 예문은 ≪좌전左傳·정공定公13년≫권56에 전한다.

375) 公孫弘(공손홍) : 전한 사람(B.C.200-B.C.121). 자는 계季. 무제武帝 때 박사博士와 승상丞相을 지내면서 태학太學의 건립을 주장하였다. 주보언主父偃(?-B.C.126)을 죽이고 동중서董仲舒(B.C.179-B.C.104)를 귀양보내기도 하였다. ≪한서·공손홍전≫권58 참조.

376) 東觀(동관) : 원래 후한後漢 때 낙양洛陽의 남궁南宮에 있던 장서각藏書閣 이름으로 반고班固(32-92) 등에 의해 ≪동관한기東觀漢紀≫가 편찬된 곳으로 유명하다. 뒤에는 국사를 편찬하는 곳의 별칭으로 쓰였다.

377) 北史(북사) : 당나라 이연수李延壽가 북조北朝의 북위北魏부터 수隋나라까지

○고제는 (북조北朝) 북위 때 사람으로 형영·이희·유아와 함께 ('북조 때 네 명의 준걸'이란 의미에서) '북조사준'으로 불렸다.(≪북사·고윤전高允傳≫권31)

●高閎, 宋紹興中, 爲司業[378]. 上幸學, 命講泰卦, 賜三品服.
○고굉은 송나라 (고종) 소흥(1131-1162) 연간에 국자사업國子司業을 지냈다. 고종이 학교에 행차하여 그에게 (≪역경≫의) 태괘에 대해 강론케 하고 3품의 관복을 하사하였다.

●高觀國, 字賓王, 號竹屋, 工詞. 有詞集, 名竹屋癡語[379].
○(송나라) 고관국은 자가 빈왕이고 호가 죽옥으로 사를 잘 지었다. 사집을 남기면서 이름을 ≪죽옥치어≫라고 하였다.

※女德婚姻(여덕과 혼인)

◇名著金石(이름이 금석에 적히다)

●高氏, 房嶙妻也, 筆畵遒麗, 不類婦人. 歐公[380]云[381], "予集錄已博矣. 婦人筆畵, 著於金石者, 高氏一人而已."
○(당나라) 고씨는 방인의 아내로 서예와 그림이 힘이 넘치고 아름다워서 전혀 아녀자답지 않았다. 그래서 (송나라) 구양수歐陽修는 "내

도합 242년의 역사를 간략히 정리하여 서술한 사서史書. 총 100권. ≪사고전서간명목록·사부·정사류正史類≫권5 참조.

378) 司業(사업) : 국가 최고 교육 기관인 국자감國子監의 업무를 총괄하는 국자제주國子祭酒 다음 가는 버금 장관인 국자사업國子司業의 약칭.

379) 癡語(치어) : 어리석은 말. 여기서는 자신의 작품에 대한 겸사謙辭로 쓰였다.

380) 歐公(구공) : 송나라 사람 구양수歐陽修(1007-1072)에 대한 존칭. 자는 영숙永叔이고 시호는 문충文忠. 저서로 ≪문충집文忠集≫ 158권 등이 전한다. ≪송사·구양수전≫권319 참조.

381) 云(운) : 이는 구양수가 당나라 고高씨 부인이 쓴 <당나라 안정견安庭堅의 선정을 송축하는 글(唐安公美政頌)>을 ≪집고록集古錄≫권6에 수록하면서 단 해설을 가리킨다.

가 작품들을 모은 것이 이미 엄청 많은데, 아녀자의 글씨와 그림 가운데 금석에 적힌 것은 오직 고씨 한 사람뿐이다"라고 하였다.

◇死義(도의를 지키기 위해 죽다)

●高彦昭事李正己, 及李納[382]拒命, 屠彦昭之家. 有女七歲曰, "母兄皆不免, 何賴而生?" 西向[383]哭, 再拜就死. 德宗聞之, 驚嘆, 詔謚曰愍. 諸儒競爲之誄.

○(당나라) 고언소는 이정기를 섬겼는데 (이정기의 아들인) 이납이 반란을 일으키면서 고언소의 가족을 도륙하였다. 그러자 고언소의 일곱 살 된 딸이 말했다. "어머니와 오빠들 모두 화를 면하지 못 했으니 누구에게 의지해서 살아갈 수 있으리오?" 서쪽을 향해 통곡하고는 재배를 올린 뒤 죽음을 맞았다. 덕종이 이 얘기를 듣고서 감동하여 '민'이란 시호를 하사하라는 조서를 내렸다. 여러 유생들이 그녀를 위해 다투어 뇌문을 지었다.

◇采德義(덕망과 의리를 갖춘 가문을 고르다)

●高允言婚姻之法曰, "古之婚者, 皆采德義之門, 妙簡貞嫻之女." 將婚于邢氏, 游雅勸婚其族, 允不從, 游雅曰, "人言河間[384]邢, 不勝廣平[385]游. 人自棄伯度, 我自敬黃頭."(允[386]小字)

○(북조北朝 북위北魏) 고윤(390-487)은 혼인의 방법에 대해 언급하면서 "옛날에 결혼하는 이들은 모두 덕망과 의리를 갖춘 가문을 고르고 정숙한 여자를 잘 간택하였다"고 하였다. 장차 형씨 가문과 혼

---

382) 李納(이납) : 당나라 때 사람으로 고구려의 후예인 이정기李正己의 아들. 봉례랑奉禮郎·전중승殿中丞·시어사侍御史를 역임하였다. 이희열李希烈·주도朱滔 등과 함께 반란을 일으켜 제왕齊王이라고 자칭하다가 뒤에 귀순하여 감숙성 농서군왕隴西郡王에 봉해졌다. ≪신당서·이납전≫권213 참조.

383) 西向(서향) : 서쪽을 향하다. 황제의 궁성이 있는 섬서성 장안을 향해 예를 표했다는 말이다.

384) 河間(하간) : 하북성의 속군屬郡 이름.

385) 廣平(광평) : 하북성의 속군屬郡 이름.

386) 允(윤) : '아雅'의 오기이다. ≪북사·유아전游雅傳≫권34에 의하면 '백도伯度'는 유아의 자이고, '황두黃頭'는 유아의 소자小字이다.

인을 맺으려 할 때 유아가 자신의 친족과 결혼할 것을 권하자 고윤이 그의 말을 따르지 않았다. 그러자 유아가 (자부심이 무척 강하여) “사람들은 (하북성) 하간군 형씨 가문에 대해 말하지만 우리 광평군 유씨 가문을 능가하지는 못 합니다. 남들은 으레 저 백도(유아)를 버리겠지만 저 자신은 황두(유아)를 존경한답니다”라고 하였다.(‘황두’는 유아의 어렸을 때 자이다)

◇定氏族(씨족을 정하다)

●唐太宗以山東士人尙閥閱[387], 嫁娶必多取資, 人謂之賣婚. 詔高士廉[388]・韋挺・岑文本, 責天下譜牒, 退新門, 進舊望, 左膏粱[389], 右寒畯[390], 合一百九十三姓・千六百五十一家爲九等, 號氏族志.

○당나라 태종은 산동 지역의 사대부들이 문벌을 중시하여 결혼할 때 반드시 재물을 많이 취하기에 사람들이 이를 ‘매혼’이라고 부르는 것이라고 생각하였다. 그래서 사렴士廉 고검高儉・위정・잠문본에게 조서를 내려 천하의 족보를 구해서 신진 가문을 물리치고 옛 명망 있는 인사를 올리며, 부귀한 집안을 홀대하고 한문寒門 출신의 인재를 우대하여 193개 성씨와 1,651개 가문을 수합해서 아홉 등급으로 나누고 책 이름을 ≪씨족지≫로 부르게 하였다.

◇女學士(여자 학사)

●高越初擧進士, 文聲藹然[391]. 鄂帥[392]李簡賢之, 將妻以女, 越賦鷂子

---

387) 閥閱(벌열) : 대문 왼쪽에 세우는 공적 기록표를 ‘벌閥’이라 하고, 대문 오른쪽에 세우는 공적 기록표를 ‘열閱’이라 하는 데서 유래한 말로, 결국 문벌이나 가문을 뜻한다.

388) 高士廉(고사렴) : 당나라 태종太宗 때 사람 고검高儉(577-647). ‘사렴’은 자. ≪신당서・고검전≫권95 참조.

389) 膏粱(고량) : 기름진 고기와 좋은 곡식으로 만든 고급 음식을 가리키는 말로, 결국 부귀한 집안을 상징한다.

390) 寒畯(한준) : 한문寒門 출신으로 재능이 있는 사람. ‘준畯’은 ‘준俊’과 통용자.

391) 藹然(애연) : 성대한 모양, 자욱한 모양.

392) 鄂帥(악수) : 호북성 악주鄂州를 관장하는 장수를 이르는 말.

詩而去. "雪爪星眸衆所歸, 摩天[393]專待振毛衣. 虞人[394]莫謾張羅網, 未肯平原淺草飛." 後盧文進鎭上黨, 具禮幣致之, 辟爲書記[395]. 文進仲女, 才色俱有, 善屬文, 號女學士, 以妻越, 擅名江表[396].

○(당나라 말엽에) 고월은 갓 진사과에 급제하자마자 문인으로서의 명성을 크게 떨쳤다. (호북성) 악주를 관장하는 장수인 이간이 그를 인재라고 생각해 딸을 시집보내려고 하였지만 고월은 <새매를 읊은 시>를 짓고서 자취를 감췄다. 시의 내용은 다음과 같다. "눈처럼 새하얀 발톱과 별처럼 번뜩이는 눈망울이 있어 뭇 새들이 굴복하지만, 하늘까지 닿으면서 오로지 깃털을 떨치기를 기다렸네. 사냥터지기여 함부로 그물을 펼치지 마시게, 평원처럼 풀 얕은 곳에서는 날고 싶지 않으니." 뒤에 노문진이 (산서성) 상당군을 진수하면서 예물과 폐백을 갖춰 그를 초빙하여 서기에 임명하였다. 노문진의 차녀가 재색을 겸비하고 글을 잘 지어 '여학사'로 불리더니 고월에게 시집가 남당南唐에서 명성을 떨쳤다.

◇榜下婚(과거시험 급제자 명단이 발표되자 결혼하다)

●高宇應擧, 祈夢[397]於邵武[398]廣祐王廟, 得詩云, "碧瓦朱簷雲外聳, 黃花六葉掌中開." 果登第, 娶黃司業[399]女六娘. 碧瓦朱簷, 乃高宇也.

○(송나라) 고우는 과거시험에 응시하면서 (복건성) 소무군에 있는 광

---

393) 摩天(마천) : 하늘을 문지르다. 새매가 높이 날아오르는 것을 비유한다.
394) 虞人(우인) : 제왕의 산림과 사냥터를 관장하는 벼슬을 이르는 말.
395) 書記(서기) : 당송唐宋 때 지방 장관이나 절도사節度使·관찰사觀察使·방어사防禦使·선무사宣撫使 등 여러 사신 밑에서 문서를 관장하던 속관屬官인 장서기掌書記의 약칭. 속관에는 사신마다 차이가 있으나, ≪신당서·백관지≫권49에 의하면 대개 부사副使·행군사마行軍司馬·판관判官·지사支使·장서기掌書記·추관推官·순관巡官·아추衙推 등을 두었다.
396) 江表(강표) : 장강의 밖. 즉 강남江南의 별칭. 여기서는 결국 남당南唐을 가리킨다. 위의 예문과 유사한 내용이 송나라 정문보鄭文寶의 ≪남당근사南唐近事≫권2에 전한다.
397) 祈夢(기몽) : 꿈에서 신에게 기도를 올리는 일.
398) 邵武(소무) : 복건성의 속군屬郡 이름.
399) 黃司業(황사업) : 송나라 사람 황중黃中의 별칭. '사업'은 국자감國子監의 버금 장관인 국자사업國子司業의 준말. ≪송사·황중전≫권382 참조.

우왕의 사당에서 꿈속에 기도를 올리다가 다음과 같은 시를 얻었다. "푸른 기와 올린 붉은 처마가 구름 밖에 우뚝 솟더니, 국화 꽃잎 여섯 장이 손바닥에 피었네." 정말로 과거시험에 급제하고 국자사업國子司業 황중黃中의 딸 육낭에게 장가들었다. '푸른 기와 올린 붉은 처마'는 바로 고우를 비유적으로 가리킨다.

●高氏女飛梭, 落謝幼輿400)二齒.

○(진晉나라 때) 고씨의 딸은 베틀북을 던져 유여幼輿 사곤謝鯤의 이빨을 두 개 부러뜨렸다.

●高瑾有深沈之量, 琅琊相401)何英高其行, 以女妻之.

○(당나라) 고근은 도량이 깊었기에 낭야왕의 승상인 하영이 그의 행실을 높이 평가해 딸을 그에게 시집보냈다.

●韓文公402)娶高氏.

○(당나라) 문공文公 한유韓愈(768-824)는 고씨에게 장가들었다.

●淩準403)娶高氏.

○(당나라) 능준은 고씨에게 장가들었다.

●登高. 攀高, 琴高404). 曲彌高.

---

400) 謝幼輿(사유여) : 진晉나라 사람 사곤謝鯤. '유여'는 자. 왕돈王敦의 장사長史를 지내다가 왕돈이 역모를 하자 은퇴하였다. ≪진서·사곤전≫권49 참조.

401) 琅琊相(낭야상) : 제후국의 군주인 산동성 낭야왕琅琊王의 승상을 가리킨다.

402) 韓文公(한문공) : 당나라 때 대문호인 한유韓愈(768-824)에 대한 존칭. '문文'은 시호. 저서로 송나라 위중거魏仲擧가 엮은 ≪오백가주창려문집五百家注昌黎文集≫ 40권이 전한다. ≪신당서·한유전≫권176 참조.

403) 淩準(능준) : 당나라 때 사람. 자는 종일宗一. 헌종憲宗 원화元和(806-820) 연간에 한림학사翰林學士에 올라 유종원柳宗元·유우석劉禹錫 등과 함께 왕숙문王叔文의 개혁정치에 참여하였다가 좌천당했다. ≪신당서·능준전≫권168 참조.

404) 琴高(금고) : 안휘성에 있는 산 이름.

○산에 오르다. 높은 가지를 잡아당기다. 금고산. 곡조가 갈수록 높아지다.

◆毛(모씨)

▶羽音. 西河. 周文王第八子封於毛, 以國爲氏. 傳云, "魯·衛·毛·聃, 文之昭[405]也." "周王使毛伯衛求金."

▷음은 우음에 속하고 본관은 (산서성) 서하군이다. 주나라 문왕의 8남이 모나라에 봉해지면서 나라 이름을 성씨로 삼은 것이다. ≪좌전左傳·희공僖公24년≫권14에 "노나라·위나라·모나라·담나라의 군주는 (주나라) 문왕의 아들이다"라고 하였고, 또 ≪좌전·문공文公9년≫권18에서는 "주나라 왕이 (모나라 군주인) 모백 위衛를 시켜 노나라에 금을 요구케 했다"고 하였다.

◇囊錐脫穎(주머니 속의 송곳이 자루까지 튀어나오다)

●毛遂自薦於平原君[406], 曰, "賢士之處世, 若錐之處囊中, 其末立見." 遂曰, "使早得處囊中, 乃穎脫而出." 與俱至楚, 定從[407]而歸. 平原君曰, "毛先生一至楚, 使趙重九鼎[408]大呂[409], 以三寸之舌强百萬之師." 乃以爲上客.

○(전국시대 조趙나라) 모수가 평원군에게 자신을 추천하자 평원군이 말했다. "현명한 선비의 처세술은 마치 송곳이 주머니 속에 있으면 그 끝이 즉시 드러나는 것과 같은 법이오." 그러자 모수가 대답하였

---

405) 昭(소) : 종묘에서 신위의 위치를 가리키는 소목昭穆 가운데 시조始祖의 왼쪽에 위치하는 신위를 가리키는 말로 여기서는 결국 후손(아들)을 뜻한다.

406) 平原君(평원군) : 전국시대 조趙나라 무령왕武靈王의 아들로 본명은 조승趙勝. 평원平原에 봉해져서 '평원군'으로 불렸다. 여러 차례 나라의 위기를 건졌고, 제齊나라 맹상군孟嘗君·위魏나라 신릉군信陵君·초楚나라 춘신군春申君과 함께 사공자四公子로 유명하다. ≪사기·평원군조승전平原君趙勝傳≫권76 참조.

407) 定從(정종) : 합종合從을 정하다. 즉 남북으로 동맹관계를 맺는 것을 말한다. '종從'은 '종縱'과 통용자.

408) 九鼎(구정) : 하夏나라 우왕禹王이 구주九州에서 모은 쇠를 이용하여 아홉 개의 세발솥을 만들었다는 고사에서 비롯된 말로 나라의 근간이나 보물을 비유한다. 혹은 구정이 아홉 개가 아니라 세발솥 하나의 명칭이라는 설도 있다.

409) 大呂(대려) : 주周나라 때 종묘에 설치했던 커다란 종 이름. 앞의 '구정'과 마찬가지로 국보國寶를 상징한다.

다. "만약 일찌감치 주머니 속에 자리잡을 수 있었다면 자루까지 주머니를 벗어나 밖으로 튀어나왔을 것입니다." 그래서 함께 초나라에 가 남북동맹을 맺고 돌아왔다. 그러자 평원군은 "모선생이 초나라에 가서 우리 조나라를 구정이나 대려보다도 더 중시받게 만들었으니 세 치 혀가 백만 대군보다도 강하다고 할 만하오"라고 칭찬하였다. 결국 모수를 상객으로 대우하였다.

◇詩學(≪시경≫에 관한 학문)

●毛亨治詩, 作詁訓傳, 以授毛萇. 萇爲河間獻王410)博士. 時稱亨爲大毛公, 萇爲小毛公. 萇封樂壽411)伯.

○(전한) 모형은 ≪시경≫을 연구한 뒤 그 뜻을 풀이한 ≪모전≫을 지어서 모장에게 전수하였다. 모장은 하간헌왕(유덕劉德)의 박사가 되었다. 그래서 당시 사람들은 모형을 '대모공'이라고 부르고, 모장을 '소모공'이라고 불렀다. 모장은 낙수백에 봉해졌다.

◇晝錦(금의환향하다)

●毛遐, 字鴻遠. 漢明帝412)以爲雍州刺史, 詔曰, "晝錦413)榮鄕414)也."

○모하는 자가 홍원이다. (북조北朝) 북위北魏 효무제孝武帝는 그를 (섬서성) 옹주자사에 임명하면서 조서를 내려 "경에게 금의환향할 수 있는 영광을 누리게 하겠노라"고 하였다.

---

410) 河間獻王(하간헌왕) : 전한 때 경제景帝의 열네 번째 아들 유덕劉德(?-B.C. 130)의 별칭. '하간'은 한나라 때 하북성에 설치한 제후국으로 봉호이고, '헌'은 시호이다. ≪한서·경십삼왕전景十三王傳·하간헌왕유덕전≫권53 참조.

411) 樂壽(낙수) : 하북성의 속현屬縣으로 여기서는 모장의 봉호를 가리킨다.

412) 漢明帝(한명제) : 이는 '위무제魏武帝'의 오기이다. 모하毛遐는 북조北朝 북위北魏 효무제孝武帝 때 사람으로 ≪북사北史·모하전≫권49에 그의 전기가 전한다. 또 위의 조서는 ≪북사·모홍빈전毛鴻賓傳≫권49에 의하면 모하가 아니라 그의 동생인 모홍빈에게 내린 것이다. 전래 과정에서 여러 가지 착오가 일어난 듯하다.

413) 晝錦(주금) : '낮에 비단옷을 입고 돌아다닌다'는 뜻으로 금의환향錦衣還鄕을 말한다.

414) 鄕(향) : ≪북사·모홍빈전≫권49에 의하면 '경卿'의 오기이다. 자형의 유사성으로 인한 필사 과정상의 오기로 보인다.

◇捧檄(격문을 받들다)

●毛義, 廬江人, 以行義稱於鄉里. 漢元和間, 張奉往候之, 府檄適至, 以爲安陽令. 義捧檄而入, 喜動顔色, 奉心賤之. 後其母死, 徵辟皆不就. 奉嘆曰, "往日之喜, 爲親屈也!"

○모의는 (강서성) 여강현 사람으로 곧은 품행과 도의로써 고향에서 칭송을 받았다. 후한 (장제) 원화(84-86) 연간에 장봉이 그를 찾아가 문후인사를 올릴 때 승상부의 격문이 때마침 도착했는데, 모의를 (하남성) 안양현의 현령에 임명한다는 내용이 들어 있었다. 모의가 격문을 받아들고 들어와 얼굴에 희색을 띠자 장봉은 내심 그를 천박한 사람이라고 생각하였다. 뒤에 모친이 죽자 모의는 부름이 있을 때마다 관직에 나가지 않았다. 그러자 장봉이 탄식하며 말했다. "지난번에 기뻐한 것은 모친 때문에 몸을 굽혔던 것이로구나!"

◇素屛几(비단 병풍과 안궤)

●毛玠, 字孝先, 爲東曹[415]掾, 與崔琰典選, 所擧皆淸正之士. 魏太祖[416]以素屛風几錫[417], 又曰, "君有古人風, 賜以古人服." 又曰, "眞古所謂國之司直[418]也." 位至尙書僕射. 子機.

○(후한 말엽 사람인) 모개(?-216)는 자가 효선으로 동조의 관리를 맡아 최염과 함께 인선을 관장하였는데, 그가 천거한 사람들은 모두가 청렴하고 방정한 선비들이었다. (삼국) 위나라 태조(조조曹操)는 비

415) 東曹(동조) : 원래는 삼공三公의 수장인 태위太尉의 부서였는데, 뒤에는 왕부王府나 승상부丞相府, 지방 관부官府 등에서 인사와 재정에 관한 업무를 관장하던 기관이나 벼슬을 이르게 되었다. 병무와 형벌을 관장하는 서조西曹와 대칭되었다. 당송 때는 상서성尙書省 육부六部 가운데 동쪽에 위치한 이부吏部·호부戶部·예부禮部를 가리키기도 하였다.

416) 太祖(태조) : 삼국 위魏나라 무제武帝 조조曹操(155-220)의 묘호. 그의 아들인 조비曹丕(187-226)가 위나라를 건국한 뒤 조조의 시호를 '무제'라고 하고, 묘호를 '태조'라고 하였다.

417) 錫(석) : 하사하다. '사賜'와 통용자.

418) 司直(사직) : 법에 따라 곡직을 판단하는 사람을 뜻하는 말로 법관에 해당하는 벼슬 이름. 한나라 때는 승상부丞相府의 속관屬官이었고, 후한 때는 사도司徒의 속관이었으며, 북위北魏 이후로는 정위廷尉나 대리시大理寺의 속관이었다. 또 당나라 때는 태자첨사부太子詹事府의 속관 중에 사직이 있기도 하였다.

단 병풍과 안궤를 하사하면서 다시 "그대에게 고인의 기풍이 있으니 고인의 의복을 하사하겠소"라고도 하고, 또 "진정 옛날 사람들이 말하던 나라의 사직이구려"라고도 하였다. 벼슬은 상서복야까지 올랐다. 아들은 모기毛機이다.

◇三葉擁麾(삼대에 걸쳐 태수를 지내다)

●毛寶, 字碩眞, 仕晉, 爲廬江太守, 稱毛廬江. 自寶至其孫璩, 三葉擁麾[419].

○모보(?-339)는 자가 석진으로 진나라에서 벼슬길에 올라 (강서성) 여강태수를 지냈기에 '모여강'으로 불렸다. 모보로부터 그의 손자인 모거毛璩(?-405)에 이르기까지 삼대에 걸쳐 태수를 지냈다.

◇倚玉(아름다운 나무에 기대다)

●晉毛曾與夏侯玄共坐, 人謂'蒹葭倚玉樹[420].'

○진나라 때 모증이 하후현과 함께 앉으면 사람들은 '갈대(모증)가 아름다운 나무(하후현)에 기대네'라고 놀려댔다.

◇擒姦酒(도적들을 사로잡게 만든 술)

●毛鴻賓仕晉[421], 爲青州刺史. 齎酒, 之藩, 逢盜劫, 飮之皆醉, 幷擒之. 因名曰'擒姦酒.'

○(모하毛遐의 동생인) 모홍빈은 (북조) 북위北魏에서 벼슬길에 올라 (산동성) 청주자사를 지냈다. 술을 가지고 변방으로 가다가 도적들을 만났는데 도적들이 그 술을 마시고 모두 취하는 바람에 그들을 다 사로잡을 수 있었다. 그래서 술 이름을 '금간주'라고 하였다.

---

419) 擁麾(옹휘) : 지휘용 깃발을 손에 쥐다. 즉 지방 수령인 자사・태수나 장수직에 오르는 것을 말한다.

420) 玉樹(옥수) : 신선세계에 있다는 꽃나무. 아름다운 나무를 비유하는 말로서 여기서는 용모가 출중한 하후현을 비유적으로 가리킨다.

421) 晉(진) : '위魏'의 오기이다. 모홍빈은 자가 홍원鴻遠인 모하毛遐의 동생으로 북조北朝 북위北魏 때 사람이다. ≪북사北史・모홍빈전≫권49에 그의 전기가 전한다. 단 모홍빈의 본명은 알려지지 않았다.

◇羊羹絶味(양고기국을 훌륭한 음식이라고 칭찬하다)

●毛修之, 字敬文. 晉宋間, 官于洛陽. 魏入洛, 修之自調羊羹, 薦魏尙書[422]. 以爲絶味, 獻之太武, 大悅, 以爲太官令[423]. 後封南郡公.

○모수지는 자가 경문이다. 진나라에서 유송劉宋으로 넘어갈 시기에 (하남성) 낙양에서 관리를 지냈다. 북위北魏의 군대가 낙양으로 들어오자 모수지는 손수 양고기국을 조리하여 북위의 상서에게 바쳤다. 북위의 상서가 훌륭한 요리라고 생각해 태무제太武帝에게 바치자 태무제가 무척 기뻐하며 모수지를 태관령에 임명하였다. 뒤에 남군공에 봉해졌다.

◇律法(율려에 관한 법칙을 정하다)

●毛爽, 隋人, 受京房[424]律法[425], 布管[426]·飛灰[427]·順月皆驗. 又每律生五音, 十二律爲六十音, 因而六之, 爲三百六十音, 分直[428]一歲之日, 以配其音.

○모상은 수나라 때 사람으로 (전한) 경방의 율법을 전수받아 율관律管을 배치하고 갈대를 태운 재를 날리고 달의 순서를 정하는 것을 모두 증명해 냈다. 또 각 율려律呂마다 5음을 만들어 12율려를 60

---

422) 尙書(상서) : 한나라 이후로 정무政務와 관련한 문서의 발송을 주관하는 일, 혹은 그러한 업무를 관장하던 벼슬을 가리킨다. '상尙'은 '주관한다(主)'는 뜻이다. 후대에는 이부상서吏部尙書나 병부상서兵部尙書와 같이 그런 업무를 관장하는 상서성尙書省 소속 장관을 뜻하는 말로 쓰였다. 휘하에 시랑侍郞과 낭중郞中·원외랑員外郞 등을 거느렸다.

423) 太官令(태관령) : 황제의 음식과 연향燕享을 관장하는 벼슬 이름.

424) 京房(경방) : 전한 때 사람으로 초연수焦延壽에게 ≪역경≫을 배워 ≪경씨역전京氏易傳≫을 저술하였고, 낭중郞中과 위군태수魏郡太守를 역임하였으며, 원제元帝 때 재앙에 대해 여러 차례 상주하다가 석현石顯의 미움을 사서 죽임을 당했다. ≪한서·경방전≫권75 참조.

425) 律法(율법) : 율려律呂에 관한 법칙을 이르는 말.

426) 布管(포관) : 율관律管을 포진하다. 율려律呂와 역법曆法을 정하기 위해 12월과 조응하는 12개의 율관을 배치하는 것을 말한다.

427) 飛灰(비회) : 갈대를 태운 재를 날리다. 옛날에 12개의 율관律管에 갈대를 태운 재를 채운 뒤 그것이 날아움직이는 모양을 보고 절기를 판단했던 기술을 가리킨다.

428) 直(치) : 값을 매기다, 값을 정하다. '치値'와 통용자.

음으로 만들고 그참에 6을 곱해 360개의 음으로 만들어서 한해 360일에 나눠서 값을 적용해 그 소리와 짝을 지었다.

◇廬山隱士(여산의 은자)

●毛炳隱廬山, 得錢卽沽酒. 嘗醉, 臥道旁, 有里正[429]掖起之, 炳瞋目曰, "亟去. 毋撓予睡." 徙居南臺山, 題壁云, "先生不此住, 千載惟空山."

○(송나라) 모병은 (강서성) 여산에 은거하면서 돈이 생기면 즉시 술을 사서 마셨다. 한번은 술에 취해 길옆에 누웠는데 어느 이정이 자신을 부축해 일으키자 모병은 눈을 부릅뜬 채 말했다. "빨리 떠나시게. 내 잠을 방해하지 말고." 남대산으로 이주하면서 벽에 다음과 같은 시를 남겼다. "선생이 이곳에 머물지 않으니, 천 년 동안 오로지 텅 빈 산만 남으리."

◇東堂集(≪동당집≫)

●毛滂, 字澤民, 工詩, 有東堂集十二卷. 宋元祐中, 坡守杭州, 滂爲法曹[430]. 秩滿[431], 辭去, 詞[432]云, "今夜山深處, 斷魂分付潮回去." 坡曰, "郡僚有詩人而不知, 軾之罪也!"

○모방은 자가 택민으로 시를 잘 지어 ≪동당집≫ 12권을 남겼다. 송나라 (철종) 원우(1086-1093) 연간에 동파東坡 소식蘇軾이 (절강성) 항주자사를 지낼 때 모방은 법조참군을 맡았다. 임기가 끝나 사직하고 떠나면서 사를 지어 "오늘 밤 산 깊은 곳에서 달아난 혼을 조수에 맡긴 채 돌아가네"라고 하였다. 그러자 소식은 "군청 동료 가운데 시인이 있는데도 몰랐으니 이는 나 소식의 죄로다!"라고 하였다.

---

429) 里正(이정) : 한 마을을 다스리는 사람. 명나라 이후로는 이장里長으로 개칭되었다.

430) 法曹(법조) : 자사刺史나 태수太守 밑에서 법률을 관장하는 벼슬인 법조참군法曹參軍의 약칭.

431) 秩滿(질만) : 관리의 임기가 다 찬 것을 이르는 말.

432) 詞(사) : 이는 사패詞牌가 <석분비(惜分飛)>인 작품에서 마지막 두 구절을 인용한 것으로 송나라 모방毛滂의 ≪동당사東堂詞≫에 전한다.

◇尙書後(상서의 후손)

●毛國華, 字君寶, 仕宋, 爲於潛[433]令. 東坡捕蝗, 到其邑, 詩[434]戲曰, "令君[435]留滯生二毛[436], 飽聽衙鼓眠黃紬[437]." 又云[438], "尙書淸節衣冠[439]後." 謂毛玠也.

○모국화는 자가 군보로 송나라에서 벼슬길에 올라 (절강성) 어잠현의 현령을 지냈다. 동파東坡 소식蘇軾이 메뚜기를 잡다가 그의 고을에 도착해 다음과 같은 시를 지어 농을 건넸다. "그대 이곳에 오래 머물러 반백의 머리카락이 생기더니, 관아의 북소리 실컷 듣다가 (일찍 퇴근해) 노란 명주 이불 속에서 잠자는구려"라고 하였다. 소식은 또 "상서에 올라서도 청렴한 절조를 지킨 사대부의 후손이라네"라고 하였는데, 이는 (후한 말엽에 상서를 지낸) 모개를 두고 한 말이다.

---

433) 於潛(어잠) : 절강성 항주杭州의 속현屬縣 이름.

434) 詩(시) : 이는 칠언고시七言古詩 <성유聖俞 매요신梅堯臣의 시집에 '모장관'이란 사람이 등장하는데 지금의 (절강성) 어잠현령 모국화이다. 매요신이 죽은 지 15년이 지났는데도 그대는 여전히 현령을 맡고 있다. 메뚜기를 잡다가 고을에 이르렀기에 시를 지어 농을 걸어본다(梅聖俞詩集中有毛長官者, 今於潛令國華也. 聖俞沒十五年, 而君猶爲令. 捕蝗, 至其邑, 作詩戲之)> 가운데 한 연을 인용한 것으로 소식蘇軾(1036-1101)의 ≪동파전집東坡全集≫권6에 전한다.

435) 令君(영군) : 한나라 이후로 상서령尙書令에 대한 존칭으로 쓰이다가 당송 이후로는 현령縣令에 대한 존칭으로도 쓰였다.

436) 二毛(이모) : 머리카락이 두 가지 빛깔을 띠는 것, 즉 반백의 머리를 말한다.

437) 黃紬(황주) : 노란 명주 이불을 뜻하는 말인 '황주피黃紬被'의 준말. 관청에서 일찍 퇴근하는 것을 비유한다. 송나라 왕십붕王十朋(1112-1171)의 ≪동파시집주東坡詩集註≫권18에 수록된 <합격동기생 손변孫卞이 산용동에서 비가 개기를 기원하며 쓴 시에 화답하다(和孫同年卞山龍洞禱晴)>의 주에 "세간에 전하기를 송나라 태조가 한 현령에게 '절대로 노란 명주 이불 좋다고 관아에서 퇴근하지 말라'고 말했다(世傳, 宋太祖謂一縣令曰, '切勿於黃紬被裏放衙')"는 고사가 전한다.

438) 云(운) : 이는 칠언율시七言律詩 <모현령・방현위와 함께 서보리사를 유람하며 지은 시 2수(與毛令・方尉遊西菩提寺二首)> 가운데 제1수의 경련頸聯의 기구起句를 인용한 것으로 ≪동파전집≫권6에 전한다.

439) 衣冠(의관) : 관복官服과 갓. 사대부나 벼슬아치를 비유한다.

◇鳳山八詠(<봉산의 노래 8수>)

●毛維瞻, 字國鎭, 以詩鳴. 與趙淸獻440)同里相得, 爲山林之樂. 宋元豐441)中, 出守筠州, 政平訟理. 時蘇穎濱442)謫筠州監酒, 相與倡和, 有鳳山八詠・山房卽事十絶. 蘇詩443)云, "共喜新蒭444)酒味醇, 官居休暇不須旬. 政成境內棠陰合, 訟息亭中草色新. 不惜牛刀445)時一割, 已因鼷鼠446)發千鈞447). 歲成誰與公書考448), 豈止江南第一人?"

○모유첨은 자가 국진으로 시로써 이름을 떨쳤다. 청헌공淸獻公 조변趙抃(1008-1084)과는 같을 고을에 살면서 서로 의기투합하여 자연 속에서 즐거움을 누렸다. 송나라 (신종) 원풍(1078-1085) 연간에 조정을 나서서 (강서성) 균주자사로 내려가 정사를 공평하게 펼치고 송사를 잘 해결하였다. 당시 영빈유로潁濱遺老 소철蘇轍이 균주에서 주세를 감독하는 관리로 폄적당하자 서로 시를 주고받으며 <봉산의 노래 8수>와 <산방에서 즉흥적으로 지은 절구 10수> 등을 남겼다. 소철은 시에서 "새로 거른 술이 맛이 순박하여 함께 기뻐하기에, 관청생활에서 휴가로 열흘을 받을 필요 없다네. 경내에 정사가 잘 펼쳐져 팥배나무 그늘도 무성하고, 고을 안에 송사가 그치니 풀빛도 새로워라. 소 잡는 데 쓰는 칼 때마침 한번만 쓴다고 애석해 할 것

---

440) 趙淸獻(조청헌) : 송나라 때 사람 조변趙抃(1008-1084). '청헌'은 시호諡號. 저서로 ≪청헌집淸獻集≫ 10권이 전한다. ≪송사・조변전≫권316 참조.

441) 元豐(원풍) : 북송北宋 신종神宗의 연호(1078-1085).

442) 蘇穎濱(소영빈) : 송나라 사람 소철蘇轍(1039-1112)의 별칭. '영빈'은 그의 호는 영빈유로潁濱遺老의 준말. 자는 자유子由. 부친인 소순蘇洵(1009-1066) 및 형 소식蘇軾(1036-1101)과 함께 당송팔대가唐宋八大家로 유명하다. 저서로 ≪난성집欒城集≫ 96권이 전한다. ≪송사・소철전≫권339 참조.

443) 詩(시) : 이는 칠언율시七言律詩 <모균(모유첨)이 열흘이 넘도록 형벌을 집행하지 않은 것에 대해 차운하여 짓다(次韻毛君經旬不用鞭朴)>를 인용한 것으로 ≪난성집≫권10에 전한다.

444) 新蒭(신추) : 새로 거른 술을 뜻하는 말인 '신추新篘'의 오기. '추篘'는 술을 거르는 데 사용하는 도구를 뜻한다.

445) 牛刀(우도) : 소 잡는 데 쓰는 칼. 훌륭한 인재를 비유한다.

446) 鼷鼠(혜서) : 생쥐.

447) 鈞(균) : 도량형 단위로 30근의 무게를 뜻한다. 여기서는 강도가 천 균 나가는 강한 활이나 쇠뇌를 가리킨다.

448) 書考(서고) : 고과를 적다. 즉 관리의 업무 성적을 평가하는 것을 말한다.

없나니, 이미 생쥐 때문에 천 균의 강도를 가진 활을 쏘았다네. 한 해가 지났으니 누가 공에게 고과성적을 써 줄까마는, 어찌 단지 강남 제1일인이라는 평가에서 그치랴?"라고 하였다.

※女德(여덕)

●莊子, "毛嬙・麗姬, 人之所美." 註云, "古美女也."

○≪장자・제물론齊物論≫권1에 "모장과 여희는 사람들이 아름답다고 인정한 여자들이다"라고 하였는데, 주에 "옛날 미녀들이다"라고 하였다.

●毛達可449)妻能詩, 寄夫云, "剪燭450)新封錦字書, 擬憑歸雁寄天隅. 經年不報干451)秦策452), 不識如今舌在453)無454)."

○(송나라) 달가達可 모우毛友의 아내는 시를 잘 지었는데, (과거시험을 보려고 집을 떠난) 남편에게 다음과 같은 시를 부쳤다. "촛불 심지 자르며 새로 비단 서신 봉해, 돌아가는 기러기 발에 묶어서 하늘 저멀리 부쳐봅니다. 한 해 지나도록 (전국시대 동주東周) 소진蘇秦의

---

449) 毛達可(모달가) : 송나라 사람 모우毛友. 본명은 우룡友龍. '달가'는 자. 한림학사翰林學士・예부상서禮部尚書 등을 지냈다. 청나라 여악厲鶚(1692-1752)의 ≪송시기사宋詩紀事・모우≫권38 참조.

450) 剪燭(전촉) : 촛불의 심지를 자르다. 밤중에 길게 대화하거나 그리움에 잠 못 이루는 것을 비유한다. '척촉剔燭'이라고도 한다.

451) 干(간) : 구하다, 얻다. '구求'의 뜻.

452) 秦策(진책) : 소진蘇秦(?-B.C.284)의 책략. 소진은 전국시대 동주東周 사람(?-B.C.284)으로 제齊나라에서 장의張儀(?-B.C.310)와 함께 귀곡선생鬼谷先生에게 수학한 뒤 합종책合縱策을 설파해 6개 제후국의 공동 재상에 올랐다. ≪사기・소진전≫권69 참조. 여기서는 과거시험에 급제하는 것을 비유한다.

453) 舌在(설재) : 혀가 남아 있다. 전국시대 장의張儀(?-B.C.310)가 소진과 함께 귀곡선생鬼谷先生에게서 수학하고서 뒤에 초楚나라에서 유세하다가 의심을 받아 장형을 당하고 풀려났는데, 아내가 괜히 공부해서 모욕을 당한다고 핀잔을 주자 자신의 혀가 아직 멀쩡하니 다행이라고 말했다는 고사가 ≪사기・장의전≫권70에 전한다. 여기서는 과거에 급제할 실력을 비유하는 말로 쓰였다.

454) 無(무) : 부가의문문을 만들기 위한 일종의 어기조사.

책략을 구했다는 답장을 아직 받지 못 했는데, (장의張儀처럼) 지금도 혀가 남아 있는지 모르겠습니다.”

●燕毛. 鴻毛. 一毛. 九牛毛455).

○제비의 털. 큰기러기의 털. 터럭 하나. 구우일모九牛一毛.

◆敖(오씨)

▶宮音. 譙國. 顓頊456)師大敖之後.

▷음은 궁음에 속하고 본관은 (안휘성) 초국이다. (전설상의 임금) 전욱의 스승인 대오의 후손이다.

◇鍊丹井(단약을 조제하던 우물)

●敖仙, 晉人, 卽敖眞人也, 失其名. 按方輿志457), 敖嶺在江西上高縣北之五里, 卽眞人得道之處. 上有眞人祠・磨劍石・鍊丹井, 下有沖眞觀. 宋熙寧458)中, 樞密蔣之奇行部459), 至上高寶嚴寺, 留詩云, “嘉節長岐路, 區區460)夢幻身. 何年一擧腋461), 仙去逐敖君?”

○오선은 진나라 때 사람으로 바로 ‘오진인’이란 도사인데 본명은 알려지지 않았다. 지리지를 살펴보면 오령은 강서 일대(강서성)의 상고현 북쪽 5리 되는 곳에 있는데 바로 오진인이 득도한 곳이다. 위로는 (오진인을 모신 사당인) 진인사와 (검을 갈던 바위인) 마검석・연단정이 있고, 아래로는 (도관인) 충진관이 있다. 송나라 (신종) 희녕

---

455) 九牛毛(구우모) : 매우 보잘것없는 것을 비유하는 말인 구우일모九牛一毛의 준말.

456) 顓頊(전욱) : 전설상의 임금인 오제五帝 가운데 두 번째 황제. 씨氏는 ‘고양高陽’이고, 성姓은 ‘희姬’이며, 황제黃帝의 증손자이다. ≪제왕세기・오제≫권2 참조.

457) 方輿志(방여지) : 각 지방의 지리나 풍속 등에 관해 기록한 지리지를 이르는 말.

458) 熙寧(희녕) : 북송北宋 신종神宗의 연호(1068-1077).

459) 行部(행부) : 관할 구역을 순찰하면서 치적을 살피는 일.

460) 區區(구구) : 부지런히 힘쓰는 모양. 매우 바쁜 모양.

461) 擧腋(거액) : 겨드랑이(腋)에 자라는 날개를 든다는 말로 신선의 날개를 펼치는 것을 말한다.

(1068-1077) 연간에 추밀사 장지기가 관할 구역을 순찰하다가 상고현의 보엄사에 도착해 다음과 같은 시를 남겼다. "좋은 시절에 오래도록 갈림길에 섰기에, 마음 애태우며 꿈속을 헤매던 몸. 언제나 날개를 펼쳐, 신선이 되어서 오군을 따라갈 수 있으려나?"

◇詩評(≪시평≫)

●敖陶孫, 字器之, 號臞庵. 懷才挾氣, 嘗有詩[462]云, "蟠胸二萬卷, 落筆五千言." 宋寧宗朝, 進士及第. 慶元[463]中, 韓侂胄用事[464], 貶趙忠定[465]于永[466], 陶孫時處上庠[467], 以詩[468]哭之云, "狼胡[469]無地歸姬旦[470], 魚腹終天[471]痛屈原[472]." 侂胄惡之, 編管[473]嶺南[474]. 作詩

462) 詩(시) : 이는 오언배율五言排律 <참지정사 정공에게 올리는 시 40운(上鄭參政四十韻)> 가운데 한 연을 인용한 것으로 진기陳起가 엮은 ≪강호소집江湖小集·오도손구옹시집敖陶孫臞翁詩集≫권45에 전한다.

463) 慶元(경원) : 남송南宋 영종寧宗의 연호(1195-1200).

464) 用事(용사) : 국사를 좌우하다, 권력을 휘두르다.

465) 趙忠定(조충정) : 남송 때 사람 조여우趙汝愚(1140-1196)의 별칭. '충정'은 시호. 자는 자직子直. 이부상서吏部尙書·추밀사樞密使·승상을 역임하며 주희朱熹(1130-1200) 등 유학자들을 등용하였다. ≪송사·조여우전≫권392 참조.

466) 永(영) : 호남성의 속주屬州 이름.

467) 上庠(상상) : 태학太學의 별칭. '상서上序'라고도 한다.

468) 詩(시) : 이는 칠언율시七言律詩 가운데 함련頷聯을 인용한 것으로 송나라 위경지魏慶之의 ≪시인옥설詩人玉屑·중흥제현中興諸賢≫권19에 전한다.

469) 狼胡(낭호) : 이리의 수염. 이리가 자기 수염에 걸려 이러지도 저러지도 못하는 모양을 노래한 ≪시경·빈풍豳風·낭발狼跋≫권15의 "이리가 수염을 밟고 꼬리를 밟네(狼跋其胡, 載疐其尾)"라는 구절에서 유래한 말로 진퇴양난에 빠지는 것을 비유한다. '낭발狼跋' '낭패狼狽'라고도 한다.

470) 姬旦(희단) : 주周나라 문왕文王 희창姬昌의 아들이자 무왕武王 희발姬發의 동생. 주공周公이란 존칭으로 널리 알려졌다.

471) 終天(종천) : 매우 긴 시간을 이르는 말.

472) 屈原(굴원) : 전국시대 초楚나라 사람 굴평屈平. '원原'은 자字. 본명보다는 자로 더 알려졌다. 호는 영균靈均. 회왕懷王 때 삼려대부三閭大夫를 지내다가 참소를 당하자 ≪이소離騷≫를 짓고, 양왕襄王 때 다시 참소를 당하자 멱라강汨羅江에 투신자살하였다. ≪사기·굴원전≫권84 참조. 여기서는 앞의 '희단'과 함께 충신인 조여우趙汝愚를 비유적으로 가리키는 듯하다.

473) 編管(편관) : 송나라 때 유배형의 하나. 죄가 가벼운 사람은 일정한 장소에 거주시키고 죄가 조금 무거운 사람은 먼 지방에 구금시키면서 이를 '안치安置'라고 하였으며, 죄가 매우 무거운 사람은 아주 먼 지방의 호적에 편입시켜 지

評475)一章, 自魏晉至唐宋詩人, 皆有品題.

○오도손(1154-1227)은 자가 기지이고 호가 구암이다. 글재주가 뛰어나고 기개가 드높아 일찍이 시를 지어서 "가슴 속에 책 2만 권을 품었기에, 붓을 대면 단숨에 5천 자를 써내려 간다네"라고 하였다. 송나라 영종 때 진사시험에 급제하였다. (영종) 경원(1195-1200) 연간에 한탁주가 권력을 잡고서 충정공忠定公 조여우趙汝愚를 (호남성) 영주로 폄적시키자 오도손은 당시 태학太學에 머물고 있다가 다음과 같은 시를 지으면서 통곡을 하였다. "진퇴양난에 빠져 (주周나라) 희단(주공周公)에게 귀의할 여지가 없어졌기에, 오래도록 물고기밥 신세가 된 (전국시대 초楚나라) 굴원(굴평屈平)을 애도하게 되었네." 한탁주가 그를 미워하여 영남으로 편관시켰다. 오도손은 ≪시평≫ 한 장을 지어 (삼국) 위나라·진나라로부터 당나라·송나라까지 시인들에 대해 모두 품평을 가했다.

●盧敖476).(求仙者) 叔敖477). 子敖478). 遊敖.(敖與遨同)

○(진나라 시황제의 박사) 노오.(신선을 찾은 사람이다) (춘추시대 초楚나라 사람) 손숙오孫叔敖. (전국시대 제齊나라 사람) 왕환王驩의 자. 유람하다.('오敖'는 '오遨'와 통용자이다)

방관의 통제를 받게 하였는데 이를 '편관編管'이라고 하였다.

474) 嶺南(영남) : 오령五嶺, 즉 대유령大庾嶺·시안령始安嶺·임하령臨賀嶺·계양령桂陽嶺·게양령揭陽嶺 이남의 광동廣東·광서廣西 일대를 가리키는 말. '영외嶺外' '영표嶺表'라고도 한다. 주로 벽지나 유배지를 상징한다.

475) 詩評(시평) : 남송 사람 오도손敖陶孫이 시에 대한 품평을 적은 글로 ≪강호소집·오도손구옹시집≫권45에 부록으로 수록되어 전한다.

476) 盧敖(노오) : 전국시대 연燕나라 사람으로 진秦나라 시황제의 초빙을 받아 박사博士에 임명되어 신선을 찾았으나 망명하였다고 한다. ≪회남자淮南子·도응훈道應訓≫권12 참조.

477) 叔敖(숙오) : 춘추시대 초楚나라 사람 손숙오孫叔敖의 이름. 장왕莊王 때 영윤令尹이 되어 명성을 떨쳤다. 어려서 남을 위해 양두사兩頭蛇를 죽인 고사로 유명하다. '위애렵蔿艾獵'으로도 불렸다.

478) 子敖(자오) : 전국시대 제齊나라 사람 왕환王驩의 자. 맹자孟子가 등滕나라에 사신으로 갈 때 부사副使를 맡아 동행하였다. ≪맹자·공손추하公孫丑下≫권4 참조.

◆勞(노씨)

▶徵音. 武陽. 蜀有勞彦遠, 爲尙書大丞479).

▷음은 치음에 속하고 본관은 (사천성) 무양군이다. (삼국) 촉나라 때 상서대승을 지낸 노언원이란 사람이 있었다.

□七歌(7가)

◆羅(나씨)

▶徵音. 豫章. 祝融480)之後, 妘姓, 國初封宜城, 周末居長沙.

▷음은 치음에 속하고 본관은 (강서성) 예장군이다. 축융의 후손으로 성이 '운'씨였는데, 건국 초에는 (호북성) 의성군에 봉해졌다가 주나라 말엽에는 (호남성) 장사군에 거처하였다.

◇湘中琳琅(상강 일대의 아름다운 옥)

●羅含, 字君章, 晉人. 幼孤, 爲叔母宋氏所養. 及長, 有志尙. 嘗晝臥, 夢一鳥文彩, 飛入口中. 自是藻思日新. 謝尙與爲方外友曰, "湘中琳琅481)也!" 或曰, "荊楚482)奇材也!" 爲桓溫別駕483), 於城西立茅舍以居, 織草爲席, 布衣蔬食晏如484)也. 溫曰, "此江左485)之秀!" 徵爲尙書郞486).

---

479) 尙書大丞(상서대승) : 상서성尙書省의 속관屬官 이름.

480) 祝融(축융) : 오제五帝 가운데 두 번째 임금인 전욱顓頊의 아들. 삼황三皇 가운데 마지막 황제, 신농神農의 신하, 황제黃帝의 신하라는 등 여러 설이 있다.

481) 琳琅(임낭) : 아름다운 옥에 대한 총칭. 훌륭한 인재를 비유한다.

482) 荊楚(형초) : 춘추전국시대 초楚나라 지역. 즉 지금의 호북성·호남성 일대를 아우르는 말. '형荊'은 초나라의 옛 수도.

483) 別駕(별가) : 한나라 이래로 일부 주州·부府·군郡에 설치했던 지방 수령의 보좌관인 '치중별가종사사治中別駕從事史'의 약칭. '치중治中' '치중별가治中別駕' '치중종사治中從事' 등으로 약칭하기도 한다.

484) 晏如(안여) : 편안한 모양, 만족해 하는 모양.

485) 江左(강좌) : 강남江南의 별칭. 남조南朝 때 왕조들이 수도를 장강의 왼쪽, 즉 장강의 동쪽인 건강建康(남경)에 정한 데서 유래하였다.

486) 尙書郞(상서랑) : 조정의 핵심 행정 기관인 상서성尙書省에서 실질적인 업무를 처리하던 벼슬인 낭관郞官에 대한 총칭. 당송唐宋 때는 낭중郞中과 원외랑員外郞으로 나뉘기도 하였다.

致仕回家, 階庭蘭菊叢生, 德行之感也. 狄梁公[487]表云, "採羅含致仕之蘭." 南恩[488]有羅琴山, 以含嘗携琴遊此也.

○나함은 자가 군장으로 진나라 때 사람이다. 어려서 부모를 여의고 숙모 송씨의 슬하에서 자랐다. 장성해서는 큰 포부를 품었다. 일찍이 낮잠을 자다가 아름다운 새 한 마리가 입 안으로 날아드는 꿈을 꾸었다. 그뒤로 문학적 재능이 날로 새로워졌다. 사상이 그와 속세를 초월한 우정을 맺으며 "상강 일대의 아름다운 옥과 같은 존재로다!"라고 칭찬하였다. 혹자는 "형초 일대의 뛰어난 인재로다!"라고도 하였다. 환온의 별가를 지내며 성 서쪽에 초가집을 짓고서 거주하면서 풀을 엮어 방석을 만들고 삼베옷을 입고 채소 음식을 먹으면서도 만족스러워 하였다. 그래서 환온이 "이 사람은 강남의 수재로다!"라고 하였다. 천자의 부름을 받고 상서랑에 임명되었다가 벼슬을 그만두고 집으로 돌아갔는데, 섬돌과 정원에 난초와 국화가 가득 자란 것은 덕행에 감응해서 나타난 현상이었다. (당나라 때) 양국공梁國公 적인걸狄仁傑은 상소문에서 "나함이 벼슬을 그만두었을 때 자란 난초를 따겠습니다"라고 말한 일이 있다. (광동성) 남은주에 '나금산'이란 이름의 산이 있는 것도 나함이 일찍이 금을 지니고 이 산을 유람한 적이 있기 때문이다.

◇一門忠孝(한 가문에서 충신과 효자가 나오다)

●羅企生, 晉人, 爲殷仲堪長史[489]. 及桓玄跋扈[490], 仲堪走, 惟企生從

---

487) 狄梁公(적양공) : 당나라 사람 적인걸狄仁傑(630-700)에 대한 존칭. 측천무후則天武后(624-705)에게 직간直諫을 잘 하고, 요숭姚崇(650-721) 등 유능한 선비를 천거하여 조야朝野의 존경을 받았으며, 무삼사武三思(?-707)가 황통皇統을 이으려는 역모를 막는 등 황실의 회복과 수호에 힘썼다. 연국공燕國公에 봉해졌다가 뒤에 양국공梁國公에 추봉追封되었다. ≪신당서 · 적인걸전≫권115 참조.

488) 南恩(남은) : 광동성의 속주屬州인 은주恩州의 별칭.

489) 長史(장사) : 한나라 이후로 승상부丞相府나 장군부將軍府에서 병마兵馬를 관장하던 벼슬. 당나라 이후로는 주로 자사刺史의 속관이었는데, 자사 휘하에는 품계品階의 고하에 따라 별가別駕 · 장사長史 · 사마司馬 · 녹사참군사錄事參軍事 · 참군사參軍事 · 녹사錄事 · 문학文學 등의 속관이 있었다. ≪신당서 · 백

之. 路經家門, 其弟遵生牽其手曰, “家有老母.” 揮淚曰, “汝奉養, 不失子道. 一門之中, 有忠有孝, 亦復何恨?”

○나기생(363-399)은 진나라 때 사람으로 은중감의 장사를 지냈다. 환현이 멋대로 날뛰어 은중감이 도망칠 때 오직 나기생만이 그를 추종하였다. 도중에 집에 들르자 동생인 나준생羅遵生이 그의 손을 당기며 말했다. “집에 노모가 계십니다.” 그러자 나기생이 눈물을 흘리며 대답하였다. “네가 잘 모셔서 자식된 도리를 잃지 말거라. 한 집안에 충신이 있고 효자가 있으니 또 무슨 여한이 있겠느냐?”

◇逢鬼揶揄(귀신을 만나 야유를 당하다)

●羅崇・羅友, 習鑿齒[491]之舅也. 友出晉桓溫門下. 溫以其放誕, 未用. 會有得郡者, 溫集僚佐, 餞之, 友獨後至. 溫怪問, 友曰, “中路逢鬼, 揶揄[492]云, ‘只見汝送人作郡, 不見人送汝作郡.’ 始怖, 終慚, 不覺掩淚[493].” 溫後以爲襄陽太守.

○나숭과 나우 형제는 습착치의 외숙부이다. 나우는 진나라 환온의 문하에서 배출되었다. 환온은 그가 방탕하다고 생각해 미처 등용하지 않았다. 마침 어떤 사람이 군수(태수)가 되어 환온이 동료들을 모아 놓고 그에게 전송연을 베풀었는데 나우 혼자 뒤늦게 도착하였다. 환온이 이상한 생각이 들어 캐묻자 나우가 대답하였다. “도중에 귀신을 만났는데, ‘단지 그대가 군수에 오른 누군가를 배웅하는 것이 보일 뿐, 남이 군수에 오른 그대를 배웅하는 것을 보지 못 했소’라고 야유를 보내는 것이었습니다. 처음에는 두려웠지만 나중에는 수치스

관지≫권49 참조.

490) 跋扈(발호) : 물고기가 통발(扈)을 뛰어넘는(跋) 것을 뜻하는 말로 멋대로 날뛰는 것을 비유한다.

491) 習鑿齒(습착치) : 진晉나라 사람(?-383). 자는 언위彦威. 문재로 이름을 떨쳐 환온桓溫(312-373)의 휘하에서 주부主簿와 별가別駕를 지냈고 하남성 형양태수滎陽太守를 역임하였다. 형양이 함락당한 뒤에는 전진前秦의 부견苻堅(338-385)에게 후대를 받았다. ≪진서・습착치전≫권82 참조.

492) 揶揄(야유) : 손을 들어 상대방을 비웃는 행동을 이르는 말.

493) 掩淚(엄루) : 얼굴을 가린 채 눈물을 흘리다, 눈물을 훔치다. ‘엄체掩涕’라고도 한다.

러워 자신도 모르게 눈물을 훔쳤습니다.” 환온이 뒤에 그를 (호북성) 양양태수에 임명하였다.

◇桂枝橋(계수나무 지팡이로 만든 다리)

●羅公遠侍明皇494)秋宴495), 取桂枝杖, 向空擲之, 爲大橋, 色如白金, 與同遊月宮.

○(당나라 때 도사) 나공원은 가을 연회에서 명황(현종)을 모셨을 때 계수나무 지팡이를 가져다가 공중에 던져 빛깔이 마치 백금 같은 커다란 다리를 만들고는 함께 월궁을 유람하였다.

◇賜金紫(금어金魚와 자복紫服을 하사받다)

●羅珦, 唐德宗朝, 爲廬州刺史, 修學宮. 政教簡易, 有芝草白雀之祥. 淮南節度杜祐上其狀, 賜以金紫服496), 遷京兆尹497).

○나향은 당나라 덕종 때 (강서성) 여주자사를 지내면서 학교를 세웠다. 정치와 교화가 간결하였기에 영지가 자라고 흰 참새가 나타나는 상서로운 징조가 있었다. 회남절도사 두우가 이에 관한 글을 올려 금어와 자복을 하사받고 경조윤으로 승진하였다.

◇鑄錯(‘착錯’ 자를 주조하다)

●羅紹威, 唐末爲魏博498)節度使, 盡殺牙兵499), 遂爲朱溫所制. 悔曰,

---

494) 明皇(명황) : 당나라 현종玄宗의 시호인 ‘지도대성대명효황제至道大聖大明孝皇帝’의 약칭. ≪신당서·현종본기≫권5 참조. 보통 황제를 칭할 때 당나라 이전에는 시호를 주로 사용하다가 당나라 이후로는 묘호를 주로 사용하였는데, 이는 후대로 갈수록 시호의 명칭이 길어져 사용하기 불편한 데서 비롯된 듯하다.

495) 秋宴(추연) : 옛날에 궁중에서 봄과 가을에 열던 두 차례 대규모 연회 가운데 하나를 이르는 말.

496) 金紫服(금자복) : 당송 때 3품 이상의 고관이 차던 금으로 만든 물고기 모양의 부절인 금어金魚와 관복官服인 자복紫服(자의紫衣)을 가리키는 말. 공로가 있는 신하에게 특별히 하사하기도 하였다.

497) 京兆尹(경조윤) : 도성으로부터 백 리 안의 경기 지역을 관장하는 벼슬 이름.

498) 魏博(위박) : 당나라 때 하북성 위주魏州와 박주博州 일대에 설치한 번진藩

"聚六州四十三縣鐵，鑄一個錯字，不成."

○나소위(877-910)는 당나라 말엽에 (하북성 위주와 박주를 관장하는) 위박절도사를 맡았다가 호위병을 모두 죽이고는 급기야 주온에게 제압당하고 말았다. 그러자 후회하며 말했다. "6주 43개 현의 쇠를 모아 (잘못을 뜻하는) '착'자를 주조하려 했으나 뜻을 이루지 못했다."

◇錢塘進士(전당현 출신의 진사)

●羅隱，唐末人，工詩，長於詠史．擧進士不第，詩[500]云，"六載辛勤九陌[501]中，却尋岐路五湖[502]東．名慚桂苑[503]一枝綠，鱠憶松江[504]滿筯紅．浮世到頭須適性，男兒何必盡成功？惟應鮑叔[505]深知我，他日蒲帆[506]百尺風．" 初赴擧，過鍾陵[507]，見營妓[508]雲英．後一紀下第，復見之，雲英曰，"羅秀才[509]尙未脫白[510]．" 隱詩[511]云，"鍾陵醉別十餘

鎭 이름. ≪신당서≫권210에 '번진위박열전藩鎭魏博列傳'이 있다.

499) 牙兵(아병) : 호위병이나 친위병을 가리키는 말.

500) 詩(시) : 이는 칠언율시七言律詩 <동쪽으로 돌아가느라 상수와 헤어지다(東歸別常修)>를 인용한 것으로 당나라 나은羅隱(833-909)의 ≪나소간집羅昭諫集≫권3에 전한다.

501) 九陌(구맥) : 아홉 갈래로 난 길. 도성에 난 큰 길을 가리킨다.

502) 五湖(오호) : 호수 이름. 강남의 여러 호수를 가리킨다는 설, 호북성과 호남성 경계에 있는 동정호洞庭湖의 별칭이라는 설, 강소성과 절강성의 경계에 있는 태호太湖의 별칭이라는 설, 은자의 거처를 상징하는 말이라는 설 등 해설이 다양하다.

503) 桂苑(계원) : 계수나무 동산. 진晉나라 때 극선郤詵이 현량대책과賢良對策科에 급제하고 나서 과거급제가 계림桂林의 가지 하나 꺾는 것에 불과하다고 말했다는 ≪진서晉書·극선전≫권52의 고사에서 유래한 말로 과거시험에 급제하는 것을 비유한다.

504) 松江(송강) : 강소성 곤산崑山 근처를 흐르는 강. 농어와 순채蓴菜가 맛 있기로 유명하여 진晉나라 육기陸機와 수나라 양제煬帝 및 당나라 육귀몽陸龜蒙 등 유명인사와 관련한 수많은 고사가 있었다.

505) 鮑叔(포숙) : 춘추시대 제齊나라 대부大夫 포숙아鮑叔牙. '숙'은 자. 관중管仲('중'은 관이오管夷吾의 자)과 함께 환공桓公을 보좌하여 패업을 이루었고, 두터운 우정을 뜻하는 고사성어인 '관포지교管鮑之交'로 유명하다.

506) 蒲帆(포범) : 부들로 엮어 만든 돛을 이르는 말.

507) 鍾陵(종릉) : 하남성의 속현屬縣 이름.

508) 營妓(영기) : 군영 안에 둔 관기官妓를 이르는 말.

春, 重見雲英掌上身[512]. 我未成名英未嫁, 可能俱是不如人." 感春詩[513]云, "江東日暖花又開, 江東行客思悠哉! 高陽酒徒[514]半凋落, 終南山色空崔嵬[515]! 聖代[516]也知無棄物, 侯門未必用非才. 滿船明月一竿竹, 家在五湖歸去來." 錢塘人號爲羅江東. 有湘南雜藁. 性傲睨, 少與桐廬[517]章魯風齊名. 錢鏐[518]辟爲從事[519], 遷給事中[520], 爲發運

---

509) 秀才(수재) : 한나라 이후로 과거시험 가운데 하나. 당송 때는 주로 과거시험 응시자를 일컬었고, 명청明淸 때는 부학府學·주학州學·현학縣學에 입학한 생원生員을 일컬었으며, 일반 서생을 지칭하기도 하였다.

510) 脫白(탈백) : 흰옷을 벗다. 서민의 신분에서 벗어나 과거시험에 급제하거나 벼슬에 오르는 것을 비유한다.

511) 詩(시) : 이는 칠언절구七言絶句 <(하남성) 종릉현의 기녀 운영을 놀리다(嘲鍾陵妓雲英)>를 인용한 것으로 ≪나소간집≫권4에 전한다.

512) 掌上身(장상신) : 손바닥 위의 몸. 전한 성제成帝의 황후 조비연趙飛燕이 손바닥 위에서도 춤을 출 수 있을 정도로 몸매가 날렵했다는 ≪한서·외척열전外戚列傳·효성조황후전孝成趙皇后傳≫권97의 고사에서 유래한 말로 여인의 가냘프고 아름다운 몸매를 비유한다.

513) 詩(시) : 이는 칠언율시七言律詩 <(섬서성 장안의) 곡강에서 봄날 감회를 읊다(曲江春感)>를 인용한 것으로 ≪나소간집≫권3에 전한다.

514) 高陽酒徒(고양주도) : 고양의 술꾼. '고양공자高陽公子'라고도 한다. 전한 때 패공沛公 유방劉邦(B.C.247-B.C.195)이 하남성 진류陳留를 지날 때 역이기酈食其(?-B.C.204)가 방문하였는데 문지기가 '패공께서는 유생을 만날 시간이 없다'고 하자 역이기가 '나는 유생이 아니라 고양의 술꾼'이라고 하며 화를 냈다는 ≪사기·역이기전酈食其傳≫권97의 고사에서 유래한 말로 술꾼을 비유한다. 또 ≪진서晉書·산간전山簡傳≫권43에는 산간이 연못에서 술을 마시며 만취해서는 연못 이름을 '고양지高陽池'라고 했다는 고사가 전한다.

515) 崔嵬(최외) : 매우 높은 모양.

516) 聖代(성대) : 자기 왕조를 높여 부르는 말.

517) 桐廬(동려) : 절강성의 속현屬縣 이름.

518) 錢鏐(전유) : 당나라 말엽 동창董昌의 반란을 진압하여 진해진동군절도사鎭海鎭東軍節度使에 올라서 양절兩浙 12주州를 다스리며 오월국吳越國을 창건, 중원과 외교 관계를 유지하면서 농업과 상업·무역을 발전시켰다. ≪구오대사·세습열전世襲列傳·전유전≫권133 참조.

519) 從事(종사) : 한漢나라 이후로 승상丞相이나 자사刺史·태수太守 등이 개인적으로 기용하여 잡무를 처리하게 하던 속관屬官을 이르는 말.

520) 給事中(급사중) : 황제의 자문과 정사의 논의에 참여하던 벼슬로, 진한秦漢 이래 열후列侯나 장군將軍의 가관加官이었다가, 진晉나라 이후로 정관正官이 되었다. 수당隋唐 이후로는 문하성門下省의 장관인 시중侍中과 버금장관인 문하시랑門下侍郎 다음 가는 요직으로 정령政令에 대한 논의와 시정時政을 담당하였다.

使[521].

○나은(833-909)은 당나라 말엽 사람으로 시를 잘 지었는데 특히 (역사를 읊은) 영사시에 뛰어난 솜씨를 보였다. 과거시험에 응시하여 낙방하자 다음과 같은 시를 지었다. “6년 동안 도성에서 힘들여 노력하였으나, 오히려 오호 동쪽에서 갈림길을 찾게 되었으니, 이름은 계수나무 동산 푸르른 가지에 부끄럽지만, 회는 송강의 젓가락 가득한 붉은 살이 떠오르네. 덧없는 세상사 끝까지 천성대로 살아야 할지니, 남아 대장부가 어찌 꼭 출세할 필요 있으리오? 오로지 (관중管仲을 알아준 춘추시대 제齊나라) 포숙(포숙아鮑叔牙)이 나를 깊이 알아준다면, 훗날 높이 부는 바람 맞아 돛단배 띄우리라.” 당초 과거시험에 응시하러 (하남성) 종릉현을 지나다가 군영의 기녀인 운영을 만났다. 12년 뒤에 과거시험에 낙방하고서 다시 그녀를 만나자 운영이 말했다. “나수재께서는 아직도 흰옷을 벗지 못 하셨군요.” 그러자 나은이 시를 지어 말했다. “종릉현에서 술에 취해 헤어진 지 십여 년, 다시 운영을 만나니 여전히 손바닥 위에서 춤을 출 수 있는 몸매이건만, 나는 과거시험에 급제하지 못 하고 그대는 아직 시집가지 못 했으니, 우리 둘 다 사람 구실 못 하는 듯하구려.” 또 <봄날 감회를 읊은 시>에서는 “장강 동쪽 일대에 날이 따듯하여 꽃이 다시 피었건만, 강동 출신 나그네는 시름에 젖었네! 고양의 술꾼은 거의 나락에 빠졌건만, (도성 근처) 종남산은 괜시리 드높기만 하여라! 우리 왕조는 버림받은 인물이 없어, 제후의 가문에서 인재 아닌 사람들을 다 기용한 것은 아니라는 것을 잘 알고 있건만, 배에 밝은 달빛 채운 채 돛대 하나 달고서, 집이 있는 오호로 돌아간다네”라고 하였다. (절강성) 전당현 사람들은 그를 ‘나강동’으로 불렀다. 저서로 ≪상남잡고≫가 있다. 성품이 오만하고 남을 깔보기를 잘해 (절강성) 동려현 사람 장노풍과 나란히 이름을 떨쳤다. (오월국吳越國) 전유가 그를 불러 종사에 임명하였다가 급사중으로 승진시

521) 發運使(발운사) : 당송 때 물품 조달을 담당하던 벼슬. ‘전운사轉運使’라고도 하였다.

키고 다시 발운사에 임명하였다.

◇比紅兒(<비홍아>)

●羅虬與鄴・隱齊名, 號三羅. 李孝恭籍中有紅兒, 善南聲. 虬請之歌, 不答, 虬怒, 拂衣[522]而去. 詰旦[523]爲絶句百篇, 號比紅兒[524].

○나규는 나업羅鄴・나은羅隱과 나란히 이름을 떨치며 '삼라'로 불렸다. 이효공의 명부에 홍아라는 기녀가 있었는데 남방의 노래를 잘 불렀다. 나규가 그녀에게 노래를 청했는데 아무 응답이 없자 나규가 화가 나서 옷의 먼지를 털고는 미련없이 그곳을 떠났다. 이튿날 아침 절구 백 편을 짓고는 <비홍아>라고 이름 지었다.

◇詩中虎(시단의 호랑이)

●羅鄴, 詩中虎也. 唐光化[525]中, 韋莊奏, "詞人才士, 時有遺賢, 不沾一命[526]於聖朝[527], 徒作千年之恨骨. 如李賀・陸龜蒙・羅鄴・方干・賈島・溫庭筠・劉德仁, 皆有奇才, 伏望追賜進士及第, 贈補闕[528]・拾遺."

○나업은 시단의 호랑이다. 당나라 (소종) 광화(898-900) 연간에 위장이 상소문을 올려 말했다. "문인과 재사들 가운데는 때로 버림받은 인재들이 있어 성스러운 우리 왕조에서 낮은 품계의 관직도 받지

---

522) 拂衣(불의) : 옷의 먼지를 털다. 아무런 미련을 두지 않거나 벼슬을 그만두는 것을 비유한다.

523) 詰旦(힐단) : 새벽, 이튿날 아침. '힐詰'은 '익翌'의 뜻.

524) 比紅兒(비홍아) : 이는 동명의 칠언절구七言絶句로서 100수 전편이 송나라 홍매洪邁(1123-1202)의 ≪만수당인절구萬首唐人絶句≫권52에 전한다.

525) 光化(광화) : 당唐 소종昭宗의 연호(898-900).

526) 一命(일명) : 가장 낮은 품계로 결국 하급 관리를 가리킨다. 주周나라 때는 직급을 일명一命부터 구명九命까지 나누었는데, 구품중정제九品中正制와는 반대로 일명이 가장 낮고 구명이 가장 높은 직급이었다.

527) 聖朝(성조) : 자기 왕조를 높여 부르는 말.

528) 補闕(보궐) : 황제의 잘못을 풍간諷諫하고 바로잡는 일을 담당하던 벼슬. 당나라 때 좌・우보궐로 나뉘었는데, 좌보궐은 문하성에, 우보궐은 중서성에 소속되었다. 송나라 때는 좌左・우사간右司諫으로 개칭되었다. 뒤의 '습유拾遺'보다 품계가 높았다.

못 한 채 부질없이 천 년의 한맺힌 유골로 남기도 합니다. 예를 들어 이하・육귀몽・나업・방간・가도・온정균・유덕인 모두 뛰어난 재능을 지녔으니 엎드려 바라옵건대 진사시험 급제자의 자격을 돌이켜 하사하시고 보궐이나 습유를 주시옵소서."

◇虎符歸(호부를 차고서 귀향하다)

●羅向, 廬州[529]人, 少貧困, 常投福泉寺, 隨僧飯二十年間. 持節[530]歸鄉, 書僧房云, "二十年來此布衣[531], 鹿鳴[532]西上虎符[533]歸. 故時賓從追前事, 到處松杉長舊圍. 野老共遮官路拜, 沙鷗遙認隼旟[534]飛. 春風一宿琉璃殿, 惟有泉聲愜素機."

○(당나라) 나향은 (강서성) 여주 사람으로 어려서부터 가난하여 늘 복천사에 몸을 맡긴 채 승려들을 따라 20년 동안 밥을 얻어 먹었다. 뒤에 절도사에 올라 고향에 돌아와서는 승방에 서신을 보내며 시에서 다음과 같이 읊었다. "20년 동안 베옷 입던 이 서생은, <녹명>시를 (도성인 섬서성 장안) 서쪽에서 바치고 호부를 차고서 귀향하였네. 구면인 손님들은 예전의 일을 추억하는데, 도처에 소나무와 삼나무가 옛 울타리에 자랐구나. 야로들은 모두들 관리의 행찻길을 가로막고 절을 올리고, 갈매기도 멀리서 새매 그려진 절도사의 깃발을 알아보고 날아가네. 봄바람 속에 유리 전각(대웅전)에서 하룻밤 묵는

---

529) 廬州(여주) : 강서성의 속주屬州 이름. 안휘성의 속현屬縣인 여릉廬陵으로 적은 문헌도 있다.

530) 持節(지절) : 부절符節, 혹은 이를 행사하는 권한이나 벼슬을 가리키는 말. 위진魏晉 이후로 지절・사지절使持節・가지절假持節・가절假節 등이 있었는데, 자사刺史나 태수太守가 군대를 동원할 수 있는 권한을 나타낸다. 당나라 때 절도사節度使가 생겨 폐지되면서 절도사의 별칭으로 쓰이기도 하였다.

531) 布衣(포의) : 베옷. 벼슬에 오르지 않은 평민 신분을 상징한다.

532) 鹿鳴(녹명) : 사슴의 울음소리. ≪시경・소아小雅≫권16의 첫 번째 편명篇名으로 전통적인 해석에 의하면 군왕과 충신들의 화락和樂한 연회를 읊은 것이라고 한다.

533) 虎符(호부) : 황제가 신하에게 병권 장악과 군대 이동을 할 수 있는 권한으로 주는 신표信標.

534) 隼旟(준여) : 주군州郡의 장관長官이 세우던 새매가 그려진 깃발을 가리키는 말. 결국 절도사나 지방 수령을 비유적으로 가리킨다.

데, 오직 샘물 소리만이 깨끗한 본심을 흡족하게 해 주네."

◇犀帶之寵(무소뿔을 장식한 허리띠를 하사받다)

●羅處約, 字思純. 宋太宗朝, 知吳縣, 與王禹偁唱和, 日賦五題. 上召至京師[535], 自命題試之, 以禹偁爲右拾遺, 處約爲著作郞, 皆直史館. 和御製雪詩, 稱旨[536]賜緋, 特擇犀帶[537]寵之. 蘇州童子劉少逸嘗與之聯句, 處約曰, "日移竹影侵棋局." 少逸曰, "風送花香入酒樽."

○나처약(960-992)은 자가 사순이다. 송나라 태종 때 (강소성) 오현의 지현사(현령)를 맡아 왕우칭과 시를 주고받으면서 날마다 다섯 수씩 지었다. 태종이 (하남성 개봉開封의) 경사로 불러들여 손수 제목을 정해서 시험을 치르고는 왕우칭을 좌습유에 임명하고 나처약을 저작랑에 임명해 함께 (국사를 편찬하는) 사관에서 근무케 하였다. 태종이 지은 <눈을 읊은 시>에 화답하였는데 황제의 마음에 쏙들어 비복을 하사하고 특별히 무소뿔을 장식한 허리띠를 골라 총애를 베풀었다. (강소성) 소주의 어린아이인 유소일이 일찍이 그와 연구시를 지은 적이 있는데, 나처약이 "해가 대나무 그림자를 움직여 바둑판을 뒤덮네"라고 읊자 유소일은 "바람이 꽃향기를 불어서 술동이 속으로 집어넣네"라고 대구를 지은 일이 있다.

◇金帶之寵(금을 장식한 허리띠를 하사받다)

●羅彧, 宋景德中, 扈駕親征, 至澶淵, 與宰相參議軍務. 上遣彧使金, 賜以錦衣・金帶及錦旗, 繡八字云, "明時折桂[538], 衣錦還鄕." 領本貫江

535) 京師(경사) : 서울, 도읍을 이르는 말. 송나라 주희朱熹(1130-1200) 설에 의하면 '경京'은 높은 지대를 뜻하고, '사師'는 많은 사람을 뜻한다. 즉 높은 산에 의지하여 많은 사람이 모여 사는 곳이란 뜻에서 유래하였다. 여기서는 송나라 때 도성인 하남성 개봉開封을 가리킨다.

536) 稱旨(칭지) : 황제의 마음을 흡족케 하다, 황제의 의중에 부합하다.

537) 犀帶(서대) : 고대에 품계品階가 있는 고관들이 착용하던 무소뿔을 장식한 허리띠를 일컫는 말인 '서각대犀角帶'의 준말.

538) 折桂(절계) : 계수나무 가지를 꺾다. 진晉나라 때 극선郤詵이 현량대책과賢良對策科에 급제하고 나서 과거급제가 계림桂林의 가지 하나 꺾는 것에 불과하다고 말했다는 ≪진서晉書・극선전≫권52의 고사에서 유래한 말로 과거시험

州刺史.

○나욱은 송나라 (진종) 경덕(1004-1007) 연간에 친정에 나선 황제를 호종하고서 (하남성) 선연에 도착해 재상과 함께 군사 업무를 논의하는 일에 참여하였다. 진종은 나욱을 금나라에 사신으로 파견할 때 비단옷과 금을 장식한 허리띠 및 비단 깃발을 하사하면서 다음과 같은 여덟 자를 수놓아 주었다. "시절을 밝히고 계수나무 가지를 꺾어 금의환향하리라." 뒤에 고향인 (강서성) 강주의 자사를 맡았다.

◇白雲千頃(흰 구름이 덮인 천 경의 땅)

●羅畸, 字疇老. 宋元祐四年, 爲滁州刺史, 或曰, "僻郡." 公曰, "此歐公之醉鄕[539]也. 庶子[540]紫薇[541]香泉萬斛, 以爲供給, 琅琊[542]幽谷, 白雲千頃, 以爲職田[543], 何謂貧僻邪?" 明年治廨宇, 於堂前植蘭數十本, 記之曰, "蘭之德有道君子也. 予之於蘭, 猶賢朋友. 朝襲其馨, 暮擷其英, 携書就觀, 引酒對酌."

○나기는 자가 주로이다. 송나라 (철종) 원우(1086-1093) 연간에 (안휘성) 저주자사에 임명되자 누군가 "외진 고을입니다"라고 하였다. 그러자 나기는 "이곳은 구공(구양수歐陽修)께서 소일하시던 술의 고을이오. 태자서자太子庶子가 향기로운 자미천 샘물을 만 휘나 궁궐에 공급하였고, 낭야산의 그윽한 골짜기와 흰 구름이 덮인 천 경의 땅이 있어 직전으로 삼은 적이 있거늘, 어찌 가난하고 외진 곳이라

에 급제하는 것을 비유한다.

539) 醉鄕(취향) : 송나라 구양수歐陽修(1007-1072)가 안휘성 저주자사滁州刺史를 지낼 때 자호自號를 취옹醉翁이라고 하고, 즐겨 찾던 정자를 취옹정醉翁亭이라고 한 데서 유래하였다. 그가 지은 <취옹정기(醉翁亭記)>가 그의 문집인 ≪문충집文忠集≫권39에 전한다.

540) 庶子(서자) : 주周나라 때는 사마司馬의 속관屬官이었다가, 한나라 이후로 태자太子의 속관이 되었다. 위진魏晉 이후로 중서자中庶子·서자庶子가 있었고, 수당隋唐 이후로는 좌左·우서자右庶子가 있었다.

541) 紫薇(자미) : 안휘성 저주滁州 남쪽 풍락정豐樂亭에 있는 샘물 이름.

542) 瑯琊(낭야) : 안휘성 저주 저현滁縣의 남서쪽에 있는 산 이름.

543) 職田(직전) : 관리의 품계에 따라 세를 거둘 수 있는 권한을 준 토지인 직분전職分田의 약칭. 해임될 때 후임자에게 넘기되 매매할 수는 없었다.

고 말씀하시오?"라고 하였다. 이듬해에 관청 건물을 수리하면서 대청 앞에 난초 수십 포기를 심고는 다음과 같은 글을 지었다. "난초는 덕이 있고 도까지 갖춘 군자이다. 나는 난초를 어진 친구처럼 대하여 아침에는 그 향기를 맡고 저녁에는 그 꽃봉오리를 따면서 책을 들고 다가가 구경하고 술잔을 당겨 함께 대작하리라."

◇乘白騾(흰 노새를 타다)

●羅道成, 宋慶曆中, 遊嶽[544]題詩云, "白騾代步若奔雲, 閒人所至留詩迹. 欲知名姓問源流, 請看郴[545]陽山下石." 後問鄉人, 言"有眞人得道, 乘白騾, 行石壁上, 其迹至今存焉."

○나도성은 송나라 (인종) 경력(1041-1048) 연간에 남악(형산衡山)을 유람하다가 시를 지어 말했다. "흰 노새가 내 걸음을 대신해 하늘을 흐르는 구름처럼 움직이니, 한적한 사람 도착하는 곳마다 시인의 발자취를 남기네. 성명을 알고 싶거든 냇물에 물어보시되, (호남성) 침주 남쪽 산 아래 바위를 보시라." 뒤에 고을 사람에게 물었더니 "어느 도사가 득도한 뒤 흰 노새를 타고 석벽 위를 다녔는데 그 자취가 지금까지도 남아 있답니다"라고 대답하였다.

◇道學(도학)

●羅從愿[546], 字仲素, 淸介[547]拔俗. 宋徽宗朝, 楊龜山[548]倡道學, 京南

544) 遊嶽(유악) : 오악五嶽을 노닐다. 여기서는 시에 '침양郴陽'이란 말이 있는 것으로 보아 호북성과 호남성 경계에 있는 남악南嶽인 형산衡山을 가리키는 듯하다.

545) 郴(침) : 호남성의 속주屬州 내지는 그곳의 산을 가리킨다.

546) 羅從愿(나종원) : ≪송사・나종언전≫권428에 의하면 '나종언羅從彦'(1072-1135)의 오기이다.

547) 淸介(청개) : 성품이 청렴하고 강직한 모양.

548) 楊龜山(양귀산) : 송나라 때 유학자 양시楊時(1054-1135). '귀산'은 호. 자는 중립中立이고 시호는 문정文靖. 정호程顥(1032-1085)・정이程頤(1033-1107) 형제의 제자로 주희朱熹(1130-1200)와 장식張栻(1133-1180)의 선구가 되었다. 공부시랑工部侍郞・용도각직학사龍圖閣直學士 등을 역임하였다. 저서로 ≪귀산집龜山集≫ 42권이 전한다. ≪송사・도학열전道學列傳・양시전≫권428 참조.

之士遊其門者數百人. 其潛思力行, 詣極者惟羅公而已. 敎學者讀書之法, 從容默會於幽閒靜一之中, 超然自得於言書象意之表. 程氏[549]之學, 傳之楊時, 以傳之仲素, 仲素傳之李侗, 侗傳之朱熹.

○나종언羅從彦(1072-1135)은 자가 중소로 성품이 청렴하고 강직하면서 세속적인 것을 초탈하였다. 송나라 휘종 때 귀산龜山 양시楊時가 도학을 제창하자 도성 남쪽의 선비들 중에 그의 문하에서 공부한 이들이 수백 명에 달했는데, 깊이 사색하고 힘써 실천하는 그의 학문에 가장 조예가 깊은 사람은 나종언뿐이었다. 가르침은 독서의 방법으로서 깊이 있는 일관성 속에서 조용히 체득하고 글을 말하고 뜻을 드러내는 표면상의 이치에서 초연히 터득하는 것이었다. 정호程顥·정이程頤 형제는 학문을 양시에게 전수하였고, 양시는 이를 나종언에게 전수하였으며, 나종언은 이를 이동에게 전수하였고, 이동은 이를 주희에게 전수하였다.

◇此庵(차암선생 나점)

●羅點, 字春伯, 號此庵先生. 宋淳熙[550]中, 鄭僑侍讀, 點兼侍講[551], 胡晉臣(闕)德(闕). 除浙西提學[552], 楊誠齋[553]詩[554]云, "山嶽動搖增意氣,

---

549) 程氏(정씨) : 송나라 때 대표적 도학가道學家인 정호程顥(1032-1085)·정이程頤(1033-1107) 형제를 가리킨다.

550) 淳熙(순희) : 남송南宋 효종孝宗의 연호(1174-1189).

551) 侍講(시강) : 제왕의 곁에서 경전의 강독을 전담하던 벼슬을 이르는 말.

552) 提學(제거) : 송나라 때 모종의 기관을 관장하는 업무나 그러한 벼슬을 일컫던 말. 제거상평提學常平·제거궁관提學宮觀 등이 그러한 예이다.

553) 楊誠齋(양성재) : 송나라 사람 양만리楊萬里(1124-1206). '성재'는 호. 자는 정수廷秀이고 시호는 문절文節. 보문각대제寶文閣待制를 지냈고, 한탁주韓侂胄(1152-1207)의 전횡을 개탄하다가 병사하였다. 시문에 조예가 깊어 육유陸游(1125-1210)·범성대范成大(1126-1193)·우무尤袤(1127-1194)와 함께 남송사대가南宋四大家로 불렸다. 저서로 ≪성재집誠齋集≫ 132권과 ≪성재시화誠齋詩話≫ 1권이 전한다. ≪송사·양만리전≫권433 참조.

554) 詩(시) : 이는 칠언율시七言律詩 <절서제거로 내려가는 대저작랑大著作郎 나춘백羅春伯(나점羅點)을 전송하다(送羅春伯大著提學浙西)> 가운데 경련頸聯을 인용한 것으로 ≪성재집≫권19에 전한다. 시제詩題에서 '대저'는 비서성祕書省의 속관인 대저작랑의 준말.

詔書宣布舞群黎555)." 官至樞密. 謚文恭.

○나점은 자가 춘백이고 호가 차암선생이다. 송나라 (효종) 순희(1174-1189) 연간에 정교는 시독을 맡고, 나점은 시강을 겸직하고, 호진신은 (궐문)을 맡았다. 나점이 절서제거를 제수받자 성재誠齋 양만리楊萬里가 시를 지어 "산악이 흔들릴 정도로 의기가 충만하더니, 황제의 조서가 선포되자 백성들이 춤을 추네"라고 하였다. 관직은 추밀사까지 올랐다. 시호는 '문공'이다.

◇筠心(균심거사 나지기)

●羅之紀, 字國張, 號筠心居士, 瑞陽人. 宋孝宗朝, 攝邑雲夢556), 因見雪壓庭竹, 賦詩557)云, "吾道非邪眞可恥, 此君558)豈是折腰559)人?" 棄官歸, 遇方士, 授丹經560)修養法, 葺一室, 扁以子午561), 靜逸成趣. 有易傳三卷・文集二十卷.

○나지기는 자가 국장이고 호가 균심거사이며 (강서성) 서양현 사람이다. 송나라 효종 때 (호북성) 운몽택 근처에서 임시로 고을을 다스리다가 눈이 정원의 대나무를 짓누르는 것을 보고서 시를 지어 "내 도가 잘못된 것일까? 진정 부끄럽구나, 이 군자가 어찌 박봉에 허리를

---

555) 群黎(군려) : 백성. ≪시경≫에서 유래한 말로 '려黎'도 '중衆'의 뜻.

556) 雲夢(운몽) : 호북성에 있는 호수 이름.

557) 詩(시) : 이는 청나라 여악厲鶚(1692-1752)의 ≪송시기사宋詩紀事・나지기≫권63에도 두 구절만 실린 것으로 보아 일시逸詩인 듯하다.

558) 此君(차군) : 이 군자. 여기서는 곧게 자란 대나무를 가리키는 말로 결국 시인 자신을 비유적으로 가리킨다.

559) 折腰(절요) : 허리를 꺾다. 박봉을 받자고 구차하게 벼슬하는 것을 비유한다. 진晉나라 때 도연명陶淵明(365-427)이 강서성 팽택현령彭澤縣令을 지내다가 감찰관인 독우督郵가 찾아오자 "내 하루치 박봉인 쌀 다섯 말 때문에 허리를 굽혀 시골 소인배에게 굽신거릴 수는 없다(吾不能爲五斗米折腰, 拳拳事鄕里小人邪)"고 말하고는 관직을 그만두었다는 고사가 ≪진서・은일열전隱逸列傳・도잠전陶潛傳≫권94에 전한다.

560) 丹經(단경) : 신선의 연단술煉丹術을 기록한 책을 이르는 말.

561) 子午(자오) : 남과 북을 뜻하는 말이자 계곡 이름. 섬서성 장안長安에서 남쪽으로 한중漢中까지 뻗어 있는 계곡으로서 두보杜甫(712-770)가 일찍이 친구가 이곳에 은거하고 있다고 말한 적이 있다. 여기서도 은자의 거처를 상징하는 말로 쓴 듯하다.

꺾을 사람이던가?"라고 말하고는 관직을 버리고 귀향하다가 방사를 만나 ≪단경≫의 수양법을 전수받고서 초가집을 한 채 지어 '자오'라는 편액을 달고서 조용히 한적한 삶을 누렸다. 저서로 ≪역전≫ 3권과 문집 20권이 있다.

●羅茂衡, 宋人. 山谷贈以詩[562]云, "嗟來茂衡, 學道如登[563]."
○나무형은 송나라 때 사람이다. 산곡山谷 황정견黃庭堅이 시를 기증하여 "아! 나무형은 도를 터득한 것이 마치 하늘에 오른 듯하구나!"라고 하였다.

●羅孟郊, 官至翰林[564]. 草屋數間曰翰林堂, 池曰洗硯池.
○(송나라) 나맹교는 관직이 한림학사까지 올랐다. 그는 초가집 몇 칸을 짓고서 '한림당'으로 이름 짓고, 연못을 ('벼루를 씻는 연못'이란 의미에서) '세연지'라고 이름 지었다.

※女德(여덕)

◇西幄奏曲(서쪽 장막에서 음악을 연주하다)

●羅妙容. 秦始皇三年八月十五, 武夷君[565]置酒會鄕人於幔亭峯上, 仙女妙容爲金師[566], 西幄奏賓雲石仙之曲.

---

562) 詩(시) : 이는 잡언고시雜言古詩 <잡언시를 지어 나무형에게 드리다(雜言贈羅茂衡)> 가운데 첫 두 구절을 인용한 것으로 송나라 황정견黃庭堅(1045-1105)의 ≪산곡집山谷集≫외집外集권3에 전한다.

563) 如登(여등) : 하늘에 오르는 것과 같다는 말인 '여등천如登天'의 준말. 경지가 매우 높은 것을 비유한다.

564) 翰林(한림) : 당나라 초기에 각계의 전문가로 구성한 황제의 자문기구인 한림원翰林院의 약칭. 송나라 때는 천문·서예·도화圖畵·의관醫官 4국을 총괄하였고, 명청明淸 때는 사서史書의 편찬이나 저작著作·도서圖書 등의 업무를 관할하였다. 여기서는 한림학사翰林學士를 가리킨다.

565) 武夷君(무이군) : 도서道書에서 '제16동천洞天'이라고 부르는 복건성 무이산을 관장하는 전설상의 신선 이름.

566) 金師(금사) : 선계에서 금속 악기를 관장하는 가공의 벼슬 이름을 가리키는 듯하다.

○나묘용에 관한 기록이다. 진나라 시황제 3년(B.C.244) 8월 15일에 무이군이 (복건성 무이산의) 만정봉 정상에서 고을 사람들에게 술자리를 베풀자 선녀 나묘용이 (금속악기를 관장하는) 금사를 맡아 서쪽 장막에서 (선계의 음악인) 빈운석선곡을 연주하였다.

◇蕚綠華(선녀 악록화)

●羅郁, 九疑山[567]得道女也. 梁簡文時, 降黃門郎[568]羊權家, 贈權詩及火浣布[569]·金玉條脫[570]. 眞誥[571]云, "卽蕚綠華也."

○나욱은 (호남성) 구의산에서 득도한 여도사이다. (남조南朝) 양나라 간문제 때 황문랑 양권의 집에 강림하여 양권에게 시 및 화안포·금팔찌·옥팔찌를 선물하였다. ≪진고·운상편運象篇≫권1에서는 "(나욱이) 바로 ('푸른 꽃받침이 달린 꽃'을 의미하는 선녀인) 악록화이다"라고 하였다.

◇焚裘(갖옷을 태우다)

●羅企生母胡氏, 桓玄常[572]以羔裘遺之. 後桓玄反, 殺企生, 胡氏聞之, 卽焚裘.

○(진晉나라) 나기생의 모친은 호씨로 환현이 일찍이 양갖옷을 그녀에게 선물한 적이 있다. 뒤에 환현이 반란을 일으키면서 나기생을 죽

---

567) 九疑山(구의산) : 호남성 영원현寧遠縣 남쪽에 있는 산 이름. 아홉 개의 봉우리가 비슷하게 생겨서 구분이 잘 되지 않는 데서 이름이 유래하였다. 전설상의 임금인 우虞나라 순왕舜王의 사당이 있는 곳으로 유명하다. '창오산蒼梧山'이라고도 한다.

568) 黃門郎(황문랑) : 궁중의 갖가지 사무를 관장하던 기관인 황문성黃門省의 낭관郎官을 이르는 말.

569) 火浣布(화완포) : 석면으로 짜서 불에 타지 않는 천을 이르는 말. 고대에는 나무껍질이나 화서火鼠의 털로 만들었다고 생각하였다. '화서포火鼠布' '화포火布' '화한포火澣布'라고도 한다.

570) 條脫(조탈) : 나선형으로 만들어 착용이 편리한 팔찌의 일종.

571) 眞誥(진고) : 남조南朝 양梁나라 도홍경陶弘景(452-536)이 신선세계에 대해 쓴 책으로 총 20권. 문장이 아려雅麗하여 일반 도가서와는 사뭇 다른 풍격을 지녔다는 평가를 받는다. ≪사고전서간명목록·자부·도가류≫권14 참조.

572) 常(상) : 일찍이. '상嘗'과 통용자.

이자 호씨는 이 소식을 듣자마자 갖옷을 태워버렸다.

●雀羅. 越羅[573]. 爬羅[574]. 金叵羅[575].
○새그물. 월 지방에서 생산되는 비단. 긁어모으다. (서역에서 생산되는) 금술잔.

◆何(하씨)

▶商音. 盧江[576]. 周成王弟唐叔虞[577]育孫韓王安爲秦所滅, 子孫散處江湖間. 北音以韓爲何, 邃爲何氏.
▷음은 상음에 속하고 본관은 (강서성) 여강군盧江郡이다. 주나라 성왕(희송姬誦)의 동생 당숙唐叔 희우姬虞가 키운 손자인 한나라 왕 한안韓安이 진나라에 멸망당하자 자손들이 강호에 뿔뿔이 흩어져 살게 되었다. 북방 음으로 '한'을 '하'라고 발음하는 바람에 급기야 '하'씨가 되었다.

◇太極仙侯(태극선후)

●何侯以堯時隱蒼梧山, 慕長生. 五帝[578]以藥一器與之, 使投酒中, 一家三百口飲不竭. 以餘酒洒屋上, 拔宅上升, 爲太極[579]仙侯.

---

573) 越羅(월라) : 월 지방에서 생산되는 품질이 좋은 비단을 이르는 말.
574) 爬羅(파라) : 긁어모으다, 샅샅이 찾아서 모으다.
575) 金叵羅(금파라) : 금술잔. '파라'는 서역西域에서 사용하던 술잔 이름을 가리킨다.
576) 盧江(노강) : 강서성의 속군屬郡인 '여강盧江'의 오기인 듯하다.
577) 唐叔虞(당숙우) : 주周나라 무왕武王 희발姬發의 아들이자 성왕成王 희송姬誦의 동생인 희우姬虞의 별칭. '당왕에 봉해진 셋째 아들 우'라는 말로 '당'은 봉호이고, '숙'은 항렬이며, '우'가 본명이다. 성왕이 어렸을 때 장난삼아 당나라에 봉한다고 했다가 사일史佚의 간언으로 결국 당왕에 봉하였다는 고사로 유명하다.
578) 五帝(오제) : 다섯 명의 제왕. 인제설人帝說・천제설天帝說・오행신五行神에 따라 해설이 분분한데, 여기서는 다섯 천제天帝인 청제青帝・적제赤帝・황제黃帝・백제白帝・흑제黑帝를 가리키는 것으로 여겨진다.
579) 太極(태극) : 천지 및 음양이 나뉘어지기 전의 혼돈 상태를 뜻하는 말로 송나라 때 도학자인 주돈이周敦頤(1017-1073)가 주창한 태극설이 대표적이다. 위의 예문에서 '태극선후'는 선계에 있다는 가공의 벼슬 이름을 가리키는 듯하다

○하후는 (당나라) 요왕 때 (호남성) 창오산에 은거하여 장생을 도모하였다. 오제가 약을 한 그릇 그에게 주면서 술 속에 던지게 했는데, 일가족 300명이 마셔도 다 없어지지 않았다. 남은 술을 옥상에 뿌려 집을 통째로 뽑아서는 (가족을 모두 데리고) 하늘로 올라가더니 태극선후가 되었다.

◇仙籍(신선의 명부)

●何鳳兒, 秦時仙人, 往天台山, 獻仙籍. 武夷君會鄕人幔亭峯, 板師[580]何鳳兒拊節板[581].

○하봉아는 진나라 때 선인으로 (절강성) 천태산으로 찾아가 신선의 명부에 올랐다. 무이군이 (복건성 무이산의) 만정봉에서 고을 사람들을 모을 때 판사인 하봉아가 박자를 맞추는 목판을 두드렸다.

◇公淸第一(공정함과 청렴함에 있어서 당대에 으뜸가다)

●何遠, 字義方, 遷東陽太守, 疾强富如仇讎, 視貧細如子弟. 豪右[582]畏憚, 公淸第一.

○(남조南朝 양梁나라) 하원은 자가 의방으로 (절강성) 동양태수를 지내면서 힘있고 부유한 자들을 원수처럼 미워하고 가난하고 힘없는 사람들을 자제들처럼 돌보았다. 그래서 토호나 귀족들이 그를 두려워하였기에 공정함과 청렴함에 있어서 당대에 으뜸갔다.

◇去思[583](떠난 뒤에 백성들이 흠모하다)

●何武, 字君公, 射策[584]中甲科[585], 爲郞. 後爲九江[586]守, 遷揚州刺史,

---

580) 板師(판사) : 앞의 '나묘용羅妙容'항에 나온 '금사金師'와 마찬가지로 선계에서 음악을 관장하는 가공의 벼슬 이름을 가리키는 말인 듯하다.

581) 節板(절판) : 박자를 맞추는 데 사용하는 목판. '절판節版'으로도 쓴다.

582) 豪右(호우) : 토호나 귀족처럼 힘있는 사람들을 이르는 말.

583) 去思(거사) : 관리가 떠난 뒤에야 그의 치적을 알고서 그리워하는 것을 뜻하는 말. 전한 하무何武의 고사에서 유래하였다.

584) 射策(석책) : '책문을 맞추다.' 한나라 때 과거시험의 일종으로 문제를 적은 간책簡策을 응시자가 골라서 답안을 작성하던 일을 가리킨다. 뒤에는 과거시

所居無赫赫名, 去後常見思. 漢成帝朝, 拜大司空[587], 封汜陽[588]侯. 子況嗣爲侯. 弟竝性淸廉, 爲潁川守, 名次黃霸[589].

○하무(?-3)는 자가 군공으로 책문策問에 응시하여 갑과에 합격해서 낭관에 임명되었다. 뒤에 (강서성) 구강태수가 되었다가 (강소성) 양주자사로 승진하였는데, 부임한 곳에서 혁혁한 명성을 날리지는 않았어도 그가 떠난 뒤에 늘 백성들이 흠모의 정을 보였다. 전한 성제 때 대사공을 배수받고 범양후氾陽侯에 봉해졌다. 아들 하황何況이 범양후를 계승하였다. 동생 하병何竝은 성품이 청렴하였는데 (하남성) 영천태수를 지내면서 명성이 황패에 버금갔다.

◇春秋大義(≪춘추경≫의 대의를 살려 옥사를 판단하다)

●何敞, 字文高, 章帝朝, 爲河南守, 寬和爲政. 郡有寃獄, 以春秋[590]大義斷之, 百姓化其恩禮. 修理銅陽[591]四渠, 墾田增三萬餘頃, 百姓賴其利. 吏民刻石, 頌功德焉. 拜侍御史[592].

험에 대한 범칭으로 쓰였다.

585) 甲科(갑과) : 과거시험의 하나. 한나라 때 과거시험을 갑과甲科·을과乙科·병과丙科로 구분하였다. 당나라 초기에는 명경과明經科를 갑·을·병·정 4과로 구분하였고, 당송 때는 진사과進士科를 갑·을로 구분하기도 하였다.

586) 九江(구강) : 강서성의 속군屬郡 이름.

587) 大司空(대사공) : 벼슬 이름. 소호少昊 때 처음 설치되었는데, 주周나라 때는 동관冬官으로서 치수와 토목공사를 관장하였고, 전한 때는 어사대부御史大夫의 별칭이었으며, 뒤에는 대사마大司馬(태위太尉)·대사도大司徒와 함께 삼공三公의 하나였다. 명청 때는 공부상서工部尙書의 별칭으로도 쓰였다.

588) 汜陽(사양) : ≪한서·하무전≫권86에 의하면 하무何武의 봉호인 '범양氾陽'의 오기이다. 자형의 유사성으로 인한 필사 과정상의 단순 오기로 보인다.

589) 黃霸(황패) : 전한 때 사람(?-B.C.51). 영천태수潁川太守와 태자태부太子太傅·어사대부御史大夫 등을 역임하고 승상丞相에 올랐는데, 법령에 밝고 선정을 베풀어 후대의 공수龔遂와 함께 훌륭한 관리의 표상으로 꼽히며 '공황龔黃'으로 불렸다. ≪한서·순리열전循吏列傳·황패전≫권89 참조. 후한 광무제光武帝 때 사람 황패黃霸와는 동명이인이다.

590) 春秋(춘추) : 주周나라 춘추시대 때 역사를 기록한 ≪춘추경春秋經≫의 원명. 오경五經의 하나로 지금은 해설서인 ≪좌전左傳≫ ≪곡량전穀梁傳≫ ≪공양전公羊傳≫으로 전한다.

591) 銅陽(동양) : 도랑 이름. 상세한 내용은 미상.

592) 侍御史(시어사) : 주周나라 때 주하사柱下史에서 유래한 벼슬로서 위진魏晉

○하창(?-105)은 자가 문고로 (후한) 장제 때 (하남성) 하남태수를 지내면서 관대하게 정사를 펼쳤다. 하남군에 억울한 옥사가 있으면 ≪춘추경≫의 대의를 살려 판단하였기에 백성들이 그의 은덕에 감화받았다. 동양거銅陽渠 등 네 개의 도랑을 수리하고 밭을 개간하여 3만경 넘게 면적을 늘렸기에 백성들이 그로 인한 혜택을 보았다. 백성과 관리들이 돌을 깎아 거기에 그의 공덕을 송축하는 글을 새겼다. 뒤에 시어사를 배수받았다.

◇龍驤虎步(용처럼 뛰어오르고 호랑이처럼 걷다)

●何進召董卓, 誅宦官, 陳琳[593]曰, "將軍龍驤虎步[594], 此猶鼓洪爐, 燎毛髮耳. 今反借外助, 是倒持干戈, 授人以柄." 進不能用.

○(후한 말엽에) 하진(?-189)이 (간신인) 동탁을 불러들여 환관들을 제거하려고 하자 진임이 말했다. "장군께서는 용과 호랑이처럼 위풍당당한 모습을 보이시지만 이는 오히려 커다란 화로를 두드리다가 모발을 태우는 것이나 진배없습니다. 지금 도리어 밖의 힘을 빌리려고 하시니 이는 무기를 거꾸로 들고 남에게 자루를 내주는 꼴입니다." 그러나 하진은 진임의 말을 채택하지 않았다.

◇公羊墨守(≪공양묵수≫)

●何休, 字邵公, 精研六經[595]. 漢靈帝朝, 陳蕃辟之, 以春秋駁漢事六百餘條. 妙得公羊本旨, 作公羊墨守[596]·左氏膏肓[597]·穀梁廢疾[598].

이후로는 주로 관리들의 비리를 규찰하였다. 당송唐宋 때는 어사대御史臺 소속으로 어사대부御史大夫·어사중승御史中丞 다음 가는 벼슬이었다.

593) 陳琳(진임) : 후한 말엽 조조曹操(155-220)의 휘하에서 활동했던 건안칠자建安七子 가운데 1인(?-217). 자는 공장孔璋. 시문에 능했다. ≪삼국지·위지·진임전≫권21 참조.

594) 龍驤虎步(용양호보) : 용처럼 뛰어오르고 호랑이처럼 걷다. 위풍당당한 모습을 비유한다.

595) 六經(육경) : 유가儒家의 대표적인 경서經書인 ≪시경≫ ≪서경≫ ≪역경≫ ≪춘추≫ ≪예기≫ ≪악기≫를 아우르는 말. 결국 경전을 가리킨다.

596) 公羊墨守(공양묵수) : ≪춘추경春秋經≫의 주석서인 삼전三傳, 즉 ≪좌전左傳≫ ≪곡량전穀梁傳≫ ≪공양전公羊傳≫ 가운데 전국시대 제齊나라 사람 공

○하휴(129-182)는 자가 소공으로 육경을 깊이 연구하였다. 후한 영제 때 진번이 그를 초빙하자 ≪춘추경≫으로 한나라 때 고사 600여 가지를 논박한 일이 있다. ≪공양전≫의 본뜻을 잘 터득하여 ≪공양묵수≫ ≪좌씨고황≫ ≪곡량폐질≫을 지었다.

◇傅粉(분을 칠하다)

●何晏, 字平叔, 美姿容. 魏文帝疑之, 以爲傅粉. 夏月賜熱湯餠[599], 拭汗而容愈潔.

○하안(190-249)은 자가 평숙으로 용모가 뛰어났다. (삼국) 위나라 문제가 의심을 품어 분을 칠한 것이라고 생각하였다. 그러나 여름철에 뜨거운 국수를 하사하자 땀을 닦을수록 얼굴이 더욱 하얘졌다.

◇薦門下士(문하의 선비를 천거하다)

●何祗, 蜀先主[600]時, 初爲太守楊洪門下書佐[601], 洪幸其有才策. 不數年, 祗爲廣漢守. 朝會, 祗・洪同坐, 洪曰, "君馬何駛?" 祗曰, "故吏馬不敢駛. 但明府[602]爲[603]著鞭[604]耳."

양고公羊高가 지은 ≪공양전≫에 대해 후한 하휴何休(129-182)가 해설을 단 책 이름. 묵자墨子(묵적墨翟)가 성을 지키는 것처럼 공양고의 학설에 대해 반박할 수 없다는 뜻에서 유래하였다. ≪후한서・하휴전≫권109 참조. 반면 후한 정현鄭玄(127-200)은 이에 대해 반박하는 ≪발묵수發墨守≫를 지었다.

597) 左氏膏肓(좌씨고황) : 후한 하휴何休가 ≪좌전≫의 학설을 공박하기 위해 지은 책 이름. ≪후한서・하휴전≫권109 참조. '고膏'는 심장 아랫부분을 가리키고 '황肓'은 횡경막 윗부분을 가리키는데 여기에 병이 나면 치료가 어렵기 때문에 불치병이나 난치병을 의미하며, 나아가 고칠 수 없는 결함이나 중요한 관건을 비유하는 말로서 ≪좌전≫을 비방하기 위한 말이다.

598) 穀梁廢疾(곡량폐질) : 후한 하휴何休가 ≪곡량전≫의 주장에 대해 반박하기 위해 지은 책 이름. ≪후한서・하휴전≫권109 참조. '폐질廢疾'은 불구를 뜻하는 말로 ≪곡량전≫을 비방하기 위한 말이다.

599) 湯餠(탕병) : 국수. 길이가 길기에 장수를 상징한다.

600) 先主(선주) : 삼국시대 촉蜀나라의 초대 임금인 유비劉備(162-223)에 대한 별칭. 촉나라는 선주 유비와 후주後主 유선劉禪(207-271) 두 세대에서 막을 내렸다.

601) 書佐(서좌) : 문서 처리를 도와 주는 서기와 같은 하급 관리를 이르는 말.

602) 明府(명부) : 한나라 이후로 군수郡守(태수)나 현윤縣尹을 높여 부르던 말.

○하지는 (삼국) 촉나라 선주(유비劉備) 때 당초 태수 양홍의 수하에서 문서를 관리하는 서기관을 지냈는데, 양홍이 그에게 재능이 있다는 것을 알고 총애하였다. 몇 년 지나지 않아 하지는 (사천성) 광한태수를 맡게 되었다. 조회에서 하지와 양홍이 자리를 함께 하였을 때 양홍이 물었다. "그대는 말을 어떻게 모시오?" 그러자 하지가 대답하였다. "옛 관리(양홍)의 말이라서 감히 몰지 못 하고 있습니다. 단지 어르신(양홍)께서 저를 위해 채찍질을 해 주시기를 바랄 뿐입니다."

◇日食萬錢(하루에 식비로 만 냥을 쓰다)

●何曾, 字穎考, 夔之子. 性奢豪, 日食萬錢, 猶云, "無下著[605]處!" 大官[606]所供烝餅[607], 上不拆十字, 不食. 人以小紙[608]爲書, 敕記室[609]勿報. 傅玄曰, "昔稱曾・閔[610], 今有荀・何[611]!"

○(진晉나라) 하증(199-278)은 자가 영고로 하기何夔의 아들이다. 천성적으로 사치를 좋아하여 하루에 식비로 만 냥을 쓰면서도 오히려

여기서는 하지何祗가 자신의 상관이었던 양홍楊洪을 높여 부르는 말이다.

603) 爲(위) : 송나라 왕흠약王欽若(962-1025)의 ≪책부원귀冊府元龜≫권947에는 '미未'로 되어 있다. 그러면 '다만 어르신께서 아직 채찍질을 해 주지 않으실 뿐입니다'란 의미가 될 듯하다. 아마도 위의 고사는 해학적인 의미에서 어감상에 다소 차이를 보이며 전래되었던 것으로 보인다.

604) 着鞭(착편) : 채찍질하다. 모종의 일에 노력을 경주하는 것을 비유한다.

605) 著(저) : 젓가락을 뜻하는 '저箸'의 오기.

606) 大官(태관) : 황제의 음식과 연향燕享을 관장하는 벼슬 이름. '태관太官'으로도 쓴다.

607) 烝餅(증병) : 만두 모양의 찐떡을 이르는 말. '증烝'은 '증蒸'으로도 쓴다.

608) 小紙(소지) : 작은 크기의 종이. 여기서는 결국 싸구려 종이를 가리킨다.

609) 記室(기실) : 후한 때부터 장표章表・서기書記・격문檄文 등을 관장하던 벼슬을 가리키는 말. 뒤에는 기실독記室督・기실참군記室參軍으로 불리기도 하였다.

610) 曾閔(증민) : 춘추시대 노魯나라 공자의 제자인 증자曾子(증참曾參)과 민자閔子(민손閔損)를 아우르는 말. 두 사람 다 효행으로 유명하였다. 이들 전기는 ≪사기・중니제자열전仲尼弟子列傳≫권67에 나란히 전한다.

611) 荀何(순하) : 진晉나라 무제武帝의 건국을 도운 일등공신인 순의荀顗와 하증何曾을 아우르는 말. 두 사람 모두 효자로 이름이 났다.

"젓가락을 댈 데가 없군!"이라고 투덜거렸다. 태관이 주는 찐떡도 위에 '열 십'자를 그어서 터놓지 않으면 먹지 않았다. 남이 싸구려 종이에 서신을 쓰면 기실에게 보고하지 말라고 명하였다. 그럼에도 부현은 "(효자로) 옛날에는 (춘추시대 노魯나라) 증자曾子(증참曾參)와 민자閔子(민손閔損)를 칭송하였지만, 지금은 순의荀顗와 하증何曾이 있다네!"라고 하였다.

◇八公同辰(팔공이 같은 날 고관에 오르다)

●晉武帝以何曾爲司徒, 司馬孚爲太宰[612], 鄭沖爲太傅[613], 司馬望爲太尉, 荀顗爲司空, 石苞爲司馬, 陳騫爲大將軍, 王祥爲太保, 所謂'八公同辰, 攀鱗附翼[614]'者也. 長子遵, 次子劭[615].

○진나라 무제는 하증(199-278)을 사도에 임명하고, 사마부를 태재(태사)에 임명하고, 정충을 태부에 임명하고, 사마망을 태위에 임명하고, 순의를 사공에 임명하고, 석포를 사마에 임명하고, 진건을 대장군에 임명하고, 왕상을 태보에 임명하였으니, 이른바 '팔공이 같은 날 고관에 올랐다'고 하는 사람들이다. 장남은 하준何遵이고, 차남은 하소何劭이다.

---

612) 太宰(태재) : 은殷나라 때는 육태六太의 하나였고, 주나라 때는 육경의 우두머리인 천관天官 총재冢宰를 지칭하였다. 진秦·한漢·위魏나라 때는 설치하지 않았다가, 진晉나라 때 경제景帝 사마사司馬師(209-255)의 이름을 피휘避諱하기 위해 태사太師를 '태재'라고 개칭하였다. 수당隋唐 때는 폐치廢置가 일정하지 않았고, 송나라 때는 좌복야左僕射를 '태재', 우복야右僕師를 '소재少宰'라고 하였다가 폐지되었다.

613) 太傅(태부) : 재상의 지위인 삼공三公, 즉 태사太師·태부太傅·태보太保 가운데 하나. 그러나 후에는 태위太尉·사도司徒·사공司空을 삼공으로 설치하고, '큰 스승'이란 의미에서 삼공보다 높여 별도로 '상공上公'이라고 하면서 '삼사三師'로 세우기도 하였다.

614) 攀鱗附翼(반린부익) : 용의 비늘을 잡고 봉황의 날개에 빌붙다. 제왕을 도와 공업을 이루거나 고관에 오르는 것을 비유한다. '반룡부봉攀龍附鳳'이라고도 한다.

615) 邵(소) : ≪진서·하소전≫권33에 의하면 '소劭'의 오기이다. 예로부터 자형의 유사성 때문에 '힘쓸 소劭' '고을 이름 소邵' '아름다울 소卲'가 혼용되어 와전되었으나 별개의 한자이다.

◇雙鸞(난새 한 쌍)

●何邵奢豪有父風, 與王濟同爲侍中. 傅咸贈詩[616]云, “雙鸞遊蘭渚.” 子岐, 姪嵩・綏.

○(진晉나라) 하소何劭(약 236-302)는 사치스런 면에서 부친의 기풍을 물려받았는데 왕제와 함께 시중을 지냈다. 부함은 시를 기증하면서 “난새 한 쌍(하소와 왕제)이 난초 물가에서 노니네”라고 하였다. 아들은 하기何岐이고, 조카는 하숭何嵩과 하수何綏이다.

◇萬夫之望(만백성이 우러러보는 존재)

●何充, 字次道, 王導[617]妻妹子也. 導以麈尾[618]拂床, 與之共坐曰, “此君坐也.” 後導與庾亮言於成帝曰, “何充器局志槩, 有萬夫之望, 宜爲老臣之副, 社稷[619]無虞矣.” 好釋氏[620], 謝萬譏之曰, “二何(充・準)佞於佛, 二郗(愔・曇)諂於道.” 成帝朝, 與庾氷參錄尙書事[621], 贈司空.

○(진晉나라) 하충(292-346)은 자가 차도로 왕도의 처제의 아들이다. 왕도는 주미로 평상을 닦은 뒤 그와 함께 앉으며 “이것은 자네가 앞으로 차지할 자리라네”라고 하였다. 뒤에 왕도는 유양과 함께 성제에게 “하충은 도량이나 기개 면에서 만백성이 우러러보는 존재이니

616) 詩(시) : 이는 진晉나라 부함傅咸의 오언고시五言古詩 <하소와 왕제에게 드리다(贈何劭・王濟)> 가운데 한 구절을 인용한 것으로 남조南朝 양梁나라 소통蕭統(501-531)의 ≪문선文選・증답하贈答下≫권25에 전한다.

617) 王導(왕도) : 진晉나라 때 사람(276-339). 자는 무홍茂弘. 원제元帝의 신임을 받아 ‘중부仲父’라는 존칭으로 불리며 승상丞相에 올랐고, 원제의 유명遺命으로 명제明帝와 성제成帝를 보좌하며 왕실을 보위하였다. ≪진서・왕도전≫ 권71 참조.

618) 麈尾(주미) : 청담淸談이나 한담을 나눌 때 모기를 쫓거나 먼지를 털기 위해 사용하는 도구 이름. 흔히 ‘불자拂子’라고도 한다. 사슴의 일종인 ‘주麈’의 꼬리를 장식한 데서 유래하였다.

619) 社稷(사직) : 농사를 위해 지내는 제사에 대한 총칭. 토지신에게 지내는 제사를 ‘사社’라고 하고, 곡신穀神에게 지내는 제사를 ‘직稷’이라고 한 데서 유래하였다. 황실이나 조정을 상징한다.

620) 釋氏(석씨) : 불교나 부처의 별칭. 후대에는 폄사貶辭로 쓰이기도 하였다.

621) 錄尙書事(녹상서사) : 벼슬 이름. 전한 무제 때 좌左・우조右曹에서 상서의 업무를 분담하였고, 후한 장제章帝 때는 태부・태위가 겸임하였다. 후대의 상서복야尙書僕射와 유사하며, ‘녹상서錄尙書’로 약칭하기도 하였다.

의당 노신의 부관으로 삼는다면 종묘사직에 아무런 근심이 없게 될 것이옵니다"라고 하였다. 불교를 좋아하자 사만이 이에 대해 "두 하씨(하충何充과 하준何準)는 불교에 아첨하고, 두 치씨(치음郗愔과 치담郗曇)는 도교에 아부하고 있다"고 비난하였다. 성조 때 유빙과 녹상서사의 직책을 함께 하다가 사공을 추증받았다.

◇大志良材(포부가 큰 훌륭한 인재)

●何無忌, 東海人, 少有大志, 與劉裕等起義兵, 討滅桓玄. 義熙中, 遷江州刺史, 與盧循戰敗, 厲聲[622]曰, "取蘇武節[623]來!" 躬執督戰, 握節而死.

○(진晉나라) 하무기(?-410)는 (산동성) 동해군 사람으로 어려서부터 큰 포부를 지니더니 (뒤에 유송劉宋 무제武帝에 오른) 유유 등과 함께 의병을 일으켜 환현을 섬멸하였다. (안제) 의희(405-418) 연간에는 (강서성) 강주자사로 승진하여 (반군인) 노순과 전투를 벌이다가 패하자 목청을 높여 말했다. "(전한) 소무의 부절을 가지고 오라!" 몸소 부절을 손에 들고 전투를 독려하다가 부절을 손에 쥔 채 전사하였다.

◇琴書自娛(금과 독서로 소일하다)

●何琦, 字方倫. 東晉末, 養志衡門[624], 耽翫典籍, 以琴書自娛. 公府[625]辟命, 皆不就. 善養性, 老而不衰, 年八十二卒[626].

---

622) 厲聲(여성) : 목청을 높이다, 언성을 높이다.

623) 蘇武節(소무절) : 소무蘇武(?-B.C.60)의 부절符節. 전한 사람 소무가 흉노匈奴에 사신으로 갔다가 19년 동안 억류당하면서도 손에서 부절을 놓지 않았다는 ≪한서·소무전≫권54의 고사에서 비롯된 말로 충신의 절조를 상징한다.

624) 衡門(횡문) : 두 기둥 사이에 대충 나무를 가로질러 걸쳐 놓아서 문처럼 만든 것을 일컫는 말로, 매우 가난하고 누추한 집을 비유한다. '횡衡'은 '횡橫'과 통용자.

625) 公府(공부) : 삼공의 관청. 즉 승상부를 가리킨다.

626) 卒(졸) : 사대부가 죽었을 때 쓰는 말. ≪예기·곡례하曲禮下≫권5에 의하면 천자의 죽음은 '붕崩'이라고 하고, 공경公卿의 죽음은 '훙薨'이라고 하며, 대부大夫의 죽음은 '졸卒'이라고 하고, 사士의 죽음은 '불록不祿'이라고 하며, 평민

○하기는 자가 방륜이다. 동진 말엽에 가난한 집에서 뜻을 키우고 고서에 심취하면서 금과 독서로 소일하였다. 승상부에서 관리에 임명하겠다고 불러도 모두 취임하지 않았다. 양생술을 잘 하여 늙어서도 쇠약해지지 않더니 나이 82세에 생을 마쳤다.

◇南學(남학)

●何尚之, 字彦德. 宋元嘉[627]中, 爲丹陽尹, 立宅南郊外, 設學以聚生徒, 徐秀等來遊. 謂之南學. 王球云, "西河[628]之風未墜!" 在家常著鹿皮帽[629], 雅道自居. 以尙書令[630]致仕, 居方山[631], 著遐居賦, 以明所志. 子偃.

○하상지(382-460)는 자가 언덕이다. (남조南朝) 유송劉宋 (문제) 원가(424-453) 연간에 (강소성) 단양윤을 맡아 남쪽 교외 밖에 집을 짓고 학교를 세워 학생들을 모으자 서유 등이 공부하러 찾아왔다. 그래서 당시 사람들이 '남학'이라고 하였다. 왕구는 "(산서성) 서하군 사람들의 칭송을 받은 (전국시대 위魏나라 사람 단간목段干木의) 기풍이 아직 사라지지 않았구나!"라고 말한 바 있다. 집에서도 늘상 사슴 가죽으로 만든 은자의 모자를 쓰고 지내면서 단아한 도리를 지키는 것에 자부심을 가졌다. 상서령을 지내다가 벼슬을 그만두고 (강소성) 방산에 거처하며 <은거를 읊은 부>를 지어 자신의 의지를 밝혔다. 아들은 하언何偃이다.

의 죽음은 '사死'라고 하여 신분에 따라 죽음에 대한 표현에도 차이를 두었다.

627) 元嘉(원가) : 유송劉宋 문제文帝의 연호(424-453).

628) 西河(서하) : 산서성의 속군屬郡 이름. 전국시대 위魏나라 단간목段干木이 승상의 자리도 마다하고 은거하자 서하군의 백성들이 칭송하였다는 고사로 유명하다. 여기서는 결국 은자를 상징한다.

629) 鹿皮帽(녹피모) : 사슴 가죽으로 만든 모자. '녹피건鹿皮巾'과 함께 은자가 착용하는 것이기에 은자를 상징한다.

630) 尙書令(상서령) : 한나라 이후로 문서의 수발과 행정을 총괄하던 상서성尙書省의 장관을 이르는 말. 휘하에 육부六部를 설치하였고, 각 부의 장관인 상서尙書, 차관인 시랑侍郞, 실무자인 낭관郞官 등을 거느렸다.

631) 方山(방산) : 강소성의 속현屬縣이자 산 이름.

◇五世尙書(오대에 걸쳐 상서에 오르다)

●何偃之子戢, 字惠景, 惠景子昌禹, 昌禹子敬容, 五世爲吏部尙書[632]. 敬容久處臺閣[633], 詳悉晉魏[634]以來故事. 謝郁致書云, "回豐貂[635]以步文昌[636], 聳高蟬[637]而超武帳."

○(남조南朝 유송劉宋) 하언의 아들 하집何戢은 자가 혜경이고, 하집의 아들은 하창우何昌禹이며, 하창우의 아들은 하경용何敬容으로 오대에 걸쳐 이부상서에 올랐다. 하경용은 궁중의 장서각에서 오래 근무하였기에 (남조南朝의) 동진東晉과 (북조北朝의) 북위北魏 이래의 고사를 상세히 알았다. 그래서 사욱이 서신을 보내 "(시종관으로서) 담비꼬리 장식한 갓을 쓰다가 문창(상서)에 오르시고, (시신으로서) 매미 장식품 달린 갓을 높이 세우다가 황제의 휘장을 뛰어넘으셨습니다"라고 하였다.

◇孝隱士(효성스런 은자)

●何點, 字子晳, 偃之姪. 事親至孝, 長絶婚宦[638]. 遨遊人間, 不簪不帶. 以人地[639]竝高, 無所與屈, 公卿[640]敬下之. 或乘柴車[641], 躡草屩[642],

---

632) 吏部尙書(이부상서) : 조정의 핵심 행정 기관인 상서성尙書省 소속 육부六部 가운데 관리들의 인사人事와 고과考課를 관장하는 이부의 장관. 휘하에 시랑侍郎과 낭중郎中・원외랑員外郎 등을 거느렸다.

633) 臺閣(대각) : 한漢나라 때에는 상서대尙書臺를 일컫다가 뒤에는 집현원集賢院처럼 궁중의 문서를 관장하는 기관이나 장서각을 총괄하는 말로 쓰였다.

634) 晉魏(진위) : 남조南朝의 동진東晉과 북조北朝의 북위北魏를 아우르는 말.

635) 豐貂(풍초) : 진귀한 담비 꼬리를 이르는 말. 고관의 갓을 장식하였기에 시종관侍從官이나 시중侍中을 비유한다.

636) 文昌(문창) : 상서尙書의 별칭. 또는 상서성尙書省의 별칭인 '문창천부文昌天府'의 준말을 가리킬 때도 있다.

637) 高蟬(고선) : 매미 모양의 금속 장식품이 달린 시종관의 갓을 이르는 말.

638) 婚宦(혼환) : 결혼과 출사出仕를 아우르는 말.

639) 人地(인지) : 인품과 문벌을 아우르는 말.

640) 公卿(공경) : 중국 고대 조정의 최고위 관직인 삼공三公과 구경九卿. 결국은 모든 고관에 대한 총칭이다. '삼공'은 시대마다 차이가 있는데 주周나라 때는 태사太師・태부太傅・태보太保를 지칭하였고, 진秦나라 때는 승상丞相・어사대부御史大夫・태위太尉를 지칭하였으며, 한나라 때는 진나라의 제도를 답습하다가 애제哀帝와 평제平帝 때에 대사마大司馬・대사도大司徒・대사공大司空

恣心所適. 世論以點爲孝隱士, 弟胤爲小隱士.

○(남조南朝 양梁나라) 하점은 자가 자석으로 하언의 조카이다. 부모를 지극히 효성스럽게 모셔 장성해서는 결혼도 출사도 마다하였다. 세간 사람들과 어울릴 때는 비녀도 꽂지 않고 허리띠도 매지 않았다. 인품과 문벌이 모두 높아 몸을 굽히는 일이 없었기에 삼공이나 구경 같은 고관들도 그를 존경하여 몸을 낮췄다. 어떤 때는 초라한 수레를 타고 짚신을 신은 채 마음 내키는 대로 행동하였다. 세간의 여론에서는 하점을 '효은사'라고 하고, 동생인 하윤何胤(446-531)을 '소은사'라고 하였다.

◇鹿皮巾(사슴 가죽으로 만든 은자의 두건)

●何點與梁武帝有舊. 詔以鹿皮巾召之, 引入華林園[643], 賜以詩酒, 恩禮如舊, 拜爲侍中. 起, 捋帝鬚[644]曰, "乃欲臣老子[645]?" 辭疾不起. 竟陵王子良[646]於法輪寺見之, 遺點嵇叔夜[647]酒杯・徐景山[648]酒鐺[649].

을 지칭하였으며, 후대에는 태사太師・태부太傅・태보太保를 '삼사三師'로 승격시키고 대신 태위太尉・사도司徒・사공司空을 '삼공'이라고 하기도 하였다. '구경'의 칭호도 시대마다 명칭과 서열에 차이가 있는데, 한나라 때는 태상太常・광록훈光祿勳・위위衛尉・태복太僕・정위廷尉・홍려鴻臚・종정宗正・대사농大司農・소부少府를 '구경'이라 하였고, 수당隋唐 이후로는 구시九寺, 즉 태상太常・광록光祿・위위衛尉・종정宗正・태복太僕・대리大理・홍려鴻臚・사농司農・태부太府의 장관을 '구경'이라고 하였다.

641) 柴車(시거) : 섶을 실을 정도로 보잘것없는 수레를 일컫는 말. 청렴성을 상징한다.

642) 草屩(초교) : 풀로 엮은 신. 즉 짚신을 뜻한다.

643) 華林園(화림원) : 도성에 있는 궁원宮苑 이름. 원래 후한後漢 때 방림원芳林園이었던 것을 삼국시대 위魏나라 때 제왕齊王 조방曹芳의 휘諱 때문에 화림원으로 개명한 것이다.

644) 捋帝鬚(날제수) : 황제의 수염을 쓰다듬다. 친근감을 표시하는 행동을 말한다.

645) 老子(노자) : 춘추시대 때 사람 이이李耳에 대한 존칭이자 그의 저서로 알려진 서책 이름. 이이의 자는 백양伯陽・중이重耳・담聃이고, 호는 노군老君. '노담老聃' '노래자老萊子' '이노군李老君' 등 여러 별칭으로도 불렸다. 여기서는 은자인 하점 자신을 비유적으로 가리킨다.

646) 竟陵王子良(경릉왕자량) : 남조南朝 남제南齊 무제武帝의 아들이자 문혜태자文惠太子의 동모同母 동생인 소자량蕭子良(460-494). '경릉왕'은 봉호. 문학을

○하점은 (남조南朝) 양나라 무제와 오래 전부터 친분이 있었다. 그래서 무제가 조서를 내려 (은자의 복장인) 사슴 가죽 두건을 마련해 그를 부르더니 화림원으로 불러들여 시와 술을 하사하고, 은혜와 예우를 예전처럼 베풀어 시중에 배수하였다. 처음 임명받았을 때 무제의 수염을 어루만지며 "끝내 노자를 신하로 삼고 싶으신 겐가?"라고 하더니 병을 핑계로 벼슬에 오르지 않았다. (남제南齊 때는) 경릉왕 소자량蕭子良이 법륜사에서 만나자 (삼국 위魏나라) 숙야叔夜 혜강嵇康이 마시던 술잔과 경산景山 서막徐邈이 술을 데우던 노구솥을 하점에게 선물한 일이 있다.

◇三高(세 명의 고상한 선비)

●何胤, 字子季, 遊會稽, 居若邪山[650]雲門寺. 二兄求・點竝棲遁, 世號點爲太山, 胤爲小山, 求曰東山. 是謂何氏三高.

○하윤(446-531)은 자가 자계로 (절강성) 회계군을 유람하다가 약야산 운문사에 은거하였다. 두 형인 하구何求와 하점何點도 모두 은거하여 세간에서는 하점을 '태산', 하윤을 '소산', 하구를 '동산'이라고 불렀다. 이들이 바로 '하씨삼고'라는 사람들이다.

◇白衣尙書(백의상서)

●胤居雲門, 梁武帝踐祚[651], 詔拜爲光祿大夫[652], 遣王杲之諭意. 胤曰,

좋아하여 많은 문인들을 거느렸는데, 사조謝朓(464-499)・왕융王融(467-493) 등과 함께 '경릉팔우竟陵八友'로 불렸다. ≪남제서・경릉문선왕소자량전竟陵文宣王蕭子良傳≫권40 참조.

647) 嵇叔夜(혜숙야) : 삼국 위魏나라 사람 혜강嵇康(224-263). '숙야'는 자. 죽림칠현竹林七賢 중의 한 사람. 저서로 ≪혜중산집嵇中散集≫ 10권이 전한다. 전기가 ≪진서書・혜강전≫권49에 전하나 실제로는 위나라 사람이다.

648) 徐景山(서경산) : 삼국 위魏나라 사람 서막徐邈. '경산'은 자. 경학에 조예가 깊어 상서랑尙書郞과 시중侍中 등을 역임하였다. ≪삼국지・위지・서막전≫권27 참조.

649) 鐺(당) : 바닥이 평평한 쇠솥을 이르는 말. 즉 노구솥.

650) 若邪山(약야산) : 절강성 회계군會稽郡에 있는 산 이름. '야邪'는 '야耶'와 통용자.

651) 踐祚(천조) : 원래는 사당의 동쪽 계단을 밟고 오르는 것을 뜻하는 말로, 황

"吾年五十七, 月食四斗米, 不盡, 何容復有宦情?" 杲之還奏, 詔給白衣尙書[653]祿, 辭不受, 遷居秦望山[654], 別爲小閣, 寢處其中. 已而山發洪水, 獨所居室巋然[655]. 太守王元簡命記室鍾嶸, 作瑞堂頌, 刻石旌之. 年八十六卒.

○하윤(446-531)이 (절강성 약야산의) 운문사에 은거할 때 (남조南朝) 양나라 무제가 황제에 오르고는 광록대부에 배수한다는 조서를 내리면서 왕고지에게 의중을 전달케 했다. 그러자 하윤이 말했다. "내 나이 57세로 달마다 쌀 네 말도 다 먹지 못 하거늘 어찌 다시 벼슬에 뜻을 둘 리가 있겠소?" 왕고지가 돌아와 보고하자 백의상서의 녹봉을 지급하라는 조서를 내렸지만 사양하고 받지 않은 채 진망산으로 거처를 옮겨 별도로 작은 누각을 짓고는 그속에서 생활하였다. 얼마 뒤 산에 홍수가 났지만 유독 그가 거처하는 건물만은 우뚝하니 멀쩡하였다. 태수 왕원간이 기실인 종영을 시켜 ('상서로운 대청을 송축하는 글'이란 의미의) <서당송>을 지어 바위에 새겨서 이를 표창케 하였다. 나이 86세에 생을 마쳤다.

◇詠梅(매화나무 아래서 시를 읊조리다)

●何遜, 字仲言, 梁天監[656]中, 作揚州法曹. 廨舍有梅花一株, 遜吟咏其下. 後居洛, 思梅, 因請再任. 及抵揚, 梅花方盛, 對花彷徨終日. 與陰鏗俱以能詩名, 號陰何. 與劉摽竝有重名, 號何劉.

제의 자리에 오르는 것을 비유한다. '조조'는 '조조' '조조' '조조'로도 쓴다.

652) 光祿大夫(광록대부) : 진한秦漢 때 중대부中大夫를 전한 무제武帝가 고친 이름으로 황제의 자문 역할을 담당하였다. 수당隋唐 때는 광록대부光祿大夫 외에도 금자광록대부金紫光祿大夫와 은청광록대부銀靑光祿大夫를 더 설치하였는데, 광록대부는 종2품에 해당하는 서열 3위의 문산관文散官이었고, 금자와 은청은 각각 서열 4위와 5위로서 정3품과 종3품에 해당하였다.

653) 白衣尙書(백의상서) : 후한 장제章帝가 정균鄭均에게 이 벼슬을 하사했다는 고사에서 유래한 말로서 평민의 신분으로 '상서'의 명칭을 얻는 것을 말한다.

654) 秦望山(진망산) : 절강성 회계군會稽郡에 있는 산 이름. 진秦나라 시황제始皇帝가 이곳에서 동해를 바라보았다는 고사에서 이름이 유래하였다.

655) 巋然(규연) : 우뚝하니 높은 모양.

656) 天監(천감) : 양梁 무제武帝의 연호(502-519).

○하손은 자가 중언으로 (남조南朝) 양나라 (무제) 천감(502-519) 연간에 (강소성) 양주에서 법조참군을 지냈다. 관청 숙사에 매화나무가 한 그루 있자 하손은 그 아래서 시를 읊조렸다. 뒤에 (하남성) 낙양에 거주하다가 매화나무가 그리워지자 다시 부임케 해 달라고 주청하였다. 양주에 도착하여 매화나무가 한창 무성하자 매화를 보면서 하루종일 배회하였다. 음갱과 함께 시로써 명성을 떨쳐 '음하'로 불렸고, 유표와 나란히 명성을 떨쳐 '하류'로도 불렸다.

●何長瑜與羊璿之等爲文章四友[657], 亦號羊何.(見荀姓)

○하장유는 양선지 등과 함께 '문장사우'로도 불리고 '양하'로도 불렸다.(관련 내용은 앞의 '순'씨 절에도 보인다)

◇代民輸租(가난한 사람들에게 대여하여 세금을 내게 하다)

●何敬叔仕梁, 爲長城[658]令, 淸廉不受禮遺, 夏節至, 忽榜門受餉. 數日中得米二千斛, 悉以代貧人輸租. 子思澄.

○하경숙은 (남조南朝) 양나라에서 벼슬길에 올라 (절강성) 장성현의 현령을 지냈는데 청렴하여 예물을 받지 않았지만 여름철이 되면 느닷없이 대문에 방문을 붙이고는 선물을 받았다. 며칠 안에 쌀 이천 휘가 걷히자 모두 가난한 사람들에게 대여하여 세금을 내게 해 주었다. 아들은 하사징何思澄이다.

◇人中爽爽(인재 중에 가장 출중하다)

●何子朗, 字世明, 與何遜・何思澄俱擅文名. 時謂東海三何, 子朗最多[659]. 又曰, "人中爽爽[660]何子朗."

○(남조南朝 양梁나라) 하자랑은 자가 세명으로 하손・하사징과 함께

---

657) 文章四友(문장사우) : 남조南朝 유송劉宋 때 문인 사영운謝靈運・순옹荀雍・하장유何長瑜・양선지羊璿之를 아우르는 말.

658) 長城(장성) : 절강성의 속현屬縣 이름.

659) 多(다) : 칭송하다, 찬미하다. '미美'의 뜻.

660) 爽爽(상상) : 출중한 모양, 준수한 모양.

문장으로 명성을 떨쳤다. 그래서 당시 사람들이 그들을 (‘산동성 동해군의 세 하씨’라는 의미에서) ‘동해삼하’라고 하였는데 그중 하자랑이 가장 칭송을 받았다. 사람들은 또 “인재 중에서도 가장 출중한 이는 하자랑이라네”라고 하였다.

◇去學省親(학교를 떠나 부모님을 찾아뵙다)

●何蕃事親至孝. 唐德宗朝, 居大學二十年, 請每歲一歸, 省侍父母, 不許, 間二歲歸, 又不許. 居五歲, 慨然以親且老, 揖[661]諸生, 去. 初朱泚[662]反, 諸生將從亂, 蕃正色叱之. 故六館[663]之士, 無受汙者.(卓行傳[664])

○하번은 부모님을 지극히 효성스럽게 섬겼다. 당나라 덕종 때 태학에 20년을 머물며 매년 한 차례 귀향하여 부모님을 찾아뵙겠다고 주청하였으나 허락을 받지 못 하자, 2년 간격으로 귀향하겠다고 주청했지만 다시 허락을 받지 못 했다. 그러자 5년 뒤에 서글픈 심경으로 부모님이 거의 연로해지셨다고 생각해 다른 태학생들에게 작별인사를 고하고는 학교를 떠났다. 당초 주차가 반란을 일으켰을 때 다른 태학생들이 반군을 따르려 하자 하번이 정색을 하며 질책하였다. 그래서 모든 학교의 학생들 가운데 반역에 참여했다는 오명을 쓴 사람이 없었다.(≪신당서·탁행열전·하번전≫권194)

---

661) 揖(읍) : 두 손을 맞잡고 허리를 숙이는 인사법을 이르는 말. 두 손을 맞잡고 가슴까지 올리되 허리를 숙이지는 않는 가벼운 예법인 ‘공拱’보다는 정중하고, 엎드려서 절하는 ‘배拜’에 비해서는 비교적 가벼운 예법에 해당한다.

662) 朱泚(주차) : 당나라 사람(742-784). 덕종德宗 때 요영언姚令言이 반란을 일으켰을 때 황제로 추대되어 국호를 대진大秦이라고 하였다가 뒤에 다시 한漢으로 바꿨다. 장안長安을 수복한 이성李晟(727-793)에게 패하여 도주하다가 살해당했다. ≪신당서·역신열전逆臣列傳·주차전≫권225 참조.

663) 六館(육관) : 중국 고대 최고 교육 기관인 국자학國子學·태학太學·사문학四門學·율학律學·서학書學·산학算學에 대한 총칭. 보통은 이를 총괄하는 기관인 국자감國子監의 별칭으로 쓰였다.

664) 卓行傳(탁행전) : 행실이 훌륭한 사람의 전기를 이르는 말로 ≪신당서≫권194의 편명이다.

◇焚榷茶詔(차의 전매를 명하는 조서를 불태우다)

●何易于, 唐德宗時, 爲益昌令. 時鹽鐵官榷茶[665], 詔下, 無敢隱者. 易于自焚其詔曰, "吾敢愛一身而移禍于民乎?"

○하이우는 당나라 덕종 때 (사천성) 익창현의 현령을 지냈다. 당시 (소금과 철을 관장하는) 염철관이 차를 전매하여 이익을 독점하였기에 조서가 내려와 감히 차를 숨기는 자가 없었다. 하이우는 스스로 그 조서를 불태우고는 "내 어찌 감히 내 한 몸 아끼겠다고 백성들에게 화를 전가할 수 있으리오?"라고 하였다.

◇薄宦(각박한 벼슬살이)

●何邕爲少府[666], 杜甫有別邕詩[667]云, "生死論交地[668], 何由見一人? 悲君隨燕雀[669], 薄宦[670]走紅塵[671]." 又有何少府覓榿木栽一詩[672].

○(당나라) 하옹이 소부(현위)에 임명되자 두보가 하옹과 작별하면서 시를 지어 "생사를 걸고 사귐을 논하던 곳(장안)에서, 어찌하면 한 사람이라도 볼 수 있을까? 슬프다! 그대 제비와 참새를 좇아, 각박한 벼슬살이 때문에 붉은 먼지 속을 다니는 것이"라고 하였다. 또 <하소부(하옹)에게 부탁해 오리나무 묘목을 구하다>란 시도 있다.

---

665) 榷茶(각차) : 차의 전매를 통해 이익을 독차지하는 것을 이르는 말. 옛날에는 소금·철·차 따위를 정부에서 전매하여 이를 관장하는 사신인 염철사鹽鐵使를 각지에 파견하였다. '각榷'은 '각摧'으로도 쓴다.

666) 少府(소부) : 진한秦漢 때는 세금에 관한 업무를 관장하던 기관의 장관을 이르는 말로 구경九卿의 하나였으나, 당송唐宋 때는 '태부太府'를 구경의 하나로 설치하면서 '소부'는 현縣에서 치안을 관장하는 현위縣尉의 별칭으로 쓰였다.

667) 詩(시) : 이는 오언율시五言律詩 <하옹과 작별하면서 드리다(贈別何邕)> 가운데 수련首聯과 함련頷聯을 인용한 것으로 청나라 구조오仇兆鰲(1640-1714)의 ≪두시상주杜詩詳註≫권10에 전한다.

668) 論交地(논교지) : 우정에 대해 논하던 곳. 당나라 때 수도인 섬서성 장안을 가리킨다.

669) 燕雀(연작) : 제비와 참새. 지위가 미천한 사람이나 소인배를 비유한다.

670) 薄宦(박환) : 각박한 벼슬살이, 낮은 관직을 이르는 말.

671) 紅塵(홍진) : 붉은 먼지. 벼슬살이나 속세를 비유한다.

672) 詩(시) : 이는 칠언절구七言絶句 <소부少府 하옹何邕에게 부탁하여 오리나무 묘목을 구하다(憑何十一少府邕, 覓榿木栽)>를 가리키는 말로 ≪두시상주≫ 권9에 전한다. 시제詩題에서 '십일十一'은 형제간의 항렬을 가리킨다.

◇同道(도를 같이 하다)

●何堅以文學知名. 韓愈有送堅序673)云, "何於韓同姓674)爲近, 堅以進士擧, 於吾爲同業, 在大學也. 吾爲博士, 堅爲生, 生於博士爲同道."

○(당나라) 하견은 글재주와 학식으로 명성을 떨쳤다. 한유는 <하견을 배웅하는 글>에서 "하씨는 우리 한씨와 성이 같아 가까운 사이인데, 하견은 진사시험에 급제해 나와 학업을 같이 하면서 태학에서 지냈다. 내가 (학생을 가르치는 벼슬인) 박사가 되었을 때 하견은 학생의 신분이었지만 학생은 박사와 도를 같이 하는 사이이다"라고 하였다.

◇白衣御史(백의어사)

●何群, 宋仁宗時人, 耆古好學, 善激揚議, 同舍人目爲白衣御史675). 賜號安逸居士.

○하군은 송나라 인종 때 사람으로 옛것을 선호하고 학문을 좋아하였으며 격렬하게 자기 주장을 잘 펼쳤기에 동료들로부터 '백의어사'라는 별명을 얻었다. 인종은 그에게 '안일거사'라는 호를 하사하였다.

◇三鳳(세 마리 봉황)

●何㮚676), 字文縝, 與兄棠·弟榘號三鳳. 宋政和677)五年, 登第, 後十二年, 大拜678). 從欽宗幸大金679)軍營, 不食而死. 詩680)云, "人生會681)

---

673) 序(서) : 이는 <하견을 배웅하는 글(送何堅序)>이란 제목으로 송나라 위중거魏仲擧가 엮은 ≪오백가주창려문집五百家注昌黎文集≫권20에 전한다.

674) 同姓(동성) : '하'씨가 전국시대 한韓나라 왕 한안韓安의 후손에서 갈려나왔기에 하는 말이다.

675) 御史(어사) : 탄핵을 전담하는 기관인 어사대御史臺 소속의 벼슬에 대한 총칭. 당나라 때는 어사대를 헌대憲臺·숙정대肅正臺라 부르기도 하였다. 시대마다 다소 차이는 있으나, 보통 장관은 어사대부御史大夫, 버금 장관은 어사중승御史中丞이라고 하였으며, 휘하에 시어사侍御史·전중시어사殿中侍御史·감찰어사監察御史·어사승御史丞 등의 속관이 있었다. '백의어사'는 평민의 신분인데 어사처럼 바른 말을 잘 한다는 의미에서 붙여진 별명이다.

676) 㮚(율) : '밤 율栗'의 고문자古文字. 진晉나라 때 율리栗里에 은거한 도연명陶淵明을 의식해서 지은 이름인 듯하다.

677) 政和(정화) : 북송北宋 휘종徽宗의 연호(1111-1117).

678) 大拜(대배) : 재상에 임명되는 것을 말한다.

有死, 遺恨滿乾坤."

○하율(1089-1127)은 자가 문진으로 형 하당何棠·동생 하구何榘와 함께 '삼봉'으로 불렸다. 송나라 (휘종) 정화 5년(1115)에 과거시험에 급제하고 12년 뒤에 재상에 올랐다. 금나라 군영에 행차하는 흠종을 호종하였다가 음식을 끊어 죽음을 맞았다. 그는 시에서 "사람으로 태어나면 의당 죽음을 맞기 마련이나, 남은 한이 하늘과 땅을 가득 채우는구나"라고 하였다.

◇龍泉(용천현 사람)

●何執中, 字伯通. 處州龍泉[682]太[683]. 縣有靈溪, 讖云, "沙洲到寺上, 龍泉出宰相. 沙洲到寺前, 龍泉出狀元." 宋徽宗朝, 執中爲相, 劉知新爲狀元, 以應之. 政和六年, 封榮國公. 謚正獻.

○하집중(1044-1117)은 자가 백통으로 (절강성) 처주 용천현 사람이다. 용천현에는 ('신령한 개울'이란 의미의) 영계가 있는데, 예언에 "(개울물이 불어서) 모래섬이 절 위로 올라오면 용천현에서 재상이 나오고, 모래섬이 절 앞까지 이르면 용천현에서 장원급제자가 나온다"는 말이 있었다. 송나라 휘종 때 하집중이 재상에 오르고 유지신이 장원급제자가 되어 이를 증명하였다. 하집중은 (휘종) 정화 6년(1116)에 영국공에 봉해졌다. 시호는 '정헌'이다.

◇三桂堂(세 명의 과거시험 급제자를 배출한 집)

●何造之子絳侯·孫修輔·曾孫格非, 三世登第. 家有三桂堂.

○(송나라) 하조지의 아들 하강후何絳侯와 손자 하수보何修輔·증손자 하격비何格非는 삼대에 걸쳐 과거시험에 급제하였다. 그래서 그의

---

679) 大金(대금) : 금나라를 높여 부르는 말.

680) 詩(시) : 이는 오언절구五言絶句 가운데 후반부를 인용한 것으로 <금나라 군영에서 지은 시(在金營題詩)>란 제목으로 청나라 여악厲鶚(1692-1752)의 ≪송시기사宋詩紀事·하율≫권39에 전한다.

681) 會(회) : 응당, 분명. '당當'의 뜻.

682) 龍泉(용천) : 절강성 처주處州의 속현屬縣 이름.

683) 太(태) : 문맥상으로 볼 때 '인人'의 오기인 듯하다.

집에는 ('세 명의 계수나무 가지를 꺾은 급제자를 배출한 집'이란 의미의) 삼계당이 있다.

●何顒與陳蕃·李膺善, 有聲荊豫684)之域, 後爲董卓所害.

○(후한) 하옹은 진번·이응과 친한 사이로 (호북성) 형주와 (강서성) 예주 일대에서 명성을 떨치다가 뒤에 동탁에게 살해당했다.

●何亮, 宋二十四賢685)中人.(見邊肅)

○하양은 송나라 (진종) 때 24현 가운데 한 사람이다.(상세한 내용은 앞의 변숙에 관한 기록에 보인다)

●何覬686)與江西詩派.(見徐情687))

○(송나라) 하의何顗는 강서시파에 참여하였다.(상세한 내용은 앞의 '서부徐俯'에 관한 기록에 보인다)

●隋何妥入蜀, 致金帛, 巨富, 號西州大賈. 後爲國子祭酒688).

○수나라 때 하타는 (사천성) 촉주로 들어가 금과 비단을 모아서 거부가 되어 ('서쪽 고을의 큰 상인'이란 의미에서) '서주대고'로 불렸다. 뒤에는 국자제주에 올랐다.

---

684) 荊豫(형예) : 호북성 형주荊州와 하남성 예주豫州 일대를 아우르는 말.

685) 二十四賢(이십사현) : 송나라 경덕景德 원년(1004)에 진종眞宗이 숭정전崇政殿에서 대책對策을 실시하였을 때 선발된 24명의 인재를 이르는 말. 변숙邊肅·국중모鞠仲謀·학태충郝太沖·주협朱協·이현李玄·마경馬京·하양何亮·위태소衛太素·진소도陳昭度·최단崔端·조상趙湘·강서姜嶼·등섭滕涉·조광曹廣·주강周絳·사도謝濤·고근미高謹微·장약곡張若谷·진월陳越·황보선皇甫選·육현규陸玄圭·이봉천李奉天·최준도崔遵度와 신상 미상의 한 명을 가리킨다.

686) 何覬(하기) : 송나라 때 강서시파 시인인 '하의何顗'의 오기.

687) 徐情(서정) : 송나라 때 강서시파 시인인 '서부徐府'의 오기.

688) 國子祭酒(국자제주) : 국가의 교육을 총괄하고 제사를 주재하는 기관인 국자감國子監의 장관 이름. 시대마다 차이가 있어 유림제주儒林祭酒·성균제주成均祭酒·국자제주國子祭酒·대사성大司成 등 다양한 명칭으로 불렸다.

※女德婚姻(여덕과 혼인)

◇玉樓十二(옥루 열두 동)

●西王母[689], 姓何氏, 字婉妗, 一字大虛[690], 又云龜臺金母[691]. 居崑崙[692]之圃·閬風[693]之苑, 玉樓[694]十二, 玄臺九層. 左帶瑤池, 右環翠水. 漢武時, 以七夕日降承華殿, 進蟠桃[695]七顆. 李欣[696]王母歌[697]云, "武皇齋戒承華殿, 端拱[698]須臾王母見. 霓裳[699]照耀麒麟車, 羽蓋[700]淋漓[701]孔雀扇云云. 顧謂侍女董雙成, '酒闌[702]可奏雲和[703]笙.' 紅霞白日催不動, 七龍五鳳紛相迎."

○서왕모는 성이 하씨이고 자가 완금이다. 한편으로 자를 '태허'라고도 하고, 또 '귀대금모'로도 부른다. 곤륜산의 채마밭과 낭풍산의 정원

---

689) 西王母(서왕모) : 중국 전설에 나오는 불로장생不老長生을 상징하는 신녀神女 이름. 여신선들을 총괄하는 일을 관장하였다.

690) 大虛(태허) : 우주·하늘·만물의 근원을 이루는 기운 등을 비유하는 말. '태大'는 '태太'와 통용자.

691) 龜臺金母(귀대금모) : 서왕모西王母의 별칭인 '태허구광귀대금모원군太虛九光龜臺金母元君'의 준말.

692) 崑崙(곤륜) : 서왕모西王母가 산다는 전설상의 산 이름. 중국 서북방 신강新疆과 서장西藏 사이에 위치한 고산高山을 가리킬 때도 있다.

693) 閬風(낭풍) : 곤륜산崑崙山 꼭대기인 낭풍전閬風巓의 약칭. 여기에는 신선들의 동산인 '낭원閬苑'이 있다고 전한다.

694) 玉樓(옥루) : 선계에 있다는 전설상의 누각 이름. 뒤의 '현대' '요지' '취수'도 모두 선계에 있다는 가상의 지명이다.

695) 蟠桃(반도) : 선계의 복숭아 이름. 서왕모西王母가 전한 무제武帝에게 주었는데 무제가 이를 심으려 하자 인간세상에서는 키울 수 없다고 말했다는 고사가 ≪한무제고사漢武帝故事≫에 전한다.

696) 李欣(이흔) : 당나라 시인 '이기李頎'의 오기.

697) 歌(가) : 이는 동명의 칠언고시七言古詩에서 일부를 발췌하여 인용한 것으로 송나라 계민부計敏夫의 ≪당시기사唐詩紀事·이기≫권20에 전한다.

698) 端拱(단공) : 단정히 앉아 두 손을 맞잡다. 임금이 엄숙한 태도로 정치에 임하는 것을 뜻한다. 북송 태종太宗의 연호(988-989)를 가리킬 때도 있다.

699) 霓裳(예상) : 무지개나 구름으로 만든 옷. 신선의 옷을 가리킨다.

700) 羽蓋(우개) : 깃털로 만든 수레덮개. 신선의 수레를 가리킨다.

701) 淋漓(임리) : 성대한 모양.

702) 酒闌(주란) : 술자리가 거의 끝나갈 무렵을 이르는 말.

703) 雲和(운화) : 금슬琴瑟 같은 악기의 재료가 생산된다는 산 이름.

에 거처하는데 옥루 열두 동이 있고 9층 짜리 현대가 있다. 왼쪽으로는 요지가 있고 오른쪽으로는 취수가 돌아흐른다. 전한 무제 때 칠월 칠석날을 택해 승화전에 강림해서 (선계의 복숭아인) 번도를 일곱 개 바쳤다. (당나라) 이기李頎는 <서왕모를 읊은 노래>에서 "무제가 승화전에서 재계하고, 두 손을 모은 채 단정히 앉자 순식간에 서왕모가 출현하였네. 신선의 치마가 기린이 끄는 수레에서 빛을 발하더니, 신선의 수레에서 화려한 공작 부채가 나타났네.(중략) 시녀 동쌍성을 돌아보며 말하길, '술자리가 무르익어 운화산의 생황을 연주하면 좋겠다'고 하니, 붉은 노을과 흰 태양은 재촉해도 움직이지 않고, 일곱 마리 용과 다섯 마리 봉황이 어지러이 그녀를 맞이하네"라고 하였다.

●第三女華林, 字容君, 爲南極元君[704]・紫微[705]夫人治太丹宮.
○(서왕모의) 셋째 딸인 화림은 자가 용군으로 남극원군과 자미부인을 위해 태단궁을 세웠다.

●十三女媚蘭, 爲雲林右英夫人, 嬪上淸[706]左卿許眞人.
○(서왕모의) 열세 번째 딸인 미란은 운림우영부인이 되어 상청에서 좌경을 맡고 있는 허진인의 첩실이 되었다.

●三十女靑娥爲紫微左官夫人.
○(서왕모의) 서른 번째 딸인 청아는 자미좌관부인이 되었다.

●二十三女瑤姬爲雲華上宮夫人.

---

704) 元君(원군) : 여자 신선에 대한 존칭. 남자 신선을 '진인眞人'이라고 부르는 것의 상대어.

705) 紫微(자미) : 큰곰자리를 중심으로 170개의 별로 이루어진 별자리 이름에서 유래한 말로 보통 황제를 상징하는데, 여기서는 선녀 이름으로 쓰였다.

706) 上淸(상청) : 신선이 사는 세 장소인 삼청三淸, 즉 옥청玉淸・상청上淸・태청太淸 가운데 하나. 혹은 그곳의 신선인 상청영보도군上淸靈寶道君의 약칭을 가리키기도 한다.

○(서왕모의) 스물세 번째 딸인 요희는 운화상궁부인이 되었다.

●小女玉巵.
○(서왕모의) 막내딸은 옥치이다.

◇擇婿(사위를 고르다)

●何承天爲中丞[707], 有女擇對. 劉秀之方十歲, 異於群兒, 承天雅[708]相知器[709].
○(남조南朝 유송劉宋) 하승천(370-447)은 어사중승을 지낼 때 짝을 고를 딸이 있었다. 유수지가 막 열 살의 나이로 다른 아이들보다 특출났기에 하승천이 평소 그를 인정해 주었다.

●何英爲琅琊相[710]. 魏高譚敦厚少華, 英高其行, 妻以女.
○하영은 낭야왕의 승상을 지냈다. (삼국) 위나라 고인이 성품이 후덕하고 허영심이 적었는데, 하영은 그의 행동을 높이 평가해 딸을 시집보냈다.

●何點娶魯國隱士孔嗣女, 不與相見, 別室處之.
○(남조南朝 양梁나라) 하점은 노국의 은자인 공사의 딸을 아내로 맞았지만, 그녀와 만나지 않은 채 따로 방을 마련해 그녀를 머물게 했다

●何無忌, 劉牢之之甥也, 酷[711]似其舅.

---

707) 中丞(중승) : 관리들의 비행을 규찰하고 탄핵하는 업무를 관장하는 기관인 어사대御史臺에서 어사대부御史大夫 다음 가는 벼슬인 어사중승御史中丞의 약칭. 휘하에 시어사侍御史·전중시어사殿中侍御史·감찰어사監察御史 등을 거느렸다.
708) 雅(아) : 평소, 원래.
709) 知器(지기) : 기량을 알아주다, 인정해 주다.
710) 琅琊相(낭야상) : 산동성의 제후인 낭야왕琅琊王의 승상을 가리킨다.
711) 酷(혹) : 무척, 몹시.

○(진晉나라) 하무기(?-410)는 유뇌지의 생질로 자신의 외숙부와 무척 닮았다.

●何遷之712)娶王敬弘713)女.(南史714))

○(남조南朝 유송劉宋) 공상孔尙은 경홍敬弘 왕유지王裕之의 딸에게 장가들었다.(≪남사·공순지전孔淳之傳≫권75)

●何洵直娶滕達道715)長女.(見滕氏)

○(송나라) 하순직은 달도達道 등원발滕元發의 장녀에게 장가들었다.(상세한 내용은 뒤의 '등'씨 절에 보인다)

●何氏妻李澣.(五代時人)

○하씨는 이한에게 시집갔다.(오대 때 사람이다)

●陰何. 誰何716). 蕭何. 常何.

○(남조南朝 양梁나라 때 시인) 음갱陰鏗과 하손何遜. 캐묻다. (전한

---

712) 何遷之(하천지) : 현전하는 ≪남사≫의 기록에 의하면 '공상孔尙'의 오기이다. 왕경홍王敬弘은 딸을 공순지孔淳之의 아들인 공상에게 시집보냈다.

713) 王敬弘(왕경홍) : 남조南朝 유송劉宋 때 사람 왕유지王裕之. '경홍'은 자. 무제武帝 유유劉裕의 휘諱(裕) 때문에 주로 자로 불렸다. 상서복야尙書僕射·상서령尙書令을 역임하였다. ≪송서·왕경홍전≫권66 참조.

714) 南史(남사) : 당나라 이연수李延壽가 남조南朝의 유송劉宋부터 진陳나라 말까지 도합 170년의 역사를 간략하게 정리하여 서술한 사서史書. 총 80권. 기존의 ≪송서宋書≫ 등의 내용을 보완한 것은 적고 삭제한 것이 많아 ≪북사北史≫보다는 못 하다는 평을 받는다. ≪사고전서간명목록·사부·정사류正史類≫권5 참조.

715) 滕達道(등달도) : 송나라 사람 등원발滕元發. 본명이 '보甫'이고 자가 '원발'이었으나 고로왕高魯王을 피휘避諱하기 위해 뒤에 자를 본명으로 삼고 자를 '달도達道'로 고쳤다. 시호는 장민章敏. 개봉부추관開封府推官·한림학사翰林學士를 역임하면서 왕안석王安石(1021-1086)의 신법新法에 반대하였고, 철종哲宗 때 운주지주사鄆州知州事를 지내면서 변방을 잘 다스려 '명수名帥'로 이름을 떨쳤다. ≪송사·등원발전≫권332 참조.

716) 誰何(수하) : 누가 무엇을 했는지 알아내다. 즉 캐묻거나 심문하는 것을 뜻한다.

고조高祖 때 승상) 소하. (당나라 태종太宗 때 사람) 상하.

◆和(화씨)

▶商音. 汝南. 堯時和仲・和叔之後.

▷음은 상음에 속하고 본관은 (하남성) 여남군이다. (당나라) 요왕 때 화중과 화숙의 후손이다.

◇棟梁材(마룻대와 대들보로서의 자질)

●和嶠, 字長輿, 晉人. 庾敳見之曰, "森森[717]如千丈松, 雖磥砢[718]多節, 施之大厦, 有棟梁之用." 爲中書令. 帝深器重之, 專車[719]而坐. 家富性吝, 杜預以爲有錢癖.

○화교(?-292)는 자가 장흥으로 진나라 때 사람이다. 유애가 그를 보고는 "고매한 성품은 마치 천 장 높이 소나무가 비록 여기저기 튀어나온 마디가 많다 해도 건물에 사용하면 마룻대와 대들보의 쓸모가 있는 것과 같다"고 칭찬하였다. 중서령에 올랐다. 황제가 그를 무척 존중하여 혼자서 수레를 타게 해 주었다. 집이 부유한데도 성품이 인색하였기에 두예는 그에게 돈벌레 기질이 있다고 평했다.

◇登庸衣鉢(등용하면서 의발도 전수하다)

●和凝, 字成績, 五代時, 擧進士, 名居十三. 後知擧, 選范質, 亦居十三, 謂之曰, "以傳老夫[720]衣鉢[721]." 後歷官, 皆與凝同作詩云, "從此廟堂[722]添故事, 登庸衣鉢亦相傳." 嘗擧進士李澣. 及大拜, 澣草制, 盡取

717) 森森(삼삼) : 우뚝하니 높은 모양.
718) 磥砢(뇌라) : 많이 쌓인 모양. 여기서는 나무에 마디가 많은 모양을 말한다.
719) 專車(전거) : 수레를 독차지하다, 수레에 혼자서 타다.
720) 老夫(노부) : 나이 든 사람이 자신을 칭하는 말. 여기서는 화응 자신을 가리킨다.
721) 衣鉢(의발) : 옷과 바리때. 원래 불교 용어로 큰 스님이 제자에게 자신이 쓰던 옷과 바리때를 물려주는 데서 유래한 말로, 스승이 제자에게 학문이나 기술을 물려주는 것을 비유한다.
722) 廟堂(묘당) : 임금이 신하들의 조회를 받고 정사를 의논하는 조정을 일컫는 말.

去閣中器皿，留詩723)云，“座主724)登庸歸鳳閣725)，門生批詔立鼇頭726)．玉堂727)舊閣多珍玩，可作西齋潤筆728)不?”

○(송나라) 화응(898-955)은 자가 성적으로 오대 때 진사시험에 급제하면서 이름을 13등에 올렸다. 뒤에 과거시험을 관장하게 되어 범질을 선발하면서 역시 그를 13등에 올리고는 “(자네를 13등으로 합격시키는 것은) 노부의 의발을 전수하기 위해서라네”라고 하였다. 뒤에 범질은 여러 관직을 거치면서 늘 화응과 함께 시를 짓더니 “이제부터 조정에 고사가 하나 추가되었으니, 인재를 등용하면 의발도 그에게 전수하는 것이라네”라고 하였다. 화응은 일찍이 진사 이한을 추천한 적이 있다. 그래서 화응이 재상을 배수받자 이한이 제서制書를 기초하게 되면서 한림원 누각 안의 기물들을 모두 가져다가 치우고는 다음과 같은 시를 남겼다. “시험감독관(화응)께서는 등용되어 봉각(중서성)으로 돌아가시고, 문하생인 나(이한)는 조서를 비답하며 오두(한림원)에 올라서게 되었네. 한림원 오랜 누각에 진귀한 기물들이 많으니, 서쪽 서재에서 글을 써 주는 데 사용해도 되지 않을까?”

◇定樂(아악을 정비하다)

●和峴，宋乾德729)初，位太常，用上黨黍累尺730)校律，定雅樂731)．

---

723) 詩(시) : 이 시는 칠언절구七言絶句 <시험감독관 화응의 옛 누각에 시를 남기다(留題座主和凝舊閣)>를 인용한 것으로 ≪전당시全唐詩·이한≫권737에 전한다.

724) 座主(좌주) : 당송唐宋 때 진사進士들이 시험감독관을 일컫던 말.

725) 鳳閣(봉각) : 황명의 기초와 출납을 관장하는 중서성中書省의 별칭. 당나라 측천무후則天武后(624-705) 때 ‘중서성’을 ‘봉각’으로 개칭한 적이 있다.

726) 鼇頭(오두) : 한림원翰林院의 별칭. ‘금란원金蘭院’ ‘금서禁署’ ‘금림禁林’ ‘내서內署’ ‘북원北院’ ‘사림詞林’ ‘오금鼇禁’ ‘오봉鼇峰’ ‘오액鼇掖’ ‘옥당玉堂’ ‘옥서‘玉署’ ‘한원翰苑’ 등 다양한 별칭으로도 불렸다.

727) 玉堂(옥당) : 한림원翰林院의 별칭.

728) 潤筆(윤필) : 붓을 적시다. 당송 때 한림원의 관리가 사령장辭令狀인 제서制書를 작성해 주고 선물을 받은 것을 이르는 말. 뒤에는 전의轉義되어 시문詩文이나 서화書畵를 작성해 주고 보수를 받는 것을 뜻하게 되었다.

729) 乾德(건덕) : 북송北宋 태조太祖의 연호(963-967).

730) 黍累尺(서루척) : 고대 중국에서 기본이 되는 도량형 단위. 10개의 기장을

○화현(933-988)은 송나라 (태조) 건덕(963-967) 초에 (산서성) 상당군에서 생산되는 기장에 의한 척도를 이용하여 음률을 교정하고 아악을 정비하였다.

◇草詔精思(조서를 기초하면 깊은 사색에 빠지다)

●和㠓, 宋至道[732]初, 遷右正言[733], 獻歌詩, 稱旨. 上謂, "宰相子有文采如和㠓者, 不可得也." 知制誥[734], 每草詔, 閉戶精思, 徧討群籍而後成也.

○화몽은 송나라 (태종) 지도(995-997) 초에 우정언으로 승진하자 시가를 바쳐 황제의 마음을 흡족케 했다. 태종은 "재상의 아들 가운데 화몽처럼 글을 아름답게 짓는 자를 찾기가 어렵구려"라고 하였다. (황명을 관장하는) 지제고를 맡자 매번 조서를 기초할 때마다 문을 걸어잠그고 깊은 사색에 빠진 채 여러 서적들을 두루 섭렵한 뒤에야 글을 완성하였다.

※婚姻(혼인)

◇擇婿(사위를 고르다)

●和凝少負才名. 賀瓌謂諸子曰, "和凝, 志義之士, 後當富貴, 爾謹事之." 因妻以女. 後果爲相.

○(송나라) 화응(898-955)은 어려서부터 글재주로 명성을 떨쳤다. 그래서 하양은 아들들에게 "화응은 의로운 선비로 뒤에 분명 부귀해질

합친 단위를 '루絫'라고 하는데, '루累'는 '루絫'와 통용자이다.

731) 雅樂(아악) : 교묘郊廟의 제례와 조정의 연향宴享 때 사용하는 궁중 음악을 이르는 말.

732) 至道(지도) : 북송北宋 태종太宗의 연호(995-997).

733) 正言(정언) : 규간規諫을 관장하는 벼슬. 당나라 때 습유拾遺를 송나라 때 정언正言으로 바꿨다. 습유와 마찬가지로 좌정언左正言과 우정언右正言이 있는데, 좌정언은 문하성門下省 소속이고 우정언은 중서성中書省 소속이었다.

734) 知制誥(지제고) : 황명의 초안을 작성하는 일이나 그러한 업무를 관장하는 벼슬을 이르는 말.

터이니 너희들은 그를 잘 모시도록 하거라"고 말하고는 그참에 딸을 그에게 시집보냈다. 화응은 뒤에 정말로 재상에 올랐다.

●天和. 春和. 雲和瑟. 羲和[735]. 張志和[736].
○날씨가 온화하다. 봄기운이 온화하다. 운화산에서 생산되는 재료로 만든 슬. (해를 모는 신인) 희화. (당나라 때 은자) 장지화.

◆柯(가씨)

▶商音. 齊陽. 吳仲雍[737]五世孫柯相之後. 今常州柯山, 卽柯相所治之處.
▷음은 상음에 속하고 본관은 (산동성) 제양군으로 (주周나라 때) 오나라에 봉해진 중옹의 5대손인 가상의 후손이다. 오늘날 (강소성) 상주의 가산이 바로 가상이 다스리던 곳이다.

◇石篆(돌에 새겨진 전서체)

●柯蕚, 宋太平興國[738]七年, 遇一僧, 往萬歲山[739], 指古松下, 掘之, 得石篆, 乃寶公[740]記'國祚綿遠[741]'之文.
○가악은 송나라 (태종) 태평흥국 7년(982)에 승려를 만나 (안휘성) 만세산으로 찾아갔다가 그가 오래된 소나무 아래를 가리켜 그곳을

---

735) 羲和(희화) : 태양의 운행을 관장한다는 전설상의 인물. 결국 해를 가리킨다. 한편으로는 천지간 사계절의 운행을 관장하는 희씨羲氏와 화씨和氏로 보는 설도 있고, 희씨가 하늘을 관장하고 화씨가 땅을 관장했다고 보는 설도 있다.
736) 張志和(장지화) : 당나라 때 은자. 자는 자동子同이고 자호는 현진자玄眞子. 숙종肅宗이 남녀 노비를 하사하자 오히려 그들을 결혼시키고 자유롭게 풀어주었다는 고사로 유명하다. 저서로 ≪현진자≫ 1권이 전한다. ≪신당서·장지화전≫권196 참조.
737) 仲雍(중옹) : 주周나라 문왕武王의 부친이자 무왕武王의 조부인 계력季歷의 둘째 형. 오吳나라에 봉해졌다. ≪사기·주본기≫권4에 무왕의 증조부인 고공단보古公亶父의 장남은 '태백泰伯'이고, 차남은 '중옹仲雍'이라고 하였다.
738) 太平興國(태평흥국) : 북송北宋 태종太宗의 연호(976-983).
739) 萬歲山(만세산) : 안휘성에 있는 산 이름.
740) 寶公(보공) : 남조南朝 양梁나라 때 고승인 보지寶誌에 대한 존칭. 선업善業을 닦아 영적靈蹟을 드러냈고 좌정坐定한 채 입적하였다고 한다. '보지保誌' '지공誌公'이라고도 한다.
741) 綿遠(면원) : 길고 먼 모양, 오랜 모양.

가고서 돌에 새겨진 전서체를 발견하였는데, 바로 (남조南朝 양梁나라) 보공(보지寶誌 스님)이 '국운이 영원하리라'는 문구를 새긴 것이었다.

◇異鵲(신비한 까치)

●柯仲常[742], 宋神宗朝, 通判[743]潭州[744], 以救饑得民. 有異鵲棲其廳事, 仲常去, 鵲亦送之. 東坡賦[745]柯侯異鵲一章, "柯侯古循吏, 悃愊[746]眞無華. 臨漳所全活, 數等江干[747]沙. 仁心格異族, 兩鵲棲其衙. 但恨不能言, 相對空楂楂[748]. 善惡以類應, 古語良非誇. 君看彼酷吏, 所至號鬼車[749]."

○중상仲常 가술柯述은 송나라 신종 때 (복건성) 장주漳州의 통판을 지내면서 기근을 구제해 민심을 얻었다. 신비한 까치가 그의 청사에 깃들더니 가술이 떠나자 까치 역시 그를 배웅해 주었다. 동파東坡 소식蘇軾이 <가선생의 신비한 까치>라는 시를 지어 말했다. "가선생은 옛날 선한 관리의 풍모를 지녀, 순박하면서 진실로 겉치레가 없다네. 장주에 부임하여 구해준 백성이, 헤아리자면 장강가의 모래알처럼 많다네. 어진 마음으로 다른 종족까지 구하니, 까치 한 쌍이

---

742) 柯仲常(가중상) : 송나라 신종神宗 때 사람 가술柯述. '중상'은 자. 복건성 장주통판漳州通判을 지냈다. ≪복건통지福建通志·장주부漳州府≫권63과 명나라 능적지凌迪知의 ≪만성통보萬姓統譜≫권35 참조.

743) 通判(통판) : 송나라 때 사신이나 지방 장관의 속관을 이르는 말. 한나라 때 자사刺史를 보좌하여 주州를 순찰하는 일을 담당하던 벼슬인 '별가別駕'를, 수당隋唐 때는 '장사長史'로 개칭하였고, 송나라 때는 '통판通判'이라고 하였다.

744) 潭州(담주) : 호남성의 속주屬州 이름. 그러나 이는 복건성의 속주인 장주漳州의 오기이다.

745) 賦(부) : 이는 오언고시五言古詩 <신비한 까치(異鵲)> 가운데 후반부를 인용한 것으로 송나라 소식蘇軾(1036-1101)의 ≪동파전집東坡全集≫권18에 전한다.

746) 悃愊(곤핍) : 진실되고 순박한 모양.

747) 江干(강간) : 강가, 강 언덕. '간干'은 '애厓'의 뜻.

748) 楂楂(사사) : 까치가 우는 소리를 형용하는 말.

749) 鬼車(귀거) : 왜가리. 민가에 침입해 사람의 혼백을 빨아들인다는 속설이 있다. '창괄鶬鴰'이라고도 한다.

그의 관아에 둥지를 틀었네. 다만 한스럽게도 말을 할 줄 몰라, 그를 대하고도 부질없이 재잘거리기만 하지만, 선과 악은 끼리끼리 아는 법, 옛말이 진실로 틀린 것 없어라. 그대는 보소서 저 잔혹한 관리는, 가는 곳마다 왜가리 대접을 받고 있다오."

●柯崇(一作桓崇)與曹松等號五老榜.
○(당나라 때) 가숭('환숭'으로 표기한 문헌도 있다)은 조송 등과 함께 '오로방'으로 불렸다.

●柯益孫, 唐末爲南兗州典籤[750].
○가익손은 당나라 말엽에 (강소성) 남연주에서 (문서를 관장하는 벼슬인) 전첨을 지냈다.

●柯穎, 宋人, 官至尙書.
○가영은 송나라 때 사람으로 관직이 상서까지 올랐다.

●庭柯. 爛柯[751]. 南柯[752]. 珊瑚柯.
○정원의 가지. 도끼 자루 썩는 줄 모르다. 남쪽으로 뻗은 나뭇가지. 산호수의 가지.

◆戈(과씨)

▶宮音. 臨海.
▷음은 궁음에 속하고 본관은 (절강성) 임해군이다.

---

750) 典籤(전첨) : 수당隋唐 때 왕부王府에서 문서를 관장하던 벼슬을 이르는 말.
751) 爛柯(난가) : 도끼 자루가 썩다. 진晉나라 때 왕질王質이 산에 들어갔다가 두 동자가 바둑을 두는 것을 도끼 자루가 썩는 줄 모르고 구경하였는데, 집에 돌아오자 이미 세상이 바뀌었다는 남조南朝 양梁나라 임방任昉의 ≪술이기述異記≫권상의 고사에서 유래한 말로 신선세계를 상징한다.
752) 南柯(남가) : 남쪽으로 뻗은 가지. 남방의 새는 남쪽으로 뻗은 가지에 둥지를 튼다는 속설에서 유래한 말로 고향에 대한 그리움을 상징한다. 인생무상을 소재로 한 소설 ≪남가기南柯記≫나 송사宋詞의 사패詞牌인 <남가자南柯子>를 가리킬 때도 있다.

●枕戈. 揮天戈. 逐日戈[753].
○창을 베고 눕다. 하늘을 향해 휘두른 창. 해를 쫓은 창.

◆過(과씨)

▶夏時過國之後.
▷하나라 때 (제후국인) 과나라의 후손이다.

●過之一, 仕宋, 爲祕丞[754], 宰剡縣. 陳古靈[755]詩[756]云, "賢哉過縣尹[757], 德政是吾師. 萬事無鋒穎[758], 一心惟孝慈云云."
○지일之一 과욱過頊은 송나라에서 벼슬길에 올라 비서승에 임명되었다가 (절강성) 섬현의 현령을 지냈다. 고령선생古靈先生 진양陳襄이 시를 지어 "어질구나! 과현령(과욱)은, 덕을 베푸는 정사야말로 내가 본받을 스승이라네. 세상만사에 대해 날카롭게 대하는 일이 없이, 일편단심 오로지 효성과 자애를 베푸셨네(후략)"라고 하였다.

□九麻(9마)

---

753) 逐日戈(축일과) : 해를 쫓아낸 창. 춘추시대 노魯나라 양공陽公이 한구韓搆와 다툼을 벌였는데, 싸움이 한창 무르익을 때 해가 저물어 양공이 창을 당겨 휘두르자 해가 삼사三舍로 되돌아갔다는 고사가 ≪회남자淮南子·남명훈覽冥訓≫권6에 전한다.
754) 祕丞(비승) : 국가의 주요 문서와 도서를 관장하는 비서성祕書省 소속 관원인 비서승祕書丞의 준말. 비서감祕書監·비서소감祕書少監보다는 낮고 비서랑祕書郎보다는 높은 직책이었다.
755) 陳古靈(진고령) : 송나라 사람 진양陳襄(1143-1194)의 별칭. '고령'은 그의 존호인 고령선생古靈先生의 준말. 그의 문집 명칭도 ≪고령집古靈集≫이다. ≪송사·진양전≫권321과 ≪송시기사宋詩紀事·진양≫권16 참조.
756) 詩(시) : 이는 오언율시五言律詩 <(절강성) 섬현령이신 전 비서승 과욱에게 드리다(贈剡縣過頊祕丞) 가운데 수련首聯과 함련頷聯을 인용한 것으로 ≪고령집≫권23에 전한다. 따라서 '지일之一'은 과욱의 자인 듯하다.
757) 縣尹(현윤) : 현령縣令이나 지현사知縣事의 별칭.
758) 鋒穎(봉영) : 칼날과 송곳. 날카로운 말솜씨나 맹렬한 기세를 비유한다.

◆麻(마씨)

▶商音. 上谷[759].
▷음은 상음에 속하고 본관은 (하북성) 상곡군이다.

●麻建, 後漢人, 註論語.
○마건은 후한 때 사람으로 ≪논어≫에 주를 달았다.

●麻秋, 石勒[760]將, 威名, 可止兒啼.
○마추는 (오호십육국五胡十六國 후조後趙의 황제인) 석늑 휘하의 장수로 위명을 떨쳐 우는 아이도 울음을 그치게 하였다.

●麻溫, 宋天禧[761]中, 爲太子中允[762], 直集賢院.
○마온은 송나라 (진종) 천희(1017-1021) 연간에 태자중윤을 맡아 집현원에서 근무하였다.

●麻九疇, 字知幾, 三歲識字, 七歲能作大字徑數尺, 號神童. 仕大金, 爲太常傅士.(金志)
○마구주(1183-1232)는 자가 지기로 세 살 때 글자를 알고 일곱 살 때 직경이 몇 자에 달하는 큰 글씨를 쓸 줄 알았기에 신동으로 불렸다. 금나라에서 벼슬길에 올라 태상박사를 지냈다.(≪금사・문예열전・마구주전≫권126)

◇水晶宮(수정궁)

●麻婆, 女仙也. 盧杞[763]少時, 與婆同賃居廢宅, 婆爲之議婚. 後三日,

---

759) 上谷(상곡) : 진秦나라 때 하북성에 설치하였던 군郡 이름.
760) 石勒(석늑) : 오호십육국五胡十六國의 하나인 후조後趙의 창업자(274-333). ≪진서・석늑재기石勒載記≫권104 참조.
761) 天禧(천희) : 북송北宋 진종眞宗의 연호(1017-1021).
762) 太子中允(태자중윤) : 태자궁太子宮 태자첨사부太子詹事府의 속관屬官으로서 태자중사인太子中舍人과 함께 문서를 관장하던 벼슬 이름.
763) 盧杞(노기) : 당나라 사람(?-785?). 자는 자량子良. 덕종德宗 때 재상에 올

有女子輜軿[764]降空, 呼婆付藥二丸. 斸地種之, 生一葫蘆[765], 大如甕. 婆以刀劃, 而爲二與杞, 各處其一. 風雲忽起, 騰空而上. 至女所入水晶宮中, 女命杞坐曰, "吾太陰夫人也. 郞君願留此乎? 地仙乎? 宰相乎?" 杞曰, "留此爲上, 願女[766]卽爲奏帝." 朱衣[767]使來, 宣命杞, 大呼曰, "人間宰相." 女失色, 令婆急領回, 推入葫蘆中. 却至舊居, 麻婆・葫蘆俱不見.

○마파는 여신선이다. (당나라) 노기가 어렸을 때 마파와 함께 폐허가 된 저택을 임대해 살게 되었는데 마파가 그를 위해 혼사 얘기를 꺼냈다. 사흘 뒤 한 여자가 휘장을 친 수레를 타고서 공중으로부터 강림하더니 마파를 불러 약을 두 알 건넸다. 땅을 파서 그것을 심었더니 크기가 항아리만한 조롱박이 자랐다. 마파가 칼로 쪼개 둘로 만들어서 노기에게 주고는 각자 그중 하나 속에 거처케 하였다. 그런데 바람과 구름이 갑자기 일어나더니 공중으로 날아서 올라갔다. 여자가 들어간 수정궁에 도착하자 여자가 노기에게 앉으라고 하며 말했다. "저는 태음부인입니다. 낭군께서는 이곳에 머물고 싶으십니까? 아니면 지상의 신선이 되시렵니까? 재상이 되시렵니까?" 노기가 대답하였다. "이곳에 머물며 상관이 되고 싶으니 그대가 즉시 옥황상제께 아뢰었으면 하오." 붉은 옷을 입은 사신이 찾아와 노기에게 명령을 전하며 큰소리로 외쳤다. "인간세상의 재상이 될 것이오." 여자가 아연실색하여 서둘러 마파에게 데리고 돌아가라고 하면서 조롱

라 양염楊炎(727-781)・안진경顔眞卿(708-784) 등을 제거하고 세금을 함부로 거두는 등 전횡을 일삼다가 삭방절도사朔方節度使 이회광李懷光(729-785)의 상소로 파면당했다. ≪신당서・간신열전・노기전≫권223 참조.

764) 輜軿(치병) : 휘장을 두른 수레에 대한 총칭. '치輜'과 '병軿' 모두 휘장을 친 수레를 말한다.

765) 葫蘆(호로) : 조롱박.

766) 女(여) : 너, 그대. '여汝'와 통용자.

767) 朱衣(주의) : 붉은 관복을 뜻하는 말로 신분이 높은 사람을 상징한다. 시대마다 차이는 있으나 보통 1품 재상은 주의朱衣를, 3품 이상 고관은 자의紫衣를, 5품 이상 고관은 비의緋衣를, 비교적 직급이 낮은 7품 이상 관리는 녹의綠衣를, 9품 이상 관리는 청의靑衣를 입었다. 또한 비위를 저지른 관리를 탄핵하던 어사御史가 주의를 입은 때도 있었다. '의衣'는 '복服'으로도 쓴다.

박 속으로 밀쳐넣었다. 물러나 옛 거처에 도착하자 마파와 조롱박이 모두 사라졌다.

◇麟脯行酒(기린 고기를 안주 삼아 술잔을 돌리다)

●痲姑[768]七夕日降蔡經家, 貌似十八九歲女子. 衣有文章, 而非錦繡, 進金盤玉杯, 擘麟脯, 行酒[769]自言, "見東海三爲桑田, 蓬萊[770]水亦淺矣." 以米擲地, 皆成丹砂. 王方平[771]笑曰, "吾了不喜作此狡獪[772]也." 痲姑手似鳥瓜, 蔡經心想好爬背痒. 方平知之, 使神人鞭其背. 後有人題痲姑壇云[773], "五百年來別恨多, 東征重得見靑娥[774]. 擘麟方擬窮歡飮, 無奈傍人背痒何."(仙傳) 痲姑壇在撫州, 顔眞卿作記[775].

○(후한 때) 마고가 칠월 칠석날에 채경의 집에 강림하였는데 모습이 열여덟아홉 살 가량 된 여자 같았다. 옷에는 문양이 있지만 비단은 아니었다. 금쟁반과 옥술잔을 바치고 안주로 기린의 말린고기를 자

---

768) 痲姑(마고) : 새의 발톱처럼 긴 손톱을 가지고 있다는 전설상의 선녀 이름. 후한 환제桓帝 때 장안에 있는 채경蔡經의 집에 머물렀는데, 채경이 손톱을 보고서 등을 긁으면 시원하겠다고 생각했다가 들켜서 혼이 났다는 고사가 진晉나라 갈홍葛洪(284-363)의 ≪신선전神仙傳・왕원전王遠傳≫권3에 전한다.

769) 行酒(행주) : 술잔을 돌리다, 술자리를 주재하다.

770) 蓬萊(봉래) : 동해東海에 신선이 산다는 전설상의 삼신산三神山인 봉래산蓬萊山・방장산方丈山・영주산瀛洲山 가운데 하나.

771) 王方平(왕방평) : 후한 사람 왕원王遠. '방평'은 자. 효렴과孝廉科로 천거되어 중산대부中散大夫를 역임하다가 입산하여 도사가 되었다. 진晉나라 갈홍葛洪(284-363)의 ≪신선전神仙傳・왕원전≫권3과 송나라 이방李昉(925-996)의 ≪태평광기太平廣記・신선神仙7・왕원≫권7에 그에 관한 기록이 전한다.

772) 狡獪(교회) : 간사하고 교활한 짓을 이르는 말. 속임수나 농짓거리 따위를 가리킨다.

773) 云(운) : 이는 송나라 때 칠언절구七言絶句를 인용한 것으로 ≪시화총귀詩話總龜≫후집권40 등 다른 문헌에서도 저자를 밝히지 않았다. 따라서 출처를 밝힌 뒤의 진晉나라 갈홍葛洪(284-363)의 ≪신선전神仙傳≫은 이 문구 앞으로 옮기는 것이 적절하기에 이를 따른다.

774) 靑娥(청아) : 서왕모의 딸로 알려진 전설상의 선녀 이름. 여기서는 마고선녀를 비유적으로 가리킨다.

775) 記(기) : 이는 <(강서성) 무주 남성현에 있는 마고산의 신선 재단齋壇에 관한 글(撫州南城縣痲姑山仙壇記)>이란 제목으로 당나라 안진경의 ≪안노공집顔魯公集・기記≫권13에 전한다.

른 뒤 술잔을 돌리며 말했다. “동해가 세 번이나 뽕나무밭으로 변하고, 봉래산의 바닷물도 낮아지는 것을 보았답니다.” 쌀을 땅바닥에 던지자 모두 단사로 변했다. 그러자 방평方平 왕원王遠이 웃으며 말했다. “나는 이런 속임수는 전혀 좋아하지 않소.” 마고의 손이 새의 발톱처럼 생겼기에 채경은 속으로 등의 가려운 곳을 긁기에 딱 좋다고 생각하였다. 왕원이 이를 알아채고는 신인을 시켜 그의 등을 채찍으로 때리게 하였다.(≪신선전神仙傳·왕원전王遠傳≫권3) 뒤에 (송나라 때) 어떤 사람이 마고단을 소재로 다음과 같은 시를 지었다. “5백 년 이래로 이별의 한을 겪은 사람이 많았지만, 동쪽으로 먼 길을 떠나 다시금 선녀 청아를 만날 수 있었네. 기린 고기를 자르고서 막 술자리를 만끽하고자 하나니, 옆 사람 등 가려운 것도 어찌할 수 없어라.” 마고단은 (강서성) 무주에 있는데, (당나라) 안진경이 그에 관한 글을 지었다.

●胡麻[776]. 絲麻[777]. 白麻[778]. 漚麻[779].

○참깨. 명주실과 삼실(소박한 옷). (고관의 임명장을 작성하는 데 사용하는 종이인) 백마지. 서로 치고박고 싸우다.

◆車(차씨)

▶角音. 京兆. 漢武詔田千秋, 乘小車, 出入禁中, 時號車丞相. 子孫因以爲氏.

▷음은 각음에 속하고 본관은 (섬서성) 경조군이다. 전한 무제가 전천추에게 조서를 내려 작은 수레를 타고 궁중을 출입해도 된다고 하여 당시 사람들이 그를 ‘차승상’으로 불렀다. 자손들이 그참에 이를 성씨로 삼은 것이다.

---

776) 胡麻(호마) : 참깨. 전한 때 장건張騫이 서역(胡)에서 들여온 데서 이름이 유래하였다. ‘지마脂麻’ ‘구슬狗蝨’ ‘방경方莖’이라고도 한다.

777) 絲麻(사마) : 명주실과 삼실. 소박한 옷을 상징한다.

778) 白麻(백마) : 흰 삼베. 재상宰相이나 장수를 임명하는 제서制書를 작성하는 데 사용하는 백마지白麻紙를 가리킨다.

779) 漚麻(구마) : 삼을 담그다. 섬유를 쉽게 뽑기 위한 공정을 가리킨다. 오호십육국五胡十六國 후조後趙의 군주인 석늑石勒이 이양李陽과 이웃하고 살 때 ‘구마지’를 서로 차지하려고 싸움을 벌였다는 고사에서 유래한 말로 서로 치고박고 싸우는 것을 비유한다.

◇一言取相(말 한 마디로 재상직을 얻다)

●車千秋, 本姓田. 漢武帝朝, 以一言寤意, 取宰相, 封侯, 世未之有也. 女妻徐仁.

○차천추(?-B.C.77)는 본래 성이 전씨이다. 전한 무제 때 말 한 마디로 황제의 생각을 깨우치게 함으로써 재상직을 얻고 제후에 봉해졌으니 이는 세간에 일찍이 없었던 일이다. 딸은 서인에게 시집갔다.

◇囊螢(반딧불이를 주머니에 모으다)

●車胤, 字武子, 篤學不倦, 夏月囊螢讀書. 謝安[780]每遊集, 輒開筵待之. 晉大元[781]中, 領國子博士, 遷吏部尙書.

○차윤(?-401)은 자가 무자로 학문에 정진하여 게으름을 피우지 않더니 여름철에는 반딧불이를 주머니에 모아서 불을 밝혀 글을 읽었다. 사안이 매번 연회를 열면 번번이 자리를 펼치고 그를 기다렸다. 진나라 (효무제) 태원(376-396) 연간에 국자박사를 맡았다가 이부상서로 승진하였다.

●河車[782]. 雪車詩[783]. 五車書[784]. 阿香車[785].

○하백의 수레(물). 눈 수레를 읊은 시. 수레 다섯 대 분량의 서책. 아

---

780) 謝安(사안) : 진晉나라 사람(320-385). 자는 안석安石. 왕희지王羲之(321-379)·허순許詢·지둔支遁(314-366) 등과 산수에서 노닐다가 마흔 살이 넘어서야 출사하여 환온桓溫(312-373)의 사마司馬가 되었다. 태원太元(376-396) 때 조카 사현謝玄(343-388)을 추천하여 전진前秦의 부견苻堅(338-385)을 비수淝水에서 물리치고 태부太傅를 추증追贈받았다. ≪진서·사안전≫권79 참조.

781) 大元(태원) : 진晉 효무제孝武帝의 연호(376-396).

782) 河車(하거) : 황하의 수신인 하백河伯의 수레를 이르는 말로 물을 비유한다.

783) 雪車詩(설거시) : 당나라 때 한유韓愈(768-824)의 문인인 유차劉叉가 지은 칠언고시七言古詩 제목. ≪전당시全唐詩·유차≫권395에 전한다.

784) 五車書(오거서) : 수레 다섯 대 분량의 서책. 전국시대 송宋나라의 철학자인 혜시惠施가 수레 다섯 대 분량의 서책을 보유했다는 ≪장자莊子·천하天下≫권10의 고사에서 유래한 말로 독서량이 많은 것을 비유한다.

785) 阿香車(아향거) : 진晉나라 때 한 선비가 관리의 수레를 미는 아향阿香이란 여인을 만났는데 이튿날 보니 새로 생긴 무덤이 있었다는 설화가 도연명陶淵明의 저서로 알려진 ≪수신후기搜神後記≫권5에 전한다.

향이 미는 수레.

◆巴(파씨)

▶徵音. 高平. 巴子國[786]以國爲氏.

▷음은 치음에 속하고 본관은 (산서성) 고평군이다. 파자국 사람들이 나라 이름을 성씨로 삼은 것이다.

●巴寧, 戰國時人. 公孫痤[787]曰, "決利害而使三軍不惑者, 寧之力也." 賜錢十萬.

○파영은 전국시대 때 사람이다. (위魏나라 장수) 공손좌가 "이해관계를 잘 해결하면서도 군인들로 하여금 의혹을 품지 않게 한 것은 파영 덕택이오"라고 칭찬하고는 그에게 돈 10만 냥을 하사하였다.

●巴茂, 東漢人, 受書於丁鴻, 精通大義.

○파무는 후한 때 사람으로 정홍에게서 ≪서경≫을 전수받아 대의에 정통하였다.

●巴肅, 字恭祖, 漢黨錮[788]八顧[789]中人.

○파숙(?-약 168)은 자가 공조로 후한 때 당고사건에 휘말린 '팔고' 가운데 한 사람이다.

---

786) 巴子國(파자국) : 춘추전국시대 때 사천성에 있었던 작은 제후국 이름. 초楚나라 양왕襄王에게 멸망당했다고 한다.

787) 公孫痤(공손좌) : 전국시대 위魏나라 혜왕惠王 때 장수. ≪전국책戰國策·위책魏策1≫권22 참조.

788) 黨錮(당고) : 후한 말엽에 관료들이 붕당을 만든다는 환관宦官의 무고 때문에 이응李膺(?-169)·가표賈彪 등 당시 명사名士들이 금고禁錮에 처해진 사건을 가리킨다. 이에 대한 기록은 남조南朝 유송劉宋 범엽范曄(398-445)의 ≪후한서後漢書·당고전黨錮傳≫권97에 상세히 전한다.

789) 八顧(팔고) : 후한 때 사대부들에게 존경받던 8인인 곽태郭泰·종자宗慈·파숙巴肅·하복夏馥·범방范滂(혹은 유유劉儒)·윤훈尹勳·채연蔡衍·양척羊陟을 아우르는 말.

●巴祗, 字敬祖, 爲揚州刺史, 在官不迎妻子. 夜侍, 暗坐, 不燃官燭.
○파지는 자가 경조로 (강소성) 양주자사를 지낼 때 관청에서 지내며 (청렴하여) 처자식을 관사로 불러들이지 않았다. 또 밤에 부하관원들이 모시면 어둠 속에 앉은 채 관청 소유인 초에 불을 켜지 않았다.

※女德(여덕)

●巴寡婦淸, 其先得丹穴[790], 數世擅其利, 家財不貲[791]. 寡婦能世其業. 秦始皇以爲貞婦而客之, 爲築懷淸臺.
○(사천성) 파주의 과부인 파청巴淸은 선조가 주사 광산을 발견해 여러 세대에 걸쳐 그 이익을 독점해서 가산이 헤아릴 수 없을 정도로 불어났다. 과부는 가업을 잘 지켰다. 진나라 시황제가 곧은 아낙이라 여겨 손님으로 접대하고 그녀를 위해 회청대를 지어 주었다.

●三巴[792]. 漢巴. 欒巴[793].
○(사천성 일대인) 삼파. (사천성) 한중과 파군 일대. (후한 때 도사) 난파.

◆家(가씨)

▶角音. 京兆. 周大夫家父之後.
▷음은 각음에 속하고 본관은 (섬서성) 경조군으로 주나라 때 대부 가보의 후손이다.

---

790) 丹穴(단혈) : 주사朱砂가 나오는 광산을 이르는 말. '단교丹窖'라고도 한다.
791) 不貲(부자) : 헤아리지 못 하다. 매우 많은 것을 뜻한다. '자貲'는 '자資' '자訾'로도 쓴다.
792) 三巴(삼파) : 중경重慶의 별칭인 중파中巴 · 기주夔州의 별칭인 동파東巴 · 보녕부保寧府의 별칭인 서파西巴를 아우르는 말로 결국 사천성 일대를 가리킨다.
793) 欒巴(난파) : 후한 환제桓帝 때 도사. 호남성 계양태수桂陽太守를 지냈다. 환제 앞에서 술을 입에 물었다가 뿜어대 사천성 촉주蜀州의 화재를 끄는 신통력을 발휘했다는 고사로 유명하다. ≪신선전神仙傳 · 난파≫권5 참조.

◇淸約(청렴하고 검소하다)

●家退翁, 東坡同年丈[794]也. 宋元豐中, 知懷安軍[795], 坡送以詩[796]云, “退翁守淸約, 霜菊凄餘馨.”

○가퇴옹은 동파東坡 소식蘇軾의 합격동기생 친구이다. 송나라 (신종) 원풍(1078-1085) 연간에 (복건성) 회안군의 지군사를 맡게 되자 소식이 다음과 같은 시를 지어 배웅하였다. “퇴옹은 청렴하고 검소한 태도를 지켜, 가을 국화 향기가 서늘하게 넘쳐난다네.”

◇棣蕚相輝(형제가 함께 명성을 떨치다)

●家橫[797], 字仲本, 西蜀名士也. 宋朝以明經冠上庠. 兄抑以廷對[798]中甲科, 棣蕚[799]相輝爲盛.

○가횡은 자가 중본으로 (사천성) 서촉 출신 명사이다. 송나라 때 경전에 정통하여 상상(태학太學)에서 우등을 차지하였다. 형 가억家抑이 전시殿試에서 갑과에 합격하면서 형제가 함께 명성을 크게 떨쳤다.

◇雛鳳(새끼 봉황)

●家安國, 字復禮, 初任教授. 東坡以詩[800]送歸蜀云, “岷峨[801]有雛鳳,

---

794) 丈(장) : 뒤에 인용된 시의 첫 구절이 ‘오주 출신 합격동기생 친구(吾州同年友)’로 되어 있는 것으로 보아 ‘우友’의 오기인 듯하다. 자형의 유사성으로 인한 필사 과정상의 단순 오기로 보인다.

795) 懷安軍(회안군) : 송나라 때 복건성에 설치한 군사 행정 구역 이름.

796) 詩(시) : 이는 오언고시五言古詩 <(동생) 자유(소철蘇轍)가 (복건성) 회안군의 지군사로 내려가는 가퇴옹을 배웅하며 지은 시에 차운하다(次韻子由送家退翁知懷安軍)> 가운데 한 연을 인용한 것으로 소식蘇軾의 ≪동파전집東坡全集≫권16에 전한다. 시제에 비추어 볼 때 ‘퇴옹’은 호로 추정되는데 본명은 알려지지 않았다.

797) 橫(횡) : ≪씨족대전≫에는 정체불명의 한자로 적혀 있는데, 명나라 능적지凌迪知의 ≪만성통보萬姓統譜≫권36에 ‘횡橫’으로 되어 있기에 이를 따른다.

798) 廷對(정대) : 조정에서 천자의 물음에 응대한다는 뜻으로 전시殿試(정시廷試)를 가리킨다.

799) 棣蕚(체악) : 아가위꽃. ‘체화棣華’라고도 한다. ≪시경·소아小雅·상체常棣≫권16의 구절에서 유래한 말로 형제간의 우애를 상징한다.

梧竹養修翮.” 山谷贈詩[802]云, “家侯口吃善著書, 常願執戈王前驅. 朱紱[803]蹉跎[804]晩監郡, 吟弄風月思天衢[805].”

○가안국은 자가 복례로 처음에는 교수직을 맡았다. 동파東坡 소식蘇軾은 시를 지어 (사천성) 촉주로 돌아가는 그를 전송하며 “(사천성) 민산과 아미산에 새끼 봉황(훌륭한 인재)이 있어, 오동나무와 대나무를 먹어서 기다란 날개를 길렀네”라고 하였다. 또 산곡山谷 황정견黃庭堅은 시를 기증하여 “가선생은 말을 더듬어도 글을 잘 짓는데, 항상 창을 손에 들고 왕 앞에서 달리기를 바라셨네. 벼슬길에서 세월을 보내다가 만년에 고을을 다스리게 되셨으니, 음풍농월하다 보면 도성이 그리워지시겠지”라고 하였다.

●通家[806]. 喚西家[807]. 付酒家.

○대대로 사돈관계를 맺다. 서쪽 이웃집을 부르다. 술집에 술값을 내다.

◆査(사씨)

▶商音. 濟陽.

---

800) 詩(시) : 이는 오언고시五言古詩 <(사천성) 성도로 돌아가는 가안국 교수를 전송하다(送家安國教授歸成都)> 가운데 한 연을 인용한 것으로 소식蘇軾의 ≪동파전집東坡全集≫권17에 전한다.

801) 岷峨(민아) : 사천성의 민산岷山과 아미산峨眉山을 아우르는 말. 여기서는 결국 가안국家安國의 고향인 촉주蜀州를 비유적으로 가리킨다.

802) 詩(시) : 이는 칠언고시七言古詩 <재미삼아 가안국에게 드리다(戲贈家安國)> 가운데 앞의 두 연을 인용한 것으로 황정견黃庭堅(1045-1105)의 ≪산곡집山谷集≫권6에 전한다.

803) 朱紱(주불) : 고관이 차는 붉은 색의 인끈. 혹은 5품 이상의 고관이 입는 붉은 색의 예복으로 보는 설도 있다. 고관을 상징한다.

804) 蹉跎(차타) : 때를 놓치는 모양. 세월만 하염없이 흘러가는 모양.

805) 天衢(천구) : 하늘 길. 경사京師의 큰 길을 비유하는 말로 결국 천자나 조정·도성을 비유한다.

806) 通家(통가) : 집안 대대로 잘 알고 지내는 사이나 사돈관계를 뜻하는 말.

807) 喚西家(환서가) : 서쪽 이웃집을 부르다. 이는 당나라 두보杜甫가 지은 오언고시五言古詩 <여름날 이공이 나를 방문하다(夏日李公見訪)> 가운데 ‘집 너머로 서쪽 이웃집을 불렀다(隔屋喚西家)’에 나오는 시어를 가리킨다.

▷음은 상음에 속하고 본관은 (산동성) 제양군이다.

◇好學(학문을 좋아하다)

●査文徽, 南唐人, 好學刻苦, 手寫經史數百卷. 爲兵部尙書[808]. 子元方歸宋, 擢殿中侍御史[809].

○사문휘는 (오대십국五代十國) 남당 때 사람으로 학문을 좋아하여 각고의 노력을 기울이더니 경서와 사서 수백 권을 손수 필사하였다. 뒤에 병부상서에 올랐다. 아들 사원방査元方은 송나라에 귀순하여 전중시어사에 발탁되었다.

◇海陵望族(해릉군의 명망있는 가문)

●査道, 字湛然, 性至孝, 鑿氷求鯉以養母. 竹間見一踣金[810]而掩之. 徙居海陵[811], 純厚長者[812], 以文行稱於時, 爲海陵望族. 仕宋, 擢賢良科[813].

○사도는 자가 담연으로 천성적으로 지극히 효성스러워 얼음을 깨고 잉어를 잡아 모친을 봉양하였다. 또 대나무숲에서 마제금을 발견하고서도 이를 가지지 않고 덮어버렸다. (강소성) 해릉군으로 이주하여 순수하고 후덕한 장자로 지내면서 문장과 행실로 당시에 칭송을 받더니 해릉군의 명망있는 가문을 이루었다. 송나라에서 벼슬길에 올라 현량과에 급제하였다.

---

808) 兵部尙書(병부상서) : 조정의 핵심 행정 기관인 상서성尙書省 소속 육부六部 가운데 병무를 관장하는 기관인 병부兵部의 장관을 이르는 말. 휘하에 시랑侍郞과 낭중郎中・원외랑員外郞 등을 거느렸다.

809) 殿中侍御史(전중시어사) : 관리들의 비행을 규찰하고 탄핵하는 업무를 관장하는 기관인 어사대御史臺 소속의 관원. 어사대부御史大夫・어사중승御史中丞・시어사侍御史 다음 가는 벼슬로서, 감찰어사監察御史보다는 품계가 높았다.

810) 踣金(제금) : 말발굽 모양으로 주조한 금을 이르는 말인 마제금馬踣金의 준말.

811) 海陵(해릉) : 강소성의 속군屬郡 이름.

812) 長者(장자) : 나이나 신분, 인품이 높은 사람에 대한 존칭.

813) 賢良科(현량과) : 한나라 이후로 각 지방에서 추천한 인재 중에서 관리를 선발하던 과거시험의 하나로 현량문학과賢良文學科나 현량방정과賢良方正科의 준말.

●査籥與李浩等爲五賢[814].
○(송나라) 사약은 이호 등과 함께 '오현'으로 불렸다.

※婚姻(혼인)

●査文徽女妻朱元, 後爲周景[815]所害. 批云, "只斬朱元妻, 不斬文徽女."
○(오대십국五代十國 남당南唐 사람) 사문휘의 딸은 주원에게 시집갔다가 뒤에 (후주後周의 장수인) 주경에게 살해당했다. 그래서 황제는 비답에서 "단지 주원의 아내를 죽였을 뿐, 사문휘의 딸을 죽이지는 못 했노라"고 하였다.

◆花(화씨)

▶宮音. 東丘.
▷음은 궁음에 속하고 본관은 (하남성) 동구현이다.

◇花卿(화경정花驚定에 대한 존칭)

●花驚定[816]驍勇過人. 唐上元[817]初, 段子璋反于蜀時, 崔光遠爲成都尹, 驚定爲牙將[818], 討平之. 杜甫詩[819]云, "成都猛將說花卿, 學語小兒知姓名." 家東館鎭[820], 至今廟食. 宋朝, 封忠應公.
○화경정은 용맹성이 누구보다도 대단하였다. 당나라 (숙종) 상원(760

---

814) 五賢(오현) : 남송 고종高宗 때 사람인 호헌胡憲·왕십붕王十朋·풍방馮方·사약査籥·이호李浩 등 다섯 명의 현자를 아우르는 말.
815) 周景(주경) : 오대五代 때 후주後周의 장수로서 송나라 주형周瑩의 부친. ≪송사·주형전≫권268 참조.
816) 花驚定(화경정) : '화경정花敬定'으로 표기한 문헌도 있는데, 어느 것이 맞는지는 불분명하다.
817) 上元(상원) : 당나라 때 '상원'은 고종高宗 때 연호(674-676)이기도 하고, 숙종肅宗 때 연호(760-761)이기도 한데, 여기서는 후자를 가리킨다.
818) 牙將(아장) : 직위가 중간이거나 비교적 낮은 무관을 일컫는 말.
819) 詩(시) : 이는 칠언고시七言古詩 <재미삼아 화경을 읊은 노래를 짓다(戲作花卿歌)> 가운데 한 연을 인용한 것으로 청나라 구조오仇兆鰲(1640-1714)의 ≪두시상주杜詩詳註≫권10에 전한다.
820) 東館鎭(동관진) : 사천성 미주성眉州城 동쪽에 있는 군진 이름.

-761) 초에 단자장이 (사천성) 촉주에서 반란을 일으켰을 때 최광원이 성도윤을 맡고 화경정이 아장을 맡아 그를 평정하였다. 그래서 두보는 시에서 "성도에 용맹한 장수로 화경(화경정)이 있으니, 말 배우기 시작한 어린애들도 그의 성명을 안다네"라고 하였다. 동관진에 집을 마련하였는데 오늘날까지도 제사를 지내고 음식을 나눠먹는다. 송나라 때 충응공에 봉해졌다.

●花季睦仕唐, 爲倉部員郎[821].

○화계목은 당나라에서 벼슬길에 올라 창부원외랑을 지냈다.

●刊花. 坐花. 頃刻花[822].

○꽃잎에 글을 새기다. 꽃밭에 앉다. 경각화.

◆沙(사씨)

▶宮音. 汝南.

▷음은 궁음에 속하고 본관은 (하남성) 여남군이다.

●沙世堅, 宋人, 素號武勇. 守宜州, 平劇賊[823], 一路[824]賴之.

○사세견은 송나라 때 사람으로 평소 용맹함으로 칭송을 받았다. (광서성) 의주를 다스리면서 극악한 도적을 평정하여 광남서로廣南西路 일대가 모두 그의 덕을 보았다.

●量沙[825]. 鷗沙. 風沙.

---

821) 倉部員郎(창부원랑) : 상서성尙書省 육부六部 가운데 호부戶部 휘하의 네 개 부서 중 창고를 관장하던 기관 소속 벼슬인 창부원외랑倉部員外郎의 약칭.

822) 頃刻花(경각화) : 순식간에 핀다는 전설상의 꽃 이름.

823) 劇賊(극적) : 흉악하고 힘센 도적이나 반군을 일컫는 말. '극도劇盜'라고도 한다.

824) 路(노) : 송나라 때 대단위 행정 구역 이름. 진한秦漢 때의 주州, 당나라 때의 도道, 원나라 때의 행성行省, 명청 때의 성省과 유사하다. 여기서는 광남서로廣南西路를 가리킨다.

825) 量沙(양사) : 모래를 세다. 남조南朝 유송劉宋 때 장수 단도제檀道濟(?-436)

○모래를 세다. 갈매기가 노니는 모래사장. 바람에 날리는 모래.

◆佘(사씨)

●佘欽仕唐, 爲大學博士.
○사흠은 당나라에서 벼슬길에 올라 태학박사를 지냈다.

●佘安裕, 宋咸淳[826]中, 廷對進士第二人.
○사안유는 송나라 (도종) 함순(1265-1274) 연간에 황제가 직접 실시한 진사시험에서 차석으로 급제하였다.

■氏族大全卷七■

의 고사에서 유래한 말로 모래를 세면서 식량으로 그것을 덮어 마치 식량이 많은 것처럼 보이게 하는 전술을 말한다.
826) 咸淳(함순) : 남송南宋 도종度宗의 연호(1265-1274).

■氏族大全卷八■

□十陽上[1] (10양 상)

◆陽(양씨)

▶商音. 周景王少子封陽樊, 子孫因邑爲氏. 晉有陽處父, 爲太傅[2]. 魯人陽虎[3], 貌似孔子.

▷음은 상음에 속한다. 주나라 경왕의 막내아들이 (하남성) 양번에 봉해지자 자손들이 그참에 고을 이름을 성씨로 삼은 것이다. (춘추시대 때) 진나라에는 태부에 오른 양처보란 사람이 있었고, 노나라 사람 양호는 용모가 공자를 닮았었다.

◇擊奸(간신들을 척결하다)

●陽球, 字方正, 漢靈帝朝, 爲司隷校尉[4], 誅磔[5]宦官王甫等. 豪右[6]權門, 莫不屛氣[7].

○양구(?-179)는 자가 방정으로 후한 영제 때 사례교위를 맡아 환관 왕보 등을 죽였다. 그래서 귀족이나 권세가들이 모두 숨을 죽였다.

◇標秀(훌륭한 인재)

●陽裕, 字士倫. 幼時, 叔父躭奇之曰, "此兒吾家標秀[8], 佐時之良也."

---

1) 上(상) : 원전原典에는 이 글자가 없으나 뒤의 제9권에서 '십양하十陽下'라고 하여 '양운陽韻'에 속하는 성씨를 상편과 하편으로 나눴음을 밝혔기에 독자의 이해를 돕기 위해 첨기한다.
2) 太傅(태부) : 재상의 지위인 삼공三公, 즉 태사太師·태부太傅·태보太保 가운데 하나. 그러나 후에는 태위太尉·사도司徒·사공司空을 삼공으로 설치하고, '큰 스승'이란 의미에서 삼공보다 높여 별도로 '상공上公'이라고 하면서 '삼사三師'로 세우기도 하였다.
3) 陽虎(양호) : 춘추시대 노魯나라 사람으로 반란을 일으켰다. ≪좌전左傳·정공定公8년≫권55 참조.
4) 司隷校尉(사례교위) : 한나라 때 순찰巡察과 치안 업무를 관장하던 고위직 벼슬 이름.
5) 誅磔(주책) : 죽여서 없애다. '책磔'은 거열형車裂刑을 뜻하는 말.
6) 豪右(호우) : 토호나 귀족처럼 힘있는 사람들을 이르는 말.
7) 屛氣(병기) : 숨을 죽이다, 겁을 먹다.

後爲大將軍司馬[9].

○(진晉나라) 양유는 자가 사륜이다. 어렸을 때 숙부인 양탐陽耽이 그를 대견하게 여기며 "이 아이는 우리 가문의 훌륭한 인재로 시대를 이끌 인물이로다!"라고 하였다. 뒤에 대장군의 사마가 되었다.

◇德薰晉鄙(덕행이 변방인 진에 사는 사람들을 감화시키다)

●陽城, 字亢宗, 與弟堦·域隱中條山. 唐德宗朝, 宰相薦之, 召拜諫議大夫[10]. 韓愈諍臣論[11]云, "陽子居晉之鄙[12], 晉之鄙人, 薰其德而善良者, 幾千人矣."

○양성(736-805)은 자가 항종으로 동생 양계陽堦·양역陽域과 함께 (산서성) 중조산에 은거하였다. 당나라 덕종 때 재상의 추천으로 황제의 부름을 받고서 간의대부를 배수받았다. 한유는 <간쟁하는 신하(간의대부)에 대해 논하는 글>에서 "양선생(양성)이 변방인 진 땅에 거처하자 진 땅에 거주하는 사람들 가운데 그의 덕행에 감화를 받아 선량해진 이들이 거의 천 명에 달한다"고 하였다.

◇壞白麻(백마지를 찢다)

●陽城居諫職[13]八年, 與王仲舒等守延英門[14], 伏閤[15]極論裴延齡奸邪,

---

8) 標秀(표수) : 훌륭한 인재를 이르는 말.

9) 司馬(사마) : 벼슬 이름. 주周나라 때는 육경六卿의 하나인 하관夏官으로서 군사를 관장하였고, 한나라 때는 삼공三公의 하나로서 재상이 되기도 하였다. 한나라 이후로는 왕부王府나 승상부丞相府·장군부將軍府 등에서 병마兵馬를 관장하던 벼슬이 되었고, 당나라 이후로는 주로 별가別駕·장사長史·녹사참군사錄事參軍事·참군사參軍事·녹사錄事·승丞·문학文學 등과 함께 자사刺史의 속관이 되었다.

10) 諫議大夫(간의대부) : 한나라 이래로 임금에게 간언하는 일을 관장하던 벼슬. 당나라 때는 문하성門下省 소속이었으나 송나라 때는 좌·우간의대부를 설치하여 좌간의대부左諫議大夫는 문하성에 소속시키고, 우간의대부右諫議大夫는 중서성中書省에 소속시켰다.

11) 諍臣論(쟁신론) : 이는 <간언하는 신하에 대해 논하는 글(諫臣論)>이란 제목으로 송나라 위중거魏仲擧가 엮은 ≪오백가주창려문집五百家注昌黎文集·잡문≫권14에 전한다.

12) 鄙(비) : 변방, 변경을 뜻하는 말.

且曰, "脫[16]以延齡爲相, 城當取白麻[17], 壞之." 遷司業[18].

○(당나라) 양성(736-805)은 8년 동안 간의대부를 지냈는데, 왕중서(762-823) 등과 연영전의 출입문을 지키며 합문에 엎드려 배연령의 간악함에 대해 적극 주장하면서 또한 "만약 배연령을 재상에 임명한다면 나 양성은 의당 (재상을 임명하는 조서인) 백마지를 가져다가 찢어버릴 것이오"라고 말하는 바람에 국자사업으로 좌천당했다.

◇撫字心勞(백성을 돌보느라 심신이 피로하다)

●陽城爲道州刺史, 治民如治家. 賦稅不登, 觀察使[19]數加誚責, 城自署曰, "撫字[20]心勞, 徵科政拙, 考下下." 柳子厚[21]爲作遺愛[22]碑[23].

○(당나라) 양성(736-805)은 (호남성) 도주자사를 지내면서 백성들을 가족처럼 다스렸다. 세금이 제때에 올라오지 않아 관찰사가 자주 질책을 하자 양성은 스스로 "백성을 돌보느라 심신이 피로한데 세금을

---

13) 諫職(간직) : 간언을 관장하는 직책. 즉 간의대부諫議大夫를 가리킨다.

14) 延英門(연영문) : 궁전인 연영전延英殿의 출입문을 가리키는 말.

15) 伏閤(복합) : 궁중의 합문閤門에 엎드리다. 간언을 위한 상소문을 올리기 위해 임금을 알현하는 행위를 상징한다.

16) 脫(탈) : 만약. 가령.

17) 白麻(백마) : 흰 삼베. 재상宰相이나 장수를 임명하는 제서制書를 작성하는데 사용하는 백마지白麻紙를 가리킨다.

18) 司業(사업) : 국가 최고 교육 기관인 국자감國子監의 업무을 총괄하는 국자제주國子祭酒 다음 가는 버금 장관인 국자사업國子司業의 약칭.

19) 觀察使(관찰사) : 당나라 때 도道나 절도사節度使가 없는 주州에 두어 군사·재무·민사 등 모든 권한을 행사하던 벼슬. '도부都府'라고 칭할 만큼 권한이 막강하였으며, 중엽 이후로는 절도사가 겸직하다가 송나라에 들어서는 유명무실해졌다.

20) 撫字(무자) : 백성을 어루만지고 돌보는 것을 이르는 말. '자字'는 '양養' '애愛'의 뜻.

21) 柳子厚(유자후) : 당나라 때 문인 유종원柳宗元(773-819). '자후'는 자. 당송팔대가唐宋八大家의 일인으로 시문을 잘 지었다. 저서로 ≪유하동집柳河東集≫ 48권이 전한다. ≪신당서·유종원전≫권168 참조.

22) 遺愛(유애) : 생전에 베푼 선정善政이나 그러한 사람, 또는 이를 기념하기 위한 물품 등을 지칭하는 말. 결국 기념비, 송덕비를 뜻한다.

23) 碑(비) : 이는 <국자사업 양성의 송덕비(國子司業陽城遺愛碣)>란 제목으로 ≪유하동집≫권9에 전한다.

징수하는 성적이 형편없으니 고과성적은 하급 중에 하급이다"라고 적어서 보고하였다. 자후子厚 유종원柳宗元이 그를 위해 송덕비를 지었다.

※婚姻(혼인)

◇種璧(옥을 심다)

●漢陽雍伯[24]嘗[25]設義漿[26], 給行人三年. 有一人飮訖, 懷中出石子一升, 與之曰, "種此, 生美玉, 幷得好婦." 後求北平徐氏女爲婚, 徐曰, "得白璧一雙, 乃可." 雍伯於所種處求之, 得白璧五雙以聘, 名其地曰'玉田.' 生十男, 皆俊異, 位至卿相[27].

○한나라 때 양옹백은 늘 가난한 사람들을 위한 음료를 준비해 3년 동안 행인들에게 나눠주었다. 어떤 사람이 다 마시고 나자 품속에서 돌맹이를 한 되 꺼내 그에게 주며 말했다. "이것을 심으면 아름다운 옥이 생기고 아울러 아름다운 부인도 얻을 것입니다." 뒤에 (하북성) 북평군 서씨의 딸에게 청혼하자 서씨가 말했다. "백벽 한 쌍을 얻는다면 결혼시킬 수 있소." 양옹백이 돌맹이를 심었던 곳에서 그것을 찾아 백벽 다섯 쌍을 얻어서 결혼예물로 전하고는 그곳을 '옥전'이라고 이름 지었다. 아들을 열 명 낳았는데 모두 걸출하여 관직이 구경과 삼공까지 올랐다.

●高陽[28]. 朝陽[29]. 臥南陽[30].

---

24) 陽雍伯(양옹백) : 위의 고사는 소설류의 책인 진晉나라 간보干寶의 ≪수신기搜神記≫권11에 전하기에 가공의 인물일 가능성도 배제할 수는 없을 듯하다. ≪수신기≫권11에는 성명이 '양백옹楊伯雍'으로 되어 있고, 당나라 구양순歐陽詢(557-641)의 ≪예문류취藝文類聚·보옥부상寶玉部上≫권83 등에는 '양옹백羊雍伯'으로 인용되기도 한 것으로 보아 전래 과정에서 혼선이 있었던 듯하다. 여기서는 위의 예문을 따른다.

25) 嘗(상) : 늘, 항상. '상常'과 통용자.

26) 義漿(의장) : 가난한 사람에게 나눠주는 음료를 이르는 말.

27) 卿相(경상) : 구경九卿과 삼공三公을 아우르는 말로 고관에 대한 총칭.

28) 高陽(고양) : 전한 때 사람 역이기酈食其(?-B.C.204)의 출신 지명. 역이기가

○고양. 아침 햇살. (하남성) 남양군에 은거하다.

◆楊(양씨)

▶商音. 弘農. 唐叔虞[31]之後伯僑, 自晉歸周, 天子封爲楊侯, 子孫因以爲氏.

▷음은 상음에 속하고 본관은 (하남성) 홍농군이다. 당숙우(희우姬虞)의 후손인 백교가 진나라로부터 주나라로 귀순하여 천자가 그를 양후에 봉하자 자손들이 그 참에 이를 성씨로 삼은 것이다.

◇廉潔(청렴결백하다)

●楊惲, 字子幼. 漢宣朝, 爲中郎將[32], 居殿中, 廉潔無私. 答孫會宗書云, "烹羊炰羔, 斗酒自勞." 又云, "酒後耳熱, 而呼烏烏[33]. 人生行樂耳, 須富貴何時?" 父敞爲相, 封安平侯.

○양운은 자가 자유이다. 전한 선제 때 중랑장을 맡아 전각에서 기거하였는데 청렴결백하여 사리사욕을 채우지 않았다. 손회종에게 답하

전한 고조高祖를 알현하려다가 사자使者로부터 '유생儒生을 만날 겨를이 없으시다'고 제지당하자, 자신은 유생이 아니라 하북성 고양高陽 출신의 술꾼이라며 발끈하였다는 ≪사기·역이기전≫권97의 고사에서 유래한 말로 술꾼을 비유한다. 뒤에 진晉나라 때 호주가好酒家인 산간山簡이 음주를 즐기던 연못의 이름을 '고양지'라고 한 것도 이에서 비롯되었다. 전설상의 임금인 오제五帝 가운데 전욱顓頊의 성씨이기도 하다.

29) 朝陽(조양) : 아침 햇살이나 산의 동쪽을 뜻하는 말. 한편으로는 한나라 때 설치한 하남성의 속현屬縣 이름, 호북성에 있는 호수 이름, 섬서성 화산華山의 봉우리 이름, 광서성 은산隱山의 동굴 이름 등 다양한 명칭으로도 쓰였다.

30) 臥南陽(와남양) : 하남성 남양군에 은거하다. 삼국 촉蜀나라의 승상인 제갈양諸葛亮(181-234)이 출사하기 전에 하남성 남양군에 은거한 것을 가리킨다. 제갈양의 별호가 '와룡선생臥龍先生'이기도 하다.

31) 唐叔虞(당숙우) : 주周나라 무왕武王 희발姬發의 아들이자 성왕成王 희송姬誦의 동생인 희우姬虞의 별칭. '당왕에 봉해진 셋째 아들 우'라는 말로 '당'은 봉호이고, '숙'은 항렬이며, '우'가 본명이다. 성왕이 어렸을 때 장난삼아 당나라에 봉한다고 했다가 사일史佚의 간언으로 결국 당왕에 봉하였다는 고사로 유명하다.

32) 中郎將(중랑장) : 한나라 이후로 삼서三署의 장관인 오관중랑장五官中郎將·좌중랑장左中郎將·우중랑장右中郎將 가운데 하나로 궁중 호위를 관장하던 벼슬 이름.

33) 烏烏(오오) : 소리 높여 노래 부르는 모양.

는 글에서는 "양을 삶고 새끼양을 굽고서 술 한 말로 자신을 위로하지요"라고 하고, 또 "술을 마신 뒤 귀가 화끈하게 달아오르면 소리 높여 노래를 부르지요. 사람이 태어나 즐거움을 만끽하면 그만이거늘 부귀한 것이 얼마나 가겠습니까?"라고 하였다. 부친 양창楊敞은 재상에 오르고 안평후에 봉해졌다.

◇鱣堂(강당 앞으로 전어를 물어오다)

●楊震, 字伯起, 明經博覽, 諸儒語曰, '關西[34]孔子.' 楊伯起客於湖[35], 有冠雀[36]銜三鱣魚, 飛集講堂前. 都講[37]取魚, 進曰, "蛇鱣者, 卿大夫[38]之服也. 數三者, 三台[39]也. 先生自此升矣." 五十始仕漢, 延光[40]中, 拜太尉[41]. 中子秉.

○양진(?-124)은 자가 백기로 경전에 정통하고 박학하여 유생들이 '관서공자'라고 하였다. 양진이 (절강성) 호주에서 객지생활을 할 때 황새가 전어를 세 마리 입에 물고서 강당 앞으로 날아들었다. 그러자 도강이 물고기를 가져다가 바치며 말했다. "뱀과 전어는 경대부

---

34) 關西(관서) : 함곡관函谷關 서쪽 지역. 보통 '관서關西'는 섬서성 장안長安 일대를 가리키고, '관동關東'은 하남성 낙양洛陽 일대를 가리킨다.

35) 湖(호) : 절강성의 속주屬州 이름.

36) 冠雀(관작) : 황새. '관작鸛雀'으로도 쓴다.

37) 都講(도강) : 경학박사를 도와 경서를 가르치는 유생儒生을 이르는 말.

38) 卿大夫(경대부) : 중국 고대 관직인 구경九卿과 27대부大夫. 주周나라 때 신분 구분인 공公·경卿·대부大夫·사士에서 유래하였다. 삼공三公과 구경九卿 아래로 상대부上大夫·중대부中大夫·하대부下大夫가 있고, 그 밑으로 다시 상사上士와 중사中士·하사下士가 있었다. 결국 고관에 대한 총칭을 뜻한다.

39) 三台(삼태) : 별 이름. 삼태성 가운데 서쪽의 별을 '사명司命'이라고 하고, 가운데 별을 '사중司中'이라고 하며, 동쪽의 별을 '사록司祿'이라고 하는데, 사명은 벼슬을 관장하는 별로서 삼공三公 가운데 태부太傅(혹은 사도司徒)를 상징하고, 사중은 종실宗室을 관장하는 별로서 태사太師(혹은 태위太尉)를 상징하며, 사록은 봉작封爵을 관장하는 별로서 태보太保(혹은 사공司空)를 상징한다. 결국 삼공을 비유한다.

40) 延光(연광) : 후한後漢 안제安帝의 연호(122-125).

41) 太尉(태위) : 진한秦漢 이래 군정軍政을 총괄하는 벼슬로서 대사마大司馬로도 불렸다. 후에는 사도司徒·사공司空과 함께 삼공三公으로 불렸는데, 태위가 삼공 가운데 서열이 가장 높았다.

의 관복을 상징합니다. 수치가 셋인 것은 삼공을 본뜬 것입니다. 선생님께서는 이제 고관에 오르실 것입니다." 나이 오십에 처음으로 후한에서 벼슬길에 올라 (안제) 연광(122-125) 연간에 태위를 배수받았다. 둘째 아들은 양병楊秉이다.

◇畏四知(넷이 아는 것을 두려워하다)

●楊震遷荊州刺史, 昌邑令王密懷金十斤, 遺之曰, "暮夜無知者." 震曰, "天知, 地知, 子知, 我知, 何謂無知?" 子孫蔬食步行. 故舊[42]勸其殖産業, 震曰, "使後世稱爲淸白吏子孫, 以此遺之, 不亦厚乎?"

○(후한) 양진(?-124)이 (호북성) 형주자사로 승진하자 창읍현의 현령인 왕밀이 금 열 근을 품속에 넣고 찾아와 그에게 뇌물로 주면서 말했다. "밤이라서 아는 사람이 없을 것입니다." 그러자 양진이 말했다. "하늘이 알고 땅이 알고 자네가 알고 내가 아는데, 어찌 아무도 아는 사람이 없다고 말하는가?" 자식과 손자들은 채식을 하고 (수레를 타지 않은 채) 걸어다녔다. 친구가 자신에게 재산을 늘릴 것을 권하자 양진이 대답하였다. "만약 후손들이 청백리의 자손으로 불린다면 이것을 그들에게 물려주는 것만으로도 역시 충분치 않겠소?"

◇三不惑(세 가지 현혹되지 않는 것)

●楊秉, 字叔節, 爲豫・荊・徐・兗四州刺史, 所至以純白稱. 嘗曰, "我有三不惑, 酒・色・財也." 子賜.

○(후한) 양병(92-165)은 자가 숙절로 (하남성) 예주・(호북성) 형주・(강소성) 서주・(산동성) 연주 등 네 주의 자사를 지내면서 부임하는 곳마다 청백리로 칭송을 받았다. 그는 일찍이 "내게는 세 가지 현혹되지 않는 것이 있으니 술과 여색과 재물이다"라고 말한 적이 있다. 아들은 양사楊賜이다.

---

42) 故舊(고구) : 오래 전부터 알고지내는 친한 친구를 이르는 말.

◇三葉宰相(삼대에 걸쳐 재상에 오르다)

●楊賜少傳家學, 篤志博聞. 靈帝朝, 侍講43)光華殿, 遷司空44). 自震至賜, 三葉宰相, 自震至彪, 四世爲太尉. 故東京45)楊氏爲漢名族. 賜子彪, 彪子脩.

○(후한) 양사(?-185)는 어려서부터 가학을 전수받아 학구열을 불태우며 견문을 넓혔다. 영제 때 광화전에서 황제를 모시고 경서를 강독하다가 사공으로 승진하였다. 양진楊震(?-124)으로부터 양사에 이르기까지 삼대에 걸쳐 재상에 오르고, 양진으로부터 양표楊彪(142-225)에 이르기까지 사대에 걸쳐 태위에 올랐다. 그래서 (하남성 낙양) 동경의 양씨가 후한 때 명문세가를 이루었다. 양사의 아들은 양표이고, 양표의 아들은 양수楊脩이다.

◇機捷(기지가 넘치다)

●楊脩, 字德祖, 好學有俊才. 漢末, 爲曹操主簿46), 能解曹娥47)碑隱語48). 脩旣解, 操行水路三十里, 方解, 曰"有智無智, 後三十里49)." 操

43) 侍講(시강) : 제왕의 곁에서 경전의 강독을 전담하는 일이나 그러한 벼슬을 이르는 말.

44) 司空(사공) : 벼슬 이름. 소호少昊 때 처음 설치되었는데, 주周나라 때는 동관冬官으로서 치수와 토목공사를 관장하였고, 한나라 이후로는 태위太尉·사도司徒와 함께 삼공三公의 하나였다.

45) 東京(동경) : 당나라 때까지는 하남성 낙양洛陽의 별칭이지만, 송나라 때는 낙양이 수도인 변경汴京(개봉開封)의 서쪽에 위치했기에 낙양을 '서경西京(서도西都)'이라고 하고, 대신 변경을 '동경東京(동도東都)'이라고 하였다. 여기서는 후한 때 도성인 낙양을 가리킨다.

46) 主簿(주부) : 한나라 이후로 문서 처리를 관장하는 속관屬官을 이르던 말. 중앙 및 지방의 각 행정 기관에 모두 설치하였다.

47) 曹娥(조아) : 후한 때 효녀로 강에 빠져 죽은 부친을 찾기 위해 17일 동안 통곡하다가 강물에 투신하여 죽은 뒤 닷새만에 부친의 시신을 끌어안고 떠올랐다는 고사가 ≪후한서·열녀전·효녀조아전孝女曹娥傳≫권114에 전한다.

48) 隱語(은어) : 뜻이 잘 드러나지 않는 말. 여기서는 후한 한단순邯鄲淳이 효녀 조아曹娥의 비석에 쓴 글에 대해 후한 채옹蔡邕이 뒷면에 적은 "황색 비단과 어린 아낙, 외손자와 양념을 찧는 절구(黃絹幼婦, 外孫齏臼)"라는 아리송한 의미의 평문評文을 가리킨다. 이에 대해 양수楊脩가 "노란 비단은 색깔(色) 있는 실(糸)이니 합치면 '절絶'자가 되고, 어린 아낙은 젊은(少) 여자(女)이니 합치면 '묘妙'자가 되며, 외손자는 딸(女)의 아들(子)이니 합치면 '호好'자가 되고, 양

後殺之. 父彪悼痛, 答操曰, "猶懷老牛舐犢[50]之愛."

○양수(175-219)는 자가 덕조로 학문을 좋아하고 뛰어난 재능을 지녔다. 후한 말엽에 조조 휘하에서 주부를 지내면서 (효녀) 조아의 비문에 적힌 은어를 해석해 냈다. 양수가 해석하고 나서 조조는 수로를 30리 더 간 뒤에야 비로소 해석하였기에 "지혜 있는 사람과 지혜 없는 사람이 간 거리가 30리 차이라네"라는 말이 생겼다. 조조는 뒤에 양수를 살해하였다. 그러자 부친 양표楊彪(142-225)가 슬픔에 잠겨 통곡하며 조조에게 답신을 보내 "여전히 어미소가 송아지를 핥아주는 것처럼 자식을 사랑하는 마음이 있답니다"라고 하였다.

◇我家龍文(우리 가문의 용마)

●楊愔, 字遵彦, 六歲受史書, 十一歲受詩易. 從兄昱器重之曰, "此兒駒齒[51]未落, 已是我家龍文[52], 更十年, 當求之千里之外." 梁大寶[53]初, 拜太子少保[54], 封開國[55]公.

○양음(511-560)은 자가 준언으로 여섯 살 때 사서를 전수받고 열한

넘을 찧는 절구는 매운 것(辛)을 받아들이니(受) 합치면 '사辭'자가 된다(黃絹色絲爲絶字, 幼婦少女爲妙字, 外孫女子爲好字, 虀臼受辛爲辭字)"고 해석함으로써 결국 '매우 뛰어난 글(絶妙好辭)'이란 평론을 뜻한다는 것을 알아냈는데, 조조曹操는 30리를 더 간 뒤에야 비로소 자신도 알아챈 척했다는 고사가 남조南朝 유송劉宋 유의경劉義慶(403-444)의 ≪세설신어世說新語·첩오捷悟≫권중에 전한다.

49) 有智無智, 後三十里(유지무지, 후삼십리) : 양수楊脩가 조조曹操보다 30리 가기 전에 먼저 수수께끼를 풀었다는 것을 암시하는 말이다.

50) 老牛舐犢(노우지독) : 어미소가 송아지를 핥다. 자식에 대한 극진한 사랑을 비유한다.

51) 駒齒(구치) : 젖니. 아직 어린 나이를 비유한다.

52) 龍文(용문) : 준마 이름. 재능이 출중한 자제를 비유한다.

53) 大寶(대보) : 양梁 간문제簡文帝의 연호(550-551).

54) 太子少保(태자소보) : 태자궁의 벼슬로 태자의 스승 가운데 하나. 태자의 큰 스승격인 태자태사太子太師·태자태부太子太傅·태자태보太子太保를 '태자삼사太子三師'라고 하고, 작은 스승격인 태자소사太子少師·태자소부太子少傅·태자소보太子少保를 '태자삼소太子三少'라고 한다. 천자에게 여섯 명의 스승인 삼사三師·삼고三孤가 있는 것과 같은 이치이다.

55) 開國(개국) : 진晉나라 이후로 작위 앞에 덧붙이던 일종의 존호.

살 때 ≪시경≫과 ≪역경≫을 전수받았다. 사촌형인 양욱楊昱이 그를 대견하게 여겨 "이 아이는 젖니가 아직 빠지지도 않았는데 벌써 우리 가문의 용마가 되었습니다. 다시 열 살을 더 먹으면 분명 천 리 밖에서 그를 찾아야 할 것입니다"라고 하였다. (남조南朝) 양나라 (간문제) 대보(550-551) 초에 태자태보를 배수받고 개국공에 봉해졌다.

◇朱紫滿庭(고관이 마당을 가득 채우다)

●楊侃, 字士業, 愛琴書. 父播・叔父椿, 一門朱紫[56]盈庭. 侃獨不仕曰, "苟有良田, 何憂?" 晩歲仕魏, 爲大都督[57].

○양간(약 481-531)은 자가 사업으로 금을 연주하고 글을 읽는 것을 좋아하였다. 부친은 양파楊播(?-513)이고 숙부는 양춘楊椿(455-531)으로 한 가문에 주색과 자색 관복을 입는 고관이 마당을 가득 채웠지만, 양간만은 벼슬에 나가지 않으며 "만약 기름진 농토만 있다면 무슨 근심이 있으리오?"라고 하였다. 만년에 (북조北朝) 북위北魏에서 벼슬길에 올라 대도독을 지냈다.

◇無心富貴(부귀에 마음을 두지 않다)

●楊素, 字處道, 奇策高文, 一時之傑. 周主謂曰, "勿憂不富貴." 素曰, "但恐富貴來逼臣. 臣無心圖富貴也." 隋初, 加上柱國[58].

○양소(?-606)는 자가 처도로 기발한 책략을 잘 펼치고 훌륭한 문장을 잘 지었기에 한 시대를 풍미하는 준걸이었다. (북조北朝) 북주北

---

56) 朱紫(주자) : 주색朱色 관복과 자색紫色 관복. 조정의 최고위 관직을 비유한다. 시대마다 차이는 있으나 보통 3품 이상은 주색과 자색 관복을, 5품 이상은 비색緋色 관복을, 7품 이상은 녹색 관복을, 9품 이상은 청색 관복을 입은 데서 유래하였다.

57) 大都督(대도독) : 군사軍事 업무를 총괄하는 장관을 이르는 말.

58) 上柱國(상주국) : 벼슬 이름. 전국시대 초楚나라 때는 수도를 경비하는 사령관이었고, 그 뒤로 총사령관에 해당하는 최고위 무관武官이었다가 당나라 이후로는 훈관勳官의 칭호로 쓰였다. 혹은 국가의 중책을 맡은 대신大臣의 별칭으로도 쓰였다.

周의 황제가 자신에게 "부귀해지지 않을까 걱정하지 마시오"라고 말하자, 양소는 "단지 부귀해져서 신을 핍박할까 염려스럽습니다. 신은 부귀에 마음을 두지 않고 있사옵니다"라고 대답하였다. 수나라 초에 상주국이 보태졌다.

◇一門三相(한 가문에서 세 명의 재상을 배출하다)

●楊師道，字景猷，淸警[59]有才思，善草隷，工詩．唐貞觀[60]中，拜中書令[61]．兄恭仁，性忠厚，唐初拜侍中[62]．從孫執柔，武后[63]朝，同平章事[64]，一門三相．

○양사도(?-647)는 자가 경유로 총기가 넘치면서 생각이 기발하고 초서와 예서를 잘 썼으며 시를 잘 지었다. 당나라 (태종) 정관(627-649) 연간에 중서령을 배수받았다. 형 양공인楊恭仁(?-639)은 성품이 성실하고 중후하여 당나라 초엽에 시중을 배수받았다. 종손인 양집유楊執柔(?-약 692)는 측천무후 때 동평장사에 올랐다. 그래서 한 가문에서 세 명의 재상을 배출하였다.

---

59) 淸警(청경) : 재치있고 총명한 모양.

60) 貞觀(정관) : 당唐 태종太宗의 연호(627-649).

61) 中書令(중서령) : 위진魏晉 이래로 국가의 기무機務·조령詔令·비기祕記 등을 관장하는 최고 행정 기관인 중서성中書省의 장관.

62) 侍中(시중) : 황제의 측근에서 기거起居를 보살피고 정령政令을 집행하는 일을 관장하는 벼슬. 진晉나라 이후로 재상의 지위에까지 오르고, 수나라 때 납언納言 혹은 시내侍內라고 하였으며, 당송 이후로는 조정의 주요 행정 기관인 삼성三省 가운데 문하성門下省의 수장首長이 되었다.

63) 武后(무후) : 당나라 측천무후則天武后의 약칭. 본명은 무조武曌(624-705). '측천'은 시호로 '측則'은 '측測'과 통용자. 고종高宗의 황후皇后이자 중종中宗 및 예종睿宗의 모후母后였지만, 뒤에 스스로 황제에 올라 국호를 '당唐'에서 '주周'로 개칭하고 15년간 전횡을 일삼았으며, 외척인 무武씨 집안 사람들이 득세할 수 있는 빌미를 제공하였다. '측천황후則天皇后' '무측천武則天' '천후天后' 등 다양한 별칭으로도 불렸다. ≪신당서·측천황후무조기≫권4 참조.

64) 同平章事(동평장사) : 벼슬 이름인 동중서문하평장사同中書門下平章事의 약칭. 당나라 때 핵심 권력 기관인 상서성尙書省·중서성中書省·문하성門下省의 장관인 상서령尙書令·중서령中書令·문하시중門下侍中을 재상이라 하였는데, 상설하지 않는 대신 다른 집정관執政官들 가운데 선임하여 '동중서문하평장사同中書門下平章事'라 하고 재상으로 대우하였다. 명나라 초까지 이어지다가 폐지되었고, 그 지위와 명칭은 시대마다 약간의 차이가 있다.

◇淸儉(청렴하고 검소하다)

●楊綰, 字公權, 尙淸儉, 獨處一室, 左右圖史, 凝塵滿席, 澹如[65]也. 唐大曆[66]中, 拜相. 制下, 朝士相賀. 及薨[67], 帝嘆曰, "天不欲朕致太平邪? 何奪吾楊綰之速也?"

○양관(?-777)은 자가 공권으로 청렴하고 검소한 생활을 중시하여 혼자서 방 하나에 거처하며 주변에 도서와 사서를 늘어놓고 자리 가득 먼지가 쌓여도 담박한 생각을 품었다. 당나라 (대종) 대력(766-779) 연간에 재상을 배수받았다. (재상에 임명한다는) 제서制書가 내려오자 조정의 선비들이 너도나도 축하해 주었다. 그가 세상을 뜨자 대종이 탄식하며 말했다. "하늘이 짐이 태평성대를 이루는 것을 바라지 않는 것일까? 어찌하여 나의 (충직한 신하인) 양관을 이리도 빨리 빼앗아 간단 말인가?"

◇重器(훌륭한 인재)

●楊元琰, 字溫卿[68], 生數歲, 未言. 相者視曰, "語遲者神定, 必重器[69]也." 中宗卽位, 以誅二張[70]有功, 封弘農郡公.

○양원염(640-718)은 자가 '온溫'으로 태어난 지 몇 살이 되었는데도 말을 하지 못 했다. 그러자 관상가가 그를 살피더니 "말이 더딘 것은 신이 정해준 것으로 필시 훌륭한 인재가 될 것입니다"라고 하였다. 중종이 즉위하자 장역지張易之・장창종張昌宗 형제를 제거하는

---

65) 澹如(담여) : 생각이 담박하여 명예나 이익을 추구하지 않는 모양.

66) 大曆(대력) : 당唐 대종代宗의 연호(766-779).

67) 薨(훙) : 제후나 공경公卿 등 고관이 죽었을 때 쓰는 말. ≪예기・곡례하曲禮下≫권5에 의하면 천자의 죽음은 '붕崩'이라고 하고, 공경의 죽음은 '훙薨'이라고 하고, 대부大夫의 죽음은 '졸卒'이라고 하고, 사士의 죽음은 '불록不祿'이라고 하고, 평민의 죽음은 '사死'라고 하여 신분에 따라 죽음에 대한 표현에도 차이를 두었다.

68) 卿(경) : 연자衍字에 해당한다. 아마도 ≪씨족대전≫의 저자가 양원염楊元琰의 자를 '온경溫卿'으로 착각하여 덧붙인 데서 기인한 듯하다.

69) 重器(중기) : 중요한 그릇. 훌륭한 인재를 비유한다.

70) 二張(이장) : 당나라 측천무후則天武后(624-705) 때 무후의 총애를 믿고 전횡을 일삼던 장역지張易之(?-705)와 장창종張昌宗(?-705) 형제를 가리키는 말.

데 공을 세워 홍농군공에 봉해졌다.

◇芝雀之祥(영지가 자라고 까치가 날아드는 상서로운 조짐)

●楊炎, 字公南. 父喪廬墓, 有紫芝・白雀之祥, 詔旌表71)其閭. 唐建中72)初, 拜相, 以片言移人主意, 作兩稅73)法, 天下利之. 父播高蹈74)丘壑, 號玄靖先生.

○양염(727-781)은 자가 공남이다. 부친상을 당해 무덤 옆에 여막을 짓자 자주색 영지가 자라고 흰 까치가 날아드는 상서로운 조짐이 나타났기에 그의 고을 입구에 정문旌門을 세우고 표창하라는 조서가 내려졌다. 당나라 (덕종) 건중(780-783) 연간에 재상을 배수받아 말 몇 마디로 군주의 마음을 움직여서 (일년에 두 번 세금을 거두는) 양세법을 실시하자 천하 백성들이 이를 무척 편하게 생각하였다. 부친 양파楊播는 자연 속에서 은거생활을 하며 '현정선생'으로 불렸다.

◇高麗舞(고구려 춤을 추다)

●楊再思, 佞人也. 武后朝, 居相位十年. 張易之曰, "楊內史75), 面似高麗." 再思欣然, 作高麗舞.

○양재사(?-709)는 아첨을 잘 하는 인물이었다. 측천무후 때 10년 동안이나 재상 자리를 차지하였다. 장역지가 "양내사께서는 용모가 고구려 사람과 비슷합니다"라고 하자 양재사는 기분이 좋아 고구려 춤을 춘 일이 있다.

---

71) 旌表(정표) : 충효로 모범적인 사람에게 정문旌門을 세워 주거나 편액을 하사해 표창하는 일.

72) 建中(건중) : 당唐 덕종德宗의 연호(780-783).

73) 兩稅(양세) : 당나라 때 덕종德宗이 이전의 세법인 곡물(租)・직물(調)・요역(庸)의 과세 제도를 폐지하고 재산에 따라 여름(夏稅)과 가을(秋稅) 두 차례에 걸쳐 과세하던 제도를 이르는 말.

74) 高蹈(고도) : 고상하게 행동하다. 즉 은거생활을 말한다.

75) 內史(내사) : 벼슬 이름. 수말隋末 당초唐初에 중서성中書省을 내사성內史省으로 개명하면서 중서사인中書舍人을 내사사인內史舍人이라고 한 적이 있다. 한나라 때는 태수太守에 상당하던 제후국의 지방 장관을 가리키는 말로도 쓰였다.

◇金石鏗鏘(악기처럼 아름다운 소리를 내다)

●楊憑, 字虛受, 善詩文. 韓愈荊潭唱和詩76)序77)云, "僕射78)裴公均開制荊蠻79), 統郡惟九, 常侍80)楊公憑領湖之南81)壤地二千里. 有唱斯和, 搜奇抉經82), 雕鏤文字, 鏗鏘83)發金石84), 幽眇感鬼神, 信所謂才全而能鉅也." 子敬之, 孫戎·戴.

○(당나라) 양빙은 자가 허수로 시문을 잘 지었다. 한유는 ≪형담창화시≫의 서문에서 "복야를 지낸 배균은 형만(형남) 지역을 관장하면서 통치한 고을이 아홉 군데이고, 상시를 지낸 양빙은 호남 땅 2천 리를 관장하였다. 한 사람이 시를 지으면 한 사람이 화답하면서 기이한 것을 모아 문장을 수식하였기에 아름다운 소리는 악기에서 나는 듯하고 오묘한 시상은 귀신도 감동시킬 듯하니, 이것이야말로 진정 이른바 재주가 뛰어나면서 능력이 크다는 경지라 하겠다"라고 하였다. 아들은 양경지楊敬之이고, 손자는 양융楊戎과 양대楊戴이다.

---

76) 荊潭唱和詩(형담창화시) : 당나라 때 형남절도사荊南節度使 배균裴均과 호남관찰사湖南觀察使 양빙楊憑이 창화한 시를 모은 시집 이름. '담潭'은 담주潭州를 가리키는 말로 결국 호남의 별칭이다.

77) 序(서) : 이는 <형주와 담주 일대에서 배균과 양빙이 창화한 시집의 서문(荊潭裴均·楊憑唱和詩序)>이란 제목으로 송나라 위중거魏仲擧가 엮은 ≪오백가주창려문집五百家注昌黎文集·서≫권20에 전한다.

78) 僕射(복야) : 진秦나라 때 처음 설치되었고, 한나라 때는 5상서尙書 가운데 한 명을 복야에 임명하여 조정의 핵심 행정 기관인 상서성尙書省의 업무를 총괄하게 하였는데, 뒤에 권한이 막강해지자 좌·우복야를 두면서 당송唐宋 때까지 지속되었다. 보통 승상丞相의 지위를 겸하였다.

79) 荊蠻(형만) : 만족蠻族이 사는 옛 초楚나라 땅을 이르는 말. '형荊'은 춘추전국시대 초나라의 수도이기에 '초'의 대칭으로 쓰였다.

80) 常侍(상시) : 황제의 곁에서 잘못을 간언하고 자문에 대비하는 직책인 산기상시散騎常侍의 준말. 실질적인 권한은 없었으나 대신으로 겸직시키던 존귀한 벼슬이다. 좌·우산기상시를 설치하여 각각 문하성門下省과 중서성中書省에 나누어 소속시켰다.

81) 湖之南(호지남) : 원문에 의하면 '호남지湖南之'의 오기이다.

82) 經(경) : 원문에 의하면 '괴怪'의 오기이다.

83) 鏗鏘(갱장) : 아름다운 악기 소리나 목소리를 형용하는 말. 여기서는 시의 운율을 가리킨다.

84) 金石(금석) : 악기에 대한 총칭. '금석金石'은 타악기의 재료로서 현악기를 뜻하는 '사絲' 및 관악기를 뜻하는 '죽竹'과 함께 악기의 총칭으로 쓰였다.

◇楊家三喜(양씨 집안의 세 차례 경사)

●楊憑與二弟凝・凌, 俱有重名. 唐大曆中, 登第, 稱三楊. 敬之與戎・戴, 亦竝登第, 時謂楊家三喜.

○양빙과 두 동생인 양응楊凝・양능楊凌은 모두 대단한 명성을 떨쳤다. 당나라 (대종) 대력(766-779) 연간에 과거시험에 급제하여 '삼양'으로 불렸다. (양빙의 아들인) 양경지楊敬之와 (양경지의 두 아들인) 양융楊戎・양대楊戴가 과거시험에 나란히 급제하자 당시 사람들이 이를 '양가삼희'라고 하였다.

◇壓倒元白(원진과 백거이를 압도하다)

●楊汝士與元稹・白居易賦詩席上. 汝士後成, 最佳, 警句[85]云, "文章舊價留鸞掖[86], 桃李[87]新陰在鯉庭[88]." 歸曰, "今日壓倒元白[89]!"

○(당나라 때) 양여사가 원진・백거이와 함께 (부친 양오릉楊於陵을 위해 양사복楊嗣復이 개최한) 연회석상에서 시를 짓게 되었다. 양여사의 시가 뒤늦게 완성되었지만 가장 아름다웠는데, 그중 핵심적인 시구에서 "문장의 오랜 가치를 조정에 남기니, 복숭아나무와 자두나무의 새로운 그늘(양사복이 합격시킨 과거시험 급제자들)이 (춘추시

---

85) 警句(경구) : 사람을 감동시킬 만한 간결하고 날카로운 문구를 일컫는 말.

86) 鸞掖(난액) : 문하성門下省에 있는 연못을 이르는 말로 문하성의 별칭으로 쓰였다. 결국 조정을 가리킨다. '난대鸞臺' '난저鸞渚'라고도 한다.

87) 桃李(도리) : 복사꽃과 자두꽃. 당나라 때 적인걸狄仁傑(630-700)이 훌륭한 인물들을 많이 천거한 고사에서 유래한 말로 인재를 비유한다. 위의 고사는 오대五代 남한南漢 사람 왕정보王定保의 ≪당척언唐摭言・자은사제명유상부영잡기慈恩寺題名遊賞賦詠雜紀≫권3에 전하는데, 원문에 의하면 부친 양오릉楊於陵을 위해 연회를 개최한 양사복楊嗣復(783-848)이 지공거知貢擧를 맡아서 과거시험에 합격시킨 문하생들을 비유적으로 가리킨다.

88) 鯉庭(이정) : 춘추시대 노魯나라 공자(공구孔丘)의 아들인 '공이孔鯉가 예를 갖춰 정원을 종종걸음으로 지나갔다(鯉趨而過庭)'는 ≪논어・계씨季氏≫권16의 고사에서 유래한 말로 효자를 상징한다. 여기서는 부친 양오릉楊於陵을 위해 연회를 열고 원진元稹(779-831)・백거이白居易(772-846)・양여사楊汝士 등을 초빙한 양사복楊嗣復을 비유적으로 가리킨다.

89) 元白(원백) : 중당中唐 시기를 대표하는 시인인 원진元稹(779-831)과 백거이白居易(772-846)를 아우르는 말.

대 노魯나라 공자의 아들인) 공이孔鯉(양오릉의 아들인 양사복)의 정원에 들어섰네"라고 하였다. 양여사가 집에 돌아와서는 (자식들에게 자랑삼아) 말했다. "오늘 내가 원진과 백거이를 압도하였단다!"

◇慶門(가문을 빛낼 인재)

●楊嗣復, 字繼之, 於陵之子. 其舅韓滉撫其頂曰, "名與位皆踰其父, 楊氏之慶也!" 字之曰慶門. 文宗朝, 與李珏同相.

○(당나라) 양사복(783-848)은 자가 계지로 양오릉楊於陵의 아들이다. 그의 외숙부인 한황이 그의 머리를 쓰다듬으며 "명성과 지위가 모두 부친을 능가할 터이니 양씨 가문의 경사로다!"라고 말하고는 그에게 ('가문을 빛낼 인재'란 의미에서) '경문'이란 자를 지어 주었다. 문종 때 이각과 함께 재상에 올랐다.

◇文如懸河(문장이 폭포수 같다)

●楊炯中[90]童科, 授校書郎[91]. 年十一, 待制[92]弘文館[93]. 武后朝, 與宋之問分直藝館[94], 終盈川令. 張說曰, "楊盈川, 文如懸河[95]注水, 酌之不竭." 與王勃等爲四傑[96].

---

90) 中(중) : 들어맞다, 합격하다. 동사이기에 거성去聲(zhòng)으로 읽는다.

91) 校書郎(교서랑) : 한나라 이래로 국가 도서의 교감에 관한 업무를 관장하던 비서성祕書省 소속의 관원을 이르는 말. 상관으로 비서감祕書監과 비서소감祕書少監・비서승祕書丞・비서랑祕書郎・저작랑著作郎이 있다.

92) 待制(대제) : 당나라 태종太宗 때부터 5품 이상의 경관京官 가운데 조정의 주요 기관에서 숙직하며 수시로 황제에게 자문을 주던 관직을 이르는 말.

93) 弘文館(홍문관) : 당나라 때 주요 도서의 편찬・감수・교정 및 제도・의례에 대한 심사를 관장하던 장서각인 '수문관修文館'을 개칭한 이름. 뒤에는 다시 '소문관昭文館'으로 개칭하였다.

94) 藝館(예관) : 당나라 때 궁인宮人들에게 학예學藝를 가르치던 곳인 습예관習藝館의 약칭. 처음에는 '내문학관內文學館'이라고 하다가 측천무후則天武后 때 '습예관'으로 개명하였고, 뒤에는 다시 '한림내교방翰林內敎坊'으로 이름을 바꿨다.

95) 懸河(현하) : 폭포.

96) 四傑(사걸) : 당나라 초엽 문단을 대표하는 네 명의 문인인 왕발王勃(649-676)・양형楊炯(?-692)・노조린盧照鄰(약641-680)・낙빈왕駱賓王(약640-?)을 아우르는 말인 '초당사걸初唐四傑'의 약칭.

○(당나라) 양형(650-약 693)은 (어린이를 대상으로 하는 과거시험인) 동과에 합격하여 교서랑을 배수받았다. 나이 열한 살에 홍문관 대제에 올랐다. 측천무후 때는 송지문과 함께 예관을 나눠서 관장하다가 (절강성) 영천현의 현령으로 생을 마쳤다. 장열은 "영천현령을 지낸 양형은 문장이 마치 폭포가 물을 쏟아내면 아무리 따라도 고갈되지 않는 것과 같다"고 평하였다. 왕발 등과 함께 '초당사걸'로 불렸다.

◇金印朝天(금도장을 차고 천자를 조알하다)

●楊收, 字藏之, 與王鐸·薛逢同年[97]. 唐咸通[98]中, 拜相, 逢上詩[99]云, "須知金印朝天客, 同是沙堤[100]避路人." 子鉅·弟嚴·嚴子注, 兩世四人翰林學士[101].

○양수는 자가 장지로 왕탁·설봉과는 과거시험 합격동기생이다. 당나라 (의종) 함통(860-873) 연간에 재상을 배수받자 설봉이 시를 올려 말했다. "금도장 차고 천자께 조알하는 손님도, 똑같이 재상이 다니던 길에서 길을 비키던 사람임을 알아야 하리라." 아들 양거楊鉅와 동생 양엄楊嚴·양엄의 아들 양주楊注까지 두 세대에 걸쳐 네 사람이 한림학사에 올랐다.

---

97) 同年(동년) : 과거시험 합격동기생을 뜻하는 말. '같은 해에 합격했다'는 의미에서 유래하였다.

98) 咸通(함통) : 당唐 의종懿宗의 연호(860-873).

99) 詩(시) : 이는 칠언율시七言律詩 <양수가 재상이 된 것을 축하하다(賀楊收作相)> 가운데 함련頷聯을 인용한 것으로 ≪전당시全唐詩·설봉≫권548에 전한다.

100) 沙堤(사제) : 당나라 때 재상의 수레나 말의 통행을 수월하게 하기 위해 모래를 깐 넓은 도로를 이르는 말.

101) 翰林學士(한림학사) : 당나라 현종玄宗 때 처음 설치된 한림원翰林院 소속 학사를 이르는 말. 황명이나 상소문 등 주요 문서의 초안을 작성하고, 황제의 비답批答을 대필하는 등 조정의 주요 문서에 관한 일을 관장하였기에 매우 명예로운 직책으로 여겼다.

◇懷玉山人(회옥산인)

●楊億, 字大年. 初生, 其祖文逸夢一羽衣[102], 自稱懷玉山人, 覺而生億. 數歲不能言, 一日家人抱之登樓, 偶觸其首, 卽吟曰, "危樓高百尺, 手可摘星辰. 不敢高聲語, 恐驚天上人." 年十一歲試, 中童科. 試'喜朝京闕'詩云, "願秉淸忠節, 終身立聖朝[103]." 授正字[104]. 眞宗朝, 拜正言[105], 遷知制誥[106]·翰林學士. 諡日文.

○(송나라) 양억(974-1020)은 자가 대년이다. 당초 태어날 때 그의 조부인 양문일楊文逸이 자칭 '회옥산인'이라는 도사를 만나는 꿈을 꾸었다가 잠에서 깨고는 양억을 낳았다. 몇 살이 될 때까지 말을 하지 못 했는데 하루는 가족이 그를 안고 누각을 오르다가 우연히 그의 머리를 부딪히자 즉시 다음과 같은 시를 읊조렸다. "드높은 누각이 높이가 백 자라서, 손으로 별을 딸 수 있지만, 감히 소리 높여 말하지 않는 것은, 천상의 사람을 놀라게 할까 염려해서라네." 나이 열한 살에 시험에 응시해 동과에 급제하였다. 또 '궁궐에서 조알한 것을 기뻐하다'란 제목의 시를 시험쳐 "충성어린 절조를 지닌 채, 죽을 때까지 성군의 조정에 서고 싶네"라는 구절을 완성하고는 (비서성의) 정자를 배수받았다. 진종 때 정언을 배수받았다가 지제고와 한림학사로 승진하였다. 시호는 '일문'이다.

---

102) 羽衣(우의) : 전한 때 방사方士인 난대欒大가 새 깃털로 만든 옷을 입은 데서 유래한 말로 은자나 도사의 옷을 비유하는데, 여기서는 결국 도사를 가리킨다.

103) 聖朝(성조) : 자신의 왕조나 조정을 높여 부르는 말.

104) 正字(정자) : 위진魏晉 이후로 국사의 편찬과 국가 도서에 관한 업무를 관장하던 기관인 비서성祕書省 휘하의 속관을 이르는 말. 장관인 비서감祕書監과 차관인 비서소감祕書少監, 비서승祕書丞·비서랑祕書郎·저작랑著作郎·교서랑校書郎 등의 상관이 있었다.

105) 正言(정언) : 규간規諫을 관장하는 벼슬. 당나라 때 습유拾遺를 송나라 때 정언正言으로 바꿨다. 습유와 마찬가지로 좌정언左正言과 우정언右正言이 있는데, 좌정언은 문하성門下省 소속이고 우정언은 중서성中書省 소속이었다.

106) 知制誥(지제고) : 황명의 초안을 작성하는 일이나 그러한 업무를 관장하는 벼슬을 이르는 말.

◇一代文豪(한 시대를 대표하는 대문호)

●楊億作文, 與賓客107)飮博·投壺108)·奕棋·語笑·喧嘩109), 不妨締思. 以小紙細書110), 揮翰如飛, 文不加點, 頃刻數千言, 眞一代文豪也. 與劉筠齊名, 時號楊劉, 與王鼎·王綽, 號江東三虎. 詩宗李義山111), 號西崑112)體.

○(송나라) 양억(974-1020)은 문장을 지을 때 손님들과 술 마시며 도박을 하고 투호놀이를 하고 바둑을 두고 담소를 나누고 시끄럽게 떠들면서도 구상에 방해를 받지 않았다. 작은 종이에 잔글씨로 쓰면서 나는 듯이 붓을 휘둘러도 문장을 전혀 수정하지 않은 채 순식간에 수천 자를 써냈으니 진정 한 시대를 대표하는 대문호였다. 유균과 나란히 이름을 떨쳐 당시에 '양류'로 불렸고, 왕정·왕작과는 '강동삼호'로 불렸다. 시는 (당나라) 의산義山 이상은李商隱을 추종하여 '서곤체'로 불렸다.

◇詩在御屛(시가 천자의 병풍에 적히다)

●楊徽之, 字仲猷. 宋太宗聞其名, 召見, 以詩數百篇爲獻. 上選十聯, 書御屛間. 梁周翰詩113)云, "誰似金華114)楊處士115)? 十聯詩在御屛間."

---

107) 賓客(빈객) : 손님에 대한 총칭. '빈賓'은 신분이 높은 손님을 가리키고, '객客'은 수행원과 같이 신분이 낮은 손님을 가리키는 데서 유래하였다.

108) 投壺(투호) : 화살 같은 막대기를 멀리서 병 속에 던져 넣는 중국 고대의 놀이 이름.

109) 喧嘩(훤화) : 시끄럽게 떠들다, 잡담하다.

110) 細書(세서) : 잔글씨로 글을 쓰는 것을 이르는 말.

111) 李義山(이의산) : 당나라 말엽 시인 이상은李商隱(약812-858). '의산'은 자. 공부원외랑工部員外郞을 역임하였고, 온정균溫庭筠(약812-866)·단성식段成式(?-863)과 함께 문재文才로 이름을 떨쳤다. 송나라 초엽에 양억楊億(974-1020) 등이 그의 시풍을 전범으로 삼아 서곤파西崑派를 형성하기도 하였다. 저서로 ≪이의산시집李義山詩集≫ 3권이 전한다. ≪신당서·이상은전≫권203 참조.

112) 西崑(서곤) : 서쪽의 곤륜산. 선계나 비서祕書가 소장된 곳을 상징하는 말로서 송나라 초엽 양억楊億(974-1020)을 중심으로 한 일련의 시파를 가리킨다.

113) 詩(시) : 송나라 완열阮閱의 ≪시화총귀詩話總龜≫권3 등 다른 문헌에도 모두 두 구절만 전하는 것으로 보아 일시逸詩인 듯하다.

114) 金華(금화) : 한나라 때 미앙궁未央宮에 있었던 전각 이름으로 내전內殿을

僧文瑩謂[116], "楊公作文, 必以天地浩露滌筆於氷甌雪椀中." 至道[117]九老[118], 徽之其一也.(見李昉)

○양휘지는 자가 중유이다. 송나라 태종이 그의 명성을 듣고서 불러들여 접견하였을 때 시 수백 편을 바쳤는데, 태종이 그중 열 개의 연을 골라 천자의 병풍에 적어 넣었다. 양주한은 시를 지어 "누가 금화전의 양학사(양휘지)와 같으랴? 싯귀 10연이 천자의 병풍 위에 쓰여 있거늘"이라고 하였다. 승려 문영은 (≪옥호야사玉壺野史≫권5에서) "양공(양휘지)은 글을 지을 때 반드시 천지간의 맑은 이슬로 얼음을 담는 병이나 눈을 담는 그릇에서 붓을 씻는다"고 평하였다. (태종) 지도(995-997) 연간에 구로회가 있었는데, 양휘지도 그중 한 사람이다.(상세한 내용은 뒤의 '이방'에 관한 기록에 보인다)

◇斷送頭皮(노친네 전송하는 일을 그만두다)

●楊朴, 字契元, 工詩. 少與畢士安同學. 士安薦之, 太宗召見除官, 不受, 歸山. 眞宗東封[119], 召對. 上問, "有人送詩否[120]?" 曰, "臣妻一首云, '更休落魄[121]躭盃酒, 切莫猖狂[122]愛作詩. 今日捉將官裏去, 這回斷送

상징한다. 황명의 출납을 관장하는 문하성門下省의 별칭으로 쓰일 때도 있다. 절강성 금화현을 가리킬 때도 있으나 양휘지楊徽之가 복건성 건주建州 출신임을 감안하면 여기서는 지명과는 무관한 듯하다.

115) 處士(처사) : 벼슬하지 않은 선비를 이르는 말. 그러나 ≪송사・양휘지전≫ 권296에 의하면 양휘지가 시독학사侍讀學士를 지내 다른 문헌에는 대부분 '학사學士'로 되어 있기에 이를 따른다.

116) 謂(위) : 송나라 승려 문영文瑩의 말은 그의 저서인 ≪옥호야사玉壺野史≫권5에 전한다.

117) 至道(지도) : 북송北宋 태종太宗의 연호(995-997).

118) 九老(구로) : 송나라 때 재상을 지낸 이방李昉(925-996)이 당나라 백거이白居易(772-846)의 향산구로회香山九老會를 모방하여 결성한 모임을 이르는 말. 이방을 비롯하여 장호문張好問・이운李運・송기宋琪・무윤성武允成・오 지방 승려 찬녕吳僧贊寧・위석魏石・양휘지楊徽之・주앙朱昻을 가리키는데, 사천성 촉蜀 땅에서 반란이 일어나는 바람에 실행에 옮기지는 못 한 것으로 전한다.

119) 東封(동봉) : 오악五嶽 중 동악東岳에 해당하는 태산泰山에서 제사를 올리는 것을 이르는 말.

120) 否(부) : 부가의문문을 만드는 어말조사語末助詞.

121) 落魄(낙탁) : 신세가 몰락한 모양. '낙탁落拓' '낙탁落度' '낙탁落托'으로도

老頭皮[123].'"

○(송나라) 양박은 자가 계원으로 시를 잘 지었다. 어렸을 때는 필사안과 함께 공부하였다. 필사안이 추천하자 태종이 그를 불러들여 접견하고는 관직을 제수하려고 하였지만 받지 않고 산으로 돌아갔다. 진종이 동쪽 태산에서 봉선제를 지내면서 그를 불러 대면하였다. 진종이 "누군가 시를 보내주지 않았소?"라고 묻자 양박이 대답하였다. "신의 아내가 시를 한 수 지어 '다시는 실의에 젖어 술을 찾지 말 것이고, 미친 사람처럼 시 읊조리는 것을 좋아하지 말아야 할지니, 오늘 기회를 잡아 관청으로 간다면, 이번으로 노친네 전송하는 일을 그만둘 수 있으리라'고 하였나이다."

◇一世儒宗(한 시대를 대표하는 유학의 종사)

●楊時, 字中立, 號龜山先生, 與游定夫[124]·謝顯道[125], 俱游明道先生[126]之門, 學有本原, 行無玷缺, 爲一世儒宗. 宋徽宗朝, 爲國子祭酒[127].

쓴다.

122) 猖狂(창광) : 미친 모양. 혹은 기세가 맹렬한 모양.

123) 老頭皮(노두피) : 늙은이에 대한 폄칭 내지는 놀리는 말.

124) 游定夫(유정부) : 송나라 사람 유작游酢(1053-1123). '정부'는 자. 정호程顥(1032-1085)의 제자로 진사과에 급제하여 태학록太學錄과 박사博士를 역임하다가 범순인范順仁의 휘하에서 교수教授를 지냈으며, 만년에 감찰어사監察御史와 호주지주사濠州知州事 등을 역임하였다. ≪송사·유작전≫권428 참조.

125) 謝顯道(사현도) : 송나라 사람 사양좌謝良佐(1050-1103). '현도'는 자. 시호는 문숙文肅. 신종神宗 때 진사에 합격하여 응성현지현사應城縣知縣事를 지냈으며, 정호程顥(1032-1085)의 수제자 가운데 한 사람이다. ≪송사·사양좌전≫권428 참조.

126) 明道先生(명도선생) : 송나라 때 대유大儒 정호程顥(1032-1085)의 별칭. 자는 백순伯淳. 태자중윤太子中允·감찰어사監察御史를 역임하였고, 동생인 정이程頤(1033-1107)와 함께 '이정자二程子'로 불리며 도학道學의 대가로 유명하다. 저서로 ≪이정문집二程文集≫ 15권이 전한다. ≪송사·도학열전道學列傳·정호전≫권427 참조.

127) 國子祭酒(국자제주) : 국가의 교육을 총괄하고 제사를 주재하는 기관인 국자감國子監의 장관 이름. 시대마다 차이가 있어 유림제주儒林祭酒·성균제주成均祭酒·국자제주國子祭酒·대사성大司成 등 다양한 명칭으로 불렸다.

○양시(1054-1135)는 자가 중립이고 호가 귀산선생으로 정부定夫 유작游酢·현도顯道 사양좌謝良佐와 함께 명도선생明道先生 정호程顥의 문하에서 공부하였기에, 학문에 근본이 있고 행실에 흠결이 없어 한 시대를 대표하는 유학의 종사가 되었다. 송나라 휘종 때 국자제주를 지냈다.

◇華鄂堂(화악당)

●楊邦乂, 吉水[128]人. 始生未冠, 妣[129]陳氏卽世[130]. 兄弟三人, 視兄如父, 揭所居堂曰華鄂[131]. 宋政和[132]中, 以釋褐[133]還家, 拜伯氏[134], 更其堂曰韡韡[135]. 同郡郭孝友記之曰, "余嘉楊氏, 友其季而不伐, 恭其兄而不忘." 一時名勝[136]賦者百餘人.

○양방예(1086-1129)는 (강서성) 길수현 사람이다. 처음 태어나 약관의 나이가 되기도 전에 모친 진씨가 세상을 뜨고 말았다. 형제 세 명은 형을 마치 부친처럼 대하여 거처하는 건물에 '화악당'이라는 명패를 걸었다. 송나라 (휘종) 정화(1111-1117) 연간에 벼슬에 오르고서 집으로 돌아와 맏형에게 절을 올리고는 건물 이름을 '위위당'으로 바꿨다. 동향 사람인 곽효우가 이를 기념하여 "내가 양씨를 높이 평가하는 것은 막내에게 다정하게 대하면서 자랑하지 않고 형에게 공손히 대하면서 망각하지 않아서이다"라고 하였다. 당시 명망

---

128) 吉水(길수) : 강서성의 속현屬縣 이름.
129) 妣(비) : 돌아가신 모친을 이르는 말.
130) 卽世(즉세) : 세상을 뜨다, 죽다. '즉명卽命' '거세去世' '종세終世'라고도 한다.
131) 花鄂(화악) : 꽃과 꽃받침을 뜻하는 말로 형제간의 우애를 상징한다. '악鄂'은 '악萼'과 통용자.
132) 政和(정화) : 북송北宋 휘종徽宗의 연호(1111-1117).
133) 釋褐(석갈) : 베옷을 벗다. 처음 벼슬길에 오르는 것을 비유한다.
134) 伯氏(백씨) : 항렬인 백중숙계伯仲叔季 가운데 맏이를 뜻하는 말로 맏형을 가리킨다.
135) 韡韡(위위) : 밝고 아름다운 모양. ≪시경·소아小雅·당체棠棣≫권16의 "당체나무의 꽃은 꽃받침이 화려하지 않다네(棠棣之華, 鄂不韡韡)"라는 구절에서 유래하였다.
136) 名勝(명승) : 명망이 높고 재능이 뛰어난 선비를 이르는 말.

높은 인사들 가운데 그들 형제를 대상으로 글을 지은 이들이 백 명을 넘었다.

◇刺血書襟(피를 내서 옷깃에 글을 적다)

●楊邦乂, 宋建炎[137]中, 倅[138]建康[139]. 金國兵大至, 杜充戰敗遁去, 公刺血書襟曰, "寧爲趙氏鬼, 不作他邦臣." 遂遇害. 贈直祕閣[140], 制云, "儒夫愛生, 名不稱於沒世. 烈士砥節[141], 死有重於泰山." 紹興[142]中, 再賜田三百畝, 官其一子. 諡忠襄. 五子, 長振文·郁文.

○양방예(1086-1129)는 송나라 (고종) 건염(1127-1130) 연간에 (강소성) 건강에서 통판을 지냈다. 금나라 군대가 대거 침략했을 때 두충이 전투에서 패하여 도망치자 양방예는 피를 내서 옷깃에 "차라리 조씨 황실의 귀신이 될지언정 다른 나라의 신하가 되지는 않으리라"고 적었다가 결국 살해당하고 말았다. 그에게 직비각을 추증할 때 제서制書에는 "유생이 목숨을 아끼면 이름이 죽은 뒤에 칭송받지 못하지만, 열사가 절조를 지키면 죽은 뒤에 태산보다도 더 명성이 무거워지노라"고 하였다. (고종) 소흥(1131-1162) 연간에 다시 밭 300무를 하사하고 그의 아들 한 명에게 관직을 주었다. 시호는 '충양'이다. 아들이 다섯 명인데 장남은 양진문楊振文이고, 다른 아들은 양욱문楊郁文이다.

---

137) 建炎(건염) : 남송南宋 고종高宗의 연호(1127-1130).
138) 倅(쉬) : 보좌하다. 자사刺史의 부관副官을 뜻하는 말로서 당나라 때는 별가別駕, 송나라 때는 통판通判을 일컬었다.
139) 建康(건강) : 지금의 강소성 남경시南京市의 옛 이름. 전국시대 초楚나라 때 '금릉金陵'이라고 하던 것을 삼국 오吳나라 때 '건업建業'으로 개명하였고, 다시 진晉나라 때 '건강建康'으로 개명하였으며, 남조南朝 시기 왕조들이 모두 이곳에 도읍을 정했다.
140) 直祕閣(직비각) : 송나라 때 궁중의 도서를 관장하는 비각에 설치하였던 겸관兼官 이름.
141) 砥節(지절) : 절조를 닦다, 절조를 지키다.
142) 紹興(소흥) : 남송南宋 고종高宗의 연호(1131-1162).

◇千載生氣(천 년이 지나도 기상이 살아 있을 것이다)

●楊由義, 字宜之. 宋隆興[143]初, 與胡昉使金國, 不肯供退海·泗·唐·鄧四郡. 又不拜曰, "若死此間, 做得个[144]忠孝鬼." 全璧歸朝[145]. 二公抗節異域, 爭禮氈帳[146], 千載之下, 凜然猶有生氣.

○양유의는 자가 의지이다. 송나라 (효종) 융흥(1163-1164) 초에 호방과 함께 금나라에 사신으로 가서는 (강소성) 해주海州·사주泗州와 (하남성) 당주唐州·등주鄧州 등 네 고을을 바치지 않겠다고 거부하였다. 또 (금나라 군주에게) 절을 하지 않으며 "만약 이곳에서 죽는다면 충효를 지킨 귀신이 될 수 있을 것이다"라고 하였다. 본연의 임무를 완수하고 조정으로 돌아왔다. 두 사람은 이역 땅에서 절조를 지키고 (이민족의) 모전 장막에서 예법을 다퉜으니 천 년이 지나도 늠름하게 여전히 기상이 살아 있을 것이다.

◇日月爭光(일월과 빛을 다투다)

●楊萬里, 字廷秀, 號誠齋先生. 際遇三朝[147], 始終一節, 愛君憂國之心, 皎然與日月爭光. 宋孝宗稱其仁者有勇, 又曰, "書生知兵." 寧宗朝, 除寶謨閣[148]學士[149]. 年八十, 自書十四言[150], 擲筆隱几[151]而沒. 子長

---

143) 隆興(융흥) : 남송南宋 효종孝宗의 연호(1163-1164).

144) 个(개) : 사람을 세는 양사.

145) 全璧歸朝(전벽귀조) : 구슬을 온전한 상태로 가지고 조정으로 돌아오다. 전국시대 조趙나라 사람 인상여藺相如가 진秦나라 소왕昭王의 협박을 물리치고 화씨벽和氏璧을 되찾아가지고 돌아와서(완벽完璧) 상대부上大夫에 올랐다는 ≪사기·인상여전≫권81의 고사에서 유래한 말로 본연의 임무를 완수하는 것을 비유한다. '완벽귀조完璧歸趙' '완벽完璧'이라고도 한다.

146) 氈帳(전장) : 모전毛氈으로 만든 장막. 이민족의 처소를 가리키는 말로 여기서는 거란족이 세운 금金나라를 비유적으로 가리킨다. '전氈'은 '전氈'의 이체자異體字.

147) 三朝(삼조) : 세 왕조. 남송 고종高宗·효종孝宗·영종寧宗을 가리킨다. 광종은 재위 기간이 짧아 생략한 듯하다.

148) 寶謨閣(보모각) : 남송南宋 광종光宗의 문집과 유품을 소장한 장서각藏書閣 이름. 송나라 때는 황제가 사망하고 나면 유작과 유품을 소장하는 장서각을 마련하고, 이를 관장하는 관원으로 학사學士·직학사直學士·대제待制를 배치하는 관례가 있었다. 태종太宗의 용도각龍圖閣, 진종眞宗의 천장각天章閣, 인종仁宗의 보문각寶文閣, 신종神宗의 현모각顯謨閣, 철종哲宗의 휘유각徽猷閣,

孺.

○양만리(1124-1206)는 자가 정수이고 호가 성재선생이다. (고종高宗·효종孝宗·영종寧宗) 세 왕조를 맞아 시종일관 절조를 한결같이 지켰으니 군주를 사랑하고 나라를 걱정하는 마음이 확연히 일월과 빛을 다툴 정도였다. 송나라 효종은 그가 어진 사람이면서도 용기가 있다고 칭찬하고, 또 "서생이면서도 병법을 잘 안다"고 추켜세웠다. 영종 때 보모각학사를 제수받았다. 나이 여든 살에 손수 열네 자를 쓰고서 붓을 던진 뒤 안궤에 기댄 채 생을 마쳤다. 아들은 양장유楊長孺이다.

◇留俸代租(봉록을 남겨 조세를 대신케 하다)

●楊長孺, 字伯子, 號東山潛夫[152]. 帥番禺[153], 將受代[154], 有俸錢七千緡[155], 悉以代下戶[156]輸租. 有詩云, "兩年枉了鬢霜華[157], 照管[158]南人淺一些. 七百萬錢都不要, 脂膏[159]留放小民家." 每對客曰, "士大

휘종徽宗의 부문각敷文閣, 고종高宗의 환장각煥章閣, 효종孝宗의 화문각華文閣, 광종光宗의 보모각寶謨閣, 영종寧宗의 보장각寶章閣, 이종理宗의 현문각顯文閣 등이 그 예이다. ≪송사·직관지職官志≫권162 참조.

149) 學士(학사) : 위진魏晉 이후로 문학과 저술을 관장하던 벼슬. 당송唐宋 때는 학사원學士院을 두어 제고制誥를 전담케 하여 요직으로 꼽혔다. 홍문관학사弘文館學士·집현전학사集賢殿學士·숭문관학사崇文館學士 등이 있었으나 보통은 한림학사翰林學士를 지칭하는 말로 쓰였다. 또한 5품 이상은 학사, 6품 이상은 직학사直學士로 구분하기도 하였다.

150) 十四言(십사언) : 열네 자. ≪송사·양만리전≫권433에 의하면 처자식과 작별을 고하는 말이라고 하였으나 구체적인 내용은 밝히지 않았다.

151) 隱几(은궤) : 안궤에 기대다, 안궤에 의지하다.

152) 潛夫(잠부) : 은자의 별칭.

153) 番禺(번우) : 광동성의 속현屬縣 이름.

154) 受代(수대) : 선임 관리가 후임 관리를 맞아 관직을 넘겨주고 교대하는 일을 이르는 말.

155) 緡(민) : 동전 천 냥을 꿰어 놓은 엽전뭉치. 한나라 때 세금 계산의 단위로 사용한 데서 비롯된 말로 세금을 뜻하는 말로도 쓰였다.

156) 下戶(하호) : 경제적으로 가난한 집을 일컫는 말.

157) 霜華(상화) : 서리 맞은 꽃. 머리가 하얗게 센 것을 비유한다.

158) 照管(조관) : 돌보다, 보살피다.

159) 脂膏(지고) : 기름에 대한 총칭. 고체 상태의 기름을 '지脂'라고 하고, 액체

夫160)淸廉，便是七分人161)了.” 以忤權貴，劾去陳膚162)，中作玉壺氷・朱絲絃二詩. 餞行林163)自知164)詩云，“公來無琴鶴，公去有芒鞋165).” 幕官166)詩云，“從渠167)腰下有金帶，何處山中無菜羹?” 紹定168)元年，以敷文閣直學士169)致仕. 年七十九薨.

○양장유는 자가 백자이고 호가 동산잠부이다. (광동성) 번우현을 다스리다가 장차 후임자와 교대할 시기가 되자 봉록 7천 꿰미를 모두 가난한 집에 대여해 세금으로 내게 해 주었다. 그는 시에서 “2년을 어느새 다 보내고 보니 귀밑머리 서리처럼 하얗게 새고, 남방 사람들을 돌보다 보니 수명이 조금 줄었네. 7백만 냥(7천 꿰미) 모두 필요 없으니, 좋은 음식은 서민들 가정에 남겨두어야지”라고 하였다. 매번 손님을 대하면 “사대부가 청렴결백하다면 곧 7푼인은 되었다고 할 수 있겠지요”라고 하였다. 권세가를 거스르고 천박한 무리들을 탄핵하면서 와중에 <옥항아리의 얼음을 읊은 시>와 <붉은 현이 달린 관악기를 읊은 시>를 지었다. 행림사의 스님을 전송하는 자리

상태의 기름을 ‘고膏’라고 한다. 여기서는 좋은 음식을 비유적으로 가리키는 듯하다.

160) 士大夫(사대부) : 주周나라 때 신분 구분인 공公・경卿・대부大夫・사士에서 유래한 말. 삼공三公과 구경九卿 아래로 상대부上大夫・중대부中大夫・하대부下大夫가 있고, 그 밑으로 다시 상사上士와 중사中士・하사下士가 있었다. 후대에는 벼슬아치나 선비에 대한 범칭으로 쓰였다.

161) 七分人(칠분인) : 전체의 7푼을 차지하는 사람. 어느 정도 경지에 오른 사람을 비유하는 말인 듯하다.

162) 陳膚(진부) : 진부하고 천박한 무리. ‘부膚’는 ‘천淺’의 뜻.

163) 行林(행림) : 복건성 장락현長樂縣에 있는 절 이름.

164) 知(지) : 위의 예문과 유사한 내용이 송나라 나대경羅大經의 ≪학림옥로鶴林玉露≫권14에 전하는데 이에 의하면 ‘화和’의 오기이다.

165) 芒鞋(망혜) : 짚신. ‘망갹芒屩’이라고도 한다.

166) 幕官(막관) : 막부幕府에서 장수나 절도사를 보좌하는 속관屬官. ‘막료幕僚’ ‘막료幕寮’ ‘막부幕府’ 등으로도 불린다.

167) 渠(거) : 3인칭대명사. 그. 오吳 지방 사람들이 ‘피彼’를 ‘거渠’라고 표현한데서 유래하였다.

168) 紹定(소정) : 남송南宋 이종理宗의 연호(1228-1233).

169) 直學士(직학사) : 위진魏晉 이후로 문학과 저술을 관장하던 벼슬인 학사學士에 준하는 벼슬을 이르는 말. 당송唐宋 때는 학사원學士院을 두어 제고制誥를 전담케 하였는데, 5품 이상은 학사, 6품 이상은 직학사直學士로 구분하였다.

에서 스스로 화답하는 시에서는 "공이 오실 때는 금과 학이 없더니, 공이 떠나실 때는 짚신만 있군요"라고 하였다. 막관을 읊은 시에서는 "비록 그대 허리 아래에 금 장식 허리띠가 있지만, 어느 곳인들 산속에 나물국이 없으리오?"라고 하였다. (이종) 소정 원년(1228)에 (휘종徽宗의 유품을 관장하는) 부문각직학사를 지내다가 벼슬을 그만두었다. 나이 79세로 생을 마쳤다.

●楊回居鄕三逐, 事君三去, 趙簡子170)用爲相, 其國大治.

○(춘추시대 진晉나라) 양회는 고향에서 살다가 세 번이나 쫓겨나고 군주를 섬기다가 세 번이나 쫓겨났지만, 간자簡子 조앙趙鞅이 그를 승상에 기용하여 나라가 잘 다스려졌다.

●楊朱泣岐171), 謂其可以南, 可以北.(列子172))

○(전국시대 위魏나라) 양주는 갈림길에서 눈물을 흘리며 남쪽으로도 갈 수 있고 북쪽으로도 갈 수 있다고 생각하였다.(≪열자·양주≫권7)

●楊王孫, 漢武朝人, 學黃老173)之術, 遺戒羸葬174), 以返其眞.

---

170) 趙簡子(조간자) : 춘추시대 진晉나라 때 정경正卿을 지냈던 조앙趙鞅. '간'은 시호이고, '자'는 존칭. 일명 '지보志父'라고도 한다. 진나라의 국정을 장악하여 훗날 조趙나라를 건국하는 기초를 다졌다. ≪사기·조세가趙世家≫권43 참조.

171) 泣岐(읍기) : 갈림길에서 눈물을 흘리다. 전국시대 위魏나라 양자楊子(양주楊朱)의 이웃집이 양을 잃어버려 사람들을 다 동원해서 찾으려 했지만 갈림길이 많아 찾지 못 하자 양자가 이를 보고 탄식하였다는 ≪열자列子·양주≫권7의 '다기망양多歧亡羊'의 고사에서 유래한 말로서 갈림길이 많거나 방도가 복잡해 진리를 찾기 어려움을 비유한다. '기岐'는 '기歧'와 통용자.

172) 列子(열자) : 구본舊本에는 전국시대 정鄭나라 사람인 열어구列禦寇가 지었다고 하였으나, 그의 사후의 기록도 있는 것으로 보아 그의 문인들이 지은 것으로 보인다. 위진魏晉 때 위작으로 보는 설도 있다. 진晉나라 장담張湛이 주를 달았다. 총 8권. ≪사고전서간명목록·자부·도가류道家類≫권14 참조.

173) 黃老(황로) : 도교道敎에서 시조로 모시는 황제黃帝와 노자老子를 아우르는 말.

174) 羸葬(나장) : 수의壽衣와 관곽棺槨을 사용하지 않고 시신을 매장하는 것을 이르는 말. 소박한 장례를 가리킨다. 전한 사람 양왕손楊王孫이 아들에게 자신이 죽으면 수의나 관을 사용하지 말고 그대로 땅에 묻으라고 유언을 하였다는

○양왕손은 전한 무제 때 사람으로 황로학을 익혀 나신으로 땅에 묻혀 자연으로 돌아가고 싶다는 가르침을 남겼다.

●楊倫, 字仲理, 少師事丁鴻, 習古文尚書[175]. 仕漢, 拜侍中.

○양윤은 자가 중리로 어려서 정홍을 스승으로 섬겨 고문으로 된 ≪서경≫을 배웠다. 후한 때 벼슬길에 올라 시중을 배수받았다.

●楊政, 字子行, 從范升受易. 善說經, 語曰, "說經鏗鏗[176]楊子行."

○(전한 사람) 양정은 자가 자행으로 범승에게서 ≪역경≫을 전수받았다. 경서를 잘 해설하여 "경전을 자신있고 우렁차게 강의하는 이는 양자행(양정)이라네"라는 말이 돌았다.

●楊國忠, 貴妃[177]從祖兄也. 領四十餘使, 後拜相. 張象以爲氷山[178].

○(당나라) 양국충은 (현종玄宗의 총희寵姬인) 양귀비의 종조부 후손 가운데 오라버니뻘 된다. 40여 차례 사신을 맡았다가 뒤에 재상을 배수받았다. 장단은 그를 빙산에 불과하다고 평가하였다.

●楊滔仕唐, 爲中書舍人[179]. 當應制[180], 斷窗[181]取本, 號斷窗舍人.

≪한서 · 양왕손전≫권51의 고사에서 유래하였다.

175) 尙書(상서) : ≪서경≫의 별칭. '상尙'은 '고古'의 뜻이므로 '오래된 역사책'이란 의미에서 유래하였다.

176) 鏗鏗(갱갱) : 목소리가 우렁차고 힘이 있는 모양.

177) 貴妃(귀비) : 황제의 첩실이자 후궁의 고위 내관內官 이름. 당송唐宋 때는 정1품에 속하는 사비四妃, 즉 귀비貴妃 · 숙비淑妃 · 덕비德妃 · 현비賢妃 가운데 하나였다. 사비 아래로는 정2품 구빈九嬪, 정3품 첩여婕妤, 정4품 미인美人, 정5품 재인才人 등의 관제가 있었다. 여기서는 당나라 현종玄宗의 총희寵姬인 양귀비楊貴妃를 가리킨다.

178) 氷山(빙산) : 빙산. 당나라 때 누군가 양국충楊國忠을 배알하면 출세를 빨리 할 수 있다고 권하자 장단張彖이 "그대들은 양공의 권세가 태산처럼 믿을 만하다고 생각하겠지만, 내가 보기에는 고작 빙산에 불과하오(爾輩以謂楊公之勢, 倚靠如泰山, 以吾所見, 乃氷山也)"라고 대답하였다는 오대五代 후촉後蜀 왕인유王仁裕(880-956)의 ≪개원천보유사開元天寶遺事≫권2의 고사에서 유래한 말로 오래 가지 않는 권세를 비유한다.

179) 中書舍人(중서사인) : 황명의 기초起草와 출납出納을 관장하는 중서성中書省

○양도는 당나라에서 벼슬길에 올라 중서사인을 지냈다. 제서를 지으라는 황명을 받자 창고의 창문을 뜯고서 저본을 손에 넣었기에 '착창사인'으로 불렸다.

●楊紹復炙手可熱182).
○(당나라) 양소복은 손을 쬐면 델 정도로 권세가 막강하였다.

●楊繪, 字元素, 與李常等會飮碧澗堂.
○(송나라) 양회는 자가 원소로 이상 등과 함께 벽간당에 모여 술자리를 가졌다.

●楊丕與彭齊等爲江西三端183).
○(송나라 인종仁宗 때) 양비는 팽제 등과 함께 '강서삼서江西三瑞'로 불렸다.

※女德婚姻(여덕과 혼인)

◇癡姨(어리석은 이모)

●楊氏爲姚家婦, 符承祖184)母氏之妹. 承祖方用事185), 親姻趨附, 楊氏

소속의 벼슬. 장관인 중서령中書令과 버금 장관인 중서시랑中書侍郞 다음 가는 고관高官이다.

180) 應制(응제) : 황명에 응하다. 즉 제서制書를 지으라는 황명을 받드는 것을 말한다.

181) 斲窗(착창) : 창문을 잘라내다, 창문을 뜯다. 위의 예문과 유사한 내용이 명나라 팽대익彭大翼의 ≪산당사고山堂肆考≫권45에 인용된 ≪당직림唐職林≫에 전하는데, 원문에 의하면 구실아치인 영사令史가 열쇠를 가지고 외출하는 바람에 제서의 저본을 참조하기 위해 양도楊滔가 창고의 창문을 뜯어서 저본을 손에 넣었다고 한다. 인명에 대해 당나라 장작張鷟의 ≪조야첨재朝野僉載≫권2에서는 '양도陽滔'로 표기하였는데 어느 것이 맞는지는 불분명하다.

182) 炙手可熱(적수가열) : 손을 쬐면 뜨거워 델 수 있다. 즉 권세가 매우 막강함을 비유한다.

183) 江西三端(강서삼단) : '강서삼서江西三瑞'의 오기. '강서삼서'는 송나라 인종仁宗이 강서성 출신의 세 명사인 팽제彭齊의 문장·양비楊丕의 청렴한 절조·소정기蕭定基의 정치적 식견을 높이 평가하여 붙여준 별명을 가리킨다.

獨不然, 謂承祖之母曰, "姊有一時之榮, 不若妹有無憂之樂." 姊與之衣物, 皆不受. 由此號爲癡姨.

○양씨는 요씨 가문의 며느리가 되었는데 (북조北朝 북제北齊 때 환관인) 부승조의 모친의 여동생이다. 부승조가 한창 권력을 휘둘러 친인척들이 그에게 빌붙었지만 양씨만은 그리하지 않으면서 (언니인) 부승조의 모친에게 말했다. "언니는 한때의 영광을 누리고 있겠지만 동생인 제가 근심거리 없는 즐거움을 누리는 것만 못 할 것입니다." 언니가 자신에게 의복을 주어도 모두 받지 않았다. 이 때문에 ('어리석은 이모'라는 의미에서) '치이'로 불렸다.

◇秦虢(진국부인秦國夫人과 괵국부인虢國夫人)

●楊妃六姨韓國夫人[186], 三姨秦國夫人, 八姨虢國夫人. 與兄銛・錡・國忠五家, 第舍聯亘[187], 治錦繡・琢金玉者千人.

○(당나라 현종玄宗의 총희寵姬인) 양귀비楊貴妃의 여섯 번째 이모는 한국부인에 봉해졌고, 세 번째 이모는 진국부인에 봉해졌고, 여덟 번째 이모는 괵국부인에 봉해졌다. 오빠인 양섬楊銛・양기楊錡・양국충楊國忠 등 다섯 집과 저택을 나란히 한 채 아름다운 고급 비단을 만들고 금과 옥을 가공하는 하인들이 천 명에 달했다.

◇新妝詩(새로 화장하고서 지은 시)

●楊盈川[188]姪女容華作新妝詩[189]云, "宿鳥驚眠罷, 房櫳[190]趁曉開. 鳳

---

184) 符承祖(부승조) : 북조北朝 북제北齊 때 환관. 이부상서吏部尙書・시중侍中 등 고관을 지내며 전횡을 일삼다가 뇌물죄 때문에 삭탈관직당했다. ≪북사北史・은행열전恩幸列傳・부승조전≫권92 참조. '부符'는 '부苻'로 표기한 문헌도 있다.

185) 用事(용사) : 국사를 좌우하다, 권력을 휘두르다.

186) 夫人(부인) : 황제의 후처後妻인 비빈妃嬪이나 제후의 적처嫡妻에 대한 존칭. 후에는 고관의 부인에 대한 존칭으로도 쓰였다.

187) 聯亘(연긍) : 쭉 이어진 모양, 서로 맞닿아 있는 모양.

188) 楊盈川(양영천) : 초당사걸初唐四傑 가운데 일인인 양형楊炯(?-692)의 별칭. 양형이 절강성 영천현盈川縣의 현령을 지낸 데서 유래하였다. 양형의 문집 이름도 ≪영천집≫이다.

釵金作鏤, 鸞鏡玉爲臺. 妝似臨池出, 人疑向月來. 自憐終不見, 欲去復徘徊."

○(당나라 때 절강성) 영천현의 현령을 지낸 양형楊炯(?-692)의 조카딸인 양용화楊容華는 <새로 화장하고서 지은 시>에서 "둥지에 깃들었던 새가 잠을 다 깨웠기에, 창문을 새벽이 되자마자 열었네. 봉황 모양의 비녀는 금으로 장식하였고, 난새 모양의 거울은 옥으로 받침대를 만들었지. 화장하니 마치 연못에서 막 나온 듯한데, 사람들은 달빛 받으러 온 줄 안다네. 안타깝게도 끝내 만날 수가 없어, 떠나려 하다가도 다시금 배회하누나"라고 하였다.

◇世姻(대대로 사돈관계를 맺다)

●楊經, 字仲武. 潘岳誄文[191]云, "藉三葉世親之恩, 而子之姑, 實予之伉儷[192]." 潘楊之睦, 有自來矣.

○(진晉나라) 양경은 자가 중무이다. 반악이 뇌문을 지어 "삼대에 걸쳐 대대로 사돈관계를 맺은 은정에 힘입고 있지만 그대의 고모가 실은 내 배우자라오"라고 하였다. 반씨와 양씨 가문의 친목은 유래가 있다.

◇著婚禮(혼례에 관한 글을 짓다)

●楊瑒居官, 爲淸白吏. 常笑士大夫不能用古禮, 因其家冠婚喪祭, 乃據古禮爲之節文[193].

○(당나라) 양양은 관직에 있을 때 청백리로 불렸다. 늘 사대부들이 옛 예법을 활용할 줄 모른다고 비웃었기에 그참에 자기 집안의 관혼

---

189) 詩(시) : 이는 동명의 오언율시五言律詩를 인용한 것으로 송나라 계민부計敏夫의 ≪당시기사唐詩紀事 · 양씨녀楊氏女≫권78에 전한다.

190) 房櫳(방롱) : 창살이나 방을 이르는 말.

191) 誄文(뇌문) : 이는 <중무仲武 양경楊經의 넋을 기리는 글(楊仲武誄)>이란 제목으로 명나라 장보張溥(1602-1641)가 엮은 ≪한위육조백삼가집漢魏六朝百三家集 · 진반악집≫권45에 전한다.

192) 伉儷(항려) : 배우자, 짝, 부부 등을 뜻하는 말.

193) 節文(절문) : 간략하게 요약한 문장을 이르는 말.

상제를 따르고 급기야 옛 예법에 근거해서 간략한 문장을 지었다.

◇夫婦履任(부부가 함께 임지로 가다)

●楊汝士, 小字沙哥, 白樂天[194]妻兄也. 汝士領東川[195]節度[196], 與妻崔氏同履任[197], 樂天代妻作詩[198], 賀之云, "劉綱[199]與婦共升仙, 弄玉[200]隨夫亦上天. 何似沙哥與崔嫂, 碧油[201]幢引過東川?"

○(당나라) 양여사는 어렸을 때 자가 사가로 낙천樂天 백거이白居易의 처남이다. 양여사가 (사천성) 동천절도사를 맡아 아내 최씨와 함께 임지로 가자 백거이가 자신의 아내인 양씨 대신 다음과 같은 시를 지어 이를 축하해 주었다. "(삼국 오吳나라 때) 유강은 아내와 함께 선계에 올랐고, (춘추시대 진秦나라 목공穆公의 딸) 농옥은 남편을 따라 역시 천계에 올랐지만, 어찌 사가(양여사)와 최씨 형수님이, 푸른 휘장 두른 수레를 타고 절도사의 깃발을 끌고서 동천을 들르는

194) 白樂天(백낙천) : 당나라 때 시인인 백거이白居易(772-846). '낙천'은 자. 호는 향산거사香山居士. 한림학사翰林學士·형부상서刑部尙書를 지냈고, 시로 이름을 떨쳐 원진元稹(779-831)과 함께 '원백元白'이라 불렸으며, 유우석劉禹錫(772-842)과 함께 '유백劉白'으로도 불렸다. 저서로 ≪백씨장경집白氏長慶集≫ 71권이 전한다. ≪신당서·백거이전≫권119 참조.

195) 東川(동천) : 당나라 때 검남도劍南道 소속 행정 구역. 당나라 현종玄宗 때 사천성 일대인 검남劍南은 동천東川과 서천西川으로 분할되면서 절도사가 두 명으로 증원된 적이 있다.

196) 節度(절도) : 당송唐宋 때 한 도道나 여러 주州의 군사·민정·재정 등을 관할하던 벼슬인 절도사節度使의 약칭. 송 이후로는 실권이 없이 직함만 있었다.

197) 履任(이임) : 부임하다.

198) 詩(시) : 이는 칠언절구七言絶句 <상서를 지낸 양여사楊汝士가 새로 동천절도사를 배수받았기에 아내 대신 장난삼아 형수를 축하하는 절구 2수(楊六尙書新授東川節度使, 代妻戱賀兄嫂二絶)> 가운데 제1수를 인용한 것으로 ≪백씨장경집≫권33에 전한다. 시제詩題에서 '육六'은 형제간의 항렬을 가리킨다.

199) 劉綱(유강) : 삼국 오吳나라 사람. 자는 백경伯經. 귀신을 부리는 능력을 지녔고 사명산四明山에서 신선이 되었다고 한다. ≪대청일통지大淸一統志·영파부寧波府2≫권225 참조.

200) 弄玉(농옥) : 춘추시대 진秦나라 목공穆公의 딸. 퉁소를 잘 부는 소사蕭史에게 시집가 함께 봉황을 타고 선계로 올랐다는 고사가 전한 유향劉向(약B.C.77-B.C.6)의 ≪열선전列仙傳·소사≫권상에 전한다.

201) 碧油(벽유) : 청록색의 기름칠을 한 천. 보통 휘장이나 장막을 만드는 데 사용하였다. 여기서는 절도사의 수레를 가리킨다.

것에 비교할 수 있으리오?"라고 하였다.

◇經笥(책상자)

●楊玠娶崔季讓女. 崔家富於圖籍, 玠婚後造[202]其門, 遍取觀覽, 捫腹曰, "已藏之經笥[203]矣."

○(수나라) 양개는 최계양의 딸에게 장가들었다. 최씨 집에 도서가 많았기에 양개는 결혼 뒤 그의 집을 찾아가 도서를 모두 가져다가 열람하고서는 배를 문지르며 말했다. "이미 책상자에 다 담았소."

◇佳婿(훌륭한 사위)

●楊於陵, 字達夫, 有奇志, 年十八, 擢進士第. 韓滉少許[204]可獨奇之, 謂妻柳氏曰, "吾閱人多矣, 求佳婿, 貴且壽無如於陵者. 有子, 必爲宰相, 以女妻之." 唐德宗朝, 爲中書舍人.

○(당나라) 양오릉은 자가 달부로 생각이 기발하더니 나이 열여덟 살에 진사시험에 급제하였다. 한황이 다소나마 그에게만은 각별하게 대하였기에 아내인 유씨에게 말했다. "내가 많은 사람들을 살피면서 훌륭한 사위를 찾았지만 고귀하면서 장수할 이로 양오릉만한 이가 없구려. 아들을 낳으면 필시 재상이 될 것이니 딸을 그에게 시집보내야 하겠소." 당나라 덕종 때 중서사인을 지냈다.

◇仙婚(선녀와의 혼인)

●越漁者楊父, 一女絶色. 有謝生求娶焉, 父曰, "吾女有詩兩句, 能續之則可." 詩曰, "珠簾半牕月, 脩竹一簾風." 謝曰, "何事今宵景, 無人解與同?" 女曰, "天生吾夫." 遂偶之, 七年忽瞑目而逝. 後見之江中曰,

---

202) 造(조) : 찾아가다, 이르다.

203) 經笥(경사) : 경전을 넣는 책상자. 여기서는 양개楊玠가 실제로 책을 훔친 것이 아니라 자신의 머리에 다 담았다는 것을 해학적이고 비유적으로 표현한 말인 듯하다.

204) 少許(소허) : 소량, 조금. '허許'는 어느 정도를 나타내는 접미사로 '쯤'의 뜻.

"吾本水仙, 謫居人間耳."

○(당나라 때) 월 땅의 어부인 양부에게 딸이 하나 있었는데 용모가 무척 아름다웠다. 사생이란 서생이 그녀에게 청혼하자 그녀의 부친이 말했다. "내 딸이 시 두 구절을 지었는데 이를 해독할 수 있으면 허락하리다." 시는 "주렴이 반쯤 걷힌 창에 달빛 스미고, 기다란 대나무 주렴에 바람이 불어드네"라는 내용이었다. 사생이 화답하였다. "어찌 오늘밤 달빛 좋은데, 함께 할 사람 없을까?" 그러자 딸이 말했다. "천생 저의 남편감이네요." 결국 그에게 시집갔지만 7년 뒤 갑자기 눈을 감더니 생을 마쳤다. 뒤에 장강에서 그녀를 만나자 "저는 본래 장강의 신선인데 인간세상에 귀양왔던 것이랍니다"라고 하였다.

●楊敬眞, 田家女也, 適王淸, 後得仙去.

○(당나라) 양경진은 농부의 딸인데 왕청에게 시집갔다가 뒤에 선녀가 되어 사라졌다.

●楊收女妻裴坦之子, 器用多用犀玉, 坦命碎之.

○(당나라) 양수의 딸은 배탄의 아들에게 시집갔는데, (천성적으로 사치를 좋아하여) 기물에 무소뿔과 옥을 많이 쓰자 배탄이 부수라고 하였다.

●楊徽之無子一女, 賢明知書, 以妻宋皐.

○(송나라) 양휘지는 아들이 없이 외동딸이 있었는데, 현명하고 글을 알아 송고에게 시집보냈다.

●楊侃奇韋孝寬之才, 以女妻之.

○(북조北朝 북위北魏) 양간(약 481-531)은 위효관의 재능을 높이 평가해 딸을 그에게 시집보냈다.

●楊素從妹妻封德彝.

○(수나라) 양소(?-606)의 사촌여동생은 봉덕이(568-627)에게 시집갔다.

●楊雅以女妻歐陽永叔[205].

○(송나라) 양아는 딸을 영숙永叔 구양수歐陽修에게 시집보냈다.

●楊東山[206]母羅氏. 宋嘉定[207]初, 侍母夫人, 入京就職.

○동산잠부東山潛夫 양장유楊長孺의 모친은 나씨이다. 양장유는 송나라 (영종) 가정(1208-1224) 초에 모친을 모시고 도성에 들어가 관직에 올랐다.

●潘楊. 長楊[208]. 穿楊[209].

○(진晉나라 때 대대로 사돈을 맺은) 반악潘岳과 양경楊經의 가문. (한나라 때 궁궐인) 장양궁. 버들잎을 꿰뚫다.

◆揚(양씨)

◇奏四賦(네 편의 부를 바치다)

●揚雄, 字子雲, 少好學口吃, 不能劇談[210]. 漢元鼎[211]中, 居岷山之陽,

---

205) 歐陽永叔(구양영숙) : 송나라 때 대문호이자 재상을 지낸 구양수歐陽修(1007-1072). '영숙'은 자. 시호는 문충文忠. 저서로 ≪문충집文忠集≫ 158권 등이 전한다. ≪송사·구양수전≫권319 참조.

206) 楊東山(양동산) : 송나라 사람 양장유楊長孺. '동산'은 그의 호인 '동산잠부東山潛夫'의 약칭. 자는 백자伯子. 남송사대가南宋四大家의 일인인 양만리楊萬里(1124-1206)의 아들로서 시문에 능하였고, 형부낭중刑部郎中·부문각직학사敷文閣直學士 등을 지냈다. 앞의 '留俸代租(봉록을 남겨 조세를 대신케 하다)'항 참조.

207) 嘉定(가정) : 남송南宋 영종寧宗의 연호(1208-1224).

208) 長楊(장양) : 진한秦漢 때 섬서성 주질현盩厔縣 남쪽에 세웠던 궁궐 이름.

209) 穿楊(천양) : 버들잎을 꿰뚫다. 춘추시대 초楚나라 대부大夫 양유기養由基(혹은 양유기養游基)가 백 보 밖에서 버들잎을 명중시켰다는 ≪사기·주본기周本紀≫권4의 고사에서 유래한 말로 활솜씨가 뛰어난 것을 비유한다.

有田一廛212), 有宅一區. 漢成帝朝, 有薦雄者, 上召. 雄待詔承明213)之庭, 奏甘泉·河東·校獵214)·長楊四賦215). 以經莫大於易, 作太玄216), 傳莫大於論語, 作法言217), 史篇莫善於蒼頡218), 作訓纂, 箴莫善於虞箴219), 作九箴, 賦莫深於離騷220), 作反騷, 辭莫麗於相如221), 作四賦. 家貧嗜酒, 有好事者, 載酒從遊. 劉棻222)從學, 作奇字223). 王莽投棻四裔224), 辭連雄. 雄時校書天祿閣225), 治獄使者來, 雄恐從閣

---

210) 劇談(극담) : 흉금을 터놓고 즐겁게 얘기하다.
211) 元鼎(원정) : 한漢 무제武帝의 연호(B.C.116-B.C.111). 따라서 시기적으로 들어맞지 않는다. ≪한서·양웅전≫권87에 의하면 이는 양웅에 관한 얘기가 아니라 그의 선조에 관한 말이다.
212) 廛(전) : 도량형 단위. 100무畝에 해당한다.
213) 承明(승명) : 한나라 때 시종관侍從官들이 숙직하던 건물인 승명려承明廬의 준말. 황제의 신임을 받는 근신近臣이나 조정의 고관을 상징할 때도 있다.
214) 校獵(교렵) : 나무로 울짱(校)을 만들어 짐승들의 도주로를 차단하고 사냥하는 것을 이르는 말. 황제의 사냥을 가리킨다.
215) 四賦(사부) : 이상 네 편의 부는 모두 ≪한서·양웅전≫권87에 수록되어 전한다.
216) 太玄(태현) : 전한 양웅揚雄(B.C.53-A.D.18)이 ≪역경≫을 모방하여 지은 저서인 ≪태현경太玄經≫의 약칭. 총 10권. 진晉나라 범망范望이 주를 달았다. ≪사고전서간명목록·자부·술수류術數類≫권11 참조.
217) 法言(법언) : 전한 양웅揚雄(B.C.53-A.D.18)이 ≪논어≫를 본떠 지은 책. 총 10권. 송나라 사마광司馬光(1019-1086)의 집주集註가 있다. ≪사고전서간명목록·자부·유가류儒家類≫권9 참조.
218) 蒼頡(창힐) : 황제黃帝 때 사관史官으로 새의 발자국을 보고 한자를 창안했다고 전하는 전설상의 인물. '창힐倉頡'로도 쓴다. 여기서는 그가 지었다는 전설상의 사서를 가리킨다.
219) 虞箴(우잠) : 주周나라 때 사냥터를 관장하는 우인虞人이 사냥을 경계하여 지은 잠언箴言. ≪좌전左傳·정공定公4년≫권54에 이에 관한 언급이 보인다.
220) 離騷(이소) : 전국시대 초楚나라 사람 굴원屈原(약B.C.340-B.C.278)이 조정에서 축출당한 뒤 회재불우懷才不遇의 심경에서 지었다고 전하는 초사 작품. '이離'는 만나다는 뜻이고, '소騷'는 근심을 뜻한다. 즉 굴원이 시름에 젖어 지었다는 뜻이다. 후한 왕일王逸의 ≪초사장구楚辭章句≫권1에 전한다.
221) 相如(상여) : 전한 때 사부辭賦를 잘 짓기로 유명했던 문인인 사마상여司馬相如(?-B.C.117)의 이름. ≪한서·사마상여전≫권57 참조.
222) 劉棻(유분) : 전한 사람으로 유향劉向(약B.C.77-B.C.6)의 손자이자 유흠劉歆(?-23)의 아들.
223) 奇字(기자) : 한나라 말엽 고문古文에 변화를 주어 유행시켰던 일종의 서체. 전한 양웅揚雄(B.C.53-A.D.18)과 후한 위굉衛宏 등이 즐겨 사용하였다고 전한다.

上投下，幾死. 後仕莽，故晦菴[226]書[227]曰，'莽大夫.'

○양웅(B.C.53-A.D.18)은 자가 자운으로 어려서부터 학문을 좋아하였지만 말을 더듬어 하고 싶은 말을 다 표현하지 못 했다. 전한 (무제) 원정(B.C.116-B.C.111) 연간에 (양웅의 선조는 사천성) 민산 남쪽에 거주하면서 밭 100마지기와 집 한 채를 장만하였다. 전한 성제 때 누군가 양웅을 추천하자 성제가 그를 불러들였다. 양웅은 승명려承明廬의 마당에서 황명을 기다리다가 <감천궁을 읊은 부> <(산서성) 하동군을 읊은 부> <황제의 사냥을 읊은 부> <장양궁을 읊은 부> 등 네 편의 부를 바쳤다. 양웅은 경전 가운데 ≪역경≫보다 위대한 것은 없다고 생각해 ≪태현경≫을 짓고, 경전의 해설서 가운데 ≪논어≫보다 위대한 것은 없다고 생각해 ≪법언≫을 짓고, 사서 가운데 ≪창힐≫보다 훌륭한 것은 없다고 생각해 ≪훈찬≫을 짓고, 잠언 가운데 ≪우잠≫보다 훌륭한 것은 없다고 생각해 ≪구잠≫을 짓고, 초사 가운데 ≪이소≫보다 심오한 것은 없다고 생각해 ≪반소≫를 짓고, 사부辭賦 가운데 사마상여司馬相如의 것보다 아름다운 것은 없다고 생각해 (앞에서 거론한) 네 편의 부를 지었다. 집이 가난하고 술을 좋아하였기에 호사가들이 술을 수레에 싣고 찾아와 함께 어울렸다. (유향劉向의 손자인) 유분이 그의 밑에서 공부해 기자를 만들었다. 왕망이 유분을 변방으로 쫓아냈을 때 이실직고한 말에 양웅이 연루되고 말았다. 당시 양웅은 천록각에서 글을 교정하고 있었는데, 옥사를 관장하는 사자가 찾아오자 양웅이 두려워하여 천록각 위에서 뛰어내리는 바람에 거의 죽을 뻔하였다. 뒤에 왕망의 밑에서

---

224) 四裔(사예) : 사방의 먼 지역을 이르는 말.

225) 天祿閣(천록각) : 한나라 때 궁중의 장서각藏書閣 이름. 후에도 장서각을 비유하는 말로 쓰였다.

226) 晦菴(회암) : 송나라 때 성리학性理學의 집대성자이자 대문호인 주희朱熹(1130-1200)의 호. 시호는 문공文公. 저서로 ≪회암집晦庵集≫ 112권·≪자치통감강목資治通鑑綱目≫ 59권 등 다수가 전한다. ≪송사·도학열전道學列傳·주희전≫권429 참조.

227) 書(서) : 이는 주희朱熹가 ≪자치통감강목≫권8상에서 "왕망의 대부인 양웅이 죽었다(莽大夫揚雄死)"고 적은 것을 가리킨다.

벼슬을 하였기에 (송나라) 회암晦菴 주희朱熹는 ≪자치통감강목資治通鑑綱目≫권8에서 그에 대해 '왕망의 대부'라고 적었다.

◇鐵面(철면 현위)

●揚王休[228], 字子美, 調台州黃巖尉[229], 白郡黥一武斷[230]豪民. 州閭稱賀, 號爲鐵面少府[231].

○(송나라) 양왕휴는 자가 자미로 (절강성) 태주 황암현의 현위를 발령받자 군청에 보고하고 멋대로 날뛰는 한 토호에게 묵형을 실시하였다. 그러자 고을 사람들이 경하하며 그를 ('아무것도 무서워하지 않는 현위'란 의미에서) '철면소부'로 불렀다.

◇鷄窠小兒(닭집의 어린아이)

●揚避擧, 瓊州人. 李守奉使至瓊, 道遇之, 至其家, 其諸父年百二十餘, 祖宋卿年百九十五. 次見雞窠小兒, 出頭下視. 宋卿曰, "此九代祖也. 不語不食, 不知其年."

○(송나라) 양피거는 (해남성) 경주 사람이다. 이수가 황명을 받들고 사신이 되어 경주에 도착했다가 길에서 그를 만나 그의 집을 찾았더니 그의 부친과 그 형제들은 나이가 120살이 넘었고, 조부인 양송경揚宋卿은 나이가 195세나 되었다. 그곳에 머물다가 닭집에서 한 어린아이가 머리를 내밀고는 아래를 내려다보는 것을 발견하였다.

---

228) 揚王休(양왕휴) : 송나라 사람. 인명과 관련해 송나라 누약樓鑰의 ≪공괴집攻媿集≫권91에서는 '양왕휴楊王休'로 표기하고, 나준羅濬의 ≪보경사명지寶慶四明志≫권9에서는 '양왕휴揚王休'로 표기하고, 명나라 팽대익彭大翼의 ≪산당사고山堂肆考≫권79에서는 '왕양휴王楊休'로 표기하는 등 문헌마다 차이를 보이는 것으로 보아 전래 과정에서 혼선이 있었던 듯하다. 여기서는 위의 예문을 그대로 따른다.

229) 尉(위) : 각 현의 현령縣令 휘하에서 현령의 업무를 도와 법률과 형벌을 관장하던 보좌관인 현위縣尉의 준말. 현의 수장인 현령縣令과 보좌관인 현승縣丞보다 아래의 직책이었다.

230) 武斷(무단) : 멋대로 날뛰다, 제멋대로 판단하다.

231) 少府(소부) : 진한秦漢 때는 세금에 관한 업무를 관장하던 기관의 장관을 이르는 말로 구경九卿의 하나였으나, 당송唐宋 때는 '태부太府'를 구경의 하나로 설치하면서 '소부'는 현縣에서 치안을 관장하는 현위縣尉의 별칭으로 쓰였다.

그러자 양송경이 말했다. "이 사람은 구대조 할아버지이십니다. 말씀도 않고 식사도 하지 않아 연세를 알 수가 없답니다."

●淸揚[232]. 荀揚[233]. 班揚[234]. 荊揚[235].

○눈동자가 맑고 아름답다. (전국시대 조趙나라) 순자荀子(순황荀況)와 (전한) 양자揚子(양웅揚雄). (후한) 반고班固와 (전한) 양웅揚雄. (호북성) 형주荊州와 (강소성) 양주揚州.

◆羊(양씨)

▶商音. 河上[236]. 按氏族譜云, "春秋末, 晉羊舌氏之後, 始單姓[237]羊."

▷음은 상음에 속하고 본관은 하상군이다. ≪씨족보≫에 의하면 "춘추시대 말엽 진나라 양설씨의 후손이 처음으로 단성인 양씨를 쓰기 시작하였다"고 한다.

◇羊羹之怨(양고기국으로 인한 원한)

●羊斟爲宋華元御士[238]. 元殺羊食士, 而不及斟, 斟曰, "疇昔[239]之羊, 子爲政[240], 今日之事, 我爲政." 與入鄭師, 故敗.

○(춘추시대 때) 양짐은 송나라 화원의 마부였다. 화원이 양을 잡아 군사들에게 먹이면서 양짐에게는 주지 않았다. (전투가 벌어지고 나서) 양짐이 말했다. "예전에 양고기를 나눠준 것은 어르신이 주재를 하셨지만, 오늘 수레를 모는 일은 제가 주재할 것입니다." 양진이

---

232) 淸揚(청양) : 눈동자가 맑고 아름다운 모양. 혹은 소리가 맑고 드높은 모양.
233) 荀揚(순양) : 전국시대 조趙나라 순자荀子(순황荀況)와 전한 사람 양자揚子(양웅揚雄)를 아우르는 말
234) 班揚(반양) : 사부辭賦를 잘 지었던 후한 반고班固와 전한 양웅揚雄을 아우르는 말.
235) 荊揚(형양) : 하夏나라 우왕禹王이 치수사업을 벌이고 나눈 구주九州 가운데 형주荊州와 양주揚州를 아우르는 말.
236) 河上(하상) : 지명. 소재지는 미상.
237) 單姓(단성) : 한 글자의 성씨. 즉 복성複姓인 양설羊舌씨가 단성인 '양羊'씨에서 유래하였다는 말이다.
238) 御士(어사) : 마부.
239) 疇昔(주석) : 옛날, 일전에.
240) 爲政(위정) : 주관하다, 주재하다.

화원을 데리고 정나라 군대로 들어가는 바람에 싸움에서 패하고 말았다.

◇死友(목숨을 함께 할 정도로 가까운 친구)

●羊角哀241)與左伯桃爲友, 聞楚王賢而歸之. 道遇雪, 度不能俱生, 乃併衣服, 與角哀, 伯桃入樹死. 角哀至楚, 爲上大夫. 平王以角哀賢, 備上卿242)禮, 葬伯桃. 後角哀自殺, 下從之.

○(춘추시대 때 연燕나라 사람) 양각애는 좌백도와 친구 사이로 초나라 왕이 어질다는 소문을 듣고서 그에게 귀순하려고 하였다. 도중에 눈을 만나자 함께 살아남을 수 없다고 생각해 의복을 모아서 양각애에게 주고 좌백도는 나무구멍으로 들어가 죽었다. 양각애는 초나라에 도착해 상대부에 올랐다. 평왕은 양각애를 어질다고 생각해 상경에 대한 예법을 갖춰 좌백도를 장사지내 주었다. 뒤에 양각애는 스스로 목숨을 끊어 자신을 낮추고 좌백도의 뒤를 따랐다.

◇懸魚(생선을 걸어놓다)

●羊續, 字興祖, 漢靈帝朝, 爲南陽太守, 弊衣羸馬. 府丞243)送生魚, 續受而懸於庭. 丞再送, 續出前所送者, 以杜其意.

○양속(142-189)은 자가 흥조로 후한 영제 때 (하남성) 남양태수를 지내면서도 남루한 옷을 입고 야윈 말을 탈 정도로 검소한 생활을 하였다. 관청의 군승이 생선을 보내오자 양속은 그것을 받아 마당에 걸어놓았다. 군승이 다시 보내오자 양속은 전에 보내온 것을 꺼내보여 그의 의중을 차단하였다.

---

241) 羊角哀(양각애) : 춘추시대 연燕나라 사람. 위에서는 '양羊'씨로 처리하였으나 글자의 조합 원리상 복성複姓인 '양각羊角'으로 보는 것이 적절할 듯하다. 여기서는 잠시 위의 예문을 따른다.

242) 上卿(상경) : 군주 다음 가는 최고의 집정관執政官을 가리키는 말로서 '정경正卿'이라고도 한다.

243) 丞(승) : 태수의 보좌관인 군승郡丞이나 현령의 보좌관인 현승縣丞을 이르는 말.

◇探環(팔찌를 찾다)

●羊祜, 字叔子, 續之孫, 蔡邕之外孫. 方五歲, 令乳母於隣家李氏園桑樹下探取金環. 李氏驚曰, "此吾亡兒所失." 乃知李氏子, 祜之前身也. 晉武時, 鎭襄陽, 在軍中輕裘緩帶, 身不被甲244), 鈴閣245)之下, 侍衛不過十數人. 好遊峴山, 嘗與從事246)鄒湛同登, 慨然浩歎. 及沒, 襄陽人建廟立碑. 其上望者流涕. 杜預名之曰墮淚碑. 遷尙書僕射.

○(진晉나라) 양호(221-278)는 자가 숙자로 (후한 말엽 사람) 양속의 손자이자 채옹의 외손자이다. 갓 다섯 살이 되었을 때 유모에게 이웃집 이씨의 정원에 있는 뽕나무 아래서 금팔찌를 찾게 하였다. 그러자 이씨가 깜짝 놀라며 말했다. "이것은 우리 죽은 아들이 잃어버렸던 것이오." 그제서야 이씨의 아들이 양호의 전신이란 것을 알았다. 진나라 무제 때 (호북성) 양양을 진수하면서 군중에서 가벼운 갖옷을 입고 느슨한 허리띠를 매면서 몸에 갑옷을 걸치지 않았고, 호위하는 무사는 수십 명에 불과하였다. 현산을 유람하기 좋아해 늘 종사 추담을 데리고 함께 등반하면서 감개한 심경으로 탄식하곤 하였다. 그가 죽자 양양 사람들이 사당과 비석을 세워 주었다. 그위에서 바라보는 사람들은 눈물을 흘렸다. 그래서 두예는 이를 '타루비'라고 이름 지었다. 상서복야에 올랐다.

◇獸炭(숯가루를 짐승 모양으로 만들다)

●羊琇仕晉, 爲散騎常侍247). 性豪侈, 屑炭和作獸形, 以溫酒. 洛下248)豪貴效之.

---

244) 被甲(피갑) : 갑옷을 걸치다. '피被'는 '피披'와 통용자.

245) 鈴閣(영각) : 방울 달린 누각. 장수나 지방 장관이 업무를 보는 곳을 말한다. 당송 이후로는 한림원翰林院의 별칭으로도 쓰였다.

246) 從事(종사) : 한漢나라 이후로 승상丞相이나 자사刺史·태수太守 등이 개인적으로 기용하여 잡무를 처리하게 하던 속관屬官을 이르는 말.

247) 散騎常侍(산기상시) : 황제의 곁에서 잘못을 간언하고 자문에 대비하는 직책으로, 실질적인 권한은 없었으나 대신大臣으로 겸직시키던 존귀한 벼슬이다. 당송 때는 좌·우산기상시를 두어 각각 문하성門下省과 중서성中書省에 나누어 소속시켰다.

248) 洛下(낙하) : 하남성 낙양의 별칭.

○양수(236-282)는 진나라에서 벼슬길에 올라 산기상시를 지냈다. 천성적으로 사치스러워 숯을 가루로 낸 뒤 짐승 모양으로 만들어서 술을 데워 먹었다. 그러자 (하남성) 낙양의 부호와 귀족들이 너도나도 이를 흉내냈다.

◇食藕(연뿌리를 캐 먹다)

●羊敦仕晉, 爲廣平太守. 歲饑, 家餽不至, 拔藕而食. 朝廷聞之, 賜穀千斛, 以旌其淸.

○양돈은 진나라에서 벼슬길에 올라 (하북성) 광평태수를 지냈다. 한 해는 기근이 들어 집에서 음식을 보내지 못 하자 연뿌리를 캐서 먹었다. 조정에서 이 소식을 듣자 곡식 천 휘를 하사하여 그의 청렴함을 표창하였다.

◇八伯八達(팔백과 팔달)

●羊曼嗜酒, 與阮放等八人相友善, 號兗州[249]八伯. 阮放爲宏伯, 郗鑒爲方伯, 胡母輔之爲達伯, 卞壼爲裁伯, 蔡謨爲朗伯, 阮孚爲誕伯, 劉綏爲委伯, 羊曼爲黯伯[250], 擬古八俊[251].

○(진晉나라) 양만(274-328)은 술을 좋아하여 완방 등 여덟 명과 서로 친하게 지내며 '연주팔백'으로 불렸다. 완방은 '굉백'으로 불리고, 치감은 '방백'으로 불리고, 호모보지는 '달백'으로 불리고, 변곤은 '재백'으로 불리고, 채모는 '낭백'으로 불리고, 완우는 '탄백'으로 불리고, 유수는 '위백'으로 불리고, 양만은 '탑백䠀伯'으로 불렸는데, 옛날 (후한 때의) '팔준'을 본뜬 것이다.

---

249) 兗州(연주) : 산동성의 속주屬州 이름.

250) 黯伯(답백) : 진晉나라 양만羊曼의 별명으로 스스럼없이 행동하고 성격이 호방한 사람을 뜻하는 말인 '탑백䠀伯'의 오기. '답黯'과 '탑䠀'을 통용자로 보는 설도 있다.

251) 八俊(팔준) : 후한 말엽 당고黨錮 사건에 휘말려 살해된 여덟 명의 준걸을 이르는 말. 이응李膺(?-169)·순욱荀昱(?-169)·두밀杜密(?-169)·왕창王暢(?-169)·유우劉祐(?-168)·위낭魏朗(?-168)·조전趙典·주우朱寓를 가리킨다. ≪후한서·당고열전≫권97 참조.

◇眞率(진솔하다)

●羊固仕晉, 拜臨海太守, 饌客甚盛. 羊曼拜丹陽尹, 饌客隨宜. 論者以固之豐腆, 不如曼之眞率也.

○양고는 진나라에서 벼슬길에 올라 (절강성) 임해태수를 배수받아 손님들을 접대할 때 음식을 무척 성대하게 차렸다. 반면 양만(274-328)은 (강소성) 단양윤을 배수받아 손님들을 접대할 때 음식을 시의적절하게 장만하였다. 그러자 논자들은 양고의 풍성함이 양만의 진솔함만 못 하다고 평하였다.

◇晝臥書裙(낮잠을 자는 동안 치마에다가 글씨를 써 주다)

●羊欣, 字敬元, 年十二, 隨父爲令. 時王獻之爲吳興[252], 甚愛之. 欣嘗著新絹裙, 晝寢. 獻之入縣見之, 書裙數幅而去.

○(진晉나라) 양흔은 자가 경원으로 나이 열두 살에 현령을 맡은 부친을 따라갔다. 당시 왕헌지가 (강소성) 오흥태수를 맡고 있다가 그를 무척 총애하였다. 양흔이 일찍이 새로 만든 비단옷을 입고서 낮잠을 자고 있었다. 왕헌지는 현으로 들어왔다가 이를 보고서는 치마 몇 폭에 글씨를 써 주고 떠났다.

◇折樹矟(나무를 부러뜨린 삼지창)

●羊侃善馬矟. 時少府造兩矟, 新成, 帝令試之. 侃執矟上馬, 左右擊刺, 提矟登樹, 樹折, 號折樹矟. 仕北魏, 爲侍中.

○양간(495-549)은 말타기와 창술에 뛰어난 솜씨가 있었다. 당시 소부에서 삼지창을 두 개 만들었는데 갓 완성되자 황제가 그에게 그것을 시험케 하였다. 양간이 삼지창을 들고 말에 올라 좌우로 찌르다가 창을 손에 든 채 나무에 오르자 나무가 부러지는 바람에 이름을 '절수삭'이라고 하였다. (북조北朝) 북위에서 벼슬에 올라 시중을 지냈다.

---

252) 吳興(오흥) : 강소성의 속군屬郡 이름. 여기서는 오흥태수를 가리킨다.

◇踏龍尾道(용미도를 밟다)

●羊昭業, 唐大順[253]中, 與顧雲同修史. 時僕射劉子長[254]有淸名, 求高逢休書, 爲先容[255]謁之. 雲潛啓書觀之, 但云, "昭業擬將一尺三寸汗脚, 踏龍尾道[256]." 無一語及雲. 雲嘆息而已.

○양소업은 당나라 (소종) 대순(890-891) 연간에 고운과 함께 국사를 편수하였다. 당시 복야를 맡고 있던 자장子長 유숭귀劉崇龜가 명성을 떨치고 있었기에 양소업은 고봉휴에게 서신을 써서 자신을 위해 알현을 주선해 달라고 부탁하였다. 고운이 몰래 서신을 펼쳐서 읽어보니 단지 "양소업이 한 자 세 치 짜리 땀에 젖은 발로 용미도를 밟으려 합니다"라고 적혀 있을 뿐, 고운 자신에 대해서는 한 마디 언급도 없었다. 그래서 고운은 그저 탄식하고 말았다.

●羊陟, 漢黨錮[257]八顧[258]中人. 少淸直, 三遷爲尙書令[259].

○양척은 후한 때 당고사건에 휘말린 '팔고' 가운데 한 사람이다. 어려서부터 청렴하고 강직하여 세 차례나 상서령에 올랐다.

---

253) 大順(대순) : 당唐 소종昭宗의 연호(890-891).

254) 劉子長(유자장) : 당나라 사람 유숭귀劉崇龜. '자장'은 자. 형 유숭망劉崇望 및 동생 유숭로劉崇魯와 함께 명성을 떨쳤고, 요직을 두루 지내다가 청해군절도사淸海軍節度使로 생을 마쳤다. ≪신당서·유숭귀전≫권90 참조.

255) 先容(선용) : 원래는 갑옷을 만들기 위해 먼저 인형을 만드는 것을 뜻하는 말로 중간에서 소개하거나 추천하는 것을 비유한다.

256) 龍尾道(용미도) : 당나라 때 궁중의 함원전含元殿 앞에 난 길을 이르는 말. 용꼬리처럼 구불구불하게 생긴 데서 유래하였다.

257) 黨錮(당고) : 후한 말엽에 관료들이 붕당을 만든다는 환관宦官의 무고 때문에 이응李膺(?-169)·가표賈彪 등 당시 명사名士들이 금고禁錮에 처해진 사건을 가리킨다. 이에 대한 기록은 남조南朝 유송劉宋 범엽范曄(398-445)의 ≪후한서後漢書·당고전黨錮傳≫권97에 상세히 전한다.

258) 八顧(팔고) : 후한 때 사대부들에게 존경받던 8인인 곽태郭泰·종자宗慈·파숙巴肅·하복夏馥·범방范滂(혹은 유유劉儒)·윤훈尹勳·채연蔡衍·양척羊陟을 아우르는 말.

259) 尙書令(상서령) : 한나라 이후로 문서의 수발과 행정을 총괄하던 상서성尙書省의 장관을 이르는 말. 휘하에 육부六部를 설치하였고, 각 부의 장관인 상서尙書, 차관인 시랑侍郞, 실무자인 낭관郞官 등을 거느렸다.

●羊衜[260]仕魏, 爲上黨[261]太守. 孫登表其有專對才[262]. 子祜.

○양도는 (삼국) 위나라에서 벼슬길에 올라 (산서성) 상당태수를 지냈다. 손등이 글을 올려 그에게 혼자서 일을 처리할 수 있는 능력이 있다고 아뢴 일이 있다. 아들은 양호羊祜(221-278)이다.

●羊曇, 謝安[263]之甥. 安與姪賭墅, 顧謂曇曰, "以墅乞[264]汝."

○(진晉나라) 양담은 사안의 생질이다. 사안이 조카와 별장을 놓고 내기를 하다가 양담을 돌아보며 말했다. "별장을 네게 주마."

●羊璿之與謝靈運等爲四友[265].(見荀氏)

○(남조南朝 유송劉宋 때) 양선지는 사영운 등과 함께 '사우'로 불렸다.(관련 내용은 앞의 '순'씨 절에도 보인다)

※婚姻(혼인)

●羊祜身長七尺餘, 郡將夏侯威異之, 以兄霸之女妻焉. 後封萬歲鄕君, 食邑五千戶.

○(진晉나라) 양호(221-278)는 신장이 일곱 자가 넘었기에 군의 장수인 하후위가 그를 각별하게 여겨 형인 하후패夏侯霸의 딸을 그에게 시집보냈다. 뒤에 그녀는 만세향군에 봉해지고 식읍을 5천 호 받았다.

---

260) 衜(도) : '길 도道'의 고문자古文字.

261) 上黨(상당) : 진한秦漢 때 산서성 남동쪽에 설치한 군郡 이름.

262) 專對才(전대재) : 사방에 사신으로 나가 혼자서 대응할 수 있는 능력을 일컫는 말.

263) 謝安(사안) : 진晉나라 사람(320-385). 자는 안석安石. 왕희지王羲之(321-379)·허순許詢·지둔支遁(314-366) 등과 산수에서 노닐다가 마흔 살이 넘어서야 출사하여 환온桓溫(312-373)의 사마司馬가 되었다. 태원太元(376-396) 때 조카 사현謝玄(343-388)을 추천하여 전진前秦의 부견苻堅(338-385)을 비수淝水에서 물리치고 태부太傅를 추증追贈받았다. ≪진서·사안전≫권79 참조.

264) 乞(기) : 주다. '여與'의 뜻.

265) 四友(사우) : 남조南朝 유송劉宋 때 문인 사영운謝靈運·순옹荀雍·하장유何長瑜·양선지羊璿之를 아우르는 말인 '문장사우文章四友'의 준말.

●公羊266). 相羊267). 食萬羊268). 叱石爲羊269).

○≪공양전≫. 이리저리 배회하다. 양 만 마리를 먹다(운명을 따르다). 돌에게 호통치자 양으로 변하다.

◆王(왕씨)

▶商音. 太原. 周靈王子晉王子喬270)之後.

▷음은 상음에 속하고 본관은 (산서성) 태원군이다. 주나라 영왕의 아들 진왕 왕자교의 후손이다.

◇鬼谷子(귀곡자)

●王詡, 周末人, 受道老君271), 居淸溪之鬼谷, 號鬼谷先生.

○왕후는 주나라 말엽 사람으로 노군(노자)에게서 도를 전수받아 청계의 귀곡에 거주했기에 '귀곡선생'으로 불렸다.

---

266) 公羊(공양) : ≪춘추경春秋經≫의 주석서 가운데 하나인 ≪공양전公羊傳≫의 저자인 전국시대 제齊나라 사람 공양고公羊高의 성씨. 후한 하휴何休(129-182)의 주注와 당나라 서언徐彦의 소疏가 있으나 오류와 번다함이 있다는 평이 있다. 총 20권. ≪사고전서간명목록·경부·춘추류春秋類≫권3 참조.

267) 相羊(상양) : 이리저리 배회하는 모양. '양羊'은 '양佯' '양徉'으로도 쓴다.

268) 食萬羊(식만양) : 양을 만 마리 먹다. 당나라 이덕유李德裕가 한 승려를 만나 점괘를 물었는데, 이덕유가 평생 양 만 마리를 먹을 팔자인데 이미 9천6백 마리를 먹었고 다시 어느 절도사가 양 4백 마리를 선물하였기에 조정으로 돌아갈 수 없을 것이라고 예언하더니 실제로 계속해서 귀양길에 올랐다가 생을 마쳤다는 ≪선실지宣室志≫권9의 고사에서 유래한 말로 운명을 따르는 것을 비유한다.

269) 叱石爲羊(질석위양) : 돌에게 호통치자 양으로 변하다. 황초평皇初平이 양을 데리고 도사를 따라 사라졌는데 뒤에 그의 형인 황초기皇初起가 찾아와 양이 어디 있냐고 묻기에 황초평이 돌을 보고 호통치자 돌들이 모두 양으로 변했다는 진晉나라 갈홍葛洪(284-363)의 ≪신선전神仙傳≫권2의 고사를 가리킨다.

270) 王子喬(왕자교) : 주周나라 영왕靈王의 태자太子. '진왕'은 봉호. 도사 부구공浮丘公을 따라 선계에 올랐다고 전한다. 전한 유향劉向(약B.C.77-B.C.6)의 ≪열선전列仙傳≫권상에 그에 관한 전기가 전한다.

271) 老君(노군) : 춘추시대 때 사람 이이李耳의 호. 존칭은 노자老子. 자는 백양伯陽·중이重耳·담聃. 저서로 ≪노자≫가 전한다.

◇臣義(신하로서의 도리)

●王陵少文任氣. 漢高帝[272]功臣十八人位次, 陵居十三, 封安國侯. 高后[273]欲王諸呂, 陵爭之. 先儒云, "人臣之義, 當以王陵爲正."

○왕능(?-B.C.181)은 글재주는 부족해도 성품이 호방하였다. 전한 고제(유방劉邦)의 공신 18명의 차서에서 왕능은 열세 번째를 차지하여 안국후에 봉해졌다. 고후(여치呂雉)가 여씨 일가를 왕에 봉하려 하자 왕능이 이에 대해 간쟁하였다. 그래서 선대 유학자들은 "신하로서의 도리는 응당 왕능을 정통으로 간주해야 할 것이다"라고 하였다.

◇驪歌(검은 망아지의 노래)

●王式爲昌邑王[274]師, 以詩授王. 王廢, 徵式爲博士, 江公疾之, 令諸生歌驪駒[275]. 式曰, "客歌驪駒, 主人(歌客[276])無庸歸." 江公曰, "何拘曲也?" 式謝病, 歸.

○(전한 때) 왕식은 창읍왕(유하劉賀)의 스승을 맡아 ≪시경≫을 창읍왕에게 가르쳤다. 창읍왕이 폐위당한 뒤 황제가 왕식을 불러 박사에 임명하였다. 강공이 그를 시기하여 학생들에게 (≪시경≫ 가운데) <검은 망아지>란 노래를 부르게 하자 왕식이 말했다. "손님이 <검은 망아지>를 부르면 주인은 <손님은 돌아갈 필요 없네>라는 노래

---

272) 高帝(고제) : 전한의 건국자인 유방劉邦(B.C.247-B.C.195)의 시호. 보통은 묘호廟號인 고조高祖로 불렸다.

273) 高后(고후) : 전한 고조高祖 유방劉邦(B.C.247-B.C.195)의 황후皇后인 여태후呂太后 여치呂雉(?-B.C.180)에 대한 존칭. ≪한서·고후여치전高后呂雉傳≫권3 참조.

274) 昌邑王(창읍왕) : 전한 무제武帝의 손자인 유하劉賀의 봉호. 무제의 아들 소제昭帝가 후사가 없어 태자에 책립되었으나 품행이 방정하지 못 해 효소황후孝昭皇后 상관씨上官氏와 곽광霍光(?-B.C.68)에 의해 폐위당했다. ≪한서·무오자전武五子傳·창읍왕유하전≫권63 참조.

275) 驪駒(여구) : 검은 망아지. 송나라 왕응린王應麟(1223-1296)의 ≪시고詩攷≫에 인용된 ≪대대예기大戴禮記≫에 의하면 손님이 떠나고 싶어서 불렀다는 노래 제목으로 뒤의 <객무용귀客無庸歸>와 함께 실전된 ≪시경≫의 일시逸詩이다.

276) 歌客(가객) : ≪한서·왕식전≫권88에 의하면 이 두 글자가 누락되었기에 첨기한다.

를 부르는 법이지요.” 강공이 “어찌 노래에 구애받을 필요 있으리오?”라고 하자 왕식이 병을 핑계로 관직을 그만두고 귀향하였다.

◇後世必興(후손들이 반드시 흥성하다)

●王翁孺, 漢武朝, 爲繡衣御史[277], 嘆曰, “吾聞活千人者有封, 吾所活者萬餘人, 後世其興乎!” 子禁, 禁子譚·商·立·根·逢時. 漢成帝朝, 同日封侯, 是爲五侯[278]. 鳳·曼·崇, 亦禁之子, 共八子.

○왕옹유는 전한 무제 때 수의어사를 수행하고서 탄식하며 말했다. “내 듣자하니 천 명의 목숨을 살리면 제후에 봉해진다고 하던데, 내가 목숨을 살린 사람이 만 명도 넘으니 후손들이 흥성하겠구나!” 아들은 왕금王禁이고, 왕금의 아들은 왕담王譚·왕상王商·왕입王立·왕근王根·왕봉시王逢時이다. 전한 성제 때 같은 날 제후에 봉해졌으니 이들이 바로 ‘오후’이다. 왕봉王鳳·왕만王曼·왕숭王崇 역시 왕금의 아들이기에 도합 아들이 여덟 명이다.

◇獻頌(송축하는 글을 바치다)

●王褒, 字子淵, 蜀人. 益州刺史王襄令作中和樂[279]職, 宣布詩, 因奏褒有軼材, 上徵之. 旣至, 作聖主得賢臣頌, 上令往益州, 祠金馬·碧雞[280]之神, 道病卒[281]. 宣帝朝, 爲諫大夫[282].

---

277) 繡衣御史(수의어사) : 어사대御史臺 소속의 임시 벼슬인 직지수의사자直指繡衣使者의 별칭. 전한 때 무제武帝가 지방의 반란을 진압하기 위하여 파견하였던 사자로서 자사刺史나 군수郡守의 생사여탈권을 쥐고 있었다. ‘직지’는 강직함을 나타내고 ‘수의’는 오색실로 수놓은 비단옷을 입어 존귀한 신분을 나타냈기에 이런 명칭이 생겼으며, ‘수의사자繡衣使者’ ‘수의직지繡衣直指’ 등으로도 불렸다.

278) 五侯(오후) : 전한 성제成帝 때 원제元帝의 황후皇后인 왕정군王政君의 외척 평아후平阿侯 왕담王譚(?-B.C.17)·성도후成都侯 왕상王商(?-B.C.25)·홍양후紅陽侯 왕입王立(?-3)·곡양후曲陽侯 왕근王根(?-B.C.2)·고평후高平侯 왕봉시王逢時(?-B.C.9) 등 다섯 명의 제후를 아우르는 말. 후에는 황실의 외척이나 부귀한 가문을 상징하는 말이 되었다.

279) 中和樂(중화악) : 궁중에서 사용하던 악곡 이름.

280) 金馬碧雞(금마벽계) : 사천성에 있는 두 산 이름. 각기 말처럼 생긴 금과 닭처럼 생긴 옥이 생산되는 데서 이름이 유래하였다고 전한다.

○왕포는 자가 자연으로 (사천성) 촉주 사람이다. (사천성) 익주자사 왕양이 그에게 중화악을 관장하는 직책을 맡겼다가 시를 선포하고는 그참에 왕포에게 뛰어난 재능이 있다고 상주하자 황제가 그를 조정으로 불러들였다. 도착하고 나서 <성군이 현신을 얻은 것을 송축하는 글>을 짓자 황제가 그에게 익주로 가서 금마산과 벽계산의 산신령에게 제를 올리게 하였으나 도중에 병으로 죽고 말았다. 선제 때 간대부를 지냈다.

◇三世淸廉(삼대에 걸쳐 청렴성으로 이름을 떨치다)

●王吉, 字子陽, 漢宣朝, 爲博士·諫大夫. 子駿, 元帝朝, 爲諫大夫. 駿子崇, 平帝朝, 爲司空. 三世以淸廉著名.

○왕길(?-B.C.48)은 자가 자양으로 전한 선제 때 박사와 간대부를 지냈다. 그의 아들 왕준王駿(?-B.C.15)은 원제 때 간대부를 지냈다. 왕준의 아들 왕숭王崇은 평제 때 사공을 지냈다. 삼대에 걸쳐 청렴성으로 이름을 떨쳤다.

◇孝子忠臣(효자와 충신)

●王尊, 字子贛, 爲益州刺史. 先是, 王陽守是州, 行部[283]至卭郲九折坂[284], 嘆曰, "奉先人遺體, 奈何乘此險?" 尊至是, 問吏曰, "此非王陽所畏道邪?" 叱其馭曰, "驅之! 王陽爲孝子, 王尊爲忠臣!" 爲東平相[285], 王以至親驕奢, 尊謂曰, "天下皆言王勇, 顧乃負貴, 安能勇? 如尊乃勇耳." 爲東郡太守, 河決, 浸瓠子[286]·金隄[287], 水盛隄壞, 吏民

---

281) 卒(졸) : 사대부가 죽었을 때 쓰는 말. ≪예기·곡례하曲禮下≫권5에 의하면 천자의 죽음은 '붕崩'이라고 하고, 공경公卿의 죽음은 '훙薨'이라고 하며, 대부大夫의 죽음은 '졸卒'이라고 하고, 사士의 죽음은 '불록不祿'이라고 하며, 평민의 죽음은 '사死'라고 하여 신분에 따라 죽음에 대한 표현에도 차이를 두었다.

282) 諫大夫(간대부) : 진한秦漢 이후로 의론을 주관하던 벼슬 가운데 하나. 태중대부大中大夫·중대부中大夫·간대부諫大夫가 있었다.

283) 行部(행부) : 관할 구역을 순찰하면서 치적을 살피는 일.

284) 九折坂(구절판) : 사천성 공래산卭郲山에 있는 꼬불꼬불한 언덕 이름. '공래'는 사천성 형경현滎經縣 서쪽에 있는 산 이름을 가리킨다.

285) 東平相(동평상) : 제후국의 군주인 동평왕東平王의 승상을 가리킨다.

奔走. 惟一主簿在尊旁, 立不動, 水稍却, 乃還. 漢成帝朝, 爲光祿大夫288).

○왕존은 자가 자공으로 (사천성) 익주자사를 지냈다. 이보다 앞서 왕양이 이 고을을 다스렸는데 관할 구역을 순찰하다가 공래산의 구절판에 도착해서는 탄식을 하며 말했다. "선친께서 물려주신 이 몸을 돌봐야 하거늘 어떻게 이 험지를 오를 수 있으랴?" 왕존은 이곳에 이르자 관리에게 "이곳이 왕양이 두려워하던 길이 아니오?"라고 묻더니 마부에게 호통을 치며 말했다. "계속해서 몰게. 왕양이 효자라면 나 왕존은 충신이 되겠네!" (산동성의 제후인) 동평왕의 승상을 지낼 때는 동평왕이 황제와의 혈연관계를 믿고서 교만하고 사치스럽게 굴자 왕존이 말했다. "천하 사람들이 모두들 왕께서 용감하다고 말하는데 도리어 귀한 신분을 믿고 행동하시니 어찌 용감하다고 할 수 있겠습니까? 저 왕존처럼 하셔야 비로소 용감하다 할 수 있을 것입니다." (산동성) 동군태수를 지낼 때는 황하 물이 범람해 호자제와 금제를 침식하고 물이 가득차 제방이 무너지자 관리와 백성들이 모두들 도망치고 말았다. 오직 주부 한 명만이 왕존의 옆을 지키며 똑바로 선 채 미동도 하지 않다가 물이 조금 물러가자 비로소 돌아갔다. 전한 성제 때는 광록대부를 지냈다.

---

286) 瓠子(호자) : 한나라 때 지금의 하남성 복양현濮陽縣에 있었던 제방 이름.

287) 金堤(금제) : 견고한 제방을 뜻하는 말. 혹은 제방의 미칭美稱으로 보기도 한다. '제堤'는 '제隄'로도 쓴다. ≪사기・하거서河渠書≫권29의 장수절張守節 정의正義에서는 ≪괄지지括地志≫를 인용하여 "금제는 일명 '십리제'라고도 하는데, 백마현 동쪽 5리 되는 곳에 있다(金隄, 一名十里隄, 在白馬縣東五里)"라고 하였다. 대대로 축조하여 하남성 백마현 혹은 형양현滎陽縣에서 바다까지 천 리 넘게 쌓았다고 한다.

288) 光祿大夫(광록대부) : 진한秦漢 때 중대부中大夫를 전한 무제武帝가 고친 이름으로 황제의 자문 역할을 담당하였다. 수당隋唐 때는 광록대부光祿大夫 외에도 금자광록대부金紫光祿大夫와 은청광록대부銀靑光祿大夫를 더 설치하였는데, 광록대부는 종2품에 해당하는 서열 3위의 문산관文散官이었고, 금자와 은청은 각각 서열 4위와 5위로서 정3품과 종3품에 해당하였다.

◇牛衣(쇠덕석)

●王章, 字仲卿, 漢成帝朝, 爲京兆尹[289], 欲上封事[290], 妻止之曰, "人當知足. 獨不念臥牛衣[291]中涕泣時邪?" 章不聽.

○왕장은 자가 중경으로 전한 성제 때 경조윤을 지냈는데, 밀봉한 상소문을 올리려고 하자 아내가 만류하며 말했다. "사람이라면 응당 만족할 줄 알아야 합니다. 쇠덕석에 누워 눈물 흘리던 시절을 어찌 생각지 않으십니까?" 그러나 왕장은 그녀의 말을 듣지 않았다.

◇養性論(≪양성론≫)

●王充, 字仲任. 家貧無書, 常遊洛陽市肆[292], 閱所賣書. 一見輒能誦, 著論衡八十五篇, 二十餘萬言. 晩年著養性論十六篇, 裁節嗜慾, 順神自守. 章帝詔以公車[293]徵之, 不行.

○(후한) 왕충(27-약 97)은 자가 중임이다. 집이 가난해 책이 없어서 늘 (하남성) 낙양의 서점가를 돌아다니며 팔고 있는 책을 읽었다. 일단 보기만 하면 모두 외웠기에 ≪논형≫ 85편을 20만 자 넘게 쓸 수 있었다. 만년에는 ≪양성론≫ 16편을 지어 욕심을 절제하고 신의 섭리를 따라 자신을 지켰다. 장제가 조서를 내려 공거령에게 그를 초빙케 했으나 찾아가지 않았다.

◇潛夫論(≪잠부론≫)

●王符, 字節信, 漢末人. 少好學, 與馬融·張衡·崔瑗友善, 隱居著書, 號潛夫論. 皇甫規解官[294], 歸安定[295], 鴈門[296]太守謁規, 規不爲禮.

---

289) 京兆尹(경조윤) : 도성으로부터 백 리 안의 경기 지역을 관장하는 벼슬 이름.

290) 封事(봉사) : 밀봉한 상소문. 기밀이 누설되는 것을 방지하기 위해 상소문을 검은 천으로 만든 주머니에 넣고 밀봉하여 올린 데서 유래하였다.

291) 牛衣(우의) : 추울 때 소의 등을 덮어 주는 데 사용하는 쇠덕석. 빈한貧寒한 처지를 상징한다.

292) 市肆(시사) : 저자와 가게에 대한 총칭. 여기서는 결국 서점가를 가리킨다.

293) 公車(공거) : 한나라 때 관서 이름. 구경九卿인 위위衛尉의 산하 기관으로 공거령公車令의 지휘를 받으며 궁궐 외문外門의 경비와 재야 인사의 초빙 등의 업무를 관장하였다.

王符在門, 規屣履[297]迎之. 時語曰, "徒見二千石[298], 不如一縫掖[299]." 言書生道義之貴也.

○왕부(약 85-162)는 자가 절신으로 후한 말엽 사람이다. 어려서부터 학문을 좋아하여 마융·장형·최원과 함께 친하게 지내며 은거한 채 저서에 전념하더니 ≪잠부론≫을 지었다. 황보규가 관직을 그만두고 (고향인 감숙성) 안정군으로 돌아오자 (산서성) 안문태수를 지낸 사람이 황보규를 알현하였다. 그러나 황보규는 예를 갖춰 그를 대하지 않았다. 반면 왕부가 문전에 왔을 때는 신발을 질질 끌며 서둘러 그를 환영하였다. 그래서 당시에 "부질없이 봉록이 2천석인 태수를 만나느니 차라리 도포 입은 유생을 만나는 것이 낫다네"라는 말이 돌았다. 이는 서생의 도의를 지키는 것이 그만큼 소중하다는 말이다.

◇望廬而還(멀리서 왕열의 집을 바라보다가 돌아가다)

●王烈, 字彦方, 漢末人, 少有行義. 鄕里有爭訟者, 將質之於烈. 或至塗而返, 或望廬而還.

○왕열은 자가 언방이고 후한 말엽 사람으로 어려서부터 의로운 행동을 하였다. 고을에서 쟁송이 있으면 왕열에게 자문을 구했다. 하지

---

294) 解官(해관) : 관인官印을 풀다. 관직을 그만두는 것을 비유한다.

295) 安定(안정) : 감숙성의 속군屬郡 이름.

296) 鴈門(안문) : 산서성의 속군屬郡 이름. 여기서는 전임 태수를 가리킨다.

297) 屣履(사리) : 신발을 질질 끌다. 매우 다급해 하는 모양을 말한다.

298) 二千石(이천석) : 한나라 때 봉록제도로 중이천석中二千石·이천석二千石·비이천석比二千石이 있었다. '중이천석'은 실제로 이천석이 넘는 반면, '이천석'은 성수成數로서 근접한 양을 뜻하며, '비이천석'은 '이천석에 근접한다'는 뜻으로 그보다 적은 양을 의미한다. 이에 대해 ≪한서·평제기平帝紀≫권12의 당나라 안사고顔師古(581-645) 주에서는 "그중 '중이천석'이라고 하는 것은 월 180휘를 뜻하고, '이천석'은 월 120휘를 뜻하며, '비이천석'은 월 100휘라고 한다(其稱中二千石者, 月百八十斛, 二千石者, 百二十斛, 比二千石者, 百斛云云)"고 설명하였다. 이를 '석石'으로 환산하면 '중이천석'은 2160석이 되고, '이천석'은 1440석이 되며, '비이천석'은 1200석이 된다. 예를 들어 구경九卿과 장수將帥는 봉록이 중이천석이고, 태수太守는 이천석이었다. 여기서는 결국 태수를 비유적으로 가리킨다.

299) 縫掖(봉액) : 옆이 넓게 터진 선비의 옷을 이르는 말로 유생儒生을 비유적으로 가리키기도 한다.

만 어떤 사람은 도중에 되돌아가기도 하고, 어떤 사람은 멀리서 그의 집을 바라보다가 되돌아가기도 했다.

◇繡被墜前(비단 이불이 앞에 떨어지다)

●王純, 字少林, 嘗詣京師[300], 於空舍中見一書生, 疾困曰, "吾腰下有金十斤, 願以相贈, 乞收骸骨." 純候書生卒, 賣一斤, 營葬, 餘金置棺下. 後爲大度[301]亭長[302], 有駿馬馳入亭而止, 大風飄, 繡被墜前. 乘馬到雒縣[303], 馬逸入他舍. 主人曰, "此我家馬也." 純因言葬書生事, 主人悵然曰, "我子也, 姓金, 名彦大. 恩久不報, 天以此彰卿德耳."

○(후한) 왕순은 자가 소림으로 일찍이 (하남성 낙양의) 경사에 갔다가 텅빈 숙소에서 한 서생을 만났는데 그가 병으로 고생하며 말했다. "제 허리춤에 금이 열 근 있어 그것을 그대에게 드릴 터이니 제 유골을 수습해 주십시오." 왕순은 서생이 사망하기를 기다렸다가 금을 한 근 팔아서 장례를 치러 주고 나머지 금을 관 아래 두었다. 뒤에 (사천성) 대도정의 정장이 되었을 때 한 준마가 대도정의 청사로 뛰어들어 멈추자 강풍이 불더니 비단 이불이 앞에 떨어졌다. 말을 타고 낙현에 도착하자 말이 재빨리 다른 숙소로 뛰어들었다. 그러자 주인이 말했다. "이것은 우리집 말입니다." 왕순이 그참에 서생의 장례를 치러 준 일을 알리자 주인이 슬픈 표정으로 말했다. "제 아들로 성은 김씨이고 이름은 언대입니다. 은덕을 오래도록 갚지 못

---

300) 京師(경사) : 서울, 도읍을 이르는 말. 송나라 주희朱熹(1130-1200) 설에 의하면 '경京'은 높은 지대를 뜻하고, '사師'는 많은 사람을 뜻한다. 즉 높은 산에 의지하여 많은 사람이 모여 사는 곳이란 뜻에서 유래하였다. 여기서는 후한 때 수도인 하남성 낙양을 가리킨다.

301) 大度(대도) : 사천성 남서쪽을 흐르는 민강岷江의 지류인 '대도하大度河'에서 유래한 말로 여기서는 행정 구역 이름을 가리킨다.

302) 亭長(정장) : 진한秦漢 때 시골 마을에 10리마다 설치된 정亭에서 치안과 여행객의 숙박을 관장하던 벼슬을 가리키는 말. '정리亭吏' '정원亭員'이라고도 한다. 중국 고대의 행정 체계에 의하면 10정亭을 '향鄕'이라고 하고, 10향鄕을 '현縣'이라고 하였다.

303) 雒縣(낙현) : 한나라 때 사천성에 설치하였던 현 이름. 섬서성의 낙남현雒南縣이나 동도東都인 하남성의 낙양洛陽과는 별개의 지명이다.

하였기에 하늘이 이로써 선생님의 음덕을 표창하시나 봅니다."

◇依劉(유표劉表에 의지하다)

●王粲, 字仲宣, 漢末避亂, 往依劉表於荊州. 曹子建[304]云, "仲宣獨步於江南." 蔡邕每聞粲在門, 倒屣[305]迎之. 與曹劉[306]等爲建安七子[307].(見陳琳)

○왕찬(177-217)은 자가 중선으로 후한 말엽 난을 피해 (호북성) 형주로 유표를 찾아가 의지하였다. 자건子建 조식曹植이 "중선(왕찬)은 강남에서 독보적인 인물이오"라고 평하였다. 채옹은 매번 왕찬이 문 앞에 찾아왔다는 말을 들으면 신발을 거꾸로 신고 달려나가 그를 환영하였다. 조식·유정劉楨 등과 함께 '건안칠자'로 불렸다.(상세한 내용은 앞의 권2 진임에 관한 기록인 '건안칠자'항에 보인다)

◇臥氷得鯉(얼음에 엎드려 잉어를 잡다)

●王祥, 字休徵, 事繼母朱氏, 盡孝. 母欲生魚, 時天寒氷凍, 祥解衣剖氷, 求之, 雙鯉躍出. 魏末爲三老[308], 南面[309]几杖, 以師道自居. 天子幸

---

304) 曹子建(조자건) : 삼국시대 위魏나라 때 시인 조식曹植(192-232). '자건'은 자. 무제武帝 조조曹操(155-220)의 아들이자, 문제文帝 조비曹丕(187-226)의 동생. 문재文才가 뛰어났으나 그 때문에 형인 조비의 시기를 받아 불행한 삶을 살았다. 봉호가 진왕陳王이고 시호가 사思여서 진사왕陳思王으로도 불렸다. 저서로 ≪조자건집曹子建集≫ 10권이 전한다. ≪삼국지·위지·진사왕조식전陳思王曹植傳≫권19 참조.

305) 倒屣(도사) : 신발을 거꾸로 신다. 손님을 매우 반갑게 맞이하는 것을 비유한다.

306) 曹劉(조류) : 후한 말엽 건안建安(196-220) 시기를 대표하는 시인인 조식曹植(192-232)과 유정劉楨(?-217)을 아우르는 말.

307) 建安七子(건안칠자) : 후한後漢 헌제獻帝 건안(196-220) 연간에 활동했던 7명의 문인을 아우르는 말. 즉 노국魯國 사람 문거文擧 공융孔融(153-208), 광릉廣陵 사람 공장孔璋 진임陳琳(?-217), 산양山陽 사람 중선仲宣 왕찬王粲(177-217), 북해北海 사람 위장偉長 서간徐幹(171-218), 진류陳留 사람 원유元瑜 완우阮瑀(약165-212), 여남汝南 사람 덕련德璉 응양應瑒(?-217), 동평東平 사람 공간公幹 유정劉楨(?-217) 등 7인을 가리킨다.

308) 三老(삼로) : 고을의 장로長老를 가리키는 말. 상고시대에는 재상을 지내다가 물러난 국가 원로를 지칭하다가 진한秦漢 이후로는 시골의 향리鄕里에서 고을의 교화敎化를 담당하던 벼슬 이름으로 쓰였다. ≪한서·백관공경표百官

學, 北面乞言. 五子肇・夏・馥・烈・芬, 弟覽. 晉武朝, 八公同辰[310]. (見何曾)

○왕상(184-268)은 자가 휴징으로 계모 주씨를 모시면서 효심이 지극하였다. 계모가 살아 있는 물고기를 먹고 싶어하였는데, 때마침 겨울이라서 얼음이 얼자 왕상은 옷을 벗어 얼음을 녹여서 그것을 찾으니 잉어 한 쌍이 뛰쳐나왔다. (삼국) 위나라 말엽에는 삼로를 맡자 남쪽을 향해 안궤에 기대고 지팡이에 의지한 채 스승의 도리로써 자부심을 드러냈다. 천자도 학교에 행차하면 공손히 북쪽을 향해 시립한 채 왕상에게 말씀을 청하였다. 아들 다섯 명은 왕조王肇・왕하王夏・왕복王馥・왕열王烈・왕분王芬이고, 동생은 왕남王覽이다. 진나라 무제 때 (왕상을 비롯한) 팔공은 같은 날 고관에 올랐다.(상세한 내용은 앞의 권7 '하증'에 관한 기록인 '팔공동진八公同辰'항에 보인다)

◇輟社(토지신에게 올리는 제사를 그만두다)

●王脩七歲喪母, 以社日[311]亡, 每社設祭哀哭. 閭里爲之罷社.

○(삼국 위魏나라) 왕수는 일곱 살 때 모친상을 당했는데, 토지신에게 제사를 지내는 날 모친이 돌아가셨기에 매년 토지신에게 제사를 지내는 날이 되면 제사상을 차려놓고 슬피 통곡하였다. 그러자 고을 사람들이 이 때문에 토지신에게 올리는 제사를 그만두었다.

◇渾默深沈(왕혼・왕묵・왕심・왕침)

●王昶, 字文舒, 魏末爲兗州刺史, 遷司空. 名其子曰渾, 曰深, 名其姪曰

公卿表≫권19에 의하면 10리마다 '정亭'을 설치하고서 10정亭을 '향鄕'이라고 하고 향마다 삼로三老・질秩・색부嗇夫・유요游徼를 두었는데, 삼로는 교화를 관장하였다고 한다.

309) 南面(남면) : 남쪽을 향하다. 나이나 신분이 높은 사람의 위치에 서는 것을 뜻하는 말. 천자나 스승은 남향으로 앉고 신하나 제자는 북향으로 시립한다.

310) 八公同辰(팔공동진) : 진晉나라 무제武帝의 건국을 도운 하증何曾・사마부司馬孚・정충鄭沖・사마망司馬望・순의荀顗・석포石苞・진건陳騫・왕상王祥 등 8명이 같은 날 고관에 오른 것을 말한다.

311) 社日(사일) : 토지신에게 제사지내는 날. 음력 1월의 입춘이나 음력 7월의 입추 뒤 다섯 번째 무일戊日을 가리킨다.

默, 曰沈, 爲書以戒之, 有云, "物速成則疾亡, 晩就則善終. 朝華之草, 夕而零落, 松柏之茂, 隆寒[312]不衰."

○왕창(?-259)은 자가 문서로 (삼국) 위나라 말엽에 (산동성) 연주자사를 지내다가 사공으로 승진하였다. 자신의 아들 이름은 (혼후하고 신중하라는 뜻에서) '혼渾'과 '심深'으로 짓고 자신의 조카 이름은 (말을 삼가라는 뜻에서) '묵默'과 '침沈'으로 짓고는 글을 써서 훈계하였는데, 거기에는 "사물은 빨리 이루면 빨리 망하고 늦게 이루면 끝이 좋은 법이니라. 아침에 꽃을 피운 풀은 저녁에 시들지만, 소나무와 측백나무의 무성함은 한겨울이 되어도 시들지 않는 법이로다" 라는 문구가 들어 있었다.

◇門容幡戟(문앞에 깃발과 창을 세우다)

●王濬少有大志, 嘗起宅開門, 前路廣數十步曰, "吾欲使容長戟旛旗[313]." 晉武朝, 爲益州刺史, 以平吳功, 拜大將軍.

○왕준(206-286)은 어려서부터 큰 뜻을 품더니 일찍이 집을 짓고 문을 세우면서 앞길을 수십 보 너비로 만들고는 "나는 (장수의 직책을 나타내는) 긴 창과 깃발을 집앞에 세우고 싶다"고 하였다. 진나라 무제 때 (사천성) 익주자사를 지냈고, 오나라를 평정하는 공을 세워 대장군을 배수받았다.

◇床頭周易(평상에 놓인 ≪역경≫)

●王湛, 字處沖, 渾弟也. 少言語, 宗族以爲癡. 渾子濟嘗詣之, 見床頭周易. 湛因剖析玄微, 濟嘆服. 晉武每見濟曰, "卿家癡叔死未[314]?" 對曰, "臣叔不癡." 爲汝南內史, 時稱王汝南.

○왕담(249-295)은 자가 처충으로 왕혼王渾(223-297)의 동생이다. 말수가 적어 친족들은 그를 바보로 생각하였다. 왕혼의 아들인 왕제王濟가 일찍이 그를 예방하였다가 침상에 놓인 ≪역경≫을 발견하였

---

312) 隆寒(융한) : 혹독한 추위, 강추위를 이르는 말. 결국 한겨울을 뜻한다.
313) 旛旗(번기) : 깃발에 대한 총칭. 장군에 오르는 것을 상징한다.
314) 未(미) : 부가의문문을 만드는 어기조사.

다. 왕담이 그참에 오묘하게 분석하자 왕제가 탄복하였다. 진나라 무제가 왕제를 볼 때마다 "경의 집안의 바보 숙부는 죽지 않았소?"라고 묻자 왕제는 "신의 숙부는 어리석지 않습니다"라고 대답하였다. (하남성) 여남태수를 지냈기에 당시 '왕여남'으로 불렸다.

◇巖下電(바위 아래를 때리는 번개)

●王戎, 字濬仲, 渾子也. 幼而穎悟, 神彩秀徹, 視日不眩. 裴楷曰, "戎眼爛爛[315], 如巖下電." 阮籍每適渾, 輒過, 視戎, 良久出, 謂渾曰, "濬仲清賞[316], 非卿倫也. 與卿言, 不如共阿戎[317]談." 嘗經黃公酒壚[318]下過, 顧爲後車客曰, "吾昔與嵇·阮[319]酣暢於此, 自彼云, '亡吾, 便爲時羈紲[320].' 今日視之雖近, 邈若山河." 晉元康[321]中, 拜司徒[322], 封安豐侯.

○왕융(234-305)은 자가 준중으로 왕혼王渾(?-?)의 아들이다. 어린 나이에도 총명하고 풍채가 뛰어났으며 해를 쳐다보아도 눈이 부시다고 고개를 돌리지 않았다. 그래서 배해는 "왕융은 눈이 번뜩이는 것

---

315) 爛爛(난란) : 번뜩이는 모양.

316) 清賞(청상) : 인품이 훌륭하거나 경관이 아름다운 것을 이르는 말.

317) 阿戎(아융) : 진晉나라 왕융王戎(234-305)에 대한 애칭. '아阿'는 애칭을 나타내기 위한 일종의 접두사. 뒤에는 동생의 별칭으로 쓰이게 되어 진송晉宋 때 사람들은 동생을 '아융'이라고 하였고, 남조南朝 유송劉宋 때 사영운謝靈運(385-433)은 종제從弟인 사혜련謝惠連(397-433)을 '아융'으로 불렀다는 고사가 전한다.

318) 黃公酒壚(황공주로) : 삼국 위魏나라 때 죽림칠현竹林七賢이 함께 술을 마시던 주점의 술판을 이르는 말. '황공'은 전설상의 은자를 가리킨다.

319) 嵇阮(혜완) : 진晉나라 때 죽림칠현竹林七賢의 대표적 인물인 혜강嵇康(224-263)과 완적阮籍(210-263)을 아우르는 말.

320) 羈紲(기설) : 굴레와 고삐. 세속에 구애받는 것을 비유한다. 여기서는 왕융이 언젠가 은거생활을 접고 고관에 오를 것이라는 말이다. 실제로 왕융은 뒤에 상서령尙書令과 사도司徒에 올랐다.

321) 元康(원강) : 진晉 혜제惠帝의 연호(291-299).

322) 司徒(사도) : 상고시대 관직의 하나로서 국가 재정과 관련한 업무를 관장하였다. 주周나라 때는 지관地官이었고, 후대에는 민부民部·호부상서戶部尙書에 해당한다. 한나라 이후로는 이 직명을 민정民政을 관장하는 삼공三公의 하나로 지정하기도 하였다.

이 마치 바위 아래를 때리는 번개 같구려"라고 하였다. 완적은 매번 왕혼을 찾아가면 번번이 지나쳤지만, 왕융을 보면 한참 있다가 나오면서 왕혼에게 "준중(왕융)은 인품이 훌륭하여 그대가 견줄 수 있는 상대가 아니라서 그대와 대화를 하느니 차라리 아융(왕융)과 얘기하는 것이 낫겠구려"라고 말하곤 하였다. 왕융은 일찍이 황공주점을 지나던 중 뒷수레의 손님을 돌아보며 말했다. "제가 옛날에 혜강嵇康·완적과 이곳에서 술을 거나하게 마셨을 때 저들이 말하길 '우리가 없으면 그대는 시류에 얽매여 벼슬길에 나가게 될 것이오'라고 하였지요. 오늘 이곳을 보니 비록 코앞에 있는데도 마치 산하처럼 아득히 멀게 느껴지기만 하는구려!" 진나라 (혜제) 원강(291-299) 연간에 사도를 배수받고 안풍후에 봉해졌다.

◇金溝(황금 도랑)

●王濟, 字武子, 渾次子也. 風流豪爽, 氣盡一時. 性好馬, 時洛陽地貴, 買地爲馬埒[323], 編錢滿之, 時謂之金溝.

○(진晉나라) 왕제는 자가 무자로 왕혼王渾(223-297)의 차남이다. 풍류가 넘쳐 호기로 한 시대를 풍미하였다. 천성적으로 말을 좋아하여 당시 (하남성) 낙양의 땅값이 껑충 뛰었는데도 땅을 매입해서 승마장을 만들고는 돈으로 바자울을 엮어 그곳을 가득 채웠다. 그래서 당시 사람들은 그곳을 '금구'라고 하였다.

◇寧馨兒·阿堵物(이런 아이와 이 물건들)

●王衍, 字夷甫, 神情明秀. 方總角, 見山濤, 濤曰, "何物老嫗, 生此寧馨[324]兒?" 妻郭氏性貪鄙, 衍疾之, 口不言錢. 妻令婢以錢遶床, 衍晨起, 謂婢曰, "擧此阿堵[325]物去."

---

323) 馬埒(마랄) : 말을 타는 바자울, 승마장.

324) 寧馨(영형) : 이러한, 이와 같다. 진송晉宋 때의 속어로 '영寧'은 '여차如此'의 뜻이고, '형馨'은 어조사語助辭이다.

325) 阿堵(아도) : 육조六朝 때 남방 구어로 '이것' 혹은 '그것'이란 뜻. 따라서 앞의 '차此'는 의미의 중복으로 불필요하다. 위의 예문과 유사한 내용이 남조南

○(진晉나라) 왕연(256-311)은 자가 이보로 마음 씀씀이가 밝고 해맑았다. 겨우 총각의 나이에 산도를 만났을 때 산도가 말했다. "어떤 노부인이 이런 아들을 낳았을꼬?" 아내 곽씨가 천성적으로 탐욕스럽고 천박하였기에 왕연은 그런 행태가 싫어 입으로 돈 얘기를 하지 않았다. 아내가 하녀를 시켜 돈으로 침상을 에워싸자 왕연이 새벽에 일어나 하녀에게 말했다. "이 물건들을 가져다가 모두 치우거라."

◇口中雌黃(입으로 즉석에서 글을 잘 고치다)

●王衍初補元城令, 終日淸談[326], 每捉玉柄麈尾[327], 與手同色. 義理有未安, 隨卽更改, 世號口中雌黃[328].

○(진晉나라) 왕연(256-311)은 처음에 (하북성) 원성현의 현령에 임명되었는데, 하루종일 청담을 즐길 때면 매번 옥을 장식한 자루가 달린 주미를 손에 들면서 손과 같은 색을 골랐다. 논리 전개상에 불완전한 데가 있으면 그 자리에서 바로 고쳤기에 세간에서는 그를 ('입으로 즉석에서 글을 잘 고치는 사람'이란 의미에서) '구중자황'이라고 불렀다.

◇風塵表物(속세를 대표하는 인물)

●王衍神姿高徹, 王戎謂, "其如瑤林[329]瓊樹[330], 自是風塵表物." 王敦曰, "夷甫處衆中, 如珠玉在瓦石之間." 顧愷之稱, "其巖巖淸峙, 壁立萬

朝 유송劉宋 유의경劉義慶(403-444)의 ≪세설신어世說新語·규잠規箴≫권중에도 전하는데, 이에 의하면 '치우다'를 뜻하는 '각却'자의 오기이다.

326) 淸談(청담) : 위진남북조魏晉南北朝 때 노장사상老莊思想을 바탕으로 인물에 대한 품평 등 함께 모여 담론을 즐기던 풍조를 이르는 말.

327) 麈尾(주미) : 청담淸談이나 한담을 나눌 때 모기를 쫓거나 먼지를 털기 위해 사용하는 도구 이름. 흔히 '불자拂子'라고도 한다. 사슴의 일종인 '주麈'의 꼬리를 장식한 데서 유래하였다.

328) 雌黃(자황) : 삼황화비소를 주성분으로 하는 광물을 이용하여 만든 안료. 반투명의 노란 색을 띠고 독성이 있어 살균·멸충의 효과가 있으며, 글을 교감할 때 사용하였다.

329) 瑤林(요림) : 옥의 숲. 선계仙界를 비유한다.

330) 瓊樹(경수) : 아름다운 나무에 대한 미칭美稱. 훌륭한 인재를 비유한다.

仞331)." 晉永嘉332)初, 拜司徒.

○왕연(256-311)은 정신과 용모가 고상하였기에 왕융이 "왕연은 신선세계의 아름다운 나무와 같아서 절로 속세를 대표하는 인물이다"라고 하였고, 왕돈이 "이보(왕연)는 사람들 사이에 있으면 마치 주옥이 기와나 자갈 속에 섞여 있는 것과 같다"고 하였으며, 고개지가 "우뚝하면서 시원한 모습은 절벽이 만 길 높이로 솟아 있는 듯하다"고 칭찬하였다. 진나라 (회제) 영가(307-313) 연간에 사도를 배수받았다.

◇絶倒(기절하여 쓰러지다)

●王澄, 字平子, 有高名. 每聞衛玠言, 輒嘆息絶倒333). 時語曰, "衛玠談道, 平子絶倒." 永嘉初, 拜荊州刺史.

○(진晉나라) 왕징(269-312)은 자가 평자로 명성이 높았다. 그러나 매번 위개의 말을 들으면 번번이 탄식하며 기절하여 쓰러지곤 하였다. 그래서 당시에 "위개가 도에 대해 말하면 평자(왕징)가 기절하여 쓰러진다네"라는 말이 돌았다. (회제) 영가(307-313) 초에 (호북성) 형주자사를 배수받았다.

◇三窟(세 명의 영리한 사람)

●王衍爲司徒, 以弟澄爲荊州, 敦爲青州. 曰, "足以爲三窟334)矣."

○(진晉나라) 왕연(256-311)은 사도를 지내고, 동생인 왕징王澄(269-312)은 (호북성) 형주자사를 지내고, 왕돈王敦(266-324)은 (산동성)

---

331) 仞(인) : 도량형 단위인 길(일곱 자). 시대마다 다소 차이는 있으나, 1호毫의 10배를 리釐, 1리의 10배를 푼分, 1푼의 10배를 촌寸, 1촌의 10배를 척尺, 1척의 7배를 인仞, 1척의 10배를 장丈이라고 하였다.

332) 永嘉(영가) : 진晉 회제懷帝의 연호(307-313).

333) 絶倒(절도) : 기절하여 쓰러지다. 매우 감탄해 하거나 몹시 웃는 것을 비유한다.

334) 三窟(삼굴) : 영리한 토끼가 굴을 세 개 뚫어 죽음을 모면한다는 고사에서 유래한 말인 '교토삼굴狡兎三窟'이나 '삼굴교토三窟狡兎'의 준말. 화를 피할 수 있는 계책이나 영리한 사람을 비유한다. '굴窟'은 '혈穴'로도 쓴다.

청주자사를 지냈다. 그래서 사람들은 "'삼굴'이라고 여길 만하다"라고 하였다.

◇新亭之宴(신정에서의 연회)

●王導, 字茂弘, 少有風鑒[335], 識量淸遠, 佐晉元帝中興[336], 號爲仲父. 諸賢出新亭[337], 飮宴, 周顗等相顧流涕, 嘆曰, "風景不殊, 擧目有山河之異." 導曰, "當與戮力王室, 尅復神州[338], 何至作楚囚[339]對泣邪?" 拜司空·錄尙書事[340]. 永寧[341]初, 進位太保[342], 封郡公, 賜劍履上殿[343], 入朝不趨[344]. 六子悅·恬·洽·協·邵[345]·薈.

---

335) 風鑒(풍감) : 기품과 식별력을 뜻하는 말.

336) 中興(중흥) : 한 왕조가 세력이 약해진 뒤 동일 왕조가 부흥하는 시기를 통칭하는 말. 후한後漢·동진東晉·남송南宋 등의 시기에 상용되었는데 여기서는 동진 시기를 가리킨다.

337) 新亭(신정) : 강소성 강녕현江寧縣에 있던 정자 이름. 남조南朝 유송劉宋 무제武帝가 이곳에서 황제에 즉위하고서 이름을 '중흥정中興亭'으로 고쳤다고 한다.

338) 神州(신주) : 천하를 이르는 말. 옛날에는 온세상을 '천하天下' '해내海內' '사해四海' '육합六合' '구주九州' '신주神州' '우주宇宙' 등 다양한 어휘로 표현하였다.

339) 楚囚(초수) : 초楚나라 출신 죄수. 초나라 출신 죄수 종의鍾儀가 사로잡혀 남방 사람들의 갓(南冠)을 쓴 채 감옥에 갇혀 있자 진晉나라 경공景公이 옥졸에게 그에 대해 물었다는 고사가 ≪좌전左傳·성공成公9년≫권26에 전한다.

340) 錄尙書事(녹상서사) : 벼슬 이름. 전한 무제 때 좌左·우조右曹에서 상서의 업무를 분담하였고, 후한 장제章帝 때는 태부·태위가 겸임하였다. 후대의 상서복야尙書僕射와 유사하며, '녹상서錄尙書'로 약칭하기도 하였다.

341) 永寧(영녕) : 진晉 혜제惠帝의 연호(301).

342) 太保(태보) : 재상의 지위인 삼공三公, 즉 태사太師·태부太傅·태보太保 가운데 하나. 그러나 후에는 태위太尉·사도司徒·사공司空을 삼공으로 설치하고, '큰 스승'이란 의미에서 삼공보다 높여 별도로 '상공上公'이라고 하면서 '삼사三師'로 세우기도 하였다.

343) 劍履上殿(검리상전) : '검을 차고 신발을 신은 채 내전에 오를 수 있다'는 말로 공신에게 내리는 최고의 예우이자 특권을 말한다.

344) 趨(추) : 종종걸음으로 걷다. '추趍'와 통용자. 부모나 어른 앞에서 공경의 뜻을 표하기 위해 빠르지도 느리지도 않게 걷는 걸음걸이를 뜻한다. ≪논어·계씨季氏≫권16에 공자의 아들인 "공이孔鯉가 종종걸음으로 뜨락을 지났다(鯉趨而過庭)"는 말이 보인다.

345) 邵(소) : ≪진서·왕도전≫권65에 의하면 '소劭'의 오기이다. 예로부터 자형

○왕도(276-339)는 자가 무홍으로 어려서부터 기품과 안목이 뛰어나고 학식과 도량이 탁월하여 진나라 원제의 중흥을 도우면서 '중부'로 불렸다. 여러 현자들이 (강소성 강녕현江寧縣의) 신정으로 나서 연회를 가진 자리에서 주의 등이 서로 쳐다보고 눈물을 흘리며 탄식조로 말했다. "풍경은 다르지 않건만 눈을 들어 바라보면 (중원과) 산하가 다르군요." 그러자 왕도가 말했다. "응당 함께 황실의 회복을 위해 힘을 쏟고 오랑캐를 물리쳐 중원을 회복해야지 어찌 (춘추시대 때) 초나라 죄수처럼 마주보고 눈물을 흘릴 수 있단 말이오?" 사공과 녹상서사를 배수받았다. (혜제) 영녕(301) 초에 태보로 승진하고 군공에 봉해져 검을 차고 신발을 신은 채 내전에 오르고 입조할 때 종종걸음으로 걷지 않아도 되는 특별 예우를 받았다. 아들 여섯 명은 왕열王悅・왕염王恬・왕흡王洽・왕협王協・왕소王劭・왕회王薈이다.

◇黑頭公(젊은 재상)

●王珣, 字元琳, 洽長子也. 爲桓溫掾, 溫曰, "王掾當作黑頭公[346]." 後果然. 嘗夢人以大筆如椽與之, 覺而語人曰, "當有大手筆[347]事." 晉太元[348]中, 爲散騎常侍. 弟珉, 子曇首.

○왕순(349-400)은 자가 원림으로 왕흡王洽(323-358)의 장남이다. 환온의 속관이 되자 환온이 말했다. "속관 왕연은 분명 (젊은 재상인) '흑두공'이 될 것이오." 뒤에 정말로 그의 말처럼 되었다. 일찍이 어떤 사람이 서까래만한 큰 붓을 자신에게 주는 꿈을 꾸더니 잠에서 깨어나 다른 사람에게 말했다. "분명 중요한 글을 지을 일이 생길

의 유사성 때문에 '힘쓸 소劭' '고을 이름 소邵' '아름다울 소卲'가 혼용되어 와전되었으나 별개의 한자이다.

346) 黑頭公(흑두공) : 검은 머리를 한 승상. 즉 젊은 나이에 재상인 삼공의 지위에 오른 사람을 뜻하는 말로 연륜은 낮지만 명망과 능력이 있는 사람에 대한 미칭美稱이다.

347) 大手筆(대수필) : 중요한 글이나 훌륭한 문장을 비유하는 말. 훌륭한 문장가를 뜻할 때도 있다.

348) 太元(태원) : 진晉 효무제孝武帝의 연호(376-396).

것이오." 진나라 (효무제) 태원(376-396) 연간에 산기상시에 올랐다. 동생은 왕민王珉이고, 아들은 왕담수王曇首이다.

◇難兄(형이라고 하기 어렵다)

●王岷[349], 字季琰, 少有才藝, 名出珣右. 時語曰, "法護[350]非不佳, 僧彌[351]難爲兄." 後代王獻之, 兼中書令. 二人素[352]齊名, 時謂獻之爲大令, 珉爲小令.

○(진晉나라) 왕민王珉(351-388)은 자가 계염으로 어려서부터 뛰어난 재능을 지녀 명성이 (형인) 왕순王珣(349-400)을 능가하였다. 그래서 당시에 "법호(형 왕순)가 훌륭하지 않은 것은 아니지만, 승미(동생 왕민) 때문에 형이라고 하기 어렵다네"라는 말이 돌았다. 뒤에 왕헌지를 대신해 중서령을 겸직하였다. 두 사람은 평소 나란히 명성을 떨쳤기에 당시 사람들이 왕헌지를 ('선배 중서령'이란 의미에서) '대령'으로 부르고, 왕민을 ('후배 중서령'이란 의미에서) '소령'으로 불렀다.

◇蠟珠之戲(촛농을 가지고 놀다)

●王曇首內集[353], 任子孫戲適[354], 僧達[355]下地作彪子, 僧虔[356]累十博棊[357]不墜, 僧綽[358]採蠟珠[359]爲鳳凰.

---

349) 王岷(왕민) : '왕민王珉(351-388)'의 오기.
350) 法護(법호) : 진晉나라 왕민王珉의 형인 왕순王珣(349-400)의 소자小字.
351) 僧彌(승미) : 진晉나라 왕민王珉의 소자小字.
352) 素(소) : 평소, 원래.
353) 內集(내집) : 가족들을 한자리에 불러모으는 일.
354) 戲適(희적) : 놀면서 한가로이 시간을 보내다.
355) 僧達(승달) : 진晉나라 왕홍王弘(379-432)의 막내 아들인 왕승달王僧達(423-458)의 이름. 왕담수王曇首에게는 조카가 된다.
356) 僧虔(승건) : 진晉나라 왕담수王曇首의 아들이자 왕승작王僧綽의 동생인 왕승건王僧虔(426-485).
357) 博棊(박기) : 바둑이나 바둑을 두는 일. 여기서는 바둑돌을 가리키는 말로 쓰였다.
358) 僧綽(승작) : 진晉나라 왕담수王曇首의 아들인 왕승작王僧綽의 이름.
359) 蠟珠(납주) : 촛농이 굳어서 구슬 모양을 이룬 것을 이르는 말.

○(진晉나라) 왕담수(394-430)가 가족들을 모아놓고 자손들이 마음껏 놀도록 내버려 두었을 때 (조카인) 왕승달王僧達(423-458)은 땅바닥으로 내려가 표범 흉내를 냈고, (둘째 아들인) 왕승건王僧虔(426-485)은 바둑알 열 개를 쌓으면서 떨어뜨리지 않았으며, (맏아들인) 왕승작王僧綽은 촛농을 가져다가 봉황을 만들었다.

◇佳子弟(훌륭한 자제)

●王羲之, 字逸少, 導從子也. 王敦曰, "此吾家佳子弟也!" 與王承·王悅爲王氏三少. 仕晉, 爲右軍[360]將軍·會稽[361]內史[362].

○왕희지(321-379)는 자가 일소로 왕도王導(276-339)의 조카이다. 왕돈(266-324)이 "이 아이는 우리 가문의 훌륭한 자제로다!"라고 말한 일이 있다. 왕승·왕열과 함께 ('왕씨 가문을 대표하는 세 젊은이'란 의미에서) '왕씨삼소'로 불렸다. 진나라에서 벼슬길에 올라 우군장군과 (절강성) 회계내사를 지냈다.

◇羲帖(왕희지의 서첩書帖)

●王羲之臨池學書, 池水盡黑, 草隸爲古今之冠. 論者稱其筆勢飄若游雲, 矯若驚龍. 又曰, "烟霏霧結, 狀若斷而實連, 鳳翥龍蟠, 勢若斜而反直." 其最爲後世重者, 蘭亭[363]記·樂毅[364]論·黃庭經[365]也. 性愛鵝, 爲山

---

360) 右軍(우군) : 천자가 거느리는 군사 가운데 우측 군대를 가리키는 말. 중군中軍·좌군左軍과 더불어 삼군三軍이라고 하였다.

361) 會稽(회계) : 춘추전국시대 때는 절강성 소흥시紹興市 일대를 '회계'라고 하다가, 진한秦漢 때는 오군吳郡(강소성 소주시蘇州市 일대)으로 이전하였고, 후한後漢 이후로 다시 오군을 복원하면서 회계군 역시 원래 지역(절강성 소흥시 일대)으로 복원시켰다.

362) 內史(내사) : 한나라 이후로 태수太守에 상당하던 제후국의 지방 장관을 가리키는 말. 한나라 때 행정 구역으로는 천자가 직접 관장하는 군郡과 제후국에서 관장하는 군이 있었는데, 전자의 군수를 '태수'라고 하고, 후자의 군수를 '내사'라고 구분하였다.

363) 蘭亭(난정) : 진晉나라 왕희지王羲之(321-379)가 지인들과 모여 시를 화답한 장소를 가리킨다. 여기서 지은 시를 모은 시집을 ≪난정집蘭亭集≫이라고 하는데, 그 서문이 ≪한위육조백삼가집漢魏六朝百三家集·진왕희지집晉王羲之集≫권59에 전한다.

陰[366]道士寫道德經[367]畢，籠鵝以歸．在戢山，爲老姥書六角扇[368]各五字，人競買之．子七人，其知名者，玄之・凝之・徽之・操之・獻之也．獻之子，靜之．

○(진晉나라) 왕희지(321-379)는 연못을 앞에 두고 서예를 익혀 연못물을 온통 검게 물들이더니 초서와 예서 방면에서 고금을 통틀어 최고의 경지에 올랐다. 그래서 평자들은 그의 필세에 대해 아련하기가 마치 흐르는 구름 같고, 날카롭기가 마치 놀라서 날아가는 용과 같다고 칭찬한다. 또 "연무가 자욱한 듯하기에 모양이 끊긴 듯하면서도 실은 이어져 있고, 봉황이 날고 용이 서린 듯하기에 형세가 마치 비스듬한 듯하면서도 실은 곧다"고도 한다. 그중 후세 사람들에게 가장 중시받는 것은 <난정에서 쓴 글>과 <(전국시대 연燕나라 장수) 악의에 대해 논하는 글> ≪황정경≫이다. 천성적으로 거위를 좋아하여 (절강성) 산음현의 도사를 위해 ≪도덕경≫(≪노자≫)을 다 필사해 주고 거위를 새장에 넣어 돌아왔다. 집산에서 지낼 때는 한 노파를 위해 소뿔로 자루를 만든 부채 여섯 개에다가 각기 다섯 자씩 글씨를 써 주었는데, 사람들이 다투어 그것을 매입하였다. 아들은 일곱 명으로 그중 이름이 알려진 것은 왕현지王玄之・왕응지王凝之・왕휘지王徽之・왕조지王操之・왕헌지王獻之이다. 왕헌지의 아들은 왕정지王靜之이다.

---

364) 樂毅(악의) : 전국시대 연燕나라 장수. 중산국中山國 출신으로 연나라 소왕昭王의 상장군上將軍이 되어 제齊나라의 70여 개 성을 빼앗아 창국군昌國君에 봉해졌다. 뒤에 혜왕惠王이 제나라 전단田單의 계략에 넘어가자 조趙나라로 망명하여 망제군望諸君에 봉해졌다. ≪사기・악의전≫권80 참조.

365) 黃庭經(황정경) : 위진魏晉 때 도사道士가 양생술養生術에 대해 적은 책. 처음에는 5언 4장으로 되어 있고, 나머지는 모두 7언으로 되어 있었다고 한다. 총 1권. 송나라 구양수歐陽修(1007-1072)의 ≪집고록集古錄≫권10, ≪송사・예문지≫권205 참조.

366) 山陰(산음) : 절강성 회계군會稽郡의 속현屬縣 이름.

367) 道德經(도덕경) : 춘추시대 사람 이이李珥의 저술로 알려진 ≪노자老子≫의 별칭. 도경편道經篇과 덕경편德經篇으로 이루어진 데서 유래하였다.

368) 角扇(각선) : 쇠뿔로 자루를 만든 부채를 이르는 말.

◇蘭亭勝集(난정에서의 성대한 모임)

●王羲之爲會稽內史, 上巳日[369]與同寮宴於山陰蘭亭, 賦詩. 成四言・五言各一首者十一人, 王羲之・謝安・謝萬・王肅之・凝之・林之・徽之・徐豐之・孫綽・孫統・袁嶠之, 成五言一首者十五人, 郗曇・華茂・庾友・王豐之・魏滂・謝繹・曹茂之・庾蘊・華平・桓偉・王元之・蘊之・渙之・孫嗣. 詩不成, 罰酒者十六人, 王獻之・謝瑰・卞廸・卓髦・王模・孔熾・劉密・虞谷・華耆・謝藤・呂系・呂本・曹禮・任凝・后綿・勞夷. 宋景祐[370]中, 會稽守蔣某[371]修永和[372]故事, 詩云, "一段西園[373]曲水聲, 水邊終日會冠纓[374]. 幾多詩筆無停輟, 不似當年有罰觥[375]."

○(진晉나라) 왕희지는 (절강성) 회계내사를 지낼 때 (음력 3월 3일) 상사일에 동료들과 (회계군) 산음현의 난정에서 연회를 열고 시를 지었다. 4언시와 5언시를 각기 한 수씩 지은 사람이 열한 명으로 왕희지・사안・사만・왕숙지・왕응지王凝之・왕임지王林之・왕휘지王徽之・서풍지・손작・손통・원교지였고, 5언시를 한 수 완성한 사람이 열다섯 명으로 치담・화무・유발・왕풍지・위방・사역・조무지・유온・화평・환위・왕원지・왕온지王蘊之・왕환지王渙之・손사였으며, 시를 완성하지 못 해 벌주를 마신 사람이 열여섯 명으로 왕헌지・사괴・변적・탁모・왕모・공치・유밀・우곡・화기・사등・여계・

---

369) 上巳日(상사일) : 음력 3월의 첫 번째 사일巳日. 위진魏晉 이후로는 3월 3일을 상사일로 고정하였다. 이 날은 물가에 나가 계제禊祭를 올리고 액운을 물리쳤다.

370) 景祐(경우) : 북송北宋 인종仁宗의 연호(1034-1037).

371) 蔣某(장모) : 장아무개. 송나라 사람 장당蔣堂을 가리킨다. 위의 예시는 송나라 완열阮閱의 ≪시화총귀詩話總龜≫후집권16이나 갈입방葛立方의 ≪운어양추韻語陽秋≫권5 등에 수록되어 전하는데, 저자에 대해 모두 '장당'이라고 밝혔다.

372) 永和(영화) : 진晉 목제穆帝의 연호(345-356).

373) 西園(서원) : 천자의 동산인 상림원上林苑의 별칭이자 후한 말엽 하남성 업鄴에 있던 조조曹操(155-220)의 정원 이름. 뒤에는 제왕이나 고관의 정원을 상징하는 말이 되었다.

374) 冠纓(관영) : 갓과 갓끈. 벼슬아치나 사대부를 비유한다.

375) 罰觥(벌굉) : 벌주를 따르는 술잔. 결국 벌주를 가리킨다.

여본・조인・임응・후면・노이였다. 송나라 (인종) 경우(1034-1037) 연간에는 회계태수 장아무개(장당蔣堂)가 (진晉나라 목제穆帝) 영화(345-356) 연간의 고사를 편수하면서 시를 지어 "한 차례 서원에서 곡수 소리 들리더니, 물가로 하루종일 사대부들이 모여들었지. 수없이 많은 시 짓는 붓이 멈출 일 없었으니, 그해에 벌주를 받은 사람이 있지는 않았던 듯하구나"라고 하였다.

◇西山爽氣(서산의 상쾌한 공기)

●王徽之, 字子猷, 風流爲一時之冠, 爲桓沖參軍[376]. 沖曰, "卿在府日久, 比當相料理[377]." 徽之初不酬答, 但以手扳[378]拄頰云, "西山[379]朝來, 致有爽氣耳." 性愛竹, 嘗寄居空宅中, 便令種竹曰, "何可一日無此君邪?" 居山陰, 夜雪初霽, 月色淸朗, 忽憶戴逵. 逵時在剡溪[380], 便乘小舟, 造門不前而返曰, "乘興而來, 興盡而返, 何必見戴安道[381]邪?" 仕晉, 爲黃門侍郞[382].

○왕휘지(?-약 387)는 자가 자유로 풍류 방면에서 한 시대에 으뜸갔는데 환충의 참군을 지냈다. 환충이 "경은 장군부에 오래 있었으니 근자에는 분명 업무를 잘 알겠구려"라고 하자, 왕휘지는 처음에는

---

376) 參軍(참군) : 한나라 이후로 왕부王府나 장수・사신・자사・태수 휘하에서 군무軍務를 참모參謀하던 벼슬에 대한 통칭. 시대와 기관에 따라 자의참군諮議參軍・기실참군記室參軍・기병참군騎兵參軍・사사참군司士參軍・공조참군功曹參軍・법조참군法曹參軍・녹사참군사錄事參軍事 등 다양한 이름의 참군이 있었다.

377) 料理(요리) : 잘 이해하다, 잘 처리하다.

378) 手版(수판) : 홀笏의 별칭. 한위漢魏 이전에는 '홀'이라고 하였고, 진송晉宋 이후로는 주로 '수판'이라고 하였다. '판版'은 '판板'으로도 쓴다.

379) 西山(서산) : 진晉나라 때 도사 간대干大나 당나라 때 선녀 오채란吳采鸞의 고사에도 등장하는 산으로 은자나 도사의 거처를 상징한다.

380) 剡溪(섬계) : 절강성 섬현剡縣 남쪽을 흐르는 시내 이름.

381) 安道(안도) : 진晉나라 때 은자 대규戴逵의 자. 시서화에 조예가 깊었는데, 무제武帝가 여러 차례 불렀으나 벼슬에 나가지 않았다. ≪진서・은일열전・대규전≫권94 참조.

382) 黃門侍郞(황문시랑) : 문하성門下省에 소속되어 궁중의 갖가지 사무를 관장하던 벼슬. 문하시중門下侍中 다음 가는 벼슬로서 당송 이후로는 문하시랑門下侍郞으로 개칭되었다.

이에 응답하지 않고 단지 수판으로 턱을 괴며 말했다. “서산에 아침이 밝아오면 상쾌한 공기가 생기기 마련이지요.” 천성적으로 대나무를 좋아하였기에 일찍이 빈 집에 기거하게 되자 곧바로 사람을 시켜 대나무를 심게 하면서 말했다. “어찌 하루라도 이 군자(대나무)가 없이 살 수 있으리오?” (절강성) 산음현에 거처할 때 밤에 눈이 막 개고 달빛이 밝자 갑자기 대규가 생각났다. 대규가 당시 섬계에 살고 있었기에 바로 일엽편주를 탔지만 대문에 도착하자 들어가지 않고 발길을 되돌리며 말했다. “흥이 나서 찾아왔지만 흥이 사라져서 돌아가는 것이니 어찌 꼭 대안도(대규)를 만날 필요가 있으리오?” 진나라에서 벼슬길에 올라 황문시랑을 지냈다.

◇管中窺豹(대롱 속으로 표범을 보다)

●王獻之, 字子敬, 高邁不羈. 年數歲, 觀門生[383]樗蒲[384]曰, “南風不競[385].” 門生曰, “此郎於管中窺豹[386], 時見一斑.” 獻之怒, 拂衣[387]去. 有愛妾名桃葉, 其妹名桃根. 子敬嘗臨渡, 歌以送之, 因名其渡曰, ‘桃葉渡.’ 晉大元中, 爲中書令.

○왕헌지(344-386)는 자가 자경으로 성품이 고매하여 자잘한 예법에 얽매이지 않았다. 나이 몇 살 먹었을 때 집안의 문하생들이 저포놀이를 하는 것을 구경하게 되자 “남방의 노래는 힘이 없지요”라고 하였다. 문하생들이 “이 아이는 대롱 속으로 표범을 보았으니 마침 반

---

383) 門生(문생) : 제자나 식객, 참모 등을 이르는 말.

384) 樗蒲(저포) : 한나라 이후 생겨서 진나라 때 크게 유행한, 윷 모양의 패를 던져서 승부를 가리는 놀이의 일종. 그러나 상세한 내용은 알려지지 않았다. ‘저樗’는 ‘저摴’로도 쓴다.

385) 南風不競(남풍불경) : 남방의 노래는 힘이 없다. 춘추시대 때 초楚나라 군대가 쳐들어왔다는 말을 듣고서 진晉나라 사광師廣이 “남방의 노래는 힘이 없어 죽은 소리가 많으니 초나라는 분명 전공을 세우지 못 할 것이다(南風不競, 多死聲. 楚必無功)”라고 말했다는 ≪좌전左傳·양공襄公18년≫권33의 고사에서 유래한 말로 힘이 약해 기운을 떨치지 못 하는 것을 비유한다.

386) 管中窺豹(관중규표) : 대롱을 통해 표범을 보다. 식견이 매우 좁은 것을 비유한다. ‘관중규천管中窺天’이라고도 한다.

387) 拂衣(불의) : 옷의 먼지를 털다. 아무런 미련을 두지 않거나 벼슬을 그만두는 것을 비유한다.

점을 하나 본 셈일세 그려"라고 하자 왕헌지가 화가 나서 옷을 털고 그곳을 떠났다. 왕헌지에게는 이름이 '도엽'인 애첩이 있었고, 그녀의 여동생은 이름이 '도근'이었다. 왕헌지는 일찍이 나룻터에서 노래를 불러 그녀들을 전송하면서 그참에 그곳 나룻터 이름을 '도엽도'라고 지었다. 진나라 (효문제) 태원(376-396) 연간에 중서령에 올랐다.

◇廢蓼莪(≪시경≫의 <요아>편을 폐기하다)

●王裒, 字偉元. 父死, 廬墓, 攀柏悲號, 涕著于樹, 爲之枯. 隱居敎授, 讀詩到蓼莪[388], 未嘗不三復[389]流涕. 門人爲之廢蓼莪一篇.(晉孝友傳)

○(진晉나라) 왕부는 자가 위원이다. 부친이 돌아가시자 무덤 옆에 여막을 짓고 측백나무를 당기며 슬피 울부짖었는데, 눈물이 나무에 닿자 나무가 그 때문에 고사하였다. 속세를 떠나 은거한 채 학생들을 가르쳤는데, ≪시경≫을 읽다가 <요아>편에 이르면 언제나 거듭 눈물을 흘리곤 하였다. 문하생들이 이 때문에 <요아>편을 폐기하였다. (≪진서・효우열전・왕부전≫권88)

◇神仙中人(신선세계에서 온 사람)

●王恭, 字孝伯, 美姿儀, 人目之曰, "濯濯[390]如春風柳!" 嘗披鶴氅[391], 涉雪而行, 孟昶見而笑曰, "眞神仙中人!"

○(진晉나라) 왕공(?-398)은 자가 효백으로 용모가 무척 빼어났기에 사람들이 그에 대해 "번듯하니 마치 봄바람 맞은 버드나무 같구나!"라고 하였다. 일찍이 새의 깃털로 만든 옷을 입고 눈을 밟으며 길을 가자 맹창이 그를 보고서 웃음을 지으며 말했다. "진정 신선세계에서 온 사람이로다!"

---

388) 蓼莪(요아) : ≪시경・소아小雅≫권20에 수록된 노래 이름으로 부모에 대한 효심을 상징한다.
389) 三復(삼복) : 세 차례 반복하다. 즉 여러 번, 자주의 뜻.
390) 濯濯(탁탁) : 밝고 깨끗한 모양, 혹은 윤기가 흐르는 모양.
391) 鶴氅(학창) : 새의 깃털로 만든 옷을 이르는 말. 도사나 은자를 상징한다.

◇王掾不癡(속관인 왕술은 바보가 아니다)

●王述, 字懷祖, 年三十, 未知名, 人謂之癡. 王導辟爲中兵屬[392], 問以江東[393]米價. 述張目不答, 導曰, "王掾不癡, 人何言癡?"

○(진晉나라) 왕술(303-368)은 자가 회조로 나이 서른 살이 되어서도 이름이 알려지지 않았기에 사람들은 그를 바보로 생각하였다. 왕도가 그를 불러 중병 소속 관원에 임명하고는 강동 지역의 쌀값을 물었다. 왕술이 눈을 크게 뜨며 대답을 하지 않자 왕도가 말했다. "속관인 왕술은 바보가 아니거늘 사람들은 어째서 바보라고 하는가?"

◇江東獨步(강동 지역의 독보적 인물)

●王坦之, 字文度, 述子也. 甚愛之, 長猶抱置膝上. 弱冠與郗超有重名. 時語曰, "盛德彬彬[394]郗嘉賓[395], 江東獨步王文度." 四子愷・愉・國寶・忱. 述・坦之・愉, 三世皆中書令.

○(진晉나라) 왕탄지(330-375)는 자가 문도로 왕술王述(303-368)의 아들이다. 왕술이 그를 무척 사랑해 장성해서도 여전히 무릎 위에 앉혔다. 약관의 나이가 되면서 치초와 명성을 떨치자 당시에 "인품이 무척 훌륭한 인물은 치가빈(치초)이고, 강동에서 독보적인 인재는 왕문도(왕탄지)라네"라는 말이 돌았다. 네 아들은 왕이王愷・왕유王愉・왕국보王國寶・왕침王忱이다. 왕술・왕탄지・왕유는 삼대에 걸쳐 모두 중서령에 올랐다.

◇披褐捫虱(칡베옷을 입고 이를 잡다)

●王猛, 字景略, 隱華陰山[396], 懷佐世之志. 晉桓溫入關[397], 猛披褞

---

392) 中兵屬(중병속) : 경기 내의 군대인 중병中兵을 관장하던 기관인 중병조中兵曹에 소속된 속관屬官을 이르는 말.

393) 江東(강동) : 장강 동쪽 일대. 곧 동진東晉 및 남조南朝 때 도읍을 정했던 강소성 건강建康(남경) 일대를 가리키는 말로 강남江南의 별칭으로도 쓰였다.

394) 彬彬(빈빈) : 아름답고 성대한 모양.

395) 嘉賓(가빈) : 진晉나라 사람 치초郗超(336-377)의 자. 재상을 지낸 치감郗鑒(269-339)의 손자이자 치음郗愔(314-384)의 아들로 환온桓溫(312-373)의 총애를 받으며 그를 도와 폐제廢帝를 폐하고 간문제簡文帝를 옹립하였다. ≪진서・치초전≫권67 참조.

袍[398], 詣之捫虱[399], 談當世事, 旁若無人. 溫異之. 後仕秦苻堅[400], 爲相.

○왕맹(325-375)은 자가 경략으로 (섬서성) 화음산에 은거하며 세상을 도울 뜻을 품었다. 진나라 환온이 함곡관을 들어서자 왕맹은 지스러기 삼을 넣은 초라한 옷을 입고서 그를 예방하여 이를 잡으면서 당대의 정사에 대해 얘기하였는데 옆에 마치 아무도 없는 듯이 태도가 무척 건방졌다. 환온은 그런 그를 각별하게 대우해 주었다. 뒤에 (오호십육국五胡十六國) 전진前秦의 황제인 부견 밑에서 벼슬길에 들어서 재상에 올랐다.

◇將門有將(장수의 가문에서 장수가 나오다)

●王鎭惡, 猛之孫. 五月五日生, 猛曰, "是兒將興吾門矣." 年十三而苻氏[401]敗, 寓食黽池[402]李方家曰, "遭英雄主, 取萬戶侯[403], 當厚相報." 歸晉, 客荊州. 劉裕見而異之曰, "將門有將." 署參軍. 裕北伐, 鎭惡爲龍驤將軍, 過黽池, 造李方家, 升堂拜母, 厚加酬賚[404]. 鎭長安, 爲沈田子[405]所圖. 裕受命[406], 追封龍陽縣侯.

---

396) 華陰山(화음산) : 섬서성 화음현에 있는 산 이름.
397) 入關(입관) : 함곡관函谷關을 들어서다, 관중關中 땅으로 들어서다. 즉 섬서성 장안 일대로 들어온 것을 말한다.
398) 縕袍(온포) : 지스러기 삼을 안에 넣은 초라한 옷. 청렴한 삶을 상징한다.
399) 捫虱(문슬) : 이를 잡다. 태도가 건방져 안하무인眼下無人인 것을 비유한다.
400) 苻堅(부견) : 오호십육국五胡十六國의 하나인 전진前秦의 황제(338-385). ≪진서·부견재기苻堅載記≫권113 참조.
401) 苻氏(부씨) : 오호십육국의 하나인 전진前秦의 황제 부견苻堅(338-385) 일가를 가리키는 말. ≪진서·부견재기苻堅載記≫권113 참조.
402) 黽池(민지) : 하남성의 속현屬縣 이름.
403) 萬戶侯(만호후) : 식읍이 만 호인 제후. 전한 때 개국공신인 장량張良(?-B.C.185)을 만호후에 봉하려고 하자 스스로 유후留侯에 봉해 줄 것을 자청하였다는 고사에서 유래한 말로 작위가 높은 제후나 고관대작을 상징한다.
404) 酬賚(수뢰) : 은혜에 대한 보답으로 예물을 드리는 일.
405) 沈田子(심전자) : 진晉나라 말엽에 참군參軍을 지내던 왕진악王鎭惡의 동료 무관武官. 평소 왕진악과 사이가 좋지 않더니 뒤에 그를 살해하였다. ≪송서宋書·왕진악전≫권45 참조.
406) 受命(수명) : 천명을 받다. 즉 황제에 즉위하는 것을 말한다. 여기서는 유유

○왕진악(373-418)은 (오호십육국五胡十六國 전진前秦 사람) 왕맹王猛(325-375)의 손자이다. 5월 5일 단오절에 태어나자 왕맹은 "이 아이는 장차 우리 가문을 일으킬 것이다"라고 하였다. 나이 열세 살이 되었을 때 부苻씨의 전진前秦이 전쟁에서 패하자 (하남성) 민지현 사람 이방의 집에 기거하면서 말했다. "영웅다운 군주를 만나 만호후에 봉해져서 분명 그대의 은혜에 후하게 보답하겠소." 진나라로 돌아와 (호북성) 형주에서 객지생활을 하였다. (뒤에 유송劉宋 무제武帝로 즉위한) 유유가 그를 보자 높이 평가하며 "장수의 가문에서 장수가 나오는 법인가 보오"라고 말하고는 참군에 임명하였다. 유유가 북벌에 나서자 왕진악은 용양장군을 맡았는데, 민지현을 지나게 되자 이방의 집을 찾아가 대청에 올라서 그의 모친에게 절을 올리고는 후한 예물을 드렸다. 뒤에 (섬서성) 장안을 진수하다가 심전자의 음모에 걸려 살해당했다. 유유가 천명을 받아 황제에 오르자 그를 용양현후에 추봉하였다.

◇貂裘採藥(담비 갖옷을 입고 약초를 캐다)

●王弘之, 字方平, 宋武辟召, 不就, 拂衣歸耕. 宋文帝時, 從兄敬弘爲吏部尙書[407], 解貂裘[408]與之, 卽著以採藥, 釣於上虞[409]之石頭. 或問, "漁師得魚賣否?" 曰, "亦自不得, 得亦不賣."

○왕홍지는 자가 방평으로 (남조南朝) 유송劉宋 무제武帝가 초빙해도 찾아가지 않더니 옷의 먼지를 털고서 귀향하여 농사를 지었다. 유송 문제 때 종형인 왕경홍王敬弘이 이부상서에 오르면서 담비 갖옷을 벗어 자신에게 주자 즉시 이를 입고서 약초를 캐며 (절강성) 상우현의 바위에 앉아 낚시질을 하였다. 누군가 "어부께서는 물고기를 잡

劉裕가 남조南朝 송宋나라를 건국하고 황제에 즉위한 것을 가리킨다.

407) 吏部尙書(이부상서) : 조정의 핵심 행정 기관인 상서성尙書省 소속 육부六部 가운데 관리들의 인사人事와 고과考課를 관장하는 이부의 장관. 휘하에 시랑侍郎과 낭중郎中・원외랑員外郎 등을 거느렸다.

408) 貂裘(초구) : 담비 가죽으로 만든 옷.

409) 上虞(상우) : 절강성의 속현屬縣 이름.

아서 파셨습니까?"라고 묻자 왕홍지가 대답하였다. "물론 잡지 못했습니다만 잡는다 해도 팔지 않을 것입니다."

◇白面書生(백면서생)

●王玄謨爲彭城太守, 勸宋文帝伐魏. 帝言, "玄謨諫事, 令人有封狼居胥[410]意." 沈慶之曰, "陛下[411]欲伐國, 而與白面書生[412]謀之, 事何由濟?"

○왕현모(388-468)는 (강소성) 팽성태수를 지낼 때 (남조南朝) 유송劉宋 문제에게 (북조北朝) 북위北魏를 정벌할 것을 권하였다. 이에 문제가 "왕현모가 국사에 대해 간언하면 (전한 때 곽거병霍去病이 흉노족을 물리치고) 낭거서산에서 봉선제를 올린 것과 같은 일을 하고 싶은 생각이 들게 만드는구려"라고 말하자 심경지가 말했다. "폐하께서는 다른 나라를 정벌하고자 하시면서 백면서생과 그 일을 도모하시니 일이 어떻게 성사되겠나이까?"

◇蓮幕(연꽃 막부)

●王儉, 字仲寶. 袁粲曰, "此兒雖小, 已有棟梁[413]之器!" 年十八, 拜祕書郎[414]. 仕齊, 領吏部[415]. 用庾杲之爲長史[416], 蕭沔與儉書云, "庾

---

410) 狼居胥(낭거서) : 몽골에 있는 산 이름. 전한 때 곽거병霍去病이 흉노족匈奴族을 물리치고 이곳에서 봉선제封禪祭를 올렸다는 고사가 ≪한서·곽거병전≫ 권55에 전한다.

411) 陛下(폐하) : 황제에 대한 존칭. '섬돌 아래 공손히 자리한다'는 의미에서 유래하였다. 황제皇帝에게는 '섬돌 아래 있다'는 의미의 '폐하陛下'를, 친왕親王이나 제후에게는 '전각 아래 있다'는 의미의 '전하殿下'를, 고관에게는 '누각 아래 있다'는 의미의 '각하閣下'를, 그리고 신분이나 연령이 높은 사람에게는 '발 아래 있다'는 의미의 '족하足下'를 사용함으로써 상대방의 지위가 낮아질수록 점차 거리를 가까이하는 의미가 담겨 있다.

412) 白面書生(백면서생) : 얼굴이 하얀 서생. 글만 읽을 줄 알지 세상물정을 모르는 서생이나 글읽기만 좋아하는 사람에 대한 폄칭貶稱.

413) 棟梁(동량) : 건물의 핵심적인 부분인 마룻대와 대들보. 나라의 중책이나 이를 맡을 훌륭한 인물을 비유한다.

414) 祕書郎(비서랑) : 위진魏晉 이래로 국가 도서의 수집·보관·필사에 관한 업무를 관장하는 비서성祕書省 소속의 관원을 이르는 말. 상관으로 비서감祕書

景行[417], 泛綠水, 依芙蓉, 何其麗也!" 時人以儉府爲蓮花幕.

○왕검(452-489)은 자가 중보이다. 원찬이 "이 아이는 비록 어리지만 이미 나라의 중책을 맡을 자질을 지니고 있구나!"라고 하였다. 나이 고작 열여덟 살에 비서랑을 배수받았다. (남조南朝) 남제南齊에서 벼슬길에 올라 이부를 관장하였다. 유고지를 장사에 기용하자 소면은 왕검에게 주는 서신에서 "유경행(유고지)은 푸른 물에 몸을 띄워 부용꽃(연꽃)에 의지한 격이니 그 얼마나 아름답던가!"라고 하였다. 그래서 당시 사람들이 왕검의 막부를 '연화막'이라고 하였다.

◇金友(훌륭한 동생)

●王銓, 字公衡, 王錫, 字公嘏. 梁人, 皆琳子也. 銓學不及弟, 而孝行齊焉. 世謂玉昆金友[418].

○왕전은 자가 공형이고, 왕석은 자가 공하이다. (남조南朝) 양나라 때 사람들로 모두 왕임王琳(526-573)의 아들이다. 왕전은 학문이 동생에게 미치지 못 했지만 효행은 엇비슷하였다. 그래서 세간에서는 그들을 ('훌륭한 형제'라는 의미에서) '옥곤금우'라고 하였다.

◇白團扇(흰 깃털을 장식한 둥근 부채)

●王摛善屬文. 時王儉使賓客隸事[419]多者賞之. 何憲爲勝, 賞以五花簟·

監과 비서소감祕書少監·비서승祕書丞이 있다.

415) 吏部(이부) : 상서성尙書省 휘하 육부六部 가운데 하나로 관리의 인선人選과 전형銓衡을 관장하던 기관 이름.

416) 長史(장사) : 한나라 이후로 승상부丞相府나 장군부將軍府에서 병마兵馬를 관장하던 벼슬. 당나라 이후로는 주로 자사刺史의 속관이었는데, 자사 휘하에는 품계品階의 고하에 따라 별가別駕·장사長史·사마司馬·녹사참군사錄事參軍事·참군사參軍事·녹사錄事·문학文學 등의 속관이 있었다. ≪신당서·백관지≫권49 참조.

417) 庾景行(유경행) : 남조南朝 남제南齊 때 사람 유고지庾杲之. '경행'은 자. 시호는 정貞. 장사長史와 상서좌승尙書左丞 등을 지냈다. ≪남제서南齊書·유고지전≫권34 참조.

418) 玉昆金友(옥곤금우) : 훌륭한 형제를 비유하는 말. '곤昆'은 형을 뜻하고, '우友'는 우애로운 동생을 뜻한다. '금우옥곤金友玉昆'이라고도 한다.

419) 隸事(예사) : 고사를 열거하다. 즉 풍부한 지식을 바탕으로 글을 짓는 것을

白團扇[420]. 摛後至, 操筆立[421]成, 文辭華美, 乃命抽憲簟, 掣取扇, 登車而去.

○(남조南朝 남제南齊) 왕이는 문장을 잘 지었다. 당시 왕검이 손님들 가운데 고사를 많이 열거하여 글을 짓는 사람에게 상을 주겠다고 하였다. 그러자 하헌이 승리하여 오색 꽃무늬가 새겨진 돗자리와 둥근 부채를 상으로 받았다. 왕이가 뒤에 도착해 붓을 잡자마자 즉시 완성하였는데, 글이 무척 아름다웠기에 결국 그에게 하헌의 돗자리를 빼앗게 하니 둥근 부채를 낚아채고는 수레에 올라 사라졌다.

◇靑箱學(청상학)

●王淮之, 字元魯, 梁人. 自曾祖彪之而下, 四世竝御史中丞[422]. 家世相傳, 竝諳江左[423]舊事, 緘之靑箱[424]. 世傳王氏靑箱學.

○왕회지는 자가 원로로 (남조南朝) 양나라 때 사람이다. 증조부인 왕표지王彪之 이후로 사대에 걸쳐 모두 어사중승을 지냈다. 집안 대대로 서로 전수하며 모두들 강남의 옛 고사를 잘 알았기에 이를 책으로 엮어 책상자에 담았다. 그래서 세간에는 '왕씨청상학'이란 말이 전한다.

◇明珠彈雀(구슬로 참새를 잡다)

●王貞, 字孝逸, 七歲善綴文. 隋開皇[425]初, 齊王暕[426]以書召之曰, "夫

말한다.

420) 白團扇(백단선) : 둥근 부채. '백단白團'으로 약칭하기도 한다.

421) 立(입) : 즉시, 바로.

422) 御史中丞(어사중승) : 관리들의 비행을 규찰하고 탄핵하는 업무를 관장하는 기관인 어사대御史臺에서 어사대부御史大夫 다음 가는 벼슬. 시대마다 차이는 있으나 당송唐宋 때는 어사대부 휘하에 어사중승 외에도 시어사侍御史·전중시어사殿中侍御史·감찰어사監察御史 등이 있었다.

423) 江左(강좌) : 강남江南의 별칭. 남조南朝 때 왕조들이 수도를 장강의 왼쪽, 즉 장강의 동쪽인 건강建康(남경)에 정한 데서 유래하였다.

424) 靑箱(청상) : 푸른 대나무로 엮어서 책이나 그림·글씨 따위를 담는 데 사용하는 상자를 이르는 말. 여기서는 결국 왕회지가 박학하다는 것을 비유한다.

425) 開皇(개황) : 수隋 문제文帝의 연호(581-600).

426) 齊王暕(제왕간) : 수나라 양제煬帝 양광楊廣의 차남인 양간楊暕. '제왕'은 봉

山藏美玉, 光照廊廡427)之間, 地蘊神劍, 氣浮星漢428)之表." 貞謝啓曰, "學無半古429), 才不過人, 枉高車以載鼷430), 辱明珠之彈雀."

○왕정은 자가 효일로 일곱 살에도 문장을 잘 지었다. 수나라 (문제) 개황(581-600) 초에 제왕 양간楊暕이 서신을 보내 그를 부르며 "무릇 산에 아름다운 옥이 묻혀 있으면 그 빛이 행랑채까지 비추고, 땅에 신검이 묻혀 있으면 그 기운이 은하수 밖까지도 뻗기 마련이라오"라고 하였다. 그러자 왕정은 사례의 글을 올려 "학문이 고인을 반도 따라가지 못 하고 재능이 남보다 뛰어나지도 않은데, 커다란 수레를 타고 왕림하여 생쥐를 태워 주고 귀한 구슬로 참새를 잡는 폐를 끼쳤나이다"라고 대답하였다.

◇鼓琴河汾(황하와 분수 일대에서 금을 연주하다)

●王通, 字仲淹, 初篤學, 慨然有濟蒼生之志. 西遊長安, 見隋文帝於太極殿, 奏太平十二策, 不見用. 楊素431)甚禮重之. 居河汾432), 教授生徒, 續詩書, 修元經433). 董常・程元・房・杜・王・魏434)等, 咸北面435)受

호. ≪수서・제왕양간전≫권59 참조.

427) 廊廡(낭무) : 본채 바깥으로 세워진 건물을 이르는 말. 행랑채.

428) 星漢(성한) : 은하수를 뜻하는 말로 '강하絳河' '경하傾河' '명하明河' '소한霄漢' '운한雲漢' '은하銀河' '은한銀漢' '천하天河' '천한天漢' '하한河漢' 등 다양한 별칭으로도 불린다.

429) 半古(반고) : 학문이나 재능이 고인의 절반밖에 안 되다. 즉 학식이나 재능이 다소 뒤떨어지는 것을 말한다.

430) 載鼷(재혜) : 생쥐를 태우다. ≪장자莊子・달생達生≫권7에서 유래한 말로 과분한 대우를 비유한다.

431) 楊素(양소) : 북조北朝 북주北周 사람楊素(?-606). 문제文帝 양견楊堅(541-604)이 수隋나라를 건국하고 황제로 즉위하는 데 일등공신이지만 권모술수에 능해 오히려 양견의 견제를 받았다. ≪수서・양소전≫권48 참조.

432) 河汾(하분) : 황하와 분수汾水. 섬서성 남서부 일대를 가리킨다. 수나라 때 왕통王通(584-618)이 제자들을 양성하던 곳으로 유명하다.

433) 元經(원경) : 수나라 왕통王通(584-618)이 ≪춘추경≫을 모방하여 지은 편년체 사서史書. 총 10권. 당나라 설수薛收가 전傳을 짓고, 송나라 완일阮逸이 주를 달았다. 그러나 진晉나라 태희太熙 원년元年(290)부터 수나라 개황開皇 9년(589)까지는 왕통의 원서라고 하고, 수나라 개황 10년(590)부터 당나라 무덕武德 원년(618)까지는 설수가 지었다고 하나, ≪구당서≫나 ≪신당서≫에 아무런 언급이 없고 송나라에 이르러 완일의 집에서 나왔기에 조공무晁公武는

王佐之道. 蓋千餘人鼓琴於汾亭, 有釣者過而嘆曰, "居山澤而有廊廟[436]之志!" 謚曰文中子. 弟凝, 字叔恬. 二子福郊·福畤, 三孫勔·勮·勃.

○왕통(584-618)은 자가 중엄으로 당초 학문에 정진하여 강개한 심경으로 만백성을 구하겠다는 포부를 품었다. 서쪽으로 (섬서성) 장안을 떠돌다가 태극전에서 수나라 문제를 알현하고서 태평성대를 이룰 정책 12가지를 아뢰었지만 등용되지 않았다. 그러나 양소가 그를 무척 예우해 주었다. 황하와 분수 일대에 거처하면서 학생들을 가르치고 ≪시경≫과 ≪서경≫의 학문을 계승하였으며 ≪원경≫을 편수하였다. 동상·정원·방현령房玄齡·두여회杜如晦·왕규王珪·위징魏徵 등이 모두 북쪽을 향해 시립한 채 스승으로 받들며 왕을 보좌할 도리를 전수받았다. 거의 천 명이 넘는 사람들이 분수의 정자에서 금을 연주하자 낚시꾼이 지나다가 감탄해 하며 말했다. "산야에 거처하면서도 종묘사직을 흥성시킬 뜻을 품고 있구나!" 시호는 '문중자'이다. 동생 왕응王凝은 자가 숙염이다. 두 명의 아들은 왕복교王福郊와 왕복치王福畤이고, 세 명의 손자는 왕면王勔·왕거王勮·왕발王勃이다.

◇斗酒學士(술 한 말을 봉록으로 받는 학사)

●王績, 字無功, 隋大業[437]中, 擧孝廉[438], 還鄕, 種黍蒔藥釀酒, 自供.

완일의 위작僞作이라고 의심하였는데 일리가 있다. ≪문헌통고文獻通考≫에 15권으로 되어 있는 것으로 보아 잔본殘本인 듯하다. ≪사고전서간명목록·사부·편년류編年類≫권5 참조.

434) 房杜王魏(방두왕위) : 당나라 태종 때 명재상으로 왕통王通의 문하 출신인 방현령房玄齡(578-648)·두여회杜如晦(585-630)·왕규王珪(571-639)·위징魏徵(580-643)을 아우르는 말.

435) 北面(북면) : 북쪽을 향하다. 매우 공경하는 것을 비유하는 말. 천자나 스승은 남향으로 앉고 신하나 제자는 북향으로 시립하기에 신하나 제자 노릇하는 것을 비유한다.

436) 廊廟(낭묘) : 궁전의 외곽 건물과 태묘太廟. 즉 조정을 일컫는 말로 재상의 지위를 상징한다.

437) 大業(대업) : 수隋 양제煬帝의 연호(605-617).

438) 孝廉(효렴) : 한나라 이후로 관리를 선발하던 제도의 하나. 효렴과孝廉科 외에도 현량방정賢良方正·직언극간直言極諫 등의 과목이 있었다.

以周易·老子[439]置床頭, 遊北山東皋, 著書, 自號東皋子. 唐武德[440]初, 待詔[441]門下省[442], 官給酒一斗, 號斗酒學士. 飮至五斗, 不亂. 著五斗先生傳[443]及醉鄕記.

○(왕통王通의 동생인) 왕적(585-644)은 자가 무공으로 수나라 (양제) 대업(605-617) 연간에 효렴과에 급제하였으나 귀향하여 기장을 심고 약초를 재배하고 술을 빚으면서 자급자족하였다. ≪역경≫과 ≪노자≫를 침상 머리에 둔 채 북산의 동쪽 언덕을 유람하고 저서활동에 전념하면서 스스로 호를 '동고자'라고 하였다. 당나라 (고조) 무덕(618-626) 초에는 문하성에서 대조직을 맡았는데, 관청에서 봉록으로 술을 한 말 지급받았기에 '두주학사'로 불렸다. 술을 다섯 말까지 마셔도 몸가짐이 흩뜨러지지 않았다. <오두선생전>과 <취향기>를 지었다.

◇激濁揚淸(흐린 물을 없애고 맑은 물을 일으키다)

●王珪, 字叔玠, 唐太宗朝, 爲諫大夫. 嘗令品藻當代人物, 珪曰, "激濁揚淸[444], 臣於數子, 亦有一日之長[445]." 當時以爲確論.

○왕규(571-639)는 자가 숙개로 당나라 태종 때 간대부를 지냈다. 태종이 일찍이 당대의 인물들에 대해 품평해 보라고 하자 왕규는 "흐린 물을 없애고 맑은 물을 일으키는 데 있어서는 신이 몇몇 사람보다 약간 뛰어나옵니다"라고 대답하였다. 당시 사람들이 이를 정확한

---

439) 老子(노자) : 춘추시대 때 사람 이이李耳에 대한 존칭이자 그의 저서로 알려진 서책 이름. 이이의 자는 백양伯陽·중이重耳·담聃이고, 호는 노군老君. '노담老聃' '노래자老萊子' '이노군李老君' 등 여러 별칭으로도 불렸다.

440) 武德(무덕) : 당唐 고조高祖의 연호(618-626).

441) 待詔(대조) : 한나라 이후로 황실에 초빙되어 황명을 기다리며 황제에게 자문을 해 주던 일이나 그런 일을 담당하는 벼슬을 일컫는 말.

442) 門下省(문하성) : 황명王命의 출납과 조칙詔勅의 심의를 관장하던 조정의 핵심 기관 이름.

443) 五斗先生傳(오두선생전) : 당나라 왕적王績(585-644)의 자서전적인 글로서 뒤의 <취향기>와 함께 그의 문집인 ≪동고자집東皋子集≫권하에 전한다.

444) 激濁揚淸(격탁양청) : 흐린 물을 쳐내고 맑은 물결을 일으키다. 악을 물리치고 선을 권장하거나, 간신을 내치고 충신을 추천하는 일 등을 비유한다.

445) 一日之長(일일지장) : 하루 더 빠른 장점. 약간 더 뛰어난 것을 비유한다.

주장이라고 인정하였다.

◇碧紗籠(푸른 깁으로 덮다)

●王播, 字明敭. 微時, 客揚州木蘭寺, 隨僧飯, 厭之, 飯後擊鐘[446]. 後鎭是邦, 前所題詩, 已碧紗籠[447]矣. 唐穆宗朝, 拜相.

○왕파(759-830)는 자가 명양이다. 평민이었을 때 (강소성) 양주의 목란사에 기거하면서 승려들을 따라 밥을 얻어 먹었는데, 승려들이 그를 미워하여 식사가 끝난 뒤에 종을 치곤 하였다. 뒤에 이 고을을 진수하게 되자 전에 적어놓았던 시는 이미 푸른 깁으로 덮혀 있었다. 당나라 목종 때 재상을 배수받았다.

◇五經指南(오경을 공부하는 데 필요한 지침서)

●王元感, 唐武后朝, 明經[448]高第. 撰書糾繆[449]·春秋振滯·禮繩愆[450]數百篇, 魏知古嘆曰, "五經[451]指南[452]也." 徐堅等薦之, 詔褒美爲儒宗, 授四門[453]博士.

○왕원감은 당나라 측천무후 때 명경과에 응시하여 우수한 성적으로 급제하였다. ≪서규무≫ ≪춘추진체≫ ≪예승건≫ 등 수백 편의 글

---

446) 擊鐘(격종) : 종을 치다. 즉 식사 시간이 되었음을 알리는 것을 말한다.

447) 碧紗籠(벽사롱) : 푸른 깁으로 덮다. 승려들이 수치심에 왕파王播가 적어놓았던 시를 비단천으로 가렸다는 말이다.

448) 明經(명경) : 한나라 때 경서經書에 밝은 사람에게 책문策問에 답하게 해서 인재를 뽑던 과거시험의 하나. 수隋나라 때 경전을 대상으로 하는 명경과와 문재文才를 시험하는 진사과로 나뉘었고, 당송唐宋 때까지 이어지다가 송나라 때 진사시험으로 통일되면서 폐지되었다.

449) 糾繆(규무) : 오류를 수정하는 일. 여기서는 서명으로 쓰였다.

450) 繩愆(승건) : 오류를 바로잡다. 여기서는 서명으로 쓰였는데, 왕원감王元感의 저서는 모두 실전되었다.

451) 五經(오경) : ≪역경易經≫ ≪서경書經≫ ≪시경詩經≫ ≪예기禮記≫ ≪춘추경春秋經≫을 아우르는 말. '육경六經'과 함께 결국 경전을 총칭한다.

452) 指南(지남) : 나침반과 같은 기구를 뜻하는 말로 지침서나 안내서를 비유한다.

453) 四門(사문) : 국가 최고 교육기관인 국자학國子學·태학太學·사문학四門學 가운데 하나인 사문학의 약칭.

을 짓자 위지고가 그의 글을 보고서 감탄하여 말했다. "오경을 공부하는 데 필요한 지침서로다!" 서경 등이 그를 추천하자 조서를 내려 유학의 종사로 우대하고 사문학박사에 임명하였다.

◇三珠樹(세 명의 뛰어난 인재)

●王勃, 字子安, 唐高宗朝, 對策454)高第, 與兄勔·勮, 竝著才名. 林易簡稱爲三珠樹. 勃爲文, 磨墨數升, 酣飮, 引被覆面, 臥, 及寤, 援筆成篇, 不易一字. 時謂腹藁. 請爲文者日衆, 金帛豐積, 人謂, "勃心織筆耕." 因作沛王455)鬪雞檄, 被斥. 終朝散郞456).

○(수나라 왕통王通의 손자인) 왕발(649-676)은 자가 자안으로 당나라 고종 때 대책에 응시하여 우수한 성적으로 급제하더니 형 왕면王勔·왕거王勮와 함께 나란히 글재주로 명성을 떨쳤다. 그래서 임이간이 그들을 '삼주수'라고 칭송하였다. 왕발은 글을 지으면 먹물을 몇 되 간 뒤 술을 거나하게 마시고 이불을 당겨 얼굴을 뒤집어쓰고 누웠다가 잠이 깨면 붓을 당겨 글을 완성하였는데 한 자도 고치지 않았다. 그래서 당시 사람들이 그를 ('뱃속에 초고를 간직하고 있다'는 의미에서) '복고'라고 하였다. 글을 지어달라고 청하는 이들이 날로 많아져 금과 비단이 수북이 쌓였기에 사람들이 "왕발은 마음으로 베를 짜고 붓으로 농사를 짓는다"고 하였다. 그러나 패왕(이현李賢)의 투계에 대한 격문을 지은 일 때문에 쫓겨난 적이 있다. 조산랑을 지내다가 생을 마쳤다.

---

454) 對策(대책) : 정사政事나 경의經義에 대한 문제에 답안을 제시하는 일. '대책對冊'으로도 쓴다.

455) 沛王(패왕) : 당나라 고종高宗과 측천무후則天武后 사이에서 태어난 6남인 이현李賢의 봉호. 뒤에 태자에 올랐으나 측천무후의 총신인 명숭엄明崇儼을 암살한 일 때문에 폐위당했다가 측천무후가 즉위한 뒤 자살하였다. ≪후한서≫에 주를 달았다. ≪신당서·장회태자이현전章懷太子李賢傳≫권81 참조.

456) 朝散郞(조산랑) : 문관文官 가운데 덕망이 있는 사람에게 수여하는 일종의 산관散官. 당송唐宋 때는 '조산대부朝散大夫'라고도 하였으며, 당나라 때는 종5품하從五品下, 송나라 때는 종5품상從五品上에 해당하였다.

◇輞川(왕유의 망천장)

●王維, 字摩詰457). 開元458)中, 維爲尙書左丞, 弟縉爲蜀州刺史. 維表己五短·縉五長. 別墅在輞川459), 有欹湖·柳浪·茱萸沜460)·辛夷塢461), 與裵迪遊其中, 賦詩爲樂. 東坡462)云463), "摩詰, 詩中有畵, 畵中有詩." 祿山464)亂, 爲所得宴凝碧池, 維詩465)云, "萬戶傷心生野烟, 百官何日再朝天? 秋槐466)葉落空宮裏, 凝碧池邊奏管絃." 賊平, 維以此詩獲宥.

---

457) 摩詰(마힐) : 석가모니의 속가 제자이자 대승불교의 창시자인 '유마힐維摩詰'의 약칭. 왕유王維(699-759)가 불교에 관심이 많아 자로 택한 듯하다.

458) 開元(개원) : 당唐 현종玄宗의 연호(713-741).

459) 輞川(망천) : 섬서성 남전현藍田縣 남쪽에 있는 하천 이름. 당나라 때 시인 왕유王維(699-759)의 별장으로 유명하여 왕유의 대칭으로도 쓰였다.

460) 茱萸沜(수유반) : 수유꽃이 만발한 반달 모양의 연못을 이르는 말. '반沜'은 '반泮'의 고자.

461) 辛夷塢(신이오) : 자목련이 있는 둑 이름. '신이'는 4월에 종 모양의 자주색 꽃이 피는 자목련紫木蓮의 별칭. 앞의 '의호欹湖' 등과 함께 모두 망천輞川의 명승지를 가리킨다.

462) 東坡(동파) : 송나라 때 대문호인 소식蘇軾(1036-1101)의 호. 호북성 황주黃州로 폄적당했을 때 동파에 거주한 데서 비롯되었다. 저서로 ≪동파전집東坡全集≫ 115권이 전한다. ≪송사·소식전≫권338 참조.

463) 云(운) : 송나라 완열阮閱의 ≪시화총귀詩話總龜·평론문評論門4≫권8 등 여러 문헌에 의하면 소식이 남에게 주는 서신에서 한 말이라고 하였는데, ≪동파전집東坡全集≫에 실리지 않은 것으로 보아 원문은 실전된 듯하다.

464) 祿山(녹산) : 당나라 사람 안녹산安祿山(703-757). 호족胡族 출신으로 본명은 아락산阿犖山 혹은 알락산軋犖山. 현종玄宗 때 절도사節度使에 올랐고, 양귀비楊貴妃(719-756)의 양자가 되어 총애를 받았으나 양국충楊國忠과 갈등을 빚자 반란을 일으켜 장안長安을 점령하고 스스로 칭제稱帝한 뒤, 국호를 연燕, 연호를 성무聖武라고 하였다. 뒤에 장남 안경서安慶緖(?-759)에게 살해당했다. ≪신당서·역신열전逆臣列傳·안녹산전≫권225 참조.

465) 詩(시) : 이는 칠언절구七言絶句 <보리사에 구금되어 있을 때 배적이 나를 보러 찾아와서 역적들이 응벽지에서 연회를 열어 공봉직을 맡았던 사람들이 목소리를 높였다는 얘기를 하길래, 곧 일시 눈물을 흘리고 몰래 즉흥시를 지어서 배적에게 보이다(菩提寺禁, 裵迪來相看, 說逆賊等凝碧池上作音樂, 供奉人等擧聲, 便一時淚下, 私成口號誦, 示裵迪)>를 인용한 것으로 청나라 조전성趙殿成이 엮은 ≪왕우승집전주王右丞集箋注≫권14에 전한다. 시제詩題에서 '구호口號'는 즉흥적으로 지은 시를 뜻한다.

466) 秋槐(추괴) : 가을날 홰나무. 고관을 상징한다. 주周나라 때 세 그루의 홰나무(槐)와 아홉 그루의 가시나무(棘)를 심어 삼공三公과 구경九卿의 자리를 정한 데서 유래하였다.

○왕유(699-759)는 자가 마힐이다. (당나라 현종) 개원(713-741) 연간에 왕유는 상서좌승을 지냈고, 동생인 왕진王縉(700-781)은 (사천성) 촉주자사를 지냈다. 왕유는 상소문에서 자신의 다섯 가지 단점과 왕진의 다섯 가지 장점을 아뢴 적이 있다. 별장은 (섬서성 남전현藍田縣 남쪽의) 망천에 있는데, 의호·유랑·수유편·신이오 등의 명승지가 있어서 배적과 그곳에서 노닐며 시를 짓는 일로 소일하였다. (송나라) 동파東坡 소식蘇軾은 "마힐(왕유)은 시 속에 그림이 있고, 그림 속에 시가 있다"고 평하였다. 안녹산이 반란을 일으킨 뒤 획득한 것을 축하하기 위해 응벽지에서 연회를 열었는데, 왕유는 시를 지어 "만백성의 상심 속에 들판에 전쟁의 연기가 피어오르니, 문무백관은 언제나 다시 천자를 조알할 수 있으려나? 가을날 홰나무 잎새가 텅 빈 궁중에 떨어지건만, 응벽지 물가에서는 악기를 연주하누나"라고 하였다. 뒤에 반군이 평정되었을 때 왕유는 이 시 때문에 사면을 받을 수 있었다.

◇宮詞(궁중의 노래)

●王建, 唐元和[467]間人, 以宮詞[468]名家. 凡一百有四篇, 逸詩九篇.

○왕건(약 768-?)은 당나라 (헌종) 원화(806-820) 때 사람으로 <궁궐의 노래>로 명성을 떨쳤다. 도합 104수가 전하고, 실전된 시가 9수이다.

◇沈香檻(침향으로 만든 난간)

●王元寶巨富, 以金銀疊屋, 紅泥泥壁. 置禮賢堂, 沈香[469]爲軒檻, 碔砆[470]甃[471]地, 錦文石爲柱礎, 銅線穿錢爲園徑. 人謂王氏富窟.

---

467) 元和(원화) : 당唐 헌종憲宗의 연호(806-820).

468) 宮詞(궁사) : 궁중을 배경으로 지은 노래를 뜻하는 말로 형식은 칠언절구七言絶句이다. 사고전서본 왕건王建(약 768-?)의 ≪왕사마집王司馬集≫권8에는 100수가 수록되어 전한다.

469) 沈香(침향) : 향나무의 일종. 주로 향료나 목재로 쓰인다.

470) 碔砆(무부) : 옥과 유사한 아름다운 돌 이름.

471) 甃(추) : 벽돌을 쌓아 올려 담장을 만드는 일.

○(당나라) 왕원보는 대단한 부자라서 금과 은을 집에 쌓고 붉은 진흙으로 벽을 발랐다. 예현당을 마련하면서는 침향목으로 난간을 만들고, 아름다운 옥돌로 바닥에 담장을 세웠으며, 비단 무늬의 아름다운 돌로 기둥과 주춧돌을 만들고, 구리선으로 동전을 꿰어 정원의 오솔길을 만들었다. 그래서 사람들은 '왕씨부굴'이라고 하였다.

◇西江集(≪서강집≫)

●王仁裕幼夢出其腸胃, 以西江水滌之, 見江中沙石, 皆籀文472), 文思日進, 乃集平生所作詩文, 爲西江集. 五代漢高祖時, 爲翰林學士, 遷尙書473)·知貢擧474). 門生王溥·和凝·范質, 皆至宰相. 與門生飮, 掛詩板475)於坐次云476), "二百一十四門生, 春風初長羽毛477)成."

○왕인유(880-956)는 어려서 창자와 위장을 꺼내 서강의 강물로 씻다가 강의 돌에 모두 주문이 새겨져 있는 꿈을 꾸고서 문장의 구상력이 날로 발전하더니 결국 평생 지은 시문을 모아 ≪서강집≫을 엮었다. 오대 후한後漢 고조 때 한림학사를 맡다가 상서와 지공거로 승진하였다. 문하생인 왕보·화응·범질은 모두 재상까지 올랐다. 문하생들과 술을 마시다가 시를 적은 목판을 좌석에 걸었는데, 거기

---

472) 籀文(주문) : 주周나라 사관史官 주籀가 창안했다는 서체인 대전체大篆體의 별칭.

473) 尙書(상서) : 한나라 이후로 정무政務와 관련한 문서의 발송을 주관하는 일, 혹은 그러한 업무를 관장하던 벼슬을 가리킨다. '상尙'은 '주관한다(主)'는 뜻이다. 후대에는 이부상서吏部尙書나 병부상서兵部尙書와 같이 그런 업무를 관장하는 상서성尙書省 소속 장관을 뜻하는 말로 쓰였다. 휘하에 시랑侍郞과 낭중郞中·원외랑員外郞 등을 거느렸다.

474) 知貢擧(지공거) : 당송 때 진사進士 시험을 총괄하기 위해 특별히 설치한 벼슬 이름. 처음에는 고공원외랑考功員外郞이 맡았으나 권위가 떨어지자 뒤에는 예부시랑禮部侍郞이 맡기도 하고, 각 부서의 상서尙書가 맡기도 하였다.

475) 詩板(시판) : 시를 적은 목판을 이르는 말.

476) 云(운) : 이는 칠언율시七言律詩 가운데 수련首聯을 인용한 것으로 송나라 완열阮閱의 ≪시화총귀詩話總龜≫권22에 전한다.

477) 羽毛(우모) : 사람의 명예를 비유하는 말. 깃털과 털이 새와 짐승의 몸을 아름답게 꾸며주는 데서 유래하였다. 여기서는 과거시험에 합격한 것을 비유한다.

에는 "214명의 문하생들이, 봄바람이 길게 불자 깃털과 털이 다 자랐구나(과거시험에 급제하리라)"라는 구절이 적혀 있었다.

◇金鼎(쇠로 만든 세발솥)

●王溥, 字齊物, 趙太祖478)朝, 拜相. 座主479)王仁裕賀以詩480)云, "一戰文場481)拔趙旗, 便携金鼎482)贊無爲. 白麻驟降何恩厚? 黃閣483)初開喜可知. 跋敕484)案前人到少, 築沙堤上馬行遲. 押班485)長得遙相見, 親狎爭如486)未貴時?" 藏書萬卷, 長子貽孫遍覽之. 幼子貽永, 慶曆487)中, 拜相.

○왕보(922-982)는 자가 제물로 (송나라) 태조 조광윤趙匡胤 때 재상을 배수받았다. 그러자 (왕보가 과거시험에 급제할 때) 시험감독관이었던 왕인유(880-956)가 다음과 같은 시로 축하해 주었다. "과거시험장에서 한바탕 전투를 치러 조나라(송나라) 깃발을 뽑더니, 바로 쇠로 만든 세발솥을 가져다가 무위지치無爲之治를 돕게 되었네. (재상에 임명하는) 백마지가 갑자기 내려오니 성은이 그 얼마나 두텁던가? 승상부의 대문이 막 열려 기쁘게도 알 수 있게 되었네. 황명을 작성하는 책상 앞에 사람들 발길이 거의 끊어지더니, 모래를 쌓아 만든 재상이 다니는 길에 말의 걸음걸이 느긋하네. 압반이 길게 늘어서 멀리서도 바라다보이거늘, 황제의 총애가 어찌 고관에 오르기 전과 같을쏘냐?" 책 만 권을 소장하였는데 장남인 왕이손王貽孫은

478) 趙太祖(조태조) : 송나라 태조太祖 조광윤趙匡胤(927-976)을 가리킨다.
479) 座主(좌주) : 당송唐宋 때 진사進士들이 시험감독관을 일컫던 말.
480) 詩(시) : 이는 칠언율시七言律詩 <왕보가 입궐하여 재상이 된 것을 축하하다(賀王溥入相)>를 인용한 것으로 ≪전당시全唐詩·왕인유≫권736에 전한다.
481) 文場(문장) : 과거시험장을 이르는 말. '과장科場' '사장詞場' '공원貢院' '공위貢闈' '시원試院' '시위試闈' '장옥場屋' 등 다양한 이름으로도 불렸다.
482) 金鼎(금정) : 쇠로 만든 세발솥. 조화로운 정치를 상징한다.
483) 黃閣(황각) : 재상의 관서를 일컫는 말. 한나라 때 삼공三公이나 재상이 집무하는 관서의 대문을 황색으로 칠한 데서 유래하였다.
484) 跋敕(발칙) : 황명이나 공문서를 작성하는 일.
485) 押班(압반) : 궁녀를 통솔하는 여관女官을 이르는 말.
486) 爭如(쟁여) : 어찌 …만하랴? '쟁爭'은 의문사로 '하何' '즘怎'의 뜻.
487) 慶曆(경력) : 북송北宋 인종仁宗의 연호(1041-1048).

이를 모두 읽었다. 막내아들 왕이영王貽永은 (인종) 경력(1041-1048) 연간에 재상을 배수받았다.

◇三槐堂(삼괴당)

●王祐, 字景叔. 趙太祖命使魏州曰, "卿還, 當與王溥官職." 及還, 得謫, 或曰, "意公作王溥官職矣." 曰, "祐不做, 兒子二郞[488]必做." 手植三槐[489]于庭曰, "吾子孫必有爲三公[490]者." 天下謂之三槐. 王氏官至兵侍[491]. 子旦.

○왕우는 자가 경숙이다. (송나라) 태조 조광윤趙匡胤이 그에게 (하북성) 위주에 사신으로 가도록 명하며 말했다. "경이 돌아오면 분명 왕보가 맡고 있는 재상직을 주겠소." 그러나 돌아온 뒤 폄적당하고 말았다. 혹자가 말했다. "공이 왕보가 맡고 있던 재상직에 오르리라 생각했었습니다." 그러자 왕우가 대답하였다. "저 왕우는 맡지 못하겠지만 아들 중에 둘째(왕단王旦)는 틀림없이 맡을 것입니다." 왕우는 손수 마당에 홰나무 세 그루를 심으며 말했다. "우리 자손 중에 틀림없이 삼공에 오를 사람이 있을 것이다." 그래서 천하 사람들은 (왕우의 집을) '삼괴당'이라고 하였다. 왕우는 관직이 병부시랑까지 올랐다. 아들은 왕단王旦이다.

---

488) 二郞(이랑) : 둘째 아들에 대한 애칭. 여기서는 왕우王祐의 차남인 왕단王旦(957-1017)을 가리킨다.

489) 三槐(삼괴) : 홰나무 세 그루. 삼공三公을 상징한다. 고대 중국에서는 조정에 홰나무(槐)를 심어 삼공을 나타내고, 가시나무(棘)를 심어 구경九卿을 나타내는 관례가 있었다.

490) 三公(삼공) : 세 명의 재상을 일컫는 말. 시대마다 차이가 있는데, 주周나라 때는 태사太師·태부太傅·태보太保를 삼공이라고 하다가, 진秦나라와 전한 초에는 승상丞相·어사대부御史大夫·태위太尉를 삼공이라고 하였고, 전한 말엽에는 대사마大司馬(태위太尉)·대사도大司徒·대사공大司空을 삼공이라고 하였으며, 후대에는 태위太尉·사도司徒·사공司空을 삼공이라고 하였다.

491) 兵侍(병시) : 상서성尙書省 소속 육부六部 가운데 병무에 관한 업무를 관장하는 병부의 버금 장관인 병부시랑兵部侍郞의 약칭. 장관은 '상서尙書'라고 하고, 차관을 '시랑'이라고 하며, 휘하에 낭중郞中과 원외랑員外郞을 거느렸다.

◇聖德老臣(훌륭한 인품을 지닌 노신)

●王旦, 字子明, 相眞宗於景德[492]・祥符[493]間, 福祿榮名者, 十有[494]八年. 爲天書使[495], 常悒悒[496]不樂, 魏野獻詩[497]云, "西祀東封[498]俱了畢, 歸來相伴赤松[499]遊." 公甚喜. 仁宗親篆其碑云, "聖德老臣之碑." 謚文正. 三子雍・沖・素.

○왕단(957-1017)은 자가 자명으로 경덕(1004-1007)・대중상부(1008-1016) 연간에 진종 밑에서 재상에 올라 부귀영화를 누린 것이 18년에 달했다. 천서를 관장하는 사신을 맡았을 때 늘 우울해 하며 즐거운 표정을 짓지 않자 위야가 시를 바쳐 "지신과 천제에게 제를 올리는 일이 모두 끝나면, 돌아와 신선인 적송자와 어울려 유람이나 하시지요"라고 하였다. 왕단이 무척 기뻐하였다. 인종이 몸소 그의 비석에 "훌륭한 인품을 지닌 노신의 비석"이라는 문구를 새겨 주었다. 시호는 '문정'이다. 세 아들은 왕옹王雍・왕충王沖・왕소王素이다.

---

492) 景德(경덕) : 북송北宋 진종眞宗의 연호(1004-1007).

493) 祥符(상부) : 북송北宋 진종眞宗의 연호인 대중상부大中祥符(1008-1016)의 준말.

494) 有(우) : 수효를 덧보탤 때 쓰는 말. 또. '우又'와 통용자.

495) 天書(천서) : 송나라 진종眞宗 때 하늘에서 떨어졌다고 하는 문서를 이르는 말. ≪송사・왕단전≫권282에 의하면 구준寇準(961-1023)이 거란과의 조약을 성사시켰을 때 구준을 시기하던 왕흠약王欽若(962-1025)이 농간을 부렸는데, 술대접과 진주를 받은 왕단王旦(957-1017)이 천서天書・봉선封禪 등 일련의 국사國事에 대해 입을 다물었다고 한다.

496) 悒悒(읍읍) : 슬퍼하는 모양, 우울한 모양.

497) 詩(시) : 이는 칠언절구七言絶句 <태보에 오르신 (강소성) 낭야현 출신 상공(왕단王旦)께서 맛좋은 술을 선물로 주셨기에 절구 두 수를 지어 이로써 감사의 뜻을 적다(太保琅琊相公見惠美酒, 因成二絶, 用爲紀謝)> 가운데 제2수의 후반부를 인용한 것으로 송나라 위야魏野(961-1020)의 ≪동관집東觀集≫권3에 전한다.

498) 西祀東封(서사동봉) : 서쪽 교외에서 지신에게 제를 올리고 동쪽 태산에서 천제에게 제를 올리는 일.

499) 赤松(적송) : 전설상의 신선인 적송자赤松子의 약칭.

◇四諫(네 명의 간관)

●王素, 字仲儀. 宋仁宗御筆, 親除四諫官[500], 素其一也.(見蔡襄) 帝曰, "王素, 眞御史[501]也." 時目爲擊鶻. 出入侍從, 將帥三十餘年, 以工部尙書[502]致仕. 諡懿敏. 子鞏.

○왕소(1007-1073)는 자가 중의이다. 송나라 인종이 직접 붓을 들어 친히 네 명의 간관을 제수하였을 때 왕소도 그중 한 사람이다.(상세한 내용은 뒤의 '채양'에 관한 기록인 '사현삼간시四賢三諫詩'항에 보인다) 인종은 "왕소야말로 진정한 어사로다!"라고 말한 일이 있다. 당시 사람들은 그에게 ('사냥감을 공격하는 송골매'란 의미에서) '격골'이란 별명을 붙여 주었다. 황궁을 출입하며 황제를 시종하고 30년 넘게 장수를 맡다가 공부상서의 신분으로 벼슬을 그만두었다. 시호는 '의민'이다. 아들은 왕공王鞏이다.

◇氷蘗聲(얼음과 황벽나무 열매를 먹는다는 명성)

●王質, 字子野, 文正之姪也. 其在相門, 弗驕弗華, 以貧爲寶. 仁宗朝, 歷蔡州·盧州[503]·荊南府數郡, 所至以氷蘗[504]聲.

○왕질은 자가 자야로 문정공文正公 왕단王旦(957-1017)의 조카이다. 그는 재상의 가문에 있을 때도 교만한 행동을 하지 않고 사치스런 생활을 하지 않으며 가난한 삶을 보배처럼 받아들였다. 인종 때 (하

---

500) 諫官(간관) : 임금에게 간언하는 것을 관장하는 관리를 아우르는 말로서 급사중給事中이나 간의대부諫議大夫·간대부諫大夫 등을 통칭한다. '네 명의 간관'은 범중엄范仲淹·구양수歐陽修·여정余靖·왕소王素를 가리킨다.

501) 御史(어사) : 탄핵을 전담하는 기관인 어사대御史臺 소속의 벼슬에 대한 총칭. 당나라 때는 어사대를 헌대憲臺·숙정대肅正臺라 부르기도 하였다. 시대마다 다소 차이는 있으나, 보통 장관은 어사대부御史大夫, 버금 장관은 어사중승御史中丞이라고 하였으며, 휘하에 시어사侍御史·전중시어사殿中侍御史·감찰어사監察御史·어사승御史丞 등의 속관이 있었다.

502) 工部尙書(공부상서) : 당송 때 상서성尙書省의 육부六部 중 토목공사와 기물의 제작 및 수리 등에 관한 업무를 관장하던 기관인 공부의 장관을 이르는 말. 휘하에 시랑侍郞과 낭중郞中·원외랑員外郞 등을 거느렸다.

503) 盧州(노주) : 강서성의 속주屬州인 여주廬州의 오기.

504) 氷蘗(빙벽) : 얼음과 황벽나무 열매를 먹다. 가난하고 고생스런 생활을 비유한다. '벽蘗'은 '벽檗'과 통용자.

남성) 채주·(강서성) 여주·(호남성) 형남부 등 여러 고을의 관리를 역임하였는데, 부임하는 곳마다 얼음과 황벽나무 열매를 먹는 청빈한 관리라는 명성을 얻었다.

◇經綸才(세상을 다스릴 인재)

●王禹偁, 字元之. 七歲能文, 畢文簡[505]留於子弟中, 講學. 一日太守席上出詩句云, "鸚鵡能言爭似鳳?" 文簡書之屛間, 元之書其下云, "蜘蛛[506]雖巧不如蠶." 公曰, "經綸才也!" 太宗聞其賢, 召拜右拾遺[507], 賜緋[508], 特命文犀帶[509], 寵之. 獻端拱箴[510], 上曰, "元之文章, 當是天下獨步." 眞宗朝, 除知制誥. 子嘉言·嘉祐.

○(송나라) 왕우칭(954-1001)은 자가 원지이다. 일곱 살 때부터 글을 지을 줄 알았기에 문간공文簡公 필사안畢士安이 자신의 자제들과 함께 머물게 하면서 학문을 가르쳤다. 하루는 태수가 연회석상에서 시구를 꺼내 "앵무새가 말을 할 줄 안다고 어찌 봉황과 같을 수 있으랴?"라고 하였다. 필사안이 이를 병풍에 적자 왕우칭은 그 아래에다가 "거미가 비록 거미줄 치는 솜씨 뛰어나다 한들 누에만 못 하다네"라고 적었다. 그래서 필사안이 "세상을 다스릴 인재로다!"라고

---

505) 畢文簡(필문간) : 송나라 사람 필사안畢士安(938-1005). '문간'은 시호. 자는 인수仁叟. 감찰어사監察御史와 참지정사參知政事 등을 지냈다. ≪송사·필사안전≫권281 참조.

506) 蜘蛛(지주) : 거미.

507) 拾遺(습유) : 당나라 측천무후則天武后(624-705) 때 처음 신설된 규간規諫을 관장하는 벼슬. 좌·우습유가 있었는데, 좌습유는 문하성門下省 소속이고 우습유는 중서성中書省 소속이었다. 송나라 때는 좌左·우정언右正言으로 개칭되었다.

508) 賜緋(사비) : 5품 이상 고관이 착용하는 비복緋服을 하사하는 일.

509) 犀帶(서대) : 고대에 품계品階가 있는 고관들이 착용하던 무소뿔을 장식한 허리띠를 일컫는 말인 '서각대犀角帶'의 준말.

510) 端拱箴(단공잠) : ≪송사·왕우칭전≫권293과 왕우칭의 문집인 ≪소축집小畜集≫권8에 실린 <폄적되어 지내다가 시사에 느끼는 바 있어 지은 시(謫居感事)>의 '단공 때 잠규를 바쳤네(端拱獻箴規)'라는 구절의 자주自注에 의하면, 태종太宗 단공端拱(988-989) 초에 우습유右拾遺에 배수되면서 당일에 올린 잠언箴言을 가리킨다.

칭찬하였다. 태종은 그가 현명하다는 소문을 듣고 그를 불러들여 우습유에 배수하고 비복을 하사하면서 특별히 아름다운 무소뿔을 장식한 허리띠를 하사해 그에게 총애를 보였다. <단공(988-989) 연간에 쓴 잠언>을 바치자 태종은 "원지(왕우칭)의 문장은 천하에 독보적이라 평해야 할 것이오"라고 하였다. 진종 때 지제고를 제수받았다. 아들은 왕가언王嘉言과 왕가우王嘉祐이다.

◇手搏狀元(주먹싸움으로 장원급제를 차지하다)

●王嗣宗, 字希阮. 趙太祖朝, 與趙昌言爭狀元, 上命二人手搏, 嗣宗勝. 故种放[511]曰, "卿以手搏得狀元!" 爲泰山司理[512], 有詩云, "欲掛衣冠神武門, 先尋水竹近南村. 却將舊斬樓蘭[513]劍, 買得黃牛[514]教子孫."

○왕사종은 자가 희원이다. (송나라) 태조 조광윤趙匡胤 때 조창언과 장원급제를 다투자 태조가 두 사람에게 주먹싸움을 시켰더니 왕사종이 이겼다. 그러자 충방이 말했다. "경은 주먹싸움으로 장원급제를 차지하였구려!" (산동성) 태산군의 사리참군을 지낼 때는 다음과 같은 시를 남겼다. "(도성의) 신무문에 관복과 관모를 걸고서 관직을 그만두려고 하면서, 먼저 남촌 가까운 곳의 수죽을 찾았지만, 도리어 옛날에 누란국 왕의 목을 벤 검을 가져다가, 황소를 매입해 자손을 가르치리라."

---

511) 种放(충방) : 송나라 사람. 자는 '명일明逸'이고 호는 운계취후雲溪醉侯·퇴사退士. 산수와 은둔생활을 좋아하여 숭산嵩山과 화산華山을 왕래하다가 뒤에 장안 남쪽 종남산終南山에 거처를 마련하고 출사와 은거를 반복하였다. 벼슬은 사간司諫·공부시랑工部侍郎 등을 지냈다. ≪송사·충방전≫권457 참조.

512) 司理(사리) : 한나라 이후로 왕부王府나 장수·사신·자사·태수 등 지방 장관 휘하에서 옥사獄事와 형벌을 관장하던 속관인 사리참군司理參軍의 약칭.

513) 樓蘭(누란) : 한나라 때 서역西域 국가 가운데 하나. 한나라와 흉노 사이에 끼여 양다리를 걸치는 외교술을 전개하기도 하고, 때로는 사신을 죽이며 통행을 막기도 하였다. 전한 무제武帝가 부개자傅介子를 파견하여 점령하고서 국호를 '선선鄯善'으로 개칭하기도 하였다. ≪한서·서역전≫권96 참조.

514) 買得黃牛(매득황우) : 황소를 매입하다. 전한 공수龔遂(?-B.C.62)가 산동성 발해태수渤海太守를 맡자 백성들에게 농업과 잠업을 권장하면서 검을 팔아 소를 사고 칼을 팔아 송아지를 사게 했다는 고사가 ≪한서·순리열전·공수전≫권89에 전한다.

◇紫微(하늘에 재상에 오를 조짐인 '자미'가 나타나다)

●王欽若, 字定國. 少時, 夜視天文有紫微[515]字, 宋祥符中, 大拜[516]. 以故相守杭州, 有一老尉, 蒼顔華髮, 乃同年生也. 公憐之, 薦于朝, 特改京秩[517]. 尉詩謝云, "當年同試大明宮[518], 文字雖同命不同. 我作尉時君作相, 東皇[519]元沒兩般風."

○왕흠약(962-1025)은 자가 정국이다. 어렸을 때 밤에 천체에 '자미'라는 글자가 나타나는 것을 보더니 송나라 (진종) 대중상부(1008-1016) 연간에 재상을 배수받았다. 옛 재상의 신분으로 (절강성) 항주를 다스리게 되었는데, 얼굴이 창백하고 머리가 희끗희끗한 한 늙은 현위를 만났더니 다름아니라 같은 해에 과거시험에 급제한 동기생이었다. 왕흠약이 그를 불쌍히 여겨 조정에 추천해서 특별히 경관의 품계로 바뀌게 해 주었다. 그러자 그 현위가 다음과 같은 시를 지어 사례하였다. "그해에 대명궁에서 함께 과거시험을 치렀는데, 문장의 수준은 비록 같았지만 운명이 갈렸습니다. 제가 현위가 되었을 때 귀하는 재상이 되었으나, 동방천제(천자)께서 원래 서로 다른 두 가지 바람(기준)을 가지고 계신 것은 아니랍니다."

◇眞宰相(진정한 재상)

●王曾, 字孝先, 眉目如刻畫. 布衣[520]時, 以梅詩謁呂文穆[521]云, "雪中

515) 紫微(자미) : 황제의 궁전을 일컫는 말. 중서성의 별칭이기도 하다. 당나라 때 중서성을 자미성으로 개칭한 적이 있다. 결국 조정을 가리킨다.
516) 大拜(대배) : 재상에 임명되는 것을 말한다.
517) 京秩(경질) : 도성에 근무하는 경관京官의 품계나 봉록을 이르는 말.
518) 大明宮(대명궁) : 당나라 태종太宗이 도성인 섬서성 장안長安의 동쪽에 세웠던 궁궐인 영안궁永安宮을 고친 이름. 뒤에는 봉래궁蓬萊宮이라고도 하였고, 동내東內로 약칭하기도 하였다. 여기서는 송나라 때 궁궐을 비유적으로 가리킨다.
519) 東皇(동황) : 동방의 천제天帝이자 남자 신선의 명단을 관장하는 전설상의 신선 이름. 서왕모西王母와 대비되는 인물로서 '목공木公' '동왕東王' '동왕공東王公' '동황공東皇公' '동화진인東華眞人' '동화제군東華帝君' 등 다양한 별칭으로도 불렸다. 여기서는 천자를 비유하는 말로 쓰인 듯하다.
520) 布衣(포의) : 베옷. 벼슬에 오르지 않은 평민 신분을 상징한다.
521) 呂文穆(여문목) : 송나라 때 재상을 지낸 여몽정呂蒙正(944-1011). '문목'은

未問和羹[522]事, 且向百花頭上開." 呂曰, "此已安排, 作狀元宰相矣!" 弱冠三試[523], 皆首冠[524]. 劉子儀[525]戱之曰, "狀元試三場, 一生喫著不盡." 公正色答曰, "曾生平之志, 不在溫飽." 仁宗朝, 大拜. 范文正[526]曰, "王公, 眞宰相也." 韓魏公[527]言, "沂公[528]德器謹厚." 當時有得其品題兩句者, 皆以爲榮. 封沂公.

○(송나라) 왕증(978-1038)은 자가 효선으로 용모가 조각이나 그림처럼 잘 생겼다. 평민이었을 때 <매화를 읊은 시>를 가지고 문목공文穆公 여몽정呂蒙正을 알현하여 "눈이 내리는 와중이라 아직 국 끓이는 일(국정)을 묻지는 않지만, 장차 다른 꽃을 향해 먼저 피어나리라"고 하였다. 그러자 여몽정이 말했다. "이 아이는 이미 운명이 정해져 있어 장원급제를 거쳐 재상이 되겠구나!" 약관의 나이에 세 가지 과거시험에 응시해서 모두 장원급제를 차지하였다. 그래서 자의子儀 유균劉筠이 농담삼아 "장원께서는 세 가지 과거시험에 합격하

시호. ≪송사 · 여몽정전≫권265 참조.

522) 和羹(화갱) : 국을 조리하다. 당나라 때 현종玄宗이 이백李白(701-762)의 글재주를 아껴 그에게 몸소 국을 끓여주었다는 고사에서 유래한 말로, 황제가 인재를 아끼는 것을 비유하기도 하고, 대신이 임금을 보좌하여 국정을 운영하는 것을 비유하기도 하며, 재상을 비유적으로 가리킬 때도 있다. '조갱調羹'이라고도 한다.

523) 三試(삼시) : 당송 때 대책對策 · 시부詩賦 · 잡문雜文 등 세 가지 과거시험을 이르는 말. '삼장三場'이라고도 한다.

524) 首冠(수관) : 과거시험에서 장원급제를 하거나 모종의 방면에서 최고의 경지에 이르는 것을 뜻하는 말.

525) 劉子儀(유자의) : 송나라 사람 유균劉筠(971-1031). '자의'는 자. 한림승지翰林承旨를 역임하였고, 양억楊億(974-1020) · 전유연錢惟演(962-1034)과 함께 만당晩唐의 시풍을 추종하여 서곤체西崑體로 불렸다. ≪송사 · 유균전≫권305 참조.

526) 范文正(범문정) : 송나라 때 재상을 지낸 범중엄范仲淹(989-1052). '문정'은 시호. 자는 희문希文. 저서로 ≪범문정집范文正集≫ 29권이 전한다. ≪송사 · 범중엄전≫권314 참조.

527) 韓魏公(한위공) : 송나라 사람 한기韓琦(1008-1075)에 대한 존칭. 추밀부사樞密副使 · 동중서문하평장사同中書門下平章事를 역임하며 범중엄范仲淹(989-1052)과 함께 이름을 날렸으나, 왕안석王安石(1021-1086)과 대립하여 관직에서 물러났다. 위국공魏國公에 봉해졌다. 저서로 ≪안양집安陽集≫ 50권이 전한다. ≪송사 · 한기전≫권312 참조.

528) 沂公(기공) : 왕증王曾의 봉호인 기국공沂國公의 준말.

셨으니 평생 먹고 입는 것은 떨어질 일이 없겠습니다 그려"라고 하자 왕증은 정색을 하며 대답하였다. "제 평생의 뜻은 따듯하게 입고 배부르게 먹는 데 있지 않습니다." 인종 때 재상을 배수받았다. 문정공文正公 범중엄范仲淹은 "왕공은 진정한 재상이오"라고 하였고, 위국공魏國公 한기韓琦는 "기국공(왕증)은 인품이 신중하고도 중후하다오"라고 하였다. 당시 그에게서 품평 몇 마디를 얻은 이들은 모두 영광스러운 일로 생각하였다. 기국공에 봉해졌다.

◇變法(신법)

●王安石, 字介甫. 宋熙寧529)中, 自參政530)拜相, 變新法, 有靑苗531)·市易532)·保馬533)·保甲534)·新經字義535)·水利·雇役536)等名色. 後罷相, 歸金陵537), 自悔變法538)之非, 於鍾山539)書院多寫'福建

529) 熙寧(희녕) : 북송北宋 신종神宗의 연호(1068-1077).

530) 參政(참정) : 송나라 때 처음으로 설치하여 재상에 버금가는 권한을 부여했던 참지정사參知政事의 약칭.

531) 靑苗(청묘) : 송나라 때 왕안석王安石(1021-1086)이 곡식이 여물기 전에 농토의 면적에 따라서 농민들에게 돈을 대여해 주던 신법新法 제도인 청묘법靑苗法이나 그 돈인 청묘전靑苗錢의 약칭.

532) 市易(시역) : 왕안석이 실시한 신법 가운데 하나로 시중에 적체된 물품을 적정 가격에 사들였다가 상인에게 대여하거나 외상으로 주고 이자를 물림으로써 물류를 조절하던 제도.

533) 保馬(보마) : 왕안석이 실시한 신법 가운데 하나로 부국강병을 위해 백성들에게 관마官馬를 지급하여 기르게 하던 제도.

534) 保甲(보갑) : 왕안석이 실시한 신법 가운데 하나로 10가구를 '보保'라고 하여 보장保長을 두고, 50가구를 '대보大保'라고 하여 대보장大保長을 두었으며, 500가구를 '도보都保'라고 하여 도보정都保正을 두어 통솔케 하던 제도.

535) 新經字義(신경자의) : 왕안석이 경전에 대해 새로운 해석을 내린 것을 이르는 말. 뒤에는 대부분 폐기되었다.

536) 雇役(고역) : 왕안석이 실시한 신법 가운데 하나로 금전을 내는 데 따라 요역徭役을 면제시켜 주던 제도인 '면역법免役法'의 별칭. '면역법'이 오늘날의 모병제와 비슷하다면, 백성들을 9등급으로 나누어 4등급 이상은 요역에 동원하고 5등급 이하는 요역을 면제시켜 주던 '차역법差役法'은 오늘날의 징병제와 유사한 면이 있다.

537) 金陵(금릉) : 지금의 강소성 남경시南京市의 옛 이름. 전국시대 초楚나라가 설치하였던 것을 삼국 오吳나라 때 '건업建業'으로, 진晉나라 때 '건강建康'으로 개명하였으며, 남조南朝 시기 왕조들이 모두 이곳에 도읍을 정했다.

子[540]'三字, 恨爲呂惠卿誤也. 先是, 拜相之日, 取筆題窗云[541], "霜松雪竹鍾山寺, 投老歸歟寄此生." 致仕, 居金陵白下門外, 遊鍾山, 憩法雲寺. 是日正當霜雪虛窗松竹, 皆如詩中之景, 公憮然. 山谷[542]云, "公晚年詩律精嚴, 每諷味之, 便覺沆瀣[543]生牙頰間." 封荊公[544]. 號半山. 子雱. 弟安國, 在經筵[545]二十七年.

○왕안석(1021-1086)은 자가 개보이다. 송나라 (신종) 희녕(1068-1077) 연간에 참지정사參知政事를 지내다가 재상을 배수받아 신법으로 바꿔 시행하며 청묘·시역·보마·보갑·새로운 경전 해석·수리사업·고역 등의 명분을 내세웠다. 뒤에 재상을 그만두고서 (강소성) 금릉으로 돌아가자 스스로 신법의 시행으로 인한 폐해를 후회하여 종산서원에 손수 '복건자'라는 세 글자를 여기저기 쓰고서 여혜경에게 오해받은 일을 안타까워하였다. 이보다 앞서 재상을 배수받던 날 붓을 들어 창문에 "소나무에 서리 맺히고 대나무에 눈이 내린 종산의 사찰로, 노년에 돌아가 내 여생을 맡기리라"는 시를 적은 일이 있었는데, 벼슬을 그만두고는 금릉의 백하문 밖에 거처하며 종산을 유람하고 법운사에서 휴식을 취하였다. 그날 마침 서리 맺히고 눈 내린 창문 밖의 소나무와 대나무를 마주하게 되자 모두가 시에서 표현한 경관 그대로였기에 왕안석은 슬픔에 젖었다. 산곡山谷 황정견

538) 變法(변법) : 법을 바꾸다. 왕안석王安石이 제창한 신법新法을 가리킨다.
539) 鍾山(종산) : 강소성 금릉金陵(남경) 동쪽에 있는 산 이름. '자금산紫金山' 혹은 '장산蔣山'이라고도 한다.
540) 福建子(복건자) : 송나라 때 민월閩越 지역, 즉 지금의 복건성·절강성 일대 출신 사람을 폄하하여 부르던 말. 여기서는 왕안석이 자신을 자책하는 뜻이 담겨 있다.
541) 云(운) : 이는 현전하는 왕안석의 ≪임천문집臨川文集≫에 수록되지 않은 것으로 보아 일시逸詩인 듯하다.
542) 山谷(산곡) : 송나라 때 사람 황정견黃庭堅(1045-1105)의 자호. '부옹涪翁'이라고도 하였다. 자는 노직魯直. 소식蘇軾(1036-1101)의 제자이자 강서시파江西詩派의 창시자로서 비서승祕書丞과 사천성 부주별가涪州別駕 등을 역임하였다. 저서로 ≪산곡집山谷集≫ 67권이 전한다. ≪송사·문원열전文苑列傳·황정견전≫권444 참조.
543) 沆瀣(항해) : 신선이 마신다는 전설상의 이슬.
544) 荊公(형공) : 왕안석王安石의 봉호인 형국공荊國公의 준말.
545) 經筵(경연) : 황제를 모시고 경전을 강론하는 자리를 이르는 말.

黃庭堅은 “공(왕안석)은 만년에 시율이 정채롭고도 엄숙해져 매번 음미할 때마다 신선의 이슬이 턱 주변으로 생기는 느낌이 든다”고 평하였다. 형국공에 봉해졌다. 호는 반산이다. 아들은 왕방王雱이다. 동생 왕안국王安國은 27년 동안 경연에 참석하였다.

◇西漢風(서한 때 문풍)

●王珪, 字禹玉, 宋慶曆中, 及第, 試[546]學士院. 其文典麗, 有西漢風. 治平[547]四年, 召至蘂珠殿, 兼端明學士[548], 賜盤龍金盆. 神宗朝, 大拜. 晩號志堂居士[549]. 有華陽集百卷[550]. 同范景仁[551]知貢擧.

○왕규(1019-1085)는 자가 우옥으로 송나라 (인종) 경력(1041-1048) 연간에 과거시험에 급제하여 학사원에서 임시로 근무하였다. 왕규의 문장은 전아하여 서한 때 문풍이 담겨 있다. (영종) 치평 4년(1067)에는 예주전으로 황제의 부름을 받아 단명전학사를 겸직하고 서린 용이 장식된 금사발을 하사받았다. 신종 때 재상에 올랐다. 만년에는 호를 ‘지당거사’라고 하였다. 저서로 ≪화양집≫ 100권이 있다. 경인景仁 범진范鎭과 함께 (과거시험을 관장하는) 지공거를 지냈다.

---

546) 試(시) : 관직의 대행 내지 임시 담당을 뜻하는 말. 당나라 두우杜佑(735-812)의 ≪통전通典·직관職官≫권19에 의하면 당나라 때는 정식 관원이 아니라 일종의 대행을 ‘시試’라고 한 반면, ≪송사宋史·직관지職官志≫권169에 의하면 송나라 때는 본래의 품계보다 두 등급 낮은 관직을 대행하는 것을 ‘시試’라고 하였다.

547) 治平(치평) : 북송北宋 영종英宗의 연호(1064-1067).

548) 端明學士(단명학사) : 송나라 때 단명전端明殿 소속 학사인 ‘단명전학사’의 준말. ‘단명전’은 국서를 저술하는 기관인 승명전承明殿을 인종仁宗 때 개명한 것이다.

549) 居士(거사) : 학식과 덕망을 겸비하고서도 벼슬하지 않거나 은거한 사람에 대한 호칭.

550) 百卷(백권) : 현전하는 ≪화양집華陽集≫이 70권인 것으로 보아 일부가 실전되었거나 후대에 재편집된 듯하다.

551) 范景仁(범경인) : 송나라 때 사람 범진范鎭(1008-1089). ‘경인’은 자. 저서로 ≪동재기사東齋記事≫ 6권이 전한다. ≪송사·범진전≫권337 참조.

◇花瑞(작약꽃이 가져다 준 상서로운 현상)

●王珪監維陽郡[552], 王安石爲幕官[553], 陳升之爲衛尉丞[554], 時韓魏公出守是邦. 初夏, 圃內芍藥開, 有金腰帶[555]四朶, 公召四人[556]同賞, 各簪一朶. 後相繼爲相, 果花瑞也.

○왕규(1019-1085)는 (강소성) 유양군을 감독하고, 왕안석은 막관을 맡고, 진승지는 위위승을 지냈는데, 당시 위국공魏國公 한기韓琦가 조정을 나서 이 지방의 자사를 맡게 되었다. 초여름에 채마밭에 작약꽃이 피면서 금요대가 네 송이 생겨나자 한기가 세 사람을 불러서 함께 감상하다가 각기 한 송이씩 머리에 비녀처럼 꽂았다. 뒤에 서로 뒤를 이어가며 재상에 오른 것은 결과적으로 작약꽃이 가져다 준 상서로운 현상이었다.

◇元祐名臣(원우당파에 속하는 명신)

●王存, 字正仲, 恂恂[557]不爲詭激, 至有所中, 確不可奪. 溫公[558]曰, “竝馳萬馬之中, 能駐足者, 其[559]王存乎!” 呂希哲薦爲元祐[560]名臣, 官至尙書.

---

552) 維陽郡(유양군) : ≪송사·지리지≫에 이에 대한 언급이 없는 것으로 보아 강소성 양주揚州의 별칭인 ‘유양군維揚郡’의 오기인 듯하다.

553) 幕官(막관) : 막부幕府에서 장수나 절도사를 보좌하는 속관屬官. ‘막료幕僚’ ‘막료幕寮’ ‘막부幕府’ 등으로도 불린다.

554) 衛尉丞(위위승) : 구경九卿 가운데 궁중의 호위를 관장하는 위위경衛尉卿의 속관을 이르는 말.

555) 金腰帶(금요대) : 작약꽃의 한 종류.

556) 四人(사인) : 문맥상으로 볼 때 ‘삼인三人’의 오기인 듯하다.

557) 恂恂(순순) : 공손한 모양.

558) 溫公(온공) : 송나라 때 재상을 지낸 사마광司馬光(1019-1086)의 봉호封號인 온국공溫國公의 약칭. 저서로 ≪전가집傳家集≫ 80권, ≪자치통감資治通鑑≫ 294권, ≪속수기문涑水記聞≫ 16권 등이 전한다. ≪송사·사마광전≫권336 참조.

559) 其(기) : 추측 어기조사.

560) 元祐(원우) : 북송北宋 철종哲宗의 연호(1086-1093). 여기서는 송나라 휘종徽宗 때 왕안석王安石(1021-1086)을 추종한 채경蔡京(1047-1126) 등이 신법新法을 반대한 사마광司馬光(1019-1086) 등 309명을 원우당인元祐黨人이라고 지목한 일을 가리킨다.

○왕존(1023-1101)은 자가 정중으로 성품이 공손하여 괴이하고 과격한 언행을 하지 않았지만 사리에 맞는 경우가 생길 때면 결코 그의 뜻을 꺾을 수 없었다. 그래서 온국공溫國公 사마광司馬光은 "수많은 말 속에서 나란히 달리다가도 발걸음을 멈출 수 있는 이는 아마도 왕존이리라!"고 하였다. 여희철이 (철종) 원우(1086-1093) 연간의 원우당파 명신으로 추천하여 관직이 상서까지 올랐다.

◇天子門生(천자의 문하생이 되다)

●王奇, 字漢謀, 爲李文定[561]客. 嘗題詩[562]屛間云, "鴈聲不到歌樓上, 秋色偏欺客路中." 文定薨, 章聖[563]臨奠, 見而愛之, 召見賜及第. 有詩[564], 謝云, "不拜春官[565]爲座主, 親逢天子作門生."

○(송나라) 왕기는 자가 한모로 문정공文定公 이적李迪의 문객이었다. 일찍이 병풍에 시를 적어 "기러기 울음소리가 가기의 누각까지 이르지 않거늘, 가을 산색이 유달리 여정 중인 나그네를 속이네"라고 한 적이 있다. 이적이 세상을 뜨자 진종이 제사를 올려 주다가 그를 보고서 마음에 들어 그를 불러 진사급제 자격을 하사하였다. 그러자 다음과 같은 시를 지어 사례하였다. "춘관(예부시랑)에게 절을 올리며 시험감독관(스승)으로 모시지 못 하더니, 친히 천자를 만나 문하

---

561) 李文定(이문정) : 송나라 사람 이적李迪(971-1047). '문정'은 시호. 진종眞宗 때 진사과進士科에 장원급제하여 집현전태학사集賢殿大學士와 동중서문하평장사同中書門下平章事 등을 역임하였다. ≪송사·이적전≫권310 참조.

562) 詩(시) : 이는 칠언율시七言律詩 <객지생활 중에 감회를 느끼다(旅中有感)> 가운데 함련頷聯을 인용한 것으로 청나라 여악厲鶚(1692-1752)의 ≪송시기사宋詩紀事·왕기≫권9에 전한다.

563) 章聖(장성) : 송나라 태종太宗의 셋째 아들인 진종眞宗의 시호諡號 '응부계고신공양덕문명무정장성원효황제應符稽古神功讓德文明武定章聖元孝皇帝'의 약칭. ≪송사·진종본기眞宗本紀≫권6 참조.

564) 詩(시) : 이는 다른 문헌에도 두 구절만 전하는 것으로 보아 일시逸詩인 듯하다.

565) 春官(춘관) : 주周나라 때 주요 행정 기관인 육부六府 가운데 교육과 제례를 관장하던 기관을 이르는 말. 후대의 예부禮部와 유사하다. 여기서는 과거시험을 감독하는 관직인 예부시랑禮部侍郎을 가리키는 말로 결국 과거시험에 급제하는 것을 비유한다.

생이 되었네."

◇梅溪集(≪매계집≫)

●王十朋, 字龜齡, 紹興中, 廷試[566]第一. 賦不欺詩[567]云, "室明室暗兩奚疑? 方寸[568]常存不可欺. 莫問天高鬼神惡, 直須先要自家知." 號梅溪, 有梅溪集. 朱文公[569]爲序. 爲司業, 遷侍御史[570]. 太學[571]五賢[572]詩.

○왕십붕(1112-1171)은 자가 귀령으로 (송나라 고종) 소흥(1131-1162) 연간에 정시에서 장원급제를 차지하였다. 속임수를 쓰지 않는다는 내용의 시를 지어 "방이 밝든 어둡든 둘 다 어찌 의심을 품게 하랴? 사방 한 치 되는 심장이 늘 있기에 속일 수가 없는 법. 하늘 높고 귀신이 싫어하는지 물을 것 없나니, 단지 먼저 스스로 알면 그만인 것을"이라고 하였다. 호가 매계라서 저서로 ≪매계집≫을 남겼다. 문공文公 주희朱熹가 거기에 서문을 써 주었다. 국자사업을 지내다가 시어사로 승진하였다. 태학의 다섯 현자를 읊은 시가 있다.

●王霸·王梁·王常, 竝雲臺[573]二十八將中人.

---

566) 廷試(정시) : 향시鄕試 합격자를 대상으로 임금이 궁정에서 직접 책문策問하여 실시하던 과거시험. '전시殿試'라고도 한다.

567) 詩(시) : 이는 칠언절구七言絶句 <암실에서도 속이지 않는 것에 대해 쓰다(書不欺室)>를 인용한 것으로 왕십붕王十朋의 ≪매계집≫후집권6에 전한다.

568) 方寸(방촌) : '사방 한 치'란 뜻으로 심장이나 마음을 비유한다.

569) 朱文公(주문공) : 송나라 때 성리학性理學의 집대성자이자 대문호인 주희朱熹(1130-1200)에 대한 존칭. '문文'은 시호이고, '공公'은 존칭. 저서로 ≪회암집晦庵集≫ 112권 등 다수가 전한다. ≪송사·도학열전道學列傳·주희전≫권429 참조.

570) 侍御史(시어사) : 주周나라 때 주하사柱下史에서 유래한 벼슬로서 위진魏晉 이후로는 주로 관리들의 비리를 규찰하였다. 당송唐宋 때는 어사대御史臺 소속으로 어사대부御史大夫·어사중승御史中丞 다음 가는 벼슬이었다.

571) 太學(태학) : 고대 중국에서 귀족의 자제들을 위해 도읍에 설치하였던 교육기관을 이르는 말.

572) 五賢(오현) : 남송 고종高宗 때 사람인 호헌胡憲·왕십붕王十朋·풍방馮方·사약査籥·이호李浩 등 다섯 명의 현자를 아우르는 말.

573) 雲臺(운대) : 누각 이름. 후한後漢 광무제光武帝 유수劉秀(B.C.6-A.D.57)가

○(후한) 왕패・왕양・왕상은 모두가 운대에 초상화가 걸린 28명의 장수에 속한 사람들이다.

●王粹, 金谷[574]二十四友[575]中人.

○(진晉나라) 왕수는 (석숭石崇의) 금곡원에서 어울린 24명의 친구 가운데 한 사람이다.

●王曇首既爲家寶, 又爲國珍. 兄弟分財, 惟取圖書而已.

○(진晉나라) 왕담수(394-430)는 가보로 여겨진 데다가 국보로도 대우받았다. 형제가 재산을 나눌 때는 단지 도서만 취하는 데 그쳤다.

●王彬, 曇首之子, 善草隸. 時語曰, "三眞六草[576], 天下之寶."

○(진晉나라) 왕빈은 왕담수王曇首(394-430)의 아들로 초서와 예서를 잘 썼다. 그래서 당시에 "셋째인 왕지王志의 진서眞書(해서楷書)와 여섯째인 왕빈의 초서는 천하의 보물"이라는 말이 돌았다.

●王渙, 睢陽五老[577]中人.

중신들과 국사를 논의하였고, 명제明帝가 부친인 광무제 때의 공신들의 업적을 기리기 위해 등우鄧禹(2-58) 등 28명의 초상화를 그려 넣은 장소로 유명하다.

574) 金谷(금곡) : 진晉나라 석숭石崇(249-300)이 형주자사荊州刺史・위위경衛尉卿을 지내면서 사신과 상인들의 재물을 갈취하여 하남성 낙양洛陽에 만든 정원인 금곡원金谷園의 준말. 반악潘岳 등 24명의 문인들과 함께 시를 짓지 못하면 벌주를 건네며 교유한 고사로 유명하다. ≪진서・석숭전≫권33 참조.

575) 二十四友(이십사우) : 진晉나라 때 문인 반악潘岳・석숭石崇・좌사左思・육기陸機・육운陸雲・곽창郭彰・유곤劉琨・구양건歐陽建・두빈杜斌・왕수王粹・추영鄒穎・최기崔基・유괴劉瓌・주회周恢・진해陳眩・유눌劉訥・묘징繆徵・지우摯虞・제갈전諸葛詮・화욱和郁・견수牽秀・허맹許猛・유여劉與・두육杜育 등 24명을 가리킨다.

576) 三眞六草(삼진륙초) : 남조南朝 양梁나라 때 사람인 왕지王志와 왕빈王彬 형제의 서예를 아우르는 말. 형제 가운데 3남인 왕지가 진서眞書(해서楷書)를 잘 쓰고, 6남인 왕빈이 초서草書를 잘 쓴 데서 유래하였다. ≪남사・왕빈전≫권22 참조. '진眞'은 해서의 별칭인 진서를 가리킨다.

577) 睢陽五老(수양오로) : 송나라 때 필세장畢世長이 관직에서 은퇴한 뒤 왕환汪

○(송나라) 왕환은 수양오로 가운데 한 사람이다.

※僊道(신선과 도사)

◇七轉靈符(칠전영부)

●王遠, 字方平, 明天文·圖讖[578]. 漢桓帝問以災祥, 題宮門四百餘字. 帝令人削之, 入板裏. 老君[579]賜之七轉靈符[580], 號總眞眞人[581], 領仙公萬五千人. 嘗降蔡經家, 敎以尸解[582].

○왕원은 자가 방평으로 천문학과 도참설에 정통하였다. 후한 환제가 재앙과 길조에 대해 묻자 궁궐 대문에 400자가 넘는 글을 적었다. 환제가 사람을 시켜 그것을 벗겨서 목판에 먹물로 새겨넣게 하였다. 태청태상노군太淸太上老君이 그에게 칠전영부를 하사하였기에 (선계를 총괄하는 신선인) '총진진인'으로 불리며 신선 1만5천 명을 통솔하였다. 일찍이 채경의 집에 강림하여 신선이 되는 방법을 가르친 일이 있다.

◇鳧舃(오리가 신발로 변하다)

●王喬, 漢明帝時, 爲葉[583]令. 每朔望, 自縣詣朝. 帝怪之, 密令太史[584]

渙·주관朱貫·풍평馮平·두연杜衍과 함께 안휘성 수양현睢陽縣에서 결성한 모임인 수양오로회睢陽五老會의 준말. 당시 필세장畢世長은 94세, 왕환王煥은 90세, 주관朱貫은 88세, 풍평馮平은 87세, 두연杜衍은 80세였다고 한다.

578) 圖讖(도참) : 제왕帝王이 천명天命을 받는 징조에 관련된 일을 방사方士나 유생儒生이 엮은 글을 뜻하는 말. 일종의 예언서.

579) 老君(노군) : 도교에서 말하는 세 명의 신인神人인 옥청원시천존玉淸元始天尊·상청영보도군上淸靈寶道君·태청태상노군太淸太上老君 가운데 한 사람. 노자老子의 후신이라고 한다.

580) 七轉靈符(칠전영부) : 하늘이 제왕에게 내린다는 신령한 신표를 이르는 말.

581) 眞人(진인) : 득도한 도사나 신선에 대한 별칭. 남자 도사는 '진인'이라고 하고, 여자 도사는 '원군元君'이라고 한다.

582) 尸解(시해) : 육체는 남겨 두고 혼백이 빠져 나가 득도하거나 신선이 되는 것을 이르는 말. 죽음에 대한 완곡한 표현으로도 쓰였다.

583) 葉(섭) : 하남성의 속현屬縣 이름.

584) 太史(태사) : 역사 편찬이나 천문天文을 관장하던 벼슬 이름. 위진魏晉 이후

伺望, 言“其臨至, 輒有雙鳧從東南來.” 擧羅張之, 但得一隻舃. 詔上方585)諦視, 則四年586)所賜尙書官屬履也.

○왕교는 후한 명제 때 (하남성) 섭현의 현령을 지냈다. 매달 초하루와 보름날이면 섭현에서 출발해 조정을 방문하였다. 명제가 이를 괴이하게 여겨 몰래 태사에게 염탐케 하자 태사가 아뢰었다. “왕교가 도착하면 늘 오리 한 쌍이 동남방에서 날아옵니다.” 그물을 가져다 쳤더니 단지 신발 한 켤레를 얻었을 뿐이다. 상방에 조서를 내려 자세히 살피게 하자 (영평永平) 4년(61)에 상서 휘하 속관에게 하사했던 그 신발이었다.

◇肉芝(영지처럼 효험이 좋은 고기)

●王喬, 蜀人. 益州北平山有白蝦蟆587), 謂之肉芝. 非仙材, 莫之致也. 喬食之, 得道. 武陽588)有喬仙祠.

○(후한) 왕교는 (사천성) 촉 땅 사람이다. 익주 북평산에는 흰 개구리가 있는데 사람들은 이를 ‘육지’라고 불렀다. 신선의 자질을 지닌 사람이 아니면 그것을 부를 수 없었는데, 왕교가 그것을 먹고는 득도하였다. 무양현에는 (신선 왕교를 모시는 사당인) 교선사가 있다.

◇柯山589)(난가산爛柯山)

●王質590)入石室山591), 伐木, 見二童子奕棋. 局終, 坐下斧柯爛矣.

로는 역사 편찬을 저작랑著作郞이 전담하면서 태사는 주로 천문과 역법曆法만을 관장하게 되었다.

585) 上方(상방) : 궁중의 기물을 제작하고 관리하는 기관을 이르는 말. ‘상방尙方’으로도 쓴다. 한나라 때는 장관을 ‘상방령尙方令’이라고 하였고, 당송 때는 ‘상방감尙方監’이라고 하였다.

586) 四年(사년) : 후한 명제明帝가 즉위한 지 4년째 되던 해이므로 영평永平 4년(61)을 가리킨다.

587) 蝦蟆(하마) : 개구리나 두꺼비 같은 양서류를 이르는 말. 달의 별칭으로 쓰일 때도 있다.

588) 武陽(무양) : 사천성의 속현屬縣 이름.

589) 柯山(가산) : 절강성에 있는 산 이름인 난가산爛柯山의 준말. 진晉나라 왕질王質의 고사에서 유래하였다.

590) 王質(왕질) : 여기서는 당나라나 송나라 때 선비인 왕질이 아니라 진晉나라

○(진晉나라 때) 왕질이 (절강성) 석실산에 들어가 나무를 베다가 두 어린아이가 바둑을 두는 것을 발견하였다. 대국이 끝나자 좌석 아래 도끼자루가 이미 썩어 있었다.

◇石室石髓(석실과 석수)

●王烈, 字長休, 入河東抱犢山中, 於石室中見一卷素書[592]. 歸, 言於嵇康, 與共往取, 而失其所在. 又得石髓[593]如飴, 卽自服半餘, 留半與康. 康不敢服, 凝而爲石. 烈私語弟子曰, "叔夜[594]不應得道故也."

○(삼국 위魏나라) 왕열은 자가 장휴로 (산서성) 하동군의 포독산으로 들어갔다가 석실에서 도서를 한 권 발견하였다. 집으로 돌아와 혜강에게 말하고는 함께 그것을 가지러 갔지만 어디 있는지 알 수 없었다. 다시 엿처럼 생긴 석수를 얻자 자신이 반 남짓 복용하고 반을 남겨 혜강에게 주었다. 혜강이 감히 복용하지 않는 바람에 굳어서 돌이 되고 말았다. 그러자 왕열이 몰래 제자에게 말했다. "숙야(혜강)는 분명 득도하지 못 했기 때문일 게다."

◇懸崖取桃(절벽에서 복숭아를 따다)

●王長・趙昇從張天師[595]學道. 一日與臨萬仞懸崖下, 有紅桃二株. 師令下取之, 投崖而墜, 正立桃樹上. 道成, 得仙.

○(후한 때) 왕장과 조승은 천사 장도릉張道陵으로부터 도를 배웠다.

때 나뭇꾼인 왕질을 가리킨다. 왕질이 잠시 신선들의 바둑을 구경하였는데 도끼자루 썩는 줄 모를 정도로 세월이 흘렀다는 고사는 남조南朝 양梁나라 임방任昉의 ≪술이기述異記≫권상에 전한다.

591) 石室山(석실산) : 절강성 회계군會稽郡에 있는 산 이름.

592) 素書(소서) : 도가道家의 서적을 뜻하는 말. 편짓글을 뜻할 때도 있다.

593) 石髓(석수) : 석종유石鐘乳의 별칭. 멥쌀을 뜻할 때도 있다.

594) 叔夜(숙야) : 삼국 위魏나라 사람 혜강嵇康(224-263)의 자. 죽림칠현竹林七賢 중의 한 사람. 저서로 ≪혜중산집嵇中散集≫ 10권이 전한다. 전기가 ≪진서書・혜강전≫권49에 전하나 실제로는 위나라 사람이다.

595) 張天師(장천사) : 후한 때 오두미도五斗米道의 창시자인 장도릉張道陵에 대한 존칭. 장도릉은 전한 때 건국공신인 장양張良(?-B.C.185)의 8대손이다. '천사'는 도사에 대한 존칭.

하루는 함께 만 길 높이 절벽 아래를 굽어보니 붉은 복숭아나무가 두 그루 있었다. 장천사가 그들에게 내려가 복숭아를 따오라고 하였는데, 절벽에서 몸을 던져 떨어지자 마침 복숭아나무 위에 서게 되었다. 도를 완성하여 신선이 되었다.

◇瓊花金蟾(경화와 금빛 두꺼비)

●王興[596]爲蒲江[597]主簿, 隱秋長山. 洞中有千歲金蟾, 見者得道. 山有瓊花[598]開, 則有人升天. 興見瓊花·金蟾, 白日上升.

○(전한 때 도사) 왕흥은 (사천성) 포강현의 주부를 지내다가 추장산에 은거하였다. 동굴에 천 년 묵은 금빛 두꺼비가 있어 이를 본 사람은 득도하였고, 산에 경화가 피면 누군가 승천하였다. 왕흥은 경화와 금두꺼비를 보고서 대낮에 승천하였다.

◇鏡中冠帔(거울 속의 갓과 옷)

●王迪, 宋熙寧中, 爲洪州左司理. 有道人磨鏡, 俾迪自照, 見星冠[599]羽帔[600], 縹緲[601]鏡中, 遂棄官, 與妻偕隱. 新建[602]簿劉簿[603]送以詩云, "髮如抹漆左參軍, 脫去靑衫[604]作隱淪. 世上更無羈紲[605]事, 壺中[606]

---

596) 王興(왕흥) : 전한 무제武帝 때 도사. 그에 관한 전기가 진晉나라 갈홍葛洪(284-363)의 ≪신선전神仙傳·왕흥王興≫권10에 전한다.

597) 蒲江(포강) : 사천성의 속현屬縣 이름.

598) 瓊花(경화) : 연노랑색 꽃을 피우는 꽃나무 이름. 송나라 순희淳熙(1174-1189) 이후로 취팔선聚八仙과 접목시켜 널리 이식하였다고 한다. 강소성 양주揚州의 후토사后土祠에 있는 경화수瓊花樹가 유명하다.

599) 星冠(성관) : 도사의 갓을 이르는 말.

600) 羽帔(우피) : 새털로 만든 옷. 신선이나 도사의 옷을 비유한다.

601) 縹緲(표묘) : 어렴풋이 멀리 보이는 모양. 혹은 옷이 날리는 모양.

602) 新建(신건) : 강서성의 속현屬縣 이름.

603) 劉簿(유부) : 송나라 호자胡仔의 ≪초계어은총화苕溪漁隱叢話≫후집권38에 의하면 유순신劉純臣을 가리킨다. 앞에 이미 주부직을 밝혔으므로 유순신으로 표기하는 것이 적절할 듯하다.

604) 靑衫(청삼) : 청색 적삼. 하급관리가 입는 청색 관복을 가리키는 말로 신분이 낮은 것을 상징한다.

605) 羈紲(기설) : 굴레와 고삐. 세속에 구애받는 것을 비유한다.

606) 壺中(호중) : 호리병 속. 신선 세계를 비유한다. '호천壺天' '호중천壺中天'

別有自由身. 鼎烹玉兎[607]山前藥, 花看金鼇[608]背上春. 莫怪少年能決烈[609], 藍田[610]夫婦總登眞[611]."

○왕적은 송나라 (신종) 희녕(1068-1077) 연간에 (강서성) 홍주의 좌사리참군을 지냈다. 어느 도인이 거울을 닦고서 왕적에게 손수 비추게 하자 도사의 갓과 옷이 거울 속에서 아련히 휘날리는 것이 보였다. 그래서 결국 관직을 버리고 아내와 함께 은거하였다. 그러자 (홍주의 속현인) 신건현에서 주부를 맡고 있던 유순신劉純臣이 다음과 같은 시를 지어 그를 전송해 주었다. "머리카락이 옻을 칠한 듯 새까만 좌사리참군(왕적)은, 푸른 적삼을 벗고서 은자가 되시니, 세상에 더 이상 얽매일 일 없을 것이기에, 선계에서 달리 자유의 몸이 되시겠지. 세발솥에 옥토끼를 삶으면 산 앞의 보약이요, 꽃밭에서 금빛 거북을 보면 등 위로는 봄. 젊은이 과단성 있다고 이상하게 여기지 마소, (섬서성) 남전현 출신 두 부부가 어쨌든 선계에 오르게 되었으니."

◇金地玉泉(금빛 대지와 옥천)

●王公, 名敖, 號閬仙, 入白玉洞, 修道. 經年, 能藥及詩, 題龍宮云[612], "靈刹[613]倚山光, 無塵染洞房. 雲籠金地暖, 龍噴玉泉[614]香." 王御史[615]贈以二詩, 一云, "白布襴衫[616]白布裙, 不羈蹤迹似浮雲. 而今却

'호중천지壺中天地' '호중일월壺中日月'이라고도 한다.

607) 玉兎(옥토) : 달 속에 산다는 전설상의 토끼. 선계나 달을 상징한다.

608) 金鼇(금오) : 바다에 산다는 전설상의 금빛 거북. 선계를 상징한다.

609) 決烈(결렬) : 결단성 있고 과감한 모양.

610) 藍田(남전) : 섬서성 장안長安 근처에 있는 현 이름. 옥의 생산지로도 유명하고, 진秦나라 때 상산사호商山四皓가 은거했던 곳으로도 이름이 났다. 여기서는 왕적王迪 부부를 비유적으로 가리키는 듯하다.

611) 登眞(등진) : 신선의 경지에 오르는 것을 이르는 말. 죽음을 완곡하게 표현할 때도 있다.

612) 云(운) : 이는 무제無題의 오언율시五言律詩 가운데 수련首聯과 함련頷聯을 인용한 것으로 전문全文은 ≪강서통지江西通志・선석仙釋1≫권103에 전한다.

613) 靈刹(영찰) : 사찰에 대한 미칭美稱.

614) 玉泉(옥천) : 선계에 있다는 전설상의 샘물이나 선약 이름.

615) 王御史(왕어사) : 어사직을 맡고 있던 왕씨를 가리키나 상세한 신상은 미상.

有青牛617)跨, 便是當年李老君618)."

○(송나라) 왕공은 본명이 오이고 호가 낭선으로 백옥동에 들어가 도를 닦았다. 일년이 지나자 약을 제단하고 시를 지을 줄 알게 되더니 용궁을 소재로 다음과 같은 시를 지었다. "신령한 사찰이 산빛에 의지하니, 동굴을 오염시킬 먼지조차 없구나. 구름이 황금빛 대지를 뒤덮어 온기를 뿌리니, 용이 옥천의 향기를 뿜어대네." 왕어사가 시 두 수를 기증하였는데, 첫 번째 작품에서 "흰 베로 만든 난삼에 흰 베로 짠 치마를 입은 채, 발자취 얽매이지 않아 뜬구름처럼 떠도는 자유로운 몸. 그래도 지금은 오히려 검푸른 소를 탔으니, 바로 먼 옛날 그때의 이노군이로세"라고 하였다.

◇少室仙伯(소실산의 선백)

●王遠知, 天台山道士也. 師陶隱居619), 傳符籙620), 作易經十五卷. 一日雷雨, 雲霧中一老人叱曰, "所泄禁書何在? 上帝命攝六丁621)雷電, 取去." 後司命622)授遠知爲少室623)仙伯624).(雲笈經625))

뒤에 인용된 시도 ≪씨족대전≫에만 전하는 것으로 보아 나머지는 실전된 듯하다.

616) 襴衫(난삼) : 중국 고대 사대부 계층이 입던 일종의 적삼. 하얀 가는 삼베실로 짜고 하단에 검은 천을 덧대어 치마 형태로 만들었다고 한다.

617) 靑牛(청우) : 푸른 빛이 도는 검은 소. 신선이나 도사가 탔다고 한다.

618) 李老君(이노군) : 춘추시대 때 사람 이이李耳의 별칭. '노군'은 호. 자는 백양伯陽·중이重耳·담聃. 저서로 ≪노자≫가 전한다.

619) 陶隱居(도은거) : 남조南朝 양梁나라 때의 유명한 도사이자 은자인 도홍경陶弘景(452-536)의 별칭. 저서로 ≪진고眞誥≫ 20권, ≪고금도검록古今刀劍錄≫ 1권이 전한다. ≪양서·도홍경전≫권51 참조. '홍弘'은 청나라 건륭제乾隆帝의 휘諱(弘曆) 때문에 '굉宏'으로도 썼다.

620) 符籙(부록) : 도교에서 미래의 일을 예언하는 내용을 담은 부적이나 서책을 이르는 말.

621) 六丁(육정) : 도교道敎에서 천제天帝가 부린다고 하는 양기陽氣를 관장하는 신의 이름.

622) 司命(사명) : 삼태성三台星 가운데 서쪽에 있는 두 별의 이름으로 여기서는 선계의 신을 가리킨다. 북두칠성 가운데 아래의 여섯 개의 별을 두 개씩 묶어 '삼태성'이라고 하는데, 그중 서쪽의 별을 '사명司命'이라고 하고, 가운데 별을 '사중司中'이라고 하고, 동쪽의 별을 '사록司祿'이라고 한다. 사명은 벼슬을 관장하는 별로서 삼공三公 가운데 태부太傅(혹은 사도司徒)를 상징하고, 사중은

○(당나라 초엽 사람인) 왕원지는 (절강성) 천태산의 도사이다. (남조南朝 양梁나라 때) 은자 도홍경陶弘景을 스승으로 받들어 부록을 전수받고 ≪역경≫의 해설서 15권을 지었다. 하루는 우레가 치고 비가 쏟아지자 운무 속에서 한 노인이 나타나 호통을 치며 말했다. "누설한 금서는 어디 있는가? 옥황상제께서 내게 육정·우레신·번개신을 대동하여 가져오라고 명하셨네." 뒤에 사명이 왕원지를 (하남성) 소실산의 선백에 임명하였다.(≪운급칠첨雲笈七籤≫권5)

※女德婚姻(여덕과 혼인)

◇貞婉(정숙하다)

●王惠風, 衍之女也. 貞婉有志節, 爲愍懷太子[626]妃. 太子廢, 衍請絶婚, 惠風號哭而歸.

○(진晉나라) 왕혜풍은 왕연王衍(256-311)의 딸로 정숙하고 지조가 있어 민회태자의 태자비가 되었다. 그러나 태자가 폐위당해 왕연이 이혼을 청하는 바람에 왕혜풍은 통곡을 하며 돌아왔다.

◇燕華君(연화군)

●王綸, 宋祥符中, 爲太子中允[627]. 有女年十八, 自稱燕華君. 謂父曰, "與汝有洞天[628]之緣." 初不識字而能詩, 其雪詩云, "何事月娥[629]欺不

종실宗室을 관장하는 별로서 태사太師(혹은 태위太尉)를 상징하며, 사록은 봉작封爵을 관장하는 별로서 태보太保(혹은 사공司空)를 상징한다.

623) 少室(소실) : 중악中嶽인 하남성 숭산崇山의 봉우리 가운데 하나.

624) 仙伯(선백) : 신선들을 통솔하는 수장을 이르는 말.

625) 雲笈經(운급경) : 송나라 진종眞宗 때 왕흠약王欽若(962-1025)의 추천으로 장군방張君房이 엮은 도서道書인 ≪운급칠첨雲笈七籤≫의 별칭. 총 122권. ≪사고전서간명목록·자부·도가류道家類≫권14 참조.

626) 愍懷太子(민회태자) : 진晉나라 혜제惠帝의 장남 사마휼司馬遹. '민회'는 시호. 가황후賈皇后의 사주를 받은 환관宦官 손여孫慮에게 살해당했다. ≪진서晉書·민회태자전愍懷太子傳≫권53 참조.

627) 太子中允(태자중윤) : 태자궁太子宮 태자첨사부太子詹事府의 속관屬官으로서 태자중사인太子中舍人과 함께 문서를 관장하던 벼슬 이름.

在? 亂飄瑞葉到人間." 與人言, "天上有瑞木, 花開六出[630]." 後適呂氏, 懵然[631]不復能詩矣.

○왕윤은 송나라 (진종) 대중상부(1008-1016) 연간에 태자중윤을 지냈다. 그에게는 나이가 열여덟 살 먹은 딸이 있었는데 자칭 '연화군'이라고 하였다. 그녀가 부친에게 말했다. "아버지와는 선계에서부터 인연이 있었습니다." 당초 글자를 알지 못 하는데도 시를 지을 줄 알았다. 그녀는 <눈을 읊은 시>에서 "어떻게 달에 사는 항아姮娥는 없는 듯 속이면서, 인간 세상에 상서로운 잎(눈)을 어지러이 뿌릴 수 있을까?"라고 하더니, 다른 사람에게 "천상에는 상서로운 나무가 있는데 꽃(눈)이 피면 꽃잎이 여섯 개 납니다"라고 하였다. 뒤에 여씨 가문에 시집가더니 무지몽매해져 더 이상 시를 짓지 못 했다.

◇二八字媒(28자 칠언절구가 중매쟁이라네)

●王氏暮年未嫁, 作詩曰, "白藕作花風已秋, 不堪殘睡更回頭. 晚雲帶雨歸飛急, 去作虛牕一夜秋." 趙德麟[632]鰥居, 見詩求婚. 人以爲二十八字媒也.

○(송나라 때) 왕씨는 만년에도 시집을 가지 않은 채 시를 지어 말했다. "흰 연뿌리가 꽃을 피우니 바람은 벌써 가을 기운을 띠는데, 남은 잠을 잘 수 없어 다시 고개를 돌리네. 저녁 구름 비를 머금은 채 서둘러 돌아가니, 텅빈 창을 떠나며 밤새 가을 기운 뿌리네." 덕린德麟 조영치趙令畤가 홀아비로 지내다가 시를 보고서 청혼하였다. 그래서 사람들은 '28자 칠언절구가 중매쟁이라네'라고 하였다.

---

628) 洞天(동천) : 도교에서 신선들이 사는 별천지를 이르는 말. 도서道書에서는 신선들이 사는 곳을 '36동천洞天' '72복지福地'라고 한다.

629) 月娥(월아) : 달에 사는 선녀인 항아姮娥의 별칭. '항아嫦娥' '상아孀娥' '소아素娥' '계아桂娥'라고도 한다.

630) 六出(육출) : 꽃잎이 여섯 개 나다. 눈을 비유한다.

631) 懵然(몽연) : 무지한 모양, 불분명한 모양.

632) 趙德麟(조덕린) : 송나라 사람 조영치趙令畤. '덕린'은 자. 호는 요복옹聊復翁・장륙거사藏六居士. 저서로 ≪후정록侯鯖錄≫ 8권이 전한다. ≪송사・조영치전≫권244 참조.

◇卿答(경이라고 대답하다)

●王渾妻鍾氏嘗卿王渾. 渾止之, 答曰, "親卿愛卿, 是以卿卿, 我不卿卿, 誰當卿卿?" 渾, 字玄沖. 見猶子633)濟趨庭而過, 渾曰, "生子如此, 足慰人心." 鍾曰, "使新婦得配參軍, 生兒當不止是." 謂渾弟淪也.

○(진晉나라) 왕혼(223-297)의 아내 종씨는 늘 왕혼을 '경'이라고 불렀다. 왕혼이 그만두라고 하자 아내가 대답하였다. "경을 좋아하고 경을 사랑하기에 경을 '경'이라고 하는 것이거늘, 제가 경을 '경'이라고 하지 않는다면 누가 경을 '경'이라고 하겠어요?" 왕혼은 자가 현충이다. 차남인 왕제王濟가 마당을 (예의바르게) 종종걸음으로 지나가자 왕혼이 말했다. "이런 아들을 낳았으니 마음이 무척 안심이 되는구려." 그러자 종씨가 말했다. "만약 새색시가 참군을 배필로 삼을 수 있다면 태어나는 아이가 분명 이 정도 수준에 그치지는 않을 거예요." ('참군'은) 왕혼의 동생인 왕윤王淪을 두고 한 말이다.

◇王郎(왕씨 신랑)

●王凝之娶謝奕女道蘊. 女初適凝之, 意殊不樂曰, "不意天壤間有此王郎."

○(진晉나라) 왕응지(?-399)는 사혁의 딸인 사도온謝道蘊에게 장가들었다. 사도온은 당초 왕응지에게 시집오면서 내심 전혀 즐겁지가 않아 "천지간에 이런 왕씨 신랑이 있으리라곤 생각지도 못 했다"고 하였다.

◇奇男子(뛰어난 사내)

●王適懷奇負氣. 處士侯高有一女曰, "吾女必嫁官人, 不與凡子." 適曰, "吾求婦, 久矣, 此翁差可人意." 謂媒嫗曰, "吾明經及第, 卽官人也." 嫗曰, "得一卷書粗634)若告身635)者, 袖以往則可." 翁見文書, 銜袖, 卽

633) 猶子(유자) : 조카. '아들과 같다'는 의미에서 유래하였다. 그러나 ≪진서·왕혼전≫권42에 의하면 왕제는 왕혼王渾(223-297)의 조카가 아니라 차남이기에 이를 따른다. 아마도 동명이인同名異人으로서 왕융王戎의 부친인 또 다른 왕혼王渾(?-?)과 혼동한 데서 기인한 듯하다.

許之. 後聞金吾將軍636)李惟簡喜士, 造門. 曰, "天下奇男子." 王適願見將軍, 白事一語合意, 薦爲參軍, 遷監察御史637).

○(당나라) 왕적은 재능이 넘치고 기개에 대한 자부심이 컸다. 처사 후고는 딸이 하나 있어 늘 "내 딸은 필시 관리에게 시집보내지 평범한 가문의 자식에게 주지는 않을 것이다"라고 하였다. 그러자 왕적이 말했다. "나는 아내를 찾은 지 오래되었는데, 이 노인이 내 마음에 딱 드는구나." 그래서 중매쟁이 노파에게 말했다. "나는 명경과에 급제하였으니 바로 관리라오." 그러자 노파가 말했다. "대충 사령장과 같은 문서 한 두루마리를 얻어서 소매에 넣고 가면 될 것입니다." 후고가 문서를 보더니 소매에 집어넣고는 바로 혼인을 허락하였다. 뒤에 금오장군 이유간이 선비를 좋아한다는 소문을 듣고서 그의 집을 찾아가자 그가 말했다. "천하에 뛰어난 사내로다!" 왕적이 장군을 알현하고자 하였는데, 정사에 대해 아뢴 말 한 마디가 그의 마음을 흡족하게 해 추천을 받아서 참군이 되었다가 감찰어사로 승진하였다.

◇婿有風姿(사위에게 뛰어난 풍모가 있다)

●王凱與弟粲, 避地638)荊州, 依劉表. 表欲以女妻粲, 嫌其形陋, 以凱爲風姿, 遂以妻凱.

○(후한 말엽에) 왕개는 동생 왕찬王粲(177-217)과 함께 (호북성) 형주로 피신하여 유표에게 의지하였다. 유표는 딸을 왕찬에게 시집보내고 싶어하면서도 그의 용모가 못생긴 것이 싫었다. 왕개가 풍모가

634) 粗(조) : 대충, 대략.

635) 告身(고신) : 관원을 임명할 때 주는 사령장辭令狀을 일컫는 말.

636) 金吾將軍(금오장군) : 궁궐의 경비와 순찰을 관장하는 금위군禁衛軍의 사령관을 이르는 말.

637) 監察御史(감찰어사) : 관리들의 비행을 규찰하고 탄핵하는 업무를 관장하는 기관인 어사대御史臺의 속관屬官. 어사대에는 위로 장관인 어사대부御史大夫와 버금 장관인 어사중승御史中丞, 그리고 시어사侍御史·전중시어사殿中侍御史 등의 상관이 있다. 감찰어사는 비록 품계品階는 낮으나, 실무를 관장하였기에 관원들이 가장 두려워하는 존재였다고 한다.

638) 避地(피지) : 난을 피해 거처를 옮기다, 피신하다.

뛰어나다고 생각해 결국 딸을 왕개에게 시집보냈다.

◇公輔器(재상에 오를 자질)

●王曾未第時, 李文靖[639]慕之爲婿, 語夫人曰, "此人當爲公輔[640]." 時呂文穆, 亦欲擇之爲婿. 曾曰, "李公知我." 從李氏.

○(송나라) 왕증(978-1038)이 과거시험에 급제하기 전에 문정공文靖公 이항李沆은 그가 마음에 들어 사위로 삼고자 하면서 부인에게 말했다. "이 사람은 분명 재상에 오를 것이오." 당시 문목공文穆公 여몽정呂蒙正도 그를 사위로 삼고 싶어하였다. 그러나 왕증은 "이공(이항)이 나를 알아주었다"고 하며 이항의 뜻을 따랐다.

◇頑僻(고집이 세다)

●王坦之弟, 小字阿智[641]. 年長昏愚, 無肯爲婚. 孫綽曰, "我一女不惡." 坦之白父, 驚喜成婚. 女之頑僻, 過於阿智.

○(진晉나라) 왕탄지(330-375)의 동생(왕건지王虔之)은 어렸을 때 자가 '아지'이다. 어른이 되어서도 우매하여 그와 결혼하려는 여자가 없었다. 손작이 "내 외동딸은 못생기지 않았네"라고 하여 왕탄지가 부친에게 아뢰자 무척 기뻐하며 결혼시켰다. 그러나 손작의 딸은 고집이 세기가 아지(왕건지)보다도 더 심했다.

◇擇德(덕이 있는 상대를 고르다)

●王通曰[642], "婚娶而論財, 非也. 古者, 男女之族, 各擇德焉."

---

639) 李文靖(이문정) : 송나라 사람 이항李沆(947-1004). '문정'은 시호諡號. 자는 태초太初. 참지정사參知政事・동중서문하평장사同中書門下平章事・상서우복야尙書右僕射 등 고관을 역임하며 진종眞宗을 잘 보필하여 '성상聖相'이란 칭호를 얻었다. ≪송사・이항전≫권282 참조.

640) 公輔(공보) : 천자를 보좌하는 삼공三公과 사보四輔, 즉 재상을 이르는 말. '재보宰輔' '보신輔臣'이라고도 한다.

641) 阿智(아지) : 진晉나라 사람 왕탄지王坦之(330-375)의 동생인 왕건지王虔之의 소자小字. 자는 문장文將. 손작孫綽의 딸인 손아항孫阿恒에게 장가들었다. 남조南朝 유송劉宋 유의경劉義慶(403-444)의 ≪세설신어世說新語・가휼假譎≫권하 참조.

○(수나라) 왕통(584-618)은 (≪중설中說·사군편事君篇≫권3에서) "결혼을 하면서 재물을 논하는 것은 잘못이다. 옛날에 아들과 딸을 둔 가족들은 각기 덕이 있는 상대를 골랐다"고 하였다.

●王荊公之妹能詩, 適張奎, 封長安縣君.

○(송나라) 형국공荊國公 왕안석王安石(1021-1086)의 여동생은 시를 잘 짓더니 장규에게 시집가고 장안현군에 봉해졌다.

●王荊公之女能詩, 適吳安持, 封蓬萊縣君.

○(송나라) 형국공荊國公 왕안석王安石(1021-1086)의 딸은 시를 잘 짓더니 오안지에게 시집가고 봉래현군에 봉해졌다.

●王仲舒二女, 長適諫議大夫李行脩, 早世. 復婚其妹.

○(당나라) 왕중서(762-823)의 두 딸 중에 장녀는 간의대부 이행수에게 시집갔으나 일찍 세상을 떴다. 그래서 이행수는 다시 그녀의 여동생과 결혼했다.

●東坡娶王氏, 後又娶其妹爲繼室[643].

○(송나라) 동파東坡 소식蘇軾(1036-1101)은 왕씨에게 장가들었다가 뒤에 다시 그녀의 여동생을 후처로 들였다.

●王仲德, 宋[644]將軍也. 有妹賢淑, 以妻郭逸.

○왕중덕은 (남조南朝) 유송劉宋 때 장군으로 어질고 정숙한 여동생을 곽일에게 시집보냈다.

---

642) 曰(왈) : 위의 예문은 수나라 왕통王通의 제자들이 스승의 언행을 기록한 책인 ≪중설中說·사군편事君篇≫권3에 전한다.

643) 繼室(계실) : 원래는 제후諸侯의 원비元妃가 죽은 뒤 후처後妻로 삼은 두 번째 왕비를 이르는 말이었으나, 후에는 일반인의 후처를 가리키는 말로도 쓰였다.

644) 宋(송) : 당송의 송나라가 아니라 남조南朝 유송劉宋을 가리킨다.

●王克正一女, 手相[645]甚貴, 以妻陳恕.

○(송나라) 왕극정의 외동딸은 손금이 무척 귀한 상을 띠더니 진서(946-1004)에게 시집갔다.

●王敬弘[646]與孔淳之, 世爲方外[647]之遊, 以女妻其子.

○(남조南朝 유송劉宋) 경홍敬弘 왕유지王裕之는 공순지와 대대로 세속을 초월한 교유를 갖더니 딸을 그의 아들(공상孔尙)에게 시집보냈다.

●王當爲陳州刺史, 擇姚崇爲婿.

○(당나라) 왕당은 (하남성) 진주자사를 지내다가 요숭(650-721)을 사위로 삼았다.

●王戎女適裴頠, 貸錢十萬, 未還. 女歸寧[648], 戎不悅.

○(진晉나라) 왕융(234-305)은 딸이 배외(267-300)에게 시집갈 때 돈 10만 냥을 빌려주었지만 갚지 않았다. 그래서 딸이 인사차 친정에 돌아와도 왕융은 반가워하지 않았다.

●王平甫[649]之女適劉天保, 有詩[650]云, "不緣燕子穿簾幙, 春去春來那[651]得知?"

---

645) 手相(수상) : 손의 관상. 즉 손금을 가리킨다.

646) 王敬弘(왕경홍) : 남조南朝 유송劉宋 때 사람 왕유지王裕之. '경홍'은 자. 무제武帝 유유劉裕의 휘諱(裕) 때문에 주로 자로 불렸다. 상서복야尙書僕射·상서령尙書令을 역임하였다. ≪송서·왕경홍전≫권66 참조.

647) 方外(방외) : 속세 밖, 선경仙境을 뜻하는 말.

648) 歸寧(귀녕) : 부모를 찾아 뵙고 문안 인사를 올리는 것을 이르는 말. '귀성歸省'이라고도 한다.

649) 王平甫(왕평보) : 송나라 사람 왕안국王安國(1028-1074). '평보'는 자. 왕안석王安石(1021-1086)의 막내동생으로 비각교리祕閣校理·국자감교수國子監敎授를 지냈으나, 여혜경呂惠卿의 무고로 삭탈관직당했다. ≪송사·왕안국전≫권327 참조.

650) 詩(시) : 다른 문헌에도 모두 두 구절만 전하는 것으로 보아 일시逸詩인 듯하다.

○(송나라) 평보平甫 왕안국王安國(1028-1074)의 딸은 유천보에게 시집가면서 시를 지어 "제비가 주렴과 휘장을 뚫고 찾아오지 않을 터이니, 봄이 가고 봄이 오는 것을 어찌 알 수 있으리오?"라고 하였다.

●王毛仲嫁女曰, "萬事皆已具, 但未得客耳."

○(당나라) 왕모중은 딸을 시집보내고자 하면서 "만사가 이미 다 갖추어졌건만 단지 손님(사윗감)을 찾지 못 했을 뿐이다"라고 하였다.

●王逸少[652]坦腹[653]東床, 郗鑒曰, "此正佳婿."

○(진晉나라) 일소逸少 왕희지王羲之(321-379)가 동쪽 평상에서 배를 드러낸 채 누워 있자 치감이 말했다. "이 아이야말로 훌륭한 사윗감일세."

●王湛自求郝仲將之女, 有淑德.

○(진晉나라) 왕담(249-295)은 학중장의 딸에게 청혼하였는데 정숙한 품덕을 지녀서였다.

●王旦娶趙昌言女. 及爲相, 婚姻不求門閥.

○(송나라) 왕단(957-1017)은 조창언의 딸에게 장가들었다. 재상에 오르고 나서도 자식들을 결혼시킬 때 문벌을 따지지 않았다.

●王純亮娶山谷妹. 山谷有留王郎一詩[654].

---

651) 那(나) : 의문사. 어찌.

652) 王逸少(왕일소) : 진晉나라 때 우군장군右軍將軍을 지낸 왕희지王羲之(321-379). '일소'는 자. 해서楷書·행서行書·초서草書 방면에 달인의 경지에 올라 '서성書聖'으로 불렸다. ≪진서·왕희지전≫권80 참조.

653) 坦腹(탄복) : 배를 드러내 놓다. 진晉나라 왕희지王羲之(321-379)의 '동상탄복東床坦腹'의 고사에서 유래한 말로 물욕이 없고 한적한 경지를 상징한다.

654) 詩(시) : 이는 <매제인 순량純亮 왕세필王世弼에게 남기다(留王郎純亮世弼>란 제목의 오언고시五言古詩를 가리키는 말로 송나라 황정견黃庭堅(1045-1105)의 ≪산곡집山谷集≫권2에 전한다.

○(송나라) 순량純亮 왕세필王世弼은 산곡山谷 황정견黃庭堅(1045-1105)의 여동생에게 장가들었다. 황정견에게는 <매제 왕세필에게 남기는 시>가 한 수 있다.

●王禹玉[655]選鄭達夫爲婿, 後拜樞相[656].

○(송나라) 우옥禹玉 왕규王珪(1019-1085)는 정달부를 사위로 삼았는데, 정달부는 뒤에 추밀사 겸 재상을 배수받았다.

●王陶・滕甫爲連袂[657], 王炳・張恕亦爲連袂.

○(송나라 때는) 왕도와 등보가 동서였고, (당나라 때는) 왕병과 장서 역시 동서였다.

●薛元超三恨, 第一恨不娶王家女.

○(당나라 때 설도형薛道衡의 손자인) 설원초는 세 가지 여한이 있었는데, 그중에서도 첫 번째 여한은 왕씨 가문의 딸에게 장가들지 못한 것이었다.

●王仁妻, 名羅敷[658], 姓秦氏, 邯鄲美女也.

○(한나라 때) 왕인의 아내는 이름이 '나부'이고 성이 '진'씨로 (하북성) 한단군 출신 미녀이다.

●花王[659]. 山王[660]. 蜂王. 象王[661].

---

655) 王禹玉(왕우옥) : 송나라 때 사람 왕규王珪(1019-1085). '우옥'은 자. 기국공岐國公에 봉해졌다. 저서로 ≪화양집華陽集≫ 70권이 전한다. ≪송사・왕규전≫권312 참조.

656) 樞相(추상) : 당송唐宋 때 국가의 군사 업무를 총괄하던 기관인 추밀원樞密院의 장관인 추밀사樞密使가 재상을 겸직하는 것을 이르는 말.

657) 連袂(연메) : 동서. '연금連襟' '연금連衿' '연금連妗' '연겹連袷'이라고도 한다.

658) 羅敷(나부) : 한나라 때 여인 진나부秦羅敷. 진나부가 태수의 유혹을 재치있게 물리치는 내용을 노래한 저자 미상의 악부시樂府詩가 진陳나라 서능徐陵(507-583)이 엮은 ≪옥대신영玉臺新詠≫권1에 전한다.

○모란꽃. (진晉나라) 산도山濤와 왕융王戎. 여왕벌. 부처의 별칭.

●王氏於晉爲盛, 而有兩派. 一派, 漢王書之後, 有王融. 融二子, 祥・覽. 覽有從兄, 曰雄. 雄二子, 渾・乂. 渾生戎, 封安豐侯. 乂生衍, 爲尙書令. 覽六子, 長子裁生導, 其後最盛. 四子正生曠, 曠生逸少, 其後亦盛. 此瑯琊臨沂王氏也. 一派, 漢代郡守王澤之後. 澤生昶. 昶四子, 渾・深・淪・湛. 渾四子, 尙・濟・澄・汶. 湛子承, 承子述, 述子坦之, 世封藍田縣侯. 故稱述爲王藍田. 此晉陽太原王氏也. 有兩渾, 一戎父, 爲涼州刺史, 一濟父, 錄尙書事. 兩澄, 一衍弟, 字平子, 一濟弟, 字道深. 兩安期, 一含子應, 一湛子產. 兩愷, 一晉武舅, 一切之子. 兩處沖, 一邃字, 一湛字. 兩人, 一衍[662]父, 一緖父. 然世說[663]云, "王武子與從兄恬不平," 則其初豈亦同源乎! 抑或朝貴盛而通譜乎! 後之王姓, 皆出此兩族云.

○왕씨는 진나라 때 번성하여 두 파가 생겼다. 일파는 한나라 때 사람 왕서의 후손으로 왕융王融이 있다. 왕융王融의 두 아들은 왕상王祥(184-268)과 왕남王覽(206-278)이다. 왕남에게는 왕웅王雄이라는 종형이 있다. 왕웅의 두 아들은 왕혼王渾과 왕예王乂이다. 왕혼은 왕융王戎(234-305)을 낳았는데 왕융王戎은 안풍후에 봉해졌다. 왕예는 왕연王衍(256-311)을 낳았는데 왕연은 상서령에 올랐다. 왕남

659) 花王(화왕) : 꽃 중의 으뜸이라는 모란꽃의 별칭.

660) 山王(산왕) : 진晉나라 때 죽림칠현竹林七賢 가운데 두 사람인 산도山濤(205-283)와 왕융王戎(234-305)을 아우르는 말. 산도와 왕융은 뒤에 고관에 올라 배척을 당했다.

661) 象王(상왕) : 부처의 별칭.

662) 衍(연) : 앞에 등장한 왕연王衍(256-311)의 부친이 왕예王乂인 것으로 보아 동명이인이거나 오기인 듯하다.

663) 世說(세설) : 남조南朝 유송劉宋 유의경劉義慶(403-444)이 한漢나라 때부터 진晉나라 때까지 여러 가지 일화를 모아 엮은 소설류의 책인 ≪세설신어世說新語≫의 약칭. 본명은 ≪세설신서世說新書≫이나 ≪세설신어≫로 통용되었다. 총 3권. 양梁나라 유효표劉孝標(462-521. 효표는 유준劉峻의 자)가 주를 달았다. ≪사고전서간명목록・자부・소설가류≫권14 참조. 위의 예문은 ≪세설신어≫ 본문이 아니라 ≪세설신어・태치汰侈≫권하의 유효표 주에 인용된 ≪진제공찬晉諸公贊≫의 기록을 재인용한 것이다.

의 여섯 아들 중에 장남인 왕재王裁가 왕도王導(276-339)를 낳으면서 그의 후손들이 가장 번성하였다. 넷째 아들인 왕정王正이 왕광王曠을 낳고, 왕광이 일소逸少 왕희지王羲之(321-379)를 낳으면서 그의 후손들 역시 번성하였다. 이것이 바로 (산동성) 낭야군 임기현에 본관을 둔 왕씨이다. 다른 일파는 한나라 때 (산서성) 대군태수를 지낸 왕택의 후손이다. 왕택은 왕창王昶을 낳았고, 왕창의 네 아들은 왕혼王渾(223-297)·왕심王深·왕윤王淪·왕담王湛(249-295)이다. 왕혼의 네 아들은 왕상王尙·왕제王濟·왕징王澄(269-312)·왕문王汶이다. 왕담의 아들은 왕승王承이고, 왕승의 아들은 왕술王述(303-368)이며, 왕술의 아들은 왕탄지王坦之(330-375)인데, 대대로 남전현후에 봉해졌다. 그래서 당시 사람들은 왕술을 '왕남전'이라고 불렀다. 이것이 (산서성) 진양군 태원현에 본관을 둔 왕씨이다. (왕씨 가문에는) 두 명의 왕혼이 있는데, 한 명은 왕융王戎의 부친으로 (감숙성) 양주자사를 지냈고, 한 명은 왕제의 부친으로 녹상서사를 지냈다. 또 두 명의 왕징이 있는데, 한 명은 왕연의 동생으로 자가 평자이고, 한 명은 왕제의 동생으로 자가 도심이다. 또 자가 '안기'인 사람이 둘 있는데, 한 명은 왕함王含의 아들 왕응王應이고 한 명은 왕담의 아들 왕산王産이다. 또 두 명의 왕개王愷가 있는데, 한 명은 진나라 무제의 외숙부이고 한 명은 왕절지王切之의 아들이다. 또 처충이 둘 있는데, 하나는 왕수王邃의 자이고 하나는 왕담의 자이다. 두 사람 중에 한 명은 왕연의 부친이고, 한 명은 왕서王緖의 부친이다. 그러나 ≪세설신어·태치汰侈≫권하(의 양梁나라 유효표劉孝標 주에 인용된 ≪진제공찬晉諸公贊≫)에 "무자武子 왕제王濟와 종형인 왕염王恬이 불만을 드러냈다"고 한 것으로 보아 처음에는 아마도 본관이 같았으리라! 아니면 어느 왕조에선가 신분이 높아지면서 족보를 통합하였나 보다! 후대의 왕씨 사람들은 모두 이 두 종족에서 나왔다고 한다.

◇蘭亭考異(난정의 모임에 참가한 사람들에 대한 고찰)

●任凝.(一作汪凝) 曹禮.(一作禮) 王撲.(一作楊撲) 卓髦.(一作丘髦) 后綿.(一作

澤) 庾犮.(一作旻)

○임응.('왕응'으로 표기한 문헌도 있다) 조인.('인禋'을 '예禮'로 표기한 문헌도 있다) 왕모.('양모'로 표기한 문헌도 있다) 탁모.('구모'로 표기한 문헌도 있다) 후면.('면綿'을 '택澤'으로 표기한 문헌도 있다) 유발.('발犮'을 '민旻'으로 표기한 문헌도 있다)

◆黃(황씨)

▶商音. 江夏. 顓帝664)曾孫陸終之後, 受封於黃, 其後以國爲氏.

▷음은 상음에 속하고 본관은 (호북성) 강하군이다. (전설상의 임금) 전욱顓頊 황제의 증손자인 육종의 후손이 (호북성) 황주를 봉토를 받자 그의 후손이 나라 이름을 성씨로 삼은 것이다.

◇珠履(진주를 장식한 신발)

●黃歇, 號春申君, 相楚二十三年. 門下客三千人, 其上客皆躡珠履. 趙使見之, 大慙.

○(전국시대 때 사람) 황헐(?-B.C.238)은 호가 춘신군으로 초나라에서 23년 동안 재상을 지냈다. 문하에 식객이 3천 명에 달했는데 그중 상객은 모두 진주를 장식한 신발을 신었다. 조나라 사신이 이를 보고서는 무척 부끄러워하였다.

◇叱石起羊(돌에게 호통쳐 양을 일으키다)

●黃初平牧羊, 有道士將入金華山石室中. 四十餘年, 其兄初起尋之, 道士引至山中. 相見, 兄問羊所在, 曰, "在山東." 往視之, 但見白石. 初平叱云, "羊起." 白石俱起, 成羊數萬頭. 初起就之學道, 服松脂・茯苓665), 常有童子色. 後初平改爲赤松子666), 初起改爲魯般667).(仙傳668). 黃一作

---

664) 顓帝(전제) : 전설상의 임금인 오제五帝 가운데 두 번째 황제인 전욱顓頊의 별칭. 씨氏는 '고양高陽'이고, 성姓은 '희姬'이며, 황제黃帝의 증손자이다. ≪제왕세기・오제≫권2 참조.

665) 茯苓(복령) : 소나무 뿌리에 기생하는 구멍장이버섯과의 버섯. 향료와 약재에 쓰인다.

666) 赤松子(적송자) : 전설상의 신선.

皇.)

○황초평이 양을 키우는데 한 도사가 그를 데리고 (절강성) 금화산의 석실로 들어갔다. 40여 년이 지나서 그의 형인 황초기皇初起가 그를 찾아나서자 도사가 그를 데리고 산속에 도착했다. 동생을 만나 형이 양의 소재지를 묻자 동생이 대답하였다. "산 동쪽에 있습니다." 그곳에 가서 살펴보니 단지 흰 돌만 보였다. 황초평이 "양들은 일어나거라"라고 호통을 치자 흰 돌들이 모두 일어나 양 수만 마리가 되었다. 황초기는 그를 찾아가 도를 배우고 송진과 복령을 복용하여 늘 어린아이 낯빛을 하였다. 뒤에 황초평은 이름을 적송자로 바꾸고 황초기는 이름을 노반으로 바꿨다.(이상의 내용은 ≪신선전・황초평≫권2에 전한다. '황黃'은 '황皇'으로 표기한 문헌도 있다)

◇政治第一(정치가 천하에 으뜸가다)

●黃霸[669], 字次公, 守潁川. 外寬內明, 治爲天下第一. 在郡八年, 吏民咸稱神明.

○(전한) 황패(?-B.C.51)는 자가 차공으로 (하남성) 영천태수를 지냈다. 겉으로는 관대하면서 안으로는 명쾌하여 치적이 천하에 으뜸갔다. 영천군에 있는 8년 동안 관리와 백성들이 모두 그를 '신명'이라고 불렀다.

◇黃童無雙(황씨 아이는 겨룰 상대가 없다)

●黃香, 字文强, 年九歲失母, 事父盡孝. 暑則扇其床枕, 寒則以身溫席.

---

667) 魯般(노반) : 춘추시대 노魯나라 때 솜씨가 뛰어난 장인匠人인 공수반公輸班의 별칭. 나무를 깎아 솔개를 만들면 실제로 날았다고 한다.

668) 仙傳(선전) : 진晉나라 갈홍葛洪(284-363)이 엮은 84명의 신선에 관한 전기서인 ≪신선전神仙傳≫의 약칭. 총 10권. ≪사고전서간명목록・자부・도가류≫권14 참조.

669) 黃霸(황패) : 전한 때 사람. 영천태수潁川太守와 태자태부太子太傅・어사대부御史大夫 등을 역임하고 승상丞相에 올랐는데, 법령에 밝고 선정을 베풀어 후대의 공수龔遂와 함께 훌륭한 관리의 표상으로 꼽히며 '공황龔黃'으로 불렸다. ≪한서・순리열전循吏列傳・황패전≫권89 참조. 후한 광무제光武帝 때 사람 황패黃霸와는 동명이인이다.

太守劉護聞而異之, 署爲門下孝子. 幼能文章, 專精經典, 京師語曰, "天下無雙, 江夏670)黃童." 漢肅宗671)詔, 詣東觀672), 讀所未見書. 又召詣安福殿, 言政事, 拜尙書郞673), 遷尙書令. 子瓊.

○황향은 자가 문강으로 아홉 살에 모친을 잃고서 부친을 효심을 다해 모셨다. 날이 더우면 침상과 베개에 부채질을 하고, 날이 추우면 몸으로 자리를 따듯해지도록 데웠다. 태수 유호가 이 애기를 듣고서 기특하게 여겨 '문하효자'라는 별명을 붙여주었다. 어린 나이에 문장을 잘 지으면서도 경전 공부에 전념하였기에 (하남성 낙양의) 경사에는 "천하에 겨룰 상대가 없는 사람은 (호북성) 강하군 출신의 황씨 아이라네"라는 말이 돌았다. 후한 숙종(장제章帝)이 조서를 내려 동관에 가서 미처 보지 못 한 서책들을 마음껏 읽게 해 주었다. 또 황명을 받아 안복전으로 가서 정사에 대해 건의하여 상서랑을 배수받았다가 상서령으로 승진하였다. 아들은 황경黃瓊이다.

◇被褐懷寶(칡베옷을 입었어도 보물을 품다)

●黃瓊, 字世英. 漢永建674)中, 公卿675)多薦之, 公車徵至, 拜議郞676),

---

670) 江夏(강하) : 호북성의 속군屬郡 이름. 여기서는 황향의 본관을 가리킨다.

671) 肅宗(숙종) : 후한 장제章帝 유달劉炟. 명제明帝의 5남으로 장제는 시호이고 숙종은 묘호이다. ≪후한서 · 장제기≫권3 참조.

672) 東觀(동관) : 한나라 때 궁중에 설치한 장서각 이름. 후한後漢 때 반고班固(32-92) 등이 ≪동관한기東觀漢紀≫를 편찬한 곳으로 유명하다. 뒤에는 국사를 편찬하는 곳의 별칭으로 쓰였다.

673) 尙書郞(상서랑) : 조정의 핵심 행정 기관인 상서성尙書省에서 실질적인 업무를 처리하던 벼슬인 낭관郞官에 대한 총칭. 당송唐宋 때는 낭중郞中과 원외랑員外郞으로 나뉘기도 하였다.

674) 永建(영건) : 후한後漢 순제順帝의 연호(126-131).

675) 公卿(공경) : 중국 고대 조정의 최고위 관직인 삼공三公과 구경九卿. 결국은 모든 고관에 대한 총칭이다. '삼공'은 시대마다 차이가 있는데 주周나라 때는 태사太師 · 태부太傅 · 태보太保를 지칭하였고, 진秦나라 때는 승상丞相 · 어사대부御史大夫 · 태위太尉를 지칭하였으며, 한나라 때는 진나라의 제도를 답습하다가 애제哀帝와 평제平帝 때에 대사마大司馬 · 대사도大司徒 · 대사공大司空을 지칭하였으며, 후대에는 태사太師 · 태부太傅 · 태보太保를 '삼사三師'로 승격시키고 대신 태위太尉 · 사도司徒 · 사공司空을 '삼공'이라고 하기도 하였다. '구경'의 칭호도 시대마다 명칭과 서열에 차이가 있는데, 한나라 때는 태상太

稍遷尙書僕射. 初隨父在臺閣[677], 習見政事. 及後居職, 達練官曹[678], 與周擧同時輔政, 名重朝廷. 郞顗薦之曰, "被褐[679]懷寶, 含味經籍." 孫琬.

○황경(86-164)은 자가 세영이다. 후한 (순제) 영건(126-131) 연간에 삼공과 구경 등 고관들 대다수가 그를 추천하자 공거령에게 불러들이게 하고는 의랑을 배수하였다가 얼마 뒤 상서복야로 승진시켰다. 처음에 부친을 따라 궁중의 장서각에 있게 되면서 정사를 익숙하게 볼 수 있었다. 뒤에 관직을 맡으면서 각 부서의 업무를 숙달하여 주거와 같은 시기에 정사를 보필하며 명성을 조정에 떨쳤다. 낭의가 그를 추천하며 "칡베옷을 입었어도 보물을 품고 있고, 경적을 두루 잘 압니다"라고 하였다. 손자는 황완黃琬이다.

◇陂量汪汪(연못의 양만큼 도량이 드넓다)

●黃憲, 字叔度, 漢安帝朝, 擧孝廉, 不就. 陳蕃·周擧常相謂曰, "旬月[680]之間, 不見黃生, 鄙吝之萌, 復存乎心矣." 郭泰曰, "叔度汪汪[681], 若千頃陂, 澄之不淸, 淆之不濁, 不可量也."

○황헌은 자가 숙도로 후한 안제 때 효렴과에 급제하였으나 관직에 나가지 않았다. 진번과 주거는 늘 서로에게 "몇 개월만 황선생을 보지 않아도 비천한 생각이 다시 마음에서 생기는 듯하구려"라고 하였

常·광록훈光祿勳·위위衛尉·태복太僕·정위廷尉·홍려鴻臚·종정宗正·대사농大司農·소부少府를 '구경'이라 하였고, 수당隋唐 이후로는 구시九寺, 즉 태상太常·광록光祿·위위衛尉·종정宗正·태복太僕·대리大理·홍려鴻臚·사농司農·태부太府의 장관을 '구경'이라고 하였다.

676) 議郞(의랑) : 한나라 때 광록훈光祿勳 소속의 낭관郞官으로 자문에 응하고 인재를 초빙하는 업무를 맡아 보던 벼슬 이름.

677) 臺閣(대각) : 한漢나라 때에는 상서대尙書臺를 일컫다가 뒤에는 집현원集賢院처럼 궁중의 문서를 관장하는 기관이나 장서각을 총괄하는 말로 쓰였다.

678) 官曹(관조) : 관리들이나 그들의 업무를 이르는 말. '조曹'는 복수를 나타내는 접미사.

679) 被褐(피갈) : 칡베옷을 입다. 검소함을 상징한다. '피被'는 '피披'와 통용자.

680) 旬月(순월) : 10개월, 혹은 몇 개월.

681) 汪汪(왕왕) : 드넓은 모양, 넓고 깊은 모양. 여기서는 도량이 큰 것을 비유한다.

고, 곽태는 “숙도(황헌)는 도량이 드넓어 마치 천 경에 달하는 연못을 깨끗하게 하려 해도 맑아지지 않고 더럽히려 해도 흐려지지 않는 것과 같으니 헤아릴 수가 없구나”라고 하였다.

◇對日食(일식에 대해 대답하다)

●黃琬, 字子琰, 少辨慧. 祖瓊爲魏郡太守, 漢建和[682]元年正月日食, 京師不見, 而瓊以狀聞. 詔問所食多少, 瓊未有以對, 琬在旁曰, “何不云日食之餘, 如月之初?” 卽以其言應詔. 後爲五官中郞將[683].

○황완(141-192)은 자가 자염으로 어려서부터 총명하였다. 조부 황경黃瓊(86-164)이 (하북성) 위군태수를 지낼 때인 후한 (환제) 건화 원년(147) 정월에 일식이 일어났는데 도성 사람들이 보지 못 하였기에 황경이 글을 올려 보고하였다. 그러자 환제가 조서를 내려 일식이 얼마나 일어났는지를 물었지만 황경은 미처 대답할 수가 없었다. 그러자 황완이 옆에 있다가 말했다. “어째서 해가 잠식당하고 남은 부분이 초승달과 비슷하다고 말씀하지 않으세요?” 즉시 그의 말대로 조서에 응답하였다. 황완은 뒤에 오관중랑장을 지냈다.

◇柘枝舞(자지무를 추다)

●黃通[684]累擧不第, 作官數任[685]. 年將耳順[686], 再應擧, 或嘲之曰, “老婦舞柘枝[687], 剩員[688]呈武藝.”

---

682) 建和(건화) : 후한後漢 환제桓帝의 연호(147-149).

683) 五官中郞將(오관중랑장) : 한나라 이후로 삼서三署의 장관인 오관중랑장五官中郞將·좌중랑장左中郞將·우중랑장右中郞將 가운데 하나로 궁중 호위를 관장하던 벼슬 이름.

684) 黃通(황통) : 송나라 때 사람. 자는 개부介夫. 인종仁宗 가우嘉祐(1056-1063) 초에 진사에 급제하여 대리승大理丞을 지냈다. 명나라 능적지凌迪知의 ≪만성통보萬姓統譜≫권47 참조.

685) 數任(수임) : 임무를 나무라다, 업무에 대해 꼬집다.

686) 耳順(이순) : 귀가 순응하다. 춘추시대 노魯나라 공자가 예순 살이 되어서 만물의 이치에 대해 터득하여 귀로 듣는 대로 모두 이해하였다는 ≪논어·위정爲政≫권2의 고사에서 유래한 말로 예순 살을 비유한다.

687) 舞柘枝(무자지) : 자지무柘枝舞를 추다. ‘자지무’는 서역의 석국石國에서 전래된 춤으로 처음에는 여성 한 명이 추는 독무獨舞였으나, 뒤에는 두 명이 추

○(송나라) 황통은 여러 차례 과거시험에 응시하였다가 낙방하더니 관리를 맡으면서는 임무에 대해 지적을 받곤 하였다. 나이가 거의 예순 살이 되어서 다시 과거시험에 응시하자 누군가 그를 놀리며 말했다. "늙은 아낙이 자지무를 추고, 보잘것없는 사람이 손재주를 자랑하는 격이라오."

◇龍頭689)獨露(용의 두각을 홀로 드러내다)

●黃裳, 字冕仲, 常有魁天下690)之志. 自敍691)云, "予家劍潭692)之濱, 斗牛693)之光, 上下相照, 風雷之信, 有時變現." 宋元豐694)中, 南劍州譙門695)一柱, 忽爲雷擊, 作詩696)云, "風雷昨夜破枯株, 借問天公697)有意無? 莫是臥龍698)蹤迹困, 放開頭角入雲衢699)." 次年, 果魁天下. 工詩, 有演山集.

○황상은 자가 면중으로 늘 과거시험에서 장원급제를 차지하겠다는 포부를 품었다. 그래서 스스로 (문집의) 서문에서도 "내가 검담 물가에 집을 마련하였더니 북두성과 견우성의 별빛이 위아래로 비추고 바람과 우레 소식이 때로 변화무쌍하게 나타났다"고 하였다. 송나라

는 쌍자지雙柘枝로 발전하였고, 송나라 때는 군무群舞로 변형되었다.

688) 剩員(잉원) : 쓸모없는 사람, 정원 외 사람을 이르는 말.

689) 龍頭(용두) : 용의 머리. 장원급제를 비유한다.

690) 魁天下(괴천하) : 천하에 으뜸을 차지하다. 장원급제하는 것을 말한다.

691) 自敍(자서) : 이는 황상黃裳의 문집인 ≪연산집≫의 자서를 가리킨다.

692) 劍潭(검담) : 복건성에 있는 연못 이름.

693) 斗牛(두우) : 이십팔수二十八宿 가운데 북두성과 견우성을 아우르는 말. 남두성南斗星과 견우성을 가리킬 때도 있다.

694) 元豐(원풍) : 북송北宋 신종神宗의 연호(1078-1085).

695) 譙門(초문) : 성루城樓 아래 있는 문을 가리키는 말.

696) 詩(시) : 이는 칠언절구七言絶句 형식으로 현전하는 사고전서본 ≪연산집≫에는 수록되지 않았다. 대신 송나라 오증吳曾의 ≪능개재만록能改齋漫錄≫권11 등 다른 저서에 인용되어 전한다.

697) 天公(천공) : 천제天帝의 별칭.

698) 臥龍(와룡) : 누운 용. 숨어 있는 훌륭한 인재를 비유한다. 삼국 촉蜀나라 승상 제갈양諸葛亮(181-234)의 별호가 '와룡선생'이었다.

699) 雲衢(운구) : 구름 속의 길. 즉 하늘을 가리키는 말로 궁궐이나 조정을 비유한다.

(신종) 원풍(1078-1085) 연간에 (복건성) 남검주의 성문 기둥 하나가 갑자기 벼락을 맞았기에 다음과 같은 시를 지었다. “바람과 우레가 어젯밤 매마른 성문 기둥을 부쉈기에, 천제께서 의도적으로 하신 것인지 물어 보노라. 숨은 인재의 발자취 궁색하다고 여기지 말지니, 두각을 드러내고 구름 속(조정)으로 들어가리라.” 이듬해 정말로 과거시험에서 장원급제를 차지하였다. 시를 잘 지었고 저서로 ≪연산집≫이 있다.

◇黃氏審言(황씨 가문에서 두심언杜審言과 같은 인물)

●黃庶, 字亞夫, 工詩. 如[700]“書對聖賢爲客主, 竹兼風雨似咸韶[701].” “史解戮人惟戮古, 地能埋死不埋愚,” 皆奇崛. 又怪石絶句[702], 爲世所稱. 山谷嘗手書其宿趙屯[703]一詩, 刻于星子灣, 跋[704]云, “先君平生刻意於詩,” 與子美[705]‘吾祖[706]冠古’之評[707], 何異? 亞夫, 眞黃氏之審

---

700) 如(여) : 앞의 두 구절은 칠언율시七言律詩 <산에서 살며 혼자서 술을 마시다(山居獨酌)> 가운데 함련頷聯을 인용한 것이고, 뒤의 두 구절은 칠언율시 <차운하여 언회에게 화답하다(次韻和言懷)> 가운데 함련을 인용한 것으로 모두 송나라 황서黃庶의 ≪벌단집伐檀集≫권상에 수록되어 전한다.

701) 咸韶(함소) : 당唐나라 요왕堯王 때 음악인 함咸과 우虞나라 순왕舜王 때 음악인 소韶를 아우르는 말. 아름다운 음악을 비유한다.

702) 絶句(절구) : 이는 칠언절구七言絶句 <은진재 정원에 기괴하게 생긴 돌이 많기에 절구를 지어 몇 개 부탁하다(隱眞齋庭多怪石, 小詩求數株)>를 가리키는 말로 ≪벌단집≫권상에 수록되어 전한다.

703) 宿趙屯(숙조둔) : 이는 형식상 오언고시五言古詩로서 동명의 제목으로 ≪벌단집≫권상에 수록되어 전한다.

704) 跋(발) : 이는 <선친의 시를 (성자만星子灣의) 바위에 새기고 쓴 발문(刻先大夫詩跋)>이란 제목으로 송나라 황정견黃庭堅(1045-1105)의 ≪산곡집山谷集·제발題跋≫별집권11에 전한다.

705) 子美(자미) : 당나라 시인 두보杜甫(712-770)의 자. 저서로 청나라 구조오仇兆鼇(1640-1714)가 엮은 ≪두시상주杜詩詳註≫ 25권이 전한다. ≪신당서·두보전≫권201 참조.

706) 吾祖(오조) : 당나라 초엽 시인으로 두보杜甫의 조부인 두심언杜審言(약 645-708)을 가리킨다. 두심언이 두한杜閑을 낳고, 두한이 두보를 낳았다. ≪신당서·두심언전≫권201 참조.

707) 評(평) : 이는 두보杜甫가 오언고시五言古詩 <(사천성) 촉주의 승려 여구 사형에게 드리다(贈蜀僧閭丘師兄)>에서 “우리 할아버지(두심언杜審言)는 시로 고인을 압도하셨다(吾祖詩冠古)”고 평한 구절을 가리킨다. 시는 청나라 구조오仇

言矣. 子黃大臨・黃庭堅・黃叔達.

○(송나라) 황서는 자가 아부로 시를 잘 지었다. 예를 들어 "서책 속에서 성현을 대하며 손님과 주인 노릇을 하는데, 대나무에 바람 불고 비 내리니 그 소리가 (당唐나라 요왕堯王의 음악인) 함咸과 (우虞나라 순왕舜王의 음악인) 소韶처럼 아름답네"와 "역사는 사람을 죽일 수 있지만 오직 고인만 죽였고, 땅은 죽은 자를 묻지만 우직한 사람을 묻지는 않는다네"와 같은 것은 모두 기발하기 그지없다. 또 <기괴하게 생긴 돌을 읊은 절구>는 세상 사람들의 칭송을 받았다. (황서의 아들인) 산곡山谷 황정견黃庭堅은 일찍이 부친의 <조둔의 집에 묵다>란 제목의 시 한 수를 손수 적어 성자만의 바위에 새기고는 발문에서 "선친께서는 평생 시에다가 심혈을 기울이셨다"고 하였으니, (당나라 때) 자미子美 두보杜甫가 '우리 할아버지(두심언)는 고인을 압도하셨다'고 평한 말과 무엇이 다르랴? 아부(황서)는 진실로 황씨 가문에서 두심언과 같은 인물이다. 아들은 황대림黃大臨・황정견黃庭堅・황숙달黃叔達이다.

◇江西詩祖(강서시파江西詩派의 시조)

●黃庭堅, 字魯直. 東坡薦之云, "瑰奇之文, 絶妙當世, 孝友之行, 追配古人." 初與李公擇708)相見于舒州石牛洞山谷寺, 常遊而樂之. 故自號山谷道人. 謫涪州別駕709), 因號涪翁. 謫黔州, 寓開元寺, 寺有摩圍泉, 因號摩圍老人. 呂居仁710)等推爲江西詩711)祖. 元祐中, 爲太史. 子相.

兆鰲(1640-1714)의 ≪두시상주杜詩詳註≫권9에 전한다.

708) 李公擇(이공택) : 송나라 사람 이상李常(1027-1090). '공택'은 자. 황정견黃庭堅(1045-1105)의 외숙부로 예부시랑禮部侍郎・어사중승御史中丞・병부상서兵部尚書 등을 역임하였다. ≪송사・이상전≫권344 참조.

709) 別駕(별가) : 한나라 이래로 일부 주州・부府・군郡에 설치했던 지방 수령의 보좌관인 '치중별가종사사治中別駕從事史'의 약칭. '치중治中' '치중별가治中別駕' '치중종사治中從事' 등으로 약칭하기도 한다.

710) 呂居仁(여거인) : 송나라 사람 여본중呂本中(1084-1145). '거인'은 자. 호는 동래東萊이고 시호는 문청文淸. 시는 황정견黃庭堅(1045-1105)과 진사도陳師道(1053-1101) 등 강서시파江西詩派를 추종하였고, 벼슬은 중서사인中書舍人 등을 역임하였다. 저서로 ≪동래시집東萊詩集≫ 20권이 전한다. ≪송사・여본

○(송나라) 황정견(1045-1105)은 자가 노직이다. 동파東坡 소식蘇軾은 그를 추천하며 "힘있고 기이한 문장은 절묘함이 당대 으뜸이고, 효성과 우애를 갖춘 행실은 고인과 어깨를 나란히 할 만합니다"라고 말한 적이 있다. 당초 공택公擇 이상李常과 (안휘성) 서주 석우동 산곡사에서 만나 늘 함께 어울리며 즐겼기에 스스로 호를 '산곡도인'이라고 하였고, (사천성) 부주별가로 폄적당했기에 호를 '부옹'이라고도 하였다. 또 (사천성) 검주로 폄적당해 개원사에 머물렀는데, 절에 마위천이 있었기에 호를 '마위노인'이라고도 하였다. 거인居仁 여본중呂本中 등이 강서시파의 시조로 추대하였다. (철종) 원우(1086-1093) 연간에는 태사를 지냈다. 아들은 황상黃相이다.

◇敦厖(성품이 순박하고 후덕하다)

●黃相, 小字小德, 生母出於微賤. 故谷詩[712]云, "解著潛夫論[713], 不妨無外家." 坡次韻[714], 有云, "名駒已汗血[715], 老蚌[716]空泥沙." 山谷

중전≫권376 참조.

711) 江西詩(강서시) : 송나라 때 두보杜甫(712-770)의 시풍을 추종한 황정견黃庭堅(1045-1105)과 진사도陳師道(1053-1101) 등 일련의 시인들을 지칭하는 말. 송나라 여본중呂本中이 지은 ≪강서시사종파도江西詩社宗派圖≫란 서명에서 유래하였기에 '강서종파江西宗派'라고도 한다.

712) 詩(시) : 이는 오언율시五言律詩 <소덕小德 황상黃相을 놀리다(嘲小德)> 가운데 미련尾聯을 인용한 것으로 ≪산곡집≫권9에 전한다.

713) 潛夫論(잠부론) : 후한後漢 때 왕부王符가 당시 세태를 풍자하기 위해 지은 책으로 총 10권. 서록敍錄 1편 외에 35편으로 구성되어 있다. ≪사고전서간명목록·자부·유가류儒家類≫권9 참조. 이름이 드러나는 것을 원치 않아 서명을 ≪잠부론≫으로 지었다고 한다.

714) 次韻(차운) : 이는 오언율시五言律詩 <노직魯直 황정견黃庭堅이 소덕小德 황상黃相을 놀린 시에 차운하다. '소덕'은 황노직의 아들인데 그의 모친이 미천하여 그가 시에서 '≪잠부론≫을 지을 수 있으니 외가가 없어도 무방하다네'라고 하였다(次韻黃魯直嘲小德. 小德, 魯直子, 其母微, 故其詩云, 解著潛夫論, 不妨無外家)> 가운데 경련頸聯을 인용한 것으로 소식蘇軾(1036-1101)의 ≪동파전집東坡全集≫권17에 전한다.

715) 汗血(한혈) : 핏빛 땀을 흘리다. 천리마로 알려진 한혈마를 가리키는 말로서 여기서는 황정견黃庭堅(1045-1105)의 아들인 황상黃相을 비유한다.

716) 老蚌(노방) : 말조개. 나이 들어 훌륭한 아들을 낳은 사람을 비유하는 말로 여기서는 황정견黃庭堅을 비유한다. '노老'는 동물의 이름 앞에 붙이는 일종의 접두사로서 별뜻이 없다. 장수하는 동물에게 붙이는 것이란 설도 있다.

在黔中[717], 與王瀘州帖[718]云, "小子相, 今年十四, 骨相差厖厚." 又詩[719]云, "小兒未可知, 客或許敦厖[720]."

○황상은 어렸을 때 자가 소덕으로 생모는 미천한 집안 출신이었다. 그래서 산곡山谷 황정견黃庭堅은 시에서 "≪잠부론≫을 지을 수 있으니, 외가가 없어도 무방하다네"라고 하였다. 그러자 동파東坡 소식蘇軾이 차운한 시를 지어 "이름난 망아지(황상) 이미 핏빛 땀을 흘리니, 말조개(황정견)는 부질없이 진흙과 모래 속에 묻히리라"고 응수하였다. 황정견은 (사천성) 검주에 있을 때 노주자사 왕보지王補之에게 짤막한 서신을 보내 "저의 어린 아들 황상이 올해로 열네 살인데 골상이 제법 후덕하답니다"라고 하였고, 또 시에서 "어린 아들은 아직 모른다네, 손님 중에 누군가 순박하고 후덕하다고 인정해 주었다는 것을"이라고 하였다.

◇雪鴿風鴈(눈 속의 할미새와 바람 속의 기러기)

●黃大臨, 字元明, 自號寅庵. 山谷之謫黔州也, 元明送之, 故書萍鄉縣壁云, "兄元明自陳留山渡漢沔[721], 上夔峽[722], 過一百八盤, 涉四十八渡, 送余至摩圍山." 掩淚[723]握手, 臨別有詩[724]云, "急雪鶺鴒[725]相竝影,

---

717) 黔中(검중) : 서천성 검주黔州의 별칭.

718) 與王瀘州帖(여왕노주첩) : 이는 황정견의 편짓글을 모아 놓은 ≪산곡간척山谷簡尺≫권하에 전한다. '왕노주'는 황정견의 친구인 사천성 노주자사瀘州刺史 왕보지王補之를 가리킨다.

719) 詩(시) : 이는 오언고시五言古詩 <자첨(소식蘇軾)의 시구가 한 시대를 풍미하였는데도 도리어 '황정견의 시체를 흉내낸다'고들 말한다. 아마도 (당나라 때) 퇴지(한유韓愈)가 맹교·번종사를 장난삼아 흉내낸 것을 빗댄 말로 해학거리를 미화하기 위한 것일 뿐이지만, 후배들이 이해하지 못 할까 염려스럽기에 시를 지어 이를 말하고자 한다(子瞻詩句妙一世, 乃云'效庭堅體.' 蓋退之戲效孟郊·樊宗師之比, 以文滑稽耳, 恐後生不解, 故以韻道之)> 가운데 한 연을 인용한 것으로 ≪산곡집·고시51수古詩五十一首≫권2에 전한다.

720) 敦厖(돈방) : 성품이 순수하고 후덕한 모양. '방厖'은 '방龐'의 이체자異體字.

721) 漢沔(한면) : 강물인 한수漢水의 별칭. '면沔' 역시 한수를 가리킨다.

722) 夔峽(기협) : 사천성 봉절현奉節縣 동쪽에 있는 협곡 이름. '장강삼협長江三峽'의 하나로 물살이 거세고 산세가 험준하기로 유명하다. 일명 '구당협瞿唐峽' '광계협廣溪峽'이라고도 한다.

723) 掩淚(엄루) : 얼굴을 가린 채 눈물을 흘리다, 눈물을 훔치다. '엄체掩涕'라고

驚風鴻鴈[726]不成行."

○(송나라) 황대림은 자가 원명이고 자호가 인암이다. 산곡山谷 황정견黃庭堅은 (사천성) 검주로 폄적당할 때 (형인) 황대림이 자신을 배웅해 주자 (강서성) 평향현의 벽에 "형 원명(황대림)이 진류산으로부터 한수를 건너 기협을 오르고 108군데 굽이를 지나 48개 나룻터를 건너면서 나를 마위산까지 배웅해 주셨다"고 적었다. 또 눈물을 훔치고 악수를 하며 작별하는 자리에서 시를 지어 "거친 눈발 속에 할미새가 서로 그림자를 나란히 하였지만, 거센 바람에 기러기가 줄지어 날지 못 하네"라고 하였다.

◇騎驢圖(나귀 탄 그림)

●黃叔達, 號知命君. 在黔中所作數詩, 附山谷集中, 殊有家法, 當由山谷潤色, 以成弟之名. 嘗與陳履常[727]謁法雲禪師[728], 夜歸, 衣白衫, 騎驢, 緣道搖頭而歌. 履常行於後, 一市驚, 以爲異人. 明日李伯時[729]畫以爲圖, 邢敦夫[730]作歌.

도 한다.

724) 詩(시) : 이는 칠언율시七言律詩 <(형) 원명(황대림)이 (사천성) 검주 남쪽에서 이별하며 주는 시에 화답하다(和答元明黔南贈別)> 가운데 경련頸聯을 인용한 것으로 송나라 황정견黃庭堅의 ≪산곡집山谷集≫권10에 전한다.

725) 鶺鴒(척령) : 할미새. 할미새가 함께 들판에 있을 때는 늘 울음을 그치지 않고 꽁지를 흔들어 형제에게 위험을 알린다는 ≪시경・소아小雅・상체常棣≫권16의 고사에서 유래한 말로 형제간의 우애를 상징한다.

726) 鴻鴈(홍안) : 큰기러기와 기러기. 기러기에 대한 총칭으로 여기서는 황정견 형제를 비유적으로 가리킨다.

727) 陳履常(진이상) : 송나라 때 시인인 진사도陳師道(1053-1101). '이상'은 자. 한편으로는 무기無己라고도 한다. 호는 후산後山. 증공曾鞏(1019-1083)의 제자로 서주교수徐州敎授・태학박사太學博士・비서성정자祕書省正字를 역임하였고, 황정견黃庭堅(1045-1105)과 함께 강서시파江西詩派의 대표적 시인으로 꼽힌다. 저서로 ≪후산집後山集≫ 24권 등이 전한다. ≪송사・진사도전≫권444 참조.

728) 禪師(선사) : 좌선에 밝은 승려에 대한 존칭. '대사大師' '상인上人' '화상和尙' '법사法師' '율사律師' 등 다양한 존칭이 있다.

729) 李伯時(이백시) : 송나라 사람 이공린李公麟. '백시'는 자. 중서문하후성산정관中書門下後省刪定官을 역임하고, 시를 잘 지었으며, 특히 그림에 조예가 깊어 송대 제일 화가로 손꼽힌다. ≪송사・이공린≫권444 참조.

○(송나라) 황숙달은 호가 지명군이다. (사천성) 검중에서 지은 시 몇 편이 (형인 황정견黃庭堅의) ≪산곡집≫에 부록으로 실려 있는데, 온전히 가법이 담겨 있는 것으로 보아 황정견이 윤색을 하여 동생의 명성을 이루게 해 준 것이 분명해 보인다. 일찍이 이상履常 진사도陳師道와 함께 법운선사를 배알한 적이 있는데, 밤에 돌아오는 길에 흰 적삼을 입고 나귀를 타고서 길을 따라 머리를 흔들며 노래를 하였다. 진사도가 뒤에서 걷자 저자 사람들이 모두들 깜짝 놀라며 기인으로 여겼다. 이튿날 백시伯時 이공린李公麟이 이를 그림으로 그리고, 돈부敦夫 형거실荊居實이 노래를 지었다.

◇靑瑣登賢(문하성에서 현자를 등용하다)

●黃廉, 字夷仲, 山谷叔父也. 元祐中, 拜給事中[731], 議論引大體. 山谷詩[732]云, "廊廟從來不在邊, 黃庭[733]靑瑣[734]慶登賢."

○(송나라) 황염은 자가 이중으로 산곡山谷 황정견黃庭堅의 숙부이다. (철종) 원우(1086-1093) 연간에 급사중을 배수받아 주장을 펼치며 대세를 이끌었다. 황정견은 시에서 "조정의 인재라서 여태껏 변방에 있지 않더니, 문하성의 청쇄문에서 현자의 등용을 경축하네"라고 하

---

730) 邢敦夫(형돈부) : 송나라 사람 형거실荊居實. '돈부'는 자. '돈부惇夫'로도 썼다. 소식蘇軾(1036-1101)·황정견黃庭堅(1045-1105)·조보지晁補之(1053-1110) 등과 교유하였고, 저서로 ≪신음집呻吟集≫ 1권이 전한다. ≪송사·간신열전奸臣列傳·형거실전≫권471 참조.

731) 給事中(급사중) : 황제의 자문과 정사의 논의에 참여하던 벼슬로, 진한秦漢 이래 열후列侯나 장군將軍의 가관加官이었다가, 진晉나라 이후로 정관正官이 되었다. 수당隋唐 이후로는 문하성門下省의 장관인 시중侍中과 버금장관인 문하시랑門下侍郎 다음 가는 요직으로 정령政令에 대한 논의와 시정時政을 담당하였다.

732) 詩(시) : 이는 칠언절구七言絶句 <급사중을 지내신 숙부의 죽음을 애도하는 노래 10수(叔父給事挽詞十首)> 가운데 제8수의 전반부를 인용한 것으로 ≪산곡집≫권12에 전한다.

733) 黃庭(황정) : 원문에 의하면 재상이나 급사중 등 고위 관리가 근무하는 관청을 이르는 말인 '황비黃扉'의 오기. 대문을 노란 색으로 칠한 데서 유래하였다.

734) 靑瑣(청쇄) : 문하성을 가리키는 말. 출입문에 푸른 색깔의 사슬 모양을 한 장식품을 한 데서 유래하였다. 여기서는 결국 황염黃廉이 문하성 소속 고관인 급사중에 오른 것을 가리킨다.

였다.

◇忠鯁(충언)

●黃昭, 字晦甫, 山谷伯父也. 元祐中, 爲閩[735]漕[736]. 召拜御史, 山谷曰[737], "伯父在家著孝友之譽, 立朝有忠鯁[738]之節." 子友聞·友益·友顔.

○(송나라) 황소는 자가 회보로 산곡山谷 황정견黃庭堅의 백부이다. (철종) 원우(1086-1093) 연간에 (복건성) 민 지방을 관장하는 전운사를 지내다가 황제의 부름을 받아 어사를 배수받았다. 그래서 황정견은 "백부님은 집에 계실 때는 효심과 우애가 깊다는 명예를 드러냈고, 조정에 서면 충언을 서슴지 않는 절조를 보이셨다"고 하였다. 아들은 황우문黃友聞·황우익黃友益·황우안黃友顔이다.

◇酒失(술에 취해 실수하다)

●黃友聞, 字聞善, 與柳氏兄弟杯酒相失. 山谷有詩[739]云, "自入醉鄕無畔岸[740], 心與歡伯[741]爲友朋. 更闌罵坐客星散, 午過未蘇髮鬅鬙[742]."

○(송나라) 황우문은 자가 문선으로 유씨 형제와 술을 마시다가 실수를 하였다. 그러자 산곡山谷 황정견黃庭堅이 시를 지어 "스스로 술의 고을로 들어가 아무런 제약도 없이, 내심 환백(술)과 친구가 되었

---

735) 閩(민) : 중국의 동남방, 즉 복건성 일대의 옛 이름.

736) 漕(조) : 송나라 때 수로를 통한 군량의 수송과 교통을 관장하던 관원을 이르는 말. '조사漕使' '조신漕臣'의 약칭이자 전운사轉運使의 별칭.

737) 曰(왈) : 이는 칠언절구七言絶句 <(호남성) 익양현 사람 주부 황성지黃成之에게 드리다(贈益陽成之主簿)>의 서문을 인용한 것으로 ≪산곡집≫별집권1에 전한다.

738) 忠鯁(충경) : 충언이나 충심을 비유하는 말. '경鯁'이 생선의 뼈나 가시를 일컫는 말로 강직한 신하의 충언忠言을 비유하는 데서 유래하였다.

739) 詩(시) : 이는 칠언절구七言絶句 <문선(황우문黃友聞) 등 두 사촌형에게 사례차 답하는 절구시 9수(謝答聞善二兄九絶句)> 가운데 제1수를 인용한 것으로 ≪산곡집≫권7에 전한다.

740) 畔岸(반안) : 제약이나 한계, 범위 등을 이르는 말.

741) 歡伯(환백) : '즐거움을 관장하는 제후'라는 뜻에서 유래한 말로 술의 별칭.

742) 鬅鬙(붕승) : 머리카락이 흩어진 모양.

네. 다시 술자리가 끝나자 좌객들이 별처럼 뿔뿔이 흩어진다고 욕하는데, 정오가 지나도 술이 깨지 않은 채 머리는 봉두난발"이라고 하였다.

◇貧樂齋(낙빈재樂貧齋)

●黃友顔, 字顔徒, 作貧樂齋[743]. 山谷以二詩[744]詠之, 其一云, "小山[745]作朋友, 義重子輿桑[746]. 香草當姬妾, 不須珠翠妝. 鳥烏窺凍硯, 星月入幽房. 兒報無炊米, 浩歌繞屋梁."

○(송나라) 황우안은 자가 안도로 낙빈재를 지었다. 산곡山谷 황정견黃庭堅이 시 두 수를 지어 이를 읊조렸는데, 그중 한 수에서 "소산(황우안)이 친구가 되니, 의리가 자여子輿와 자상子桑보다도 무거운데, 향초를 첩실들에게 주었으니, 진주와 비취를 장식할 필요 없다네. 새와 까마귀들이 얼어붙은 벼루를 훔쳐보고, 별빛과 달빛이 그윽한 방으로 스며드는데, 아이는 밥 지을 쌀이 없다고 아뢰지만, 호연지기를 담은 노랫소리가 지붕 아래 대들보를 맴도는구나"라고 하였다.

◇幼悟(어려서부터 총명하다)

●黃鑑七歲不能言, 其祖喜其風骨之美, 遇物誨之. 一日携至池上, 祖曰, "水馬[747]池中走." 對曰, "遊魚波上浮." 後任臺閣.

○(송나라) 황감(?-1034)은 일곱 살에도 말을 할 줄 몰랐지만 그의

---

743) 貧樂齋(빈락재) : '낙빈재樂貧齋'의 오기. '낙빈'은 '안빈낙도安貧樂道'의 준말.

744) 二詩(이시) : 이는 오언율시五言律詩 <(사촌형) 안도(황우안黃友顔)의 낙빈재를 읊은 시 2수(顔徒樂貧二首)> 가운데 제2수를 인용한 것으로 ≪산곡집≫ 권8에 전한다.

745) 小山(소산) : 남조南朝 양梁나라 때 '하씨삼고何氏三高'로 불리던 세 형제인 하구何求·하점何點·하윤何胤 가운데 막내인 하윤의 별명. 여기서는 황정견黃庭堅의 막내 사촌형인 황우안黃友顔을 비유적으로 가리키는 것으로 보인다.

746) 子輿桑(자여상) : ≪장자·대종사大宗師≫권3에 등장하는 가공의 인물인 자여子輿와 자상子桑을 아우르는 말로 친구나 우정을 상징한다.

747) 水馬(수마) : 물에 사는 벌레인 소금쟁이의 일종.

조부는 그의 풍골이 아름다운 것을 좋아하여 사물을 볼 때마다 그를 가르쳤다. 하루는 그를 데리고 연못가에 이르러 조부가 "물에 사는 소금쟁이가 연못 안을 돌아다니네"라고 읊자, 황감이 대구를 만들어 "유영하는 물고기가 물결 위를 떠다니네"라고 하였다. 뒤에 궁중의 장서각에서 근무하였다.

◇稼村(≪가촌집≫)

●黃公度, 宋紹興中, 進士第一. 喜詩, 有稼村集十三卷. 與定光子748)倡和, 有云, "嗜酒揚雄官落魄, 耽詩沈約瘦伶俜749). 何時握臂論今古? 經庫勞君一啓扃."

○황공도는 송나라 (고종) 소흥(1131-1162) 연간에 진사시험에서 장원급제를 차지하였다. 시를 좋아해 저서로 ≪가촌집≫ 13권을 남겼다. 정광자와 시를 창화하였는데 그중 다음과 같은 구절이 있다. "술을 좋아하는 바람에 (전한) 양웅은 관직이 몰락하였고, 시를 좋아하는 바람에 (남조南朝 양梁나라) 심약은 몸이 몹시 야위었지. 언제나 손을 잡고 고금의 일을 논할 수 있을까? 경전을 소장한 서고의 빗장을 열어달라고 그대에게 신세지리라."

◇十要道(열 가지 중요한 도리)

●黃中, 字通老, 宋紹興中, 爲祕書監750). 以言不盡用, 浩然有歸志, 乃陳十要道之說. 晦翁751)致書云, "明公752)兩朝元老, 上還印綬. 天子賜几杖, 而乞言焉. 天下知德之士, 莫不仰慕下風753), 俱有執鞭754)之願,

---

748) 定光子(정광자) : 송나라 사람 정자암鄭自巖이 출가한 뒤의 법호.

749) 伶俜(영빙) : 쇠잔한 모양, 외로운 모양.

750) 祕書監(비서감) : 국가의 경적經籍·도서圖書·저작著作 등을 관장하던 비서성祕書省의 장관을 이르는 말. 버금 장관은 '소감少監'이라고 하고, 휘하에 비서랑祕書郎·저작랑著作郎·교서랑校書郎 등의 속관을 거느렸다.

751) 晦翁(회옹) : 송나라 때 성리학性理學의 집대성자이자 대문호인 주희朱熹(1130-1200)의 호. 시호는 문공文公. 저서로 ≪회암집晦庵集≫ 112권 등 다수가 전한다. ≪송사·도학열전道學列傳·주희전≫권429 참조.

752) 明公(명공) : 명성과 지위가 있는 사람에 대한 존칭. 여기서는 황중黃中을 가리킨다.

而進於門人弟子之列.” 官至端明殿直學士, 年八十五.

○황중은 자가 통로로 송나라 (고종) 소흥(1131-1162) 연간에 비서감을 지냈다. 자신의 건의가 다 채택되지 않자 미련없이 귀향의 뜻을 품고는 열 가지 중요한 도리에 관한 말을 진술하였다. 그러자 회옹晦翁 주희朱熹가 서신을 보내 말했다. “명공께서는 두 왕조를 섬긴 원로이신데도 도장과 인끈을 위로 반납하셨습니다. 그러나 천자께서는 안궤와 지팡이를 하사하고 말씀을 청하실 것입니다. 천하에 덕을 아는 선비들은 모두 앙모하여 가르침을 받고자 하기에 모두들 채찍을 손에 들고서 보필하기를 원하고, 문인이나 제자의 대열에 들어서고자 합니다.” 관직은 단명전직학사까지 올랐는데 당시 나이 85세였다.

◇遇僊(신선을 만나다)

●黃覺因送客都門外, 入旅舍, 遇洞賓[755], 乃取酒, 與共飮. 呂曰, “明年江南相見.” 旣而果得江南見一道士, 俵[756]大錢七文[757], 其次十文, 又小錢二文, 仍與藥可數寸許[758]曰, “每歲但以酒磨服, 可保一歲無疾.” 年七十餘, 藥亦垂盡, 作詩曰, “床頭曆子[759]無多日, 屈指明年七十三.” 是年果卒.

○(송나라) 황각은 도성문 밖에서 손님을 배웅하던 차에 여관에 들어

753) 下風(하풍) : 남의 아래에 있거나 영향을 받는 위치에 있는 것을 뜻하는 겸어謙語.

754) 執鞭(집편) : 채찍을 손에 들다. 남을 위해 수레를 몬다는 뜻으로 하인이나 제자가 되는 것을 비유한다.

755) 洞賓(동빈) : 당나라 때 사람 여암呂巖의 자. 64세에 종리권鍾離權에게 도술을 배워 팔선八仙의 1인이 되었으며, 도교에서는 절대적 존재로 추앙받았다. ‘여선옹呂仙翁’ ‘여조사呂祖師’ ‘여진인呂眞人’ 등 다양한 존칭으로도 불렸다. 원나라 신문방辛文房의 ≪당재자전唐才子傳 · 선仙 · 여암전≫권8 참조.

756) 俵(표) : 나눠주다, 분배하다.

757) 文(문) : 동전을 세는 양사. 냥. 남북조南北朝 이래로 동전에 문자를 새긴 데서 유래하였다.

758) 許(허) : 가량, 쯤. 어느 정도를 헤아리는 말.

759) 曆子(역자) : 송나라 때 고과考課에 대비해 재직 중의 업적과 공과를 적은 책자를 이르는 말.

갔다가 (당나라 때 도사) 동빈洞賓 여암呂巖을 만나 술을 가져다가 함께 마셨다. 그러자 여암이 "내년에 강남에서 만납시다"라고 하였다. 얼마 뒤 정말로 강남에서 한 도사를 만날 수 있었는데, 큰 동전 7냥을 나눠주더니 다음으로 10냥과 또 작은 동전 2냥을 주고는 다시 몇 치 가량 되는 약을 건네며 말했다. "매년 단지 술을 이용해 갈아서 복용하면 한해 동안 병이 나지 않는다는 것을 보장할 수 있습니다." 나이 70세가 넘어 약도 거의 다 떨어지자 시를 지어 말했다. "침상머리에 놓인 고과성적을 적는 책자에 남은 날이 많지 않기에, 손가락을 꼽아보니 내년이면 일흔세 살이 되는구나." 그해에 정말로 생을 마쳤다.

●黃祖性急, 爲江夏太守, 以禰衡760)爲書記, 竟害之.
○(후한 말엽 사람인) 황조는 성격이 급했기에 (호북성) 강하태수를 지내면서 예형을 서기에 임명하더니 결국 그를 살해하고 말았다.

●黃蓋爲周瑜部將761), 赤壁之捷, 建策火攻, 爲江表762)虎臣763).
○(삼국 오吳나라) 황개는 주유 휘하에서 부관을 지내며 적벽 전투에서 화공을 전개할 것을 건의하여 '강표호신'으로 불렸다.

●黃敬直, 武陵人. 晉太元中, 緣溪釣魚, 至桃花源764).
○황경직은 (호남성) 무릉군 사람이다. 진나라 (효무제) 태원(376-39

---

760) 禰衡(예형) : 후한 말엽 사람(173-198). 자는 정평正平. 뛰어난 재능으로 당시의 명사인 공융孔融(153-208)·양수楊修(175-219) 등과 교유하였으나, 거만하게 굴다가 26세의 젊은 나이에 황조黃祖(?-208)에게 살해당했다. <앵무부鸚鵡賦>의 저자로 유명하다. ≪후한서·예형전≫권110 참조.
761) 部將(부장) : 부대에 속해 있는 휘하 장수를 일컫는 말.
762) 江表(강표) : 장강의 밖. 즉 강남江南의 별칭.
763) 虎臣(호신) : 용맹한 장수를 비유하는 말. 혹은 군주를 측근에서 호위하는 무관을 가리킬 때도 있다.
764) 桃花源(도화원) : 진晉나라 도연명陶淵明(365-427)의 <복사꽃 만발한 수원에 관한 글(桃花源記)>에 나오는 이상향. '무릉계武陵溪' '무릉도원武陵桃源'이라고도 한다.

6) 연간에 시냇물을 따라 물고기를 잡다가 도화원에 도착하였다.

●黃滔, 字文江, 以賦擅名, 有景陽[765]·井館·蛙宮[766]等賦. 有泉山秀句集[767]二十卷. 唐乾寧[768]中, 登第, 仕至御史.

○황도는 자가 문간으로 부로써 이름을 떨치며 <경양루> <정관> <와궁> 등을 읊은 부를 남겼다. 저서로 ≪천산수구집≫ 20권이 있다. 당나라 (소종) 건녕(894-897) 연간에 과거시험에 급제하여 벼슬이 어사까지 올랐다.

※女德婚姻(여덕과 혼인)

◇國色(천하절색의 미인)

●黃公者, 齊人, 有二女, 皆國色, 常謙辭云, "醜惡." 醜惡之名, 播於遠近, 長而無婚. 衛有鰥夫, 冒然[769]娶之, 乃國色. 此違名而得實矣.

○(춘추시대 때) 황공이란 사람은 제나라 출신으로 딸이 둘 있었는데, 모두 천하절색의 미인임에도 늘 겸허하게 "못 생겼습니다"라고 하였다. '추악하다'는 명성이 멀고 가까운 곳에 두루 전해지는 바람에 장성해서도 청혼하는 이가 없었다. 위나라에 한 홀아비가 돌연 아내로 맞이하였는데 알고보니 천하절색의 미인이었다. 이는 소문을 무시하고 실리를 찾은 결과이다.

◇醜女(못생긴 딸)

●黃承彦, 沔南名士也. 謂諸葛孔明[770]曰, "聞君擇婦, 家有醜女, 才堪相

765) 景陽(경양) : 강소성 금릉金陵(남경)에 있던 누각 이름.
766) 蛙宮(와궁) : '와궁娃宮'으로 표기한 문헌도 있는데 앞의 '정관井館'과 함께 내용은 미상. 박물군자가 밝혀주기를 기대한다.
767) 泉山秀句集(천산수구집) : 지금은 사고전서에 ≪황어사집黃御史集≫ 10권으로 전한다.
768) 乾寧(건녕) : 당唐 소종昭宗의 연호(894-897).
769) 冒然(모연) : 돌연, 갑작스레.
770) 諸葛孔明(제갈공명) : 삼국시대 촉蜀나라에서 승상을 지낸 제갈양諸葛亮(18

配." 孔明許婚, 卽載送之. 諺曰, "莫學孔明擇婦, 正得阿承醜女."

○(삼국 촉蜀나라) 황승언은 면수 남쪽 일대의 명사였다. 그가 공명孔明 제갈양諸葛亮에게 말했다. "듣자하니 그대가 아내를 고른다고 하던데, 우리집 딸이 못생기기는 했어도 재주가 뛰어나니 배필로 삼을 만할 것이네." 제갈양이 결혼을 허락하자 즉시 수레에 태워 보냈다. 속담에 "제갈양이 아내를 고르던 일을 본받지 마시게, 마침 아승(황승언)의 못생긴 딸을 얻었다네"라는 말이 있다.

◇十年擇對(10년 동안 짝을 고르다)

●山谷季妹適張叔和[771], 有詩云, "有齊[772]先生之季女, 十年擇對無可人. 莫笑張公[773]堂上塵, 家風孝友故相親." 一妹適王純亮, 字世弼, 山谷有詩[774]云, "墨以傳千古文章之印, 歌以寫一家兄弟之情. 江山千里俱頭白, 骨肉十年終眼青[775]." 一妹適李安詩, 亦文章士也.

○(송나라) 산곡山谷 황정견黃庭堅(1045-1105)은 막내 여동생이 숙화叔和 장훈張塤에게 시집가자 시를 지어 "아름다운 용모를 지닌 선친

1-234). '공명'은 자. ≪삼국지 · 촉지 · 제갈양전≫권35 참조.

771) 張叔和(장숙화) : 송나라 사람 장훈張塤. '숙화'는 자. 하남성 낙양洛陽 사람으로 장도張燾의 후손이자 황정견의 매제妹弟이다. ≪산곡내집시주山谷內集詩注≫권4에 수록된 잡언고시雜言古詩 <숙화叔和 장훈張塤을 전송하며 주는 시(贈送張叔和)>의 임연任淵 주 참조.

772) 有齊(유제) : 아름다운 모양. ≪시경 · 소남召南 · 채빈采蘋≫권2의 "아름다운 막내딸(有齊季女)"이란 구절에서 유래하였다.

773) 張公(장공) : 주周나라 선왕宣王 때 신하 윤길보尹吉甫의 친구인 장중張仲에 대한 존칭. 효심과 우애가 깊은 것으로 이름을 떨쳤다. ≪시경 · 소아小雅 · 유월六月≫권17의 "장중은 효심과 우애가 깊다네(張仲孝友)"라는 구절에서 유래하였다. 여기서는 결국 황정견黃庭堅의 매제인 장훈張塤을 비유적으로 가리킨다.

774) 詩(시) : 이는 잡언고시雜言古詩 <왕랑(왕순량王純亮)을 전송하다(送王郎)> 가운데 두 연을 인용한 것으로 ≪산곡집≫권2에 전한다.

775) 眼青(안청) : 눈에서 푸른 빛을 발하다. 즉 흘겨보지 않기에 검은 눈동자가 다 드러나는 것을 말한다. 삼국 위魏나라 때 죽림칠현竹林七賢 가운데 한 사람인 완적阮籍(210-263)이 반가운 사람이 오면 청안시青眼視하고, 속된 인물이 방문하면 백안시白眼視했다는 ≪진서 · 완적전≫권49의 고사에서 유래한 말로 사람을 무척 반기는 것을 비유한다.

의 막내딸은, 10년 동안 짝을 찾아도 적당한 사람이 없었네. 장공(장훈)의 대청 위에 먼지가 쌓였다고 비웃지 마소서, 가풍에 효성과 우애가 넘쳐 원래 서로 친한 사이였다오"라고 하였다. 또 한 명의 여동생이 자가 세필인 왕순량에게 시집가자 황정견은 시를 지어 "먹물로 천고에 길이 남을 문장의 자취를 전하고, 노래로 한 가족 형제간의 우애를 풀어내네. 강산에 가로막혀 천 리 떨어진 채 함께 백발이 되어도, 골육지간이라 10년이 지나도 결국 눈에 반가운 빛을 띠리라"고 하였다. 또 한 명의 여동생은 이안시에게 시집갔는데, 그 역시 문장을 잘 짓는 선비였다.

◇娶巫女(무속인의 딸에게 장가들다)

●黃霸微時與善相者同出, 見一婦人. 相者曰, "此婦人當貴." 訪之, 乃巫家女. 霸卽娶之, 與終身焉.

○(전한) 황패(?-B.C.51)는 평민이었을 때 관상을 잘 보는 사람과 함께 외출했다가 한 아낙을 만났다. 관상가가 말했다. "이 아낙은 분명 귀한 신분이 될 것입니다." 그녀에게 물었더니 바로 무속인의 딸이었다. 황패는 즉시 그녀를 아내로 맞아 죽을 때까지 해로하였다.

◇黃郎(황랑)

●黃仁覽, 字紫庭, 師許君[776], 學仙. 許君以女妻之, 稱曰黃郎. 嘗爲靑州從事, 晝居官所, 夜則還家. 父母怪之, 紫庭自陳, "其誠取所攜靑竹杖, 化靑龍, 乘去." 封沖道眞人.

○(진晉나라 때) 황인람은 자가 자정으로 허군을 스승으로 모셔 신선술을 배웠다. 허군은 딸을 시집보내며 그를 '황랑'이라고 불렀다. 일

776) 許君(허군) : 진晉나라 때 도사 허손許遜에 대한 존칭인 허진군許眞君의 준말. 자는 경지敬之. 호북성 정양현령旌陽縣令을 지내서 '허정양'이라고도 하고, 도사여서 '허진군'으로도 불렸다. 오맹吳孟의 제자로 효렴과孝廉科에 천거되었다가 왕실의 혼란을 예견하여 은거하였는데 가솔들을 거느리고 승천하였다고 전한다. 송나라 이방李昉(925-996)의 ≪태평광기太平廣記・신선14・허진군≫ 권14 참조.

찍이 (산동성) 청주의 종사를 맡아 낮에는 관청에 머물고 밤이 되면 집으로 돌아왔다. 부모가 이를 괴이하게 여기자 황인람이 스스로 아뢰었다. "사실 가지고 있던 청죽장을 청룡으로 변신시켜 타고서 떠날 것입니다." 충도진인에 봉해졌다.

◇重義(의리를 중시하다)

●黃龜年, 字德昭, 號竹溪先生. 初應科擧, 有縣尉[777]爲考官[778], 見公, 大奇之曰, "安得此郞, 出我門下?" 旣領薦, 尉喜, 許妻以女. 及登第回, 尉已捐館[779]. 妻子護喪, 相遇於道. 公哭之慟, 使人導意[780], 遂定婚焉. 宋紹興中, 爲侍御史, 遷給事中.

○황귀년은 자가 덕소이고 호가 죽계선생이다. 당초 과거시험에 응시할 때 한 현위가 (향시鄕試의) 시험감독관을 맡아 황귀년을 보고서는 대견하게 여기며 말했다. "어찌하면 이 젊은이를 내 문하생으로 배출할 수 있을까?" 과거시험 응시생으로 추천을 받고 나자 현위가 기뻐서 딸을 시집보내겠다고 허락하였다. (조정에서 실시하는) 과거시험에 급제한 뒤 돌아오자 현위는 이미 세상을 뜨고 말았다. 아내 될 여인이 상여를 몰다가 길에서 그를 만났다. 그러자 황귀년은 슬프게 통곡하고 사람을 시켜 의중을 전달해서 결국 혼사를 치렀다. 송나라 (고종) 소흥(1131-1162) 연간에 시어사를 맡았다가 급사중으로 승진하였다.

●黃山谷娶謝師厚[781]女.

---

777) 縣尉(현위) : 각 현의 현령縣令 휘하에서 현령의 업무를 도와 법률과 형벌을 관장하던 보좌관을 이르는 말.

778) 考官(고관) : 시험감독관. '시관試官' '주고主考' '주문主文'이라고도 한다. 여기서는 지방에서 실시하는 향시鄕試(해시解試)의 시험감독관을 가리키는 것으로 보인다.

779) 捐館(연관) : 살던 집을 버리다. 죽음을 완곡하게 표현하는 말이다.

780) 導意(도의) : 의도를 전하다, 의중을 밝히다.

781) 謝師厚(사사후) : 송나라 사람 사경초謝景初(1020-1084). '사후'는 자. 호는 금시옹今是翁. 사봉낭중司封郞中·여요현지현사餘姚縣知縣事와 호북전운판관湖北轉運判官 등을 역임하였는데, 신종神宗 때 청묘법靑苗法과 면역법免役法

○(송나라) 산곡山谷 황정견黃庭堅(1045-1105)은 사후師厚 사경초謝景初(1020-1084)의 딸에게 장가들었다.

●山谷子相, 骨氣厖厚, 眉[782]人石信道以女妻之, 早歲成婚.

○(송나라) 산곡山谷 황정견黃庭堅(1045-1105)의 아들 황상黃相은 성품이 순박하고 후덕하여 (사천성) 미주 사람 석신도가 딸을 그에게 시집보냈는데 어린 나이에 결혼하였다.

●黃芻, 字季野. 陳魏公[783]以聶夫人女弟妻之, 而季野早夭.

○(송나라) 황추는 자가 계야이다. 위국공魏國公 진준경陳俊卿(1113-1186)이 섭부인의 여동생을 시집보냈으나 황추는 요절하고 말았다.

●黃榦, 字直卿, 號勉齋. 從朱晦翁學, 朱以女妻之.

○(송나라) 황간(1152-1221)은 자가 직경이고 호가 면재이다. 회옹晦翁 주희朱熹를 따라 공부하였기에 주희가 딸을 그에게 시집보냈다.

●蘇黃[784]. 雌黃. 玄黃[785]. 姚黃[786]. 鵝黃[787]. 飛黃[788].

에 반대하다가 축출당했다. ≪송사≫에는 전기가 없고, 송나라 범순인范純仁(1027-1101)의 ≪범충선집范忠宣集·묘지명墓誌銘≫권13의 <조산대부 사공(사경초)의 묘지명(朝散大夫謝公墓誌銘)>에 그에 관한 기록이 전한다.

782) 眉(미) : 사천성의 속주屬州인 미주眉州.

783) 陳魏公(진위공) : 송나라 효종孝宗 때 사람 진준경陳俊卿(1113-1186)에 대한 존칭. '위공'은 봉호인 위국공魏國公의 준말. 자는 응구應求이고 시호는 정헌正獻. 중서사인中書舍人·우복야右僕射 등 고관을 역임하였다. ≪송사·진준경전≫권383 참조.

784) 蘇黃(소황) : 송나라 때 대문호인 소식蘇軾(1036-1101)과 황정견黃庭堅(1045-1105)을 아우르는 말.

785) 玄黃(현황) : 하늘과 땅을 아우르는 말인 '천지현황天地玄黃'의 준말.

786) 姚黃(요황) : 노란 색의 모란을 이르는 말. 요姚씨 집안에서 재배하였다는 말에서 유래하였다. 송나라 구양수歐陽修(1007-1072)는 ≪낙양의 모란에 관한 기록(洛陽牡丹記)≫ 가운데 <모란꽃의 품계에 관한 글(花品序)>에서 '요황'을 모란꽃 중에 최상품에 배열한 일이 있다.

787) 鵝黃(아황) : 새끼 거위의 깃털처럼 담황색을 띤 꽃이나 새싹을 가리키는 말.

○(송나라) 소식蘇軾과 황정견黃庭堅. (글을 교감할 때 사용하는) 자황. 하늘과 땅. 노란색 모란. 담황색 꽃. (신마神馬 이름인) 비황.

■氏族大全卷八■

788) 飛黃(비황) : 전설상의 신마神馬 이름.

■氏族大全卷九■

□十陽下(10양 하)

◆張(장씨)

▶商音. 淸河[1]. 黃帝[2]第五子靑陽[3]生揮爲弓正[4], 觀弧星[5], 始制弓矢, 主祀弧星, 因姓張氏. 魏范睢[6]入秦, 改姓張氏.

▷음은 상음에 속하고 본관은 (하북성) 청하군이다. 황제黃帝의 5남인 청양이 휘揮를 낳아 궁정에 임명해서 호성을 살피고 처음으로 활과 화살을 제작하고 호성에게 제사 지내는 것을 주관케 하면서 그참에 장을 성씨로 삼은 것이다. (전국시대) 위나라 범저가 진나라로 들어가면서 장씨로 개성한 일이 있다.

◇通玄先生(통현선생)

●張果隱中條山. 世傳數百歲, 其貌如年六七十者. 唐玄宗遣徐嶠, 以璽書[7]邀之, 肩輿[8]入宮, 詔以玉眞公主降[9]先生. 果笑, 不奉詔, 還山. 擢

---

1) 淸河(청하) : 하북성의 속군屬郡 이름.
2) 黃帝(황제) : 전설상의 임금. 성은 유웅씨有熊氏이고 이름은 헌원軒轅. ≪사기史記·오제본기五帝本紀≫권1에서는 황제를 '오제五帝'(황제黃帝·전욱顓頊·제곡帝嚳·요堯·순舜)의 첫 번째 임금으로 설정한 반면, 속수사고전서본續修四庫全書本 ≪제왕세기·자개벽지삼황自開闢至三皇≫권1에서는 '삼황三皇'(복희伏羲·신농神農·황제黃帝)의 마지막 임금으로 설정하고, 대신 오제의 첫 번째 임금으로 소호少皞를 설정하는 등 설에 따라 차이가 있다.
3) 靑陽(청양) : 봄의 기운, 혹은 봄을 관장하는 신 이름. 명당明堂이나 노침路寢 가운데 봄의 방위인 정동쪽에 있는 대청을 가리킬 때도 있다.
4) 弓正(궁정) : 활과 같은 무기를 관장하는 가상의 벼슬 이름.
5) 弧星(호성) : 활을 관장한다는 필수畢宿 아래 네 개의 별 이름.
6) 范睢(범저) : 전국시대 위魏나라 사람. '범수范睢'로 표기하는 것이 옳다는 설이 있다. 자는 숙叔. 위나라 재상 위제魏齊에게 태형을 당한 뒤 장녹張祿으로 개명하고, 진秦나라로 망명하여 언변으로 재상에 올라서는 먼 곳과 조약을 맺고 가까운 곳을 정벌하는 정책을 실시하여 진나라 통일의 기초를 다졌다. 봉호는 응후應侯. ≪사기·범수전≫권79 참조.
7) 璽書(새서) : 국새가 찍힌 황제의 친필 조서를 뜻하는 말.
8) 肩輿(견여) : 두 사람이 앞뒤에서 어깨에 메는 가마.
9) 降(강) : 공주가 자신보다 신분이 낮은 사대부 집안에 시집가는 것을 이르는 말. '하강下降' '하가下嫁'라고도 한다.

銀靑光祿大夫[10], 賜號通玄先生, 未幾, 卒[11]. 帝爲立栖霞觀.

○장과는 (산서성) 중조산에 은거하였다. 세간에 전하는 말에 의하면 수백 살을 살았는데도 용모가 예순 내지 일흔 살 먹은 사람처럼 보였다고 한다. 당나라 현종이 서교를 파견해 국새가 찍힌 친필 서신을 가지고 그를 맞이하게 해서 가마를 타고 입궁하자 옥진공주를 그에게 시집보낸다는 조서를 내렸다. 그러나 장과는 웃으며 조서를 받들지 않고 중조산으로 돌아갔다. 은청광록대부에 발탁되고 '통현선생'이란 호를 하사받았으나 얼마 지나지 않아 생을 마쳤다. 현종은 그를 위해 서하관이란 도관을 세워 주었다.

◇善頌(훌륭한 송문)

●張老, 晉大夫[12]. 獻文子[13]成室, 張老曰, "美哉! 輪[14]焉! 美哉! 奐[15]焉!" 君子謂之善頌善禱.

---

10) 銀靑光祿大夫(은청광록대부) : 황제의 자문 역할을 담당하던 벼슬로 품계가 종3품인 서열 5위의 산관散官 이름. 진한秦漢 때 중대부中大夫를 전한 무제武帝가 '광록대부光祿大夫'로 고쳤는데, 수당隋唐 때는 광록대부 외에도 금자광록대부金紫光祿大夫와 은청광록대부가 더 있었다. '은청'은 진한秦漢 때 녹봉이 이천석 이상에 해당하는 고관들이 패용佩用하던 은으로 만든 인장과 청색의 인끈을 뜻하는 '은인청수銀印靑綬'의 준말이다.

11) 卒(졸) : 사대부가 죽었을 때 쓰는 말. ≪예기·곡례하曲禮下≫권5에 의하면 천자의 죽음은 '붕崩'이라고 하고, 공경公卿의 죽음은 '훙薨'이라고 하며, 대부大夫의 죽음은 '졸卒'이라고 하고, 사士의 죽음은 '불록不祿'이라고 하며, 평민의 죽음은 '사死'라고 하여 신분에 따라 죽음에 대한 표현에도 차이를 두었다.

12) 大夫(대부) : 주周나라 때 신분 구분인 공公·경卿·대부大夫·사士의 하나. 삼공三公과 구경九卿 아래로 상대부上大夫·중대부中大夫·하대부下大夫가 있고, 그 밑으로 다시 상사上士와 중사中士·하사下士가 있었다. 후대에는 벼슬아치에 대한 범칭汎稱으로 쓰기도 하였다.

13) 獻文子(헌문자) : 춘추시대 진晉나라 대부大夫 조무趙武. '문'은 시호이고, '자'는 존칭. 따라서 앞의 '헌獻'은 '조趙'의 오기이거나 연자衍字이다. '조맹趙孟'으로도 불렸다. 조삭趙朔의 유복자로 태어나 멸문지화 때 정영程嬰과 공손저구公孫杵臼의 도움으로 화를 면했다. 도공悼公 때 경卿에 오르고, 평공平公 때 국정을 주도하였다.

14) 輪(윤) : 위의 예문은 ≪예기·단궁하檀弓下≫권10에 전하는데, 원문에 의하면 '높고 큰 모양'을 뜻하는 말인 '수輪'의 오기이다. 자형의 유사성으로 인한 필사 과정상의 단순 오기로 보인다.

15) 奐(환) : 휘황찬란한 모양. '환煥'과 통용자.

○장노는 (춘추시대) 진나라 때 대부이다. 문자文子 조무趙武가 집을 완성하자 장노가 말했다. "아름답구나! 높고 큰 건물이! 아름답구나! 휘황찬란한 것이!" 군자는 이를 훌륭한 송문이자 훌륭한 축수라고 평하였다.

◇舌在(혀가 그대로 남아 있다)

●張儀, 魏人, 學鬼谷子[16]之術, 以遊說顯名. 楚相誣以盜金, 箠擊遍體, 歸, 謂其妻曰, "視吾舌尙在否[17]?" 曰, "在." 曰, "舌在, 足矣." 後爲秦相.

○장의(?-B.C.309)는 (전국시대) 위나라 사람으로 귀곡자의 학술을 배워 유세술로 이름을 떨쳤다. 초나라 재상이 금을 훔쳤다고 무고하는 바람에 온몸에 태형을 당하고 돌아와서는 아내에게 말했다. "내 혀가 아직도 남아 있는지 좀 살펴보시게." 아내가 "남아 있습니다"라고 대답하자 장의가 말했다. "혀가 남아 있으면 됐소." 뒤에 진나라 재상이 되었다.

◇取履(신발을 줍다)

●張良, 字子房. 少遊下邳[18]圯上,(楚人謂橋曰圯) 有一老父至其所, 墮履圯下曰, "孺子下取履." 良取而跪進父, 以足受之曰, "孺子可敎矣." 期以再會. 良凡三往父, 乃出書一編, 與之曰, "讀是, 爲王者師. 後十三年, 見我濟北穀城[19]下, 黃石卽我也." 旦日視書, 乃太公[20]兵法. 後過濟北,

---

16) 鬼谷子(귀곡자) : 전국시대 왕후王詡(혹은 왕점王誗이라고도 한다)에 대한 존칭. 소진蘇秦(?-B.C.284)과 장의張儀(?-B.C.310)에게 종횡술縱橫術을 가르쳤다고 한다. 그의 저서로 ≪귀곡자≫ 1권이 전하나 위작僞作일 가능성이 높고, 그의 제자인 소진의 저술이란 설도 있으나 이 역시 믿을 수 없다. ≪사고전서간명목록·자부·잡가류雜家類≫권13 참조.

17) 否(부) : 부가의문문을 만드는 어말조사語末助詞.

18) 下邳(하비) : 강소성의 속현屬縣 이름.

19) 穀城(곡성) : 산동성에 있는 산 이름.

20) 太公(태공) : 주周나라 문왕文王의 스승이자 무왕武王 때 재상인 여상呂尙의 별칭. '태공'은 부친에 대한 존칭으로 문왕이 여상을 만나 "우리 선친께서 그대를 기다린 지 오래되었소(吾太公望子, 久矣)"라고 말한 데서 '태공망太公望'

果得黃石，寶祠之．良死，幷葬其石．伏臘[21]上塚，祠黃石．佐漢祖[22]，運籌帷幄[23]，決勝十里[24]，與蕭韓[25]爲三傑．封留侯曰，“吾以三寸舌爲帝者師，封萬戶侯[26]．此布衣[27]之極，於良足矣．願棄人間事，欲從赤松子[28]遊耳．” 泗水亭銘[29]，漢功臣十八，良第三．諡文成侯．子不疑，嗣爲侯．次子辟强，年十五爲侍中[30]．

○장양(?-B.C.185)은 자가 자방이다. 어려서 (강소성) 하비현의 다리(초 지방 사람들은 다리를 '이圯'라고 한다) 위를 거니는데 한 노인이 그가 있는 곳으로 다가오더니 신발을 다리 아래로 떨어뜨리며 말했다. "젊은이가 내려가서 신발을 좀 주워 오시게." 장양이 신발을 가져와

이란 별칭이 생겼고, 무왕武王이 재상에 임명하고서 '부친처럼 모셨다'는 의미에서 여상의 성을 붙여 '강태공姜太公'으로도 불렸다. 제齊나라를 봉토로 받았다. ≪사기・제태공세가≫권32 참조.

21) 伏臘(복랍) : 여름의 제사인 복사伏祀와 겨울의 제사인 납제臘祭를 아우르는 말. 혹은 그러한 제사를 지내는 복일伏日과 납일臘日을 가리키기도 한다. 하지 뒤 세 번째 경일庚日을 '초복'이라고 하고, 동지 뒤 세 번째 무일戊日을 '납일'이라고 한다.

22) 漢祖(한조) : 전한 고조高祖에 대한 약칭.

23) 運籌帷幄(운주유악) : 침상 휘장에서 전략을 짜다. 전쟁터에 나가지 않고도 전술과 전략을 짜서 승리하는 것을 말한다. '좌주유악坐籌帷幄'이라고도 하고, '술자리에서 전략을 짜다'란 뜻의 '좌주준조坐籌樽俎'와도 뜻이 유사하다.

24) 決勝十里(결승십리) : '천 리 밖 먼 곳에서 승리를 취한다'는 뜻의 '결승천리決勝千里'의 오기이다.

25) 蕭韓(소한) : 전한 때 개국공신인 소하蕭何(?-B.C.193)와 한신韓信(?-B.C.196)을 아우르는 말.

26) 萬戶侯(만호후) : 식읍이 만 호인 제후. 전한 때 개국공신인 장양張良(?-B.C.185)을 만호후에 봉하려고 하자 스스로 유후留侯에 봉해 줄 것을 자청하였다는 고사에서 유래한 말로 작위가 높은 제후나 고관대작을 상징한다.

27) 布衣(포의) : 베옷. 벼슬에 오르지 않은 평민 신분을 상징한다.

28) 赤松子(적송자) : 전설상의 신선.

29) 銘(명) : 이는 후한 반고班固(32-92)가 지은 <(전한) 고조의 고향인 (강소성) 패현의 사수정에 있는 비석에 새긴 글(高祖沛泗水亭碑銘)>을 가리키는 말로 명나라 장보張溥(1602-1641)가 엮은 ≪한위육조백삼가집漢魏六朝百三家集・반고집≫권11에 전한다.

30) 侍中(시중) : 황제의 측근에서 기거起居를 보살피고 정령政令을 집행하는 일을 관장하는 벼슬. 진晉나라 이후로 재상의 지위에까지 오르고, 수나라 때 납언納言 혹은 시내侍內라고 하였으며, 당송 이후로는 조정의 주요 행정 기관인 삼성三省 가운데 문하성門下省의 수장首長이 되었다.

공손히 무릎을 꿇고 노인에게 바치자 노인이 발을 내밀어 받아 신으며 말했다. "젊은이는 가르침을 베풀 만하네." 그리고는 다시 만나기로 기약하였다. 장양이 도합 세 차례나 노인을 찾아가자 비로소 서책을 한 권 꺼내서 그에게 주며 말했다. "이 책을 읽으면 왕의 스승이 될 수 있네. 13년 뒤에 (산동성) 제수 북쪽의 곡성산 아래서 나를 보게 될 터인데 황색 바위가 바로 나일 것일세." 이튿날 서책을 보았더니 바로 (주周나라) 강태공이 지은 병법서였다. 뒤에 제수 북쪽을 지나다가 정말로 황색 바위를 보게 되자 소중히 생각해 제사를 지내 주었다. 장양은 죽으면서 그 바위 옆에 묻혔다. 사람들은 복일伏日과 납일臘日이 되면 무덤에 올라 성묘하고 황색 바위에 제사를 지낸다. 장양은 전한 고조를 도와 휘장 안에서 전략을 짜고서도 천 리 밖에서 승리를 쟁취하여 소하蕭何·한신韓信과 함께 '삼걸'로 불렸다. 유후에 봉해지자 "나는 세 치 혀를 잘 놀려서 황제의 스승이 되고 만호후에 봉해졌다. 이는 평민에게는 지극한 영광이기에나 장양으로서는 과분한 일이다. 이제는 인간세상의 일을 버리고 적송자를 따라 노닐고 싶을 따름이다." (후한 반고班固의) <사수정에 새긴 글>에 의하면 한나라 공신 18명 가운데 장양은 서열이 세 번째였다. 시호는 문성후이다. 아들 장불의張不疑가 뒤를 이어 유후에 봉해졌다. 차남 장벽강張辟强은 고작 열다섯 살에 시중에 올랐다.

◇美士(잘생긴 선비)

●張蒼, 秦時爲御史[31], 主柱下方書[32], 歸漢, 從沛公[33], 攻南陽[34]. 當

31) 御史(어사) : 탄핵을 전담하는 기관인 어사대御史臺 소속의 벼슬에 대한 총칭. 당나라 때는 어사대를 헌대憲臺·숙정대肅正臺라 부르기도 하였다. 시대마다 다소 차이는 있으나, 보통 장관은 어사대부御史大夫, 버금 장관은 어사중승御史中丞이라고 하였으며, 휘하에 시어사侍御史·전중시어사殿中侍御史·감찰어사監察御史·어사승御史丞 등의 속관이 있었다.

32) 柱下方書(주하방서) : 어사대의 여러 가지 문서를 이르는 말. ≪사기·장승상열전張丞相列傳≫권96의 삼국 위魏나라 여순如淳 주에 "'방'는 목판이다. 일을 목판 위에 적은 것을 말한다. 진나라 이전에는 주하사를 설치하였다. 장창은 어사가 되어 그 업무를 주관하였다. 혹자는 '사방의 문서를 뜻하는 말이다'라고도 한다(方, 版也, 謂書事在版上者也. 秦以上置柱下史. 蒼爲御史, 主其事. 或

斬, 解衣伏質35), 身長大肥, 白如瓠, 王陵怪其美士, 言於沛公而免之. 以文學律曆爲漢名相, 歷事兩朝. 年老無齒, 食女子乳, 百餘歲, 卒.

○장창(?-B.C.152)은 진나라 때 어사를 맡아 어사대의 여러 문서를 관장하다가 한나라로 귀순하여 패공(유방劉邦)을 따르며 (하남성) 남양군을 공략하였다. 참형을 당하게 되었을 때 옷을 벗고 형틀에 엎드렸는데, 키가 훤칠하고 몸집이 우람하며 피부가 박처럼 하얗자 왕능이 잘생긴 선비인 것에 괴이한 생각이 들어 패공에게 건의해서 형을 면케 해 준 일이 있다. 글재주가 뛰어나고 학식이 깊으며 율력에 정통하여 한나라의 명재상이 되어서는 두 황제를 섬겼다. 늙어서 치아가 없자 모유를 먹으며 백 살 넘게 살다가 생을 마쳤다.

◇結襪(버선끈을 매 주다)

●張釋之事漢文帝, 十年不得調, 後爲廷尉36), 天下無冤民. 王生者善爲黃老37)言, 嘗召至廷中. 公卿38)盡會, 王生顧謂釋之, "爲我結襪." 釋之跪

曰, 四方文書)"고 풀이하였다. '주하사'는 늘 기둥 아래서 시립하는 관리란 뜻에서 유래하였다.

33) 沛公(패공) : 전한 고조高祖 유방劉邦(B.C.247-B.C.195)의 별칭. 유방이 강소성 패현沛縣에서 군대를 일으켰을 때 군중이 그를 옹립하여 부르던 칭호이다.

34) 南陽(남양) : 하남성의 속군屬郡 이름.

35) 伏質(복질) : 형틀에 엎드려 허리가 잘리는 사형을 당하는 일. '질質'은 '질鑕'과 통용자로 '침鍖'(형틀)의 뜻.

36) 廷尉(정위) : 진秦나라 이후로 옥사獄事와 형벌을 관장하는 기관이나 그 장관을 이르는 말. 태상太常・광록훈光祿勳・위위衛尉・태복太僕・홍려鴻臚・종정宗正・대사농大司農・소부少府와 함께 그 관서는 '구시九寺'라고 하고, 그 장관은 '구경九卿'이라고 하였는데, 삼공三公 다음 가는 최고위 관직이었다.

37) 黃老(황로) : 도교道敎에서 시조로 모시는 황제黃帝와 노자老子를 아우르는 말.

38) 公卿(공경) : 중국 고대 조정의 최고위 관직인 삼공三公과 구경九卿. 결국은 모든 고관에 대한 총칭이다. '삼공'은 시대마다 차이가 있는데 주周나라 때는 태사太師・태부太傅・태보太保를 지칭하였고, 진秦나라 때는 승상丞相・어사대부御史大夫・태위太尉를 지칭하였으며, 한나라 때는 진나라의 제도를 답습하다가 애제哀帝와 평제平帝 때에 대사마大司馬・대사도大司徒・대사공大司空을 지칭하였으며, 후대에는 태사太師・태부太傅・태보太保를 '삼사三師'로 승격시키고 대신 태위太尉・사도司徒・사공司空을 '삼공'이라고 하기도 하였다.

而結之, 聞者重王生, 而賢釋之.

○장석지는 전한 문제를 모셨지만 10년 동안 발령을 받지 못 하다가 뒤에 정위에 오르자 천하에 억울한 백성이 사라졌다. 왕생이란 사람이 황로학에 관한 말을 잘 하더니 일찍이 황제의 부름을 받고 조정에 도착한 적이 있다. 공경들이 모두 모이자 왕생이 장석지를 돌아보며 말했다. "나를 위해 버선끈을 매 주시게." 장석지가 무릎을 꿇고 버선끈을 매자 이 소문을 들은 사람들이 왕생을 존경하면서도 장석지를 어질다고 생각하였다.

◇乘槎(뗏목을 타다)

●張騫, 漢武時, 奉使大夏[39], 乘槎到河源, 見一婦人織, 一丈夫牽牛飲渚. 女與一石. 歸, 問嚴君平[40], 君平曰, "此織女支機石也." 漢書不載.

○장건(?-B.C.114)은 전한 무제 때 황명을 받들고 대하국에 사신으로 가게 되자 뗏목을 타고 황하의 발원지를 찾아가다가 한 아낙은 천을 짜고 한 장부는 소를 끌고서 물가에서 물을 먹이는 것을 발견하였다. 여인이 돌을 하나 주었다. 돌아오는 길에 군평君平 엄준嚴遵에게 물었더니 엄준이 대답하였다. "이는 직녀성이 베틀을 받히던 돌입니다." ≪한서≫에는 이 내용이 실리지 않았다.

◇鼠獄(쥐에 대한 재판)

●張湯爲兒時, 隨父爲長安丞[41], 守舍. 鼠盜肉, 父怒, 笞之. 湯掘熏, 得

'구경'의 칭호도 시대마다 명칭과 서열에 차이가 있는데, 한나라 때는 태상太常·광록훈光祿勳·위위衛尉·태복太僕·정위廷尉·홍려鴻臚·종정宗正·대사농大司農·소부少府를 '구경'이라 하였고, 수당隋唐 이후로는 구시九寺, 즉 태상太常·광록光祿·위위衛尉·종정宗正·태복太僕·대리大理·홍려鴻臚·사농司農·태부太府의 장관을 '구경'이라고 하였다.

39) 大夏(대하) : 한나라 때 중국 서북방에 있었던 나라 이름. 지금의 아프가니스탄 북부 지역.

40) 嚴君平(엄군평) : 전한 때 촉蜀 지역 사람인 엄준嚴遵. '군평'은 자. 복서卜筮에 정통하였다. ≪한서·왕공양공포전王貢兩龔鮑傳≫권72 참조.

41) 丞(승) : 태수의 보좌관인 군승郡丞이나 현령의 보좌관인 현승縣丞을 이르는 말. 여기서는 후자를 가리킨다.

鼠及餘肉，劾鼠掠治[42]，傳爰書[43]，訊鞫論執[44]，具獄[45]磔[46]鼠堂下. 父視其文辭，若老獄吏，大驚，乃使書獄. 漢武朝，遷大中大夫[47]. 子安世，又八世至張吉，皆貴盛. 故班固不敢以入酷吏傳.

○장탕(?-B.C.115)은 어렸을 때 (섬서성) 장안현의 현승을 맡은 부친을 따라갔다가 숙소를 지키게 되었다. 그런데 쥐가 고기를 훔치자 부친이 화가 나서 장탕을 매질하였다. 장탕은 굴을 파고 연기를 쏘여 쥐와 남은 고기를 찾더니 쥐를 고발하고 고문을 가하고 죄상을 적은 글을 이첩한 뒤 죄질을 잘 따져 상부에 보고하고는 판결을 내려 대청 아래서 쥐에게 거열형을 집행하는 행동을 하였다. 그의 부친이 그가 적은 글을 살펴보았는데 마치 노련한 옥리가 적은 듯하였기에 깜짝 놀라서 결국 그에게 옥사에 관한 글을 쓰게 하였다. 전한 무제 때 태중대부에 올랐다. 아들 장안세張安世로부터 다시 여덟 세대가 지나 장길에 이르기까지 모두 고관에 올랐다. 그래서 (후한) 반고는 감히 그의 전기를 ≪한서・혹리열전≫권90에 집어넣지 않았다.

◇七葉侍中(7대에 걸쳐 시중에 오르다)

●張安世，字子孺. 漢宣立，以定策[48]功拜大司馬[49]. 安世以父子封侯，在位太盛，乃辭祿. 詔都內別藏張氏無名錢[50]，以百萬數. 自宣元[51]以

---

42) 掠治(약치) : 죄를 자백받기 위해 죄인을 고문하는 일.
43) 傳爰書(전원서) : 공정성을 확보하기 위해 소송 문건을 이첩하여 다른 관리가 살피게 하는 일. '원爰'은 '환換'의 뜻.
44) 論執(논집) : 논죄하여 보고해서 상부의 허가를 받는 것을 뜻하는 말인 '논보論報'의 오기.
45) 具獄(구옥) : 형벌을 결정하는 데 근거가 되는 문서, 또는 그러한 문서를 바탕으로 판결을 결정하는 것을 뜻하는 말.
46) 誅磔(주책) : 죽여서 없애다. '책磔'은 거열형車裂刑을 뜻한다.
47) 大中大夫(태중대부) : 진秦나라 이후로 의론을 주관하던 벼슬. 태중대부大中大夫・중대부中大夫・간대부諫大夫가 있었다. '대大'는 '태太'와 통용자.
48) 定策(정책) : 천자를 옹립한 뒤 그 일을 간책簡策에 기재하는 일. 여기서는 전한 선제宣帝를 황제에 옹립한 일을 가리킨다.
49) 大司馬(대사마) : 진한秦漢 때 군정軍政을 총괄하는 벼슬로 삼공三公의 하나. 후에는 태위太尉로 개칭하였고 삼공 가운데 서열이 가장 높았다.
50) 無名錢(무명전) : 명목이 표시되지 않은 돈. 국고로 귀속된 개인의 봉록을 가

來, 金張[52]之家, 七葉皆侍中. 三子千秋・延壽・彭祖

○장안세(?-B.C.62)는 자가 자유이다. 전한 선제가 즉위하자 천자를 옹립한 공로로 대사마를 배수받았다. 장안세는 부자지간에 모두 제후에 봉해지고 직위가 무척 높았지만 도리어 봉록을 사양하였다. 그러자 도성의 내고에 조서를 내려 장안세가 반납한 봉록을 별도로 소장케 하니 백만으로 헤아릴 정도로 많았다. 선제와 원제 이래로 김일제金日磾와 (장안세의 부친인) 장탕張湯의 가문은 7대에 걸쳐 모두 시중을 지냈다. 장안세의 세 아들은 장천추張千秋・장연수張延壽・장팽조張彭祖이다.

◇五日京兆(5일 동안 경조윤을 말다)

●張敞, 字子高, 漢宣帝朝, 尹京兆[53], 九年枹鼓[54]稀鳴. 掾絮舜[55]以敞有劾當免曰, "五日京兆耳." 嘗爲婦畵眉, 長安中傳京兆眉嫵.

○장창(?-B.C.47)은 자가 자고로 전한 선제 때 경조윤을 지냈는데 9년 동안 전시를 알리는 북소리가 거의 울리지 않았다. 그러나 아전인 서순은 장창이 탄핵을 당해 분명 면직을 당할 것이라고 생각해 "이제 고작 5일 동안 경조윤을 맡을 것이오"라고 하였다. 일찍이 부

리킨다.

51) 宣元(선원) : 전한 때 황제인 선제宣帝와 원제元帝를 아우르는 말.

52) 金張(김장) : 전한 때 사람인 김일제金日磾(B.C.134-B.C.86)와 장탕張湯(?-B.C.115)의 가문을 아우르는 말. ≪한서・김일제전≫권68에 의하면 김일제는 원래 흉노족 휴도왕休屠王의 태자였는데 한나라에 귀화하여 황제의 신임을 얻어서 시중侍中의 자리까지 올랐고, ≪한서・장탕전≫권59에 의하면 장탕은 전한 무제武帝 때 사람으로 태중대부太中大夫를 지내다가 주매신朱買臣(?-B.C.115)의 참소로 인하여 자살하였다. ≪한서・장탕전≫권59의 찬문贊文에 "장탕의 자손들은 대를 이어가며 선제宣帝와 원제元帝 이래로 시중과 중상시를 지낸 이가 열 명이 넘었다. 공신의 후손 가운데 오로지 김일제와 장탕 집안 사람들만이 임금 가까이서 총애를 받으며 외척과 맞먹었다(張氏之子孫相繼, 自宣元已來, 爲侍中中常侍者, 凡十餘人. 功臣之後, 唯有金氏張氏, 親近貴寵, 比於外戚)"는 기록이 있다.

53) 尹京兆(윤경조) : 도성으로부터 백 리 안의 경기 지역을 관장하는 벼슬인 경조윤京兆尹을 맡는 것을 이르는 말.

54) 枹鼓(포고) : 북채와 북. 전쟁이나 군영軍營을 비유한다.

55) 絮舜(서순) : 전한 장창張敞(?-B.C.47)의 아전 이름.

인을 위해 눈썹을 그려 준 적이 있기 때문에 (섬서성) 장안에는 '경조윤이 그린 눈썹이 아름답다'는 말이 돌았다.

◇帝師(황제의 스승)

●張禹, 字子文, 明習經學, 試爲博士. 身居大第, 前堂敎授, 後堂理絲竹管絃56). 於弟子中親愛戴崇, 敬彭宣而疏之. 崇至, 則將入後堂飮食, 管絃鏗鏘57), 極樂. 宣來, 但於便坐講論經義, 日晏賜食, 不過一肉巵酒相對. 元帝朝, 詔禹授太子論語. 成帝卽位, 尊禮師傅, 令與鄭寬中說書金華殿58). 河平59)中, 拜相, 封安昌侯. 傳曰, "禹以儒宗居相位." 子宏嗣. 安帝朝, 亦有張禹, 字伯遠60), 封安鄕侯.

○(전한) 장우(?-B.C.5)는 자가 자문으로 경학에 정통하여 시험을 거쳐 박사에 임명되었다. 자신은 커다란 저택에 머물면서 앞 건물에서는 학생들을 가르치고 뒷 건물에서는 음악을 연주하였다. 제자 중에서는 대숭을 친애하였으나 팽선에게는 경외심을 품으면서 멀리하였다. 그래서 대숭이 도착하면 뒷 건물로 데리고 들어가 음식을 함께 하고 음악을 울리며 무척 즐겁게 어울렸지만, 팽선이 찾아오면 단지 편한 자리에서 경전을 강론하다가 날이 저물어야 음식을 차리되 고작 고기 한 점과 술 한 잔을 마련해 상대할 뿐이었다. 원제 때는 장우에게 조서를 내려 태자에게 ≪논어≫를 가르치게 하였다. 성제가 즉위하자 그를 사부로 예우하여 정관중과 함께 금화전에서 ≪서경≫을 강론케 하였다. 하평(B.C.28-B.C.25) 연간에 재상을 배수받고 안창후에 봉해졌다. 이에 ≪한서·장우전≫권81에서는 "장우는 유학의 종사로서 재상의 자리에 올랐다"고 하였다. 아들은 장굉사張宏嗣이

56) 絲竹管絃(사죽관현) : 현악기와 관악기, 즉 악기에 대한 총칭.
57) 鏗鏘(갱장) : 아름다운 악기 소리나 목소리를 형용하는 말. 여기서는 전자를 가리킨다.
58) 金華殿(금화전) : 한나라 때 섬서성 장안의 미앙궁未央宮에 있었던 전각 이름. 황명의 출납을 관장하는 문하성門下省의 별칭으로 쓰일 때도 있다.
59) 河平(하평) : 한漢 성제成帝의 연호(B.C.28-B.C.25).
60) 伯遠(백원) : ≪후한서·장우전≫권74와 ≪동관한기東觀漢記·장우전≫권11에 의하면 '백달伯達'의 오기이다.

다. (후한) 안제 때도 장우(?-113)란 사람이 있었는데 자가 백달伯達로 안향후에 봉해졌다.

◇白馬生(백마 탄 서생)

●張湛, 字子孝, 漢光武朝, 拜光祿勳[61]. 常乘白馬, 上每見之, 輒曰, "白馬生且復諫矣."

○장담은 자가 자효로 후한 광무제 때 광록훈을 배수받았다. 그가 늘 백마를 타고 다녔기에 광무제는 그를 볼 때마다 "백마 탄 서생이 또 간언을 하려는 모양이구려"라고 하였다.

◇岐麥之歌(풍년을 노래하다)

●張湛[62], 字君游, 少時志美行厲, 諸儒號曰聖童. 漢建武[63]中, 爲漁陽太守, 民歌曰, "桑無附枝, 麥穗兩岐[64]. 張君爲政, 樂不可支." 視事八年, 寇弭民富.

○장감張堪은 자가 군유로 어려서부터 포부가 고상하고 행실이 독실하여 유생들이 그를 '성동'으로 불렀다. 후한 (광무제) 건무(25-55) 연간에 (하북성) 어양태수를 맡자 백성들이 "뽕나무에 덧가지가 없고 보리 이삭이 양갈래로 패였네. 장공께서 정사를 펼치니 즐거워 어쩔 줄 모르겠구나"라고 노래하였다. 업무를 본 지 8년이 지나자 도적이 사라지고 백성들이 부유해졌다.

◇張曾子(장증자)

●張霸, 字伯饒, 七歲通春秋[65], 博覽五經[66]. 鄕人號曰張曾子[67]. 初學

---

61) 光祿勳(광록훈) : 궁전의 문호를 관장하고 임금을 모시고 호위하는 낭관郎官들을 총괄하던 벼슬로 구경九卿의 하나.

62) 張湛(장담) : ≪후한서·장감전≫권61과 ≪동관한기東觀漢記·장감전≫권15에 의하면 '장감張堪'의 오기이다.

63) 建武(건무) : 후한後漢 광무제光武帝의 연호(25-55).

64) 麥秀兩岐(맥수량기) : 보리 한 줄기에 이삭이 양 갈래로 패다. 풍년이 드는 것을 뜻하는 말로 관리의 선정을 비유한다. '기岐'는 '기歧'와 통용자.

65) 春秋(춘추) : 주나라 춘추시대의 역사를 기록한 ≪춘추경春秋經≫. 오경五經의 하나. 지금은 해설서인 ≪좌전左傳≫ ≪곡량전穀梁傳≫ ≪공양전公羊傳≫

孝廉[68], 和帝召, 拜侍中. 中子楷.

○(후한) 장패는 자가 백요로 일곱 살에 ≪춘추경≫에 통달하고 오경을 두루 읽었다. 그래서 고을 사람들이 그를 '장증자'라고 불렀다. 당초 효렴과에 급제하자 화제가 그를 불러들여 시중에 배수하였다. 둘째 아들이 장해張楷이다.

◇五里霧(도술로 5리에 걸쳐 안개를 만들다)

●張楷, 字公超, 通春秋・尙書[69], 門徒百人. 徙隱弘農山, 學者隨之, 所居成市. 後華陰山南道有公超市. 性好道術, 能作五里霧. 順帝徵之, 不至.

○(후한) 장해는 자가 공초로 ≪춘추경≫과 ≪서경≫에 통달하여 문하생이 백 명에 달했다. (하남성) 홍농산으로 이주하여 은거하자 학생들이 그를 따랐기에 거처가 저자를 이루었다. 뒤에 화음산 남쪽 길에는 '공초시'가 생겨났다. 천성적으로 도술을 좋아하여 5리에 걸쳐 안개를 만들어 낼 수 있었다. 순제가 불렀지만 찾아가지 않았다.

◇埋輪(수레바퀴를 묻다)

●張綱, 字文紀. 順帝漢安[70]元年, 遣八使[71]循行天下風俗, 綱獨埋其車輪於洛陽都市亭曰, "豺狼[72]當道, 安問狐狸[73]?" 遂奏劾梁冀[74]. 八使.

으로 전한다.

66) 五經(오경) : ≪역경易經≫ ≪서경書經≫ ≪시경詩經≫ ≪예기禮記≫ ≪춘추경春秋經≫을 아우르는 말. '육경六經'과 함께 결국 경전을 총칭한다.

67) 曾子(증자) : 춘추시대 노魯나라 공자의 제자 가운데 효자로 유명한 증참曾參에 대한 존칭. ≪사기・중니제자열전仲尼弟子列傳≫권67 참조.

68) 孝廉(효렴) : 한나라 때 관리를 선발하는 제도의 하나. 효렴과孝廉科 외에도 현량방정賢良方正・직언극간直言極諫 등의 과목이 있었다.

69) 尙書(상서) : ≪서경≫의 별칭. '상尙'은 '고古'의 뜻이므로 '오래된 역사책'이란 의미에서 유래하였다.

70) 漢安(한안) : 후한後漢 순제順帝의 연호(142-143).

71) 八使(팔사) : 후한 순제順帝가 각지의 주군州郡을 순찰케 하기 위해 같은 날에 파견한 여덟 명의 사신을 아우르는 말. 주거周擧・두교杜喬・곽준郭遵・풍선馮羨・난파欒巴・장강張綱・주허周栩・유반劉班을 가리킨다. ≪후한서・주거전≫권91 참조.

(名見馮羨)

○(후한) 장강(108-143)은 자가 문기이다. 순제가 한안 원년(142)에 여덟 명의 사신을 파견하여 천하의 풍속을 살피게 하였으나 장강 홀로 자신의 수레바퀴를 (하남성) 낙양 저자의 정자에 묻으며 "승냥이와 이리가 길을 막고 있거늘 어찌 여우와 살쾡이를 살필 것 있으랴?"라고 하고는 급기야 상소문을 올려 양기를 탄핵하였다. (순제가 파견한) 여덟 명의 사신 가운데 한 명이었다.(여덟 명의 사신 이름은 앞의 권1 '풍선'에 관한 기록인 '팔준八俊'항에 보인다)

◇鵲印(까치가 변해서 생긴 도장)

●張顥爲梁相[75], 一日雨後, 見一鵲墮地, 化爲圓石. 顥椎破之, 得金印曰, 忠孝侯印. 顥表聞, 藏祕府[76]. 靈帝朝, 爲太尉[77].

○(후한) 장호는 양왕의 승상을 지냈는데, 하루는 비가 온 뒤 까치 한 마리가 땅에 떨어지더니 동그란 돌로 변하는 것을 보았다. 장호는 몽둥이로 이를 깨뜨려 '충효후인'이라고 적힌 금도장을 얻었다. 장호가 상소문을 올려 이를 아뢰자 금도장을 비부에 소장하였다. 영제 때 태위에 올랐다.

---

72) 豺狼(시랑) : 승냥이와 이리. 잔악하고 무도한 자를 비유하는 말로 여기서는 조정의 권신인 양기梁冀(?-159)를 비유적으로 가리킨다.

73) 狐狸(호리) : 여우와 살쾡이. 사악한 자를 비유하는 말로 여기서는 각 지방의 탐관오리나 도적을 비유적으로 가리킨다.

74) 梁冀(양기) : 후한 사람. 자는 백탁伯卓. 황문시랑黃門侍郎과 대장군大將軍 등을 역임하였는데, 두 누이가 순제順帝와 환제桓帝의 황후皇后여서 그 후광을 믿고 온갖 악행을 저지르다가 환관 선초單超에 의해 궁지에 몰리자 자살하였다. ≪후한서·양기전≫권64 참조.

75) 梁相(양상) : 제후국의 군주인 양왕梁王의 승상을 이르는 말.

76) 祕府(비부) : 궁중의 기밀문서와 서책을 관장하는 기관인 비서성祕書省의 별칭. '비각祕閣'이라고도 한다.

77) 太尉(태위) : 진한秦漢 이래 군정軍政을 총괄하는 벼슬로서 대사마大司馬로도 불렸다. 후에는 사도司徒·사공司空과 함께 삼공三公으로 불렸는데, 태위가 삼공 가운데 서열이 가장 높았다.

◇十腰銀艾(열 개의 은도장과 녹색 인끈)

●張奐, 字然明, 前後仕進十腰[78]銀艾. 注[79]云, "銀印綠綬也. 以艾草染之." 漢永壽[80]中, 遷安定屬國都尉[81]. 涼州三明[82].(見段氏)

○장환(104-181)은 자가 연명으로 전후로 벼슬길에 올라 열 개의 은도장과 녹색 인끈을 차는 지위까지 올랐다. (이에 대해 ≪후한서·장환전≫권95의 당나라 이현李賢) 주에서는 "('은애'는) 은도장과 녹색 인끈을 말한다. ('녹색 인끈'은) 쑥으로 그것을 물들인 것이다"라고 하였다. 후한 (환제) 영수(155-157) 연간에는 (감숙성) 안정군의 속국도위로 전근하였다. 장환은 (감숙성) 양주 출신으로 자에 '명明'자가 들어가는 세 명의 고관 가운데 한 사람이다.(상세한 내용은 뒤의 권18 '단'씨절 '양주삼명涼州三明'항에 보인다)

◇草聖(초서의 달인)

●張芝, 字伯英, 臨池學書, 池水盡黑. 凡衣帛, 必書而後練. 韋仲將[83]謂爲草聖. 靈帝朝, 爲太尉.

○(후한) 장지는 자가 백영으로 연못을 앞에 두고 서예를 익혀 연못물이 모두 검게 변했다. 무릇 비단옷을 입으면 반드시 거기에 글씨를 쓴 뒤에야 옷을 누였다. (삼국 위魏나라) 중장仲將 위탄韋誕은 그를 '초성'이라고 불렀다. 영제 때 태위에 올랐다.

---

78) 腰(요) : 허리춤에 차는 물건을 세는 양사.
79) 注(주) : ≪후한서·장환전≫권95의 당나라 이현李賢 주를 가리킨다.
80) 永壽(영수) : 후한後漢 환제桓帝의 연호(155-157).
81) 屬國都尉(속국도위) : 후한 때 변방의 속군屬郡을 관장하기 위해 설치한 무관武官 이름.
82) 涼州三明(양주삼명) : 감숙성 양주 출신으로 자에 '명明'자가 들어가는 세 고관인 태위太尉 기명紀明 단경段熲·도료장군度遼將軍 위명威明 황보규皇甫規·대사구大司寇 연명然明 장환張奐을 아우르는 말.
83) 韋仲將(위중장) : 삼국 위魏나라 사람 위탄韋誕. '중장'은 자. 서예에 정통하여 위나라의 기물과 현판의 글씨를 전담하였다고 한다. 당나라 장회관張懷瓘의 ≪서단書斷·묘품妙品·위탄≫권중 참조.

◇萬人敵(만 명을 대적하는 장수)

●張飛, 字益德, 雄壯威猛, 爲世虎臣84). 魏程昱等, 咸稱爲萬人敵. 蜀先主85)拜爲右將軍, 封西鄉侯. 評86)曰, “飛義釋嚴顔87), 有國士88)風.”

○장비(?-221)는 자가 익덕으로 기개가 크고 몸집이 우람하며 위엄이 넘치고 용맹스러워 당대의 맹장으로 불렸다. (삼국) 위나라 정욱 등이 모두들 그를 ‘만인적’이라고 칭송하였다. 촉나라 선주(유비劉備)는 그를 우장군에 배수하고 서향후에 봉하였다. (≪삼국지・촉지・장비전≫권36의) 평문에 “장비는 도의상 엄안을 풀어주었으니 국사다운 기풍을 지녔다”고 하였다.

◇博物(박학다식하다)

●張華, 字茂先, 博物洽聞, 著博物志89)千篇. 嘗90)徙居, 載書三十乘. 作詩出於王粲, 猶恨兒女情多, 風雲態少. 晉武朝, 拜侍中・中書91), 賜金章紫綬. 永熙92)末, 少子韙以中台星93)折, 勸華避位94), 不聽, 竟爲趙

---

84) 虎臣(호신) : 용맹한 장수를 비유하는 말. 혹은 군주를 측근에서 호위하는 무관을 가리킬 때도 있다.

85) 先主(선주) : 삼국시대 촉蜀나라의 초대 임금인 유비劉備(162-223)에 대한 별칭. 촉나라는 선주 유비와 후주後主 유선劉禪(207-271) 두 세대에서 막을 내렸다.

86) 評(평) : ≪삼국지・촉지・장비전≫권36의 평문을 가리킨다.

87) 嚴顔(엄안) : 삼국 촉蜀나라 장수. 원래 파군태수巴郡太守로 있다가 장비張飛(?-221)에게 패하였는데, 장비의 윽박지름에도 죽음을 두려워하지 않고 당당하게 맞섰다는 고사가 ≪삼국지・촉지・장비전≫권36에 전한다.

88) 國士(국사) : 나라에서 재능이 뛰어난 선비를 일컫는 말.

89) 博物志(박물지) : 진晉나라 장화張華(232-300)가 지은 소설류의 책. 원전은 산실되고 후세 사람이 다시 모아서 엮었다. 총 10권. ≪사고전서간명목록・자부子部・소설가류小說家類≫권14 참조.

90) 嘗(상) : 늘, 항상. ‘상常’과 통용자.

91) 中書(중서) : 위진魏晉 이래로 국가의 기무機務・조령詔令・비기祕記 등을 관장하는 최고 행정 기관인 중서성中書省이나 그 장관인 중서령中書令의 약칭.

92) 永熙(영희) : 진晉 혜제惠帝의 연호(290).

93) 中台星(중태성) : 별 이름인 삼태성三台星 가운데 하나. 가운데 별인 중태中台는 ‘사중司中’이라고 하고, 서쪽의 별인 상태上台는 ‘사명司命’이라고 하고, 동쪽의 별인 하태下台는 ‘사록司祿’이라고 하는데, 중앙의 중태성은 종실宗室을 관장하는 별로서 삼공三公 가운데 태사太師(혹은 태위太尉)를 상징하고, 서

王倫[95]所害.

○(진晉나라) 장화(232-300)는 자가 무선으로 박학다식하고 견문이 넓어 ≪박물지≫ 천 편을 지었다. 늘 이사할 때면 서책을 수레 30대 분량이나 실어나르곤 하였다. 시는 (삼국 위나라) 왕찬으로부터 나왔지만 오히려 아녀자의 정취가 많고 풍운처럼 변화무쌍한 모습이 부족한 것을 안타까워하였다. 진나라 무제 때 시중과 중서령을 배수받고 금도장과 자색 인끈을 하사받았다. (혜제) 영희(290) 말엽에 막내아들인 장위張韙가 중태성이 꺾였다는 이유로 장화에게 관직을 그만둘 것을 권하였으나 그의 말을 듣지 않았다가 조왕趙王 사마윤司馬倫에게 살해당했다.

◇思蓴(순채국이 생각나다)

●張翰, 字季鷹, 有淸才, 善屬文, 號爲江東步兵[96]. 晉惠朝, 齊王冏[97]辟, 爲東曹[98]掾, 謂顧榮曰, "吾本山林間人, 以明防前, 以智慮後." 榮

쪽의 상태성은 벼슬을 관장하는 별로서 태부太傅(혹은 사도司徒)를 상징하고, 동쪽의 하태성은 봉작封爵을 관장하는 별로서 태보太保(혹은 사공司空)를 상징한다.

94) 避位(피위) : 사직서를 제출하다, 관직을 그만두다. 자리를 양보하거나 제자리에서 일어나는 것을 뜻할 때도 있다.

95) 趙王倫(조왕윤) : 진晉나라 선제宣帝 사마의司馬懿(179-251)의 아홉 번째 아들인 사마윤司馬倫. '조왕'은 봉호. ≪진서·조왕사마윤전≫권59 참조.

96) 步兵(보병) : 전한 무제武帝 때 처음 설치된 8교위校尉인 중루교위中壘校尉·둔기교위屯騎校尉·보병교위步兵校尉·월기교위越騎校尉·장수교위長水校尉·호기교위胡騎校尉·석성교위射聲校尉·호분교위虎賁校尉 가운데 하나인 보병교위의 약칭. 상림원문上林苑門의 둔병屯兵을 관장하던 벼슬이다. 여기서는 삼국 위魏나라 때 죽림칠현竹林七賢의 한 사람인 완적阮籍(210-263)을 가리킨다. ≪진서·완적전≫권49에 의하면 완적은 술을 좋아하여 봉록을 타서 술을 사 먹기 위해 일부러 보병교위를 지낸 적이 있는데, 장한張翰의 성품이 완적과 비슷하여 빗대어 한 말이다.

97) 齊王冏(제왕경) : 진晉나라 때 종실 사람으로 문제文帝 사마소司馬昭(211-265)의 손자인 사마경司馬冏. 제왕은 봉호. 진나라 혜제惠帝 때 권력 투쟁을 벌여 국력을 쇠퇴시킴으로써 동진東晉과 오호십육국五胡十六國 시대를 초래한 '팔왕八王' 중의 한 사람이다. ≪진서·제왕사마경전齊王司馬冏傳≫권59 참조.

98) 東曹(동조) : 원래는 삼공三公의 수장인 태위太尉의 부서였는데, 뒤에는 왕부王府나 승상부丞相府, 지방 관부官府 등에서 인사와 재정에 관한 업무를 관장

曰, “吾當與子採南山蕨, 飮三江[99]水耳.” 因秋風起, 思吳中[100]菰米・蓴羹・鱸魚鱠, 歎曰, “人生貴適志耳, 富貴何爲?” 卽引去, 嘗曰, “使我有身後名, 不如生前一杯酒!”

○장한은 자가 계응으로 타고난 재주가 뛰어나 문장을 잘 지어서 ‘강동보병’으로 불렸다. 진나라 혜제 때 제왕齊王 사마경司馬冏의 초빙을 받아 동조연에 임명되자 고영에게 말했다. “저는 본래 산림에서 살던 은자라서 밝은 안목으로 이전의 화를 막았고 지혜로 뒷일을 생각하지요.” 그러자 고영이 대답하였다. “저는 의당 선생과 함께 남산의 고사리를 캐고 삼강의 강물을 마시면 그만일 것입니다.” 가을바람이 일어나 오 땅의 줄밥과 순채국・농어회가 생각나자 탄식하며 말했다. “사람이 태어나 마음에 맞는 일을 소중히 여겨야지 부귀가 무슨 소용이 있으랴?” 즉시 몸을 이끌고 그곳을 떠나며 말했다. “설사 내게 죽은 뒤 명성이 생긴다 해도 차라리 생전에 술 한 잔 마시는 것이 나으리라!”

◇當代文宗(당대 문단의 종사)

●張載, 字孟陽, 爲當代文宗, 貌極醜, 遊洛陽市, 群女以瓦石擲之. 仕晉, 爲著作佐郎[101]. 弟協, 字景陽, 次弟亢, 字季陽, 竝博學有俊才, 與陸機・雲齊名, 時稱三陸[102]三張. 贊[103]云, “載協飛芳[104], 棣華[105]相映.”

하던 기관이나 벼슬을 이르게 되었다. 병무와 형벌을 관장하는 서조西曹와 대칭되었다. 당송 때는 상서성尙書省 육부六部 가운데 동쪽에 위치한 이부吏部・호부戶部・예부禮部를 가리키기도 하였다.

99) 三江(삼강) : 세 강을 아우르는 말. 이에 대해서는 장강長江・한수漢水・팽려彭蠡, 남강南江・중강中江・북강北江 등 시대에 따라 여러 설이 있다.

100) 吳中(오중) : 춘추시대 오吳나라의 수도가 있던 오현吳縣(지금의 강소성 소주시蘇州市) 일대를 이르는 말.

101) 著作佐郎(저작좌랑) : 위진魏晉 이후로 국사의 편찬에 관한 업무를 관장하던 비서성祕書省 소속의 관원으로서 저작랑著作郎의 보좌관을 이르는 말.

102) 三陸(삼륙) : 진晉나라 때 대표적 문인인 육기陸機(261-303)와 육운陸雲(262-303) 형제를 가리키는 말인 ‘이륙二陸’의 오기이다.

103) 贊(찬) : 이는 ≪진서・장재전≫권55의 찬문贊文을 가리킨다.

104) 飛芳(비방) : 향기를 날리다. 명성을 떨치는 것을 비유한다.

105) 棣華(체화) : 아가위꽃. ‘체악棣萼’이라고도 하는데 형제간의 우애를 상징한

○장재는 자가 맹양으로 당대 문단의 종사로 불렸지만, 용모가 지극히 못생겨 (하남성) 낙양의 저자를 돌아다니면 여자들이 기와와 돌을 그에게 던졌다. 진나라에서 벼슬길에 올라 저작좌랑을 지냈다. 동생 장협張協(?-약 307)은 자가 경양이고, 그 밑의 동생인 장항張亢은 자가 계양으로 모두 박학하고 글재주가 뛰어나 육기·육운 형제와 나란히 이름을 떨치며 당시에 ('육씨 형제와 장씨 삼형제'란 의미에서) '이륙삼장二陸三張'으로 불렸다. (≪진서·장재전≫권55의) 찬문에서는 "장재와 장협은 함께 명성을 떨치며 형제간에 우애가 두터웠다"고 하였다.

◇六經鼓吹(경전을 보완할 만한 훌륭한 글)

●張衡, 字平子, 作二京賦106), 十年乃成. 孫綽曰107), "張衡·左思二京·三都賦108), 六經109)之鼓吹110)也." 作渾天儀111), 著靈憲112)·算罔論. 數術113)窮天地, 制作侔造化. 晉永和114)中, 拜尙書115).

다.

106) 二京賦(이경부) : <(섬서성) 서경(장안)을 읊은 부(西京賦)>와 <(하남성) 동경(낙양)을 읊은 부(東京賦)>의 합칭으로 각각 남조南朝 양梁나라 소통蕭統(501-531)의 ≪문선文選·경도하京都下≫권2와 권3에 전한다.

107) 曰(왈) : 진晉나라 손작孫綽(314-371)의 말은 ≪진서·손작전≫권56에 전하는데, 원문에는 '육경六經'이 '오경五經'으로 되어 있으나 의미상에 차이는 없어 보인다.

108) 三都賦(삼도부) : 진晉나라 좌사左思(250-305)가 삼국시대 세 나라의 도읍을 소재로 지은 <촉나라 도읍(사천성 성도成都)을 읊은 부(蜀都賦)> <오나라 도읍(강소성 남경)을 읊은 부(吳都賦)> <위나라 도읍(하남성 낙양)을 읊은 부(魏都賦)>를 아우르는 말로 각각 ≪문선·경도京都≫권4·5·6에 전한다.

109) 六經(육경) : 유가儒家의 대표적인 경서經書인 ≪시경≫ ≪서경≫ ≪역경≫ ≪춘추≫ ≪예기≫ ≪악기≫를 아우르는 말. 결국 경전을 가리킨다.

110) 鼓吹(고취) : 타악기와 관악기를 아우르는 말. 여기서는 경전을 보완할 만한 훌륭한 문장을 비유한다.

111) 渾天儀(혼천의) : 천체의 운행을 관측하는 데 사용하던 기구.

112) 靈憲(영헌) : 후한 장형張衡(78-139)이 지은 천문학에 관한 책인 ≪영헌도靈憲圖≫의 약칭. 총 1권. ≪신당서·예문지≫권59 참조.

113) 數術(수술) : 천문·역법·점술 등에 관한 학문을 이르는 말. '술수術數'라고도 한다.

114) 永和(영화) : 후한後漢 순제順帝의 연호(136-141). 따라서 앞의 '진晉'은

○장형(78-139)은 자가 평자로 <이경부>를 지으면서 10년만에야 완성을 보았다. (진晉나라) 손작은 "(후한) 장형과 (진晉나라) 좌사의 <이경부>와 <삼도부>는 경전을 보완할 만한 훌륭한 글이다"라고 하였다. 혼천의를 제작하고 ≪영헌도≫ ≪산망론≫을 지었다. 술수학 방면에서는 천지의 이치를 다 살폈고, 기물의 제작 방면에서는 조화옹의 솜씨에 버금갔다. 후한 (순제) 영화(136-141) 연간에 상서를 배수받았다.

◇理窟(이치가 쏟아져 나오는 동굴)

●張憑, 字長宗. 嘗詣劉惔, 惔處之下坐. 王濛與惔論, 言有不通, 憑於末坐判之, 一坐皆驚. 惔延之上坐. 晉簡文帝召之, 與語曰, "張憑勃窣[116]爲理窟!"

○장빙은 자가 장종이다. 일찍이 유담을 예방한 적이 있는데 유담이 그를 아래쪽 좌석에 앉혔다. 왕몽과 유담이 담론을 나누다가 말에 막히는 데가 생겼을 때 장빙이 말석에서 이를 판단해 주자 좌중의 사람들이 모두 대경실색하였다. 그래서 유담은 그를 상석으로 초빙하였다. 진나라 간문제가 그를 불러 담론을 나누더니 "장빙은 재기가 넘치고 글이 훌륭한 것이 이치가 쏟아져 나오는 동굴이로다!"라고 하였다.

◇正始遺風(정시 연간의 기풍이 남아 있다)

●張緖風姿淸雅. 時靈和殿前植蜀柳, 帝曰, "此楊柳風流可愛, 似張緖少

'한漢'의 오기이다. 앞에 진晉나라 사람 손작孫綽(314-371)이 등장하고 '영화永和'가 진晉나라 목제穆帝의 연호(345-356)이기도 하기에 착각한 데서 기인한 듯하다. 따라서 이 항목은 시기상 앞으로 이동하는 것이 적절해 보인다.

115) 尙書(상서) : 한나라 이후로 정무政務와 관련한 문서의 발송을 주관하는 일, 혹은 그러한 업무를 관장하던 벼슬을 가리킨다. '상尙'은 '주관한다(主)'는 뜻이다. 후대에는 이부상서吏部尙書나 병부상서兵部尙書와 같이 그런 업무를 관장하는 상서성尙書省 소속 장관을 뜻하는 말로 쓰였다. 휘하에 시랑侍郞과 낭중郞中・원외랑員外郞 등을 거느렸다.

116) 勃窣(발솔) : 재기가 넘치고 글이 아름다운 모양. '파사婆娑'라고도 한다.

年時.” 帝每歎其淸談[117]. 袁粲[118]曰, “緖有正始[119]遺風.” 宋明帝朝, 爲中書令. 子充.

○장서는 기품이 맑고 우아하였다. 당시 영화전 앞에 촉 지방의 버드나무가 심어져 있자 황제는 “이 버드나무는 풍류가 사랑스러운 것이 장서의 젊은 시절과 흡사하구려”라고 하였다. 황제는 매번 그의 청담에 감탄해 하곤 하였다. 원찬은 “장서에게는 (삼국 위魏나라) 정시(240-248) 연간의 기풍이 남아 있다”고 평한 적이 있다. (남조南朝) 유송劉宋 명제 때 중서령을 지냈다. 아들은 장충張充이다.

◇高臥風月(한가로이 풍월을 읊다)

●張充, 字延符. 與王儉書云, “介然[120]之志, 聳峭霜崖, 確乎之情, 風行海岸.” 又云, “飛竿釣渚, 濯足滄洲[121], 獨浪煙霞, 高臥[122]風月, 不能事王侯[123], 覓知己也.” 儉以示緖, 緖杖之一百. 梁初, 爲祭酒[124].

○장충은 자가 연부이다. 그는 왕검(452-489)에게 주는 글에서 “굳은 지조는 서리 내린 절벽처럼 드높고, 확고한 생각은 해안가를 부는 바람처럼 분명합니다”라고 하였고, 또 “낚시대 드리운 채 물가에서

---

117) 淸談(청담) : 위진남북조魏晉南北朝 때 노장사상老莊思想을 바탕으로 인물에 대한 품평 등 함께 모여 담론을 즐기던 풍조를 이르는 말.

118) 袁粲(원찬) : 남조南朝 유송劉宋 때 사람(420-477). 본명은 민손愍孫이고, 자는 경천景倩. 상서령尙書令을 역임하였는데 후폐제後廢帝를 시해한 소도성蕭道成(427-482)을 토벌하려다가 살해당했다. ≪송서・원찬전≫권89 참조.

119) 正始(정시) : 삼국 위魏 제왕齊王의 연호(240-248). 하안何晏을 중심으로 명리학이 발달하고 청담이 유행하던 시기이기에 장서張緖가 학식이 풍부하고 인물평에 밝은 것을 함축적으로 의미한다.

120) 介然(개연) : 지조가 굳은 모양.

121) 滄洲(창주) : 신선들이 산다는 전설상의 바다섬인 창랑주滄浪洲의 약칭.

122) 高臥(고와) : 베개를 높이 베다. 한적한 삶이나 은거생활을 상징한다.

123) 王侯(왕후) : 주周나라 때는 천자와 제후를 아우르는 말이었으나 진秦나라 이후로는 시황제가 천자를 ‘황皇’이라고 칭하면서 친왕親王이나 열후列侯 등 제후에 대한 칭호로 격하되었다. 결국 고관을 가리킨다.

124) 祭酒(제주) : 국가의 교육을 총괄하고 제사를 주재하는 기관인 국자감國子監의 장관인 국자제주國子祭酒의 준말. 시대마다 차이가 있어 유림제주儒林祭酒・성균제주成均祭酒・국자제주國子祭酒・대사성大司成 등 다양한 명칭으로도 불렸다.

고기를 낚고 창주에서 발을 씻으며 홀로 자연을 벗삼아 한가로이 풍월을 읊고 싶습니다. 왕후를 모실 수 없으니 저를 알아줄 지기나 찾으렵니다"라고 하였다. 왕검이 이 글을 (그의 부친인) 장서張緖에게 보여주자 장서가 그에게 회초리 백 대를 가했다. (남조南朝) 양나라 초엽에 국자제주를 지냈다.

◇孝張里(효자 장씨의 고을)

●張敷, 字景胤, 小名樝. 父小名梨. 宋文帝問之曰, "樝何如梨?" 對曰, "梨是百果之宗, 樝何敢比?" 父卒, 毁瘠過制[125], 詔改其居, 曰孝張里. 宋武帝朝, 拜中書郎[126]. 子融.

○장부는 자가 경윤으로 아명은 '사樝'이고, 부친은 아명이 '이梨'이다. (남조南朝) 유송劉宋 문제가 그에게 물었다. "자네(樝)는 부친(梨)과 비교하면 어떠한가?" 그러자 장부가 대답하였다. "배(梨)는 모든 과일 중에 으뜸이거늘 풀명자나무(樝)가 어찌 감히 견줄 수 있겠나이까?" 부친이 생을 마치자 몸이 수척해질 정도로 지나치게 애도를 표하였다. 그래서 조서를 내려 그가 사는 고을 이름을 '효장리'로 바꿨다. 유송 무제 때 중서랑을 배수받았다. 아들은 장융張融이다.

◇海賦(<바다를 읊은 부>)

●張融, 字思光, 弱冠有名. 道士陸修靜以白鷺羽扇遺之曰, "此旣異物, 以奉異人." 作海賦, 顧凱之曰, "實超玄虛[127]. 但恨不道鹽耳." 卽注曰, "漉沙搆白, 熬波出素. 積雪仲春, 飛霜暑路." 有文集數十卷, 行世, 名玉海集. 初解褐[128], 爲宋參軍[129].

---

125) 過制(과제) : 법도를 벗어나다. 즉 도에 지나치게 애도를 표하는 것을 말한다.

126) 中書郎(중서랑) : 황명의 기초와 출납을 관장하는 중서성中書省 소속 관원을 이르는 말. 후대에는 중서시랑中書侍郎의 약칭으로 쓰였다.

127) 玄虛(현허) : 진晉나라 사람 목화木華의 자. 문장을 잘 지었고, 양준楊駿 휘하에서 주부主簿를 지냈다. <해부海賦>로 유명하다. ≪문선文選·강해江海≫ 권12 <해부海賦>의 당나라 이선李善(?-689) 주 참조.

128) 解褐(해갈) : 베옷을 벗다. 처음 벼슬길에 오르는 것을 비유한다.

○장융(444-497)은 자가 사광으로 약관의 나이에 명성을 떨쳤다. 도사 육수정이 백로의 깃털로 만든 부채를 그에게 선물로 주면서 말했다. "이것은 기이한 물건이라서 기인을 모시는 데 쓰는 것이라네." 장융이 <바다를 읊은 부>를 짓자 고개지가 말했다. "실로 (진晉나라 때 사람) 현허(목화木華)의 작품을 능가하는구나. 단지 소금을 언급하지 않은 것이 아쉬울 뿐이다." 그래서 바로 보충하여 "모래를 거르면 하얀 가루(소금)가 드러나고, 바닷물을 끓이면 흰 가루(소금)가 나온다네. 중춘에도 눈이 쌓인 듯하고, 여름철로 들어서는 길목에도 서리가 날리는 듯하네"라고 하였다. ≪옥해집≫이라는 이름의 문집 수십 권이 세간에 유행하였다. 당초 처음 벼슬길에 올라서는 (남조南朝) 유송劉宋에서 참군을 지냈다.

◇碧山學士(벽산학사)

●張褒, 梁天監[130]中, 不供學士[131]職, 御史彈劾之. 褒曰, "碧山不負吾." 乃焚章, 長嘯而去. 杜詩[132]云, "碧山學士[133]焚銀魚[134]."

---

129) 參軍(참군) : 한나라 이후로 왕부王府나 장수・사신・자사・태수 휘하에서 군무軍務를 참모參謀하던 벼슬에 대한 통칭. 시대와 기관에 따라 자의참군諮議參軍・기실참군記室參軍・기병참군騎兵參軍・사사참군司士參軍・공조참군功曹參軍・법조참군法曹參軍・녹사참군사錄事參軍事 등 다양한 이름의 참군이 있었다.

130) 天監(천감) : 양梁 무제武帝의 연호(502-519).

131) 學士(학사) : 위진魏晉 이후로 문학과 저술을 관장하던 벼슬. 당송唐宋 때는 학사원學士院을 두어 제고制誥를 전담케 하여 요직으로 꼽혔다. 홍문관학사弘文館學士・집현전학사集賢殿學士・숭문관학사崇文館學士 등이 있었으나 보통은 한림학사翰林學士를 지칭하는 말로 쓰였다. 또한 5품 이상은 학사, 6품 이상은 직학사直學士라고 구분하기도 하였다.

132) 詩(시) : 이는 당나라 두보杜甫(712-770)의 칠언율시七言律詩 <백학사의 초가집에서 쓰다(題柏學士茅屋)> 가운데 첫 구절을 인용한 것으로 청나라 구조오仇兆鰲(1640-1714)의 ≪두시상주杜詩詳註≫권21에 전한다.

133) 碧山學士(벽산학사) : '자연을 사랑한 학사'를 뜻하는 말로 장포張褒를 통해 시제詩題에서 등장하는 백학사柏學士를 비유적으로 가리킨다. '백학사'는 안녹산安祿山의 난을 피해 산에 은거한 사람으로 실명은 알려지지 않았다.

134) 銀魚(은어) : 학사學士가 차던 은으로 만든 도장을 이르는 말. 은으로 만든 물고기 모양의 부절符節을 가리키는 말로 보는 설도 있다.

○장포가 (남조南朝) 양나라 (무제) 천감(502-519) 연간에 학사의 직무를 제대로 수행하지 않자 어사가 그를 탄핵하였다. 그러자 장포는 "청산은 나를 저버리지 않는다오"라고 말하고는 결국 도장을 불태우고 길게 휘파람을 불며 떠났다. 그래서 (당나라) 두보杜甫도 시에서 "청산을 사랑한 학사는 은도장을 불태웠었네"라고 하였다.

◇論事回天(정사를 논해 천자의 마음을 돌리다)

●張玄素諫唐大宗修洛陽宮, 魏徵聞之曰, "張公論事, 有回天[135]之力, 可謂仁人之言." 爲左庶子[136].

○장현소(?-664)가 당나라 태종이 (하남성) 낙양의 궁궐을 수리하는 것에 대해 간언하자 위징이 이 얘기를 듣고서는 말했다. "장공은 정사에 대해 논하면 하늘을 되돌리는 힘을 가지고 있으니 어진 사람의 말이라고 평할 만하오." 태자좌서자를 지냈다.

◇翠微頌(취미궁의 완성을 송축하는 글)

●張昌齡·王公謹擧進士, 王師旦知貢擧[137], 黜之, 以其文浮靡, 恐傷雅道. 貞觀[138]末, 翠微宮成, 詣闕獻翠微頌. 上愛其文, 補通事舍人[139].

○(당나라) 장창령과 왕공근이 진사과에 응시했을 때 왕사단이 (과거시험을 관장하는) 지공거를 맡아 그들을 낙방시킨 것은 그들의 문장이 지나치게 화려하여 아정한 도리를 해칠까 염려해서였다. (태종) 정관(627-649) 말엽에 취미궁이 완성되자 장창령은 궁궐로 찾아가

---

135) 回天(회천) : 하늘을 되돌리다. 천자의 마음을 좌지우지할 정도로 영향력이 크거나 권력이 막강한 것을 비유한다.

136) 左庶子(좌서자) : 태자궁太子宮의 좌우 춘방春坊 중 좌춘방의 업무를 총괄하는 벼슬인 태자좌서자太子左庶子의 약칭.

137) 知貢擧(지공거) : 당송 때 진사進士 시험을 총괄하기 위해 특별히 설치한 벼슬 이름. 처음에는 고공원외랑考功員外郎이 맡았으나 권위가 떨어지자 뒤에는 예부시랑禮部侍郎이 맡기도 하고, 각 부서의 상서尙書가 맡기도 하였다.

138) 貞觀(정관) : 당唐 태종太宗의 연호(627-649).

139) 通事舍人(통사사인) : 황제의 명령을 하달하고 신하들의 상소문을 검토하여 올리는 등의 업무를 담당하던 중서성中書省 소속의 하급관리. 북송北宋 휘종徽宗 때는 선찬사인宣贊舍人으로 개칭되었다.

<취미송>을 바쳤다. 태종이 그의 문장을 좋아하여 통사사인에 임명하였다.

◇三戟張家(삼형제가 대문에 창을 세운 장씨 가문)

●張儉, 字師約, 貞觀中, 爲營州都督[140]. 兄文師[141], 太僕卿[142], 弟延師, 左將軍, 竝賜銀靑光祿大夫. 兄弟門皆立戟[143], 時號三戟張家.

○(당나라) 장검(594-653)은 자가 사약으로 (태종) 정관(627-649) 연간에 (산동성) 영주도독을 맡았다. 형인 장대사張大師는 태복경을, 동생 장연사張延師는 좌장군을 맡아 나란히 은청광록대부를 하사받았다. 형제가 (고관에 올라) 대문에 모두 창을 세웠기에 당시 '삼극장가'로 불렸다.

◇萬石張家(만석군에 오른 장씨 가문)

●張文瓘, 字稚圭, 高宗朝, 拜侍中. 四子潛·沛·洽·涉官皆三品, 時號萬石[144]張家.

○장문관은 자가 치규로 고종 때 시중을 배수받았다. 네 아들인 장잠張潛·장패張沛·장흡張洽·장섭張涉의 관직이 모두 3품이었기에 당시 '만석장가'로 불렸다.

---

140) 都督(도독) : 군사軍事 업무를 총괄하는 장관을 이르는 말.

141) 文師(문사) : ≪신당서·장검전≫권111에 의하면 '대사大師'의 오기이다. 동생 장연사張延師와 함께 본명은 알려지지 않았다.

142) 太僕卿(태복경) : 황제의 의복과 자리 따위를 관장하고, 황제의 측근에서 중요한 명령의 출납을 담당하던 벼슬로 구경九卿의 하나.

143) 立戟(입극) : 황실이나 고관의 관공서에서 호위병이 십자형으로 창을 교차시켜 경비를 서는 일. 결국 고관에 오르는 것을 상징한다. '교극交戟' '설극設戟' '열극列戟'이라고도 한다.

144) 萬石(만석) : 부자가 모두 봉록이 2천석인 고관에 올라 부자지간의 봉록이 도합 만 석에 달하는 것을 이르는 말. 전한 때 사람인 석분石奮이 네 아들과 함께 2천석의 고관에 올라 '만석군萬石君'으로 불렸다는 ≪사기·석분전≫권103과 ≪한서·석분전≫권46의 고사에서 유래하였다.

◇靑錢學士(청전학사)

●張鷟, 字文成, 兒時有紫文大鳥, 止於庭. 太公[145]曰, “五色[146]赤文, 鳳也, 紫文, 鸑鷟[147]也, 殆將以文章瑞朝廷乎!” 遂名鷟. 高宗朝, 八以制擧[148], 皆中[149]甲科[150]. 員半千稱, “其文猶靑銅錢[151], 萬選萬中.” 時謂靑錢學士.

○장작(약 658-약 730)은 자가 문성으로 어렸을 때 자색 문양의 커다란 새가 나타나 마당에 머물렀다. 그러자 조부가 “오색 바탕에 적색 문양이 있는 새는 봉황이고 (오색 바탕에) 자색 문양이 있는 새는 악착이니 아마도 장차 문장으로 조정을 빛내겠구나!”라고 말하고는 결국 이름을 ‘작鷟’으로 지었다. 고종 때 여덟 차례 제거에 응시해 모두 갑과에 합격하였다. 운반천이 “장작의 문장은 마치 청동전을 만 번 고르면 만 번 다 들어맞는 것과 같다”고 칭찬하여 당시에 ‘청전학사’로 불렸다.

◇明經高第(명경과에 응시해 우수한 성적으로 급제하다)

●張知謇歷十一州刺史. 則天[152]奇其貌, 詔工圖之. 中宗立, 封范陽郡公.

---

145) 太公(태공) : 부친이나 조부에 대한 존칭.

146) 五色(오색) : 정색正色인 청・적・황・백・흑색의 다섯 가지. 상서로운 징조를 상징한다.

147) 鸑鷟(악착) : 전설상의 새인 봉황의 일종.

148) 制擧(제거) : 당송 때 과거제도의 하나. 예부禮部 등 과거시험 주관 기관에서 지방의 추천 인재에게 실시하는 공거貢擧와 달리, 천자가 과거시험장에 행차하여 직접 실시하던 시험 제도를 이르는 말. ‘제과制科’라고도 하였다.

149) 中(중) : 들어맞다, 합격하다. 동사이기에 거성去聲(zhòng)으로 읽는다.

150) 甲科(갑과) : 과거시험의 하나. 한나라 때 과거시험을 갑과甲科・을과乙科・병과丙科로 구분하던 것을, 당나라 초기에는 명경과明經科를 갑・을・병・정 4과로 구분하였고, 당송 때는 진사과進士科를 갑・을로 구분하기도 하였다.

151) 靑銅錢(청동전) : 청동으로 만든 순도가 높은 돈을 이르는 말. 장작張鷟의 문장이 매우 훌륭한 것을 비유한다.

152) 則天(측천) : 당나라 측천무후則天武后의 약칭. 본명은 무조武曌(624-705)이고 ‘측천’은 시호. ‘측則’은 ‘측測’과 통용자. 고종高宗의 황후皇后이자 중종中宗 및 예종睿宗의 모후母后였지만, 뒤에 스스로 황제에 올라 국호를 ‘당唐’에서 ‘주周’로 개칭하고 15년간 전횡을 일삼았으며, 외척인 무武씨 집안 사람들이 득세할 수 있는 빌미를 제공하였다. ‘측천황후則天皇后’ ‘무측천武則天’

弟[153](知[154])玄・知晦・(弟)知泰・知默共五人, 皆明經[155]高第.

○(당나라 때) 장지건은 11개 주의 자사를 역임하였다. 측천무후는 그의 외모를 특이하게 여겨 화공畵工에게 조서를 내려 그의 초상화를 그리게 하였다. 중종이 즉위하고서 범양군공에 봉하였다. 형 장지현張知玄・장지회張知晦와 동생 장지태張知泰・장지묵張知默까지 도합 다섯 명이 모두 명경과에 응시해 우수한 성적으로 급제하였다.

◇六郎(육랑)

●張易之・弟昌宗得幸於則天. 兄弟出入禁中, 貴震天下, 呼易之五郎, 昌宗爲六郎. 楊再思[156]曰, "人言六郎似荷花, 乃荷花似六郎耳."

○(당나라) 장역지(?-705)와 동생 장창종張昌宗(?-705)은 측천무후에게 총애를 받았다. 형제가 궁중을 출입하며 권력을 천하에 떨쳤는데, 사람들은 장역지를 '오랑'으로 부르고 장창종을 '육랑'으로 불렀다. 양재사는 "사람들은 육랑(장창종)이 연꽃과 닮았다고 말하지만, 도리어 연꽃이 육랑을 닮은 것일 뿐이지요"라고 말한 일이 있다.

◇宰相材(재상으로서의 자질)

●張柬之爲荊州長史[157], 則天欲得一奇士, 用之, 狄仁傑曰, "張柬之雖

'무후武后' '천후天后' 등 다양한 별칭으로도 불렸다. ≪신당서・측천황후무조기≫권4 참조.

153) 弟(제) : ≪구당서・장지건전≫권185에 의하면 '형兄'의 오기이다. 장지현張知玄과 장지회張知晦는 장지건의 형이고, 장지태張知泰와 장지묵張知默은 장지건의 동생이다.

154) 知(지) : 원문에 이 글자가 누락되었기에 첨기한다.

155) 明經(명경) : 한나라 때 경서經書에 밝은 사람에게 책문策問에 답하게 해서 인재를 뽑던 과거시험의 하나. 수隋나라 때 경전을 대상으로 하는 명경과와 문재文才를 시험하는 진사과로 나뉘었고, 당송唐宋 때까지 이어지다가 송나라 때 진사시험으로 통일되면서 폐지되었다.

156) 楊再思(양재사) : 당나라 사람. 호부상서戶部尙書・시중侍中 등 고관을 맡아 장기간 재상을 지내면서도 아부를 잘 하여 남과 다툰 적이 없었다고 한다. ≪신당서・양재사전≫권109 참조.

157) 長史(장사) : 한나라 이후로 승상부丞相府나 장군부將軍府에서 병마兵馬를 관장하던 벼슬. 당나라 이후로는 주로 자사刺史의 속관이었는데, 자사 휘하에

老，宰相材也.” 卒用爲相. 誅二張[158]，中宗復辟[159]，有安社稷[160]功，封漢陽郡王. 皇甫徹詩[161]云，“烈烈張漢陽，左袒[162]誅諸武. 茂勳鑄鐘鼎[163]，江山食茅土[164]. 至今稱五王[165]，卓立邁千古.”

○(당나라) 장간지(625-706)가 (호북성) 형주장사를 지낼 때 측천무후가 뛰어난 인재를 찾아 기용하려고 하자 적인걸이 말했다. “장간지는 비록 늙긴 했지만 재상으로서의 자질을 갖추었나이다.” 결국 그를 기용하여 재상에 임명하였다. 장간지가 장역지張易之와 장창종張昌宗 형제를 죽이자 중종이 복위하여 종묘사직을 안정시킨 공로로 한양군왕에 봉하였다. 황보규는 시에서 “(전략) 열렬한 한양왕 장간

는 품계品階의 고하에 따라 별가別駕・장사長史・사마司馬・녹사참군사錄事參軍事・참군사參軍事・녹사錄事・문학文學 등의 속관이 있었다. ≪신당서・백관지≫권49 참조.

158) 二張(이장) : 당나라 측천무후則天武后(624-705) 때 무후의 총애를 믿고 전횡을 일삼던 장역지張易之(?-705)와 장창종張昌宗(?-705) 형제를 가리키는 말.

159) 復辟(복벽) : 제위를 잃은 군주가 다시 복위하는 것을 이르는 말.

160) 社稷(사직) : 농사를 위해 지내는 제사에 대한 총칭. 토지신에게 지내는 제사를 ‘사社’라고 하고, 곡신穀神에게 지내는 제사를 ‘직稷’이라고 한 데서 유래하였다. 황실이나 조정을 상징한다.

161) 詩(시) : 이는 당나라 황보철皇甫澈의 오언고시五言古詩 <네 명의 재상을 읊은 시(賦四相詩)> 4수 중 제1수인 <중서령을 지낸 한양왕 장간지(中書令漢陽王張柬之)> 가운데 3연을 발췌하여 인용한 것으로 ≪전당시全唐詩・황보철≫권313에 전한다.

162) 左袒(좌단) : 왼쪽 소매를 걷어 어깨를 드러내다. 자신이 죄인임을 상징적으로 나타내는 행위를 말한다.

163) 鐘鼎(종정) : 쇠북과 세발솥. 공적이나 중요한 역사적 사실을 기록하기 위해 주조하는 것으로 고관이나 부귀영화를 상징한다.

164) 茅土(모토) : 제후의 봉작封爵을 상징하는 말. 고대에 천자가 제후를 봉할 때 봉지封地를 상징하는 색깔의 흙을 백모白茅로 싸서 하사하면 제후는 그것을 가지고 봉국封國에 가서 사묘社廟를 세운 데서 유래하였다.

165) 五王(오왕) : 당나라 때 부양군왕扶陽郡王 환언범桓彦範・평양군왕平陽郡王 경휘敬暉・박릉군왕博陵郡王 최현위崔玄暐・한양군왕漢陽郡王 장간지張柬之・남양군왕南陽郡王 원서기袁恕己 등 다섯 사람을 일컫는 말. 측천무후則天武后(624-705)가 병석에 누운 틈을 타 장역지張易之(?-705)・장창종張昌宗(?-705) 등 무후의 세력을 제거하고 중종中宗의 복위復位를 도와 왕에 봉해졌으나, 무武씨 집안 세력을 제거하는 데 실패하여 결국 나중에는 무삼사武三思(?-707)의 모함으로 살해당했다. ≪신당서・오왕열전五王列傳≫권120 참조.

지는, 죄를 자청하며 무씨 가문 사람들을 제거하였네.(중략) 위대한 공적을 세웠기에 (이를 기록할) 쇠북과 세발솥을 주조하고, 강산을 뒤져 백모白茅와 흙을 준비해서 식읍을 마련해 주었네. 오늘날까지도 제후에 봉해진 다섯 왕을 칭송하나니, 천고의 세월이 다할 때까지 우뚝서리라"고 하였다.

◇金鑑錄(≪천추금감록≫)

●張九齡, 字子壽, 唐開元[166]賢相也. 千秋節[167], 公王[168]皆獻寶鑑, 九齡上事鑑[169]十章, 號千秋金鑑錄. 李林甫欲中傷之, 九齡作海燕[170]詩[171]云, "海燕雖微物, 乘春亦暫來. 豈知泥滓濺? 只見玉堂[172]開. 繡戶時雙入, 華堂日幾回. 無心與時競, 鷹隼莫相猜." 帝賜白羽扇[173], 獻賦[174]自況, 末云, "苟效用之得所, 雖殺身而何忌?" 又曰, "縱秋氣之移奪, 終感恩於篋中[175]." 開元後, 天下呼曲江公而不名. 弟九皐·九章, 子拯玄. 孫仲芳, 生而岐嶷[176], 父友高郢異之曰, "此兒必爲國器[177]."

---

166) 開元(개원) : 당唐 현종玄宗의 연호(713-741).

167) 千秋節(천추절) : 황제의 탄신일을 일컫는 말. 당나라 현종玄宗 때부터 비롯되었는데 뒤에는 '천장절天長節'로 개명하기도 하였다.

168) 公王(공왕) : 재상인 삼공三公과 제후인 친왕親王을 아우르는 말. 고관대작을 가리킨다.

169) 事鑑(사감) : 정사에 귀감이 될 만한 글을 이르는 말.

170) 海燕(해연) : 제비. 고대 중국인들은 철새인 제비가 바다를 넘어 날아온다고 생각하였기에 앞에 '해海'자를 붙였다.

171) 詩(시) : 이는 오언율시五言律詩 <제비를 읊다(詠鷰)>를 인용한 것으로 당나라 장구령張九齡(678-740)의 ≪곡강집曲江集≫권5에 전한다.

172) 玉堂(옥당) : 한림원翰林院의 별칭. '금란원金蘭院' '금서禁署' '금림禁林' '내서內署' '북원北院' '사림詞林' '오금鼇禁' '오두鼇頭' '오봉鼇峰' '오액鼇掖' '옥서玉署' '한원翰苑' 등 다양한 별칭으로도 불렸다.

173) 白羽扇(백우선) : 흰 깃털로 만든 부채. 고결하고 강직한 성품을 상징한다.

174) 賦(부) : 이는 <백우선을 읊은 부(白羽扇賦)>란 제목으로 ≪곡강집≫권1에 전한다.

175) 篋中(협중) : 부채를 보관하는 상자를 가리킨다. 이상 2구는 전한 반첩여班婕妤가 부채를 소재로 지은 <원망의 노래(怨歌行)>에서 "항상 가을철이 찾아와, 서늘한 바람이 더위를 빼앗으면, 상자 속에 버려져서, 사랑이 중도에 끊어질까 두렵네(常恐秋節至, 涼飇奪炎熱. 棄捐篋笥中, 恩情中道絶)"라고 읊은 구절을 암용한 것으로 보인다. 이 노래는 남조南朝 양梁나라 소통蕭統(501-531)의 ≪문선文選·악부樂府≫권27에 수록되어 전한다.

後爲御史.

○장구령(678-740)은 자가 자수로 당나라 (현종) 개원(713-741) 연간에 활약한 훌륭한 재상이다. (황제의 생일인) 천추절에 재상과 제후들은 모두 귀한 거울을 바쳤지만, 장구령은 정사에 귀감이 될 만한 글 10장을 바치고는 ≪천추금감록≫이라고 하였다. 이임보가 해코지하려고 하자 장구령은 <제비를 읊은 시>를 지어 "제비는 비록 미천한 생물이지만, 봄이 오면 다시 잠시 날아온다네. 집을 지을 진흙이 부족하다는 것을 어찌 알리오? 단지 한림원의 대문이 열렸는지만 살핀다네. 아름다운 비단 창문으로 때로 짝을 지어 날아들어서, 아름다운 대청에서 하루에도 몇 차례 선회하지만, 시절과 다툴 마음 없나니, 송골매여 제비를 시기하지 말게나"라고 하였다. 현종이 백우선을 하사하자 부를 지어 자신의 처지를 빗대면서 말미에서 "진실로 쓸모있는 자리를 얻게 된다면 비록 몸이 죽는다 한들 무엇을 꺼리리오?"라고 하였고, 또 "설사 가을 기운이 자리를 빼앗는다고 해도 끝내 부채 상자에서도 성은을 느낄 수 있다네"라고 하였다. 개원(713-741) 이후로 천하 사람들은 그를 '곡강공'이라고 부르면서 (존중하는 의미에서) 그의 이름을 입에 올리지 않았다. 동생은 장구고張九皐·장구장張九章이고, 아들은 장증현張拯玄이다. 손자 장중방張仲芳은 태어나면서부터 총명하였기에 부친의 친구인 고영이 그를 대견하게 여기며 "이 아이는 필시 나라를 이끌 훌륭한 재목이 될 것이오"라고 하였다. 뒤에 어사에 임명되었다.

◇鳴珂里(고관이 사는 마을)

●張嘉貞, 唐開元中, 拜中書令, 弟嘉祐進左金吾[178]. 每朝, 軒蓋騶導[179]

176) 岐嶷(기억) : 총명한 모양, 돋보이는 모양.
177) 國器(국기) : 나라를 이끌어갈 훌륭한 인재를 비유하는 말.
178) 左金吾(좌금오) : 궁궐의 경비와 순찰을 관장하는 금위군禁衛軍의 사령관인 좌금오위대장군左金吾衛大將軍의 약칭. '오吾'가 '막다(衛)'라는 뜻이어서 무기(金)를 들고 비상사태를 막는다(吾)는 의미에서 유래하였다.
179) 騶導(추도) : 고관高官이 행차할 때 앞에서 길을 인도하는 기마병을 가리키는 말.

盈園巷, 時號所居坊, 曰鳴珂[180]里. 子延賞, 延賞子弘靖, 弘靖子次宗, 四世竝爲中書舍人[181].

○장가정(666-729)은 당나라 (현종) 개원(713-741) 연간에 중서령을 배수받고, 동생 장가우張嘉祐는 좌금오위대장군으로 승진하였다. 매번 조회 때마다 그들의 수레덮개와 길을 인도하는 기마병이 정원이나 골목을 가득 메웠기에 당시 그들이 살던 동네를 '명가리'라고 하였다. 아들은 장연상張延賞(727-787)이고, 장연상의 아들은 장홍정張弘靖이며, 장홍정의 아들은 장차종張次宗으로 사대에 걸쳐 모두 중서사인을 지냈다.

◇識一丁('정' 자를 알다)

●張弘靖, 字元理, 爲盧龍[182]節度使[183], 曰, "而輩[184]挽兩石[185]弓, 不如識一丁字." 軍士銜[186]之. 唐元和[187]中, 拜平章事[188]. 祖父爲相, 號三相張家.

○장홍정(760-824)은 자가 원리로 (하북성) 노룡절도사를 지내면서

---

180) 鳴珂(명가) : 고관이 탄 말의 옥 장식이 말이 움직일 때마다 내는 소리를 이르는 말. 고관을 비유한다.

181) 中書舍人(중서사인) : 황명의 기초起草와 출납出納을 관장하는 중서성中書省 소속의 벼슬. 장관인 중서령中書令과 버금 장관인 중서시랑中書侍郞 다음 가는 고관高官이다.

182) 盧龍(노룡) : 하북성에 설치한 군사 행정 구역 이름.

183) 節度使(절도사) : 당송唐宋 때 한 도道나 여러 주州의 군사·민정·재정 등을 관할하던 벼슬. 송 이후로는 실권이 없이 직함만 있었다.

184) 而輩(이배) : 너희들. '이而'는 2인칭대명사로 '이爾'와 통용자이고, '배輩'는 복수를 나타내는 접미사로 '등等' '조曹'와 뜻이 같다.

185) 兩石(양석) : 활의 강도를 뜻하는 말. 2석의 무게를 들 수 있는 힘으로 당길 수 있는 정도의 강도를 가리킨다.

186) 銜(함) : 마음에 새기다. 원한이나 앙심을 품는 것을 말한다.

187) 元和(원화) : 당唐 헌종憲宗의 연호(806-820).

188) 平章事(평장사) : 벼슬 이름인 동중서문하평장사同中書門下平章事의 약칭. 당나라 때 핵심 권력 기관인 상서성尙書省·중서성中書省·문하성門下省의 장관인 상서령尙書令·중서령中書令·문하시중門下侍中을 재상이라 하였는데, 상설하지 않는 대신 다른 집정관執政官들 가운데 선임하여 '동중서문하평장사同中書門下平章事'라 하고 재상으로 대우하였다. 명나라 초까지 이어지다가 폐지되었고, 그 지위와 명칭은 시대마다 약간의 차이가 있다.

“너희들은 강도가 2석 가량 되는 활을 당기느니 차라리 ‘정’자를 하나 아는 것이 낫노라”고 하였기에 군사들이 그에게 앙심을 품었다. 당나라 (헌종) 원화(806-820) 연간에 평장사를 배수받았다. 조부와 부친 모두 재상에 올랐기에 (‘세 명의 재상을 배출한 장씨 가문’이란 의미에서) ‘삼상장가’로 불렸다.

◇幽谷一叟(골짜기에 숨어사는 일개 늙은이)

●張鎬, 字從周, 有大志, 覲經史, 猶漁獵然. 蕭嵩薦之曰, “用之則爲帝王師, 不用則幽谷一叟耳.” 杜詩[189]云, “張公一生江海客” 元宗[190]擢爲右拾遺[191], 不數年, 出將入相.

○(당나라) 장호(?-764)는 자가 종주로 커다란 포부를 품어 경서와 사서를 섭렵하는 것을 마치 물고기를 잡고 짐승을 사냥하듯이 하였다. 소숭이 그를 천거하며 “그를 기용하면 제왕의 스승이 될 것이지만, 그를 기용하지 않으면 골짜기에 숨어사는 일개 늙은이에 불과할 것입니다”라고 하였다. 두보杜甫도 시에서 “장공(장호)은 평생 강호를 떠돌던 나그네라네”라고 하였다. 현종이 그를 발탁하여 좌습유에 임명하였으나 몇 년 지나지 않아 조정을 나서면 장수가 되고 조정으로 들어오면 재상을 맡았다.

◇曳白(백지 답안지를 질질 끌다)

●張奭, 唐開元中, 就試, 花萼樓[192]下手持試紙, 竟日不成一字. 時人謂

---

189) 詩(시) : 이는 당나라 두보杜甫(712-770)의 악부시樂府詩 <종전終戰을 바라는 노래(洗兵行)> 가운데 한 구절을 인용한 것으로 청나라 구조오仇兆鰲(1640-1714)의 ≪두시상주杜詩詳註≫권6에 전한다.

190) 元宗(원종) : 당나라 현종玄宗의 별칭. ‘원元’은 청나라 강희제康熙帝의 휘避 때문에 ‘현玄’을 고쳐 쓴 것이다.

191) 拾遺(습유) : 당나라 측천무후則天武后(624-705) 때 처음 신설된 규간規諫을 관장하는 벼슬. 좌·우습유가 있었는데, 좌습유는 문하성門下省 소속이고 우습유는 중서성中書省 소속이었다. 송나라 때는 좌左·우정언右正言으로 개칭되었다.

192) 花萼樓(화악루) : 형제간에 우애가 좋았던 당나라 현종玄宗이 섬서성 장안에 세운 누각인 화악상휘루花萼相輝樓의 약칭. ‘화악花萼’은 꽃과 꽃받침을 뜻하

之曳白[193].

○장석은 당나라 (현종) 개원(713-741) 연간에 과거시험에 응시했으나 화악루 아래서 손에 시험지를 든 채 하루종일 한 글자도 쓰지 못했다. 그래서 당시 사람들이 그를 '예백'이라고 하였다.

◇矮屋擡頭(나지막한 지붕 아래서는 머리를 들 수 없다)

●張象爲華陰簿[194], 爲守令[195]所抑, 嘆曰, "大丈夫有凌雲蓋世之氣, 而拘於下位, 如立身矮屋之下, 使人擡頭不得." 棄官, 歸.

○당나라 장단은 (섬서성) 화음현의 주부를 지내다가 현령에게 억압을 받자 탄식하며 말했다. "대장부가 구름을 타고 세상을 뒤덮을 기개를 품어야 하거늘 낮은 지위에 얽매이는 것은 마치 나지막한 지붕 아래서 몸을 세우면 사람이 머리를 들 수 없는 것과 같은 것이다." 결국 관직을 그만두고 귀향하였다.

◇罵賊(반군에게 욕을 하다)

●張巡志氣高邁. 唐天寶[196]中, 祿山[197]反, 巡守睢陽, 縛藁爲人, 剡蒿爲矢, 大小四百戰. 糧盡城陷, 罵賊而死. 尹于奇[198]以刀抉其口, 齒存者三四.

는 말로 형제간의 우애를 상징한다.

193) 曳白(예백) : 백지 답안지를 질질 끌다. 실력이 형편없는 것을 비유한다.

194) 簿(부) : 한나라 이후로 문서 처리를 관장하는 속관屬官인 주부主簿의 약칭. 중앙 및 지방의 각 행정 기관에 모두 설치하였다.

195) 守令(수령) : 태수太守(혹은 자사刺史)와 현령縣令을 아우르는 말. 백성들을 다스리는 목민관牧民官에 대한 총칭.

196) 天寶(천보) : 당唐 현종玄宗의 연호(742-756).

197) 祿山(녹산) : 당나라 사람 안녹산安祿山(703-757). 호족胡族 출신으로 본명은 아락산阿犖山 혹은 알락산軋犖山. 현종玄宗 때 절도사節度使에 올랐고, 양귀비楊貴妃(719-756)의 양자가 되어 총애를 받았으나 양국충楊國忠과 갈등을 빚자 반란을 일으켜 장안長安을 점령하고 스스로 칭제稱帝한 뒤, 국호를 연燕, 연호를 성무聖武라고 하였다. 뒤에 장남 안경서安慶緖(?-759)에게 살해당했다. ≪신당서·역신열전逆臣列傳·안녹산전≫권225 참조.

198) 尹于奇(윤우기) : 당나라 안녹산의 반란 때 반군의 장수 이름. ≪신당서·안녹산전≫권225 참조.

○장순(709-757)은 지조가 강하고 기개가 드높았다. 당나라 (현종) 천보(742-756) 연간에 안녹산이 반란을 일으키자 장순은 (안휘성) 수양현을 지키면서 짚을 엮어 인형을 만들고 쑥을 잘라 화살을 만들어서 크고 작은 전투를 4백 차례나 치렀다. 식량이 떨어지고 성이 함락당해도 반군에게 욕을 하다가 죽었다. (반군의 장수인) 윤우기가 칼로 그의 입을 가르자 이빨 중에 남은 것이 서너 개뿐이었다.

◇燕許筆(연국공燕國公과 허국공許國公의 훌륭한 글솜씨)

●張說, 字道濟, 唐開元中, 爲中書令, 封燕國公, 蘇頲封許國公, 皆以文章著名, 時號燕許筆[199]. 帝有所爲, 必使視草. 三子均・垍・埱, 均授大理卿[200]. 杜贈詩[201]云, "通籍[202]踰青瑣[203], 亨衢[204]照紫泥[205]." 後均・垍皆以從祿山而敗.

○장열(667-731)은 자가 도제로 당나라 (현종) 개원(713-741) 연간에 중서령을 지내다가 연국공에 봉해졌고 소정은 허국공에 봉해졌는데, 두 사람 모두 문장으로 이름을 떨쳐 당시 '연허대수필燕許大手筆'로 불렸다. 현종이 조서를 반포할 일이 생기면 반드시 그에게 초안을 살피게 하였다. 세 아들인 장균張均・장게張垍・장숙張埱 모두 대리경을 배수받았다. 두보杜甫는 시를 증정하면서 "문적을 통해

---

199) 燕許筆(연허필) : 당나라 연국공 장열張說(667-731)과 허국공 소정蘇頲(670-727)의 글솜씨를 칭찬하는 말인 '연허대수필燕許大手筆'의 준말.

200) 大理卿(대리경) : 형법과 재판에 관한 업무를 관장하는 기관인 대리시大理寺의 장관으로 구경九卿의 하나. 버금 장관인 대리소경大理少卿과 대리정大理正・대리승大理丞・대리평사大理評事 등의 속관을 거느렸다.

201) 詩(시) : 이는 오언배율五言排律 <태상경 장게에게 드리는 20운의 시(奉贈太常張卿垍二十韻)> 가운데 한 연을 인용한 것으로 청나라 구조오仇兆鰲(1640-1714)의 ≪두시상주杜詩詳註≫권3에 전한다.

202) 通籍(통적) : 문적門籍에 이름을 올려 궁문을 출입할 수 있게 하는 일.

203) 青瑣(청쇄) : 문하성門下省의 출입문에 푸른 색깔의 사슬 모양을 한 장식품을 가리키는 말. 궁궐을 상징한다.

204) 亨衢(형구) : 사통오달四通五達하는 큰 길을 이르는 말. 도성의 거리나 궁중의 길목을 가리킨다.

205) 紫泥(자니) : 황제가 조서를 봉할 때 사용하는 자주색 인주를 가리키는 말로 조서를 비유한다. 혹은 자주색 진흙으로 봉한 데서 유래되었다는 설도 있다.

(문하성의) 청쇄문을 넘는데, 탁 트인 거리에 붉은 진흙이 비치네"라고 하였다. 뒤에 장균과 장게는 모두 (반군인) 안녹산을 추종하다가 싸움에 패하였다.

◇烟波釣徒(자연을 벗삼은 낚시꾼)

●張志和, 字子同, 金華人. 母夢楓生腹上, 産志和. 初名龜齡, 肅宗命待詔206)翰林207), 賜今名. 因親喪不仕, 居江湖, 自號烟波釣徒. 每垂釣, 不設餌, 志不在魚也. 號玄眞子, 觀察使208)陳少游表, 其居曰玄眞坊, 爲買地, 大其閭, 號回軒, 巷門前阻水, 爲構一橋, 號大夫橋. 陸羽問, "孰與往來?" 對曰, "太虛209)爲室, 明月爲燭, 與四海210)諸公共處, 未嘗少別, 何有往來?" 帝賜奴婢各一, 志和配爲夫婦, 名曰漁童·樵青. 有漁歌云, "西塞山前白鷺飛, 桃花流水鱖魚肥. 青蒻笠211), 綠簑衣, 斜風細雨不須歸. 松江212)蟹舍213)主人歡, 菰米蓴羹亦共餐. 楓葉落, 荻花乾, 醉宿漁舟不覺寒. 雲溪灣裏釣魚翁, 舴艋214)爲家西復東. 江上雨, 浦邊風, 更著荷衣215)不歎窮." 兄鶴齡築室越州東郭, 椽棟不施斤斧.

---

206) 待詔(대조) : 한나라 이후로 황실에 초빙되어 황명을 기다리며 황제에게 자문을 해 주던 일이나 그런 일을 담당하는 벼슬을 일컫는 말.

207) 翰林(한림) : 당나라 초기에 각계의 전문가로 구성한 황제의 자문기구인 한림원翰林院의 약칭. 송나라 때는 천문·서예·도화圖畵·의관醫官 4국을 총괄하였고, 명청明淸 때는 사서史書의 편찬이나 저작著作·도서圖書 등의 업무를 관할하였다.

208) 觀察使(관찰사) : 당나라 때 도道나 절도사節度使가 없는 주州에 두어 군사·재무·민사 등 모든 권한을 행사하던 벼슬. '도부都府'라고 칭할 만큼 권한이 막강하였으며, 중엽 이후로는 절도사가 겸직하다가 송나라에 들어서는 유명무실해졌다.

209) 太虛(태허) : 우주·하늘·만물의 근원을 이루는 기운 등을 비유하는 말.

210) 四海(사해) : 천하를 이르는 말. 고대 중국인들이 사방이 바다였다고 생각한 데서 비롯되었다. 옛날에는 온세상을 '천하天下' '해내海內' '사해四海' '육합六合' '구주九州' '신주神州' '우주宇宙' 등 다양한 어휘로 표현하였다.

211) 蒻笠(약립) : 삿갓.

212) 松江(송강) : 강소성 오吳 지역을 흐르는 강물 이름.

213) 蟹舍(해사) : 어촌이나 어가漁家를 이르는 말.

214) 舴艋(책맹) : 거룻배. '책舴'과 '맹艋' 모두 작은 배를 뜻한다.

215) 荷衣(하의) : 연잎으로 만들었다는 가공의 옷. 주로 고상한 선비나 은자의 복장을 비유한다.

○(당나라) 장지화(약 743-약 810)는 자가 자동으로 (절강성) 금화현 사람이다. 모친이 단풍나무가 배 위에서 자라는 꿈을 꾸고서 장지화를 낳았다. 당초 본명은 귀령이었으나 숙종이 한림원에서 대조직을 맡게 하면서 현재의 이름을 하사한 것이다. 부모상을 당해 벼슬에 오르지 않고 강호에 거처하면서 스스로 호를 '연파조도'라고 하였다. 매번 낚시대를 드리울 때마다 미끼를 달지 않았으니 물고기를 잡는데 마음을 두지 않았던 것이다. 호를 '현진자'라고 하자 관찰사 진소유가 상소문을 올려 그가 사는 동네 이름을 '현진방'이라고 짓고, 그를 위해 땅을 매입해서 집을 크게 늘리고는 '회헌'이라고 불렀으며, 골목 출입문 앞에 물을 막고 그를 위해 다리를 하나 만들고는 '대부교'라고 불렀다. 육우가 "누구와 왕래하십니까?"라고 묻자 장지화는 "우주를 집으로 여기고 명월을 촛불로 여기며 천하의 인사들과 함께 거처하기에 일찍이 조금도 작별인사를 나눈 적이 없거늘 무슨 왕래가 있겠습니까?"라고 대답하였다. 황제가 사내종과 하녀를 각기 한 명 하사하였지만 장지화는 그들을 부부로 맺어 주고 '어동'과 '초청'이란 이름을 지어 주었다. 그는 <어부의 노래>를 지어 "서새산 앞에 백로가 날고, 복사꽃 흐르는 강물에 쏘가리 살졌으니, 파란 삿갓에 푸른 도롱이 입고, 비껴부는 바람과 가랑비 맞으며 돌아갈 생각을 않는다네. 송강 어촌의 주인이 반가운 얼굴로, 줄밥과 순채국을 함께 먹는데, 단풍잎 떨어지고 갈대꽃 매마르면, 술에 취해 고기잡이 배에서 잠이 들어도 답답하지 않다네. 구름 가득한 계곡 물굽이에서 고기 낚는 노인네, 거룻배를 집으로 삼아 서쪽으로 갔다가 동쪽으로 갔다가 하더니, 강가에 비 내리고 포구에 바람 불면, 다시 연잎옷을 입은 채 가난하다고 한탄하지 않는다네"라고 하였다. 형 장학령張鶴齡은 (절강성) 월주의 동쪽 성곽 밖에 집을 지으면서 서까래와 용마루에 도끼질을 하지 않은 채 소박하게 원목을 그대로 썼다.

◇草聖(초서의 달인)

●張旭嗜酒, 善草書. 每大醉, 呼叫狂走, 乃下筆. 或以頭濡墨而書. 旣醒,自視以爲神. 世呼張顚. 與李白等爲飮中八仙. 杜甫歌[216]云, “張旭三杯草聖傳, 揮毫落紙如雲烟.”

○(당나라) 장욱은 술을 좋아하고 초서를 잘 썼다. 매번 술에 거나하게 취하면 소리치며 미친 듯이 달리다가 비로소 붓을 들곤 하였다. 어떤 때는 머리에 먹물을 묻혀 글씨를 쓰기도 하였다. 술에서 깨고 나면 스스로 자신의 글씨를 보면서 신의 솜씨라고 여겼다. 그래서 세간에서는 (‘머리카락 끝으로 글씨를 쓰는 장씨’라는 의미에서) ‘장전’이라고 불렀다. 이백 등과 함께 ‘음중팔선’으로 불렸다. 두보는 (술 마시는 여덟 신선을 읊은) 노래를 지어 “장욱은 술 석 잔에 초서의 달인이라고 전해지는데,(중략) 붓을 휘둘러 종이에 대면 구름과 연기가 피어오르는 것 같다네”라고 하였다.

◇草木知名(초목도 이름을 알다)

●張萬福三世明經. 德宗召, 拜濠州刺史, 謂曰, “先帝改爾名, 所以褒也, 朕謂江淮草木, 亦知爾威名.” 仍賜舊名.

○장만복은 삼대에 걸쳐 명경과에 급제하였다. 덕종이 그를 불러 (안휘성) 호주자사를 배수하고는 그에게 “선왕께서 그대 이름을 개명한 것은 포상하기 위해서였소만, 짐은 장강와 회수 일대의 초목도 그대의 위명을 알고 있다고 생각하오”라고 하였다. 그래서 다시 옛 이름을 하사하였다.

◇天麒麟(하늘이 내려준 기린 같은 귀한 아들)

●張盥始生三朝, 劉禹錫與宴. 故其詩[217]云, “爾生始懸弧[218], 我作座上

---

216) 歌(가) : 이는 칠언고시七言古詩 <술 마시는 여덟 신선의 노래(飮中八仙歌)> 가운데 두 구절을 발췌하여 인용한 것으로 청나라 구조오仇兆鰲(1640-1714)의 ≪두시상주杜詩詳註≫권2에 전한다. ‘팔선’은 이백李白·하지장賀知章·이적지李適之·여양왕汝陽王 이진李璡·최종지崔宗之·소진蘇晉·장욱張旭·초수焦遂를 가리킨다.

217) 詩(시) : 이는 오언고시五言古詩 <과거시험을 보러 가는 장관을 전송하다(送張盥赴擧)> 가운데 제1·2연을 인용한 것으로 당나라 유우석劉禹錫(772-842)의 ≪유빈객문집劉賓客文集≫권28에 전한다.

賓. 擧筯引湯餅[219], 祝詞天麒麟."

○(당나라) 장관이 처음 태어난 지 사흘 되던 날에 유우석이 잔치에 참석한 일이 있다. 그래서 유우석은 시에서 "자네가 태어나 처음 활을 걸던 날, 나는 좌중의 손님이었네. 젓가락을 들어 국수를 뜨면서, 하늘이 기린 같은 귀한 아들을 내려주신 것을 축하하였지"라고 하였다.

◇雙與(두 사람을 동시에 합격시키다)

●張越石與弟楚金同中第, 有司[220]以兄弟不兩收, 將罷. 越石·楚金自陳, 請俱退. 李勣曰, "貢擧[221]本求才行, 何惜雙與?"

○(당나라 때) 장월석이 동생 장초금張楚金과 함께 과거시험에 급제하자 시험감독관이 형제를 둘 다 합격시켜서는 안 된다고 생각하여 취소하려고 하였다. 장월석과 장초금이 자진해서 함께 물러나겠다고 청하자 이적이 말했다. "과거시험은 본래 인재를 찾기 위한 것이거늘 두 사람을 동시에 합격시키는 것을 어찌 애석하게 생각할 필요가 있겠소?"

◇十策(열 가지 정책)

●張齊賢, 字師亮[222]. 趙太祖[223]幸西都[224], 齊賢以布衣陳十策, 四說稱

---

218) 懸弧(현호) : 활을 걸다. 아들을 낳는 것을 비유한다. 고대 중국인들은 아들이 태어나면 대문 왼쪽에 활을 걸고, 딸이 태어나면 대문 오른쪽에 수건을 거는 관습이 있었다는 말이 ≪예기·내칙內則≫권28에 전한다.

219) 湯餅(탕병) : 국수. 길이가 길기에 장수를 상징한다.

220) 有司(유사) : 모종의 업무를 전담하는 담당관에 대한 범칭. '소사所司'라고도 한다. 여기서는 시험감독관을 가리킨다.

221) 貢擧(공거) : 당송 때 각 지방에서 추천한 인재(貢)를 대상으로 예부에서 실시하던 과거시험(擧)을 이르는 말. 반면 천자가 고사장에 행차하여 직접 실시하던 과거시험은 '제거制擧' 혹은 '제과制科'라고 하였다.

222) 師亮(사량) : 삼국 촉蜀나라 승상 제갈양諸葛亮을 본받겠다는 의미에서 자를 '사량'으로 지었다고 한다.

223) 趙太祖(조태조) : 송나라 태조太祖 조광윤趙匡胤(927-976)을 가리킨다.

224) 西都(서도) : 송나라 때 하남부河南府(지금의 하남성 낙양시洛陽市)의 별칭. '서경西京'이라고도 한다. 송나라 때는 수도인 변경汴京이 동쪽에 위치하였기

旨[225], 堅執其餘皆善, 以束帛遣之. 歸, 謂晉王[226]曰, “吾幸西都, 得一張齊賢, 異日可用爲相.” 太宗卽位, 放進士, 齊賢適在第三甲, 有旨一榜[227]盡與京官[228]. 不十年, 拜相, 致仕, 歸洛陽, 得裴度午橋莊, 鑿渠通流, 栽花植竹, 日與故舊乘小輿, 携觴遊釣. 詩云, “午橋[229]今得晉公[230]廬, 水竹煙花興有餘. 師亮白頭心已足, 四登五府[231]九尙書.” 諡文定.

○장제현(943-1014)은 자가 사량이다. (송나라) 태조 조광윤趙匡胤이 (하남성 낙양의) 서도에 행차하자 장제현이 평민의 신분으로 열 가지 정책을 진술하였는데, 네 번째 주장이 황제의 마음에 들었지만 나머지도 모두 좋다고 고집하였기에 비단을 그에게 보냈다. 태조가 돌아와서는 (동생인) 진왕(조광의趙匡義)에게 “내가 서도에 행차하였다가 장제현이란 사람을 만났는데 훗날 재상으로 기용해도 될 것이네”라고 하였다. 태종이 즉위하고서 진사시험 합격자 명단을 발표할 때 장제현이 마침 제3의 갑과에 속해 있자 합격자 명단에 있는 사람 전체에게 모두 경관을 주라는 교지가 있었다. 10년도 되지 않아

에 장안長安 대신 낙양을 ‘서도’라고 하였다.

225) 稱旨(칭지) : 황제의 마음을 흡족케 하다, 황제의 의중에 부합하다.

226) 晉王(진왕) : 송나라 태조太祖 조광윤趙匡胤(927-976)의 동생인 태종太宗 조광의趙匡義(939-997). 즉위 후에는 이름을 ‘광의光義’로 개명하였다. ‘진왕’은 즉위하기 전 태종의 봉호封號이다. ≪송사·태종본기太宗本紀≫권5 참조.

227) 一榜(일방) : 과거시험 합격자 명단 전체를 가리키는 말.

228) 京官(경관) : 경사京師에 있는 각 관아의 벼슬아치들을 아우르는 말.

229) 午橋(오교) : 하남성 낙양현洛陽縣 남쪽 10리 되는 곳에 있는 다리 이름이자 당나라 배도裴度(765-839)의 별장인 오교장午橋莊의 약칭. ‘오교’는 북쪽(子)에서 남쪽(午)으로 곧장 뻗은 다리를 뜻하는 말인 ‘자오교子午橋’의 준말.

230) 晉公(진공) : 당나라 때 사람 배도裴度(765-839)에 대한 존칭. ‘진공’은 그의 봉호인 진국공晉國公의 준말. 산남동도절도사山南東道節度使와 중서령中書令 등을 역임하였고, 백거이白居易(772-846)·유우석劉禹錫(772-842)과 친분이 두터웠다. ≪신당서·배도전≫권173 참조.

231) 五府(오부) : 다섯 관아를 아우르는 말. 가리키는 것이 일정하지 않아 태부太傅·태위太尉·사도司徒·사공司空·대장군大將軍을 가리킨다는 설이 있는가 하면, 승상·어사御史·거기장군車騎將軍·전장군前將軍·후장군後將軍을 가리킨다는 설도 있고, 지관地官·춘관春官·하관夏官·추관秋官·동관冬官, 즉 이부吏部를 제외한 상서성尙書省의 5부를 가리킨다는 설도 있다. 결국 고관의 관서를 가리킨다.

재상을 배수받았다가 벼슬을 그만두고 낙양으로 돌아가더니 (당나라) 배도의 오교장을 구입해서 도랑을 파 물길을 트고 꽃나무와 대나무를 심고는 날마다 친구들과 함께 작은 수레를 타고 술잔을 들면서 낚시를 즐겼다. 그는 시를 지어 "이제 자오교 근처에다가 진국공(배도)의 집을 구해, 수죽과 꽃을 심었더니 흥이 넘치는구나. 나 사량(장제현)은 머리카락 셌어도 마음 이미 넉넉하나니, 네 번이나 오부에 오르고 아홉 번이나 상서를 지냈다네"라고 하였다. 시호는 '문정'이다.

◇方面之任(한 지방을 다스리는 임무)

●張詠, 字復之, 登太平[232]八年第. 嘗曰, "吾榜得人最多, 謹重雅望, 無如李公(沆), 深沈有德, 無如王公(旦), 面折[233]廷爭, 無如寇公(準), 當方面[234]之任, 詠不敢辭." 及第後, 寄友人傅霖詩[235]云, "前年失脚[236]下漁磯[237], 苦[238]戀明時未忍歸. 爲報巢由[239]莫相笑, 此心不是愛輕肥." 嘗從陳希夷[240]學道, 欲分華山一半, 陳以筆墨蜀牋[241]贈之. 後帥蜀,

---

232) 太平(태평) : 북송北宋 태종太宗의 연호인 태평흥국太平興國(976-983)의 준말.
233) 面折(면절) : 면박을 주다, 면전에서 냉정하게 말하다.
234) 方面(방면) : 한 지방의 영역이나 그곳을 관장하는 장관을 이르는 말.
235) 詩(시) : 이는 칠언절구七言絶句 <은자 부임傅霖에게 부치다(寄傅逸人)>를 인용한 것으로 송나라 장영張詠(946-1015)의 ≪괴애집乖崖集≫권5에 전한다.
236) 失脚(실각) : 발을 헛디뎌 넘어지다. 벼슬에서 쫓겨나거나 좌절을 겪는 것을 비유한다.
237) 漁磯(어기) : 낚시질하기 좋은 물가를 이르는 말로 은거나 자연을 벗하는 생활을 상징한다.
238) 苦(고) : 매우, 몹시.
239) 巢由(소유) : 당唐나라 요왕堯王 때 은자로 알려진 전설상의 인물인 소보巢父와 허유許由를 아우르는 말. 허유가 요왕에게서 왕이 되어 달라는 세속적인 얘기를 들었다고 영수潁水에서 귀를 씻자, 소보가 그 물을 자기 소에게 먹일 수 없다며 소를 끌고 상류로 올라갔다는 고사가 진晉나라 황보밀皇甫謐(215-282)의 ≪고사전高士傳·소보≫권상에 전한다.
240) 陳希夷(진희이) : 송나라 때 사람 진단陳摶. '희이'는 사호賜號. 도사道士로서 이학理學을 추구하여 주돈이周敦頤(1017-1073)와 소옹邵雍(1011-1077)에게 영향을 주어 성리학性理學의 발단을 열었다는 평가를 받는다. ≪송사·진단전≫권457 참조.

寄希夷詩[242]云, "性愚不肯住山林, 剛[243]要淸流[244]擬致君[245]. 今日星馳劍南[246]檄, 回頭慚愧華山雲." 性極淸介[247], 燕處惟紗帽皀絛[248]布裘而已. 畫像衣兎褐[249]. 自贊云, "乖則違俗, 崖不利物. 乖崖之名, 聊以表德." 因號乖崖公. 遷工部尙書[250], 再充十州宣撫使[251]. 謚忠定.

○(송나라) 장영(946-1015)은 자가 복지로 (태종) 태평흥국太平興國 8년(983)에 실시한 과거시험에 급제하였다. 그는 일찍이 "내가 속한 과거시험 합격자 명단에서 인재를 가장 많이 얻었는데, 신중하고 전아하기로는 이공(이항李沆)만한 사람이 없고, 침착하면서 덕이 있기로는 왕공(왕단王旦)만한 사람이 없고, 면전에서 직설적으로 말하면서 조정에서 쟁론을 잘 펼치기로는 구공(구준寇準)만한 사람이 없지만, 한 지방을 다스리는 임무를 감당하는 일이라면 나 장영도 사양하지 않으리다"라고 하였다. 과거시험에 급제한 뒤에는 일찍이 친구인 부임에게 시를 부쳐 "예전에 발을 헛디뎌 (관직에서 물러나) 낚시하기 좋은 물가로 내려갔지만, 태평성대가 무척 그리워 차마 귀향하지 못했습니다. 저 대신 (당唐나라 때 은자) 소보巢父와 허유許由에게 저

---

241) 蜀牋(촉전) : 촉 땅에서 생산되는 고품질의 종이를 이르는 말. '촉전蜀箋'으로도 쓴다.

242) 詩(시) : 이는 칠언절구七言絶句 <화산을 지나다가 백운선생 진단이 생각나다(過華山, 懷白雲陳先生)>를 인용한 것으로 ≪괴애집≫권5에 전한다.

243) 剛(강) : 억지로, 그런대로. '강强'과 통용자.

244) 淸流(청류) : 덕망이 높은 사대부에 대한 미칭美稱.

245) 致君(치군) : 임금을 당唐나라 요왕堯王이나 우虞나라 순왕舜王 같은 성군의 경지에 이르게 하다. 즉 태평성대를 이루는 데 공헌하는 것을 말한다.

246) 劍南(검남) : 당나라 때 설치한 도道 이름. 중국 서남부 검문산劍門山 이남의 사천성 일대를 가리킨다. 여기서는 장영張詠 자신이 촉주蜀州로 부임하는 것을 말한다.

247) 淸介(청개) : 성품이 청렴하고 강직한 모양.

248) 皀絛(조조) : 검은색 명주실로 만든 갓끈을 이르는 말.

249) 兎褐(토갈) : 토끼의 털로 짠 옷이나 천을 이르는 말.

250) 工部尙書(공부상서) : 당송 때 상서성尙書省의 육부六部 중 토목공사와 기물의 제작 및 수리 등에 관한 업무를 관장하던 기관인 공부의 장관을 이르는 말. 휘하에 시랑侍郞과 낭중郞中·원외랑員外郞 등을 거느렸다.

251) 宣撫使(선무사) : 병란이나 재해가 발생한 곳에 파견되어 민심을 진정시키고 당면한 업무를 처리하던 사신을 이르는 말. 당나라 덕종德宗 때 처음 설치되었다가 송나라 때에는 한 지방 군정의 최고책임자가 되었다.

를 비웃지 말라고 전해주소서, 이 마음 부귀한 삶을 동경하는 것은 아니니"라고 말한 적이 있다. 또 일찍이 희이선생希夷先生 진단陳摶에게서 도를 배워 화산의 반쪽을 나눠주려고 하자 진단이 붓과 먹과 (사천성) 촉주에서 생산되는 고급 종이를 그에게 보내온 적이 있다. 뒤에 촉주를 다스리게 되자 진단에게 시를 부쳐 "천성적으로 어리석어 산림에 거주하지 못 하고, 억지로 청렴한 선비를 필요로 하기에 태평성대를 이루고자 하는 꿈을 품었습니다. 이제 별처럼 달려 검남땅에서 격문을 날리게 되었기에, 고개를 돌리니 화산의 구름에 부끄러움을 느낍니다"라고 하였다. 성품이 청렴하고 강직하기에 한가로이 지낼 때는 오직 깁모자를 쓰고 검은 갓끈을 달고 베로 만든 갖옷을 입는 데 그쳤다. 초상화에는 토끼털로 짠 옷을 입은 모습이 담겨 있다. 그는 스스로 지은 찬문에서 "성격이 괴팍하여(乖) 시류에 어긋나고 행실이 모나(崖) 사람들에게 도움을 주지 못 했으니 '괴애乖崖'라는 이름으로 그런대로 인품을 나타낼 만하리라"고 하였다. 그래서 호를 '괴애공'이라고 하였다. 공부상서에 올랐다가 다시 10군데 주의 선무사를 담당하였다. 시호는 '충정'이다.

◇好官員(좋은 관원)

●張晞顔爲萍鄕宰[252]. 時范延賞貴爲殿直[253], 過金陵[254], 張詠爲守, 問"天使[255]見好官員否?" 范曰, "萍鄕宰張晞賢, 好官員也. 自入其境, 橋道完, 田萊[256]闢, 野無惰農, 市肆無賭博, 夜聞更鼓[257]分明." 詠曰,

---

252) 宰(재) : 현령縣令의 별칭. 주州의 장관인 자사는 '목牧'이라고 하고, 현縣의 장관인 현령은 '재宰'라고 한다.
253) 殿直(전직) : 오대五代 이후로 궁내에서 황제를 시종하는 무관武官을 일컫는 말.
254) 金陵(금릉) : 지금의 강소성 남경시南京市의 옛 이름. 전국시대 초楚나라가 설치하였던 것을 삼국 오吳나라 때 '건업建業'으로, 진晉나라 때 '건강建康'으로 개명하였으며, 남조南朝 시기 왕조들이 모두 이곳에 도읍을 정했다.
255) 天使(천사) : 황제의 사신에 대한 미칭美稱.
256) 田萊(전래) : 밭과 휴경지를 아우르는 말. 결국 농토를 가리킨다.
257) 更鼓(경고) : 밤에 시간을 알리기 위해 초경初更(오후 7~9시)부터 5경(오전 3~5시)까지 매 경更마다 치던 북을 이르는 말.

"天使亦好官員也." 同薦于朝, 二人後皆良吏.

○(송나라) 장희안은 (강서성) 평향현의 현령을 지냈다. 당시 범연상이 신분이 높아져 (황제를 모시는 무관인) 전직에 올라서 (강소성) 금릉에 들렀을 때 장영이 금릉태수를 맡고 있었다. 장영이 물었다. "사신께서는 좋은 관원을 만나보셨습니까?" 범연상이 대답하였다. "평향현의 현령인 장희안이 좋은 관원이더군요. 직접 그의 경내에 들어가 보았더니 다리와 도로가 온전하고, 농토가 드넓고, 들판에 게으름을 부리는 농부가 없고, 저자에는 도박을 하는 이들이 없고, 밤에 시간을 알리는 북소리가 또렷하였습니다." 그러자 장영이 말했다. "사신께서도 좋은 관원이십니다." 그래서 그들을 동시에 조정에 천거하였다. 두 사람은 뒤에 모두 어진 관리가 되었다.

◇三世衣冠(삼대에 걸쳐 고관을 지내다)

●張士遜, 字順之, 少時植桐於蕭寺[258]. 宋淳化[259]壬辰登第, 後告老[260], 留於寺云, "桐枝手植有桐孫, 二紀[261]重來愧此身. 三世衣冠聯貴仕, 十州軒冕[262]接淸塵. 耕桑雖喜多新隴, 耆艾[263]堪嗟少故人. 蕭寺門前題粉壁, 壁書丁巳對壬辰." 眞宗朝, 與陳堯佐同秉政, 及致仕, 寄以詩云, "赭案[264]當年竝命時, 蒹葭[265]衰颯倚瓊枝. 皇恩乞與[266]桑

258) 蕭寺(소사) : 사찰의 별칭. 남조南朝 양梁나라 무제武帝 소연蕭衍이 사찰을 짓고서 자신의 성씨를 붙인 데서 유래하였다.

259) 淳化(순화) : 북송北宋 태종太宗의 연호(990-994).

260) 告老(고로) : 늙었다고 아뢰다. 즉 사직을 청하는 것을 말한다.

261) 二紀(이기) : 24년. 그러나 마지막 구절에 비추어 볼 때 36년을 뜻하는 말인 '삼기三紀'의 오기로 추정된다. '기'는 보통 12년을 뜻하나 10개월, 25개월, 한 세대인 30년, 1500년 등 다양한 의미로도 쓰였다.

262) 軒冕(헌면) : 대부大夫 이상의 관원이 타는 수레와 예복을 뜻하는 말로서 벼슬이나 고관을 비유한다.

263) 耆艾(기애) : 스승이나 어른, 나이 든 노인을 두루 이르는 말. 50살을 '애艾', 60살을 '기耆'라고 하는 데서 유래하였다.

264) 赭案(자안) : 황제가 정무를 처리할 때 사용하는 붉은 색의 책상. 황제를 비유한다.

265) 蒹葭(겸가) : 갈대. 미천한 신분을 상징하거나 자신을 낮추는 겸사謙辭.

266) 乞與(기여) : 내주다, 빌려주다.

榆[267]老，鴻入高冥鳳在池.”

○장사손(964-1049)은 자가 순지로 어렸을 때 사찰에 오동나무를 심은 적이 있다. 송나라 (태종) 순화 임진년(992)에 과거시험에 급제하였다가 뒤에 사직을 청하고 사찰에 머물게 되자 다음과 같은 시를 지었다. “오동나무를 손수 심었더니 오동나무 손자가 자라났건만, 36년만에야 다시 찾아오니 이 몸이 부끄럽구나. 삼대에 걸쳐 사대부로서 계속해서 고관에 올랐고, 10개 주에서 벼슬아치를 지내며 맑은 먼지를 접했었지. 뽕나무를 심는 것을 권장하여 비록 새로운 도랑 많아져서 좋긴 하지만, 나이 들어 한스럽게도 친구가 적다네. 사찰 출입문 앞에서 벽에다가 분칠로 글을 썼었는데, 벽에 썼던 정사년(957)이란 글씨가 (36년 지나) 임진년(992)에 돌아온 나를 마주하네.” 진종 때 진요좌와 함께 정사를 주관하다가 벼슬을 그만두게 되자 그에게 다음과 같은 시를 부쳐 말했다. “폐하의 붉은 책상 앞에서 당시에 함께 시정을 좌우하였으니, 갈대가 시들해지면 아름다운 가지에 기대듯이 하였지요. 황은에 힘입어 뽕나무・느릅나무와 함께 늙게 되었으니, 기러기(장사손)는 높은 하늘로 날아들고 봉황(진요좌)은 궁중 연못에 남게 되었군요.”

◇閒忙舍(한가한 관리와 바쁜 관리)

●張君房，宋祥符[268]中，爲著作佐郞. 學士院辭命，多其代作. 時章聖[269]詔撰日本國祥光寺記，而君房方醉飮樊樓[270]，中使[271]三促，紫微[272]大

---

267) 桑榆(상유) : 뽕나무와 느릅나무. 해가 지는 곳을 가리키는 말로, 만년이나 은거를 상징한다.

268) 祥符(상부) : 북송北宋 진종眞宗의 연호인 대중상부大中祥符(1008-1016)의 준말.

269) 章聖(장성) : 송나라 태종太宗의 셋째 아들인 진종眞宗의 시호諡號 ‘응부계고신공양덕문명무정장성원효황제應符稽古神功讓德文明武定章聖元孝皇帝’의 약칭. ≪송사・진종본기眞宗本紀≫권6 참조.

270) 樊樓(번루) : 송나라 때 도성인 하남성 개봉부開封府에 있었던 대규모 술집 이름. ‘백반루白礬樓’라고도 하였다.

271) 中使(중사) : 궁중에서 파견하는 사자. 주로 환관宦官을 임명하였다.

272) 紫微(자미) : 중서성中書省의 별칭. 당나라 때 중서성을 자미성으로 개칭한

窘. 後因擧閒忙令273), 錢希白274)云, "世上何人號最忙? 紫微失却張君房."

○장군방은 송나라 (진종) 대중상부(1008-1016) 연간에 저작좌랑을 지냈는데, 학사원에서 작성하는 문서 중에는 그가 대신 지은 것이 많았다. 당시 진종이 일본국 상광사에 관한 기록물을 짓게 하였는데 장군방은 한창 (하남성 개봉부의) 번루에서 취하도록 술을 마시고 있었다. 환관이 세 번이나 재촉하는 바람에 자미성(중서성)이 크게 곤경에 빠지고 말았다. 뒤에 이를 빌미로 한가한 관리와 바쁜 관리를 거론하게 되자 희백希白 전역錢易이 말했다. "세상에서 누구를 가장 바쁜 사람이라고 부를까? 중서성이 장군방의 행방을 잃어버렸네"라고 하였다.

◇白雲孤鶴(흰 구름과 외로운 학)

●張俞, 字少愚, 又字叔才. 仁宗朝, 西戎犯邊, 上書陳攻, 取十策, 授校書郎275). 歸, 隱靑城山之白雲溪, 文潞公276)・田況・呂夷簡屢薦之, 皆不起, 凡六辭. 召命, 有詩云, "欲作外臣誰是友? 白雲孤鶴在岩扉." 遊驪山277)二絶278), 後夢太眞279)賜百合香.

적이 있다.

273) 閒忙令(한망령) : 한가한 관리와 바쁜 관리를 아우르는 말. 업무가 많지 않은 고을의 현령과 업무가 과다한 고을의 현령을 가리키는 말에서 유래하였다.

274) 錢希白(전희백) : 송나라 사람 전역錢易. '희백'은 자. 지제고知制誥・한림학사翰林學士를 역임하였고, 회화繪畵와 행서行書・초서草書에 뛰어난 솜씨가 있었다. 저서로 ≪남부신서南部新書≫ 10권이 전한다. ≪송사・전역전≫권317 참조.

275) 校書郎(교서랑) : 한나라 이래로 국가 도서의 교감에 관한 업무를 관장하던 비서성祕書省 소속의 관원을 이르는 말. 상관으로 비서감祕書監과 비서소감祕書少監・비서승祕書丞・비서랑祕書郎・저작랑著作郎이 있다.

276) 文潞公(문노공) : 송나라 때 명재상 문언박文彦博(1006-1097)에 대한 존칭. '노공'은 봉호인 노국공潞國公의 약칭. 저서로 ≪노공문집潞公文集≫ 40권이 전한다. ≪송사・문언박전≫권313 참조.

277) 驪山(여산) : 섬서성 임동현臨潼縣 남동쪽에 있는 산 이름으로 당나라 현종이 양귀비와 함께 피서를 즐기던 궁궐이 있던 곳이다. 진秦나라 시황제始皇帝의 무덤으로도 유명하다.

278) 二絶(이절) : 절구시 2수. 이는 송나라 증조曾慥가 엮은 ≪유설類說≫권46

○(송나라) 장유는 자가 소우이면서 또한 자를 숙재라고도 하였다. 인종 때 서융족이 변방을 침범하자 글을 올려 공략법을 진술하였는데, 열 가지 계책이 채용되는 바람에 교서랑을 배수받았다. 귀향하여 (사천성) 청성산의 백운계에 은거한 뒤로 노국공潞國公 문언박文彦博과 전황·여이간 등이 여러 차례 천거하였지만 모두 벼슬에 오르지 않으면서 도합 여섯 번이나 사양하였다. 소환령이 떨어지자 시를 지어 "외지에 머무는 신하가 되려니 누가 친구가 되어 주려나? 흰 구름과 외로운 학이 바윗가에 있다네"라고 하였다. (섬서성) 여산을 유람하면서 절구시를 두 수 지었다가 뒤에 (당나라) 태진(양귀비)이 백합향을 하사하는 꿈을 꾸었다고 한다.

◇六客詞(<여섯 명의 문객을 읊은 노래>)

●張復守秀州, 郡圃有六客亭. 先是, 李公擇[280]守此郡, 張子野[281]·劉孝叔[282]在焉, 楊元素[283]·蘇軾·陳令擧[284]過之, 會飮于碧瀾堂, 子野作六客詞. 今張復守是邦, 蘇軾·曹子方[285]·劉景山[286]·蘇伯固[287]

에 수록된 유부劉斧의 ≪청쇄고의青瑣高議≫에 인용되어 전한다.

279) 太眞(태진) : 당나라 때 양귀비楊貴妃(719-756)가 도사道士의 의복을 즐겨 입은 데서 붙여진 별호.

280) 李公擇(이공택) : 송나라 사람 이상李常(1027-1090). '공택'은 자. 황정견黃庭堅(1045-1105)의 외숙부로 예부시랑禮部侍郞·어사중승御史中丞·병부상서兵部尙書 등을 역임하였다. ≪송사·이상전≫권344 참조.

281) 張子野(장자야) : 송나라 때 문인 장선張先(990-1078). '자야'는 자. 장손張遜의 손자로 박주지주사亳州知州事를 지냈고, 사詞를 잘 지었다. 저서로 ≪안륙집安陸集≫ 1권이 전한다. ≪송사·장손전≫권268 참조.

282) 劉孝叔(유효숙) : 송나라 사람 유술劉述. '효숙'은 자. 신종神宗 때 시어사侍御史를 지내며 왕안석王安石(1021-1086)의 신법新法을 반대하다가 강서성 강주자사江州刺史로 폄적당했다. ≪송사·유술전≫권321 참조.

283) 楊元素(양원소) : 송나라 사람 양회楊繪. '원소'는 자. 호는 무위자無爲子. 한림학사翰林學士·천장각대제天章閣待制 등을 역임하였는데, 증공량曾公亮(999-1078)과 왕안석王安石(1021-1086)의 미움을 사 폄적당했다. ≪송사·양회전≫권322 참조.

284) 陳令擧(진영거) : 송나라 사람 진순유陳舜兪. '영거'는 자. 호는 백우거사白牛居士. 저작좌랑著作佐郞·둔전원외랑屯田員外郞 등을 역임하였고, 청묘법靑苗法을 반대하다가 폄적당했다. 저서로 ≪도관집都官集≫ 14권과 ≪여산기廬山記≫ 4권이 전한다. ≪송사·진순유전≫권331 참조.

・張秉道[288]來過, 與復爲六, 可繼前事. 坡[289]爲後六客詞[290].

○(송나라) 장복이 (절강성) 수주를 다스릴 때 고을 채마밭에 육객정이 있었다. 이보다 앞서 공택公擇 이상李常이 이 고을을 다스릴 때 자야子野 장선張先과 효숙孝叔 유술劉述이 자리를 함께 하고, 원소元素 양회楊繪와 소식・영거令擧 진순유陳舜兪가 이곳에 들러 벽간당에서 모임을 가지면서 장선이 <여섯 명의 문객을 읊은 노래>를 지은 적이 있다. 이제 장복이 이 고을을 다스리면서 소식・자방子方 조보曹輔・경문景文 유계손劉季孫・백고伯固 소견蘇堅・병도秉道 장숙張璹이 방문하여 장복과 더불어 여섯 명이 되면서 전례를 계승하였다. 소식이 <여섯 명의 문객을 읊은 노래 후편>을 지었다.

◇文有三代風(문장에 삼대의 기풍이 담겨 있다)

●張方平, 李[291]安道, 少穎悟, 家貧無書, 借人三史[292], 旬日還之曰, "已知其詳矣." 凡書一覽, 終身不再讀. 宋綬・蔡齊以爲天下奇才, 共以

---

285) 曹子方(조자방) : 송나라 사람 조보曹輔. '자방'은 자. 광서제점형옥사廣西提點刑獄使를 지냈다. ≪광서통지廣西通志・질관秩官・송宋≫권51 참조.

286) 劉景文(유경문) : 송나라 사람 유계손劉季孫. '경문'은 자. 소식蘇軾의 추천을 받아 습주지주사隰州知州事를 지냈다. 명나라 능적지凌迪知의 ≪만성통보萬姓統譜≫권59 참조.

287) 蘇伯固(소백고) : 송나라 사람 소견蘇堅. '백고'는 자. 한림학사翰林學士 소신蘇紳의 후손으로서 시인으로 명성을 떨쳤다. 명나라 동사장董斯張의 ≪오흥비지吳興備志≫권28 참조.

288) 張秉道(장병도) : 송나라 사람 장숙張璹. '병도'는 자. 신상에 대해서는 '오흥육객吳興六客'의 한 사람이란 것 외에는 알려진 바가 없다. 청나라 사신행査愼行의 ≪소시보주蘇詩補註≫권36의 주 참조.

289) 坡(파) : 송나라 때 대문호 소식蘇軾(1036-1101)의 호인 '동파東坡'의 약칭. 호북성 황주黃州로 폄적당했을 때 동파에 거주한 데서 비롯되었다. 저서로 ≪동파전집東坡全集≫ 115권이 전한다. ≪송사・소식전≫권338 참조.

290) 後六客詞(후육객사) : 이는 <원소(양회楊繪)의 시에 차운하여 화답하다(次韻答元素)>란 제목의 칠언율시七言律詩를 가리키는 말로 ≪동파전집≫권12에 전한다.

291) 李(리) : '자字'의 오기.

292) 三史(삼사) : 세 가지 사서를 아우르는 말. ≪사기≫ ≪한서≫ ≪후한서≫를 가리킨다는 설도 있고, ≪전국책戰國策≫ ≪사기≫ ≪한서≫를 가리킨다는 설도 있다.

茂才異等[293]薦之. 慶曆[294]初, 元昊[295]叛, 公上平戎十策. 上手詔[296]褒之曰, "文章典雅, 有三代[297]風!" 熙寧[298]初, 參大政[299]. 謚文定. 子恕.

○(송나라) 장방평(1007-1091)은 자가 안도로 어려서부터 총명하였으나 집이 가난해 책이 없자 남에게 사서를 빌렸다가 열흘만에 돌려주며 말했다. "이미 상세한 내용을 다 알게 되었습니다." 무릇 글을 한번 읽으면 죽을 때까지 다시 읽지 않았다. 송수와 채제가 천하의 기재라고 생각해 무재이등과에 추천해 주었다. (인종) 경력(1041-1048) 초에 조원호趙元昊가 반란을 일으키자 장방평이 융족을 평정할 계책 열 가지를 올렸다. 그러자 인종이 친필 조서를 내려 칭찬하면서 "문장이 전아한 것이 삼대의 기풍이 담겨 있노라!"고 하였다. (신종) 희녕(1068-1077) 초에 참지정사參知政事에 올랐다. 시호는 '문정'이다. 아들은 장서張恕이다.

◇三影郎中(문장에서 '영影' 자를 즐겨 쓰는 낭중)

●張先, 字子野, 詩筆老健. 倅[300]秀州, 創花月亭, 詞中警句[301]云, "雲

293) 茂才異等(무재이등) : 한나라 때 과거시험인 수재과秀才科의 후신으로 송나라 때 설치한 과거 과목 가운데 하나. '무茂'는 후한 광무제光武帝 유수劉秀의 휘諱 때문에 고친 것이다.

294) 慶曆(경력) : 북송北宋 인종仁宗의 연호(1041-1048).

295) 元昊(원호) : 서하국西夏國의 왕인 이낭소李曩霄의 본명. 이낭소는 서하국의 경종敬宗으로 즉위한 뒤 성을 외명嵬名, 이름을 낭소曩霄로 고쳤다가, 송나라에 투항한 뒤에는 조趙씨 성을 하사받아 조원호趙元昊로 불렸다. 송나라 인종仁宗 때 섬서성 흥주興州에 도읍을 정하고 서하국을 세워 송나라와의 전쟁에서 계속 승리하였으나, 뒤에 송나라와 강화를 맺었다가 아들에게 살해되었다. ≪송사·외국열전外國列傳·하국전夏國傳≫권485 참조.

296) 手詔(수조) : 임금이 직접 작성한 친필 조서를 일컫는 말.

297) 三代(삼대) : 하夏·상商·주周, 혹은 한漢·위魏·진晉의 세 왕조를 아우르는 말. 글에 고풍古風이 있고 우아함을 비유한다.

298) 熙寧(희녕) : 북송北宋 신종神宗의 연호(1068-1077).

299) 參大政(참대정) : 주요 정사에 참여하다. 재상인 참지정사參知政事의 자리에 오르는 것을 말한다.

300) 倅(쉬) : 보좌하다. 자사刺史의 부관副官을 뜻하는 말로서 당나라 때는 별가別駕, 송나라 때는 통판通判을 일컬었다.

破月來花弄影,” “浮萍斷處見山影,” “隔墻送過秋千[302]影.” 世號爲張三影. 神宗朝, 爲郎中[303].

○(송나라) 장선(990-1078)은 자가 자야로 시 짓는 솜씨가 노련하고 건실하였다. (절강성) 수주에서 통판을 지낼 때 화월정을 세웠는데, 노랫말의 핵심적인 문구에서 “구름 깨지고 달이 나오니 꽃이 그림자를 장난치네”라고 하고, “부평초 끊긴 곳에서 산 그림자가 나타나네”라고 하고, “담장 너머로 그네 그림자를 보내오네”라고 하였기에 세간에서는 그를 ‘장삼영’이라고 불렀다. 신종 때 낭중을 지냈다.

◇浮休居士(부휴거사)

●張舜民, 字芸叟, 少慷慨, 善論事. 元祐[304]中, 司馬公[305]擧之云, “才氣秀異, 剛直敢言.” 召試[306]祕閣[307]. 自號浮休居士[308].

---

301) 警句(경구) : 사람을 감동시킬 만한 간결하고 날카로운 문구를 일컫는 말. 위의 세 구절은 각기 <천선자(天仙子)> <서계의 무상원에서 쓰다(題西溪無相院)> <청문인(靑門引)>에서 발췌하여 인용한 것으로 모두 장선張先의 사집詞集인 ≪안륙집安陸集≫에 전한다.

302) 秋千(추천) : 그네. 장수를 비는 뜻에서 ‘천추千秋’라고 하던 것이 ‘추천秋千’으로 와전되었다는 설이 있다. ‘추천鞦韆’으로도 쓴다.

303) 郎中(낭중) : 진한秦漢 이후 왕실의 호위와 시종을 관장하던 벼슬. 삼서三署의 관원인 오관중랑장五官中郎將·좌중랑장左中郎將·우중랑장右中郎將을 설치하여 관장케 하였다. 당송唐宋 때는 상서성尙書省 소속 육부六部의 산하 기관인 4사司(총 24사司)의 실무를 관장하는 기관장의 명칭이 되었다.

304) 元祐(원우) : 북송北宋 철종哲宗의 연호(1086-1093).

305) 司馬公(사마공) : 송나라 때 명재상인 사마광司馬光(1019-1086)에 대한 존칭. 자는 군실君實이고, 시호는 문정文正이며, 봉호는 온국공溫國公. 저서로 ≪전가집傳家集≫ 80권, ≪자치통감資治通鑑≫ 294권, ≪속수기문涑水記聞≫ 16권 등이 전한다. ≪송사·사마광전≫권336 참조.

306) 試(시) : 관직의 대행 내지 임시 담당을 뜻하는 말. 당나라 두우杜佑(735-812)의 ≪통전通典·직관職官≫권19에 의하면 당나라 때는 정식 관원이 아니라 일종의 대행을 ‘시試’라고 한 반면, ≪송사宋史·직관지職官志≫권169에 의하면 송나라 때는 본래의 품계보다 두 등급 낮은 관직을 대행하는 것을 ‘시試’라고 하였다.

307) 祕閣(비각) : 궁중의 진귀한 도서를 소장하는 서고를 가리키는 말. 비서성祕書省의 별칭이기도 하다. ‘각閣’은 ‘각閣’과 통용자.

308) 居士(거사) : 학식과 덕망을 겸비하고서도 벼슬하지 않거나 은거한 사람에 대한 호칭.

○장순민은 자가 운수로 어려서부터 기개가 넘치고 국사에 대해 잘 논하였다. (철종) 원우(1086-1093) 연간에 사마광司馬光이 그를 추천하면서 "재기가 뛰어나고 성품이 강직하여 직언을 잘 하옵니다"라고 하였다. 황제의 부름을 받아 비각에서 근무하였다. 자호는 부휴거사이다.

◇虎皮講易(호랑이 가죽에 앉아 《역경》을 강의하다)

●張載, 字子厚, 學古力行, 爲關中[309]士友宗師, 皆稱爲橫渠[310]先生. 在京師[311], 坐虎皮, 說周易, 聽徒甚衆. 一夕二程[312]至, 次日撤去虎皮曰, "二程深明易道, 吾不如諸子, 宜師之." 遂歸陝西. 故晦庵[313]贊之云[314], "蚤說[315]孫吳[316], 晩逃佛老[317], 勇撤皐比[318], 一變至道." 有訂頑·砭愚二銘, 後改爲東西銘. 有正蒙經學, 行於世. 神宗朝, 同知太

---

309) 關中(관중) : 함곡관函谷關 서쪽의 전국시대 진秦나라 땅을 이르는 말로 지금의 섬서성과 사천성 일대를 가리킨다. '관서關西'라고도 한다.

310) 橫渠(횡거) : 섬서성 미현郿縣 횡거진橫渠鎭을 가리키는 말로 장재張載(1020-1078)의 본관이자 별호를 가리킨다.

311) 京師(경사) : 서울, 도읍을 이르는 말. 송나라 주희朱熹(1130-1200) 설에 의하면 '경京'은 높은 지대를 뜻하고, '사師'는 많은 사람을 뜻한다. 즉 높은 산에 의지하여 많은 사람이 모여 사는 곳이란 뜻에서 유래하였다. 여기서는 송나라 때 도성인 하남성 개봉開封을 가리킨다.

312) 二程(이정) : 송나라 때 대유大儒인 정호程顥(1032-1085)와 정이程頤(1033-1107) 형제를 아우르는 말. 두 사람의 전기는 《송사·도학열전道學列傳》권427에 나란히 전한다.

313) 晦庵(회암) : 송나라 때 성리학性理學의 집대성자이자 대문호인 주희朱熹(1130-1200)의 호. 시호는 문공文公. 저서로 《회암집晦庵集》 112권·《자치통감강목資治通鑑綱目》 59권 등 다수가 전한다. 《송사·도학열전道學列傳·주희전》권429 참조.

314) 云(운) : 이는 <여섯 선생의 초상화에 쓴 찬문(六先生畵像贊)> 가운데 <횡거선생(橫渠先生)>편을 인용한 것으로 《회암집晦庵集·찬贊》권85에 전한다.

315) 說(열) : 좋아하다. 통용자인 '열悅'로 인용한 문헌도 있다.

316) 孫吳(손오) : 중국을 대표하는 병법가인 춘추시대 오吳나라 손무孫武와 전국시대 위魏나라 오기吳起를 아우르는 말. 그들의 저서로 《손자孫子》 1권과 《오자吳子》 1권이 전하나 위서僞書일 가능성을 배제할 수 없다.

317) 佛老(불로) : 부처와 노자, 혹은 불교와 도교를 아우르는 말.

318) 皐比(고피) : 호랑이 가죽. '비比'는 '피皮'와 통용자. 고대에 호랑이 가죽을 펴고 앉아 강의를 한 데서 유래한 말로 강단이나 강의를 비유한다.

常禮院319). 弟戩.

○(송나라) 장재(1020-1078)는 자가 자후로 옛 학문을 익히고 실천에 힘써 (섬서성 일대인) 관중의 선비와 종사들에게 횡거선생으로 불렸다. (하남성 개봉의) 경사에서 호랑이 가죽에 앉아 ≪역경≫을 강의하자 강의를 듣는 학생들이 무척 많았다. 하룻밤은 정호程顥와 정이程頤 형제가 찾아오자 다음날 호랑이 가죽을 치우며 말했다. "정호와 정이 형제가 ≪역경≫의 이치에 정통하고 나는 그들만 못 하니 의당 그들을 스승으로 섬겨야 할 것이다." 결국 섬서 지역으로 돌아갔다. 그래서 회암晦庵 주희朱熹는 찬문에서 "젊었을 때는 (춘추시대 오吳나라) 손자(손무孫武)와 (전국시대 위魏나라) 오자(오기吳起)를 좋아하다가 만년에는 불교와 도교로 도망치더니 과감히 호랑이 가죽을 치우고 단숨에 지극한 이치로 바꿨다"고 하였다. <완고함을 고치다>와 <어리석음을 경계하다>라는 두 좌우명을 지었다가 뒤에 <동서명>으로 개명하였다. 저서로 ≪정몽경학≫이 세간에 유행하였다. 신종 때 동지태상예원을 지냈다. 동생은 장전張戩(1030-1076)이다.

◇無盡居士(무진거사)

●張商英, 字天覺, 童時日記萬言. 趙抃320)薦之, 召之赴闕, 袖草茅321)憂國書以進. 紹興322)中, 權相. 時久旱, 彗出天心, 是夕大雨, 彗沒. 徽宗書商霖二字, 賜之. 學浮屠323), 法號無盡居士.

---

319) 同知太常禮院(동지태상예원) : 제사 의식을 관장하는 임시 기관의 장관 이름. '동지'는 송나라 때 일종의 보좌직을 지칭하는 말이고, '태상예원'은 제사를 주관하는 기관인 태상시太常寺의 별칭이다.

320) 趙抃(조변) : 송나라 때 사람. 자는 '열도閱道'이고, 시호는 '청헌淸獻'. 어사직御史職을 지내며 권신權臣들도 두려워하지 않아 '철면어사鐵面御史'라는 별명을 얻었고, 부임하는 곳마다 선정善政을 베풀었으나 신법新法에 반대하여 지방관을 전전하였다. 저서로 ≪청헌집淸獻集≫ 10권이 전한다. ≪송사·조변전≫권316 참조.

321) 草茅(초모) : 원래는 잡초를 뜻하는 말로 벼슬에 오르기 전의 재야 시절이나 재야 인사를 비유한다.

322) 紹興(소흥) : 남송南宋 고종高宗의 연호(1131-1162).

○(송나라) 장상영(1043-1122)은 자가 천각으로 어렸을 때 날마다 글을 만 자씩 외웠다. 조변이 추천하여 그를 궁궐로 불러들이자 재야 시절 나라를 걱정하여 쓴 글을 소매에서 꺼내 진상하였다. (고종) 소흥(1131-1162) 연간에 임시로 재상을 지냈다. 당시 가뭄이 오래 되고 혜성이 하늘에 출현하고 있었는데, 그날 저녁 큰 비가 내리더니 혜성이 사라졌다. 그래서 (상황인) 휘종이 ('장상영이 큰 비를 내리게 했다'는 의미의) '상림'이란 두 글자를 써서 그에게 하사하였다. 불교를 공부하여 법호가 '무진거사'이다.

◇忠貫日月(충심이 일월을 꿰뚫다)

●張浚, 字德遠, 號紫岩先生. 紹興中, 拜相, 充川陝[324]宣撫. 忠貫日月, 孝通神明, 勳在王室, 恩在生民, 威震四夷, 功垂永世. 後公謫於永, 胡澹庵[325]謫於衡, 二公手書往來, 無一語不相勉以天人之學, 無一念不相憂以國家之事. 述四德銘, 以示人曰, "忠則順天, 孝則生福, 勤則業進, 儉則心逸," 遣人鑱之於石. 去國二十年, 雖小兒婦女, 亦知天下有張都督也. 孝宗卽位, 進封魏國公. 謚忠獻. 子栻.

○(송나라) 장준(1097-1164)은 자가 덕원이고 호가 자암선생이다. (고종) 소흥(1131-1162) 연간에 재상을 배수받았다가 (사천성과 섬서성 일대를 관장하는) 천섬선무사를 맡았다. 충심은 일월을 꿰뚫고 효심은 신명과 통하고 황실을 보필하는 공적을 세우고 백성을 돌보

323) 浮屠(부도) : 범어梵語 'Buddha'의 음역音譯으로 사찰·부처·승려·불교·불탑 등 다양한 의미로 쓰인다. '부도浮圖'로도 쓴다.

324) 川陝(천섬) : 남송南宋 고종高宗 소흥紹興(1131-1162) 초에 설치된 행정구역인 천섬로川陝路. ≪섬서통지陝西通志·건치建置4≫권5에 "희녕 5년(1172)에 영흥 등의 노를 만들고, 소흥 초에 천섬 등의 노를 설치하였는데, 부평에서의 패전으로 섬서성의 5로가 모두 금나라에 함락당했다(熙寧五年, 爲永興等路, 紹興初, 置川陝等路, 富平之敗, 陝西五路, 俱陷於金)"는 기록이 있다. 지금의 사천성과 섬서성 일대를 가리킨다.

325) 胡澹菴(호담암) : 송나라 사람 호전胡銓(1102-1180). '담암'은 호. 자는 방형邦衡이고 시호는 충간忠簡. 병부시랑兵部侍郎·자정전학사資政殿學士 등을 역임하였는데, 진회秦檜(1090-1155)를 참수하라는 상소문을 올려 유배당했다가 복직하였다. 저서로 ≪담암문집澹庵文集≫ 6권이 전한다. ≪송사·호전전≫ 권374 참조.

는 은혜를 베풀면서 위세를 사방 오랑캐 땅까지 떨쳤기에 공이 영원하다고 하겠다. 뒤에 장준은 (호남성) 영주永州로 폄적당하고 담암澹庵 호전胡銓은 (호남성) 형주衡州로 폄적당하였는데, 두 사람이 친필 서신을 왕래하면서 모든 말이 하늘과 인간의 도리에 관한 학문으로 서로 권면하는 것이었고, 모든 생각이 국가에 관한 일을 서로 걱정하는 것이었다. 네 가지 덕에 관한 명문을 지어 타인에게 보이며 “충심을 품으면 하늘에 순응케 되고, 효도를 하면 홍복을 낳으며, 근면하면 학업이 진척을 보고, 검소하면 마음이 편안하다”라고 하고는 사람을 시켜 이를 바위에 새겨 넣었다. 도성을 떠난 지 20년이 지났지만 비록 어린아이나 아녀자라 할지라도 천하에 도독 장준이 있다는 것을 알았다. 효종이 즉위하자 위국공으로 승격시켜 봉하였다. 시호는 ‘충헌’이다. 아들은 장식張栻이다.

◇義利之辨(도의와 실리를 변별하다)

●張栻, 字敬夫, 自幼侍魏公, 左右所見聞, 莫非仁義忠孝之實. 及長, 學於胡五峯[326]之門, 學必先義利之辨. 官至祕閣修撰[327]. 號南軒先生.

○(송나라) 장식(1133-1180)은 어려서부터 (부친인) 위국공魏國公 장준張浚(1097-1164)을 모셨기에 주변에서 보고 들은 것이 모두 인의충효와 관련한 실체였다. 장성해서는 오봉五峯 호굉胡宏의 문하에서 공부를 하였기에 학문은 반드시 먼저 도의와 실리를 변별하는 것이었다. 관직은 비각수찬까지 올랐다. 호는 남헌선생이다.

◇橫浦居士(횡포거사)

●張九成, 字子韶, 號無垢. 八歲默誦六經, 十歲能屬文. 諸老先生嘆異之

---

326) 胡五峰(호오봉) : 송나라 때 학자 호굉胡宏(1106-1162). ‘오봉’은 호. 자는 인중仁仲. 호안국胡安國(1074-1138)의 아들로 양시楊時(1054-1135)와 후중량侯仲良을 스승으로 모시고 부친의 학문을 계승하였으며 대유大儒인 장식張栻(1133-1180)을 배출하였다. 저서로 ≪오봉집五峰集≫ 5권이 전한다. ≪송사·호굉전≫권435 참조.

327) 祕閣修撰(비각수찬) : 궁중의 도서를 편수하는 업무를 맡은 벼슬 이름.

曰, "奇童子也!" 始學於龜山[328]之門. 紹興中, 對策[329]集英殿, 上曰, "忠鯁[330]可嘉," 擢寘第一. 一歲薦寒士館地[331]十數人, 而得魁天下[332]之報. 謫南安[333], 閉門謝客, 以經史自娛, 倚柱觀書, 庭磚雙足趺[334]隱然[335]. 公自題柱曰, "老來目病, 執書就明者, 十四年. 倚立積久, 雙趺隱然, 可一笑也." 因自號橫浦居士. 官至祕閣修撰. 子遜厚·幼厚.

○(송나라) 장구성(1092-1159)은 자가 자소이고 호가 무구이다. 여덟 살 때 경전을 암송하고 열 살에 문장을 지을 줄 알았기에 여러 노련한 선생들도 "뛰어난 아이로다!"라고 감탄해 하였다. 처음에는 귀산龜山 양시楊時의 문하에서 공부하였다. (고종) 소흥(1131-1162) 연간에 집영전에서 대책에 참가하자 황제가 "충언이 칭찬할 만하다"라고 말하고는 그를 장원급제로 뽑았다. 1년 동안 빈한한 가문 출신의 선비 가운데 글방선생을 열 명 넘게 천거하였는데 장원급제에 대한 보답이라고 하겠다. (복건성) 남안현으로 폄적가서는 두문불출하며 손님도 사절한 채 경서와 사서를 공부하는 것으로 소일하였는데, 기둥에 기대서 서책을 보고 마당 벽돌에 두 발을 가지런히 놓고 편안한 자세를 취하곤 하였다. 장구성은 손수 기둥에 "늙어서 눈병이 생겨 서책을 손에 들면 밝은 곳을 찾게 된 것이 14년이나 되었다. 그래서인지 한참 동안 기둥에 기대면 두 발이 편안하게 느껴지니 가히

---

328) 龜山(귀산) : 송나라 때 유학자 양시楊時(1054-1135)의 호. 자는 중립中立이고 시호는 문정文靖. 정호程顥(1032-1085)·정이程頤(1033-1107) 형제의 제자로 주희朱熹(1130-1200)와 장식張栻(1133-1180)의 선구가 되었다. 공부시랑工部侍郎·용도각직학사龍圖閣直學士 등을 역임하였다. 저서로 ≪귀산집龜山集≫ 42권이 전한다. ≪송사·도학열전道學列傳·양시전≫권428 참조.

329) 對策(대책) : 정사政事나 경의經義에 대한 문제에 답안을 제시하는 일. '대책對冊'으로도 쓴다.

330) 忠鯁(충경) : 충언이나 충심을 비유하는 말. '경鯁'이 생선의 뼈나 가시를 일컫는 말로 강직한 신하의 충언忠言을 비유하는 데서 유래하였다.

331) 館地(관지) : 관청의 고문이나 글방선생의 지위를 이르는 말.

332) 魁天下(괴천하) : 천하에 으뜸을 차지하다. 장원급제하는 것을 말한다.

333) 南安(남안) : 복건성의 속현屬縣 이름.

334) 雙足趺(쌍족부) : 뒤의 '쌍부雙趺'와 마찬가지로 두 발이나 두 발등을 뜻하는 말. '부趺'는 '부跗'와 통용자.

335) 隱然(은연) : 차분한 모양. 위엄어린 모양.

웃을 만한 일이다"라고 적었다. 그리고는 호를 '횡포거사'라고 하였다. 관직은 비각수찬까지 올랐다. 아들은 장손후張遜厚와 장유후張幼厚이다.

●張相如, 漢文稱爲長者[336], 封東陽[337]侯.

○장상여를 전한 문제가 장자라고 칭송하며 동양후에 봉하였다.

●張劭, 字元伯, 與范巨卿[338]爲雞黍之約[339].

○(후한) 장소는 자가 원백으로 거경巨卿 범식范式에게 닭고기와 기장밥을 대접하는 약속을 지켰다.

●張玄, 字希祖. 范甯謂王忱曰, "張玄, 吳中之秀."

○(진晉나라) 장현은 자가 희조이다. 범영은 왕침에게 "장현은 오 지방의 수재입니다"라고 하였다.

●張裕五子演鏡永辯岳, 俱知名, 時謂張氏五龍.

○(삼국 촉蜀나라) 장유의 다섯 아들인 장연張演·장경張鏡·장영張永·장변張辯·장악張岳은 함께 명성을 떨쳐 당시 '장씨오룡'으로 불렸다.

●張楚[340]事母至孝, 榜其門曰, 孝行之閭, 里曰孝行之里.

---

336) 長者(장자) : 나이나 신분, 인품이 높은 사람에 대한 존칭.

337) 東陽(동양) : 절강성의 속군屬郡으로 봉호.

338) 范巨卿(범거경) : 후한 사람 범식范式. '거경'은 자. 호북성 형주자사荊州刺史 등을 역임하였다. ≪후한서·범식전≫권111 참조.

339) 雞黍之約(계서지약) : 닭고기와 기장밥을 대접하는 약속. 후한 때 범식范式이 장소張劭와 태학太學에서 함께 공부하며 우정을 쌓은 뒤 귀향하면서 2년 뒤 방문하여 부모님께 인사를 올리겠다는 약속을 하였는데, 기일이 되자 장소가 추호도 의심하지 않고 닭고기와 기장밥을 준비해 대접했다는 오대五代 후당後唐 이한李瀚의 ≪몽구蒙求≫권상 '범장계서范張雞黍'의 고사에서 유래한 말로 친구 사이의 변치않는 우정을 비유한다.

340) 張楚(장초) : 남조南朝 유송劉宋 때 효자. ≪남사·장초전≫권73 참조.

○(남조南朝 유송劉宋) 장초는 모친을 지극히 효성스럽게 모셔 그의 집 대문에는 '효행지려'라는 방문이 걸리고, 그의 고을은 '효행지리'로 불렸다.

●張稷仕梁, 爲左僕射[341]. 武帝捋其鬚[342]曰, "張公可謂異人."

○장직은 (남조南朝) 양나라에서 벼슬길에 올라 좌복야를 지냈다. 무제가 그의 수염을 쓰다듬으며 "장공은 기인이라고 할 만하오"라고 말한 일이 있다.

●張祜, 元和中詩人. 令狐楚錄其詩三百首, 表薦之.

○(당나라) 장우는 (헌종) 원화(806-820) 연간에 활동했던 시인이다. 영호초가 그의 시 3백 수를 적고는 상소문을 올려서 추천하였다.

●張季友等, 號龍虎榜[343].

○(당나라 덕종德宗 때) 장계우 등은 '용호방'으로 불렸다.

●張渾, 香山九老[344].(見胡姓)

---

341) 僕射(복야) : 진秦나라 때 처음 설치되었고, 한나라 때는 5상서尙書 가운데 한 명을 복야에 임명하여 조정의 핵심 행정 기관인 상서성尙書省의 업무를 총괄하게 하였는데, 뒤에 권한이 막강해지자 좌·우복야를 두면서 당송唐宋 때까지 지속되었다. 보통 승상丞相의 지위를 겸하였다.

342) 捋其鬚(날기수) : 그의 수염을 쓰다듬다. 친근한 정감을 나타내는 행동을 말한다.

343) 龍虎榜(용호방) : 당나라 덕종德宗 때 육지陸贄가 진사시험의 감독관을 맡았을 때 가능賈稜·진우陳羽·구양첨歐陽詹·이관李觀·풍숙馮宿·왕애王涯·이박李博·장계우張季友·유준고劉遵古·허계동許季同·한유韓愈·이강李絳·유승선庾承宣·원결元結·호양胡諒·최군崔群·형책邢冊·배광보裴光輔·만당萬當 등이 급제자 명단에 이름을 올렸는데 세간에서는 이를 '용호방'으로 불렸다는 ≪신당서·구양첨≫권203의 고사에서 유래한 말로서 진사과 급제자 명단을 비유한다. '호방虎榜'으로 약칭하기도 하고, '방榜'은 '방牓'으로도 쓴다.

344) 香山九老(향산구로) : 당나라 때 향산거사香山居士 백거이白居易(772-846)를 중심으로 결성한 모임을 이르는 말. '구로'는 백거이의 ≪백씨장경집白氏長慶集·율시律詩≫권37에 실린 칠언배율七言排律 <호고·길교·정거·유진·노진·장혼 등 여섯 현인은 모두 연세가 많고 나 역시 그 다음 간다. 어쩌다

○(당나라) 장혼은 향산구로 가운데 한 사람이다.(상세한 내용은 앞의 '호' 씨절 '구로九老'항에 보인다)

●張喬, 咸通[345]中, 號十哲[346].

○(당나라) 장교는 (의종) 함통(860-873) 연간에 '십철'로 불린 사람 가운데 일인이다.

●張正則, 號四夔[347].

○(당나라) 장정칙은 '사기'로 불린 사람들 가운데 일인이다.

●張好問爲太子中允[348], 至道[349]九老[350]中人.

○(송나라) 장호문은 태자중윤을 지냈는데 '지도구로' 가운데 한 사람이다.

우리집에 모여 연장자를 존중하는 모임을 결성하였다. 일곱 노인이 서로를 돌아보며 술에 취해 기분이 무척 좋았는데, 곰곰이 생각해 보니 이런 모임도 드물기에 7언6운의 율시를 지어 기록해서 호사가들에게 전한다(胡・吉・鄭・劉・盧・張等六賢, 皆多年壽, 予亦次焉. 偶於弊居合, 成尚齒之會. 七老相顧, 旣醉甚歡. 静而思之, 此會稀有, 因成七言六韻以紀之, 傳好事者)>라는 시의 후기後記에 의하면 호고胡杲・길교吉皎・유진劉眞・정거鄭據・노진盧眞・백거이白居易・장혼張渾・이원석李元爽과 승려 여만如滿 등 아홉 명을 가리킨다.

345) 咸通(함통) : 당唐 의종懿宗의 연호(860-873).

346) 十哲(십철) : 당나라 의종懿宗 함통咸通(860-873) 연간에 함께 과거시험에 급제한 허당許棠・장교張喬・유탄지兪坦之・극연劇燕・임도任濤・오한吳罕・장빈張蠙・주주周繇・정곡鄭谷・이서원李栖遠・온헌溫憲・이창부李昌符 등 열두 명을 아우르는 말. '십'은 성수成數.

347) 夔(기) : 우虞나라 순왕舜王 때의 현신賢臣 이름이자 신화상의 외발 달린 짐승을 이르는 말. 여기서는 당나라 사람 노동미盧東美・한회韓會・장정칙張正則・최조崔造를 비유적으로 가리킨다.

348) 太子中允(태자중윤) : 태자궁太子宮 태자첨사부太子詹事府의 속관屬官으로서 태자중사인太子中舍人과 함께 문서를 관장하던 벼슬 이름.

349) 至道(지도) : 북송北宋 태종太宗의 연호(995-997).

350) 九老(구로) : 송나라 때 재상을 지낸 이방李昉(925-996)이 당나라 백거이白居易(772-846)의 향산구로회香山九老會를 모방하여 결성한 모임을 이르는 말. 이방을 비롯하여 장호문張好問・이운李運・송기宋琪・무윤성武允成・오吳 지방 승려 찬녕贊寧・위석魏石・양휘지楊徽之・주앙朱昻을 가리키는데, 사천성 촉蜀 땅에서 반란이 일어나는 바람에 실행에 옮기지는 못 했다고 한다.

●張燾, 字景先, 張問, 字昌言, 爲耆英會[351].

○(송나라) 장도(1013-1082)는 자가 경선이고 장문(1013-1087)은 자가 창언으로 기영회를 만들었다.

●張耒, 字文潛, 爲蘇門四學士[352].

○(송나라) 장뇌는 자가 문잠으로 소문사학사 가운데 한 사람이다.

●張中庸知洋州, 民號水晶燈籠[353].

○(송나라) 장중용은 (섬서성) 양주지주사(양주자사)를 지낼 때 백성들이 그를 '수정등롱'으로 불렀다.

●張亢世尙儒學, 號書樓張家. 與王琪爲晏元獻[354]上客.

○(송나라) 장항은 집안 대대로 유학을 숭상하며 '서루장가'로 불렸다. 왕기와 함께 원헌공元獻公 안수晏殊에게 상객 대접을 받았다.

●張知白, 宋天聖[355]中, 權相, 淸約如寒士. 諡文節.

○장지백(?-1028)은 송나라 (인종) 천성(1023-1031) 연간에 임시로 재상을 지내면서 가난한 선비처럼 청렴한 생활을 하였다. 시호는

---

351) 耆英會(기영회) : 송나라 신종神宗 때 문언박文彦博(1006-1097)이 하남성 낙양에서 부필富弼(1004-1083)·사마광司馬光(1019-1086) 등 13인의 명사들과 함께 결성한 모임 이름. '기영'은 연배와 덕망이 높은 사람을 뜻한다.

352) 蘇門四學士(소문사학사) : 송나라 때 소식蘇軾(1036-1101)의 제자인 황정견黃庭堅(1045-1105)·진관秦觀(1049-1100)·조보지晁補之(1053-1110)·장뇌張耒(1052-1112) 등 네 사람을 아우르는 말.

353) 水晶燈籠(수정등롱) : 송사를 명쾌하게 판결하는 사람에 대한 별칭. 송나라 진종眞宗 때 섬서성 양주지주사洋州知州事를 지낸 장중용張中庸과 고종高宗 때 사천성 촉주지주사蜀州知州事를 지낸 손도부孫道夫가 모두 이러한 별명으로 불렸다.

354) 晏元獻(안원헌) : 송나라 사람 안수晏殊(991-1055). '원헌'은 시호. 자는 동숙同叔. 어려서부터 신동으로 이름을 떨쳤고, 시문에 뛰어나 범중엄范仲淹(989-1052)·구양수歐陽修(1007-1072) 등 당대의 명재상을 배출하였다. 벼슬은 동중서문하평장사同中書門下平章事에 올랐다. 저서로 ≪원헌유문元獻遺文≫ 1권과 ≪주옥사珠玉詞≫ 1권이 전한다. ≪송사·안수전≫권311 참조.

355) 天聖(천성) : 북송北宋 인종仁宗의 연호(1023-1031).

'문절'이다.

※女德婚姻(여덕과 혼인)

◇閨房之秀(규방 여인 가운데 으뜸)

●晉張玄, 字希祖, 妹有才質, 適顧氏. 濟尼[356]曰, "顧家婦淸心玉映, 自是閨房之秀."

○진나라 장현은 자가 희조로 여동생이 뛰어난 재능을 지녀 고씨 집안에 시집갔다. 그러자 제니가 말했다. "고씨 집안의 며느리는 마음이 맑고 용모가 고와 자연스레 규방 여인 가운데 으뜸이라오."

◇當梁之忌(들보를 짊어지는 해가 찾아오는 것을 싫어하다)

●張華少孤貧, 鄕人劉毅奇其才, 以女妻焉. 華嘗著感婚賦[357], 有云, "彼婚姻之俗忌, 惡當梁[358]之在行." 俗以子午卯酉爲當梁年, 婦不可娶, 舅姑[359]重禁之.

○(진晉나라) 장화(232-300)는 어려서 부모를 여의고 집안이 가난했지만 동향 사람 유의가 그의 재능을 높이 사 딸을 그에게 시집보냈다. 장화는 일찍이 <혼인에 대한 생각을 읊은 부>를 지어 "그곳 혼인에서의 세속적인 기피는 대들보를 짊어지는 해가 찾아오는 것을 싫어하는 것이다"라고 말한 적이 있다. 세간에서는 자子·오午·묘卯·유년酉年을 대들보를 짊어지는(혼인을 꺼리는) 해라고 생각하여 장가들어서는 안 된다고 보기에 시부모가 이를 엄중하게 금지시켰

---

356) 濟尼(제니) : 진晉나라 때 사람으로 왕응지王凝之의 지인. 왕응지의 아내인 사도온謝道韞과 장현張玄의 여동생에 대해 품평을 하였다고만 전할 뿐 신상은 미상. ≪진서·왕응지처사씨전王凝之妻謝氏傳≫권96 참조.

357) 感婚賦(감혼부) : 이는 동명의 제목으로 명나라 장보張溥(1602-1641)의 ≪한위육조백삼가집漢魏六朝百三家集·진장화집晉張華集≫권40에 전한다.

358) 當梁(당량) : 혼인을 꺼리는 해를 이르는 말. 지지地支가 정방향인 자子(북)·오午(남)나 묘卯(동)·유酉(서)이어서 대들보와 같은 위치에 놓이게 되고, 혼인날에는 등에 업는 것을 꺼린다는 속설에서 유래하였다.

359) 舅姑(구고) : 시아버지와 시어머니. 시아버지를 '구舅'라고 하고, 시어머니를 '고姑'라고 한다. '공고公姑'라고도 한다.

다.

◇公侯妃(공후의 아내)

●張宣子[360]并州豪族, 富於財, 與劉殷同郡. 時齊王攸[361]徵殷, 殷辭, 宣子勸之就徵. 殷曰, "今王母[362]在堂, 旣應他命, 不得就養矣. 此子輿[363]所以辭齊大夫也." 宣子嘉嘆, 以女妻之. 妻怒曰, "吾女姿識如此, 何患不作公侯[364]妃, 而以與劉殷乎?" 宣子曰, "非爾所及也." 卒妻之. 女性柔婉, 事王母盡孝, 奉殷如父.

○(진晉나라) 장선자는 (산서성) 병주의 호족으로 재산이 많았는데 유은과는 동향 사람이었다. 당시 제왕 사마유司馬攸가 유은을 불렀으나 유은이 사양하자 장선자가 그에게 부름에 응할 것을 권유하였다. 그러자 유은이 말했다. "지금 조모께서 살아계시는데 다른 명을 따르고 나면 모실 수가 없게 되지요. 이것이 (전국시대 추鄒나라 때) 자여(맹가孟軻)도 제나라의 대부직을 사양한 이유입니다." 장선자가 감탄하여 딸을 그에게 시집보냈다. 아내가 화가 나서 "우리 딸은 용모나 식견이 이처럼 뛰어나거늘 어찌 고관의 아내가 되지 못 할까 염려하여 유은에게 시집보낸단 말입니까?"라고 하였으나, 장선자는 "당신이 언급할 바가 아니오"라고 대답하고는 결국 그에게 시집보냈다. 딸은 성품이 온유하여 효심을 다해 유은의 조모를 모시고 유은을 마치 부친처럼 받들었다.

---

360) 張宣子(장선자) : 진晉나라 때 식자識者로 유은劉殷과 동향 사람이자 장인이란 것 외에는 신상에 대해 알려진 바가 없다. ≪진서·유은전≫권88 참조.

361) 齊王攸(제왕유) : 진晉나라 문제文帝와 왕황후王皇后 사이에 태어난 차남 사마유司馬攸. '제왕'은 봉호. 시호는 '헌獻'. ≪진서·문육왕전文六王傳≫권38 참조.

362) 王母(왕모) : 할머니의 별칭. 할아버지는 '왕부王父'라고 한다.

363) 子輿(자여) : 전국시대 추鄒나라 사람 맹자(맹가孟軻)의 자. ≪사기·맹가전≫권74 참조.

364) 公侯(공후) : 중국 고대 봉건제도에서 천자가 제후에게 하사하던 공작公爵·후작侯爵·백작伯爵·자작子爵·남작男爵 가운데 두 작위를 아우르는 말. 결국 고관을 통칭한다.

◇婚家(사돈)

●張詠之子娶王禹偁之女. 張齊賢嘗言於上曰, "詠本無文, 凡奏疏皆婚家王禹偁代爲之."

○(송나라) 장영(946-1015)의 아들은 왕우칭(954-1001)의 딸에게 장가들었다. 장제현이 일찍이 황제에게 "장영은 본래 문장력이 없어서 모든 상소문을 사돈인 왕우칭이 대신해서 짓고 있나이다"라고 아뢴 적이 있다.

◇婚姻榮盛(고귀한 집안과 혼인을 맺다)

●張說男女數人, 婚姻榮盛. 次子垍尙[365]公主, 爲三品夫人[366]. 次女適盧氏, 爲舅盧公求官, 與徐堅・徐安, 皆再召入, 禁中謂之翰林待詔[367]. 垍供奉[368]翰林, 以所得御賜誇其兄, 兄曰, "此婦翁[369]賜女壻[370], 非天子賜學士也."

○(당나라) 장열(667-731)은 아들과 딸 몇 명이 모두 고귀한 집안과 혼인을 맺었다. 차남인 장게張垍는 공주에게 장가들어 아내가 삼품 부인에 올랐다. 차녀는 노씨 집안에 시집가 시아버지인 노공을 위해 관직을 요구하였는데, 서견・서안과 함께 재차 황제의 부름을 받아 입궐하였기에 궁중에서는 그를 '한림대조'로 불렀다. 장게가 한림원에서 공봉직을 맡으면서 자신이 얻은 황제의 하사품을 형에게 자랑

---

365) 尙(상) : 공주에게 장가가는 것을 뜻하는 말. 남자가 몸을 낮추어 신분이 높은 공주를 '존중한다'는 의미에서 유래하였다. 반면 공주가 신분이 낮은 집안에 시집가는 것은 '하가下嫁'라고 한다.

366) 夫人(부인) : 황제의 후처後妻인 비빈妃嬪이나 제후의 적처嫡妻에 대한 존칭. 후에는 고관의 부인에 대한 존칭으로도 쓰였다.

367) 翰林待詔(한림대조) : 한나라 때 황실에 초빙되어 황명을 기다리며 황제에게 자문을 해 주던 데서 유래한 말로, 당송唐宋 때는 황제에게 올라오는 상주문上奏文의 비답批答을 전담하던 벼슬이었다.

368) 供奉(공봉) : 임금을 주변에서 받들어 섬기는 업무나 그러한 직책을 이르는 말. 주로 시어사侍御史나 한림학사翰林學士 등을 가리킨다. '한림학사'를 현종玄宗 때 '한림공봉翰林供奉'이라고 칭한 일이 있다.

369) 婦翁(부옹) : 장인. '부공婦公' '부부婦父' '외구外舅' '처공妻公' '처부妻父' 등 여러 가지 명칭으로도 불렸다.

370) 女壻(여서) : 딸의 남편. 즉 사위를 가리킨다.

하자 형이 말했다. "이것은 장인어른이 사위에게 하사한 것이지 천자께서 학사에게 하사한 것이 아닐세."

◇友婿(동서)

●張方平娶馬氏, 大常少卿[371]絳之女也. 女適王鞏, 子恕娶滕達道[372]第五女, 與何洵直·王渙之竝爲友婿[373].

○(송나라) 장방평(1007-1091)은 마씨에게 장가들었는데 태상소경 마강馬絳의 딸이다. 딸은 왕공에게 시집갔고, 아들 장서張恕는 달도達道 등원발滕元發의 다섯 번째 딸에게 장가들어 하순직·왕환지와 동서가 되었다.

◇仙婚(신선과의 결혼)

●張老[374]種瓜園叟也, 下聘錢五百緡[375], 娶韋恕女. 後同歸王屋山, 夫婦成仙.

○(당나라) 장노는 참외를 재배하던 농부로 결혼지참금 5백 꿰미를 주어 위서의 딸에게 장가들었다. 뒤에 함께 (산서성) 왕옥산으로 돌아가서는 부부가 모두 신선이 되었다.

---

371) 大常少卿(태상소경) : 예악禮樂과 천문天文에 관련된 업무를 관장하는 태상시太常寺에서 장관인 태상경太常卿 다음 가는 버금 장관을 이르는 말. '태大'는 '태太'와 통용자.

372) 滕達道(등달도) : 송나라 사람 등원발滕元發. 본명이 '보甫'이고 자가 '원발'이었으나 고로왕高魯王을 피휘避諱하기 위해 뒤에 자를 본명으로 삼고 자를 '달도達道'로 고쳤다. 시호는 장민章敏. 개봉부추관開封府推官·한림학사翰林學士를 역임하면서 왕안석王安石(1021-1086)의 신법新法에 반대하였고, 철종哲宗 때 운주지주사鄆州知州事를 지내면서 변방을 잘 다스려 '명수名帥'로 이름을 떨쳤다. ≪송사·등원발전≫권332 참조.

373) 友婿(우서) : 동서.

374) 張老(장노) : 춘추시대 진晉나라 때 대부大夫와 당나라 때 신선이 되었다는 농부. 여기서는 후자를 가리킨다.

375) 緡(민) : 동전 천 냥을 꿰어 놓은 엽전뭉치. 한나라 때 세금 계산의 단위로 사용한 데서 비롯된 말로 세금을 뜻하는 말로도 쓰였다.

◇狀元婚詩(장원급제하고서 결혼한 뒤 지은 시)

●張又新, 唐元和中, 狀元及第, 乃謂楊虔州曰, “吾少擅美名, 得美室[376], 足矣.” 旣婚, 殊失所望, 作牡丹詩[377]云, “牡丹一朶直[378]千金[379], 將謂從來色最深. 今日滿園開似雪, 一生辜負[380]賞花心.”

○장우신은 당나라 (헌종) 원화(806-820) 연간에 과거시험에서 장원급제를 차지하고서 (강서성) 건주 사람 양씨에게 말했다. “저는 어려서부터 멋진 명성을 떨쳤으니 이제는 아름다운 아내만 얻으면 될 것입니다.” 그러나 결혼하고 나서 전혀 바라던 여인이 아니자 <모란을 읊은 시>를 지어 말했다. “모란꽃 한 송이가 천금의 가치가 나가기에, 여태것 빛깔이 가장 심오하리라 생각했건만, 오늘 정원 가득 눈처럼 핀 것을 보니, 평생 꽃을 감상하려던 마음을 저버리누나.”

※妓妾(기녀와 첩실)

◇記曲娘子(악곡을 외우는 낭자)

●張紅紅, 大曆[381]中才人[382]也, 韋青納爲歌姬. 樂工撰新聲, 未進, 潛聽而記其拍矣. 敬宗召入宮, 號記曲娘子.

○(당나라) 장홍홍은 (대종) 대력(766-779) 연간에 재인이었다가 위청이 가희로 거두었다. 악공이 새 노래를 지으면 바치기도 전에 몰

---

376) 美室(미실) : 아름다운 여자나 아내를 이르는 말.
377) 詩(시) : 이는 동명의 칠언절구七言絶句를 인용한 것으로 ≪전당시全唐詩·장우신≫권479에 전한다.
378) 直(치) : 값어치가 나가다. ‘치値’와 통용자.
379) 千金(천금) : 금 천 근斤. ‘금金’은 ‘근斤’이나 ‘일鎰’과 같은 말이고, ‘천금’은 실수實數라기보다는 많은 양의 금이나 거액을 강조하기 위한 표현이다.
380) 辜負(고부) : 저버리다, 어기다.
381) 大曆(대력) : 당唐 대종代宗의 연호(766-779).
382) 才人(재인) : 당송 때 후궁의 관직인 여관女官(내관內官) 가운데 하나. 내관內官으로 지위가 가장 높은 정1품 귀비貴妃 등 사비四妃로부터 정2품 소의昭儀 등 구빈九嬪, 정3품 첩여婕妤, 정4품 미인美人, 정5품 재인才人 등의 관제官制가 있었다. ≪신당서·백관지百官志≫권47와 ≪송사·직관지職官志≫권163 참조.

래 듣고서 그 곡의 박자를 외어버렸다. 뒤에 경종은 그녀를 궁중으로 불러들이면 ‘기곡낭자’라고 불렀다.

◇紫雲車(신선의 수레)

●張好好善歌, 沈著作383)納之. 杜牧詩384)云, “君爲豫章姝, 十三纔有餘. 主人再三嘆, 爲言天下無.” 又云, “身外任塵土, 樽前極歡娛. 飄然集仙客, 載以紫雲車385).”

○(당나라) 장호호는 노래를 잘 불러 저작랑 심씨가 그녀를 첩실로 받아들였다. 두목은 시에서 “그대는 (강서성) 예장군의 미녀로, 고작 열세 살에 이미 재주가 넘쳤지. 주인이 재삼 감탄하며, 천하에 겨룰 상대가 없다고 말하네”라고 하였고, 또 “몸을 밖으로 속세에 맡긴 채, 술동이 앞에서 즐거움을 만끽하느라, 아련히 신선 같은 손님들을 모아 놓고, 신선의 수레에 태우누나”라고 하였다.

◇燕子樓(연자루)

●張建封舞妓盼盼, 居燕子樓. 公薨386), 誓不他適, 有燕子樓詩三百首. 白樂天387)爲之作序, 又作三絶388)云, “滿窗明月滿樓霜, 被冷燈殘拂臥

---

383) 著作(저작) : 위진魏晉 이후로 국사의 편찬에 관한 업무를 관장하던 비서성秘書省 소속의 관원인 저작랑著作郎의 약칭. 상관으로 비서감秘書監과 비서소감秘書少監·비서승秘書丞·비서랑秘書郎 등이 있다.

384) 詩(시) : 이는 장편 오언고시五言古詩인 <장호호를 읊은 시(張好好詩)>에서 일부를 발췌하여 인용한 것으로 ≪전당시全唐詩·두목≫권520에 전한다.

385) 紫雲車(자운거) : 신선의 수레를 비유하는 말.

386) 薨(훙) : 제후나 공경公卿 등 고관이 죽었을 때 쓰는 말. ≪예기·곡례하曲禮下≫권5에 의하면 천자의 죽음은 ‘붕崩’이라고 하고, 공경의 죽음은 ‘훙薨’이라고 하고, 대부大夫의 죽음은 ‘졸卒’이라고 하고, 사士의 죽음은 ‘불록不祿’이라고 하고, 평민의 죽음은 ‘사死’라고 하여 신분에 따라 죽음에 대한 표현에도 차이를 두었다.

387) 白樂天(백낙천) : 당나라 때 시인인 백거이白居易(772-846). ‘낙천’은 자. 호는 향산거사香山居士. 한림학사翰林學士·형부상서刑部尙書를 지냈고, 시로 이름을 떨쳐 원진元稹(779-831)과 함께 ‘원백元白’으로 불렸으며, 유우석劉禹錫(772-842)과 함께 ‘유백劉白’으로도 불렸다. 저서로 ≪백씨장경집白氏長慶集≫ 71권이 전한다. ≪신당서·백거이전≫권119 참조.

388) 三絶(삼절) : 이는 동명의 칠언절구七言絶句를 가리키는 말로 서문과 함께

床. 燕子樓中霜月苦, 秋宵只爲一人長." "今春有客洛陽回, 曾到尙書冢上來. 見說白楊389)堪作柱, 爭390)教紅粉不成灰?"

○(당나라) 장건봉(735-800)의 가기인 반반은 연자루에 기거하였다. 장건봉이 죽자 다른 사람에게 시집가지 않겠다고 맹서하고는 <연자루를 읊은 시> 3백 수를 남겼다. 낙천樂天 백거이白居易가 그녀를 위해 서문을 써 주고 다시 절구 3수를 지어 "창문에는 밝은 달빛 가득하고 누각에는 서리 가득한데, 이불 차갑고 등잔불 깜빡거리는 와중에 침상을 어루만지네. 연자루 안은 서리와 달빛 싸늘하기에, 가을 밤이 단지 한 사람에게만 길게 느껴지겠지"라고 하고, 또 "올봄에 나그네가 (하남성) 낙양에서 돌아왔는데, 일찍이 상서 어른(장건봉)의 무덤을 찾아 주셨던 분이라네. (무덤가의) 황철나무로 기둥을 만들 수 있다고 말씀해 주시지만, 어찌 붉은 분이 재가 되지 않게 할 수 있으리오?"라고 하였다.

◇燕燕(연연)

●張祜妾, 名燕燕. 又漢成帝時, 童謠云, "燕! 燕! 尾涎涎391), 張公子, 時相見." 故東坡賀子野買妾云392), "公子歸來燕燕忙."

○(당나라) 장호의 첩은 이름이 연연이다. 또 전한 성제 때 동요에는 "제비야! 제비야! 꼬리를 흔들면 장공자가 때로 봐 주신단다"라는 노랫말이 있었다. 그래서 (송나라) 동파東坡 소식蘇軾은 <자야子野 장선張先이 첩실을 사들인 것을 축하하는 시>에서 "공자가 돌아왔으니 연연이 바쁘겠구나"라고 하였다.

≪백씨장경집≫권15에 전한다. 위의 예문은 제1수와 제3수를 인용한 것이다.

389) 白楊(백양) : 황철나무. 무덤가에 심는 나무 가운데 하나로 우리나라에서는 사시나무를 일컫기도 한다.

390) 爭(쟁) : 의문사. 어찌. '즘怎' '하何'의 뜻.

391) 涎涎(연연) : 침을 흘리는 모양. 따라서 윤기가 흐르는 모양이나 작은 새가 꼬리를 펼치는 모양을 뜻하는 말인 '전전涎涎'의 오기이다.

392) 云(운) : 이는 칠언율시七言律詩 <장자야(장선張先)가 나이 85세임에도 여전히 첩실을 사들였다는 소문이 돌자 술고선생(진양陳襄)이 나보고 시를 지으라고 하다(張子野年八十五, 尙聞買妾, 述古令作詩)> 가운데 함련頷聯의 말구末句를 인용한 것으로 ≪동파전집東坡全集≫권5에 전한다.

●張浚母, 秦國夫人. 高壽浚知福州, 就州宅, 建眉壽[393]堂.(此以後竝婚姻)

○(송나라) 장준(1097-1164)의 모친은 진국부인에 봉해졌다. 고수준이 (복건성) 복주지주사를 맡자 복주에 있는 저택을 찾아가 (장수를 축원하는 건물인) 미수당을 지어 주었다.(그 뒤로 함께 사돈을 맺었다)

●張齊賢母, 封晉國夫人.(見孫氏)

○(송나라) 장제현(943-1014)의 모친은 진국부인에 봉해졌다.(관련 내용은 앞의 '손'씨절에도 보인다)

●張負, 戶牖[394]富室也, 以女孫妻陳平.(見陳氏)

○(전한) 장부는 (하남성) 호유현의 부자로 손녀를 진평(?-B.C.178)에게 시집보냈다.(상세한 내용은 앞의 '진'씨절 '다장자거多長者車'항에 보인다)

●張禹愛女, 以妻蕭咸.(見蕭氏)

○(전한) 장우(?-B.C.5)는 딸을 사랑하여 그녀를 소함에게 시집보냈다.(상세한 내용은 앞의 '소'씨절 '애녀愛女'항에 보인다)

●張嘉貞五女重牽絲[395]之選.(見郭姓)

○(당나라) 장가정(666-729)의 다섯 딸은 벼슬아치를 남편감으로 고르는 것을 중요시하였다.(관련 내용이 뒤의 '곽'씨절에 보인다)

●張公徵以女妻太守田豹之子, 仲春成婚.(見令狐[396]氏)

---

393) 眉壽(미수) : 장수를 이르는 말. 장수한 노인들에게는 긴 눈썹이 있다는 데서 유래하였다.

394) 戶牖(호유) : 전한 때 공신인 진평陳平(?-B.C.178)의 고향이자 봉토封土. 지금의 하남성 동인현東仁縣 북동쪽 일대.

395) 牽絲(견사) : 실을 끌다. '絲'는 인끈을 가리킨다. 이는 곧 천자가 관리에게 내리는 인끈을 차게 되었다는 의미로 벼슬에 오르는 것을 말한다.

396) 令狐(영호) : 복성複姓으로 진晉나라 때 장공징張公徵의 딸과 전표田豹의 아들의 중매를 선 영호책令狐策을 가리킨다. 그러나 관련 내용이 '영호'씨절에 실리지 않은 것으로 보아 전래 과정에서 실전된 듯하다. 유사한 고사가 ≪진서晉書·삭담전索紞傳≫권95에 전한다.

○(진晉나라) 장공징은 딸을 태수 전표의 아들에게 시집보내면서 중춘 2월에 결혼식을 치렀다.(관련 내용이 뒤의 '영호'씨절에 보인다)

●張顯壽二女適馮左藏.(見馮氏)

○(송나라) 장현수의 둘째 딸은 풍좌장에게 시집갔다.(상세한 내용은 앞의 '풍'씨절 '이매속친以妹續親'항에 보인다)

●張延賞不識韋皐是貴人.(見韋氏)

○(당나라) 장연상(727-787)은 위고가 귀인이란 것을 알아보지 못 했다.(상세한 내용은 앞의 '위'씨절 '불식귀인不識貴人'항에 보인다)

●張率・韋放, 指腹爲婚.(見韋氏)

○(남조南朝 양梁나라 때) 장솔과 위방은 임신한 부인의 배를 가리키며 혼사를 약조하였다.(상세한 내용은 앞의 '위'씨절 '지복혼指腹婚'항에 보인다)

●張鎰女倩娘, 妻外甥王宙.(見王姓[397])

○(당나라) 장일의 딸 장천낭張倩娘은 외숙부인 왕주에게 시집갔다.(관련 내용이 앞의 '왕'씨절에 보인다)

●張日用見鄭獬[398], 奇之, 妻以女. 旣而鄭果魁天下.

○(송나라) 장일용은 정해(1022-1072)를 보자 대단한 인물로 여겨 딸을 시집보냈다. 얼마 안 있어 정해는 정말로 과거시험에서 장원급제를 차지하였다.

●張撤[399]娶韓氏之女.(見韓氏)

---

397) 王姓(왕성) : 이 역시 현전하는 ≪씨족대전≫에 실리지 않은 것으로 보아 전래 과정에서 실전된 듯하다.

398) 鄭獬(정해) : 송나라 때 사람(1022-1072). 자는 의부毅夫이고 호는 운계鄖溪. 한림학사翰林學士・개봉부지부사開封府知府事 등을 역임하였다. 저서로 ≪운계집鄖溪集≫ 28권이 전한다. ≪송사・정해전≫권321 참조.

○(당나라) 장철은 한씨 가문(한유韓愈의 종제인 한유韓俞)의 딸에게 장가들었다.(상세한 내용은 앞의 '한'씨절 '사우혼師友婚'항에 보인다)

●張藉娶尙書胡珦之女.

○(당나라) 장적(약 766-830)은 상서를 지낸 호향의 딸에게 장가들었다.

●張說微時, 元懷景知其必貴, 以女妻之.

○(당나라) 장열(667-731)이 평민이었을 때 원회경은 그가 필시 고관에 오르리란 것을 알고는 딸을 그에게 시집보냈다.

●張耳遊外黃[400], 外黃富人有女甚美, 庸奴[401]其夫. 父曰, "欲求賢夫, 宜從張耳." 遂嫁之.

○(전한) 장이(?-B.C.202)가 (하남성) 외황현을 떠돌 때 외황현의 부자에게 무척 아름다운 딸이 있었는데, 신분이 천한 사람이 그녀의 남편이었다. (남편이 죽자) 부친이 말했다. "훌륭한 사내를 찾고 싶으면 의당 장이에게 시집가거라." 결국 그에게 시집갔다.

●鋪張. 蘇張[402]. 譸張[403]. 金張. 更張[404].

○넓게 펼치다. (전국시대) 소진蘇秦과 장의張儀.(혹은 당나라 소정蘇頲과 장열張說) 거짓말하다. (전한) 김일제金日磾와 장탕張湯. 개혁하다.

---

399) 張撤(장철) : 앞의 문장에는 '장철張澈'로 되어 있다.

400) 外黃(외황) : 한나라 때 하남성에 설치한 현 이름.

401) 庸奴(용노) : 식견이 좁고 천박한 사람을 이르는 말. 상대방에 대한 폄칭貶稱으로 쓸 때도 있다.

402) 蘇張(소장) : 전국시대 때 종횡가縱橫家를 대표하는 소진蘇秦(?-B.C.284)과 장의張儀(?-B.C.310)나 당나라 때 대표적 문장가인 소정蘇頲(670-727)과 장열張說(667-731)을 아우르는 말.

403) 譸張(주장) : 거짓말하다.

404) 更張(경장) : 개혁하다, 고치다.

◆章(장씨)

▶商音. 河間[405]. 齊大公支孫[406]封于鄣, 其後以國爲氏, 去邑爲章. 齊將章子·秦將章邯, 皆其後也.

▷음은 상음에 속하고 본관은 (하북성) 하간군이다. 제나라 강태공姜太公의 지손이 (강소성) 장나라에 봉해지자 그의 후손이 나라 이름을 성씨로 삼았다가 '마을 읍邑' 부수를 삭제하고 '장章'이라고 한 것이다. 제나라 장수 장자와 진나라 장수 장한이 모두 그 후손들이다.

◇升台鉉(삼공의 자리에 오르다)

●章昭達, 字伯通, 吳興人. 性倜儻[407], 輕財尙氣. 陳文帝夢昭達升台鉉[408], 及旦, 告之曰, "何以償夢?" 對曰, "當效犬馬之用, 以盡臣節." 後拜司空[409].

○장소달(518-571)은 자가 백통이고 (강소성) 오흥현 사람이다. 성품이 호방하여 재물을 경시하고 기개를 중시하였다. (남조南朝) 진나라 문제는 장소달이 삼공에 오르는 꿈을 꾸더니 이튿날 아침에 그에게 이를 알려주며 말했다. "어떻게 꿈에 보답하겠소?" 장소달이 대답하였다. "응당 견마지로를 발휘하여 신하로서의 도리를 다하겠나이다." 뒤에 사공을 배수받았다.

◇歸燕詩(돌아가는 제비를 읊은 시)

●章孝標, 唐元和中, 進士下第, 作歸燕詩, 上考官[410]庾承宣云[411], "積

---

405) 河間(하간) : 하북성의 속군屬郡 이름.

406) 支孫(지손) : 동일 종파의 자손을 이르는 말.

407) 倜儻(척당) : 호방하여 세속적인 예법에 얽매이지 않는 모양.

408) 台鉉(태현) : 재상인 삼공三公의 별칭. '태현台弦'으로도 쓰고, '태괴台槐' '태보台輔' '태정台鼎' '태형台衡' 등 다양한 명칭으로도 불렸다.

409) 司空(사공) : 벼슬 이름. 소호少昊 때 처음 설치되었는데, 주周나라 때는 동관冬官으로서 치수와 토목공사를 관장하였고, 한나라 이후로는 태위太尉·사도司徒와 함께 삼공三公의 하나였다.

410) 考官(고관) : 시험감독관. '시관試官' '주고主考' '주문主文'이라고도 한다.

411) 云(운) : 이는 칠언절구七言絶句 <돌아가는 제비를 읊은 노래를 지어 공부시랑에게 인사를 올리다(歸燕詞, 辭工部侍郎)>를 인용한 것으로 ≪전당시全唐詩·장효표≫권506에 전한다.

累危巢泥已落, 今年欲向社前歸. 連雲大厦412)無棲處, 更傍誰家門戶飛?" 上知擧413)侍郎414)鄭愚云415), "翩翩416)飛燕畵堂開, 送古迎今幾萬回? 長向春秋社前後, 爲誰歸去爲誰來?"

○장효표는 당나라 (헌종) 원화(806-820) 연간에 진사시험에 낙방하자 <돌아가는 제비를 읊은 시>를 지어 시험감독관인 유승선에게 올리며 "높이 쌓은 둥지에 진흙 이미 떨어져, 올해에는 토지신에게 제를 올리는 사당으로 돌아가려 하나니, 구름에 닿을 듯 거대한 건물에 깃들 곳 없거늘, 다시 뉘 집 대문으로 날아들 수 있으리오?"라고 하였고, 또 시험감독관인 예부시랑 정우에게 올리면서는 "가볍게 나는 제비는 아름다운 대청의 문이 열리면, 송고영신하던 것이 몇만 번이던가? 토지신에게 봄가을로 제를 올리는 사당 앞뒤를 오래도록 날았건만, 누구 때문에 돌아갔다가 누구 때문에 돌아오는 것일까?" 라고 하였다.

◇譏諷(풍자)

●章碣, 唐詩人也. 邵安石隨高湘歸朝, 湘知貢擧, 安石中第, 碣作詩417), 譏之曰, "懶修珠玉望樓臺, 眉目連娟418)幸不開. 縱使東巡也無益, 君王自帶美人來."

---

412) 大厦(대하) : 커다란 건물. 여기서는 궁궐이나 조정을 가리키는 말로 쓰인 듯하다.

413) 知擧(지거) : 과거시험을 관장하는 일이나 그러한 업무를 관장하는 시험감독관을 뜻하는 말인 지공거知貢擧의 약칭.

414) 侍郎(시랑) : 조정의 각 행정 기관의 버금 장관에 해당하는 벼슬. 즉 중서시랑中書侍郎·문하시랑門下侍郎 및 상서성尙書省의 이부시랑吏部侍郎·호부시랑戶部侍郎 등을 말한다. 여기서는 시험감독관을 맡는 예부시랑禮部侍郎을 가리키는 것으로 보인다.

415) 云(운) : ≪전당시全唐詩≫권607에서는 구양해歐陽澥의 작품으로 수록하고 있는데, 어느 것이 맞는지 불분명하기에 위의 예문을 따른다.

416) 翩翩(편편) : 경쾌하게 나는 모양.

417) 詩(시) : 이는 칠언절구七言絶句 <(하남성 낙양의) 동도에서 황제의 행차를 바라보다(東都望幸)>를 인용한 것으로 ≪전당시·장갈≫권669에 전한다.

418) 連娟(연연) : 가늘면서 굽은 미인의 눈썹을 형용하는 말. 여기서는 과거시험 급제의 최종 결정권자인 천자를 비유적으로 가리키는 듯하다.

○장갈은 당나라 때 시인이다. 소안석이 고상을 따라 조정으로 돌아왔는데, 고상이 (과거시험을 관장하는) 지공거를 맡는 바람에 소안석이 과거시험에 급제하자 장갈이 시를 지어 다음과 같이 풍자하였다. “구슬 다듬는 일(공부)을 게을리하면 누대를 바라보아도, 용모 아름다운 여인(천자)이 다행히 문을 열어 주지 않건만, 비록 동쪽 순방에 나섰지만 아무런 소득도 거두지 못 하였거늘, 군왕(고상)은 손수 미인(소안석)을 데리고 왔다네.”

◇孝子(효자)

●章全益, 唐人, 家涪城. 少孤, 爲兄全啓鞠養. 兄亡, 服斬衰[419], 斷一指, 以報不娶, 賣藥自給. 居成都四十年, 號章孝子.

○장전익은 당나라 때 사람으로 집이 (사천성) 부성에 있었는데, 어려서 부모님을 여의고 형 장전계張全啓의 슬하에서 자라났다. 형이 사망하자 부모님 상을 당했을 때 입는 상복을 입고 손가락을 하나 잘라 장가조차 가지 않은 형님 은혜에 답한 뒤 약초를 팔아 자급자족하였다. (사천성) 성도에 40년 동안 거주하며 장효자로 불렸다.

◇庭橫象笏(마당에 상아로 만든 홀이 가로놓이다)

●章得象, 字希言, 仔鈞之後生[420]. 時母夢庭橫象笏, 因以得象名之. 性端重, 宋仁宗朝, 在翰林二十年, 怡然自得, 處相位八年, 親戚子弟, 皆抑而不進. 封郇公. 謚文簡.

○장득상(978-1048)은 자가 희언으로 장자균章仔鈞의 후손이다. 당시 모친이 마당에 상아로 만든 홀이 가로놓이는 꿈을 꾸었기에 그래서 ‘득상’이라고 이름을 지은 것이다. 성품이 단아하고 신중해서 송나라 인종 때 한림원에 20년이나 있으면서도 기꺼이 만족해 하였고, 재상의 자리에 8년 동안 있으면서 친척이나 자제들을 모두 제어하여 벼

---

419) 斬衰(참최) : 오복五服 가운데 하나로 부모님이 돌아가셨을 때 3년 동안 입는 상복을 이르는 말. 가장 무겁고 거친 베로 만들었다.

420) 後生(후생) : 후손, 후배, 제자, 저승 등을 뜻하는 말. 장자균章仔鈞이 장득상章得象의 고조부이므로 여기서는 후손을 의미한다.

슬에 오르지 못 하게 했다. 순국공에 봉해졌다. 시호는 '문간'이다.

◇風骨奇貴(풍골이 귀인의 상을 타고나다)

●章惇, 字子厚. 始生, 族父得象奇其風骨, 以爲必貴. 宋元豐[421]中, 拜相, 封申國公. 子持・援.

○장돈(1035-1105)은 자가 자후이다. 처음 태어났을 때 족부인 장득상章得象(978-1048)이 그의 풍골을 기이하게 여겨 틀림없이 고관에 오를 것이라고 생각하였다. 송나라 (신종) 원풍(1078-1085) 연간에 재상을 배수받고 신국공에 봉해졌다. 아들은 장지章持와 장원章援이다.

◇兄弟甲科(형제가 갑과에 급제하다)

●章援, 宋元祐中, 進士第一人, 兄持第十人. 時東坡知貢擧, 屬意[422]李方叔[423], 令叔黨持一簡與之. 値[424]其出, 僕受簡, 置几上, 偶章持兄弟來訪, 取簡竊視, 乃'劉向優於揚雄論'二篇, 持去. 已而果出此題. 二章模倣坡作, 坡取之, 意必方叔, 乃二章也. 子厚・諸孫傑・潛・泳・深・澥・洽・箴・梓・籥, 俱及第.

○장원은 송나라 (철종) 원우(1086-1093) 연간에 진사시험에서 장원 급제를 차지하고, 형 장지章持는 10등으로 합격하였다. 당시 동파東坡 소식蘇軾은 (과거시험을 관장하는) 지공거를 맡으면서 방숙方叔 이치李廌에게 마음을 두었기에 이치의 지인을 시켜 서신을 한 통 가져다가 그에게 주게 하였다. 그러나 마침 그가 외출하는 바람에 하인이 서신을 받아 안궤 위에 두었는데, 공교롭게도 장지 형제가 방문하였다가 서신을 손에 넣어 몰래 훔쳐보았더니 바로 '(전한) 유향

---

421) 元豐(원풍) : 북송北宋 신종神宗의 연호(1078-1085).
422) 屬意(촉의) : 의중을 내비치다, 마음을 기울이다.
423) 李方叔(이방숙) : 송나라 사람 이치李廌. '방숙'은 자. 소식蘇軾의 친구인 이돈李惇의 아들이자 소식의 제자로 소식에게서 문장력을 인정받았으나 벼슬에 뜻을 두지 않아 은거하였다. ≪송사・이치전≫권444 참조.
424) 値(치) : 만나다, 마주치다.

이 양웅보다 우월한 것에 대해 논하는 글' 두 편이어서 그것을 가지고 그곳을 떠났다. 얼마 뒤 정말로 이 문제가 출제되었다. 장지 형제가 소식의 작품을 모방하는 바람에 소식은 그것을 손에 들고서 마음 속으로 틀림없이 이치라고 생각했지만 알고보니 장지 형제였다. 아들 장후章厚와 손자인 장걸章傑·장잠章潛·장영章泳·장심章深·장해章瀣·장흡章洽·장잠章箴·장재章梓·장약章籥도 모두 과거시험에 급제하였다.

◇水龍吟(<수룡음>사)

●章楶, 字質夫, 與東坡往來倡和, 嘗作水龍吟[425]詠楊花. 坡與之帖云, "切聞公會用香藥[426], 皆珍異之物, 極爲蕃商之苦. 公若奏罷之, 陰德非小補[427]也. 柳花詞絶妙, 使來者何以措辭?" 宋徽宗朝, 爲樞密[428]. 謚莊敏.

○장절(1027-1102)은 자가 질부로 동파東坡 소식蘇軾과 왕래하며 창화하다가 일찍이 버들솜을 읊은 <수룡음>사를 지은 적이 있다. 그러자 소식이 그에게 서첩을 보내 말했다. "갑작스레 듣자하니 공께서 향료를 모아 사용한 것이 모두 진기한 물건인데 변방 상인들이 몹시 고생해서 장만한 것이라고 하더군요. 공께서 만약 그만두겠다고 아뢴다면 음덕은 작은 보탬에 그치지 않을 것입니다. (진귀한 물품들을 보유하신 덕에) 버들솜을 읊은 사가 절묘하니 앞으로 사를 지을 사람들이 어떻게 글을 지을 수 있겠습니까?" 송나라 휘종 때 추밀사에 올랐다. 시호는 '장민'이다.

---

425) 水龍吟(수룡음) : 송나라 때 유행한 전단前段 11구와 후단後段 11구의 102자, 전단 11구와 후단 10구의 102자, 전단11구와 후단 10구의 101자, 전단 9구와 후단 8구의 102자 등 다양한 형태의 쌍조雙調로 이루어진 사패詞牌로서 구두句讀가 가장 복잡한 노래로 알려졌다. '용음곡龍吟曲' '고적만鼓笛慢' '장춘세長椿歲' '풍년서豐年瑞' 등으로도 불린다. 장절章楶의 작품은 송나라 황승黃昇이 엮은 ≪화암사선花菴詞選·송사宋詞·장질부≫권5에 전한다.

426) 香藥(향약) : 향료의 별칭.

427) 小補(소보) : 자그마한 보탬이나 이익을 이르는 말.

428) 樞密(추밀) : 당송唐宋 때 국가의 군사 업무를 총괄하던 기관인 추밀원樞密院이나 그 장관인 추밀사樞密使의 약칭.

◇河堤便民(둑방을 쌓아서 백성을 안정시키다)

●章衡, 字子平, 宋嘉祐[429]進士第一人, 帥眞定府, 滹沱河[430]每春瀰漫, 爲民大患. 衡爲築橫堤二十餘丈, 以障衝突, 民獲安處. 終寶文[431]待制.

○장형(1025-1099)는 자가 자평으로 송나라 (인종) 가우(1056-1063) 연간에 진사시험에서 장원급제를 차지한 뒤 (하북성) 진정부를 통솔하게 되었는데, 호타하가 매년 봄마다 넘쳐나 백성들의 커다란 우환거리가 되었다. 그러자 장형이 그들을 위해 가로로 둑을 20장 넘게 쌓아 충돌을 막았기에 백성들이 안주할 곳을 마련할 수 있었다. 보문각대제를 지내다가 생을 마쳤다.

◇秋霜烈日(가을 서리와 작열하는 햇살)

●章穎, 字茂顯[432], 宋光宗朝, 爲左司諫[433]. 中書一日奏事, 擬公紫微, 上曰, "章穎好諫官, 何以遷之?" 寧宗朝, 爲侍御史[434], 遷禮尙書[435].

---

429) 嘉祐(가우) : 북송北宋 인종仁宗의 연호(1056-1063).

430) 滹沱河(호타하) : 하북성에서 산동성으로 흐르는 강 이름으로 '호지惡池'라고도 한다. 황하처럼 탁류濁流의 대명사이다.

431) 寶文(보문) : 송나라 때 궁중에 있던 인종仁宗의 유품을 소장하던 장서각藏書閣 이름인 보문각寶文閣의 준말. 송나라 때는 황제가 사망하고 나면 유작과 유품을 소장하는 장서각을 마련하고, 이를 관장하는 관원으로 학사學士·직학사直學士·대제待制 등을 배치하는 관례가 있었다. 태종太宗의 용도각龍圖閣, 진종眞宗의 천장각天章閣, 인종仁宗의 보문각寶文閣, 신종神宗의 현모각顯謨閣, 철종哲宗의 휘유각徽猷閣, 휘종徽宗의 부문각敷文閣, 고종高宗의 환장각煥章閣, 효종孝宗의 화문각華文閣, 광종光宗의 보모각寶謨閣, 영종寧宗의 보장각寶章閣, 이종理宗의 현문각顯文閣 등이 그러한 예이다. ≪송사·직관지職官志≫권162 참조.

432) 茂顯(무현) : ≪송사·장영전≫권404에 의하면 '무헌茂獻'의 오기이다.

433) 司諫(사간) : 당나라 때 간언을 관장하던 보궐補闕을 송나라 때 개칭한 벼슬 이름. 보궐과 마찬가지로 좌사간左司諫과 우사간右司諫이 있는데, 좌사간은 문하성門下省 소속이고, 우사간은 중서성中書省 소속이었다.

434) 侍御史(시어사) : 주周나라 때 주하사柱下史에서 유래한 벼슬로서 위진魏晉 이후로는 주로 관리들의 비리를 규찰하였다. 당송唐宋 때는 어사대御史臺 소속으로 어사대부御史大夫·어사중승御史中丞 다음 가는 벼슬이었다.

435) 禮尙書(예상서) : 조정의 핵심 행정 기관인 상서성尙書省 소속의 육부六部 가운데 국가의 제사와 교육·외교 등과 관련한 주요 업무를 관장하던 기관인 예부의 장관 예부상서禮部尙書의 약칭. 버금 장관으로 예부시랑禮部侍郎을 두고, 휘하에 예부禮部·사부祀部·선부膳部·주객主客의 4사司를 설치하여 낭

諡文肅. 贊436)曰, "公風規437)峻整, 踐履438)端直, 凜乎439)如秋霜烈日之不可犯."

○장영(1141-1218)은 자가 무헌茂獻으로 송나라 광종 때 좌사간을 지냈다. 중서성에서 하루는 글을 올려 장영을 자미성(중서성)의 관원으로 삼고자 하자 광종이 말했다. "장영은 훌륭한 간관이거늘 어찌 전근을 시킬 수 있겠소?" 영종 때는 시어사를 지내다가 예부상서로 승진하였다. 시호는 문숙이다. 찬문에서 "장영은 기품이 근엄하고 행동이 강직하기에 마치 가을 서리와 작열하는 햇살을 범접할 수 없는 것처럼 위엄이 넘친다"고 평하였다.

◇篤實君子(독실한 군자)

●章才邵篤學能文, 世稱爲篤實君子. 喜吟詩, 過淸遠峽440)云441), "巖頭風急樹欹斜, 江畔漁樵十數家. 老盡往來名利客, 年年秋水映蘆花." 晩年閒居, 與朱晦翁442)遊.

○(송나라) 장재소는 학문에 정통하고 글을 잘 지었기에 세간 사람들이 그를 '독실군자'라고 칭하였다. 시 짓기를 좋아하더니 <청원협에 들러 지은 시>에서는 "바윗가 바람 거세니 나뭇가지 비스듬히 기우

중郎中과 원외랑員外郎에게 관장케 하였다.

436) 贊(찬) : ≪송사·장영전≫권404의 찬문이나 타인의 문집에 실린 찬문에서도 발견되지 않아 누구의 글인지 불분명하다. 박물군자가 밝혀주기를 기대한다.

437) 風規(풍규) : 기품이나 법도를 이르는 말.

438) 踐履(천리) : 실천하다, 실행하다.

439) 凜乎(늠호) : 위엄이 넘치는 모양, 몸이 오싹할 정도로 강직한 모양.

440) 淸遠峽(청원협) : 복건성에서 광동성으로 흘러드는 강인 청원강淸遠江에 있는 협곡 이름.

441) 云(운) : 이는 동명의 칠언절구七言絶句를 인용한 것으로 청나라 여악厲鶚(1692-1752)의 ≪송시기사宋詩紀事·장재소≫권63에 전하는데, 출처에 대해 송나라 때 저자 미상의 ≪금수만화곡錦繡萬花谷≫이라고 하였으나 현전하는 ≪금수만화곡≫에 보이지 않는 것으로 보아 일문逸文인 듯하다.

442) 朱晦翁(주회옹) : 송나라 때 성리학性理學의 집대성자이자 대문호인 주희朱熹(1130-1200). '회옹'은 호. 시호는 문공文公. 저서로 ≪회암집晦庵集≫ 112권 등 다수가 전한다. ≪송사·도학열전道學列傳·주회전≫권429 참조.

는데, 강가에 어부와 나뭇꾼의 집이라곤 고작 열 채 남짓. 오가며 명예와 이익을 좇던 길손들 모두 늙었지만, 해마다 가을 물은 갈대꽃을 비추누나"라고 하였다. 만년에는 한가로이 지내며 회옹晦翁 주희朱熹와 교유하였다.

◇仙道(신선술)

●章思廉得道靈異之迹, 見於處州天慶觀. 有章眞人[443]畫像, 自贊云, "狂走兀坐[444], 端立靜眠, 默而又默, 顚[445]而不顚, 漏身走脫, 且守三田[446]." 人以爲怪.

○(송나라 때 도사) 장사렴이 도를 터득해 영험한 능력을 발휘한 흔적은 (절강성) 처주에 있는 도관인 천경관에서 볼 수 있다. 그곳에는 장진인(장사렴)의 초상화가 있는데, 스스로 쓴 찬문에서 "미친 듯이 달리다가 몸을 곧추세우고 앉기도 하고, 단정하게 섰다가 조용히 잠들기도 하고, 침묵하고 또 침묵하다가 미쳐도 미친 듯이 행동하지 않았으니 육신을 초탈하고 속세를 벗어나 거의 단전을 지켰노라"고 하였기에 사람들이 기괴하게 생각하였다.

●章仔鈞, 五代時人, 安貧樂道, 居鄕有賢行, 子孫多顯仕.

○(송나라 장득상章得象의 고조부인) 장자균은 오대 때 사람으로 안빈낙도하며 고향에서 어진 행동을 하였기에 자손들 가운데 고관에 오른 사람이 많다.

---

443) 眞人(진인) : 득도한 도사나 신선에 대한 별칭. 남자 도사는 '진인'이라고 하고, 여자 도사는 '원군元君'이라고 한다. 여기서는 송나라 때 도사 장사렴章思廉을 가리킨다.

444) 兀坐(올좌) : 몸을 곧추세우고 앉다.

445) 顚(전) : 미친 듯이 행동하다, 발광하다. '전癲'과 통용자.

446) 三田(삼전) : 도교道敎에서 말하는 상단전上丹田·중단전中丹田·하단전下丹田을 아우르는 말인 '삼단전三丹田'의 준말로서 단전호흡을 통한 득도 과정을 가리킨다.

※婚姻(혼인)

●章仔鈞娶練氏, 生子十五人, 仁嵩・仁郁居長. 多爲顯官, 家于浦城447)之西村.

○(오대 때) 장자균은 연씨에게 장가들어 아들을 15명 낳았는데 장인숭章仁嵩과 장인욱章仁郁이 항렬이 높다. 아들들 대부분이 고관에 오르면서 (복건성) 포성현 서촌에 집을 마련하였다.

●章文虎, 江寧人, 妻劉氏, 字文美, 能詩詞.

○(송나라) 장문호는 (강소성) 강녕현 사람으로 자가 문미이고 시와 사를 잘 지은 유씨에게 장가들었다.

●天章448). 含章449). 建章450). 蘇章451).

○(송나라 진종眞宗의 장서각인) 천장각. (남조南朝 유송劉宋 때 전각인) 함장전. (한나라 때 궁궐인) 건장궁. (한나라 때 사람) 소장.

◆姜(강씨)

▶商音. 天水452). 炎帝453)生于姜水, 因氏焉.

---

447) 浦城(포성) : 복건성의 속현屬縣 이름.

448) 天章(천장) : 송나라 때 진종眞宗의 유품과 유작을 소장한 장서각 이름.

449) 含章(함장) : 남조南朝 유송劉宋 때 강소성 금릉金陵(남경)에 있던 궁전 이름이자 궁문 이름. 수양공주壽陽公主가 이곳의 처마 아래서 떨어지는 매화 꽃잎을 이용한 화장법인 '매화장梅花妝'을 창안한 것으로 유명하다. 한편 '함含'은 '감戡'의 통용자이고 '장章'은 '상商'의 통용자로 보아 주周나라가 상商나라를 이기는 것을 의미하는 점괘를 뜻할 때도 있다.

450) 建章(건장) : 한나라 때 섬서성 장안에 세운 궁궐 이름. 뒤에는 궁궐의 범칭汎稱으로 쓰였다.

451) 蘇章(소장) : 한 사람은 전한 말엽 사람으로 자가 유경游卿이고 왕망王莽이 싫어서 은거하였다. 또 한 사람은 후한 순제順帝 때 사람으로 자가 유문孺文이고 하북성 기주자사冀州刺史를 지냈다.

452) 天水(천수) : 감숙성의 속군屬郡 이름.

453) 炎帝(염제) : 전설상의 임금인 삼황三皇 가운데 두 번째 황제인 신농神農의 별호이자 남방의 신.

▷음은 상음에 속하고 본관은 (감숙성) 천수군이다. (전설상의 임금인) 염제(신농神農)가 강수에서 태어났기에 이를 성씨로 삼은 것이다.

◇釣璜(옥황玉璜을 낚다)

●姜子牙釣於磻溪454)之慈泉, 釣得玉璜455), 刻曰, "周受命456), 呂佐."(書大傳457)) 周西伯458)出獵, 卜之曰, "所獲, 非龍, 非彲, 非虎, 非羆. 所獲, 伯王之輔." 果遇子牙於渭之陽459)曰, "吾太公望子, 久矣." 故號之曰太公望. 載之後車, 立爲師, 封於呂, 故曰呂尙.(齊世家) 兵法六韜460)曰, 文韜・武韜・虎韜・豹韜・龍韜・犬韜.

○강자아(강태공)는 (섬서성) 반계의 자천에서 낚시를 하다가 (반원형의 옥인) 옥황을 낚았는데, 거기에는 "주나라가 천명을 받고 여씨가 도울 것이다"라는 문구가 새겨져 있었다.(≪상서대전尙書大傳・상서商書≫권2) 주나라 서백(문왕)이 사냥을 나서면서 점을 쳤더니 "(사냥에 나가서) 잡을 것은 용도 아니고 이무기도 아니고 호랑이도 아니고 큰곰도 아니다. 잡을 것은 패왕을 도울 보좌관이다"라는 점괘가 나왔다. 정말로 위수 북쪽에서 강자아를 만나자 "우리 부친께서 그대

---

454) 磻溪(반계) : 섬서성 보계현寶雞縣 남동쪽에 있는 물 이름. 주周나라 때 강태공姜太公이 낚시하던 곳으로 유명하다.

455) 玉璜(옥황) : 반원 형태의 옥을 이르는 말.

456) 受命(수명) : 천명을 받다. 즉 나라를 세우거나 황제에 즉위하는 것을 말한다. 여기서는 주周나라가 은殷나라를 멸망시키는 것을 말한다.

457) 書大傳(서대전) : ≪상서대전尙書大傳≫의 약칭. 구본舊本에서는 전한 복승伏勝(약B.C.268-B.C.178)이 짓고 후한 정현鄭玄이 주를 달았다고 하였으나, 서문에 의하면 복승의 학설을 장생張生・구양생歐陽生 등이 기술한 것으로 ≪서경≫과 관련이 없는 글도 뒤섞여 있어 ≪역건착도易乾鑿度≫ ≪춘추번로春秋繁露≫와 같이 경서의 지류일 뿐이다. 보유補遺 1권 포함 총 4권. ≪사고전서간명목록・경부・서류書類≫권2 참조. '상서'는 ≪서경≫의 별칭으로 '상尙'은 '고古'의 뜻이므로 '오래된 역사책'이란 의미에서 유래하였다.

458) 西伯(서백) : 은殷나라 말엽 주周나라 문왕文王 희창姬昌의 봉호封號. '서방 제후의 패자'라는 뜻에서 '서패西覇'로도 읽는다.

459) 陽(양) : 산의 남쪽이나 물의 북쪽을 이르는 말.

460) 六韜(육도) : 고대 병법서 가운데 하나. 주周나라 강태공 여상呂尙이 지었다고 전하지만 위서僞書이다. 문도文韜・무도武韜・용도龍韜・호도虎韜・표도豹韜・견도犬韜의 여섯 편으로 이루어져 있다. 총 6권. ≪사고전서간명목록・자부・병가류兵家類≫권9 참조.

를 만나기를 고대하신 지 오래되었소"라고 말했다. 그래서 그를 '태공망'이라고 불렀다. 그를 뒷수레에 태우고 돌아와 스승으로 세우고 여읍에 봉하였다. 그래서 '여상'으로도 불린다.(≪사기·제태공세가齊太公世家≫권32) 그가 지은 병법서인 ≪육도≫는 문도·무도·호도·표도·용도·견도의 여섯 편이 실려 있다.

◇共被(이불을 함께 덮다)

●姜肱, 字伯淮, 與弟仲海·季江友愛甚至. 肱事後母篤孝, 常與二弟共被臥, 以慰母心. 嘗與季江詣郡, 夜遇盜, 肱曰, "吾弟父母所怜, 且未聘娶, 可殺我." 季江曰, "吾兄國之珍寶, 願代兄死." 盜兩釋之. 漢桓帝安車461)徵之, 不至.

○강굉은 자가 백회로 동생인 강중해姜仲海·강계강姜季江과 우애가 무척 깊었다. 강굉은 계모를 효심을 다해 모시며 늘 두 동생과 이불을 함께 덮고 자면서 계모의 마음을 안심시켰다. 일찍이 강계강과 함께 군내로 가다가 밤에 도둑을 만나자 강굉이 말했다. "제 동생은 부모님이 아끼는 아이이고 게다가 아직 장가도 들지 못 했으니 저를 죽이십시오." 그러자 강계강이 말했다. "저희 형은 나라의 보배이니 원컨대 제가 형 대신 죽겠습니다." 도둑이 두 사람을 모두 풀어주었다. 후한 환제가 안거를 마련해 불렀지만 찾아가지 않았다.

◇江水出鯉(장강의 강물에서 잉어가 나오다)

●姜詩事母至孝, 妻龐氏奉姑尤謹. 母好飮江水, 嗜魚膾. 一日舍側忽有湧泉, 味如江水. 每旦輒出雙鯉, 取以供母. 漢永平462)中, 擧孝廉.

○강시는 모친을 지극히 효성스럽게 모셨고, 아내 방씨는 시어머니를 더욱 신중하게 받들었다. 모친은 장강의 강물을 마시기 좋아하고 생선회를 좋아하였다. 하루는 집옆에서 갑자기 샘물이 용솟음치더니 맛이 장강의 강물과 같았다. 매일 아침 잉어가 두 마리씩 나왔기에

---

461) 安車(안거) : 연로한 고관이나 귀부인이 편히 탈 수 있게 제작한 수레를 이르는 말.

462) 永平(영평) : 후한後漢 명제明帝의 연호(58-75).

그것을 잡아다가 모친에게 드렸다. 후한 (명제) 영평(58-75) 연간에 효렴과에 급제하였다.

◇膽斗(쓸개가 한 말 크기나 되다)

●姜維, 字伯約. 蜀先主用爲征西將軍, 孔明[463]與張裔書曰, "伯約忠勤, 涼州上士[464]也." 後錄尙書事[465]. 魏破蜀, 維因鍾鄧[466]之亂, 欲復立蜀主, 事不成. 將士格殺之, 剖其腹, 膽如斗.

○강유(202-264)는 자가 백약이다. (삼국) 촉나라 선주(유비劉備)가 그를 정서장군으로 기용하자 공명孔明 제갈량諸葛亮이 장예에게 글을 보내 "백약(강유)는 충성스럽고 근면한 사람으로 (감숙성) 양주 출신의 훌륭한 선비라오"라고 하였다. 뒤에 녹상서사를 맡았다. 위나라가 촉나라를 격파하자 강유는 종회鍾會와 등애鄧艾의 반란을 틈타 다시 촉나라 군주를 옹립하려고 하였지만 일을 성사시키지는 못했다. 장병들이 그를 격살하고서 그의 배를 갈랐더니 쓸개가 한 말 크기만하였다.

◇衣錦(비단옷을 입고 고향으로 돌아가다)

●姜謩, 山西豪族也. 唐高祖擢爲泰州刺史曰, "昔人稱衣錦還鄕. 今以本州相授, 所以償功."

○강모는 산서 일대의 호족이었다. 당나라 고조는 그를 (강소성) 태주자사로 발탁하면서 "옛 사람이 금의환향이란 말을 하였소만, 이제 태주자사직을 그대에게 맡기는 것은 공로에 보답하기 위함이오"라고 하였다.

---

463) 孔明(공명) : 삼국시대 촉蜀나라 승상 제갈량諸葛亮(181-234)의 자. ≪삼국지·촉지·제갈량전≫권35 참조.

464) 上士(상사) : 인품이 훌륭한 선비에 대한 미칭美稱.

465) 錄尙書事(녹상서사) : 벼슬 이름. 전한 무제 때 좌左·우조右曹에서 상서의 업무를 분담하였고, 후한 장제章帝 때는 태부太傅나 태위太尉가 겸임하였다. 후대의 상서복야尙書僕射와 유사하며, '녹상서錄尙書'로 약칭하기도 하였다.

466) 鍾鄧(종등) : 삼국 위魏나라 때 반란을 일으킨 종회鍾會(225-264)와 등애鄧艾(197-264)를 아우르는 말.

◇一心穿地(마음으로 땅을 꿰뚫어 보다)

●姜師度, 唐元宗朝, 爲河東尹, 遷同州刺史, 以淸白稱. 收棄地二千餘頃, 皆爲上田[467]. 時傅忠孝以知星顯, 時語曰, "孝忠知仰天, 師度知相地. 傅兩眼看天, 姜一心穿地."

○강사도(?-723)는 당나라 현종玄宗 때 (산서성) 하동윤을 맡다가 (섬서성) 동주자사로 승진하여 청백리로 칭송을 받았다. 버려진 땅을 2천 경 넘게 거두어 모두 옥토로 만들었다. 당시 부충효가 천문학으로 명성을 떨쳤기에 당시 시중에는 "부충효는 하늘을 우러러볼 줄 알고, 강사도는 땅을 살필 줄 안다네. 부충효는 두 눈으로 하늘을 살피고, 강사도는 마음으로 땅을 꿰뚫어본다네"라는 말이 돌았다.

◇破天荒(처음으로 과거시험에 급제하다)

●姜唐佐, 字公弼, 瓊人, 從東坡學. 坡嘗跋其課冊[468], 又贈之詩[469]云, "滄海何曾斷地脉? 白袍[470]端合[471]破天荒[472]." 子由[473]足[474]成一篇云, "生長茅間有異芳, 風流稷下[475]占諸姜. 適從瓊管[476]魚龍窟, 秀出

467) 上田(상전) : 상등의 밭. 즉 옥토沃土를 뜻한다.
468) 課冊(과책) : 교재, 교과서.
469) 詩(시) : 이는 칠언율시七言律詩 가운데 경련頸聯을 인용한 것으로 현전하는 송나라 소식蘇軾의 ≪동파전집東坡全集≫에는 실리지 않았다. 대신 시 전문全文이 소박邵博의 ≪문견후록聞見後錄≫권17에 인용되어 전한다.
470) 白袍(백포) : 흰 핫옷. 과거시험에 응시하는 서생이나 벼슬이 없는 선비를 상징한다.
471) 端合(단합) : 반드시, 분명히. '단端'과 '합合' 모두 '응應'이나 '필必'의 뜻.
472) 破天荒(파천황) : 이전에 아무도 하지 못 한 일을 처음으로 달성하는 것을 뜻하는 말. 당나라 때 호북성 형주荊州에서 과거시험 급제자가 나오지 않아 혼돈 상태라는 의미에서 '천황'으로 불리다가 유세劉蛻가 처음으로 과거시험에 급제하여 '천황'을 깼다는 오대五代 남한南漢 사람 왕정보王定保의 ≪당척언唐摭言≫권2의 고사에서 유래한 말로서 여기서는 그 지역 출신 가운데 최초로 과거시험에 급제한 것을 비유한다.
473) 子由(자유) : 송나라 소철蘇轍(1039-1112)의 자. 호는 영빈유로潁濱遺老. 부친인 소순蘇洵(1009-1066) 및 형 소식蘇軾과 함께 당송팔대가唐宋八大家의 일인으로 유명하다. 저서로 ≪난성집欒城集≫ 96권이 전한다. ≪송사·소철전≫권339 참조.
474) 足(주) : 보충하다, 채우다. 시문이나 사물의 미진한 부분을 보충하는 것을 뜻한다.

羊城[477]翰墨場[478].(入前二句) 錦衣他日人爭看, 始信東坡眼力長."

○(송나라) 강당좌는 자가 공필이고 (해남성) 경주 출신 사람으로 동파東坡 소식蘇軾의 문하에서 공부하였다. 소식이 일찍이 그의 교재에 발문을 써 주면서 다시 그에게 시를 주어 "바다라고 해서 어찌 지맥을 끊으리오?(경주 출신이라고 해서 어찌 출세를 못 하리오?) 흰 핫옷을 입은 선비(강당좌)가 분명코 '천황'을 깨리라"고 하였다. 자유子由 소철蘇轍이 거기에 보충하여 하나의 시편으로 완성해서는 "초가 삼간에서 성장하였어도 기이한 기풍이 있어, 직하(도성)에서 풍류를 드러내리라고 강씨 가문에서 점지하였지. 마침 경주 일대의 물고기와 용이 사는 동굴에서 나와, (광동성) 양성(광주)의 과거시험장에서 특출난 모습을 보였네.(여기에는 앞의 두 구절을 집어넣으면 된다) 금의환향하는 모습을 훗날 사람들이 다투어 보면서, 비로소 우리 형 동파(소식)의 안목이 뛰어나다는 것을 믿게 되리라"고 하였다.

◇一世大儒(한 시대를 대표하는 대유학자)

●姜潛, 石守道[479]門人也. 呂希哲薦潛及王回・吳回・張載爲一世大儒. 潛之孫, 自號金城居士, 宋熙豐[480]間, 爲承議郎[481]. 后山[482]有寄姜承

475) 稷下(직하) : 직산稷山 아래. 전국시대 제齊나라 위왕威王과 선왕宣王이 직산 아래에 학궁學宮을 짓고 학문을 장려했다는 고사에서 유래한 말로 학문의 중심지를 상징한다.

476) 瓊管(경관) : 해남성 경주부瓊州府의 별칭. '관管'은 당나라 때 장강長江 이남에 설치했던 특별 관할 구역을 뜻하는 말로서 계림桂林 일대를 '계관桂管'이라고 한 것과 같은 이치이다.

477) 羊城(양성) : 광동성 광주廣州의 별칭.

478) 翰墨場(한묵장) : 붓과 먹을 겨루는 마당. 즉 과거시험장을 뜻하는 말로 여기서는 광동성 일대의 향시鄕試(해시解試)를 실시한 장소를 가리킨다.

479) 石守道(석수도) : 송나라 때 유학자 석개石介. '수도'는 자. 호는 조래선생徂徠先生. 국자감직강國子監直講・태자중윤太子中允 등을 역임하였는데, 도통道統과 문통文統의 통일을 주장하면서 불교 및 노장사상을 배척하였다. 저서로 ≪조래집徂徠集≫ 20권이 전한다. ≪송사・석개집≫권432 참조.

480) 熙豐(희풍) : 북송北宋 신종神宗 때의 연호인 희녕熙寧(1068-1077)과 원풍元豊(1078-1085)을 아우르는 말.

481) 承議郎(승의랑) : 당송 때 품계가 정6품하正六品下인 문산관文散官 가운데 하나.

議詩483)云, "金城已作歸田計, 玉版484)方書濟物情."(黃帝素問485)有玉版篇, 居士善醫, 故云.)

○강잠은 수도守道 석개石介의 문인이다. 여희철은 강잠 및 왕회·오회·장재를 한 시대를 대표하는 대유학자로 추천하였다. 강잠의 손자는 스스로 호를 '금성거사'라고 하였는데, 송나라 (신종) 희녕熙寧(1068-1077)·원풍元豊(1078-1085) 연간에 승의랑에 임명되었다. 후산后山 진사도陳師道는 <승의랑 강공에게 부치는 시>에서 "금성거사는 하마 고향으로 돌아갈 계획을 세우더니, 옥판에 막 사람들을 구제하겠다는 생각을 적었네"라고 하였다.(≪황제소문≫권4에 <옥판편>이 있고 금성거사가 의술에 뛰어난 솜씨를 보였기에 하는 말이다.)

◇雙白石(두 명의 백석도인)

●姜夔, 字堯章, 宋南渡後人. 居苕溪486), 與白石洞天487)爲鄰, 潘轉翁488)號之曰白石道人. 且畀以詩云, "人間官爵似樗蒲489), 采到枯松亦

---

482) 后山(후산) : 송나라 때 시인인 진사도陳師道(1053-1101)의 호. 자는 무기無己·이상履常. 증공曾鞏(1019-1083)의 제자로 서주교수徐州敎授·태학박사太學博士·비서성정자祕書省正字를 역임하였고, 황정견黃庭堅(1045-1105)과 함께 강서시파江西詩派의 대표적 시인으로 꼽힌다. 저서로 ≪후산집後山集≫ 24권 등이 전한다. ≪송사·진사도전≫권444 참조. '후后'는 '후後'로도 쓴다.

483) 詩(시) : 이는 칠언율시七言律詩 <(강소성) 패현 사람 승의랑 강공에게 부치다(寄沛縣姜承議)> 가운데 경련頸聯을 인용한 것으로 ≪후산집≫권7에 전한다.

484) 玉版(옥판) : 귀중한 기록을 담은 목판을 뜻하는 말로 ≪황제소문≫권4에 '옥판논요편玉版論要篇'이 실려 있다.

485) 黃帝素問(황제소문) : 전국시대 내지 진秦나라 무렵에 나온 것으로 추정되는 저자 미상의 의학서. 후세 사람들의 오행설五行說이 섞여 들기도 하였다. 총 24권으로 당나라 왕빙王氷이 주를 달았다. ≪사고전서간명목록·자부·의가류醫家類≫권10 참조.

486) 苕溪(초계) : 절강성 가흥현嘉興縣을 흐르는 시냇물 이름. 잡계霅溪와 함께 '쌍계雙溪'로 불렸다.

487) 洞天(동천) : 도교에서 신선들이 사는 별천지를 이르는 말. 도서道書에서는 신선들이 사는 곳을 '36동천洞天' '72복지福地'라고 한다.

488) 潘轉翁(반전옹) : 송나라 때 사람 반정潘檉. '전옹'은 그의 호인 '전암轉庵'의 별칭. 자는 덕구德久. 그의 시집인 ≪전암집轉庵集≫이 송나라 진사陳思가 엮은 ≪양송명현소집兩宋名賢小集≫권286에 수록되어 전한다.

489) 樗蒲(저포) : 한나라 이후 생겨서 진晉나라 때 크게 유행한, 윷 모양의 패를 던져서 승부를 가리는 놀이의 일종. 그러나 상세한 내용은 알려지지 않았다.

丈夫. 白石道人新拜號, 斷無繳駁490)任稱呼." 姜答云491), "南山仙人何所食? 夜夜山中煮白石. 世人喚作白石仙, 一生費齒不費錢. 仙人食罷腹便便492), 七十二峯生肺肝"云云. 時姜與黃巖老493)同學詩於蕭千巖494), 而黃亦號白石, 時稱雙白石.

○강기(약 1155-약 1221)는 자가 요장으로 송나라가 강남으로 천도한 뒤인 남송 때 사람이다. (절강성) 초계에 거주하여 백석동천과 이웃하였기에 전옹轉翁 반정潘檉은 그를 '백석도인'이라고 불렀다. 또 시를 증정하여 "인간세상의 관작은 도박과 같으니, 오래 묵은 솔잎을 따는 것도 대장부의 일이라네. 백석도인은 새로 얻은 호에 감사하며, 추호도 반박하지 않고 호칭에 내맡기네"라고 하였다. 그러자 강기가 답시를 지어 "남산의 신선은 무엇을 드실까? 밤마다 산속에서 흰 돌을 끓이시네. 속세 사람들이 '백석선'이라고 부르는 것은, 평생 이빨을 사용하였지 돈을 쓰지 않아서라네. 신선은 다 먹고 나면 배가 불룩, 72개 봉우리에서 폐와 간이 자란다네(후략)"라고 하였다. 당시 강기는 암로巖老 황경열黃景說과 함께 천암노인千巖老人 소덕조蕭德藻 밑에서 시를 배웠고, 황경열 역시 호가 백석이었기에 당시 사람들이 그들을 '쌍백석'이라고 하였다.

'저樗'는 '저摴'로도 쓴다.

490) 繳駁(격박) : 반박하다. 황제에게 올라온 의론에 대해 반박하는 상소문을 가리킬 때도 있다.

491) 云(운) : 이는 칠언고시七言古詩 <내가 초계가에 거처하여 백석동천과 이웃하였기에 반덕구(반정潘檉)가 내게 '백석도인'이란 별명을 지어 주고는 시를 증정하였는데 노랫말은 '…'라는 것이었다. 그래서 나는 장편시를 지어 보답하였다(余居苕溪上, 與白石洞天爲鄰. 潘德久字予曰白石道人, 且以詩見畀, 其詞曰, …. 予以長句報貺)> 가운데 전반부를 인용한 것으로 강기姜夔의 ≪백석도인시집白石道人詩集≫권상에 전한다.

492) 便便(편편) : 살이 찐 모양. 배가 불룩한 모양.

493) 黃巖老(황암로) : 송나라 사람 황경열黃景說. '암로'는 자. 호는 백석민인白石閩人. 직비각直祕閣과 정강부지부사靜江府知府事를 역임하였다. 청나라 여악厲鶚(1692-1752)의 ≪송시기사宋詩紀事・황경열≫권53 참조.

494) 蕭千巖(소천암) : 송나라 사람 소덕조蕭德藻. '천암'은 그의 호인 '천암노인千巖老人'의 준말. 자는 동부東夫. 시를 잘 지었고 절강성 오정현령烏程縣令을 지냈다. ≪송시기사・소덕조≫권50 참조.

◇璽書之寵(황제의 친필 조서를 받는 총애)

●姜嶼, 宋景德[495]中, 劉文質奏, “部內官高輔之·李易直·艾仲孺·梅詢·高貽慶·姜嶼六人有治迹.” 賜璽書褒諭.(又見邊肅)

○강서는 송나라 (진종) 경덕(1004-1007) 연간에 유문질이 “관할 구역 내의 관원 가운데 고보지·이이직·애중유·매순·고이경·강서 여섯 사람이 치적을 보였나이다”라고 상주한 덕에 황제의 친필 조서와 포상금을 하사받았다.(강서와 관련한 기록은 앞의 변숙에 관한 글인 ‘이십사기二十四氣’항에도 보인다)

◇方士(방사)

●姜識, 方士也, 自言有神術, 可使死者再生. 時仁后薨, 上[496]悲慕, 俾試其術, 旬日不效, 乃曰, “臣見太皇太后[497]與仁宗臨白玉闌, 賞牡丹, 無意人間世也.”

○강식은 (송나라 때) 방사로 스스로 신통력이 있어서 죽은 사람도 다시 살릴 수 있다고 하였다. 당시 인종仁宗의 황후가 사망하자 (손자인) 신종神宗이 슬픔에 젖어 그에게 술법을 펼쳐 보라고 하였으나 열흘이 지나도 효험이 없자 도리어 “신이 보아하니 태황태후께서는 인종과 백옥을 장식한 난간에서 모란을 구경하시는 것으로 보아 인간세상에 미련이 없으신 듯하옵니다”라고 하였다.

●姜公輔, 德宗朝, 拜相, 在奉天[498]直諫, 上謂其賣直售名[499]爾.

○강공보(?-805)는 (당나라) 덕종 때 재상을 배수받아 (섬서성) 봉천

---

495) 景德(경덕) : 북송北宋 진종眞宗의 연호(1004-1007).

496) 上(상) : 송나라 인종仁宗의 손자인 신종神宗을 가리킨다.

497) 太皇太后(태황태후) : 황제의 조모에 대한 존칭. 여기서는 인종의 황후이자 신종의 조모인 자성광헌황후慈聖光獻皇后 조曹씨를 가리킨다. 한편 황제의 모친에 대한 존칭은 ‘황태후皇太后’ 혹은 ‘태후太后’라고 한다.

498) 奉天(봉천) : 섬서성의 속현屬縣 이름. 당시 덕종德宗이 반란을 피해 몽진蒙塵한 곳을 가리킨다.

499) 賣直售名(매직수명) : 강직함을 팔고 명성을 팔다. 짐짓 충직한 척하면서 명성을 추구하는 행위를 말한다.

현에서 직간을 하였지만, 덕종은 그가 단지 명성을 얻으려고 강직한 척하는 것일 뿐이라고 생각하였다.

●姜度生子, 李林甫手書賀云, "聞有弄麞500)之喜."(錯寫璋字)
○(당나라 때) 강도가 아들을 낳자 이임보(?-752)는 손수 서신을 써서 축하하며 "듣자하니 노루(장麞)를 가지고 노는 경사가 있다더군요"라고 하였다.('장麞'은 '장璋'자를 잘못 쓴 것이다)

※婚姻(혼인)

●姜宇501), 字子居, 少孤貧, 爲河北陳不識家牧羊. 年十五, 身長七尺九寸, 美風儀, 聰慧. 夜專讀書, 達旦而止. 不識奇之, 欲妻以女, 妻不從. 其女曰, "觀其姿才, 豈久爲人牧羊者乎?" 遂妻之.
○(오호십육국五胡十六國 전진前秦 때 사람) 강우는 자가 자거로 어려서 부모를 여의고 집안이 가난하여 하북 지방의 진불식 집안을 위해 양을 방목하였다. 나이 열다섯 살에도 신장이 일곱 자 아홉 치나 되었고 풍모가 빼어나면서 총명하였다. 밤에는 오로지 독서에 전념하여 새벽이 되어서야 멈추곤 하였다. 진불식은 그를 대견스럽게 생각하여 딸을 시집보내려고 하였지만 아내가 그의 뜻을 따르려 하지 않았다. 그러자 딸이 "그의 용모나 재주를 살펴보건대 어찌 오래도록 남을 위해 양이나 방목할 사람이겠습니까?"라고 말하고는 결국 그에게 시집갔다.

---

500) 弄麞(농장) : 노루를 가지고 놀다. 중국 고대의 풍습에 아들을 낳으면 옥홀玉笏인 '장璋'을 선물하였기에 '농장弄璋'으로 써야 하는데, 당나라 이임보李林甫(?-752)가 무식하여 '농장弄麞'으로 썼다는 고사에서 유래한 말로 글자를 잘 모르는 것에 대한 폄사貶辭이다. '농장弄璋'이란 말은 ≪시경·소아小雅·사간斯干≫권18의 구절에서 유래하였다.

501) 姜宇(강우) : 오호십육국五胡十六國 전진前秦 사람. 경조윤京兆尹과 어사중승御史中丞을 역임하였다. 강우가 진불식陳不識의 딸에게 장가들었다는 고사는 ≪십육국춘추十六國春秋·전진록前秦錄10·강우전≫권42에 전한다.

●姜詩娶龐盛之女.
○(후한) 강시는 방성의 딸에게 장가들었다.

●姜遵, 字從式, 爲樞副[502], 以女妻范文正公[503].
○(송나라) 강준은 자가 종식으로 추밀부사를 지내면서 딸을 문정공文正公 범중엄范仲淹(989-1052)에게 시집보냈다.

●姬姜[504]. 齊姜[505].
○주周나라 황실 희姬씨와 제齊나라 공실公室 강姜씨. (춘추시대 제齊나라 환공桓公의 딸) 제강.

◆梁(양씨)

▶商音. 安定. 伯益[506]之後秦仲有爲功, 平王封其少子康於夏陽, 是爲梁伯. 其後以國爲氏.
▷음은 상음에 속하고 본관은 (감숙성) 안정군이다. (하夏나라 우왕禹王의 신하인) 백익의 후손 진중유가 공을 세우자 (주周나라) 평왕이 그의 막내아들인 진강을 (섬서성) 하양 땅에 봉하였는데, 이 사람이 바로 양백이다. 그의 후손이 나라 이름을 성씨로 삼은 것이다.

◇生當封侯(살아서는 제후에 봉해져야 한다)

●梁竦, 字叔敬, 登高遠望, 嘆曰, "大丈夫生當封侯, 死當廟食. 如其不然, 閒居可以養志, 詩書足以自娛. 州郡之職, 徒勞人耳." 著書, 名曰七

---

502) 樞副(추부) : 군사기밀을 관장하는 추밀원樞密院의 버금 장관인 추밀부사樞密副使의 약칭.
503) 范文正公(범문정공) : 송나라 때 재상을 지낸 범중엄范仲淹(989-1052)에 대한 존칭. '문정'은 시호. 자는 희문希文. 저서로 ≪범문정집范文正集≫ 29권이 전한다. ≪송사·범중엄전≫권314 참조.
504) 姬姜(희강) : 주周나라 황실의 희姬씨와 제齊나라 공실公室의 강姜씨를 아우르는 말로 미녀나 귀부인을 상징한다.
505) 齊姜(제강) : 춘추시대 제齊나라 환공桓公의 딸.
506) 伯益(백익) : 우虞나라 순왕舜王 때 동이족東夷族의 족장. 하夏나라 우왕禹王을 도와 치수사업을 완성하였는데, 우왕이 왕위를 선양하려고 하자 하북성 기산箕山 북쪽에 은거하였다고 전한다.

序. 班固見之曰, "孔子作春秋, 而亂臣賊子懼, 梁竦作七序, 而素餐[507]竊位者慚." 漢明帝朝, 辟命交至, 竝不就. 肅宗[508]納其二女爲貴人[509], 生和帝.

○양송(?-83)은 자가 숙경으로 높은 곳에 올라 멀리 바라보다가 탄식하면서 "대장부가 살아서는 제후에 봉해지고 죽어서는 사당에서 제삿밥을 받아야 할 것이다. 만약 그렇지 못 하다면 한가로운 삶을 누리며 뜻을 키우고 ≪시경≫과 ≪서경≫ 등 경전을 읽는 것으로 만족할 수 있어야 할 것이다. 주나 군의 직무는 헛되이 사람을 힘들게만 할 뿐이다"라고 하였다. 책을 지어서는 ≪칠서≫라고 이름 지었다. 반고가 그것을 보고서는 "(춘추시대 노魯나라) 공자가 ≪춘추경≫을 짓자 세상을 어지럽히는 신하나 자식들이 두려움에 떨었는데, 양송이 ≪칠서≫를 지었으니 하는 일 없이 봉록만 축내고 자리를 훔친 자들이 부끄러워하겠구나"라고 하였다. 후한 명제 때 소환 명령이 번갈아 이르렀지만 늘 취임하지 않았다. 숙종(장제)은 그의 두 딸을 귀인으로 받아들여 화제를 낳았다.

◇良輔(훌륭한 재상)

●梁商, 字伯夏, 竦之孫. 漢順帝選其女爲后, 拜商大將軍. 商自以戚屬居大位, 每存謙柔, 虛己進賢, 辟巨覽・陳龜爲掾, 李固・杜喬爲從事中郞[510]. 京師翕然[511], 稱爲良輔. 子冀, 字伯卓, 鳶肩豺目[512], 質帝目

507) 素餐(소찬) : 직무를 다하지 않으면서 봉록만 받는 것을 뜻하는 말인 '시록소찬尸祿素餐'의 준말. '시위소찬尸位素餐' '시리소찬尸利素餐'이라고도 하고, '시록尸祿' '시리尸利' '시소尸素'로 약칭하기도 한다.

508) 肅宗(숙종) : 후한 장제章帝 유달劉炟. 명제明帝의 5남으로 장제는 시호이고 숙종은 묘호이다. ≪후한서・장제기≫권3 참조.

509) 貴人(귀인) : 후한 때 궁중의 내관內官으로서 황후皇后 다음 가는 지위였고, 미인美人・궁인宮人・채인采人보다 신분이 높았다. ≪후한서・후기后紀≫권10 참조.

510) 從事中郞(종사중랑) : 한나라 때부터 장군 휘하에 두었던 참모의 하나로 군사 업무를 논의하는 데 참여하였다. ≪후한서・백관지百官志≫권34에 의하면 장군의 속관으로 위계位階에 따라 장사長史・사마司馬・종사중랑從事中郞・연속掾屬・영사令史・어속御屬 등이 있었다.

511) 翕然(흡연) : 일제히 칭송하는 모양.

之曰, "跋扈[513]將軍也!" 後誅.

○양상(?-141)은 자가 백하로 양송梁竦(?-83)의 손자이다. 후한 순제는 그의 딸을 황후로 간택하고 그를 대장군에 배수하였다. 양상은 스스로 외척이기 때문에 높은 자리를 차지한 것이라고 생각해 매번 겸허한 태도를 지키며 자신을 낮추고 현자를 추천하더니 거남과 진귀를 불러서 관리로 삼고 이고와 주거를 종사중랑에 임명하였다. (하남성 낙양의) 경사 사람들이 모두들 이구동성으로 훌륭한 재상이라고 칭송하였다. 아들 양기梁冀(?-159)는 자가 백탁으로 솔개처럼 어깨를 곧추세우고 승냥이처럼 눈을 치켜떠 질제가 그를 지목하며 "발호장군이구려!"라고 하더니 뒤에 사형당하고 말았다.

◇五噫(<오희가>)

●梁鴻, 字伯鸞, 扶風人, 東漢逸民也. 東出關[514], 過京師, 作五噫歌[515], 易姓連期, 名耀, 與妻居齊魯之間. 又適吳, 依大家皐伯通, 居廡下, 卒. 伯通爲求葬地於吳要離[516]冢傍曰, "要離節士, 伯鸞淸高, 可令之相近."

○양홍은 자가 백란이고 (섬서성) 부풍현 사람으로 후한 때 은자이다. 동쪽으로 함곡관을 나서 (하남성 낙양의) 경사에 들렀다가 <다섯 차례 탄식하는 노래>를 짓고는 성을 '연기'로, 이름을 '요'로 바꾼 뒤 아내와 함께 제와 노 지방 경계 지역에 거주하였다. 다시 오 지방으로 가서 부호인 고백통에게 의지해 행랑채에 거처하다가 생을 마쳤다. 고백통은 그를 위해 (춘추시대) 오나라 때 자객인 요리의 무덤

---

512) 鳶肩豺目(연견시견) : 웅크린 솔개처럼 어깨를 곧추세우고 승냥이처럼 눈을 치켜뜨는 것을 형용하는 말로 비굴한 태도나 간교한 인물을 비유한다.

513) 跋扈(발호) : 물고기가 통발(扈)을 뛰어넘는(跋) 것을 뜻하는 말로 멋대로 날뛰는 것을 비유한다.

514) 出關(출관) : 관문을 나서다. '관'은 섬서성과 하남성 경계에 있는 함곡관函谷關을 가리킨다.

515) 五噫歌(오희가) : 이는 동명의 제목으로 송나라 곽무천郭茂倩의 ≪악부시집樂府詩集·잡가요사雜歌謠辭≫권85에 전한다.

516) 要離(요리) : 춘추시대 오吳나라 때 자객. 경기慶忌를 죽이라는 오왕吳王 합려闔廬의 명을 받고서 처자식을 죽이면서까지 임무를 수행하려고 하였으나 실패하자 자결하였다.

옆에 장지를 마련하고는 "요리는 절조를 지킨 선비이고 백란은 성품이 맑고 고상하니 그들을 서로 가까이 두어야 할 것이다"라고 하였다.

◇嘉禾之瑞(특이한 벼가 자라는 상서로운 징조)

●梁彦先, 字脩之, 少岐嶷517), 父母曰, "此兒風骨不凡, 當興吾宗." 後爲岐州刺史, 嘉禾518)・連理木519)出於其境, 奏課第一.

○(수나라) 양언선은 자가 수지로 어려서부터 총명하여 부모가 "이 아이는 풍골이 범상치 않은 것으로 보아 틀림없이 우리 가문을 일으킬 것이다"라고 하였다. 뒤에 (섬서성) 기주자사를 맡자 특이한 벼와 연리목이 경내에 출현하더니 고과 성적이 으뜸이라는 상주문이 조정에 올라갔다.

◇甘露之瑞(감로가 내리는 상서로운 징조)

●梁文貞至孝, 親亡, 廬墓, 喑然520)三十年, 有甘露降塋木, 白兎521)馴擾. 縣令刻石紀之.(唐孝友傳)

○(당나라) 양문정은 효심이 지극해 부모가 돌아가시자 무덤 옆에 여막을 짓고 30년 동안 오열하였기에 감로가 무덤 옆 나무에 내리고 흰 토끼가 순응하였다. 현령이 바위를 깎아서 이를 기록하였다.(≪신당서・효우열전・양문정전≫권195)

---

517) 岐嶷(기억) : 총명한 모양.

518) 嘉禾(가화) : 옛날 사람들이 길조로 여기던 특이한 모양의 벼를 가리키는 말. 혹은 품질이 좋은 쌀을 의미하기도 한다.

519) 連理木(연리목) : 가지가 서로 맞닿아 함께 자라는 나무를 이르는 말. '연리지連理枝'라고도 한다. 상서로운 징조로서 금슬 좋은 부부나 우정이 두터운 친구를 상징하기도 한다.

520) 喑然(암연) : 오열하는 모양.

521) 白兎(백토) : 흰 토끼. 상서로운 동물을 상징하기에 이에 관한 얘기가 사서史書에 자주 등장한다.

◇荊臺隱士(형대은사)

●梁震, 唐末登第, 過江陵, 高季興愛其才, 欲留之. 震退, 築室洲上, 披鶴氅[522], 自稱荊臺隱士曰, "吾老不能復事人矣."

○양진은 당나라 말엽에 과거시험에 급제한 뒤 (호북성) 강릉에 들렀는데, 고계흥이 그의 재주를 아껴 그를 붙잡아두려고 하였다. 그러나 양진은 은퇴한 뒤 물섬 위에 집을 짓고 새의 깃털로 만든 은자의 옷을 입고서 자칭 '형대은사'라고 하며 "나는 늙어서 더 이상 남을 섬길 수가 없겠다"고 하였다.

◇鳳樓賦(단봉루를 읊은 부)

●梁周翰, 字元褒. 宋乾德[523]中, 大修宮闕, 周翰撰丹鳳樓賦以進. 時李昉爲相, 以其名聞, 除起居舍人[524]. 眞宗朝, 知制誥[525], 柳開贈之詩[526]云, "九重城闕新天子, 萬卷詩書老舍人." 與朱昻・楊大年[527]同在禁掖[528].

○양주한(929-1009)은 자가 원포이다. 송나라 (태조) 건덕(963-967) 연간에 대대적으로 궁궐을 수리하자 양주한이 <단봉루를 읊은 부>

---

522) 鶴氅(학창) : 새의 깃털로 만든 옷을 이르는 말. 도사나 은자를 상징한다.

523) 乾德(건덕) : 북송北宋 태조太祖의 연호(963-967).

524) 起居舍人(기거사인) : 기거랑起居郎과 함께 황제의 언행을 기록하는 업무를 맡은 벼슬을 이르는 말. 문하성門下省 소속 기거랑은 황제의 왼쪽에서 수행하며 말을 기록하고, 중서성中書省 소속 기거사인은 황제의 오른쪽에서 수행하며 행동을 기록하였다.

525) 知制誥(지제고) : 황명의 초안을 작성하는 일이나 그러한 업무를 관장하는 벼슬을 이르는 말.

526) 詩(시) : 송나라 완열阮閱의 ≪시화총귀詩話總龜≫권26 등 다른 문헌에도 두 구절만 전하는 것으로 보아 일시逸詩인 듯하다.

527) 楊大年(양대년) : 송나라 초엽 사람 양억楊億(974-1020). '대년'은 자. 시호는 '문文'. 어려서부터 신동으로 알려져 11세에 비서성정자祕書省正字에 임명되었고, 한림학사翰林學士・공부시랑工部侍郎 겸 사관수찬史館修撰 등을 역임하였으며, 유균劉筠(971-1031)・전유연錢惟演(962-1034)과 함께 만당晩唐 이상은李商隱(약812-858)의 시풍을 본받아 서곤파西崑派를 형성하였다. 저서로 ≪무이신집武夷新集≫ 20권이 전한다. ≪송사・양억전≫권305 참조.

528) 禁掖(금액) : 궁궐에 달린 건물들을 아우르는 말. 결국 궁중이나 조정을 가리킨다.

를 지어 바쳤다. 당시 이방이 재상을 맡고 있으면서 그의 명성을 황제에게 아뢴 덕에 기거사인을 제수받았다. 진종 때는 지제고를 맡았다. 유개는 그에게 시를 보내 "구중궁월에 새로운 천자가 즉위하시니, 만 권의 시와 글이 노련한 기거사인의 손에서 나오네"라고 하였다. 주앙·대년大年 양억楊億과 함께 궁중에서 근무하였다.

◇青雲得路(청운의 뜻을 이루다)

●梁顥, 宋雍熙[529]二年, 試'庭燎[530]'賦, 進士第一人. 時年八十二, 謝啓云, "白首窮經[531], 少伏生[532]之八歲, 青雲[533]得路, 多太公之二年." 詩云, "天福三年[534]來應擧, 雍熙二載始成名. 從[535]敎白髮巾中滿, 且喜青雲足下生. 觀榜更無朋輩在, 歸家但有子孫迎. 也知年少登科好, 爭奈龍頭[536]屬老成?"(遯齋閒覽[537]) 先正[538]云, "以史考之, 顥字, 太素, 雍熙二年, 登第, 景德元年, 以翰林知開封府, 卒, 年四十三, 遯齋所言, 非也." 子固.

○양호(904-1004 혹은 962-1004)는 송나라 (태종) 옹희 2년(985)에 '마당의 횃불'이라는 제목의 부를 시험쳐 진사시험에서 장원급제를 차지하였다. 당시 나이가 82세라서 사례하는 글을 올려 "백발의 나

---

529) 雍熙(옹희) : 북송北宋 태종太宗의 연호(984-987).
530) 庭燎(정료) : 빈객을 맞이하기 위해 마당에 설치하는 횃불을 이르는 말.
531) 窮經(궁경) : 경전을 깊이 연구하다.
532) 伏生(복생) : 전한 때 산동성 제남濟南 사람인 복승伏勝(약B.C.268-B.C.178)의 별칭. 자는 자천子賤. 진나라 시황제의 분서갱유 때 ≪서경≫을 벽에 감추었다가 전한 문제文帝 때 90이 넘은 나이로 이를 조조晁錯(B.C.200-B.C.154)에게 전수하였다고 전한다. ≪한서·복생전≫권88 참조.
533) 青雲(청운) : 자연 속에 은거하거나 고관에 오르는 것을 비유하는 말. 여기서는 후자를 가리킨다.
534) 天福(천복) : 후진後晉 고조高祖의 연호(936-942).
535) 從(종) : 설사, 비록. '종縱'과 통용자.
536) 龍頭(용두) : 장원급제자를 이르는 말.
537) 遯齋閒覽(둔재한람) : 송나라 때 진정민陳正敏이 숭녕崇寧(1102-1106)·대관大觀(1107-1110) 연간에 평소의 견문을 기록한 책. 총 14권이었으나 지금은 전하지 않는다. ≪군재독서지郡齋讀書志·소설류小說類≫권3하下와 ≪직재서록해제直齋書錄解題·소설가류小說家類≫권11 참조.
538) 先正(선정) : 선대의 현신賢臣이나 현자를 이르는 말.

이에 경전을 깊이 연구했지만 (전한) 복승伏勝보다 여덟 살이 적고, 청운의 뜻을 이루었으나 (주周나라) 강태공보다 두 살 많습니다"라고 하였다. 또 시를 지어 "(오대五代 후진後晉 고조高祖) 천복 3년(938) 이래로 과거시험에 응시하여, 옹희 2년(985)에야 비로소 명성을 이루었네. 비록 백발이 두건 안을 가득 채우긴 했어도, 청운이 발 아래서 피어오르는 것이 기쁘다네. 과거시험 급제자 명단을 보면 더 이상 친구들이 (모두 사망하여) 없고, 귀가하자 단지 자손들만이 반갑게 맞아주는구나. 젊은 나이에 과거시험에 급제하는 것이 좋다는 것을 알건만, 어찌하여 장원급제가 늙은이 몫이 되었을까?"라고 하였다.(≪둔재한람≫) 선대의 학자는 "사서를 가지고 고찰해 보면 양호는 자가 태소로 (태종) 옹희 2년(985)에 과거시험에 급제하고 (진종) 경덕 원년(1004)에 한림학사의 신분으로 개봉부지부사를 지내다가 생을 마쳤을 때 나이가 43세이므로 ≪둔재한람≫의 기록은 잘못되었다"고 하였다. 아들은 양고梁固이다.

◇狀元兒(장원급제자의 아들)

●梁固, 宋祥符二年, 試'大德曰生[539]'賦, 擢掄魁[540]. 魏野詩[541]賀云, "封禪[542]汾陰[543]連歲榜, 狀元俱是狀元兒. 本朝人物熙熙[544]盛, 風虎雲龍[545]會遇時." 後直史館[546]. 卒, 年三十三.

---

539) 大德曰生(대덕왈생) : 이는 ≪역경・계사하系辭下≫권12의 "천지의 큰 덕목은 생명이요, 성인의 큰 보물은 지위이다(天地之大德曰生, 聖人之大寶曰位)"라는 구절을 활용하여 부의 제목을 설정해서 진사과의 문제로 출제하였다는 말이다.

540) 掄魁(윤괴) : 과거시험에서 장원급제를 차지하는 것을 이르는 말.

541) 詩(시) : 이 시는 현전하는 송나라 위야魏野(961-1020)의 ≪동관집東觀集≫에는 실리지 않았다. 대신 다른 시화서詩話書에 인용되어 전한다.

542) 封禪(봉선) : 제사의 종류. 천신天神에게 올리는 제사를 '봉封', 지신地神에게 올리는 제사를 '선禪'이라고 한다.

543) 汾陰(분음) : 산서성의 속현屬縣 이름. 전한 때 무제武帝가 토지신에게 제사 지내던 사당이 있었던 곳으로 유명하다. '음陰'은 물의 남쪽을 이르는 말로 현이 분수汾水 남쪽에 위치한 데서 유래하였다.

544) 熙熙(희희) : 번성한 모양, 많은 모양.

545) 風虎雲龍(풍호운룡) : 호랑이와 용. 이는 ≪역경・건괘乾卦≫권1의 "구름은

○양고(987-1019)는 송나라 (진종) 대중상부 2년(1009)에 '천지의 큰 덕목은 생명이다'라는 제목의 부를 시험쳐 장원급제자로 뽑혔다. 그러자 위야가 다음과 같은 시를 지어 축하하였다. "(산서성) 분음현에서 봉선제를 지내고 해를 이어가며 과거시험 급제자를 공표하니, 장원급제자가 모두 장원급제자의 아들이로다. 우리 왕조에 훌륭한 인물이 넘쳐나는 것은, 호랑이와 용 같은 인재들이 마침 좋은 시절을 만나서라네." 뒤에 직사관을 지냈다. 생을 마쳤을 때 나이가 고작 33세였다.

◇名在御屛(이름이 천자의 병풍에 적히다)

●梁鼎, 宋淳化中, 爲殿中丞[547], 出守吉州, 擊狂猾, 上賞其能, 賜緋魚[548]犀帶[549], 且記其名於御屛.

○양정(955-1006)은 송나라 (태종) 순화(990-994) 연간에 전중승을 지내다가 조정을 나서 (강서성) 길주자사를 맡아서는 간악한 무리들을 내쳤기에, 태종이 그의 능력을 높이 사 비복과 어대 및 무소뿔을 장식한 허리띠를 하사하고 그의 이름을 천자의 병풍에 적어 넣었다.

◇玉堂硯(한림원에서 사용할 벼루)

●梁燾, 宋熙寧中, 蘇頌贈以石硯曰, "留爲異日玉堂之用." 後頌拜相, 燾在翰林草制, 用此硯也.

○양도(1034-1097)에게 송나라 (신종) 희녕(1068-1077) 연간에 소

용을 따르고, 바람은 호랑이를 따른다(雲從龍, 風從虎)"에서 유래한 말로 훌륭한 인재를 비유한다.

546) 直史館(직사관) : 당송 때 사관史館에 소속되어 사서를 기록하던 벼슬을 이르는 말. '직直'은 정식 관원이 아닌 임시직을 의미한다.

547) 殿中丞(전중승) : 당송 때 황제의 의복과 승여乘輿·의약 등과 관련한 업무를 관장하던 기관인 전중성殿中省의 속관屬官을 이르는 말. 장관인 전중감殿重監과 버금 장관인 전중소감殿中少監의 지휘를 받으며 실무를 관장하였다.

548) 緋魚(비어) : 당송唐宋 때 5품 이상 고관의 복장인 비복緋服과 어대魚袋(패어佩魚)를 지칭하는 말. '비어대緋魚袋'라고도 한다.

549) 犀帶(서대) : 고대에 품계品階가 있는 고관들이 착용하던 무소뿔을 장식한 허리띠를 일컫는 말인 '서각대犀角帶'의 준말.

송이 벼루를 선물하며 말했다. "훗날 옥당(한림원)에서 사용할 물건으로 남겨두십시오." 뒤에 소송이 재상을 배수받을 때 양도는 한림원에서 제서制書를 기초하면서 이 벼루를 사용하였다.

◇甘露亭(감로정)

●梁紹仕宋, 爲廣東提幹[550]. 事母孝, 母病, 掛冠[551]歸. 及卒, 廬墓, 手植松栢, 號碧林亭. 甘露降, 芝草生. 東坡在海外[552], 聞其孝節, 往見之, 易其亭曰甘露亭, 松曰瑞松, 皆爲親題.

○양소는 송나라에서 벼슬길에 올라 (광동성) 광동제간을 지냈다. 효성을 다해 모친을 모시다가 모친이 병이 나자 관직을 그만두고 귀향하였다. 모친이 돌아가시자 무덤 옆에 여막을 짓고 손수 소나무와 측백나무를 심고는 '벽림정'이라고 하였다. 그러자 감로가 내리고 영지초가 자라는 상서로운 일이 일어났다. 동파東坡 소식蘇軾이 해외의 유배지에 있다가 그의 효심에 대한 소문을 듣고서 직접 찾아가 만나서는 그의 정자 이름을 '감로정'으로 바꾸고, 소나무에 '서송'이란 이름을 지어 주면서 모두 직접 글씨를 써 주었다.

◇調鼎(세발솥으로 조리하다)

●梁克家, 字叔子, 嘗館於東齋, 梅花忽開, 詩[553]云, "九鼎[554]燮調[555]

---

550) 提幹(제간) : 송나라 때 모종의 기관을 관장하는 업무나 그러한 벼슬을 일컫는 말인 '제거提擧'의 별칭. 제거상평提擧常平·제거궁관提擧宮觀 등이 그러한 예이다.

551) 掛冠(괘관) : 갓을 걸어 놓다. 전한 때 봉맹逢萌이 왕망王莽(B.C.45-A.D.23)의 신하가 되는 것이 싫어서 하남성 낙양洛陽 성문에 갓을 걸어 놓고 요동遼東으로 떠났다는 고사에서 유래한 말로 벼슬을 그만두는 것을 비유한다. 반대로 벼슬에 나가는 것은 갓을 쓰기 위해 '갓의 먼지를 턴다'는 뜻의 '탄관彈冠'이라고 한다.

552) 海外(해외) : 바다 밖. 유배지가 많은 광동성이나 해남성 일대를 가리킨다.

553) 詩(시) : 이는 칠언율시七言律詩 <늦가을 9월에 핀 매화를 읊다(賦九月梅花)> 가운데 경련頸聯을 인용한 것으로 청나라 여악厲鶚(1692-1752)의 ≪송시기사·양극가≫권51에 전한다.

554) 九鼎(구정) : 하夏나라 우왕禹王이 구주九州에서 모은 쇠를 이용하여 아홉 개의 세발솥을 만들었다는 고사에서 비롯된 말로 나라의 근간을 비유한다. 혹

終有待, 百花羞澁敢言芳?" 宋紹興中, 果魁天下, 後爲相.

○양극가(1128-1187)는 자가 숙자로 일찍이 동쪽 재실齋室에 거처할 적에 매화가 갑자기 피자 시를 지어 "구정으로 조리하는 일(재상)을 끝내 기대할 수 있을지니, 온갖 꽃들이 부끄러워 감히 향기에 대해 말을 하랴?"라고 읊은 적이 있다. 송나라 (고종) 소흥(1131-1162) 연간에 과거시험에서 장원급제를 차지하고 뒤에 재상에 올랐다.

●梁鱣, 字叔魚, 孔門弟子, 封千乘[556]侯.

○(춘추시대 노魯나라) 양전은 자가 숙어이고 공자 문하의 제자로 천승후에 봉해졌다.

●梁統, 字仲寧, 漢建武中, 封義成侯. 出守九江[557], 有治迹.

○양통은 자가 중녕으로 후한 (광무제) 건무(25-55) 연간에 의성후에 봉해졌다. 조정을 나서 (강서성) 구강군의 태수를 맡아서는 치적을 남겼다.

●梁松, 字伯孫, 統之子. 問馬援[558]疾, 拜床下, 援不答, 松恨之.

○(후한) 양송(?-61)은 자가 백손으로 양통梁統의 아들이다. 마원을 병문안하였을 때 침상 아래서 절을 올려도 마원이 아무런 반응을 보이지 않았기에 양송이 이에 대해 앙심을 품었다.

은 구정이 아홉 개가 아니라 세발솥 하나의 명칭이라는 설도 있다.

555) 燮調(섭조) : 조리하다, 조화를 이루다. '세발솥으로 조리한다'는 것은 결국 세상을 다스리는 재상의 정무나 지위를 비유한다.

556) 千乘(천승) : 산동성의 속현屬縣 이름.

557) 九江(구강) : 강서성의 속군屬郡 이름.

558) 馬援(마원) : 후한 때 명장(B.C.14-A.D.49). 자는 문연文淵. 광무제光武帝에게 귀의하여 농서태수隴西太守와 복파장군伏波將軍을 지내며 외효隗囂의 반란을 진압하고, 교지交趾·흉노匈奴·오환烏桓을 정벌하는 데 큰 공을 세웠다. ≪후한서·마원전≫권54 참조.

※女德婚姻(여덕과 혼인)

◇寃訟(억울함을 호소하다)

●梁嫕(於計切), 梁貴人之姊, 南陽樊調之妻, 竦之女. 時二妹爲貴人, 以竇氏[559]譖死, 嫕上書, 爲之訟寃. 帝引見, 留宮中, 賞賜十萬, 號梁夫人. 擢樊調, 爲光祿大夫[560].

○(후한) 양예('嫕'는 '어於'와 '계計'의 반절음反切音인 '예'이다)는 양귀인의 언니로 (하남성) 남양군 사람 번조의 아내이자 양송梁竦(?-83)의 딸이다. 당시 두 언니가 귀인에 올랐다가 두씨의 참언 때문에 죽자 양예가 상소문을 올려 그들을 위해 억울함을 호소하였다. 그러자 장제章帝가 그녀를 불러들여 접견하고는 궁중에 머물게 하며 상금으로 10만 냥을 하사하고 '양부인'이라고 불렀다. 그리고 번조를 발탁하여 광록대부에 임명하였다.

◇綠珠(진나라 석숭의 첩실 녹주)

●梁氏女有容色, 石崇爲交趾[561]采訪使[562], 以眞珠二斛買之, 名曰綠珠. 趙王倫簒位, 孫秀求之, 綠珠墜樓而死, 崇遇害. 山谷[563]詩[564]云, "欲

559) 竇氏(두씨) : 후한 장제章帝의 부인인 두황후竇皇后를 가리킨다. 본명은 알려지지 않았다. ≪후한서·장덕두황후본기章德竇皇后本紀≫권10 참조.

560) 光祿大夫(광록대부) : 진한秦漢 때 중대부中大夫를 전한 무제武帝가 고친 이름으로 황제의 자문 역할을 담당하였다. 수당隋唐 때는 광록대부光祿大夫 외에도 금자광록대부金紫光祿大夫와 은청광록대부銀靑光祿大夫를 더 설치하였는데, 광록대부는 종2품에 해당하는 서열 3위의 문산관文散官이었고, 금자와 은청은 각각 서열 4위와 5위로서 정3품과 종3품에 해당하였다.

561) 交趾(교지) : 지명. 전한 무제武帝 이전에는 오령五嶺 이남을 일컬었고, 무제 이후로는 광동성과 광서성 및 월남 북부에 대한 통칭으로 쓰였다. '교지交阯'로도 쓴다.

562) 採訪使(채방사) : 당나라 현종玄宗 개원開元 21년(733)에 중국을 15도道로 나누고 각 도에 두었던 채방처치사採訪處置使의 준말. 각 주현州縣의 관리들을 감찰하고 옥사獄事를 관장하였는데, 숙종肅宗 건원乾元(758-760) 이후로는 폐지되었다. 여기서는 진나라에 소급하여 적용한 것으로 보인다.

563) 山谷(산곡) : 송나라 사람 황정견黃庭堅(1045-1105)의 호. '부옹涪翁'이라고도 한다. 자는 노직魯直. 소식蘇軾(1036-1101)의 제자이자 강서시파江西詩派의 창시자로서 비서승祕書丞과 사천성 부주별가涪州別駕 등을 역임하였다.

買娉婷565)供煮茗, 我無二斛明月珠."

○(진晉나라 때) 양씨의 딸이 용모가 아름다웠기에 석숭(249-300)이 (광동성·광서성 일대를 관장하는) 교지채방사를 지내면서 진주 두 섬으로 그녀를 사들이고는 '녹주'라고 불렀다. 조왕趙王 사마윤司馬倫이 왕위를 찬탈했을 때 손수가 그녀를 요구하자 녹주는 누각에서 뛰어내려 죽고 석숭도 살해당했다. 그래서 (송나라) 산곡山谷 황정견黃庭堅은 시에서 "미인을 사들여 차 끓이는 일을 맡기고 싶어도, 내게는 명월주(진주) 두 섬이 없다네"라고 하였다.

◇擧按齊眉(쟁반을 눈썹 높이까지 공손하게 들어올리다)

●梁鴻有高節, 勢家爭欲女之. 平陵縣孟光狀肥醜而黑, 力擧石臼, 擇對不嫁. 年三十, 曰, "欲得賢如伯鸞者." 鴻聞而娶之. 旣成婚, 鴻曰, "吾欲裘褐566)之人, 可與隱深山者爾. 今衣綺縞, 傅粉黛, 豈予願哉?" 光曰, "妾又有隱居之服." 乃更爲堆髻567), 著布衣, 操作而前. 鴻大喜曰, "眞梁鴻妻!" 字之德耀, 與俱入霸陵山, 以耕織爲業, 詠詩彈琴, 自娛. 後又同適吳, 依大家皐伯通, 爲人賃舂. 每歸, 妻具食, 擧案齊眉568).

○(후한) 양홍은 고상한 절조가 있어서 권세가들이 다투어 그에게 딸을 시집보내고 싶어하였다. (섬서성) 평릉현 출신 여인인 맹광은 용모가 못생기고 피부가 검었으며 돌절구를 들어올릴 정도로 힘이 셌는데, 짝을 고르다가 시집을 가지 못 하고 있었다. 나이 서른 살이

저서로 ≪산곡집山谷集≫ 67권이 전한다. ≪송사·문원열전文苑列傳·황정견전≫권444 참조.

564) 詩(시) : 이는 칠언율시七言律詩 <상보常父 공무중孔武仲의 답시에 '차를 끓이려면 모름지기 녹주의 솜씨가 필요하네'라는 구절이 있기에 다시 차운하여 재미삼아 화답하다(常父答詩有'煎點徑須煩綠珠'之句, 復次韻戱答)> 가운데 함련頷聯을 인용한 것으로 ≪산곡집≫권3에 전한다.

565) 娉婷(빙정) : 아름다운 모습이나 그러한 여인을 이르는 말.

566) 裘褐(구갈) : 갖옷과 베옷처럼 거칠고 허름한 옷. 은자를 상징한다.

567) 堆髻(퇴계) : 몽치 모양으로 틀어 올린 쪽머리를 뜻하는 말인 '추계椎髻'의 오기. 아내가 현량하여 의복을 소박하게 차려입고 남편에게 순종하는 것을 상징한다.

568) 擧案齊眉(거안제미) : 쟁반을 들면서 눈썹 높이에 맞추다. 매우 공손하게 남편을 모시는 것을 비유한다.

되어서도 "백란(양홍) 같은 어진 사람을 얻고 싶다"고 하였다. 양홍이 이 얘기를 듣고서 그녀에게 장가들었다. 결혼을 하고 나서 양홍이 말했다. "나는 허름한 옷을 입은 사람을 얻어 함께 깊은 산속에 은거하고 싶었을 뿐이오. 그런데 이제 당신이 비단옷을 입고 화장을 하였으니 어찌 내가 바라던 바이겠소?" 그러자 맹광이 대답하였다. "소첩에게도 은자의 옷이 있답니다." 그래서 다시 머리를 소박하게 꾸미고 베옷을 입고서 일할 차림으로 나타났다. 양홍이 무척 기뻐하며 말했다. "진정 나 양홍의 아내로다!" 그녀에게 '덕요'라는 별명을 지어 주고 함께 파릉산으로 들어가 농사와 방직을 생업으로 삼고서 시를 짓고 금을 연주하며 소일하였다. 뒤에는 다시 오 지방으로 가서 부호인 고백통에게 의지하며 남을 위해 품삯을 받고 방아를 찧었다. 매번 귀가하면 아내는 음식을 차린 뒤 쟁반을 눈썹 높이까지 공손하게 들어올렸다.

●河梁. 呂梁569). 濠梁570). 屋梁.
○황하의 다리. (강소성) 여량. 호수의 다리. 대들보.

◆涼(양씨)

●涼茂, 字伯芳, 少好學, 議論常據經典. 爲魏郡太守, 拜甘陵相571). 所至有治績, 魏之良吏也. 文帝朝, 拜尙書僕射.
○양무는 자가 백방으로 어려서부터 학문을 좋아하였기에 논의를 전개할 때는 늘 경전에 근거하였다. (하북성) 위군태수를 지내다가 감릉왕의 승상을 배수받았다. 그는 부임하는 곳마다 치적을 세웠기에

569) 呂梁(여량) : 강소성 서주시徐州市 남동쪽에 있는 물 이름. 돌벼랑이 뾰족하고 여울이 심한 곳으로 유명하다.
570) 濠梁(호량) : 호수濠水에 있는 다리. 전국시대 송宋나라 때 장자(장주莊周)와 혜자(혜시惠施)가 물고기를 대상으로 말장난을 한 장소로 유명하다.
571) 甘陵相(감릉상) : 제후국의 군주인 감릉왕의 승상을 이르는 말. '감릉'은 산동성의 속현屬縣으로 여기서는 봉호를 가리킨다.

(삼국) 위나라를 대표하는 훌륭한 관원이다. 문제 때 상서복야를 배수받았다.

◆房(방씨)

▶商音. 淸河. 堯子丹朱封爲房邑侯, 子孫以父封爲氏.

▷음은 상음에 속하고 본관은 (하북성) 청하군이다. (당唐나라) 요왕의 아들인 단주가 방읍후에 봉해지자 자손들이 부친의 봉호를 성씨로 삼은 것이다.

◇校書(궁중의 도서를 교감하다)

●房鳳, 字子元. 漢成帝時, 大司馬王根薦之, 明經通達, 擢爲光祿大夫. 與王龔·劉歆共校書, 三人皆侍中.

○방봉은 자가 자원이다. 전한 성제 때 대사마 왕근이 그를 추천하였는데, 경전에 정통하였기에 광록대부로 발탁되었다. 왕공·유흠과 함께 궁중의 도서를 교감하다가 세 사람 모두 시중에 올랐다.

◇規矩(모범)

●房植, 漢桓帝時, 爲河南尹[572], 有名當朝. 鄕人謠曰, "天下規矩[573]房伯武[574], 因師獲印周仲進[575]." 由是甘陵[576]有南北部之議.

○방식은 후한 환제 때 (하남성) 하남윤을 지내며 당시 조정에까지 명성을 떨쳤다. 그래서 고을 사람들이 노래를 지어 "천하의 모범은 방백무(방식)이고, (환제의) 스승을 지낸 덕에 관원의 도장을 얻은 이는 주중진(주복周福)이라네"라고 하였다. 이 때문에 (그들의 고향인

---

572) 河南尹(하남윤) : 전한 때 동도東都이자 후한 때 수도인 하남성 낙양洛陽 일대를 관장하던 부윤府尹을 이르는 말.

573) 規矩(규구) : 원을 그리는 데 쓰는 걸음쇠와 사각형을 그리는 데 쓰는 곱자. 법도나 규칙·모범 등을 비유하며 '구구鉤矩'라고도 한다.

574) 伯武(백무) : 후한 사람 방식房植의 자.

575) 周仲進(주중진) : 후한 사람 주복周福. '중진'은 자. 환제桓帝에게 학문을 가르치다가 상서尙書에 올랐다. ≪후한서·당고열전≫권97 서문 참조.

576) 甘陵(감릉) : 산동성의 속현屬縣 이름. ≪후한서·당고열전≫권97의 서문에 의하면 방식房植과 주복周福 모두 감릉현 사람인데, 문객들 사이에 반목이 심하여 최초로 당쟁을 유발했다고 한다.

산동성) 감릉현에서는 남부 출신과 북부 출신 중에 누가 더 나은지에 대한 설전이 벌어졌다.

◇五經庫(경전의 보고)

●房暉遠, 字崇儒, 幼有志行, 明三禮[577]·詩·易·春秋. 隋文帝禪, 遷太常博士[578]. 牛弘[579]服其博, 稱之爲五經庫.

○방휘원은 자가 숭유로 어려서부터 의지가 굳고 행실이 바르더니 ≪주례≫ ≪의례≫ ≪예기≫ ≪시경≫ ≪역경≫ ≪춘추경≫에 정통하였다. 수나라 문제가 황제에 오르면서 그를 태상박사에 임명하였다. 우홍(545-610)은 그의 박학한 지식에 감복하여 그를 '오경고'라고 불렀다.

◇三輔最(경기 일대에서 최고의 성적을 거두다)

●房恭懿, 字愼言. 隋開皇[580]初, 蘇威薦之, 授新豐[581]令. 政爲三輔[582]之最, 上嘉之, 賜物四百緞·米三百石, 恭懿以賑貧人. 上嘗呼至榻前,

577) 三禮(삼례) : 예법에 관한 경전인 ≪주례≫ ≪의례≫ ≪예기≫를 아우르는 말.

578) 太常博士(태상박사) : 종묘의 의례와 관리 선발 시험을 관장하던 기관인 태상시太常寺의 속관屬官. 장관인 태상경太常卿은 구경九卿의 하나이고, 휘하에 차관인 태상소경太常少卿과 속관으로 태상승太常丞·태상박사太常博士 등이 있었다.

579) 牛弘(우홍) : 수隋나라 때 사람(545-610). 자는 이인里仁이고 시호는 헌憲이며 봉호는 기장군공奇章郡公. 학문이 깊고 고사에 밝아 이부상서吏部尙書를 역임하며 수나라의 제도를 정비하는 데 많은 공을 세웠다. ≪수서·우홍전≫ 권49 참조.

580) 開皇(개황) : 수隋 문제文帝의 연호(581-600).

581) 新豐(신풍) : 전한 때 고조高祖 유방劉邦(B.C.247-B.C.195)이 고향을 그리워하는 부친을 위해 고향인 강소성 패현沛縣 풍읍豐邑의 집과 거리를 본떠서 섬서성 임동현臨潼縣 북동쪽에 새로 설치한 현縣 이름. 남쪽으로는 여산驪山이 가깝고 북쪽으로는 위수渭水가 흐른다.

582) 三輔(삼보) : 전한 경제景帝 때 주작중위主爵中尉와 좌내사左內史·우내사右內史를 두었다가, 전한 무제武帝 때 장안 동쪽을 관장하는 경조윤京兆尹과 장릉長陵 이북을 관장하는 좌빙익左馮翊, 위성渭城 서쪽을 관장하는 우부풍右扶風으로 관제를 바꾸었는데, '삼보'는 이들 세 장관 혹은 그들이 관장하는 지역을 통칭한다. 결국 경기 지역을 가리킨다.

訪以理人之術.

○방공의는 자가 신언이다. 수나라 (문제) 개황(581-600) 초에 소위의 추천으로 (섬서성) 신풍현의 현령을 배수받았다. 치적이 경기 일대에서 최고의 성적을 거두자 문제가 이를 가상히 여겨 비단 4백 필과 쌀 3백 섬을 하사하였지만 방공의는 이를 가난한 사람들에게 나눠주었다. 문제는 늘 그를 걸상 앞까지 불러들여 백성을 다스리는 방도에 대해 묻곤 하였다.

◇慈父(백성들이 아버지라고 부르다)

●房彦謙, 字孝沖. 唐高祖時, 爲長昌583)令, 百姓號之爲慈父, 立碑頌德. 後去, 寂不仕. 居家屢空584), 怡然自得, 謂其子玄齡曰, "人皆因祿貴, 我獨以官貧, 所遺子孫淸白耳."

○방언겸은 자가 효충이다. 당나라 고조 때 (하남성) 장갈현長葛縣의 현령을 맡자 백성들이 그를 '아버지'라고 부르며 비석을 세우고 은덕을 칭송하였다. 뒤에 벼슬을 그만두고 한가로이 지내며 벼슬길에 나가지 않았다. 집에 자주 곳간이 비어도 기쁜 마음으로 득의해 하며 아들인 방현령房玄齡에게 말했다. "남들은 모두 봉록과 높은 신분을 좇지만 나는 유독 관직생활에도 가난하기에 자손들에게 물려줄 것이라곤 청렴성뿐이란다."

◇聳壑昂霄(골짜기에 우뚝 솟고 하늘을 찌르다)

●房玄齡, 字喬585)孫, 幼警敏, 年十八, 擧進士. 高孝基586)謂裴矩曰,

583) 長昌(장창) : ≪수서・방언겸전≫권66에 의하면 하남성의 속현屬縣인 '장갈長葛'의 오기이다.

584) 屢空(누공) : 자주 곳간이 비다. ≪논어・선진先進≫권11의 "안회顔回는 군자의 경지에 도달했구나! 하지만 늘 가난하니 아무것도 소유한 것이 없는 것 같구나!(回也, 其庶乎! 屢空, 有若無者歟!)"라는 고사에서 유래한 말로 집안이 가난한 것을 말한다.

585) 字喬(자교) : ≪구당서・방현령전≫권66에서는 '교喬'가 본명이고 '현령玄齡'이 자라고 한 반면, ≪신당서・방현령전≫권96에서는 '현령'이 본명이고 '교'가 자라고 하였다. 위의 예문은 ≪신당서≫를 따른 것이다. 그러나 상고上古 이후로 이름이 척자隻字이고 자가 쌍자雙字인 경우가 많은 것에 비추어 볼 때 ≪

"僕587)閱人多矣, 未有如此郎者. 當爲國器, 恨不見其聳壑昂霄588)耳." 唐武德589)初, 太宗時爲秦王, 延四方文學之士, 以記室590)房玄齡·杜如晦·虞世南·姚思廉·李玄道·褚亮·蔡恭允·薛元敬·顔相時·于志寧·蘇世長·薛收·李守素·陸德明·孔穎達·蓋文達·許敬宗·蘇勖兼文學館學士, 號十八學士. 時人謂之登瀛洲591). 太宗卽位, 以有決勝帷幄592), 定社稷功, 居第一, 進左僕射, 更封魏. 居相位十五年, 孜孜593)奉國. 年七十一, 薨. 謚文昭.

○방현령(578-648)은 자가 '교喬'로 어려서부터 총명하더니 나이 열여덟 살에 진사시험에 급제하였다. 효기孝基 고구高搆는 배구에게 "제가 사람들을 많이 보아 왔는데 이 젊은이만한 이가 없었습니다. 틀림없이 나라를 이끌 훌륭한 인물이 될 것이지만 (제가 사망하여) 그가 골짜기에 우뚝 솟고 하늘을 찌르듯 고관에 오르는 모습을 보지 못 하는 것이 한스러울 따름입니다"라고 하였다. 당나라 (고조) 무덕

구당서≫의 기록이 맞을 듯하다. 다만 이름보다는 자가 더 통용되었을 것이다. 뒤의 '손孫'은 연자衍字.

586) 高孝基(고효기) : 수나라 사람 고구高搆. '효기'는 자. 옹주사마雍州司馬·이부시랑吏部侍郎 등을 역임하였고, 당나라 초 명재상인 두여회杜如晦(585-630)와 방현령房玄齡(578-648) 등을 천거하여 인재를 잘 알아본다는 평을 받았다. 명나라 이현李賢의 ≪명일통지明一統志≫권32 참조.

587) 僕(복) : 자기 자신에 대한 겸사謙辭.

588) 聳壑昂霄(용학앙소) : 골짜기에 우뚝 솟고 하늘을 찌르다. 고관에 오르거나 뜻이 높고 기상이 당당한 모습을 비유한다. '능소용학凌霄聳壑'이라고도 한다.

589) 武德(무덕) : 당唐 고조高祖의 연호(618-626).

590) 記室(기실) : 후한 때부터 장표章表·서기書記·격문檄文 등을 관장하던 벼슬을 가리키는 말. 뒤에는 기실독記室督·기실참군記室參軍으로 불리기도 하였다.

591) 瀛洲(영주) : 동해에 신선이 산다는 전설상의 선산仙山. '18학사가 영주에 올랐다'는 말은 선비가 선경仙境에 들어간 것처럼 각별한 명예를 얻은 것을 비유한다.

592) 決勝帷幄(결승유악) : 장막 안에서 승리를 쟁취하다. 전한 고조高祖 유방劉邦이 "장막 안에서 책략을 짜고서 천 리 밖에서 승리를 쟁취하는 점에 있어서는 내가 자방(장양張良)만 못 하구나!(運籌策於帷帳之中, 決勝千里之外, 吾不如子房!)"라고 말했다는 ≪한서·고조본기高祖本紀≫권1의 고사에서 유래한 말로 전쟁터에 나가지 않고도 전략과 전술을 짜서 승리하는 것을 말한다.

593) 孜孜(자자) : 부지런한 모양, 애쓰는 모양.

(618-626) 초에 태종이 당시 진왕의 신분으로 각지에서 글재주가 뛰어나고 학식이 깊은 선비들을 초빙하면서 기실을 맡고 있던 방현령·두여회·우세남·요사렴·이현도·저양·채공윤·설원경·안상시·우지녕·소세장·설수·이수소·육덕명·공영달·갑문달·허경종·소욱을 문학관학사에 겸직시키고는 '18학사'라고 불렀다. 당시 사람들은 이를 두고 '영주산에 올랐다'고 하였다. 태종이 즉위하자 장막 안에서 계책을 짜 종묘사직을 안정시킨 공로로 첫 번째 자리를 차지하여 좌복야로 승진하고 위왕에 봉해졌다. 재상의 자리에 15년 동안 있으면서 열심히 나라를 위해 봉사하였다. 나이 71세에 생을 마쳤다. 시호는 '문소'이다.

◇家法(가법)

●玄齡治家有法, 集古今家戒, 書爲屛風, 令諸子各取一具曰, "留意於此, 足以保躬." 子遺愛尙主[594]驕恣, 永徽[595]中, 誣告兄遺直. 上令長孫無忌鞫其事, 因得遺愛與公主謀反之狀, 遺愛伏誅, 公主賜死. 李世勣[596]云, "房杜[597]辛苦立門戶, 爲不肖子蕩覆無餘!"

○방현령(578-648)이 집안을 다스리는 데는 일정한 법도가 있어서 고금의 가훈들을 모아 병풍에 적어 넣고는 아들들에게 각자 하나씩 가지게 하면서 말했다. "여기에 유념하면 몸을 지키기에 충분할 것이다." 그러나 아들 방유애房遺愛는 공주에게 장가들어 교만하게 굴다가 (고종) 영휘(650-656) 연간에 형 방유직房遺直을 무고하였다. 고종이 장손무기를 시켜 이 사건을 국문케 해서 방유애가 공주와 모

---

594) 尙主(상주) : 공주에게 장가들다. '상尙'은 남자가 몸을 낮추어 존중한다는 뜻으로 공주에게 장가가는 것을 뜻하고, '주主'는 공주의 약칭이다.

595) 永徽(영휘) : 당唐 고종高宗의 연호(650-656).

596) 李世勣(이세적) : 본명은 이세적李世勣(594-669)이었으나 당나라 태종太宗인 이세민李世民(598-649)의 휘諱 때문에 뒤에는 '세世'자를 빼고 '적勣'만을 이름으로 썼다. ≪신당서·이적전≫권93 참조.

597) 房杜(방두) : 당나라 태종太宗 때 재상을 지낸 방현령房玄齡(578-648)과 두여회杜如晦(585-630)를 아우르는 말. 두 사람의 전기는 ≪신당서≫권96에 나란히 전한다.

반했다는 실상을 알아내는 바람에 방유애는 사형을 당하고 공주는 사약을 받았다. 그래서 이세직은 "방현령房玄齡과 두여회杜如晦가 각고의 노력을 경주하여 가문을 일으켜 세웠으나 못난 자식들이 탕진하는 바람에 남아난 것이 없구나!"라고 하였다.

◇片言悟主(말 한 마디로 군주를 깨우치다)

●房琯, 字次律, 宰相房融之子. 隱陸渾山十年, 天寶末, 明皇[598]幸蜀, 琯上謁[599], 拜平章事. 與韋見素奉冊, 靈武[600]立肅宗, 吐辭洪暢, 上傾意[601]待之. 詔收復西京, 遇賊於陳濤斜[602], 琯效古法, 用車戰, 大敗. 贊[603]云, "琯以忠義自奮, 片言悟主, 取宰相."

○(당나라) 방관(697-763)은 자가 차율로 재상을 지낸 방융의 아들이다. (하남성) 육혼산에서 10년이나 은거생활을 하다가 천보(742-756) 말엽에 명황(현종)이 (사천성) 촉주로 행차할 때 방관은 황제를 알현하고서 평장사를 배수받았다. 위견소와 함께 책서를 받들어 (영하자치구) 영무현에서 숙종을 옹립하였는데, 글이 웅장하고 시원시원하여 숙종이 정성을 다해 그를 대우해 주었다. 조서를 받들어 (섬서성 장안인) 서경을 수복하려고 진도사에서 반군과 대치하였으나 방관은 옛 병법을 본받아 전차로 전투를 벌이다가 대패하고 말았다. (≪신당서·방관전≫권139의) 찬문에서는 "방관은 충심을 떨치고 말

---

598) 明皇(명황) : 당나라 현종玄宗의 시호인 '지도대성대명효황제至道大聖大明孝皇帝'의 약칭. ≪신당서·현종본기≫권5 참조. 보통 황제를 칭할 때 당나라 이전에는 시호를 주로 사용하다가 당나라 이후로는 묘호를 주로 사용하였는데, 이는 후대로 갈수록 시호의 명칭이 길어져 사용하기 불편한 데서 비롯된 듯하다.

599) 上謁(상알) : 높은 사람을 찾아 뵙고 인사를 올리는 일.

600) 靈武(영무) : 현 이름. 영하회족자치구寧夏回族自治區 영무현 북서쪽에 있었다. 당나라 숙종肅宗이 몽진했다가 이곳에서 현종玄宗에게 왕위를 선양받았다.

601) 傾意(경의) : 정성을 쏟다, 신경을 쓰다.

602) 陳濤斜(진도사) : 섬서성 함양시咸陽市 동쪽에 있는 땅 이름. '진도陳陶'라고도 한다. 당나라 때 병법을 잘 모르던 방관房琯(697-763)이 반군과 전투를 벌이다가 대패한 곳으로 유명하다.

603) 贊(찬) : ≪신당서·방관전≫권139에 실린 송나라 송기宋祁(998-1061)의 찬문을 가리킨다.

한 마디로 군주를 깨우쳐 재상의 자리에 올랐다"고 하였다.

※女德婚姻(여덕과 혼인)

●房玄齡妻剔一目, 示信.(見盧氏)

○(당나라) 방현령(578-648)의 아내는 (절조를 지켜 재가하지 않겠다는 뜻을 밝히기 위해) 한쪽 눈을 파내어 신의를 보였다.(상세한 내용은 앞의 '노'씨절 '척목剔目'항에 보인다)

●房愛親604)妻親授子九經605).

○(북조北朝 북위北魏) 방애친의 아내는 몸소 아들에게 구경을 전수하였다.

●房武幼606)壯爲良子弟, 老爲賢父兄. 娶滎陽鄭氏, 生六男次卿·次公·次膺·次回·次衡·次元.

○(남북조 때 사람) 방무유는 성장해서는 훌륭한 자제 노릇을 하였고, 늙어서는 어진 부형 역할을 하였다. (하남성) 형양군 사람 정씨에게 장가들어 여섯 아들인 방차경房次卿·방차공房次公·방차응房次膺·방차회房次回·방차형房次衡·방차원房次元을 낳았다.

---

604) 房愛親(방애친) : 북조北朝 북위北魏 때 사람. 그의 아내인 최崔씨의 전기가 ≪위서·방애친처최씨전≫권92에 전한다.

605) 九經(구경) : 아홉 가지 경전을 지칭하는 말. 여기에는 여러 가지 설이 있는데, ≪한서·예문지≫권30에서는 ≪역경≫ ≪서경≫ ≪시경≫ ≪예기≫ ≪춘추≫ ≪악기≫ ≪효경≫ ≪논어≫ ≪소학小學≫을 구경이라고 하였고, 당나라 서견徐堅(?-729)의 ≪초학기初學記·문부文部·경전經典≫권21에서는 ≪역경≫ ≪서경≫ ≪시경≫ ≪주례≫ ≪의례≫ ≪예기≫ ≪좌전≫ ≪공양전≫ ≪곡량전≫을 구경이라고 한 반면, 송나라 위요옹魏了翁의 ≪구경요의九經要義≫에서는 ≪역경≫ ≪서경≫ ≪시경≫ ≪주례≫ ≪의례≫ ≪예기≫ ≪춘추경≫ ≪논어≫ ≪맹자≫를 구경이라고 하였다. 결국 경전을 총칭한다.

606) 房武幼(방무유) : 명나라 능적지凌迪知의 ≪만성통보萬姓統譜≫권50에서는 남북조南北朝 때 사람이라고 하였으나 신상은 미상.

●葯房. 子房. 張君房. 費長房[607].

○약방. (전한 사람) 자방子房 장양張良(?-B.C.185). (송나라 사람) 장군방. (후한 때 도사) 비장방.

◆唐(당씨)

▶徵音. 晉國. 陶唐氏[608]之後封唐侯, 子孫以國爲氏. 唐叔[609]得禾, 異畝同穎, 作嘉禾篇[610]書.

▷음은 치음에 속하고 본관은 (산서성) 진국이다. (당唐나라 요왕堯王) 도당씨의 후손이 당후에 봉해지자 자손들이 나라 이름을 성씨로 삼은 것이다. (주周나라 때) 당숙이 특이한 벼를 얻어 밭을 달리하여 심었는데도 같은 이삭이 패이자 (주공周公이 상서로운 징조를 기리기 위해) <가화편>이란 글을 지은 일이 있다.

◇丹崖(붉은 절벽)

●唐節, 唐玄宗時爲縣令, 去官, 家于崖下, 號丹崖翁. 元結重之, 作丹崖公詩[611], 銘[612]曰, "磳磳[613]丹崖, 其下誰家? 門前釣舟, 籬下釣車. 不知幾峯, 爲其西墉. 竹出石磴, 泉飛戶中."

○당절은 당나라 현종 때 현령을 지내다가 관직을 그만두고 절벽 아래 집을 마련하고는 스스로 호를 '단애옹'이라고 하였다. 원결이 그

607) 費長房(비장방) : 후한 때 도사. 비장방이 신선인 호공壺公에게서 도술을 전수받고 스승이 준 지팡이를 타고서 집으로 돌아와 갈피葛陂에 던졌더니 용으로 변했다는 고사가 진晉나라 갈홍葛洪(284-363)의 ≪신선전神仙傳・호공≫ 권9에 전한다.

608) 陶唐氏(도당씨) : 전설상의 황제인 오제五帝 가운데 요왕堯王의 국호이자 씨를 이르는 말.

609) 唐叔(당숙) : 주周나라 무왕武王 희발姬發의 아들이자 성왕成王 희송姬誦의 동생인 희우姬虞의 별칭. '당왕에 봉해진 셋째 아들'이라는 말로 '당'은 봉호이고, '숙'은 항렬. 성왕이 어렸을 때 장난삼아 당나라에 봉한다고 했다가 사일史佚의 간언으로 결국 당왕에 봉하였다는 고사로 유명하다.

610) 嘉禾篇(가화편) : ≪서경・주서周書・미자지명微子之命≫권12에 의하면 주공周公이 지었다고 한다.

611) 詩(시) : 이는 <단애옹(당절)의 저택에서 묵다(宿丹崖翁宅)>란 제목의 칠언고시七言古詩로 당나라 원결元結(723-772)의 ≪차산집次山集≫권4에 전한다.

612) 銘(명) : 이는 <단애옹(당절)의 저택에 대해 쓴 명문(丹崖翁宅銘)>이란 글의 일부를 인용한 것으로 ≪차산집≫권6에 전한다.

613) 磳磳(증증) : 산에 바위가 많고 험준한 모양.

를 존경하여 <단애옹을 읊은 시>를 짓고는 명문에서 "높디 높은 붉은 절벽, 그 아래로 누구의 집일까? 문 앞에는 낚시용 배, 울타리 아래는 낚시용 수레가 있네. 봉우리가 몇 개인지는 모르지만, 그의 서쪽 담장이 되어 주기에, 대나무가 돌계단에서 자라고, 폭포수가 창문 가운데로 나는구나"라고 하였다.

◇辨謗略(비방을 분별하는 책략)

●唐次, 字文編, 儉[614]裔孫[615]也. 唐德宗時, 因遭謗黜, 十年不遷, 作辨謗略三篇. 憲宗立[616]見而善之, 命學士沈傳師等再增十篇, 號曰元和辨謗略.

○당차는 자가 문편으로 당검唐儉(579-656)의 후손이다. 당나라 덕종 때 비방을 받아 축출당한 뒤 10년 동안 승진하지 못 하자 <변방략> 3편을 지었다. 헌종이 즉시 보고서 훌륭하다고 생각해 학사 심전사 등에게 명을 내려 다시 10편을 늘리게 하고는 ≪원화변방략≫이라고 이름 지었다.

◇詩瓢(시를 담는 표주박)

●唐求放曠疏逸[617], 唐末方外人[618]也. 吟詩有得, 卽將藁撚爲丸, 投入瓢中. 後臥病, 投瓢於江曰, "得之者方知吾苦心耳." 瓢至新渠江, 有識之者曰, "此唐山人詩瓢也!" 接得十, 纔二三[619]. 題鄭處士[620]隱居云,

---

614) 儉(검) : 당나라 초엽 사람 당검唐儉(579-656). 자는 무약茂約. 태종太宗을 보좌하다가 중서시랑中書侍郎·예부상서禮部尙書 등을 지내고 거국공莒國公에 봉해졌다. ≪신당서·당검전≫권89 참조.
615) 裔孫(예손) : 후예, 후손.
616) 立(입) : 즉시, 바로.
617) 放曠疏逸(방광소일) : 성품이 자유분방하면서 지조가 고상한 모양.
618) 方外人(방외인) : 속세 밖의 사람, 즉 은자를 가리킨다.
619) 纔二三(재이삼) : 겨우 두세 수이다. 위의 예문과 유사한 내용이 송나라 황휴복黃休復의 ≪모정객화茅亭客話·미강산인味江山人≫권3에도 전하는데, "그것을 뒤져서 얻었지만 이미 물에 젖어 손상되었기에 열 수 가운데 두세 수만 얻었다(探得之, 已遭漂潤損壞, 十得其二三)"고 적고 있어 문맥이 보다 분명하기에 이를 따른다.
620) 處士(처사) : 벼슬하지 않은 선비를 이르는 말.

"不信最淸曠, 及來愁已空. 數點石泉雨, 一溪霜葉風. 業在有山處, 道成無事中. 酌盡一杯酒, 老夫顔亦紅."

○당구는 자유분방하고 고상한 성품의 소유자로 당나라 말엽에 속세를 떠난 은자였다. 시를 읊조리다가 시구를 얻으면 즉시 초고를 꼬아서 탄환처럼 만들어 표주박 속에 던져 넣었다. 뒤에 병석에 눕게 되자 표주박을 장강에 던지며 말했다. "이것을 얻는 사람은 내가 고심해서 시를 지었다는 것을 알아볼 것이다." 표주박이 신거강에 이르자 누군가 이를 알아보고는 말했다. "이것은 은자인 당선생이 시를 담던 표주박이로구나!" 계속해서 열 수를 얻었지만 겨우 두세 수만 멀쩡하였다. 그중 <정처사의 은거를 읊은 시>에서 "가장 고상하고 자유분방하다는 것을 믿지 않았지만, 방문하고 보니 시름이 하마 사라지네. 몇 방울 샘물 같은 비가 내리고, 시내 가득 서리 맺힌 잎새에 바람 불더니, 산이 있는 곳에서 수양을 쌓아, 아무 일 없는 가운데 도를 이루셨네. 술 한 잔 다 따르고 나면, 노인네의 얼굴 역시 붉어지누나"라고 하였다.

◇識面臺官(안면이 있는 사람을 어사로 추천하다)

●唐介, 字子方, 爲人簡伉621)端勁. 孫抃薦介及吳中復爲御史, 與二人未嘗相識. 或訝之, 抃曰, "昔人恥爲呈身御史622), 今豈求識面臺官623)邪?" 宋仁宗朝, 爲御史裏行624), 彈張堯佐, 特加六品服, 以旌敢言. 又言"文彦博以燈籠錦625)媚張貴妃626), 致相位," 上怒, 貶英州別駕627),

621) 簡伉(간항) : 태도가 거만하거나 고상한 것을 이르는 말.

622) 呈身御史(정신어사) : 자신의 재능을 일부러 내보여 어사가 되는 것을 일컫는 말. 당나라 때 위온韋溫이 동생인 위오韋澳를 어사중승御史中丞 고원유高元裕에게 소개시키려고 하자 위오가 '정신어사'는 받아들일 수 없다고 일침을 가한 고사에서 유래하였다.

623) 臺官(대관) : 당송 때 탄핵을 관장하던 어사대御史臺 소속 관리를 일컫던 말.

624) 裏行(이행) : 당송 때 정식 관원이 아닌 일종의 산관散官으로서 어사이행御史裏行·감찰이행監察裏行·전중이행殿中裏行 등이 있었다. '같은 반열에서 대행하다'라는 뜻에서 유래하였다.

625) 燈籠錦(등롱금) : 대나무나 철사로 살을 만들고 등불을 넣는 기구인 '등롱'

徙監郴州稅. 李師中送以詩, 有'去國一身輕似葉, 高名千古重於山'之句[628]. 介渡淮, 中流遇風, 作詩[629]云, "聖世非狂楚, 淸淮異汨羅[630]. 平生仗忠信, 今日任風波. 舟楫欹斜甚, 黿鼉出沒多. 斜陽幸無事, 沽酒聽漁歌." 神宗朝, 參大政. 諡質肅. 子淑問·義問·待問·嘉問·之問.

○당개(1010-1069)는 자가 자방으로 사람 됨됨이가 고상하고 강직하였다. 손변은 당개와 오중복을 어사로 추천하면서도 두 사람과 서로 안면을 튼 적이 없었다. 누군가 의아하게 여기자 손변이 말했다. "옛 사람들도 자신의 재능을 일부러 내보여 어사가 되는 것을 부끄럽게 여겼거늘, 이제 어찌 안면이 있는 사람을 어사대의 관원으로 추천할 수 있겠소?" 송나라 인종 때 어사이행을 맡아 장요좌를 탄핵하자 특별히 6품의 관복을 보태주어서 그의 과감한 언행을 표창하였다. 그러나 다시 "문언박이 등롱을 덮는 비단덮개로 장귀비에게 아부해서 재상 자리에 올랐나이다"라고 말하는 바람에 인종의 노여움을 사 (광동성) 영주별가로 폄적당했다가 (호남성) 침주의 세금을 감독하는 자리로 옮겼다. 이사중이 시를 지어 배웅해 주었는데, 거기에는 '도성을 떠나는 홀몸은 잎새처럼 가볍고, 고상한 명성은 영원히 산보다 묵직하리라'는 구절이 들어 있었다. 당개는 회수를 건

에 덧씌우는 비단덮개를 일컫는 말.

626) 貴妃(귀비) : 황제의 첩실이자 후궁의 고위 내관內官 이름. 당송唐宋 때는 정1품에 속하는 사비四妃, 즉 귀비貴妃·숙비淑妃·덕비德妃·현비賢妃 가운데 하나였다. 사비 아래로는 정2품 구빈九嬪, 정3품 첩여婕妤, 정4품 미인美人, 정5품 재인才人 등의 관제가 있었다.

627) 別駕(별가) : 한나라 이래로 일부 주州·부府·군郡에 설치했던 지방 수령의 보좌관인 '치중별가종사사治中別駕從事史'의 약칭. '치중治中' '치중별가治中別駕' '치중종사治中從事' 등으로 약칭하기도 한다.

628) 句(구) : 이는 칠언율시七言律詩 <당개를 배웅하다(送唐介)> 가운데 함련頷聯을 인용한 것으로 송나라 진사陳思가 엮은 ≪양송명현소집兩宋名賢小集≫권27에 수록된 이사중李師中의 시집인 ≪주계집珠溪集≫에 전한다.

629) 詩(시) : 이는 오언율시五言律詩 <폄적당해 회수를 건너다가 배 안에서 바람을 만나 배가 뒤집히려고 하자 짓다(謫官渡淮, 舟中遇風, 欲覆舟而作)>를 인용한 것으로 송나라 사유신謝維新의 ≪고금합벽사류비요古今合璧事類備要·지리문地理門·회淮≫전집권7에 전한다.

630) 汨羅(멱라) : 전국시대 초楚나라 굴원屈原(약B.C.340-B.C.278)이 충심을 알아 주지 않는 회왕懷王을 원망하며 투신자살했다고 전하는 강 이름.

너다가 강 가운데서 바람을 만나자 시를 지어 말했다. "우리 송나라는 미친 초나라가 아니고, 맑은 회수는 멱라강과 다르건만, 한평생 충성과 신뢰에 의지하였거늘, 오늘 풍파에 몸을 맡기는 신세로다. 배는 기우뚱하니 위험하기 그지없고, 자라와 악어가 빈번하게 출몰하지만, 해 질 무렵 다행히 별일 없이, 술을 사서 뱃노래를 듣노라." 신종 때 참지정사參知政事에 올랐다. 시호는 '질숙'이다. 아들은 당숙문唐淑問·당의문唐義問·당대문唐待問·당가문唐嘉問·당지문唐之問이다.

◇宋詩人(송나라를 대표하는 시인)

●唐庚, 字子西, 工詩. 湖上云[631], "佳月明作哲, 好風聖之淸." 暮歸云[632], "草靑仍過雨, 山紫更斜陽." 語意俱新. 宋紹聖[633]中, 張商英薦其才, 除提擧[634]常平[635]. 號魯國先生. 有文集二十卷[636].

○당경(1071-1121)은 자가 자서로 시를 잘 지었다. <호숫가에서 지은 시>에서 "아름다운 달은 밝으니 철인처럼 보이고, 좋은 바람은 성인의 맑은 기운을 쏘여주네"라고 하고, <저녁에 귀가하며 지은 시>에서 "풀 푸르건만 다시 지나가는 비가 내리고, 산 붉은데도 다시 석양이 물들이네"라고 하였는데, 시어에 담긴 뜻이 모두 참신하다. 송나라 (철종) 소성(1094-1097) 연간에 장상영이 그를 인재라고 추천하여 제거상평을 제수받았다. 호는 노국선생이다. 저서로 문

---

631) 云(운) : 이는 동명의 오언고시五言古詩 가운데 제1연을 인용한 것으로 송나라 당경唐庚(1071-1121)의 ≪미산시집眉山詩集≫권2에 전한다.
632) 云(운) : 이는 오언절구五言絶句 <선사에 머물다 저녁에 귀가하면서 본 것을 쓴 시 2수(栖禪暮歸書所見二首)> 가운데 제2수의 후반부를 인용한 것으로 ≪미산시집≫권8에 전한다.
633) 紹聖(소성) : 북송北宋 철종哲宗의 연호(1094-1097).
634) 提擧(제거) : 송나라 때 모종의 기관을 관장하는 업무나 그러한 벼슬을 일컫던 말. 제거상평提擧常平·제거궁관提擧宮觀 등이 그러한 예이다.
635) 常平(상평) : 곡식이 비쌀 때 사들였다가 쌀 때 내다 팔아 곡식의 가격을 조절하는 제도. 전한 선제宣帝 때 경수창耿壽昌이 창안하였다.
636) 二十卷(이십권) : 현전하는 사고전서본은 시집 14권과 산문집 8권으로 나뉘어 총 22권으로 되어 있다.

집 20권이 있다.

●唐擧, 戰國時人, 善相. 相李兌貴, 相蔡澤壽, 皆驗.
○당거는 전국시대 때 (위魏나라) 사람으로 관상을 잘 보았다. 이태의 관상을 보고서 귀인이 될 것이라고 하고, 채택의 관상을 보고서 장수할 것이라고 하였는데 모두 그의 말대로 되었다.

●唐都, 方士也. 漢武詔求民間治曆者二十餘人, 都與焉.
○당도는 방사이다. 전한 무제가 조서를 내려 민간에서 역법에 정통한 사람 20여 명을 찾을 때 당도도 거기에 끼었다.

●唐林, 字子高, 唐遵, 字伯高, 明經飭行, 仕莽, 爲九卿[637].
○(전한) 당임은 자가 자고이고 당준은 자가 백고로 경전에 정통하고 행동이 신중하였는데, 왕망王莽의 휘하에서 벼슬길에 올라 구경을 지냈다.

●唐檀, 字子產, 東漢人. 好星占, 著書二十八篇, 號唐子.
○당천은 자가 자산으로 후한 때 사람이다. 점성술을 좋아하여 글을 28편 짓고는 서명을 ≪당자≫라고 붙였다.

●唐彬同王渾等破吳, 稱疾[638]. 史臣曰[639], "避名全節." 有廊廟[640]材.
○(진晉나라) 당빈(235-294)은 왕혼 등과 함께 오나라를 격파하였으

637) 九卿(구경) : 중국 고대 조정에서 삼공三公 다음 가는 최고위 관직을 이르는 말. 시대마다 명칭과 서열에 차이가 있는데, 한나라 때는 태상太常·광록훈光祿勳·위위衛尉·태복太僕·정위廷尉·홍려鴻臚·종정宗正·대사농大司農·소부少府를 '구경'이라 하였고, 수당隋唐 이후로는 구시九寺, 즉 태상太常·광록光祿·위위衛尉·종정宗正·태복太僕·대리大理·홍려鴻臚·사농司農·태부太府의 장관을 '구경'이라고 하였다.
638) 稱疾(칭질) : 병이라고 칭하다. 즉 병을 핑계로 사직하는 것을 말한다.
639) 曰(왈) : 이는 ≪진서晉書·당빈전≫권42의 찬문贊文을 가리킨다.
640) 廊廟(낭묘) : 궁전의 외곽 건물과 태묘太廟. 즉 조정을 일컫는 말로 재상의 지위를 상징한다.

나 병을 핑계로 사직하였다. 그래서 사관은 (≪진서晉書·당빈전≫ 권42에서) "명예를 피하고 절조를 보전하였다"고 평하였다. 재상의 자질이 있었다.

●唐瑾, 周朝吏尙書[641], 有人倫之鑒. 平江陵, 惟載書二車, 歸.
○당근(?-약 556)은 (북조北朝) 북주北周 때 이부상서를 지내며 사람을 잘 알아보는 안목을 갖췄다. (호북성) 강릉을 평정하고서는 오직 수레 두 대 분량의 서책만 싣고서 돌아왔다.

●唐儉佐太宗, 定天下, 爲天策[642]長史, 封呂公. 圖形凌煙閣[643].
○(당나라) 당검(579-656)은 태종을 도와 천하를 평정하고 천책상장天策上將의 장사를 지내다가 여국공呂國公에 봉해지고 능연각에 초상화가 걸렸다.

●唐愈, 宋元祐末, 掛冠, 爲七老會[644].
○당유는 송나라 (철종) 원유(1086-1093) 말엽에 관직을 그만두고 칠로회를 결성하였다.

●唐璘, 字伯玉, 宋寶慶[645]間, 爲察院[646], 凜凜有直聲.

---

641) 吏尙書(이상서) : 조정의 핵심 행정 기관인 상서성尙書省 소속 육부六部 가운데 관리들의 인사人事와 고과考課를 관장하는 이부의 장관인 이부상서吏部尙書의 약칭. 휘하에 시랑侍郞과 낭중郎中·원외랑員外郎 등을 거느렸다.
642) 天策(천책) : 당나라 태종太宗의 별칭. ≪신당서·태종본기≫권2에 의하면 태종이 진왕秦王으로 있을 때 고조高祖로부터 다른 왕공王公보다 높은 직책인 천책상장天策上將에 임명된 일이 있다.
643) 凌煙閣(능연각) : 공신을 표창하기 위해 지은 누각 이름. 당나라 태종太宗이 정관貞觀 17년(643)에 공신 24명의 초상화를 그려넣은 것으로 유명하다.
644) 七老會(칠로회) : 송나라 철종哲宗 원우元祐(1086-1093) 연간에 벼슬을 그만둔 주광복朱光復·손유孫諭·오사도吳師道·양굉梁宏·가정언賈亭彦·장숙달張叔達·당유唐愈 등 7인이 술을 마시며 시를 짓기 위해 결성한 모임 이름.
645) 寶慶(보경) : 남송南宋 이종理宗의 연호(1225-1227).
646) 察院(찰원) : 당송 때 어사대御史臺 휘하에 설치된 세 부서인 삼원三院 가운데 하나. '삼원'은 시어사侍御史가 소속된 대원臺院과, 전중시어사殿中侍御史가

○당인은 자가 백옥으로 송나라 (이종) 보경(1225-1227) 연간에 감찰어사를 지낼 때 행동이 늠름하여 강직하다는 명성을 얻었다.

※女德婚姻(여덕과 혼인)

●唐瓊華, 楚大夫唐勒之女. 勒妻一産二子, 男一女一, 男曰正夫, 女曰瓊華.

○당경화는 (전국시대) 초나라에서 대부를 지낸 당늑의 딸이다. 당늑의 아내는 한 번에 자식을 두 명 낳아 아들 한 명과 딸 한 명을 얻었는데, 아들은 이름을 '정부'라고 짓고 딸은 이름을 '경화'라고 지었다.

●唐衡, 漢中官[647]也. 荀彧娶其女. 彧父緄畏其聲勢, 故與婚.

○당형은 후한 때 내시이다. 순욱(163-212)이 그의 딸에게 장가들었다. 순욱의 부친인 순곤荀緄이 그의 명성과 권세를 두려워하였기에 그녀와 결혼시켰던 것이다.

●唐儉愛崔謙之才, 以女妻之.

○(당나라) 당검은 최겸지의 재능을 좋아하여 딸을 그에게 시집보냈다.

●唐光・韓愈爲友婿, 俱娶盧貽女

○(당나라) 당광과 한유는 동서지간으로 다같이 노이의 딸에게 장가들었다.

소속된 전원殿院, 감찰어사監察御史가 소속된 찰원察院을 가리킨다. 여기서는 결국 감찰어사를 가리킨다.

647) 中官(중관) : 궁궐에서 황제와 그 가족을 모시던 성기능을 제거한 신하. '내시內侍' '내관內官' '내신內臣' '내감內監' '엄시閹寺' '엄환閹宦' '엄인閹人' '엄시奄寺' '엄인奄人' '중사中使' '중인中人' '혼시閽寺' '환관宦官' '환자宦者' 등 다양한 호칭으로도 불렸으며, 황제를 측근에서 모시는 것을 빌미로 막강한 권력을 행사하기도 하였다.

●荒唐. 高唐[648]. 陶唐. 晩唐.
○황당하다. (전국시대 초楚나라의 누대인) 고당. (당唐나라 요왕堯王) 도당씨. 만당 시기.

◆汪(왕씨)

▶商音. 平陽. 古汪芒氏之後. 五代末, 汪族有自歙[649]徙居婺源, 皆以高貲[650]爲江左[651]著姓.
▷음은 상음에 속하고 본관은 (산서성) 평양군으로 옛날 왕망씨의 후손이다. 오대 말엽에 왕씨 가문의 누군가가 (안휘성) 섭현에서 무원현으로 이주한 뒤로 모두 부호로서 강남에서 저명한 성씨가 되었다.

◇衛社稷(종묘사직을 지키다)

●汪踦, 魯童子也. 仲尼[652]曰, "能執干戈, 以衛社稷. 雖欲勿殤也, 不亦可乎?"
○왕기는 (춘추시대) 노나라의 어린아이이다. 중니(공자)가 "창과 방패를 손에 들고 종묘사직을 지킬 수 있으니 비록 일찍 죽지 않기를 바란다 해도 괜찮지 않은가?"라고 말한 일이 있다.

◇居下訕上(낮은 관직에 있으면서 상관을 헐뜯다)

●汪輔之, 字正夫, 宋神宗朝, 爲北京[653]運判[654]. 時文彦博以侍中判署

---

648) 高唐(고당) : 전국시대 초楚나라 회왕懷王과 무산巫山 신녀神女가 운우雲雨의 정을 나눴다고 전하는 전설상의 누대 이름이자 송옥宋玉이 지은 부賦 이름. 송옥의 부는 남조南朝 양梁나라 소통蕭統(501-531)이 엮은 ≪문선文選·정情≫권19에 전한다.
649) 歙(섭) : 뒤의 '무원婺源'과 함께 안휘성의 속현屬縣 이름이다.
650) 高貲(고자) : 부자, 부호.
651) 江左(강좌) : 강남江南의 별칭. 남조南朝 때 왕조들이 수도를 장강의 왼쪽, 즉 장강의 동쪽인 건강建康(남경)에 정한 데서 유래하였다.
652) 仲尼(중니) : 춘추시대 노魯나라 사람 공자(공구孔丘)의 자. ≪사기·공자세가≫권47 참조.
653) 北京(북경) : 배도陪都의 하나. 각 시대마다 지칭하는 바가 달라 남조南朝 때는 건강建康(지금의 남경시)을, 당나라와 오대五代 때는 태원부太原府(지금의 산서성 태원시太原市)를, 송나라 때는 대명부大名府(지금의 하북성 대명현

北京. 輔之密劾公不治事, 上批云, "輔之小臣655), 敢爾無禮."

○왕보지는 자가 정부로 송나라 신종 때 북경(하북성 대명부大名府)의 전운판관戰運判官을 지냈다. 당시 문언박(1006-1097)은 시중의 신분으로 북경을 관장하고 있었다. 왕보지가 몰래 문언박이 정사를 돌보지 않는다고 탄핵하자 신종이 비답을 내려 말했다. "왕보지는 하급관리임에도 과감하기만 할 뿐 무례하도다."

◇龍溪淸風(용계거사龍溪居士 왕조汪藻의 맑은 시풍)

●汪藻, 字彦章, 紹興中, 爲翰林學士656), 草高麗詔, 不許入貢云, "壞晉館以納車, 庶無後悔, 閉玉關657)而謝質, 匪用前規." 上稱其得代言體658). 高麗謝表至, 上以所御白團扇659)親書'紫誥660)仍兼綰, 黃麻661)似六經'十字662), 以賜之. 自號龍溪. 結茅爲亭, 面愚溪663)之口, 有群

大名縣)을, 명나라 초기에는 개봉부開封府(지금의 하남성 개봉시開封市)를, 원명청元明淸 때는 순천부順天府(북경)를 가리켰다.

654) 運判(운판) : 물품의 조달을 관장하는 사신인 전운사轉運使의 보좌관을 가리키는 말인 전운판관轉運判官의 약칭.

655) 小臣(소신) : 지위가 낮은 벼슬 이름.

656) 翰林學士(한림학사) : 당나라 현종玄宗 때 처음 설치된 한림원翰林院 소속 학사를 이르는 말. 황명이나 상소문 등 주요 문서의 초안을 작성하고, 황제의 비답批答을 대필하는 등 조정의 주요 문서에 관한 일을 관장하였기에 매우 명예로운 직책으로 여겼다.

657) 玉關(옥관) : 전한 무제武帝 때 감숙성 돈황시敦煌市 북서쪽에 설치한 관문인 '옥문관玉門關'의 약칭. 서역으로부터 물품을 수입하는 경유지이자 군사적 요충지였다. 여기서는 관문을 비유적으로 가리킨다.

658) 代言體(대언체) : 제왕의 본심을 잘 담아서 조령詔令을 기초한 문체를 이르는 말.

659) 白團扇(백단선) : 둥근 부채. '백단白團'으로 약칭하기도 한다.

660) 紫誥(자고) : 도장밥인 자니紫泥로 봉한 조서를 이르는 말.

661) 黃麻(황마) : 황제의 조서詔書를 적는 데 사용하던 황색 종이인 황마지黃麻紙의 준말.

662) 十字(십자) : 이는 당나라 두보杜甫의 오언배율五言排律 <한림학사 장계에게 드리다(贈翰林張四學士垍)> 가운데 제4연을 인용한 것으로 청나라 구조오仇兆鰲가 엮은 ≪두시상주杜詩詳註≫권2에 전한다.

663) 愚溪(우계) : 호남성 영주永州에 있는 하천 이름. 본명은 염계冉溪였으나 당나라 때 유종원柳宗元(773-819)이 이곳으로 폄적당해 자책의 의미에서 '우계'로 개명하고 시문을 남긴 것으로 유명하다.

鷗日馴其地，名曰玩鷗664)亭．有龍溪集，行世．晩年詩文益奇，與柳儀曹665)相望於數百歲後文章格力實相上下． 七子666)恬・悟・恪・惇・憺・憘・惲．

○(송나라) 왕조(?-1150)은 자가 언장으로 (고종) 소흥(1131-1162) 연간에 한림학사를 지내면서 고려에 관한 조서를 기초하였는데, 공물을 바치러 입조하는 것을 허락하지 않는 내용을 담으면서 “진晉땅의 관사를 허물고 병거를 들인다면 아마도 후회가 없을 것이니, 옥관을 폐쇄하고 사신의 폐백을 사절하여 예전의 규범을 따르지 않겠노라”고 하였다. 그러자 고종은 그가 황제의 말을 대변하는 본뜻을 잘 살렸다고 칭찬하였다. 고려가 사죄의 글을 보내오자 고종이 황제가 사용하는 흰 둥근 부채에 친필로 ‘자니로 봉한 조서를 아울러 관장하더니, 황마지의 조서가 육경과 비슷하네’라는 열 글자를 써서 그에게 하사하였다. 자호는 ‘용계’이다. 띠풀을 엮어 정자를 만들면서 (호남성 영주永州의) 우계 입구를 향하게 한 뒤 여러 마리 학을 데리고 날마다 그곳에서 길들이고는 정자의 이름을 ‘완구정’이라고 지었다. 저서로 ≪용계집≫이 세간에 유행하였다. 만년에는 시문이 더욱 기이해지더니 (당나라 때) 예부원외랑禮部員外郞을 지낸 유종원柳宗元과 수백 년 뒤에 문장의 격조 방면에서 실로 서로 상하를 다툴 수 있기를 소망하였다. 일곱 명의 아들은 왕염汪恬・왕오汪悟・왕각汪恪・왕돈汪惇・왕담汪憺・왕희汪憘・왕운汪惲이다.

---

664) 玩鷗(완구) : 갈매기와 놀다. 바닷가 사람이 갈매기와 함께 놀다가 갈매기를 잡으려는 욕심을 품자 갈매기들이 다가들지 않았다는 ≪열자列子・황제黃帝≫ 권2의 고사에서 유래한 말로 은거를 비유한다. ‘압구狎鷗’라고도 한다.

665) 儀曹(의조) : 예부의 별칭. 원래는 예악을 담당하는 벼슬로 남조南朝 때 사부祀部의 속관이다가 예부・의조 등으로 바뀌었고, 당나라 때부터는 예부에 소속되었다. 여기서는 예부원외랑禮部員外郞을 지낸 유종원柳宗元을 가리킨다.

666) 七子(칠자) : ≪송사・왕조전≫권445에서는 아들이 여섯 명으로 왕염汪恬・왕각汪恪・왕담汪憺・왕병汪怲・왕늠汪懍・왕희汪憘라고 적고 있어 차이를 보인다. 어느 것이 맞는지 불분명하기에 위의 예문을 따른다.

◇十科薦士(10과로 인재를 추천하다)

●汪愷. 紹興五年, 詔復十科667)取士, 葉夢得薦愷及徐度, 汪藻薦徐度·王棠. 中興668)後, 以十科薦用, 自此始.

○(송나라) 왕개에 관한 기록이다. (고종) 소흥 5년(1135)에 조서를 내려 10과를 복원해서 인재를 뽑을 것을 명하자 섭몽득은 왕개와 서도를 추천하였고, 왕조는 서도와 왕당을 추천하였다. 중흥기인 남송 이후에 10과로써 인재를 추천하여 기용하게 된 것은 여기서 비롯되었다.

◇掄魁之選(장원급제자로 뽑히다)

●汪應辰, 字聖錫, 元名洋, 紹興五年, 進士第一, 御賜今名. 後爲祕書監669). 食罷會茶, 一同舍670)就枕不起, 或戲之曰, "宰予671)晝寢, 於予與何誅?" 汪曰, "子貢672)方人, 夫我則不暇合坐稱美." 累遷吏尙書.

---

667) 十科(십과) : 송나라 인종仁宗 때 명경과明經科와 진사과進士科를 통합하여 '박통문전博通文典' '현량방정賢良方正' '재식겸무才識兼茂' '상명이치詳明吏治' '통식도략洞識韜略' '군모굉원軍謀宏遠'의 여섯 개 과목으로 만들었다가 뒤에 다시 '고도구원高蹈丘園' '침륜초택沈淪草澤' '무재이등茂才異等' '서판발췌書判拔萃'의 네 과목을 증설함으로써 생긴 열 가지 과거시험 과목을 아우르는 말.

668) 中興(중흥) : 한 왕조가 세력이 약해진 뒤 동일 왕조가 부흥하는 시기를 통칭하는 말. 후한後漢·동진東晉·남송南宋 등의 시기에 상용되었는데 여기서는 남송을 가리킨다.

669) 祕書監(비서감) : 국가의 경적經籍·도서圖書·저작著作 등을 관장하던 비서성祕書省의 장관을 이르는 말. 버금 장관은 '소감少監'이라고 하고, 휘하에 비서랑祕書郞·저작랑著作郞·교서랑校書郞 등의 속관을 거느렸다.

670) 同舍(동사) : 동료. '동료同僚' '동료同寮' '동사同事' '동직同職' 등 다양한 칭호로 불렸다.

671) 宰予(재여) : 춘추시대 노魯나라 공자의 제자. 자가 자아子我여서 '재아宰我'로도 불렸다. 언변이 뛰어났고 제齊나라에서 대부大夫를 지냈다. 재여가 낮잠을 자자 공자가 "썩은 나무는 조각할 수 없고, 더러운 흙으로 만든 담장에는 흙손질을 할 수 없는 법이니라(朽木不可雕也, 糞土之牆不可圬也)"라고 핀잔을 주었다는 고사가 ≪사기·중니제자열전仲尼弟子列傳≫권67에 전한다. 여기서는 뒤의 '자공子貢'과 함께 낮잠을 즐긴 비서성祕書省의 속관屬官을 비유적으로 가리킨다.

672) 子貢(자공) : 춘추시대 노魯나라 공자의 제자 단목사端木賜의 자. 언변이 뛰어난 것으로 알려졌다. ≪사기·중니제자열전仲尼弟子列傳≫권67 참조.

號玉山.

○(송나라) 왕응신(1119-1176)은 자가 성석으로 본명이 '양洋'이었으나 (고종) 소흥 5년(1135)에 진사시험에서 장원급제를 차지하자 고종이 현재의 이름을 하사한 것이다. 뒤에 비서감을 지냈다. 식사를 마치고 함께 차를 마시는 자리에서 한 동료가 잠이 들어 일어나지 않자 누군가 그를 놀리며 말했다. "재여가 낮잠을 자고 있으니 나로서는 무슨 벌을 주어야 할까?" 그러자 왕응신이 말했다. "자공은 방정한 사람이라서 나로서는 함께 앉아 칭찬할 겨를조차도 없다오." 여러 관직을 거쳐 이부상서로 승진하였다. 호는 옥산이다.

◇義莊(가난한 친지를 위한 장원)

●汪大猷, 字仲嘉, 在四明[673]置田二十畝, 以爲義莊[674], 欣慕者衆, 積置三頃[675], 郡守林大中助絶産[676]二頃. 遇士族之貧者, 家有吉凶, 隨事白郡. 郡下莊給之, 爲無窮之利. 初調衢州江山尉[677], 分鄕警捕, 境內肅然. 後有諭德[678]之除. 龍大淵在閤門[679]聞之, 亟稱以爲當曰, "某昔在三衢[680], 只見說江山縣尉之賢." 孝宗朝, 除敷文[681]待制, 特升學士.

○(송나라) 왕대유(1120-1200)는 자가 중가로 (절강성) 사명산에 밭

673) 四明(사명) : 절강성 월주越州에 있는 산 이름.

674) 義莊(의장) : 가난한 친지를 위해 문중에서 마련한 주택과 농토를 이르는 말.

675) 頃(경) : 면적을 나타내는 도량형 단위로 100무畝에 해당한다.

676) 絶産(절산) : 상속자가 없는 재산을 이르는 말.

677) 尉(위) : 각 현의 현령縣令 휘하에서 현령의 업무를 도와 법률과 형벌을 관장하던 보좌관인 현위縣尉를 이르는 말. 현의 수장인 현령縣令과 보좌관인 현승縣丞보다 아래의 직책이었다.

678) 諭德(유덕) : 태자의 교육을 담당하던 벼슬인 동궁(태자궁) 소속 벼슬 이름.

679) 閤門(합문) : 송나라 때 관원의 조참朝參·연회宴會·의례儀禮 따위를 관장하던 부서인 합문사閤門司를 가리키는 말. '합문閣門'으로도 쓴다. '합閣'과 '합閤'은 통용자.

680) 三衢(삼구) : 절강성 구주衢州의 속현屬縣인 상산현常山縣과 구현衢縣 사이에 있는 산 이름. 여기서는 결국 구주를 가리킨다.

681) 敷文(부문) : 송나라 휘종徽宗의 유품과 유작을 보관하던 장서각인 부문각敷文閣의 준말. 장서각에는 학사學士·직학사直學士·대제待制 등의 관직을 설치하였다.

20무를 마련하여 가난한 친지를 위한 장원으로 삼았다가 흠모하는 이들이 많아져 다시 3경(300무)으로 늘리자 군수인 임대중이 상속자가 없는 재산 2경(200무)을 보태주었다. 선비 가운데 가난한 사람이 집안에 길례나 흉례가 있으면 사안에 따라 군에 보고하였다. 그러면 군에서는 장원에 명을 내려 물품을 지급케 하였기에 크나큰 이익을 볼 수 있었다. 당초 (절강성) 구주 강산현의 현위를 발령받았을 때 고을 사람들을 나눠서 도적들을 단속케 하였기에 경내가 숙연해졌다. 뒤에는 태자유덕을 제수받은 일이 있다. 용대연이 합문사에서 이 소식을 듣고서는 당연한 일이라고 극구 칭찬하며 말했다. "제가 예전에 구주에 있을 때는 단지 강산현의 현위가 어질다는 말만 계속 들었답니다." 효종 때는 부문각대제를 제수받았다가 특별히 학사로 승진하였다.

◇賜榮園(사영원)

●汪綱, 字仲擧, 宋乾道[682]中, 知紹興府, 築一園, 曰賜榮, 取李白憶賀監[683]詩[684]'勅賜鑑湖[685]水, 爲君臺沼榮'之意. 創鎭越堂, 自爲記, 又創月臺於堂之前. 王十朋詩[686]云, "人望使君[687]如望月, 要須如鏡莫如鉤." 後以郎官[688]爲本路[689]憲[690]兼帥, 在任九年, 召爲戶侍[691].

---

682) 乾道(건도) : 남송南宋 효종孝宗의 연호(1165-1173).
683) 賀監(하감) : 당나라 하지장賀知章(659-744)의 별칭. 그가 비서감秘書監을 지내고 만년에 비서외감秘書外監이라고 자호自號를 붙인 데서 유래하였다. ≪신당서・은일열전隱逸列傳・하지장전≫권196 참조.
684) 詩(시) : 이는 오언율시五言律詩 <술잔을 마주한 채 비서감 하지장을 추억하며 지은 시 2수(對酒憶賀監二首)> 가운데 제2수의 함련頷聯을 인용한 것으로 ≪이태백문집李太白文集≫권20에 전한다.
685) 鑑湖(감호) : 절강성 회계會稽에 있는 호수인 '경호鏡湖'의 별칭. '경鏡'과 '감鑑'은 둘 다 거울을 뜻한다. 사고전서본 ≪이태백문집≫권20에는 '경호'로 되어 있다.
686) 詩(시) : 이는 칠언절구七言絶句 <망월대(望月臺)> 가운데 후반부를 인용한 것으로 송나라 왕십붕王十朋(1112-1171)의 ≪매계집梅溪集≫후집後集권4에 전한다.
687) 使君(사군) : 한나라 이후로 임금의 명을 받들고 외국에 사신으로 나가는 사람이나 지방에 내려가 근무하는 자사刺史・태수太守 등에 대한 존칭.

○왕강은 자가 중거로 송나라 (효종) 건도(1165-1173) 연간에 (절강성) 소흥부지부사를 지내면서 정원을 하나 건축해 '사영원'이라고 이름 지었는데, 이는 (당나라) 이백이 <비서감 하지장을 추억하며 지은 시>에서 '감호(경호鏡湖)를 하사한다는 칙서가 내려졌으니, 그대에게는 누대와 연못을 장만하는 영광이 되었으리라'고 한 뜻을 취한 것이다. 진월당을 세운 뒤 손수 글을 짓고, 다시 진월당 앞에 월대를 세웠다. 그러자 왕십붕이 시를 지어 "사람들은 사군(왕강)께서 보름달과 같기를 바라나니, 요컨대 모름지기 둥근 거울과 같아야지 갈고리 같아서는 아니 되겠지요"라고 하였다. 뒤에 낭관의 신분으로 (절강성) 소흥부가 속한 양절로兩浙路의 법관 겸 장수를 맡아 9년 동안 재임하다가 황제의 부름을 받아 호부시랑에 올랐다.

●汪革, 字信民, 宋紹興中, 省元[692], 與江西詩派[693].

○왕혁(?-1181)은 자가 신민으로 송나라 (고종) 소흥(1131-1162) 연간에 예부시禮部試에서 장원급제를 차지하였고, 강서시파에 참여하

---

688) 郎官(낭관) : 조정의 주요 행정을 집행하는 기관인 상서성尙書省 휘하의 시랑侍郞・낭중郞中・원외랑員外郞 등 실무를 담당하는 벼슬에 대한 총칭. 진秦나라 때는 낭중령郞中令, 후한 때는 상서랑尙書郞, 수나라 때는 시랑・낭, 당대 이후로는 주로 낭중・원외랑을 지칭하였다. 여기서는 매요신梅堯臣이 맡았던 형벌을 관장하는 직책인 도관원외랑都官員外郞을 가리킨다.

689) 路(노) : 송나라 때 대단위 행정 구역 이름. 진한秦漢 때의 주州, 당나라 때의 도道, 원나라 때의 행성行省, 명청 때의 성省과 유사하다. 여기서는 양절로兩浙路를 가리킨다.

690) 憲(헌) : 법률과 형옥刑獄을 관장하는 기관이나 속관屬官을 이르는 말.

691) 戶侍(호시) : 상서성尙書省 소속 육부六部 가운데 국가의 재정과 회계에 관한 업무를 관장하는 호부의 버금 장관인 호부시랑戶部侍郞의 약칭. 장관은 '상서尙書'라고 하고, 차관을 '시랑'이라고 하며, 휘하에 낭중郞中과 원외랑員外郞을 거느렸다.

692) 省元(성원) : 송나라 때 상서성尙書省에서 실시하는 예부시禮部試에서 장원급제한 사람을 이르는 말. 원나라 이후로는 지방의 각 성省에서 실시하는 향시鄕試의 장원급제자를 이르는 말로도 쓰였다.

693) 江西詩派(강서시파) : 송나라 때 두보杜甫(712-770)의 시풍을 추종한 황정견黃庭堅(1045-1105)과 진사도陳師道(1053-1101) 등 일련의 시인들을 지칭하는 말. 송나라 여본중呂本中이 지은 ≪강서시사종파도江西詩社宗派圖≫란 서명에서 유래하였기에 '강서종파江西宗派'라고도 한다.

였다.

●汪徹694), 字明遠, 宋乾道中, 除樞密使695). 謚莊敏公.
○왕철汪澈(1109-1171)은 자가 명원으로 송나라 (효종) 건도(1165-1173) 연간에 추밀사를 제수받았다. 시호는 '장민공'이다.

※婚姻(혼인)

●汪勃娶祝景先之女, 朱文公696)書祝確遺事云697), "確, 景先次子也. 景先死時, 四妹猶未行, 公竭己資遣之. 其一歸汪公勃, 仕登三府698), 德公不忘, 人兩賢之."
○(송나라) 왕발이 축경선의 딸에게 장가들자 문공文公 주희朱熹는 <축확의 유사>라는 글을 지어 "축확은 축경선의 차남이다. 축경선이 사망했을 때 네 여동생이 아직 시집을 가지 않았기에 축확이 자신의 재산을 다 꺼내 그녀들에게 보내주었다. 그중 첫째는 왕발에게 시집을 갔는데, 왕발은 벼슬길에서 중서성中書省과 추밀원樞密院의 관직에 오르고 나서도 축확의 은덕을 입은 것을 잊지 않았기에 사람들은 그들 둘 다 어질다고 평한다"고 하였다.

●憲量699)汪汪700).

---

694) 汪徹(왕철) : '왕철汪澈'의 오기.
695) 樞密使(추밀사) : 군사 업무를 총괄하는 기관인 추밀원樞密院의 장관을 일컫는 말.
696) 朱文公(주문공) : 송나라 때 성리학性理學의 집대성자이자 대문호인 주희朱熹(1130-1200)에 대한 존칭. '문文'은 시호이고, '공公'은 존칭. 저서로 ≪회암집晦庵集≫ 112권 등 다수가 전한다. ≪송사·도학열전道學列傳·주희전≫권429 참조.
697) 云(운) : 이는 <외할아버지 축공(축확祝確)의 유사(外大父祝公遺事)>에서 발췌하여 인용한 것으로 ≪회암집≫권98에 전한다.
698) 三府(삼부) : 원문에 의하면 중서성中書省과 추밀원樞密院을 아우르는 말인 '이부二府'의 오기이다.
699) 憲量(헌량) : 도량이나 인품, 혹은 도량이 넓은 것을 뜻하는 말. 후한 때 곽태郭泰(128-169)가 황헌黃憲의 도량이 큰 것을 칭송했다는 ≪후한서·황헌전

○도량이 넓다.

◆方(방씨)

▶商音. 河南. 周大夫方叔[701]之後. 風俗通[702]云, "方靁氏之後."

▷음은 상음에 속하고 본관은 (하남성) 하남군으로 주나라 때 대부 방숙의 후손이다. 한편 ≪풍속통≫에서는 "방소씨의 후손이다"라고 하였다.

◇泥印(진흙으로 봉하고 도장을 찍다)

●方回[703]爲盜所劫, 閉之室中. 回化而去, 仍以一丸泥[704]封其戶, 以方回印印之.

○(당唐나라 요왕堯王 때 사람) 방회는 강도에게 위협을 당하자 방에 그를 가두었다. 방회는 신선이 되면서 다시 진흙 한 덩어리로 문을 봉하고 (아무도 문을 열 수 없도록) 자신의 이름이 새겨진 도장을 거기에 찍었다.

◇鑑湖處士(감호에 은거한 처사)

●方千[705], 字雄飛, 居桐廬[706]釣臺東之白雲原, 時號方處士, 隱鑑湖, 任

≫권83의 고사에서 유래하였다.

700) 汪汪(왕왕) : 넓고 깊은 모양. 인품이 훌륭한 것을 말한다.

701) 方叔(방숙) : 주周나라 선왕宣王 때의 신하. 그에 관한 노래가 ≪시경·소아小雅·채기采芑≫권17에 전한다.

702) 風俗通(풍속통) : 후한 응소應劭가 지은 ≪풍속통의風俗通義≫의 약칭. 송나라 때 이미 실전되었으나, ≪영락대전永樂大典≫에 흩어져 전하던 것을 다시 수합하여 정리하였다. 부록 1권 포함 총 11권. 후한 반고班固(32-92)의 ≪백호통의白虎通義≫ 및 채옹蔡邕(133-192)의 ≪독단獨斷≫과 함께 한나라 때 학술과 제도를 연구하는 데 귀중한 자료로 평가된다. ≪사고전서간명목록·자부·잡가류雜家類≫권13 참조. 위의 예문은 현전하는 ≪풍속통≫에 실리지 않은 것으로 보아 일문逸文인 듯하다.

703) 方回(방회) : 당나라 요왕堯王 때 살았다는 전설상의 신선. 그에 관한 전기가 전한 유향劉向(약B.C.77-B.C.6)의 ≪열선전列仙傳≫권상에 전한다.

704) 一丸泥(일환니) : 한 덩어리의 진흙. 매우 적은 양의 진흙을 가리킨다.

705) 方千(방천) : '방간方干'의 오기. 자형의 유사성으로 인한 필사 과정상의 단순 오기로 보인다. 뒤의 예문도 마찬가지이다.

706) 桐廬(동려) : 절강성의 속현屬縣 이름.

情漁釣吟詩. 有警句, "庭接停猿樹, 巖飛浴鶴泉. 野渡波搖月, 山城雨翳鐘." 孫洽稱之云, "其秀也仙蕊於常花, 其鳴也靈鼉於衆響." 以脣缺, 有司不與科名. 晩年遇醫補之, 人號爲補脣先生. 唐元和間, 韋莊奏, 賜千及第.

○방간方干(?-약 888)은 자가 웅비로 (절강성) 동려현 조대 동쪽의 백운원에 거주하였는데, 당시 '방처사'로 불리며 감호(경호鏡湖)에 은거한 채 낚시를 즐기고 시를 읊조리는 데 마음을 두었다. 그가 지은 뛰어난 시구로 "마당은 원숭이가 머무는 나무와 맞닿아 있고, 바위에서는 학이 목욕하는 폭포수가 쏟아지네. 들판 나룻터에서는 물결에 달빛이 일렁이고, 산위의 성에서는 비가 종소리를 감추누나"라는 구절이 있다. 손흡이 이를 보고서 "그 아름다움은 평범한 꽃 가운데 신선의 꽃이 돋보이는 듯하고, 그 울림은 뭇 소리 가운데 신령한 악어의 울음소리가 퍼지는 듯하다"라고 칭찬하였다. 그러나 언청이란 이유로 과거시험 감독관이 그를 급제자 명단에 넣지 않았다. 만년에 의사를 만나 입술을 고쳤기에 사람들은 그를 '보순선생'으로 불렀다. 당나라 (헌종) 원화(806-820) 연간에 위장이 상소문을 올려 방간에게 급제자의 자격을 하사케 하였다.

◇高尙鑑(선조의 고상한 성품을 본받다)

●方楷, 千之後也. 宋范文正詩[707]云, "高尙鑑先君, 巖居與俗分. 幽蘭在深處, 終日自淸芬."

○방해는 (당나라) 방간方干(?-약 888)의 후손이다. 송나라 문정공文正公 범중엄范仲淹(989-1052)은 시에서 "고상한 성품은 선조를 본받았기에, 암혈에서 생활하며 속세와 선을 그었네.(중략) 그윽한 난초가 깊숙한 거처에 자라기에, 하루종일 스스로 맑은 향기를 뿌리누나"라고 하였다.

707) 詩(시) : 이는 오언율시五言律詩 <수재 방해에게 드리다(贈方秀才楷)> 가운데 수련首聯과 미련尾聯을 발췌하여 인용한 것으로 송나라 범중엄范仲淹(989-1052)의 ≪범문정집≫권4에 전한다.

◇惡詩(천박한 시)

●方圭好爲惡詩[708]. 仁宗朝, 宋庠知揚州, 圭來謁, 燕于平山堂. 圭誦詩不已, 適見野外有牛, 就木磨痒, 謂坐客胡詼曰, "青牛[709]恃力狂挨木." 詼應聲曰, "妖鳥啼春不避人." 圭悟其意, 飮散, 擊詼.

○(송나라) 방규는 천박한 시를 즐겨 지었다. 인종 때 송상이 (강소성) 양주지주사(양주자사)를 맡자 방규가 예방하여 평산당에서 연회를 가지게 되었다. 방규가 계속해서 시를 읊조리다가 마침 들판에서 웬 소가 나무로 다가가 가려운 곳을 문지르는 것을 보고서는 좌객인 호회에게 "검푸른 소가 힘을 믿고 미친 듯이 나무를 문지르네"라고 읊조렸다. 호회가 그 소리를 듣자마자 "요망한 새가 봄이라고 울어대며 사람을 피하지 않네"라고 읊조렸다. 그러자 방규는 그속에 담긴 뜻을 알아채고는 술자리가 끝나자 호회에게 주먹질을 하였다.

◇題南樓(남루에서 시를 짓다)

●方澤, 字公悅. 宋神宋朝, 守鄂渚[710], 有題南樓畵閣詩. 山谷過之, 登樓, 次其韻二篇. 又作詩[711], 寄公悅, 末云, "庾公[712]風流冷如鐵, 誰

708) 惡詩(악시) : 엉터리 같은 시나 천박한 시에 대한 폄칭.

709) 青牛(청우) : 푸른 빛이 도는 검은 소. 신선이나 도사가 탔다고 한다.

710) 鄂渚(악저) : 호북성 악주鄂州의 속현屬縣 이름.

711) 詩(시) : 이는 칠언고시七言古詩 <나 황정견은 작년 9월에 (호북성) 악주에 도착해 남루에 올랐다가 그의 작품이 아름다운 것에 감탄하여 장구(칠언고시)를 지은 일이 있다. 오래 전부터 멀리서 부치려고 하였지만 꾸물거리다가 오늘에 이르러서야 서신에 담아 공열(방택方澤)에게 부친다(庭堅以去歲九月至鄂, 登南樓, 歎其制作之美, 成長句. 久欲寄遠, 因循至今, 書呈公悅)> 가운데 마지막 연을 인용한 것으로 송나라 황정견黃庭堅(1045-1105)의 ≪산곡집山谷集≫권8에 전한다.

712) 庾公(유공) : 진晉나라 때 사람 유양庾亮(289-340)에 대한 존칭. 유양은 명제明帝의 부인인 명목황후明穆皇后의 오빠로 중서령中書令·정서장군征西將軍을 역임하면서 곽묵郭默의 반란을 평정하여 영창현후永昌縣侯에 봉해지고 태위太尉를 추증받았다. ≪진서·유양전≫권73 참조. 유양이 은호殷浩로부터 학을 좋아하는 양호羊祜를 보좌관으로 소개받았는데, 양호가 하루종일 말을 하지 않자 그에게 '양공학羊公鶴'이란 별명을 지어 주었다는 고사가 남조南朝 유송劉宋 유의경劉義慶(403-444)의 ≪세설신어世說新語·배조排調≫권하에 전한다.

其繼之方公悅.”

○방택은 자가 공열이다. 송나라 신종 때 (호북성) 악저현을 다스리다가 남루의 아름다운 누각에서 시를 지었다. 산곡山谷 황정견黃庭堅이 그곳을 지나다가 남루에 올라 그의 압운자에 차운해서 두 수를 지었다. 다시 시를 지어 방택에게 부치며 마지막 연에서 “(진晉나라) 유공(유양庾亮)의 풍류가 쇠처럼 차가웠는데, 누가 이를 계승하였을까? 바로 방공열(방택)이라네”라고 하였다.

◇名士(명사)

●方豐之, 號北山, 紹興名士也. 有絶句云, “舍人[713]早定江西派[714], 句法須從活處參. 參取陵陽正法眼[715], 寒花承露落毿毿[716].”

○(송나라) 방풍지는 호가 북산이고 (고종) 소흥(1131-1162) 때 명사로 다음과 같은 칠언절구를 남겼다. “중서사인(여본중呂本中)이 일찍이 강서시파를 정하면서, 구법은 시에 생명을 불어넣는 점을 고려해야 한다고 하였네. (한구韓駒의) ≪능양정법안≫을 참조하면, 겨울꽃이 이슬을 받아 어지러이 떨어지는 듯한 경지에 이를 수 있으리라.”

◇輟俸抄書(봉록을 모아 서책을 필사하다)

●方崧, 字季申, 宋隆興[717]初, 登第. 和氣接物二十年, 安分有守, 始終

713) 舍人(사인) : 전국시대와 한나라 때 왕이나 고관이 개인적으로 두어 집안 일을 돕게 하던 벼슬. 당송 때는 중서사인中書舍人의 약칭으로도 쓰였다. 여기서는 ≪강서시사종파도江西詩社宗派圖≫의 저자인 여본중呂本中을 가리키는 듯하다.

714) 江西派(강서파) : 송나라 때 두보杜甫(712-770)의 시풍을 추종한 황정견黃庭堅(1045-1105)과 진사도陳師道(1053-1101) 등 일련의 시인들을 지칭하는 말. 송나라 여본중呂本中이 지은 ≪강서시사종파도江西詩社宗派圖≫란 서명에서 유래한 말로 보통은 ‘강서시파江西詩派’로 부른다.

715) 陵陽正法眼(능양정법안) : 송나라 때 강서시파 시인인 한구韓駒가 지은 시법詩法에 관한 책 이름. ‘능양’은 한구의 호. 지금은 저서로 ≪능양집陵陽集≫ 4권이 전하는데 여기에 수록되지 않은 것으로 보아 오래 전에 실전된 듯하다. ≪송사·문원열전文苑列傳·한구전≫권445 참조.

716) 毿毿(삼삼) : 어지러이 흩날리는 모양.

所得淸俸718), 以爲抄書之費. 子信·孺·倅·肇·慶.

○방숭은 자가 계신으로 송나라 (효종) 융흥(1163-1164) 초에 과거시험에 급제하였다. 20년 동안 온화한 성품으로 사람들을 대하고 분수를 지켰으며, 시종일관 자신이 받은 봉록을 서책을 필사하는 비용으로 사용하였다. 아들은 방신方信·방유方孺·방쉬方倅·방조方肇·방경方慶이다.

◇花木僚友(꽃나무를 동료이자 벗으로 삼다)

●方孚若719)新居成, 劉後村720)賀以詩云, "按行721)花木皆僚友, 主掌湖山卽事權." 宋寧宗朝, 爲寺丞722), 終寶謨723)·知府.

○(송나라 때 방숭方崧의 아들인) 부약孚若 방신유方信孺(1177-1222)의 새 거처가 완성되자 후촌後村 유극장劉克莊(1187-1269)이 다음과 같은 시를 지어 축하해 주었다. "꽃나무를 두루 살펴보니 모두가 동료이자 벗이라서, 호수와 산을 관장하며 사안에 따라 권한을 행사하겠지." 송나라 영종 때 구시九寺의 속관을 지내다가 보모각학사 겸 지부사로 생을 마쳤다.

---

717) 隆興(융흥) : 남송南宋 효종孝宗의 연호(1163-1164).

718) 淸俸(청봉) : 관리가 정상적으로 받는 봉록에 대한 미칭美稱.

719) 方孚若(방부약) : 송나라 사람 방신유方信孺. '부약'은 자. 방의方儀의 7대손이자 방숭方崧의 아들. 추밀원참수관樞密院參修官을 지냈다. 청나라 이청복李淸馥의 ≪민중이학연원고閩中理學淵源考≫권9의 <제형을 지낸 부약선생 방신유(提刑方孚若先生信孺)> 참조.

720) 劉後村(유후촌) : 남송 말엽 사람 유극장劉克莊(1187-1269). '후촌'은 호. 자는 잠부潛夫이고 시호는 문정文定. 시문에 뛰어났고 용도각학사龍圖閣學士를 지냈다. 저서로 ≪후촌집後村集≫ 50권과 ≪후촌시화後村詩話≫ 12권이 전한다. 청나라 황종희黃宗羲(1610-1695)의 ≪송원학안宋元學案·애헌학안艾軒學案≫권47 참조.

721) 按行(안행) : 두루 살펴보다, 순시하다.

722) 寺丞(시승) : 구경九卿이 관장하는 기관인 구시九寺에 속한 속관屬官을 이르는 말.

723) 寶謨(보모) : 송나라 때 광종光宗의 유품과 유작을 모아 놓은 장서각藏書閣 이름. 송나라 때는 황제가 사망하고 나면 유작과 유품을 소장하는 장서각을 마련하고 이를 관장하는 관원으로 학사學士·직학사直學士·대제待制를 배치하는 관례가 있었다.

◇奇怪(기괴한 문풍)

●方岳, 字巨山, 號秋崖, 長於詞翰, 有小藁, 行世. 方澄孫序之云, "奇奇怪怪之文如其人, 磊磊落落[724]之氣如其文." 宋理宗朝, 兩爲文學掌故[725]宮中祕書[726], 出守康廬[727]·秀水二郡.

○방악(1199-1262)은 자가 거산이고 호가 추애로 문장을 잘 지어 소규모의 문집이 세간에 유행하였다. 방징손이 거기에 서문을 지어 "기괴한 문풍은 그의 인품을 닮았고, 대범한 기상은 그의 문풍을 닮았다"고 하였다. 송나라 이종 때 궁중의 비서성에서 두 차례 문학장고를 맡다가 조정을 나서 (강서성) 강려군과 (절강성) 수수군 두 고을의 태수를 지냈다.

●方達源, 宋元祐中, 爲御史. 子元脩·元若·元矩, 俱有材名.

○방달원은 송나라 (철종) 원우(1086-1093) 연간에 어사를 지냈다. 아들인 방원수方元脩·방원약方元若·방원구方元矩도 모두 글재주로 이름을 떨쳤다.

●方君式與毛國華從東坡遊西菩提[728]寺. 坡有詩, 刻于石.

○(송나라 때) 방군식과 모국화는 동파東坡 소식蘇軾을 따라 서보리사에서 교유를 가졌다. 소식이 시를 지어 바위에 새겨 넣었다.

●方廷實, 宋紹興中, 拜監察御史[729], 剛直敢言.

---

724) 磊磊落落(뇌뢰낙락) : 마음에 거리낌이 없고 대범한 모양.

725) 文學掌故(문학장고) : 기존의 문서나 전고典故에 관한 일을 관장하는 벼슬 이름. 뒤에는 '문학' 혹은 '장고'로 약칭하기도 하였다.

726) 祕書(비서) : 국가의 경적經籍·도서圖書·저작著作 등을 관장하던 기관인 비서성祕書省의 약칭.

727) 康廬(강려) : 여산廬山이 있는 강서성 여주廬州의 별칭. 여산은 은殷나라 때 광속匡俗 형제가 은거하여 본명이 광산匡山이자 광려산匡廬山이었으나 송나라 때 태조太祖 조광윤趙匡胤의 휘諱 때문에 '강려'로 개칭되었다.

728) 菩提(보리) : 범어梵語 'Bodhi'의 음역音譯으로 석가모니가 성불할 때 앉았던 무화과나무 이름에서 유래한 말로, 득도의 최고 경지인 정각正覺의 지혜나 이를 얻기 위한 길을 뜻한다. 여기서는 절강성에 있는 절 이름.

○방정실은 송나라 (고종) 소흥(1131-1162) 연간에 감찰어사를 배수받아 강직한 성품으로 직언을 서슴지 않았다.

●方孟卿, 紹興中, 爲右司諫.

○(송나라) 방맹경은 (고종) 소흥(1131-1162) 연간에 좌사간을 지냈다.

●方蒙仲[730], 號烏山, 宋理宗朝, 爲博士, 和劉後村梅詩百首.

○방몽중(방징손方澄孫)은 호가 오산으로 송나라 이종 때 박사를 지내면서 후촌後村 유극장劉克莊(1187-1269)의 <매화를 읊은 시>에 화답하는 시 100수를 지었다.

※婚姻(혼인)

●方勉, 字及甫, 娶許虞部[731]之女, 好學能詩.

○(송나라) 방면은 자가 급보로 (상서성의) 우부 소속 관원을 지낸 허씨의 딸에게 장가들었는데, 아내가 학문을 좋아하고 시를 잘 지었다.

---

729) 監察御史(감찰어사) : 관리들의 비행을 규찰하고 탄핵하는 업무를 관장하는 기관인 어사대御史臺의 속관屬官. 어사대에는 위로 장관인 어사대부御史大夫와 버금 장관인 어사중승御史中丞, 그리고 시어사侍御史・전중시어사殿中侍御史 등의 상관이 있다. 감찰어사는 비록 품계品階는 낮으나, 실무를 관장하였기에 관원들이 가장 두려워하는 존재였다고 한다.

730) 方蒙仲(방몽중) : 송나라 사람 방징손方澄孫. '몽중'은 자. '몽중'이 본명이고 '징손'이 자라는 설도 있다. 소무군교수邵武軍教授를 지냈다. 송나라 양극가梁克家의 ≪순희삼산지淳熙三山志≫권32와 ≪대청일통지大淸一統志≫권332 등 참조.

731) 虞部(우부) : 상서성尙書省의 육부六部 가운데 공부상서工部尙書 휘하의 네 부서(司)인 공부工部・둔전屯田・우부虞部・수부水部 가운데 황제의 사냥터와 산림에 관한 업무를 관장하는 부서나 그 속관을 이르는 말. 속관으로 우부낭중虞部郎中과 우부원외랑虞部員外郎이 있다. 위의 예문과 유사한 내용이 송나라 완열阮閱의 ≪시화총귀詩話總龜・기실문하紀實門下≫권19에도 전하는데, '허우부'가 누군인지 밝히지 않아 신상은 알려지지 않았다.

●義方[732]. 大方[733]. 肘後方[734]. 越人[735]方.

○마땅히 지켜야 할 규범과 도리. 대지. (진晉나라 갈홍葛洪의 의학서적인) ≪촌후방≫. (전국시대 제齊나라 출신 신의神醫) 편작扁鵲 진월인秦越人의 처방전.

◆常(상씨)

▶商音. 平原. 衛康叔[736]支孫封于常邑, 因氏焉. 一云, "黃帝臣常先之後."

▷음은 상음에 속하고 본관은 (산동성) 평원군이다. (주周나라 때) 위나라 군주인 강숙의 지손이 상읍에 봉해지자 그참에 이를 성씨로 삼은 것이다. 일설에는 "황제의 신하인 상선의 후손이다"라고도 한다.

◇奉使不辱(황명을 받들고 사신으로 가서 굴복하지 않다)

●常惠, 太原人, 漢武時, 隨蘇武[737]使匈奴[738], 拘留十餘年, 乃還. 昭帝嘉其勤勞, 拜光祿大夫. 諡壯武侯.

○상혜(?-B.C.46)는 (산서성) 태원군 사람으로 전한 무제 때 소무를 따라 흉노에 사신으로 가서 10년 넘게 구류당했다가 비로소 귀국하

---

732) 義方(의방) : 마땅히 지켜야 할 규범과 도리. 혹은 훌륭한 가정교육을 뜻하기도 한다.

733) 大方(대방) : 크고 네모난 것. 즉 대지.

734) 肘後方(주후방) : 소매 안에 넣고 다니는 처방전을 뜻하는 말로 ≪수서·경적지≫권34에 의하면 진晉나라 갈홍葛洪(284-363)이 ≪주후방≫ 6권을 지었다는 기록이 전한다. 권수는 판본마다 차이가 있다.

735) 越人(월인) : 전국시대 제齊나라 산동성 발해군渤海郡 출신의 신의神醫인 진월인秦越人. 장상군長桑君에게서 의술을 배워 진秦나라에서 태의령太醫令에 올랐다. '편작扁鵲'이란 별호로 더 유명하다. ≪사기·편작전≫권105 참조.

736) 康叔(강숙) : 주周나라 무왕武王의 아홉 번째 동생인 희봉姬封. 처음에 강康에 봉해졌다가 주공周公이 무강武康을 죽인 뒤 위군衛君에 봉하였고, 뒤에는 성왕成王 희송姬誦이 그를 사구司寇에 임명하였다. ≪사기·위강숙세가衛康叔世家≫권37 참조.

737) 蘇武(소무) : 전한 때 사람(?-B.C.60)으로 흉노匈奴에 사신으로 갔다가 억류되어 19년 동안 절조를 지켰고, 귀국한 뒤에는 선제宣帝의 옹립에 공을 세워 관내후關內侯에 봉해졌다. ≪한서·소무전≫권54 참조.

738) 匈奴(흉노) : 중국 상고시대부터 북방에 살던 유목민족을 부르던 이름. 호족胡族이라고도 하였다. 귀방鬼方·훈육獯鬻·험윤獫狁의 후예라고도 하고, 몽고蒙古·돌궐突厥과 동일 종족이라고도 하는 등 여러 설이 있다.

였다. 소제가 그의 근면성을 높이 평가해 광록대부에 배수하였다. 시호는 '장무후'이다.

◇忠節(충성과 절조)

●常達, 陝州人, 從高祖征伐. 帝曰, "君忠節, 正可求之古人."

○(전한) 상달은 (하남성) 섬주 사람으로 고조를 따라 정벌전에 참여하였다. 고조는 "그대의 충성과 절조는 고인에게서나 찾을 수 있을 듯 싶소"라고 말한 일이 있다.

◇帶經耕鉏(경전을 손에 들고서 농사를 짓다)

●常林, 字伯槐, 家貧苦學, 帶經耕鉏. 梁習薦爲名士, 魏太祖以爲南和[739]宰, 後拜光祿大夫.

○상임(약 157-약 239)은 자가 백괴로 집이 가난해도 열심히 학문에 매진하여 경전을 손에 들고서 농사를 지었다. 양습이 훌륭한 선비라고 추천한 덕에 (삼국) 위나라 태조가 그를 (하북성) 남화현의 현령으로 임명하였다가 뒤에 광록대부를 배수하였다.

◇儒林先生(유림선생)

●常爽, 字仕明, 北魏人. 少聰敏, 五經百家, 多所硏綜. 置館溫水[740]之右, 敎授門徒七百餘人, 嚴厲有方. 高允稱之曰, "文翁[741]柔勝, 先生剛克, 立敎雖殊, 成人一也." 不事王侯, 獨守閒靜, 時爲儒林先生. 子文通, 孫景.

○상상은 자가 사명으로 (북조北朝) 북위 때 사람이다. 어려서부터 총명하더니 경전과 제자백가서를 두루 섭렵하였다. (하남성) 온수 서쪽에 숙소를 마련한 뒤 제자들을 7백 명 넘게 가르치면서 엄격하고도

739) 南和(남화) : 하북성의 속현屬縣 이름.
740) 溫水(온수) : 하남성 낙양洛陽을 흐르는 낙수洛水의 별칭.
741) 文翁(문옹) : 전한 경제景帝 때 사람. 사천성 촉군태수蜀郡太守에 배수拜授되어 성도成都에 학관學館을 설치함으로써 문풍文風을 일으키고 교화를 실행하여 양리良吏로 칭송을 받았다. ≪한서・순리열전・문옹전≫권89 참조.

모범적인 모습을 보였다. 그래서 고윤이 그를 "(전한) 문옹이 유순한 면에서 뛰어나다면 선생은 강직한 면에서 뛰어나기에 가르침은 비록 다르지만 인재를 잘 육성한 점은 동일하다"고 칭찬하였다. 왕공을 섬기지 않고 혼자서 한적한 생활을 유지하며 당시에 유림선생으로 불렸다. 아들은 상문통常文通이고, 손자는 상경常景이다.

◇知人受賞(사람을 잘 알아본 덕에 포상을 받다)

●常何, 唐貞觀中, 爲中郎將742), 陳便宜743)二十餘條. 上怪其能對, 曰, "臣家客馬周744)具草耳." 上以何爲知人, 賜絹三百匹.

○상하(588-653)는 당나라 (태종) 정관(627-649) 연간에 중랑장을 지내면서 시의적절한 정책 20여 가지를 아뢰었다. 태종이 그가 응대를 잘 하는 것에 대해 괴이하게 여기자 상하가 아뢰었다. "신의 가객인 마주가 초안을 작성한 것입니다." 태종은 상하가 사람을 잘 알아본다고 생각해 그에게 비단 3백 필을 하사하였다.

◇設鄕校(향교를 설치하다)

●常袞, 唐建中745)初, 爲福建746)觀察使. 始閩747)人未知學, 袞爲設鄕校, 敎導之. 自是文風始盛. 代宗朝, 爲中書舍人, 文彩贍蔚, 長於應用, 譽重一時. 後拜相.

○상곤(729-783)은 당나라 (덕종) 건중(780-783) 초에 (복건성 복주와 건주를 관장하는) 복건관찰사를 지냈다. 처음에 민 지방 사람들

---

742) 中郎將(중랑장) : 한나라 이후로 삼서三署의 장관인 오관중랑장五官中郎將・좌중랑장左中郎將・우중랑장右中郎將 가운데 하나로 궁중 호위를 관장하던 벼슬 이름.

743) 便宜(편의) : 그때 그때 시의적절한 시책이나 유용한 정책을 이르는 말.

744) 馬周(마주) : 당나라 때 사람(601-648)으로 중서시랑中書侍郎과 중서령中書令을 역임하였고, 정사政事의 득실을 논한 상소문을 올려 태종太宗의 신임을 받았다. ≪신당서・마주전≫권98 참조.

745) 建中(건중) : 당唐 덕종德宗의 연호(780-783).

746) 福建(복건) : 복주福州와 건주建州를 아우르는 말. 후대의 '복건성'이란 명칭도 여기서 유래하였다.

747) 閩(민) : 중국의 동남방, 즉 복건성 일대의 옛 이름.

이 학문을 미처 몰랐기에 상곤은 그들을 위해 향교를 설치해서 교육시켰다. 그때부터 문풍이 성행하기 시작하였다. 대종 때 중서사인을 맡았는데 (조서를 기초하면) 문채가 아름답고 실용에 장점을 보였기에 한때 대단한 명성을 떨쳤다. 뒤에 재상을 배수받았다.

◇論奏時相(당시 재상의 죄를 따지는 글을 올리다)

●常安民, 字希古. 宋元祐中, 公卿薦其才, 召爲太常博士. 上疏, 論"蔡京[748]姦足以惑衆, 辯足以飾非, 巧足以移人主之視聽, 力足以顚倒天下之是非." 建炎[749]中, 官其子孫二人. 紹興中, 其子固爲御史中丞[750], 敢言.

○상안민(1049-1118)은 자가 희고이다. 송나라 (철종) 원우(1086-1093) 연간에 삼공과 구경 등 고관들이 그가 인재라고 추천한 덕에 황제의 부름을 받아서 태상박사에 임명되었다. 상안민은 상소문을 올려 "채경은 그 간사함이 사람들을 현혹하기에 충분하고, 언변이 잘못을 숨기기에 충분하며, 교활함은 군주의 눈과 귀를 멀게 하기에 충분하고, 권력은 천하의 시시비비를 뒤집기에 충분하나이다"라고 주장하였다. (고종) 건염(1127-1130) 연간에는 그의 자손 두 명을 관직에 임명해 주었다. (고종) 소흥(1131-1162) 연간에는 그의 아들 상고常固가 어사중승을 맡아 직언을 서슴지 않았다.

---

748) 蔡京(채경) : 송나라 때 간신(1047-1126). 자는 원장元長. 상서우복야尙書右僕射·사공司空·태사太師 등 요직을 역임하며 네 차례나 재상에 올라 국정을 장악하였다. 왕안석王安石(1021-1086)이 신법新法을 시행할 때는 사마광司馬光(1019-1086)·소식蘇軾(1036-1101) 등 원우당파元祐黨派를 간당奸黨으로 배척하더니, 뒤에는 신법당新法黨을 모함하여 자손들까지 금고禁錮시켰다. 과중한 세금과 대규모 토목공사로 국정을 어지럽혀 주면朱勔(1075-1126)·양사성梁師成(?-1126)·이언李彦(?-1126)·왕보王黼(1079-1126)·동관童貫(1054-1126)과 함께 '육적六賊'으로 불리며 그중에서도 우두머리로 지탄의 대상이 되었다. ≪송사·간신열전·채경전≫권472 참조.

749) 建炎(건염) : 남송南宋 고종高宗의 연호(1127-1130).

750) 御史中丞(어사중승) : 관리들의 비행을 규찰하고 탄핵하는 업무를 관장하는 기관인 어사대御史臺에서 어사대부御史大夫 다음 가는 벼슬. 시대마다 차이는 있으나 당송唐宋 때는 어사대부 휘하에 어사중승 외에도 시어사侍御史·전중시어사殿中侍御史·감찰어사監察御史 등이 있었다.

◇汝陰處士(여음현 출신 처사)

●常秩, 字夷甫, 潁川汝陰人, 長於春秋. 居陋巷二十餘年, 歐公[751]・荊公[752]聞而稱之. 嘉祐中, 薦于朝, 除國子直講[753], 不就. 熙寧中, 被召, 遂起, 累遷除寶文待制. 時歐公致仕, 治第于潁, 有詩云, "笑殺[754]汝陰常處士, 十年騎馬聽朝雞."

○상질(1019-1077)은 자가 이보이고 (하남성) 영천군 여음현 사람으로 ≪춘추경≫에 정통하였다. 가난뱅이 골목에서 20년 넘게 살았기에 구양수歐陽修와 형국공荊國公 왕안석王安石이 그에 관한 소문을 듣고서 칭찬하였다. (인종) 가우(1056-1063) 연간에 조정에 추천되어 국자감직강을 제수받았지만 취임하지 않았다. (신종) 희녕(1068-1077) 연간에 황제의 부름을 받자 마침내 벼슬길에 올라 여러 관직을 거쳐 보문각대제를 제수받았다. 당시 구양수는 벼슬을 그만두고서 영천군에 집을 짓고 살다가 시를 지어 "배꼽 잡고 웃었네, 여음현 출신 상처사(상질)가 10년이나 말을 타고 조회를 알리는 닭 울음소리를 들었다니"라고 하였다.

●常景, 字永昌, 雅[755]好文章, 澹於榮利. 初爲叶律博士[756].

○(북조北朝 북위北魏) 상경은 자가 영창으로 평소 문장을 좋아하고

---

751) 歐公(구공) : 송나라 사람 구양수歐陽修(1007-1072)에 대한 존칭. 자는 영숙永叔이고 시호는 문충文忠. 저서로 ≪문충집文忠集≫ 158권 등이 전한다. ≪송사・구양수전≫권319 참조.

752) 荊公(형공) : 송나라 신종神宗 때 신법新法의 주창자인 왕안석王安石(1021-1086)에 대한 존칭. '형공'은 왕안석의 봉호인 형국공荊國公의 준말. 저서로 ≪임천문집臨川文集≫ 100권이 전한다. ≪송사・왕안석전≫권327 참조.

753) 國子直講(국자직강) : 당송唐宋 때 국가 최고 교육 기관인 국자감國子監의 속관屬官을 이르는 말. 국자감에는 장관인 국자제주國子祭酒와 버금 장관인 국자사업國子司業을 비롯하여 승丞・박사博士・직강直講・조교助敎・학록學錄・학정學正・주부監簿 등의 속관이 있었다.

754) 笑殺(소살) : 몹시 웃다, 심하게 비웃다. '살殺'은 정도가 심한 것을 나타내는 보어補語.

755) 雅(아) : 평소, 원래.

756) 叶律博士(협률박사) : 태상시太常寺의 속관으로 음악을 관장하는 벼슬 이름. '협叶'은 '협協'으로도 쓴다.

명예나 실리에 마음을 두지 않았다. 처음에는 협률박사를 지냈다.

●常思, 字克恭. 郭威[757]少孤, 舍於思家, 及卽位, 呼爲常叔.
○상사는 자가 극공이다. (오대五代 후주後周 태조太祖) 곽위는 어려서 부모를 여의어 상사의 집에서 얹혀살았기에 황제로 즉위하고 나서는 그를 ('상씨 숙부님'이란 의미에서) '상숙'으로 불렀다.

※婚姻(혼인)

●常衮以兄之子妻陳京
○(당나라) 상곤(729-783)은 조카딸을 진경에게 시집보냈다.

●常脩娶關圖之妹
○(당나라) 상수는 관도의 여동생에게 장가들었다.

●綱常[758]. 馬氏五常[759].
○삼강오륜三綱五倫. (삼국 촉蜀나라) 마양馬良의 다섯 형제.

◆桑(상씨)

▶商音. 黎陽. 秦大夫子桑之後, 以王父[760]字爲氏.
▷음은 상음에 속하고 본관은 (하남성) 여양군이다. (춘추시대 때) 진나라에서 대부를 지낸 자상의 후손이 조부의 자를 성씨로 삼은 것이다.

---

757) 郭威(곽위) : 오대五代 후주後周를 건국한 사람. 묘호는 태조太祖이고 시호는 무제武帝이다. ≪신오대사・태조곽위본기≫권11 참조.
758) 綱常(강상) : 삼강오상三綱五常(삼강오륜三綱五倫)의 준말로 사람이 지켜야 할 도리를 말한다.
759) 五常(오상) : 백미白眉 고사로 유명한 삼국 촉蜀나라 마양馬良의 다섯 형제를 아우르는 말. 형제들의 자字에 공통적으로 '상常'자가 들어 있는 데서 유래하였다.
760) 王父(왕부) : 할아버지의 별칭. 할머니는 '왕모王母'라고 한다.

◇心計(암산을 잘하다)

●桑弘羊, 漢武時, 領大農[761], 盡管天下鹽鐵, 作平準[762]之法. 以心計, 不用籌算, 言利事, 析秋毫[763]. 元封[764]中, 賜爵左庶長[765]

○상홍양(B.C.152-B.C.80)은 전한 무제 때 대농령을 맡아 천하의 소금과 쇠를 모두 관장하면서 평준법을 제정하였다. 암산을 잘하여 산가지를 사용하지 않고도 이로운 사업에 대해 건의하고 세밀한 부분까지 분석해냈다. 원봉(B.C.110-B.C.105) 연간에 좌서장이란 작위를 하사받았다.

◇五世同居(다섯 세대가 함께 살다)

●桑虞, 字子深, 晉人. 五世同居, 閨門雍穆[766]. 有園去宅數里, 瓜果初熟, 人盜之. 虞以園多荊棘, 使奴開道. 盜覺之, 來請罪.

○상우는 자가 자심으로 진나라 때 사람이다. 다섯 세대가 함께 살면서도 집안이 화목하였다. 정원이 저택에서 몇 리 떨어져 있었기에 참외나 과일이 막 익으면 사람들이 이를 훔쳤다. 상우는 정원에 가시나무가 많다고 생각해 하인을 시켜 길을 터 주었다. 그러자 도둑이 그 뜻을 알아채고 찾아와 죄를 자복하였다.

◇遁甲(둔갑술)

●桑道茂, 唐人, 善遁甲[767]. 待詔翰林, 所言皆驗.

---

761) 大農(대농) : 농업과 재정을 관장하던 벼슬로서 구경九卿의 하나. 전한 경제景帝 때 대농령大農令을 무제武帝 때 대사농大司農으로 고쳤고 당송唐宋 때는 사농경司農卿이라고 하였다.

762) 平準(평준) : 전한 무제武帝 때 상홍양桑弘羊이 물가를 안정시키기 위해 주창한 제도인 평준법平準法이나 이를 관장하는 관리인 평준관平準官을 이르는 말. 여기서는 전자를 가리킨다.

763) 秋毫(추호) : 가을날 날리는 터럭. 매우 미세한 것을 비유한다.

764) 元封(원봉) : 한漢 무제武帝의 연호(B.C.110-B.C.105).

765) 左庶長(좌서장) : 진한秦漢 때 작위 이름. 관내후關內侯보다 한 등급 상위직이었다.

766) 雍穆(옹목) : 화목한 모양, 화기애애한 모양.

767) 遁甲(둔갑) : 간지干支를 이용하여 길흉과 운명을 예측하던 방술方術의 일

○상도무는 당나라 때 사람으로 둔갑술에 정통하였다. 한림원에서 대조직을 맡으면서 한 말이 모두 사실로 증명되었다.

◇鐵硯(쇠벼루)

●桑維翰, 字國僑, 爲人醜怪, 身短面長, 嘗臨鑑, 自奇曰, "七尺之軀, 不如一尺之面." 初擧進士, 有司惡其姓與喪同音[768], 不取. 人或勸其他仕, 乃著'日出扶桑[769]'賦以見志. 鑄鐵硯, 示人曰, "硯弊則改而他仕." 卒第進士. 晉高祖拜爲相.

○상유한(898-947)은 자가 국교로 용모가 추악하고 키가 작으면서 얼굴이 길어서 늘 거울을 들여다보면 스스로 기이하게 여기고는 "일곱 자나 되는 키가 한 자밖에 안 되는 얼굴만도 못 하구먼"이라고 자조하였다. 당초 진사시험에 응시했지만 시험감독관이 그의 성씨(桑)가 '상을 치를 상喪'과 음이 같은 것을 혐오하여 합격시키지 않았다. 누군가 그에게 달리 벼슬을 모색할 것을 권하자 도리어 '해는 부상에서 뜬다'는 제목의 부를 지어 자신의 의지를 드러내보였다. 또 쇠벼루를 주조하여 남에게 보이면서 "이 쇠벼루가 망가지면 방도를 바꿔 달리 벼슬길을 찾을 것이오"라고 하였다. 그러더니 마침내 진사시험에 급제하였다. (오대五代) 후진後晉 고조는 그를 재상에 배수하였다.

●桑慥有素行, 宋天聖中, 除監察御史.

○상조는 품행이 방정하여 송나라 (인종) 천성(1023-1031) 연간에 감찰어사를 제수받았다.

●桑懌, 宋景祐[770]中, 遷閤門祗侯[771], 賞平蠻獠[772]之功. 懌辭, 或譏懌

종. 이에 대해서는 설이 다양하다.

768) 同音(동음) : '뽕나무 상桑(sāng)'이 '상을 치를 상喪(sāng)'과 음이 같은 것을 말한다.

769) 扶桑(부상) : 동쪽에 해가 뜨는 곳에 있다는 전설상의 뽕나무.

770) 景祐(경우) : 북송北宋 인종仁宗의 연호(1034-1037).

好名. 懌曰, "若避名[773], 則善皆不可爲矣."

○상역(?-1041)이 송나라 (인종) 경우(1034-1037) 연간에 합무지후로 승진한 것은 만료족을 평정한 공로에 대한 보상이었다. 상역이 사양하자 누군가 상역이 명예를 좋아한다고 비난하였다. 그러자 상역은 "만약 명예로운 일을 회피하기만 한다면 좋은 일은 아무것도 할 수 없을 것이오"라고 하였다.

●扶桑. 柴桑[774]. 苞桑[775].

○(해가 뜬다는 전설상의) 뽕나무. (진晉나라 도연명陶淵明이 은거한 강서성의) 시상현. 떨기로 자란 뽕나무.

◆臧(장씨)

▶商音. 東海[776]. 魯孝公子彊食采於臧, 是爲臧僖伯. 子孫因以爲氏. 臧文仲・武仲・宣叔・昭伯, 皆其後, 世爲大夫.

▷음은 상음에 속하고 본관은 (산동성) 동해군이다. (춘추시대) 노나라 효공의 아들 강彊이 장읍을 식읍으로 받았는데, 이 사람이 바로 장희백이다. 자손들이 그 참에 이를 성씨로 삼았다. 장문중・장무중臧武仲・장선숙臧宣叔・장소백臧昭伯 모두 그의 후손들로 대대로 대부를 지냈다.

◇有後(후광을 얻다)

●臧哀伯[777], 魯大夫. 周內史[778]曰, "臧孫達, 其有後於魯乎! 君違, 不

771) 閤門祗侯(합문지후) : 송나라 때 관원의 연회나 의전 따위의 일을 맡아 보던 기관인 합문사閤門司의 속관. '합閤'은 '합閣'으로도 쓴다.

772) 蠻獠(만료) : 중국 서남방에 거주하던 소수민족의 이름. '요獠'는 '요獠' 또는 '요僚'로도 쓴다.

773) 避名(피명) : 명예로운 일을 회피하다, 이름을 숨기다.

774) 柴桑(시상) : 강서성의 속현屬縣 이름이자 산 이름. 진晉나라 도연명陶淵明(365-427)이 이곳에 은거하였기에 도연명을 비유적으로 가리킨다.

775) 苞桑(포상) : 떨기로 자란 뽕나무. ≪시경・당풍唐風・보우鴇羽≫권10에 "푸드득거리며 느시가 날아, 떨기로 자란 뽕나무에 모여드네(肅肅鴇行, 集于苞桑)"란 구절이 전한다.

776) 東海(동해) : 산동성의 속군屬郡 이름.

777) 臧哀伯(장애백) : 춘추시대 노魯나라 대부 장손달臧孫達. 장희백臧僖伯의 아

忘諫之以德."

○(춘추시대 때 사람) 애백哀伯 장손달臧孫達은 노나라의 대부이다. 주나라 내사가 "장손달은 아마도 노나라에서 후광을 얻을 것이오! 군주가 법도에 어긋난 행동을 하자 덕으로써 간언하는 것을 잊지 않았으니 말이오"라고 말한 일이 있다.

◇撫劍抵掌(검을 어루만지며 손뼉을 치다)

●臧宮, 字君翁, 佐光武中興[779], 封朗陵侯, 圖形雲臺[780]. 史臣論曰[781], "臧宮・馬武, 撫鳴劍而抵掌[782], 志馳伊吾[783]之比[784]矣."

○장궁(?-58)은 자가 군옹으로 (후한) 광무제의 중흥을 도와 낭릉후에 봉해지고 운대에 초상화가 걸렸다. 그래서 (≪후한서・장궁전≫권48에서) 사관이 논평하기를 "장궁과 마무 등은 검을 어루만지고 손뼉을 치며 (신강위구르자치구) 이오의 북쪽에서 말을 달리고자 하는 뜻을 품었다"고 하였다.

들로 '애'는 시호이고 '백'은 작위이다.

778) 內史(내사) : 주周나라 때 왕명이나 법전을 관장하던 벼슬 이름. 진秦나라와 한나라 초기에는 경기 일대를 관장하는 벼슬이었고, 한나라 이후로는 태수太守에 상당하던 제후국의 지방 장관을 가리키는 말로도 쓰였다.

779) 中興(중흥) : 한 왕조가 세력이 약해진 뒤 동일 왕조가 부흥하는 시기를 통칭하는 말. 후한後漢・동진東晉・남송南宋 등의 시기에 상용되었는데 여기서는 후한의 건국을 가리킨다.

780) 雲臺(운대) : 누각 이름. 후한後漢 광무제光武帝 유수劉秀(B.C.6-A.D.57)가 중신들과 국사를 논의하였고, 명제明帝가 부친인 광무제 때의 공신들의 업적을 기리기 위해 등우鄧禹(2-58) 등 28명의 초상화를 그려 넣은 장소로 유명하다.

781) 曰(왈) : 이는 ≪후한서・장궁전≫권48의 논찬論贊을 가리킨다.

782) 抵掌(저장) : 손바닥을 부딪히다. 즉 손뼉을 치며 호기를 북돋우는 것을 말한다.

783) 伊吾(이오) : 지금의 신강위구르자치구 합밀현哈密縣 일대. 주周나라 때는 곤오昆吾의 땅이었고, 한나라 때는 '이오로伊吾盧' 혹은 '이오伊吾'라고 하였다. 이민족 땅으로 후한 명제明帝가 정복하고서 둔전屯田을 설치하였다.

784) 比(비) : ≪후한서・장궁전≫권48의 원문에 의하면 '북北'의 오기이다. 자형의 유사성으로 인한 필사 과정상의 단순 오기로 보인다.

●臧盾侍宋[785]武帝宴, 賦詩不成, 罰酒一斗.
○장순은 (남조南朝) 양梁나라 무제를 모시고 연회에 참석하였다가 시를 제대로 짓지 못 해 벌주를 한 말이나 마셨다.

●臧滎緖, 宋人, 隱居京口[786], 教授生徒, 號披褐[787]先生.
○장영서(415-488)는 (남조南朝) 유송劉宋 때 사람으로 (강소성) 경구에 은거한 채 학생들을 가르치며 '피갈선생'으로 불렸다.

●臧厥[788]拜晉安守, 下車宣化, 凶黨皆去. 人謂之臧彪[789].
○(남조南朝 양梁나라 때 장순臧盾의 동생인) 장궐은 (복건성) 진안태수를 배수받았는데, 수레에서 내리자마자 황명을 선포하고 교화를 펼쳤기에 흉악한 무리들이 모두 사라졌다. 그래서 사람들은 그를 '장표'라고 불렀다.

●臧質, 字含文, 有氣幹. 宋文帝謂可大任, 以爲徐兗二州刺史. 元嘉[790]末, 守盱眙[791], 却魏兵三十萬衆.
○장질(400-454)은 자가 함문으로 기개가 크고 재간이 있었다. (남조

785) 宋(송) : 이는 '양梁'의 오기이다. 위의 예문과 유사한 내용이 ≪양서梁書·소개전蕭介傳≫권41에 전하는데, 양梁나라 무제武帝 태청太淸(547-549) 연간의 고사이다. 장순臧盾은 주량이 대단해 벌주로 한 말을 마시고도 안색에 변화가 없었다고 한다.
786) 京口(경구) : 지금의 강소성 진강시鎭江市에 있었던 땅 이름. 점술가가 그곳에 왕의 기운이 있다고 말하자 진秦나라 시황제始皇帝(B.C.259-B.C.210)가 붉은 옷을 입은 무리 3천 명을 보내 갱도를 만들어서 그 기운을 흘려 보내게 했다는 고사에서 유래하였다.
787) 披褐(피갈) : 칡베옷을 입다. 평민 신분을 상징한다.
788) 臧厥(장궐) : 남조南朝 양梁나라 때 사람. 장순臧盾의 동생으로 그의 전기는 장순과 함께 ≪양서≫권42에 나란히 전한다.
789) 臧彪(장표) : ≪양서·장궐전≫권42의 원문에는 의미상에 차이는 없으나 '장호臧虎'로 되어 있다. 아마도 당나라 고조高祖 이연李淵(566-635)의 조부인 이호李虎의 휘諱 때문에 고쳐쓴 것으로 보인다.
790) 元嘉(원가) : 유송劉宋 문제文帝의 연호(424-453).
791) 盱眙(우이) : '우이盱眙'의 오기이다. '우이'는 현 이름으로 지금의 강소성 우이현盱眙縣에 해당한다.

南朝) 유송劉宋 문제가 큰 임무를 맡길 만하다고 생각해 그를 (강소성) 서주徐州와 (산동성) 연주兗州 두 주의 자사로 임명하였다. 원가(424-453) 말엽에는 (강소성) 우이현을 지키면서 북위北魏의 군대 30만 명을 물리쳤다.

◆莊(장씨)

▶徵音. 天水. 楚莊王支孫以謚爲姓. 周有莊辛. 齊有莊賈, 景公使監穰苴[792]軍, 後至, 遂斬之. 莊暴見孟子.

▷음은 치음에 속하고 본관은 (감숙성) 천수군으로 (전국시대 때) 초나라 장왕의 지손이 시호를 성씨로 삼은 것이다. 주나라에는 장신이란 사람이 있었다. 제나라에는 장고란 사람이 있었는데, 경공이 그에게 전양저田穰苴의 군대를 감독케 하였으나 뒤늦게 도착하였기에 전양저가 급기야 그의 목을 벴다. 장폭이란 사람은 ≪맹자·양혜왕장구상梁惠王章句上≫권1에 보인다.

◇漆園傲吏(옻나무 정원의 오만한 관리)

●莊子, 名周, 蒙人也, 嘗爲蒙漆園吏[793]. 楚威王厚弊, 迎以爲相, 莊子絶之, 終身不仕. 著書十餘萬言, 名南華經[794].

○장자(약 B.C.369-B.C.286)는 본명이 '주周'이고 (하남성) 몽읍 사람으로 일찍이 몽읍에서 칠원리를 지낸 적이 있다. (전국시대 때) 초나라 위왕이 폐물을 후하게 준비해 초빙해서 승상에 임명하려고 하였지만 장자는 이를 거절하고 죽을 때까지 벼슬에 오르지 않았다. 글 10여만 자를 짓고서 이름을 ≪남화경≫(≪장자≫)이라고 하였다.

●莊舃, 越之鄙人, 仕楚, 執圭.

---

792) 穰苴(양저) : 춘추시대 제齊나라 사람 전양저田穰苴. 전완田完의 후예로 뒤에 대사마大司馬에 오르고 ≪사마양저병법司馬穰苴兵法≫을 남겨 '사마양저司馬穰苴'로도 불렸다. ≪사기史記·사마양저전≫권64 참조. ≪사마양저병법≫은 ≪사마법司馬法≫이란 서명으로 1권이 전한다.

793) 漆園吏(칠원리) : 옻나무를 재배하는 정원을 관장하는 관리를 이르는 말. 장자莊子의 대칭으로도 쓰였다.

794) 南華經(남화경) : ≪장자≫의 별칭. '남화'라는 말의 유래에 대해서는 알려진 바가 없다.

○장석은 (전국시대) 월나라 출신 천민으로 초나라에서 벼슬길에 들어서 홀을 손에 쥐는 고관에 올랐다.

●莊青翟, 前漢人, 以功臣侯, 子孫拜相.
○장청적(?-B.C.115)은 전한 때 사람으로 공신의 신분으로 제후에 봉해지고 자손들이 재상을 배수받았다.

●莊大成十歲能誦史書. 宋紹興中, 擬試童科[795].
○장대성은 열 살에 사서를 잘 암송하더니 송나라 (고종) 소흥(1131-1162) 연간에 동자과童子科에 응시하였다.

●黑莊[796]. 康莊[797]. 蒙莊[798].
○흑장. 대로. (하남성 몽읍蒙邑에서 칠원리漆園吏를 지낸) 장주莊周의 별칭.

◆郞(낭씨)

▶商音. 中山[799]. 魯懿公之孫費伯城郞[800], 居之, 子孫因氏焉.
▷음은 상음에 속하고 본관은 (하북성) 중산군이다. (춘추시대 때) 노나라 의공의 손자인 비백이 (산동성) 낭읍에 성을 쌓고 그곳에 거주하자 자손들이 그참에 이를 성씨로 삼은 것이다.

---

795) 童科(동과) : 어린이를 상대로 실시하는 과거시험인 동자과童子科의 준말.
796) 黑莊(흑장) : 장원 이름. 소재지는 미상.
797) 康莊(강장) : 사통팔달하는 큰 길을 뜻하는 말. 다섯 갈래로 난 길을 '강康'이라고 하고, 여섯 갈래로 난 길을 '장莊'이라고 한 데서 유래하였다.
798) 蒙莊(몽장) : 하남성 몽읍蒙邑에서 칠원리漆園吏를 지낸 장자(장주莊周)의 별칭.
799) 中山(중산) : 춘추시대 말엽 선우족鮮虞族이 지금의 하북성 정현定縣과 당현唐縣 일대에 세운 나라 이름. 뒤에 조趙나라에 멸망당했다. 진한秦漢 이후로는 제후국이나 군郡으로 설치되었다.
800) 郞(낭) : 춘추시대 때 노魯나라 고을 이름. 지금의 산동성 어대현魚臺縣 북동쪽 일대.

◇善風角(풍각점에 정통하다)

●郎顗, 北海人. 父宗善風角[801]・星算[802]・望氣[803]・占候[804]. 顗少傳父業, 兼明經典, 晝姸精義, 夜占象度[805]. 漢順帝時拜章[806], 言灾異之故, 召對. 復陳便宜七事, 召拜中郎[807], 辭病不就.

○낭의는 (산동성) 북해군 사람이다. 부친 낭종郎宗은 풍각점・점성술・망기술・점후 등에 정통하였다. 낭의는 어려서 부친의 기술을 전수받고 아울로 경전에도 밝아 낮에는 경전의 정확한 의미를 연구하고 밤에는 천문학을 공부하였다. 후한 순제 때 상소문을 올려 재앙의 원인을 설명함으로써 황제의 부름을 받아 독대하였다. 또 시의적절한 정책 일곱 가지를 건의하여 황제의 부름을 받고 중랑을 배수받았으나 병을 이유로 사양하고 취임하지 않았다.

◇削木剪紙(나무를 깎고 종이를 자르다)

●郎基, 字世業, 本文吏, 有武略, 北齊擢爲海西鎭將. 梁兵攻城, 基削木爲箭, 剪紙爲羽, 固守, 還朝, 拜侍御史. 子茂, 字蔚之, 七歲誦騷雅[808], 日千餘言. 次子楚之.(北史[809])

○낭기는 자가 세업으로 본래는 문관이었으나 병법에도 밝아 (북조北朝) 북제 때 해서진장에 발탁되었다. (남조南朝) 양나라 군대가 성을 침공하자 낭기는 나무를 깎아서 화살을 만들고 종이를 잘라서 화살 깃을 만들어 성을 굳게 지키다가 조정에 돌아가서는 시어사를 배수

801) 風角(풍각) : 사방의 바람을 살펴서 길흉을 판단하는 점술의 일종.
802) 星算(성산) : 점성술.
803) 望氣(망기) : 구름의 기운을 살펴서 길흉을 점치는 일.
804) 占候(점후) : 천문의 변화를 관측하여 길흉을 점치는 일.
805) 象度(상도) : 천상天象의 도수度數, 즉 천문학을 가리킨다.
806) 拜章(배장) : 제왕에게 상소문을 올리는 것을 이르는 말.
807) 中郎(중랑) : 한나라 때 삼서三署의 장관인 오관중랑장五官中郎將・좌중랑장左中郎將・우중랑장右中郎將의 약칭으로 궁중 호위를 관장하던 벼슬 이름.
808) 騷雅(소아) : 초사楚辭의 ≪이소離騷≫와 ≪시경≫의 소아小雅・대아大雅를 아우르는 말로 시의 품격이나 시인의 재능을 상징할 때도 있다.
809) 北史(북사) : 당나라 이연수李延壽가 북조北朝의 북위北魏부터 수隋나라까지 도합 242년의 역사를 간략히 정리하여 서술한 사서史書. 총 100권. ≪사고전서간명목록・사부・정사류正史類≫권5 참조.

받았다. 장남 낭무郎茂(541-615)는 자가 위지로 일곱 살에 ≪이소離騷≫와 ≪시경≫을 매일 천 자 넘게 외웠다. 차남은 낭초지郎楚之이다.

◇西昌逸士(서창현의 은자)

●郎詠[810]隱西昌, 採樵爲業. 或擔入郡市, 遇人買則曰, "我西昌逸士, 酒中人也. 我今獻公所缺, 公當惠我所無."

○(수나라 때 사람) 낭영은 (강서성) 서창현에 은거하면서 땔나무하는 일을 생업으로 삼았다. 간혹 땔나무를 짊어지고 군의 저자로 들어갔다가 자신의 땔나무를 사겠다는 사람을 만나면 "저는 서창현에 사는 은자이자 술꾼이랍니다. 제가 이제 공에게 없는 것을 드릴 터이니 공도 저에게 없는 것을 베풀어 주십시오"라고 말하곤 하였다.

◇培塿松栢(자그마한 흙둔덕에 소나무와 측백나무가 자라다)

●郎餘令, 唐初爲霍王元軌[811]參軍, 從父[812]和年[813], 亦爲王友[814]. 王曰, "郎家二賢皆入府, 不意培塿[815]而松栢成林也." 弟餘慶爲吏, 淸而刻.

○낭여령은 당나라 초엽에 곽왕霍王 이원궤李元軌의 참군을 지냈고, 종부인 낭지년郎知年 역시 곽왕의 사우師友였다. 그래서 곽왕이 "낭씨 가문의 두 현자께서 모두 우리 왕부에 들어왔으니 자그마한 흙둔

810) 郎詠(낭영) : 수나라 때 은자. 강서성 서창현에 은거하며 땔나무를 술과 음식으로 바꿔서 생활하였다고 전한다. 명나라 요용현廖用賢의 ≪상우록尙友錄·낭영전郎咏傳≫권11 참조.

811) 霍王元軌(곽왕원궤) : 당나라 고조高祖 이연李淵(566-635)의 아들 이원궤李元軌. '곽왕'은 봉호. 고조의 총애를 받아 촉왕蜀王·오왕吳王·곽왕霍王 등에 봉해지고 사도司徒·양주자사襄州刺史·청주자사靑州刺史 등을 역임하였다. ≪신당서·곽왕이원궤전≫권79 참조.

812) 從父(종부) : 아버지의 형제인 백부나 숙부를 아우르는 말.

813) 和年(화년) : '지년知年'의 오기. 자형의 유사성으로 인한 필사 과정상의 단순 오기로 보인다.

814) 王友(왕우) : 친왕親王의 스승이자 친구 역할을 하는 사우師友를 이르는 말.

815) 培塿(부루) : 작은 흙둔덕을 일컫는 말. 여기서는 이원궤李元軌 자신을 비유하는 겸사謙辭로 쓰였다.

덕(이원궤)에 소나무와 측백나무(낭지년과 낭여령)가 함께 자라 숲을 이룰 줄은 생각지도 못 했소이다 그려"라고 말한 일이 있다. 동생 낭여경郎餘慶은 관리를 지내면서 청렴하면서도 엄격하게 처신하였다.

◇錢郎(전기錢起와 낭사원郎士元)

●郎士元, 晩唐詩人, 佳句甚多, 與錢起齊名. 時人語曰, "前有沈宋[816], 後有錢郎."

○낭사원은 만당 때 시인으로 아름다운 구절을 많이 지어 전기와 함께 나란히 명성을 떨쳤다. 그래서 당시 사람들이 "전에는 심전기沈佺期와 송지문宋之問이 있었고, 뒤에는 전기와 낭사원이 있다네"라고 하였다.

●檀郎[817]. 夜郎[818]. 郭郎[819].

○단랑. (귀주성) 야랑현. 곽랑.

◆康(강씨)

▶商音. 京兆. 衛康叔之後, 以諡爲姓.

▷음은 상음에 속하고 본관은 (섬서성) 경조군이다. (주周나라 때) 위나라에 봉해진 강숙의 후손이 시호를 성씨로 삼은 것이다.

---

816) 沈宋(심송) : 당나라 초엽에 근체시近體詩를 정립했다는 평을 받는 심전기沈佺期(?-약713)와 송지문宋之問(?-약713) 두 시인을 아우르는 말.

817) 檀郎(단랑) : 남편이나 애인에 대한 미칭美稱. 진晉나라 때 미남인 반악潘岳(247-300)의 아명이 단노檀奴라서 단랑檀郎으로 불린 데서 유래하였다.

818) 夜郎(야랑) : 진한秦漢 때 중국 서남부에 거주했던 이민족 이름이자 귀주성의 속현屬縣 이름. 당나라 때 이백李白(701-762)이 귀양간 곳으로 잘 알려져 있다.

819) 郭郎(곽랑) : 곽씨 젊은이. 고대 희극에서의 배역 이름. 한편 송나라 때 노년의 나이에 전시殿試에서 3등을 차지한 곽소우郭少友에 대한 애칭을 가리킬 때도 있다.

◇草封禪儀(봉선제의 의례를 기초하다)

●康子元. 唐開元初, 詔擧能治易老莊[820]者, 張說以子元應詔, 除侍講[821]. 上封泰山, 說引子元, 草封禪儀. 徙宗正卿[822].

○강자원에 관한 기록이다. 당나라 (현종) 개원(713-741) 초에 ≪역경≫ ≪노자≫ ≪장자≫를 정리할 수 있는 사람을 천거하라는 조서가 내려지자 장열이 강자원이 조서를 잘 받들 것이라고 생각해 시강을 제수받게 해 주었다. 현종이 (산동성) 태산에서 봉선제를 올리자 장열은 강자원을 불러 봉선제의 의례를 기초하게 하였다. 그래서 종정경으로 승진하였다.

◇六可畏(여섯 가지를 두려워해야 한다)

●康澄, 唐明宗時, 爲大理少卿[823], 上疏言, "國家有不足懼者五, 有深可畏者六." 詔獎之.

○강징은 (오대五代) 후당後唐 명종 때 대리소경을 지내면서 상소문을 올려 "나라에는 두려워할 필요 없는 것이 다섯 가지 있고, 무척 두려워해야 할 것이 여섯 가지 있사옵니다"라고 하였다. 그래서 그를 포상하라는 조서가 내려졌다.

◇金帶(금 장식 허리띠)

●康延孝以百騎奔, 莊宗解御衣金帶, 賜之.(五代)

○강연효가 기병 백 명을 거느리고 망명하자 (오대五代 후당後唐) 장종이 어의와 금 장식 허리띠를 벗어서 그에게 하사하였다.(≪신오대사·강연효전≫권44)

---

820) 易老莊(역노장) : ≪역경≫ ≪노자≫ ≪장자≫를 아우르는 말로 '현학玄學' '삼현三玄'이라고도 한다.

821) 侍講(시강) : 제왕의 곁에서 경전의 강독을 전담하던 벼슬을 이르는 말.

822) 宗正卿(종정경) : 황실의 친족에 관한 업무를 관장하던 벼슬로 구경九卿 가운데 하나. 주로 종실 사람을 임명하였다.

823) 大理少卿(대리소경) : 형법과 재판에 관한 업무를 관장하는 기관인 대리시大理寺에서 대리경大理卿 다음 가는 버금 장관을 이르는 말. 휘하에 대리정大理正·대리승大理丞·대리평사大理評事 등의 속관을 거느렸다.

◇射藝(활쏘기 솜씨)

●康保裔, 宋眞宗朝人, 善騎射. 以十五矢引滿, 括鏑[824]相繼而墜, 人服其妙. 後戰沒. 子伯雄爲桂州觀察使.

○강보예(?-1000)는 송나라 진종 때 사람으로 말타기와 활쏘기를 잘 하였다. 화살 열다섯 개를 한꺼번에 가득 당겨도 화살이 계속해서 목표물에 떨어졌기에 사람들이 그의 절묘한 솜씨에 탄복하였다. 뒤에 (거란契丹과의) 전투에 참여했다가 전사하였다. 아들 강백웅康伯雄은 (광서성) 계주관찰사를 지냈다.

◇待詔金馬(금마문에서 황명을 받들다)

●康與之, 字伯可, 號順庵. 宋南渡後, 有聲樂府[825], 秦申公[826]薦於上, 以文詞待詔金馬門[827]. 凡中興粉飾治具[828], 兩宮[829]宴集, 皆假其歌詠. 故應制[830]之詞居多. 嘗題徽宗畵像云[831], "玉輦[832]宸遊[833]事已空, 尙餘奎藻[834]繪春風. 年年花鳥無窮恨, 盡在蒼梧[835]夕照中." 高宗

---

824) 括鏑(괄적) : 화살의 오늬와 화살촉을 아우르는 말로 결국 화살을 가리킨다. '괄括'은 '괄栝' '괄筈'과 통용자.

825) 樂府(악부) : 전한 무제武帝 때 처음으로 설치되었던 음악을 관장하던 기관 이름. 뒤에는 이곳에서 모은 민가民歌나 이를 모방한 사대부층의 시가詩歌를 지칭하기도 하고, 송사宋詞나 원곡元曲의 대칭으로도 쓰였다.

826) 秦申公(진신공) : 송나라 때 간신 진회秦檜(1090-1155)의 별칭. '신공'은 봉호인 신국공申國公의 준말. 자는 회지會之이고 시호는 충헌忠獻. 명장 악비岳飛(1103-1141)를 죽이고 거란과의 화친을 주도하여 간신으로 낙인찍혔다. ≪송사·간신열전·진회전≫권473 참조.

827) 金馬門(금마문) : 한나라 때 학사學士들이 황명을 기다리던 궁문宮門 이름으로 결국 조정을 비유적으로 가리킨다.

828) 治具(치구) : 음식이나 악기 따위를 준비하는 일.

829) 兩宮(양궁) : 황제와 태자, 혹은 황제와 태후太后, 황제와 태상황太上皇의 궁궐을 일컫는 말. 결국 궁궐을 가리킨다.

830) 應制(응제) : 황명에 응하다. 즉 황명을 받들어 지은 노래를 가리킨다.

831) 云(운) : 이는 칠언절구七言絶句 <휘종의 서화를 보고 짓다(題徽宗宸翰)>를 인용한 것으로 송나라 진사陳思의 ≪양송명현소집兩宋名賢小集≫권171에 수록된 강여지康與之의 시집인 ≪초정소집椒亭小集≫에 전한다.

832) 玉輦(옥련) : 천자가 타는 가마나 수레에 대한 미칭美稱.

833) 宸遊(신유) : 천자의 행차를 이르는 말. '신宸'은 황제와 관련한 일을 나타내는 일종의 접두사.

見之, 一慟而已.

○강여지는 자가 백가이고 호가 순암이다. 송나라가 강남으로 천도한 남송 이후에 악부로 명성을 떨치자 신국공申國公 진회秦檜(1090-1155)가 고종에게 추천하여 글재주로 조정에서 황명을 받들었다. 무릇 중흥기인 남송 때 궁녀들이 화장을 하고 음식을 마련하여 궁중에서 연회를 열면 늘 그가 지은 노래를 빌어다 썼다. 그래서 황명에 응해 지은 작품이 많다. 일찍이 휘종의 초상화에 "황제(휘종)의 수레가 행차하는 일 이미 볼 수는 없지만, 춘풍을 그린 천자의 서화는 남아 있다네. 해마다 꽃과 새가 무궁한 한을 쏟아내는 것은, 모두가 (우虞나라 순왕舜王의 장지가 있는 호남성) 창오산의 석양 속에 있어서라네"라고 하였다. 고종이 이를 보고서는 대성통곡하였다.

●康絢, 字長明, 倜儻有志氣. 仕齊, 爲華山守, 歸梁, 除衛奕[836].

○강현은 자가 장명으로 성품이 호방하고 기개가 넘쳤다. (남조南朝) 남제南齊에서 벼슬길에 올라 (호북성) 화산태수를 지내다가 양나라에 귀순하여 위위경衛尉卿을 제수받았다.

●康眞人, 名桑, 治三十九福地[837], 在常州宜興縣.

○강진인은 이름이 '상桑'으로 (강소성) 상주 의흥현에 있는 제39복지를 관장하였다.

●嵇康. 孫康. 顧長康[838].

---

834) 奎藻(규조) : 제왕의 글이나 그림에 대한 미칭美稱. '규한奎翰'이라고도 한다.

835) 蒼梧(창오) : 호남성의 속군屬郡이자 산 이름. 우虞나라 순왕舜王의 장지葬地가 있는 곳이기에 성군聖君을 상징한다. 여기서는 고종高宗의 부친으로서 금나라에 볼모로 잡혀간 휘종徽宗을 상징적으로 가리키는 듯하다.

836) 衛奕(위혁) : ≪양서·강현전≫권18에 의하면 구경九卿의 하나인 위위衛尉의 오기인 듯하다.

837) 福地(복지) : 신선이 사는 곳을 이르는 말로 뒤에는 도교道敎 사원의 별칭으로 쓰였다. 도서道書에서는 신선들이 사는 곳을 '36동천洞天' '72복지福地'라고 한다.

○(삼국 위魏나라 사람) 혜강(224-263). (진晉나라 사람) 손강. (진晉나라 사람) 장강長康 고개지顧愷之(341-402).

◆匡(광씨)

▶商音. 晉陽. 魯匡邑宰[839]匡句須之後.

▷음은 상음에 속하고 본관은 (산서성) 진양군으로 (춘추시대) 노나라에서 현령을 지낸 광구수의 후손이다.

◇廬山君(여산군)

●匡裕[840], 周武王時人, 兄弟七人, 皆有道術. 結廬山中, 後得仙去, 空廬在焉. 故曰廬山. 漢武封裕爲大明君, 又稱爲廬山君. 廬山記[841]載匡裕爲周威王時人.

○광유는 주나라 무왕 때 사람으로 형제 여덟 명이 모두 도술을 부릴 줄 알았다. 산속에 집을 짓고 살다가 뒤에 신선이 되어 사라지면서 빈 집만 그곳에 남겼기에 그 산을 '여산'이라고 한다. 전한 무제는 광유를 대명군에 봉하면서 또한 '여산군'으로도 칭하였다. 한편 ≪여산기≫에서는 광유를 주나라 위왕 때 사람으로 기재하였다.

---

838) 顧長康(고장강) : 진晉나라 때 사람 고개지顧愷之(341-402). '장강'은 자. 글재주·서예·인품이 뛰어나 '재절才絶' '서절書絶' '치절癡絶'의 '삼절三絶'이란 칭호로 불렸고, 산기상시散騎常侍를 역임하였다. ≪진서·고개지전≫권92 참조.

839) 邑宰(읍재) : 현령縣令의 별칭. 현縣의 장관을 '재宰'라고 하는 데서 유래하였다.

840) 匡裕(광유) : '광속匡俗'으로 표기한 문헌도 있다.

841) 廬山記(여산기) : 송나라 진성유陳聖兪가 강서성 남강南康에 폄적되었을 때 친구인 유환劉渙과 함께 직접 여산을 유람하면서 지은 지리서. 원본은 5권이고 그림이 붙어 있었다고 하나 오래 전에 실전되고, 사고전서에는 3권본으로 전한다. 또 누구의 손에 의한 것인지는 알 수 없으나 남조南朝 유송劉宋 석혜원釋慧遠(334-416)의 ≪여산기략廬山紀略≫ 1권이 부록으로 붙어 있다. ≪사고전서간명목록·사부·지리류≫권7 참조. 그러나 현전하는 ≪여산기≫에 위의 예문이 실리지 않은 것으로 보아 일문逸文인 듯하다.

◇解頤(사람들을 웃음짓게 하다)

●匡衡, 字稚圭, 家貧好學, 常鑿鄰壁, 引光讀書. 精力絶人, 諸儒語曰, “無說詩, 匡鼎[842]來. 匡語詩, 解人頤[843].” 宣帝朝, 射策[844]甲科. 元帝朝史高薦於上, 遷博士·給事中[845], 建初[846]三年, 拜相. 十年之間, 不出長安城門, 而至相位. 子咸亦明經, 歷位九卿. 家世多爲博士者.

○(전한) 광형은 자가 치규로 집이 가난하면서도 학문을 좋아하여 늘 이웃집 벽을 뚫어서 불빛을 끌어들여 글을 읽었다. 학문에 대한 열정이 남들보다 대단하였기에 다른 유생들이 “≪시경≫을 말하지 말게, 광정(광형)이 온다네. 광정이 ≪시경≫을 말하면 사람들을 웃음짓게 한다네”라고 하였다. 선제 때 석책에 응시해 갑과에 합격하였다. 원제 때는 사고가 황제에게 추천하여 박사와 급사중으로 승진하였다가 건소建昭 3년(B.C.36)에 재상을 배수받았다. 10년 동안 (섬서성) 장안의 도성문을 나서지 않고서도 재상의 자리에 올랐다. 아들 광함匡咸도 경전에 정통하여 구경을 두루 역임하였다. 집안 대대로 박사를 지낸 사람이 많다.

---

842) 鼎(정) : 광형匡衡의 아명. ‘정鼎’을 광형의 아명으로 보는 것은 ≪한서·광형전≫권81에 인용된 삼국 위魏나라 장안張晏의 주를 따른 것이다. 반면 후한 복건服虔은 “‘정’은 응당이란 뜻이다. 광형이 곧 올 것이란 말과 같다(鼎猶言當也. 若言匡且來也)”고 하였고, 후한 응소應劭는 “‘정’은 바야흐로란 뜻이다(鼎, 方也)”라고 하였는데, 당나라 안사고顔師古(581-645)는 “복건과 응소 두 사람의 해설이 맞다(服應二說, 是也)”고 하였다. 참조할 만하다.

843) 解人頤(해인이) : 남의 턱뼈를 풀리게 하다. 남을 즐겁게 웃도록 만드는 일을 말한다.

844) 射策(석책) : ‘책문을 맞추다.’ 한나라 때 과거시험의 일종으로 문제를 적은 간책簡策을 응시자가 골라서 답안을 작성하던 일을 이르는 말. 뒤에는 과거시험에 대한 범칭으로 쓰였다.

845) 給事中(급사중) : 황제의 자문과 정사의 논의에 참여하던 벼슬로, 진한秦漢 이래 열후列侯나 장군將軍의 가관加官이었다가, 진晉나라 이후로 정관正官이 되었다. 수당隋唐 이후로는 문하성門下省의 장관인 시중侍中과 버금장관인 문하시랑門下侍郎 다음 가는 요직으로 정령政令에 대한 논의와 시정時政을 담당하였다.

846) 建初(건초) : 후한後漢 장제章帝의 연호(76-83). 따라서 이는 전한 원제元帝 때 연호인 ‘건소建昭(B.C.38-B.C.34)’의 오기이다.

◇至孝(지극한 효심)

●匡昕, 字令先, 有至性. 母病亡, 經日, 昕奔還號叫, 母卽蘇, 皆以爲至孝所感.

○광흔은 자가 영선으로 효성이 지극하였다. 모친이 병으로 사망하고 하루가 지나서 광흔이 부리나케 달려서 돌아와 울부짖는 바람에 모친이 바로 소생하자, 사람들은 모두들 지극한 효심에 감화받아 생긴 결과라고 생각하였다.

◆湯(탕씨)

▶商音. 中山. 商湯之後, 以諡爲姓.

▷음은 상음에 속하고 본관은 (하북성) 중산군이다. 상나라 탕왕의 후손이 시호를 성씨로 삼은 것이다.

◇詩僧(시 짓는 승려)

●湯惠休, 宋孝武時沙門847)也. 善屬文, 武帝命之還俗, 官至揚州從事史848). 江淹擬惠休雜篇二十一首849).

○탕혜휴는 (남조南朝) 유송劉宋 효무제 때 승려이다. 문장을 잘 지었기에 무제가 그에게 환속을 명하였다. 관직은 (강소성) 양주의 종사사까지 올랐다. (양梁나라) 강엄이 탕혜휴의 잡시를 본떠 시 21수를 지은 일이 있다.

◇潤筆(제서制書를 작성해 주다)

●湯文圭850), 吳人. 時李德誠加司空, 文圭草麻851), 濡毫852)之賂不至,

---

847) 沙門(사문) : 범어梵語 'Sramana'의 음역音譯으로 승려를 이르는 말. '사문娑門' '상문喪門' '상문桑門'으로도 쓴다.

848) 從事史(종사사) : 한나라 이래로 일부 부府·주州·군郡에 설치했던 지방 수령의 보좌관인 '치중별가종사사治中別駕從事史'의 약칭. '치중治中' '별가別駕' '치중종사治中從事' 등으로 약칭하기도 한다.

849) 二十一首(이십일수) : 지금은 <잡시 30수(雜體三十首)> 가운데 <혜휴 상인의 이별을 원망하는 시(休上人怨別)> 한 수만이 남조南朝 양梁나라 강엄江淹(444-505)의 ≪강문통집江文通集≫권4에 전한다.

850) 湯文圭(탕문규) : 당나라 말엽 사람 은문규殷文圭의 별칭. 송나라 때 태조太

湯以詩[853]促之云, "紫殿[854]西頭日欲斜, 曾草臨川[855]上相麻. 潤筆[856]已曾關奏謝, 更飛章句問張華[857]." 時人笑之.

○(당나라) 탕문규(은문규殷文圭)는 (강소성) 오현 사람이다. 당시 이덕성이 (삼공三公 가운데 하나로 재상인) 사공의 직책을 더 받아 탕문규가 제서를 기초하게 되었는데, 제서를 작성해 준 대가를 보내오지 않자 탕문규가 다음과 같은 시를 지어 재촉하였다. "궁중 서쪽(중서성)에 해가 저물어 갈 제, 임천태수(이덕성)께서 재상에 오르는 제서를 기초하였습니다. 제서를 작성해 주었기에 이미 사례의 뜻을 담은 상주문을 올리게 되었으니, 다시금 싯귀를 날려 (진晉나라) 장화에 대해 물어 봅니다." 그래서 당시 사람들이 그를 비웃었다.

◇同年學士(합격동기생 출신의 학사)

●湯鵬, 後唐長興[858]二年, 盧華榜[859]下登第. 同榜五人, 皆爲翰林學士,

祖 조광윤趙匡胤(927-976)과 태종太宗 조광의趙匡義(939-997)의 부친인 조홍은趙弘殷의 휘諱(殷) 때문에 '은殷'을 '탕湯'으로 고쳐 쓴 것이다. ≪전당시全唐詩·은문규≫권707 참조.

851) 草麻(초마) : 당송唐宋 때 마지麻紙에 조서詔書를 쓴 데서 비롯된 말로 조서의 초안을 작성하는 것을 뜻한다.

852) 濡毫(유호) : 붓을 먹물에 적시다. 즉 글씨를 쓰거나 그림을 그리는 것을 말한다. '유필濡筆'이라고도 한다. 여기서는 조서의 작성을 가리킨다.

853) 詩(시) : 이는 칠언절구七言絶句 전문全文을 인용한 것으로 고사와 함께 송나라 계민부計敏夫의 ≪당시기사唐詩紀事·탕문규≫권68에 전한다.

854) 紫殿(자전) : 전한 때 감천궁甘泉宮에 있었던 전각 이름. 결국 궁전을 비유적으로 가리키는 말로 여기서는 조서의 작성을 관장하는 중서성中書省을 가리킨다. 당송 때 중서성은 궁중에서 서쪽에 위치하였다.

855) 臨川(임천) : 강서성의 속군屬郡 이름. 여기서는 강서성 임천태수(강주자사江州刺史)를 지낸 이덕성李德誠을 가리킨다. 청나라 오임신吳任臣의 ≪십국춘추十國春秋·오吳7·이덕성전≫권7 참조.

856) 潤筆(윤필) : 당송 때 한림원의 관리가 임명장인 제서制書를 작성해 준 데 대해 보답하는 일을 이르는 말. 뒤에는 전의轉義되어 시문詩文이나 서화書畵를 작성해 준 데 대해 보수를 지급하는 것을 뜻하기도 하였다.

857) 張華(장화) : 진晉나라를 대표하는 명문장가(232-300). 여기서는 탕문규湯文圭 자신이 작성해 준 제서制書를 비유적으로 가리키는 것으로 보인다.

858) 長興(장흥) : 후당後唐 명종明宗의 연호(930-933).

859) 盧華榜(노화방) : 노화盧華가 장원급제한 과거시험 합격자 명단을 가리킨다.

張說・湯鵬・吳承範・江文蔚・范禹偁也.

○탕붕은 (오대) 후당 (명종) 장흥 2년(931)에 노화가 장원급제한 과거시험에서 급제자 명단에 이름을 올렸다. 함께 급제한 다섯 명이 모두 한림학사를 지냈는데, 다섯 명은 장열・탕붕・오승범・강문위・범우칭을 가리킨다.

◇東西府(동부와 서부)

●湯鵬擧, 字致遠, 宋紹興中, 參大政, 家于潤之金壇[860], 時張綱居縣西. 人呼張爲西府, 湯爲東府[861], 同時執政[862]也.

○탕붕거는 자가 치원으로 송나라 (고종) 소흥(1131-1162) 연간에 참지정사參知政事에 올라 (강소성) 윤주의 금단현에 집을 장만하였는데, 당시 장강이 금단현 서쪽에 거주하고 있었다. 사람들이 장강을 (추밀원의 고관이란 의미에서) '서부'라고 부르고 탕붕거를 (승상부의 고관이란 의미에서) '동부'라고 부른 것은 그들이 동시에 집정관에 올라서였다.

◇御軍有法(군사들을 통제하면서 군법을 엄격히 적용하다)

●湯東野, 宋建炎初, 試工部[863], 知建康府, 代連南夫之任. 時戍兵喜摽掠市井, 東野峻法繩之, 民恃以安.

○탕동야는 송나라 (고종) 건염(1127-1130) 초에 공부시랑을 대행하다가 (강소성) 건강부지부사를 맡으면서 연남부의 직책을 대신하였다. 당시 수자리서는 병사들이 저자에서 노략질을 일삼자 탕동야가

---

860) 金壇(금단) : 강소성 윤주潤州의 속현屬縣 이름.

861) 東府(동부) : 당송 때 승상부丞相府의 별칭. 추밀원樞密院이 서쪽에 있어서 서부西府라고 한 반면 승상들의 정사당政事堂은 동쪽에 위치한 데서 유래하였다.

862) 執政(집정) : 조정의 고관高官에 대한 총칭인 집정관執政官을 이르는 말.

863) 工部(공부) : 당송 때 상서성尙書省의 육부六部 중 토목공사와 기물의 제작 및 수리 등에 관한 업무를 관장하던 기관이나 그 관원을 이르는 말. 명나라 이현李賢의 ≪명일통지明一統志≫권11에 의하면 공부시랑工部侍郎을 가리킨다.

법을 엄격하게 적용해 그들을 체포하였기에 백성들이 그 덕에 안정을 찾을 수 있었다.

◇三元坊(세 명의 장원급제자를 배출한 동네)

●湯璹, 長沙人, 宋淳熙[864]中, 爲省元[865]. 先是, 同郡王容釋褐[866], 易祓爲狀元, 故郡有三元坊.

○탕숙은 (호남성) 장사군 사람으로 송나라 (효종) 순희(1174-1189) 연간에 예부시禮部試에서 장원급제를 차지하였다. 이보다 앞서 동향 사람인 왕용이 (장원급제를 차지하여) 베옷을 벗었고 역불이 장원급제를 차지하였기에 장사군에는 '삼원방'이란 동네가 생겼다.

●湯悅[867]與徐鉉直學士院[868], 皆江南[869]文士.

○탕열은 서현(917-992)과 함께 직학사원을 지냈는데, 모두가 (오대십국五代十國 때) 남당南唐 출신 문인들이다.

●湯思退試博學宏詞[870], 宋紹興末, 拜相, 封岐公.

---

864) 淳熙(순희) : 남송南宋 효종孝宗의 연호(1174-1189).

865) 省元(성원) : 송나라 때 상서성尙書省에서 실시하는 예부시禮部試에서 장원급제한 사람을 이르는 말. 원나라 이후로는 지방의 각 성省에서 실시하는 향시鄕試의 장원급제자를 이르는 말로도 쓰였다.

866) 釋褐(석갈) : 베옷을 벗다. 보통은 처음 벼슬길에 오르는 것을 비유하는 말인데, 여기서는 과거시험에 장원급제하는 것을 비유한다.

867) 湯悅(탕열) : 오대십국五代十國 남당南唐 사람 은숭의殷崇儀의 별칭. 송나라에 들어서 태조太祖 조광윤趙匡胤(927-976)의 부친인 조홍은趙弘殷의 휘諱(殷) 때문에 '탕열'로 성명을 바꾼 것이다. 청나라 오임신吳任臣의 ≪십국춘추十國春秋·남당14·은숭의전≫권28 참조.

868) 直學士院(직학사원) : 송나라 때 학사원에 두었던 관직 이름. 정식 학사가 되기 전의 직책을 가리킨다.

869) 江南(강남) : 장강 이남 지역을 이르는 말로 여기서는 오대십국五代十國 때 남당南唐을 가리킨다.

870) 博學宏詞(박학굉사) : 학문이 폭넓고 문장이 뛰어나 조정의 문서를 기초할 만한 인재를 뽑기 위한 과거시험의 하나. 송나라 때는 굉사과宏詞科라고 하다가 휘종徽宗 때 사학겸무과詞學兼茂科라고 하였고, 고종高宗 때 박학굉사과博學宏詞科라고도 하였다.

○탕사퇴(?-1164)는 박학굉사과에 급제하여 송나라 (고종) 소흥(1131-1162) 말엽에 재상을 배수받고 기국공岐國公에 봉해졌다.

◆商(상씨)

▶宮音. 汝南. 商湯之後, 以國爲氏. 商鞅[871]本衛公子公孫氏, 受秦封於商, 號商君. 其後亦以商爲氏.

▷음은 궁음에 속하고 본관은 (하남성) 여남군이다. 상나라 탕왕의 후손이 나라 이름을 성씨로 삼은 것이다. 상앙은 본래 위나라 공자 공손씨였는데, 상 땅에 진나라의 봉토를 받으면서 '상군'으로 불렸다. 그 후손 역시 '상'을 성씨로 삼았다.

◇傳易(≪역경≫을 전수받다)

●商瞿, 字子木, 傳易孔門.(古注, "商瞿, 姓也.") 有若[872]曰, "商瞿年長無子." 孔子曰, "勿憂. 瞿年四十後, 當有五丈夫." 已而果然.

○(춘추시대 노魯나라) 상구는 자가 자목으로 공자의 문하에서 ≪역경≫을 전수받았다.(옛 주에서는 "상구가 성씨이다"라고도 하였다.) 유약이 "상구는 나이를 먹었는데도 자식이 없습니다"라고 하자 공자가 말했다. "걱정하지 말거라. 상구는 마흔 살이 지나면 분명 다섯 명의 사내아이를 가지게 될 것이다." 얼마 뒤 정말로 공자의 말대로 되었다.

◇蛤詩(바지락을 읊은 시)

●商凝式, 隋人. 煬帝好食蛤, 忽一蛤推擊不破. 夜有光肉, 又自脫, 有一佛三菩薩[873]像, 乃悔不食. 凝式詩曰, "雖因雀變化[874], 不逐月虧盈.

---

871) 商鞅(상앙) : 전국시대 위衛나라 사람인 공손앙公孫鞅. 경감景監의 추천으로 진秦나라 효공孝公을 만났고, 법가法家 사상을 실천한 형명가刑名家로 유명하다. 상商에 봉해져 '상앙商鞅'이라고 하고, '상군商君' '위앙衛鞅'으로도 불렸다. ≪사기·상군공손앙전商君公孫鞅傳≫권68 참조.

872) 有若(유약) : 춘추시대 노魯나라 사람으로 공자의 제자. 자는 자유子有. 공자와 외모가 유사하여 공자 사후에 문인들이 그를 스승으로 모셨다고 한다. ≪사기·중니제자열전≫권67 참조.

873) 菩薩(보살) : 범어梵語 'Bodhisattva'의 음역音譯으로 성불成佛하기 전 석가모니에 대한 칭호. 뒤에는 대승불교에서 이상적인 수행자에 대한 범칭으로 쓰

惟有天中像, 神功詎可成?"

○상응식은 수나라 때 사람이다. 양제가 바지락을 즐겨 먹었는데 갑자기 바지락 하나가 아무리 때려도 껍질이 깨지지 않았다. 밤에 조갯살에서 빛이 나면서 저절로 껍데기가 떨어지더니 부처 한 명과 보살 세 명의 형상이 나타났기에 먹지 않은 것을 후회하였다. 그러자 상응식이 다음과 같은 시를 지었다. "(바지락이) 비록 참새로 인해 변한다지만, 달이 이지러지고 차는 것을 쫓지는 않는다네. 오직 하늘의 형상을 품어야 하나니, 신통력을 어찌 이룰 수 있으리오?"

◆昌(창씨)

▶商音. 汝南. 黃帝之子昌意之後.

▷음은 상음에 속하고 본관은 (하남성) 여남군이다. 황제黃帝의 아들인 창의의 후손이다.

●昌義之, 梁天監中, 封永豐侯, 遷徐州刺史. 魏兵十萬攻鍾離[875], 義之固守, 救兵至, 大破之.(南史[876])

○창의지(?-523)는 (남조南朝) 양나라 (무제) 천감(502-519) 연간에 영풍후에 봉해지고 (강소성) 서주자사로 승진하였다. 북위北魏의 군대 10만 명이 (안휘성) 종리현을 침공하자 창의지가 견고하게 지킴으로써 구원병이 도착하여 대파할 수 있었다.

●昌懿, 邕州進士, 補文學[877]. 紹興中, 上疏言馬政.

였다.

874) 雀變化(작변화) : 참새가 변하다. 고대 중국인들은 참새가 바다로 들어가서 바지락으로 변한다고 생각하였다. ≪예기·월령月令≫권16에 "늦가을 9월에 참새가 바다에 들어가 바지락이 된다(季秋之月, 爵入大水爲蛤)"고 하였다.

875) 鍾離(종리) : 안휘성의 속현屬縣 이름.

876) 南史(남사) : 당나라 이연수李延壽가 남조南朝의 유송劉宋부터 진陳나라 말까지 도합 170년의 역사를 간략하게 정리하여 서술한 사서史書. 총 80권. 기존의 ≪송서宋書≫ 등의 내용을 보완한 것은 적고 삭제한 것이 많아 ≪북사北史≫보다는 못 하다는 평을 받는다. ≪사고전서간명목록·사부·정사류正史類≫권5 참조.

○(송나라) 창의는 (광서성) 옹주 출신 진사로 문학에 임명되었다. (고종) 소흥(1131-1162) 연간에 상소문을 올려 말에 관한 정책을 건의한 일이 있다.

●昌湜, 宋仁宗朝, 爲大理寺丞[878], 胡文恭公[879]行制.

○창식이 송나라 인종 때 대리시승에 임명될 때 문공공文恭公 호숙胡宿이 그의 제서를 작성해 주었다.

●昌永, 宋紹興中, 特奏[880]狀元.

○창영은 송나라 (고종) 소흥(1131-1162) 연간에 여러 차례 과거에 낙방한 사람들에게 별도로 실시한 시험에서 장원급제를 차지하였다.

◆萇(장씨)

●萇弘, 周敬王時, 爲大夫. 孔子從而問樂焉. 莊子外物篇云, "萇弘死于蜀, 藏其血, 三年而化爲碧."(碧, 玉也.)

○장홍(?-B.C.492)은 주나라 경왕 때 대부를 지냈는데, (노魯나라) 공자가 그에게 음악에 대해 물은 일이 있다. ≪장자·외물편≫권9에 "장홍이 (사천성) 촉 땅에서 죽어 그의 피를 저장하였더니 3년이 지나자 옥으로 변했다"고 하였다.('벽碧'은 옥을 뜻한다.)

---

877) 文學(문학) : '글재주와 학문'이란 뜻에서 유래한 말로 교육과 문서 처리를 담당하는 관직을 가리킨다. 시대에 따라 문학연文學掾·문학사文學史·문학종사文學從事·경학박사經學博士·문학文學 등 다양한 이름으로 불렸다.

878) 大理寺丞(대리시승) : 형법과 재판에 관한 업무를 관장하는 기관인 대리시大理寺의 속관屬官 이름. 장관인 대리경大理卿은 구경九卿의 하나이고, 버금 장관은 대리소경大理少卿이라고 하였다.

879) 胡文恭公(호문공공) : 송나라 때 사람 호숙胡宿에 대한 존칭. '문공'은 시호. 한림학사·추밀부사樞密副使·관문전학사觀文殿學士 등을 역임하였고, 문집으로 ≪문공집文恭集≫ 70권이 전한다. ≪송사·호숙전≫권318 참조.

880) 特奏(특주) : 여러 차례 과거에 낙방한 사람들에게 별도로 시험을 실시하여 특별히 합격자 명단을 황제에게 보고하는 일인 '특주명特奏名'의 준말. 반면 진사과에 합격한 사람을 정식으로 황제에게 보고하고 인가받는 것은 '정주명正奏名'이라고 한다.

●萇鳳, 唐末人, 嘗贈羅隱鴈頭牋[881]百幅.

○장봉은 당나라 말엽 사람으로 일찍이 나은에게 안두전 100폭을 선물한 적이 있다.

●萇從簡善用槊, 力敵數人. 仕後晉, 爲金吾將軍.

○장종간은 창을 사용하는 솜씨가 뛰어나고 힘이 몇 사람을 대적할 정도로 셌다. (오대五代) 후진에서 벼슬길에 올라 금오장군을 지냈다.

◆皇(황씨)

▶三皇[882]之後, 因氏焉. 又出宋戴公[883]之後. 皇封子爲宋大夫.(僖二十) 皇國父爲宋太宰[884].(襄十七) 皇初平見黃姓.

▷(전설상의 황제인) 삼황의 후손이 이를 성씨로 삼은 것이다. 또 (춘추시대 때) 송나라 대공의 후손에서도 나왔다. 황봉자는 송나라에서 대부를 지낸 사람이다. (이에 관한 내용은 ≪좌전左傳·희공僖公20년≫권13에 보인다) 황국보는 송나라에서 태재를 지낸 사람이다.(이에 관한 내용은 ≪좌전·양공襄公17년≫권33에 보인다) (상고시대 도사인) 황초평은 앞의 '황'씨절에 보인다.

●皇弘, 東漢人, 受書於朱普.

---

881) 鴈頭牋(안두전) : 당나라 때 문인들이 선호하던 가시연밥(鴈頭) 문양이 새겨진 고급 종이를 이르는 말.

882) 三皇(삼황) : 전설상의 세 임금. ≪주례周禮≫의 복희伏羲·신농神農·황제黃帝, ≪백호통白虎通≫의 복희伏羲·신농神農·축융祝融, ≪상서대전尙書大傳≫의 수인燧人·복희伏羲·신농神農, ≪여씨춘추呂氏春秋≫의 복희伏羲·여와女媧·신농神農, ≪예문류취藝文類聚≫의 천황天皇·지황地皇·인황人皇 등 시대마다 차이가 있어 설이 다양한데 보통은 ≪주례≫의 설을 가리킨다.

883) 戴公(대공) : 춘추시대 때 제후국인 송宋나라 군주의 시호. B.C.799-B.C.766 재위.

884) 太宰(태재) : 은殷나라 때는 육태六太의 하나였고, 주周나라 때는 육경의 우두머리인 천관天官 총재冢宰를 지칭하였다. 진秦·한漢·위魏나라 때는 설치하지 않다가 진晉나라 때 경제景帝 사마사司馬師(209-255)의 이름을 피휘避諱하기 위해 태사太師를 '태재'라고 개칭한 적이 있다. 수당隋唐 때는 폐치廢置가 일정하지 않았고, 송나라 때는 좌복야左僕射를 '태재', 우복야右僕師를 '소재少宰'라고 하였다가 폐지되었다.

○황홍은 후한 때 사람으로 주보에게서 ≪서경≫을 전수받았다.

●皇侃好學, 尤明三禮, 爲國子助教[885]. 梁武帝召入壽光殿, 說禮記義, 善之, 加散騎常侍[886].

○황간은 학문을 좋아하였는데 특히 ≪주례≫ ≪의례≫ ≪예기≫에 정통하여 국자조교를 지냈다. (남조南朝) 양나라 무제가 그를 수광전으로 불러들여 ≪예기≫의 뜻을 해설케 하고는 훌륭하다고 칭찬하여 산기상시를 보태주었다.

◆强(강씨)

▶商音. 天水. 左傳, 强鉏. 平聲.

▷음은 상음에 속하고 본관은 (감숙성) 천수군이다. ≪좌전·장공莊公16년≫권8을 보면 강서라는 사람이 등장한다. ('강强'은) 평성으로 읽는다.

●强循爲雍州參軍. 華原[887]无水, 人畜多渴死, 循引渠水以浸田, 一方利之, 號强公渠

○(당나라) 강순은 (섬서성) 옹주참군을 지냈다. 화원현에 물이 부족해 사람과 가축 다수가 갈증으로 죽자 강순이 도랑물을 끌어다가 밭에 물을 댔다. 그 지방 사람들이 이를 이롭게 여기며 도랑물을 '강공거'라고 불렀다.

●强獻明, 錢塘人. 宋熙寧中, 兄弟五人, 相繼登第, 皆至顯官. 獻明工部架閣[888], 浚明尙書郞[889], 淵明翰林學士, 偉明·陟明歷外任, 皆有名

---

885) 國子助教(국자조교) : 국가 최고 교육 기관인 국자감國子監의 속관屬官을 이르는 말. 국자감에는 장관인 국자제주國子祭酒와 버금 장관인 국자사업國子司業을 비롯하여 승丞·박사博士·직강直講·조교助教·학록學錄·학정學正·주부監簿 등의 속관이 있었다.

886) 散騎常侍(산기상시) : 황제의 곁에서 잘못을 간언하고 자문에 대비하는 직책으로, 실질적인 권한은 없었으나 대신大臣으로 겸직시키던 존귀한 벼슬이다. 당송 때는 좌·우산기상시를 두어 각각 문하성門下省과 중서성中書省에 나누어 소속시켰다.

887) 華原(화원) : 섬서성의 속현屬縣 이름.

績.

○강헌명은 (절강성) 전당군 사람이다. 송나라 (신종) 희녕(1068-1077) 연간에 형제 다섯 명이 서로 이어가며 과거시험에 급제해서 모두 고관에 올랐다. 강헌명은 공부 소속 가각을 지내고, 강준명强浚明은 상서랑을 지내고, 강연명强淵明은 한림학사를 지내고, 강위명强偉明과 강척명强陟明은 외직을 두루 맡으면서 모두 명성을 떨쳤다.

◆襄(양씨)

●襄楷, 字公矩, 好學博古, 善天文陰陽之術. 漢桓帝時, 災異數見, 楷詣闕上疏, 不見採. 陳蕃擧楷方正, 不就.

○양해는 자가 공구로 학문을 좋아하고 옛 지식에 해박하였으며 천문학과 음양술에 정통하였다. 후한 환제 때 재해가 자주 출현하자 양해가 궁궐로 찾아가 상소문을 올렸으나 채택되지는 않았다. 진번이 양해의 품행이 방정하다고 추천하였지만 벼슬에 나가지 않았다.

◆倉(창씨)

▶望出武陵, 黃帝史官倉頡890)之後. 漢循吏居官, 長子孫, 有倉氏·庫氏. 漢倉公, 姓淳于, 爲太倉令891), 故號倉公.

▷망족望族은 (호남성) 무릉군에서 나왔는데 황제黃帝 때 사관인 창힐의 후손이다. 한나라 때 성실한 관리가 관직을 지내면서 자손들을 키워 창씨와 고씨가 생

---

888) 架閣(가각) : 송나라 때 문서를 보관하는 관서나 이를 관장하는 관원을 이르는 말.

889) 尙書郎(상서랑) : 조정의 핵심 행정 기관인 상서성尙書省에서 실질적인 업무를 처리하던 벼슬인 낭관郎官에 대한 총칭. 당송唐宋 때는 낭중郎中과 원외랑員外郎으로 나뉘기도 하였다.

890) 倉頡(창힐) : 황제黃帝 때 사관史官으로 새의 발자국을 보고 한자를 창안했다고 전하는 전설상의 인물. '창힐蒼頡'로도 쓴다.

891) 太倉令(태창령) : 진秦나라 이후로 창고의 출납을 관장하는 벼슬 이름. 전한 문제文帝 때 순우제영淳于緹縈이 부친인 태창령太倉令 순우의淳于意가 형벌을 당하자 본인이 대신 노비가 되어 속죄하겠다고 해서 부친의 사면을 얻었다는 고사가 전한 유향劉向(약B.C.77-B.C.6)의 ≪열녀전列女傳·변통전辯通傳·제태창녀전齊太倉女傳≫권6에 전한다.

겨났다. 전한 때 창공은 원래 성이 '순우'씨인데 태창령을 지냈기에 '창공'으로 불렸다.

●倉頡四目, 觀鳥跡而制字. 淮南子[892]云, "頡作書, 而天雨粟, 鬼夜哭."
○(황제 때 사관) 창힐은 눈동자가 네 개여서 새의 발자국을 관찰하여 글자를 만들었다. ≪회남자・태족훈泰族訓≫권20에 "창힐이 문자를 만들자 (문자를 아는 관리들의 농간으로 백성들이 굶주림에 허덕일까 염려하여) 하늘에서 곡식이 비처럼 내리고 귀신이 밤에 울었다"고 하였다.

●倉孝仁, 魏太和[893]中, 遷燉煌太守, 良二千石[894]也
○창효인은 (북조北朝) 북위北魏 (효문제) 태화(477-499) 연간에 (감숙성) 돈황태수로 승진하였는데 선량한 태수였다.

●倉跋, 北魏人, 孝行見稱鄉里, 詔旌表[895]門閭[896]. 史臣曰[897], "竭股

892) 淮南子(회남자) : 전한 회남왕淮南王 유안劉安(B.C.179-B.C.122)의 저서. 총 21권. 원명은 '회남홍렬淮南鴻烈'로 내편內篇 21권만 전하고 외편外篇 33편은 실전되었다. 후한 고유高誘가 주를 달았다. ≪사고전서간명목록・자부・잡가류雜家類≫권13 참조.
893) 太和(태화) : 북위北魏 효문제孝文帝의 연호(477-499).
894) 二千石(이천석) : 한나라 때 봉록제도로 중이천석中二千石・이천석二千石・비이천석比二千石이 있었다. '중이천석'은 실제로 이천석이 넘는 반면, '이천석'은 성수成數로서 근접한 양을 뜻하며, '비이천석'은 '이천석에 근접한다'는 뜻으로 그보다 적은 양을 의미한다. 이에 대해 ≪한서・평제기平帝紀≫권12의 당나라 안사고顔師古(581-645) 주에서는 "그중 '중이천석'이라고 하는 것은 월 180휘를 뜻하고, '이천석'은 월 120휘를 뜻하며, '비이천석'은 월 100휘라고 한다(其稱中二千石者, 月百八十斛, 二千石者, 百二十斛, 比二千石者, 百斛云云)"고 설명하였다. 이를 '석石'으로 환산하면 '중이천석'은 2160석이 되고, '이천석'은 1440석이 되며, '비이천석'은 1200석이 된다. 예를 들어 구경九卿과 장수將師는 봉록이 중이천석이고, 태수太守는 이천석이었다. 여기서는 결국 태수를 비유적으로 가리킨다.
895) 旌表(정표) : 충효로 모범적인 사람에게 정문旌門을 세워 주거나 편액을 하사해 표창하는 일.
896) 門閭(문려) : 문에 대한 총칭. 고을 입구를 가리킨다.
897) 曰(왈) : 이는 ≪북사北史・효행열전孝行列傳≫권84의 서문을 가리킨다.

肱[898]之力, 盡愛敬之心, 承膝下之歡, 忘軒冕之貴."

○창발은 (북조北朝) 북위 때 사람으로 효행으로 고향에서 칭송을 받아 고을 입구에 정문旌門을 세우고 표창하라는 조서가 내려졌다. 그래서 (≪북사北史 · 효행열전孝行列傳≫권84에서) 사관은 "충신으로서의 역량을 다 발휘하여 천자를 사랑하고 존경하는 마음을 다 쏟았고, 자식으로서 부모를 봉양하는 즐거움을 받들며 벼슬아치로서의 고귀한 신분마저 잊었다"고 평하였다.

◆羌(강씨)

●羌岵, 五代時人, 與桑維翰有宿怨. 維翰拜相, 令韓魚召之來, 與之一官. 及至, 誣其謀反, 殺之. 他日公坐小軒[899], 岵來謁見, 責"公報怨何深?" 未幾, 維翰卒.

○강호는 오대 (후진後晉) 때 사람으로 상유한(898-947)과는 오래 묵은 원한이 있었다. 상유한이 재상을 배수받고서 한어를 시켜 그를 오라고 부르며 그에게 관직을 하나 주겠다고 하였다. 그러나 도착하자 그가 모반을 하였다고 무고하여 그를 죽였다. 훗날 상유한이 자그마한 정자에 앉아 있는데 강호가 (귀신이 되어) 알현하러 찾아와서는 "공은 어찌 그리도 심하게 원한을 갚을 수 있소?"라고 책망하였다. 얼마 지나지 않아 상유한도 죽고 말았다.

■氏族大全卷九■

---

898) 股肱(고굉) : 다리와 팔. 임금의 팔과 다리 역할을 하는 신하라는 의미로서 충신이나 근신近臣을 비유한다.

899) 小軒(소헌) : 자그마한 집이나 정자 따위를 이르는 말.

■氏族大全卷十■

□十二庚(12경)

◆程(정씨)

▶商音. 安定. 周程伯休父[1]之後. 程, 國名, 休父爲大司馬[2], 其後以國爲氏. 晉程鄭爲乘馬[3]御, 六騶[4]屬焉.(成十八)

▷음은 상음에 속하고 본관은 (감숙성) 안정군으로 주나라 때 정나라 군주 휴보의 후손이다. '정'은 나라 이름이고 휴보는 대사마에 올랐는데 그 후손이 나라 이름을 성씨로 삼은 것이다. (춘추시대 때) 진나라 사람 정정이 수레를 모는 마부 역할을 하자 여섯 명의 수행원이 뒤를 따른 일이 있다.(≪좌전左傳·성공成公18년≫권28)

◇立孤(고아를 주군으로 옹립하다)

●程嬰, 晉趙氏客也. 屠岸賈攻滅趙氏, 趙朔[5]夫人[6]有遺腹. 及生男, 夫人置之袴中, 得脫. 朔客公孫杵臼謂嬰曰, "胡不死?" 嬰曰, "死易, 立孤難." 杵臼曰, "吾爲其易, 子爲其難." 取他人嬰兒, 匿山中. 嬰繆[7]呼曰, "與我千金[8], 吾告趙氏孤處." 屠岸賈諸將隨嬰, 殺杵臼及趙孤, 而趙氏眞孤, 乃在嬰家. 後十五年, 因韓厥復立之, 是爲趙武. 嬰乃自殺曰, "我

---

1) 休父(휴보) : 주周나라 때 정程 땅에 봉해진 제후 이름. 주나라 선왕宣王의 칙명으로 대사마大司馬에 올랐기에 송나라 사마광司馬光(1019-1086)은 '사마'씨의 조상이라고 하였다.
2) 大司馬(대사마) : 진한秦漢 때 군정軍政을 총괄하는 벼슬로 삼공三公의 하나. 후에는 태위太尉로 개칭되었고 삼공 가운데 서열이 가장 높았다.
3) 乘馬(승마) : 수레를 끄는 데 필요한 네 마리 말. 결국 수레를 가리킨다.
4) 騶(추) : 길을 인도하는 수행원을 이르는 말. '도추導騶' '도기道騎'라고도 한다.
5) 趙朔(조삭) : 춘추시대 진晉나라 대부大夫 조돈趙盾의 아들로 최고위직인 정경正卿에 올랐으나 도안가屠岸賈가 조씨 가문 사람들을 도륙할 때 함께 살해당했다. 그의 유복자인 조무趙武가 살아남아 재기하였다.
6) 夫人(부인) : 황제의 후처後妻인 비빈妃嬪이나 제후의 적처嫡妻에 대한 존칭. 후에는 고관의 부인에 대한 존칭으로도 쓰였다.
7) 繆(무) : 속이다, 거짓말하다.
8) 千金(천금) : 금 천 근斤. '금金'은 '근斤'이나 '일鎰'과 같은 말이고, '천금'은 실수實數라기보다는 많은 양의 금이나 거액을 강조하기 위한 표현이다.

得下報宣孟[9]與杵臼矣!"(史記) 劉後村[10]詩[11], "賢矣兩家臣, 存孤極苦辛. 後來有曹馬[12], 亦是受遺人." 宋紹興[13]爲立廟, 封二子爲侯.

○정영은 (춘추시대) 진나라 때 조씨 가문의 식객이었다. 도안가가 조씨 가문을 공격하여 멸족시킬 때 조삭의 부인에게는 유복자가 있었다. 아들을 낳자 부인은 그를 바지 속에 숨겨 탈출할 수 있었다. 조삭의 식객인 공손저구가 정영에게 말했다. "어찌 죽지 않을 수 있겠습니까?" 정영이 대답하였다. "죽는 것은 쉽지만 고아를 주군으로 다시 옹립하는 것은 어렵습니다." 그러자 공손저구가 "제가 쉬운 일을 맡을 터이니 선생이 어려운 일을 맡도록 하십시오"라고 말하고는 다른 사람의 아기를 구해다가 산속에 숨었다. 정영이 속임수를 써서 "내게 천금을 주면 조씨 가문의 고아가 있는 곳을 알려주겠소"라고 큰 소리로 외쳤다. 도안가의 장수들이 정영의 말을 따라 공손저구와 조씨 가문의 고아를 찾아내 살해하였으나 조씨 가문의 진짜 고아는 오히려 정영의 집에 숨어 있었다. 15년 뒤에 한궐이 그를 다시 옹립하니 이 사람이 바로 조무이다. 정영은 이에 자살하면서 "내 이제 선맹(조돈趙盾)과 공손저구에게 빚을 갚을 수 있겠구나!"라고 하였다.(≪사기·조세가趙世家≫권43) (송나라) 후촌後村 유극장劉克莊은 시에서 "어질도다 두 가신은, 고아를 살리느라 무척이나 고생하였네. 뒤에 (삼국 위魏나라) 조진曹眞과 사마의司馬懿도, (문제文帝의) 유명을 받든 사람들이네"라고 하였다. 송나라 (고종) 소흥(1131-116

---

9) 宣孟(선맹) : 춘추시대 진晉나라 대부大夫 조돈趙盾의 시호.

10) 劉後村(유후촌) : 남송 말엽 사람 유극장劉克莊(1187-1269). '후촌'은 호. 자는 잠부潛夫이고 시호는 문정文定. 시문에 뛰어났고 용도각학사龍圖閣學士를 지냈다. 저서로 ≪후촌집後村集≫ 50권과 ≪후촌시화後村詩話≫ 12권이 전한다. 청나라 황종희黃宗羲(1610-1695)의 ≪송원학안宋元學案·애헌학안艾軒學案≫권47 참조.

11) 詩(시) : 이는 오언절구五言絶句 <잡시 100수(雜詠一百首)> 가운데 <정영程嬰과 공손저구公孫杵臼(嬰臼)>를 인용한 것으로 ≪후촌집≫권14에 전한다.

12) 曹馬(조마) : 삼국시대 위魏나라 때 사람 조진曹眞과 사마의司馬懿를 아우르는 말. 조진은 문제文帝 조비曹丕의 조카로 문제가 병석에 눕자 사마의와 함께 유명遺命을 받들어 명제明帝 조예曹叡를 보필하였다. ≪삼국지·위서·조진전≫권9 참조.

13) 紹興(소흥) : 남송南宋 고종高宗의 연호(1131-1162).

2) 연간에 그들을 위해 사당을 세워 주고 (정영과 공손저구) 두 사람을 제후에 봉하였다.

◇傾蓋(수레를 서로 맞대다)

●孔子之郯[14], 遇程子[15]於途, 傾蓋[16]而語終日, 甚相親也. 顧子路[17], 取束帛一, 以贈先生.

○(춘추시대 노魯나라) 공자(공구孔丘)는 담郯나라로 가다가 길에서 정자(정본程本)를 만나자 수레를 서로 맞대고 하루종일 담화를 나누면서 그를 무척 친절하게 대하더니 자로子路 중유仲由를 돌아보고서 비단 묶음 하나를 건네받아 정자에게 주었다.

◇程李(정불식程不識과 이광李廣)

●程不識, 漢元光[18]初, 與李廣爲東西衛尉[19]. 程治軍極嚴, 廣極簡易, 俱爲名將. 灌夫罵坐曰, "今日斬首冗胷[20], 何知程李?"

○정불식은 전한 (무제) 원광(B.C.134-B.C.129) 초에 이광과 함께 동서로 위위를 맡았다. 정불식은 군대를 무척이나 엄격하게 다스린 반면 이광은 무척 느슨하게 다스리면서도 함께 명장으로 불렸다. 그래서 관부가 좌중의 사람들에게 욕을 하며 "오늘 내 목을 베는데 어찌

---

14) 郯(담) : 춘추시대 때 작은 제후국 가운데 하나.

15) 程子(정자) : 춘추시대 진晉나라 사람 정본程本에 대한 존칭. '자화자子華子'로도 불렸다. 뒤에 제齊나라에 가서 안자晏子의 식객이 되었고, 공자를 만나 현자로 칭송받았다. 저서로 ≪자화자≫ 3권이 전하나 위서僞書이다.

16) 傾蓋(경개) : 수레덮개를 기울이다, 즉 수레를 멈추는 것을 말한다. 길에서 만나 서로 수레를 맞대고 이야기를 나누는 것을 뜻하는 데서 유래한 말로 서로 친분이 두터운 것을 상징한다.

17) 子路(자로) : 춘추시대 노魯나라 사람으로 공자의 제자인 중유仲由. '자로'는 자. 용맹함으로 이름을 떨쳤다. ≪사기·중니제자열전仲尼弟子列傳≫권67 참조.

18) 元光(원광) : 한漢 무제武帝의 연호(B.C.134-B.C.129).

19) 衛尉(위위) : 궁중의 호위를 관장하던 벼슬로 구경九卿의 하나.

20) 斬首冗胷(참수용흉) : ≪사기·관부전≫권107에 의하면 '머리를 베고 가슴을 가르다', 즉 사람을 죽이는 것을 뜻하는 말인 '참수함흉斬首陷胷'의 오기이다. 여기서는 좌중에게 욕을 한 자신을 죽이라는 말이다.

정불식과 이광을 신경쓸 필요가 있겠소?"라고 말한 일이 있다.

◇膽過賁育(담력이 맹분孟賁과 하육夏育을 능가하다)

●程昱, 字仲德. 魏武表爲東平相[21], 嘗曰, "程昱之膽, 過於賁育[22]." 拜奮武將軍. 二子武延及孫曉.

○정욱은 자가 중덕이다. (후한 말엽에 삼국) 위나라 무제(조조曹操)가 상소문을 올린 덕에 동평왕의 승상을 맡았고, 일찍이 "정욱의 담력은 (전국시대 진秦나라) 맹분孟賁과 (춘추시대 위衛나라) 하육夏育 같은 장사를 능가합니다"라고 말해 분무장군을 배수받았다. 두 아들은 정무程武와 정연程延이고 손자는 정효程曉이다.

◇褦襶(차양용 삿갓)

●程曉仕魏, 爲汝南太守, 作伏日詩[23]曰, "平生三伏時, 道路無行車. 今世褦襶[24]子, 觸熱到人家."

○정효는 (삼국) 위나라에서 벼슬길에 올라 (하남성) 여남태수를 지내면서 <복날을 읊은 시>를 지어 "평소 삼복 때가 되면, 도로에 다니는 수레가 없더니,(중략) 근자에 차양용 삿갓을 쓴 사람이, 더위를 무릅쓰고 남의 집을 찾네"라고 하였다.

◇伊洛[25]道學(정호程顥·정이程頤 형제의 도학)

●程顥, 字伯淳, 十歲能爲詩賦, 十二三居庠序[26], 如老成人, 與弟頤以經

---

21) 東平相(동평상) : 제후국의 군주인 동평왕東平王의 승상을 이르는 말.

22) 賁育(분육) : 교룡과의 싸움도 피하지 않았다는 전국시대 진秦나라 무왕武王 때의 용사인 맹분孟賁과 천 균鈞의 무게가 나가는 세발솥을 들었다는 춘추시대 위衛나라 때 장사 하육夏育을 아우르는 말.

23) 詩(시) : 이는 동명의 오언고시五言古詩 가운데 일부를 발췌하여 인용한 것으로 당나라 구양순歐陽詢(557-641)의 ≪예문류취藝文類聚·세시하歲時下·복伏≫권5에 전한다.

24) 褦襶(내대) : 더위를 막기 위해 쓰는 차양용 삿갓을 이르는 말.

25) 伊洛(이락) : 하남성을 흐르는 강물인 이수와 낙수를 아우르는 말. 하남성 낙양洛陽 출신인 정호程顥(1032-1085)·정이程頤(1033-1107) 형제가 이곳 일대에서 학문을 강론하였기에 이들 형제나 그들의 도학道學을 비유적으로 가리킨다.

術爲諸儒倡. 坐如泥塑人, 接人渾[27]是一團和氣. 窓前有茂章[28]覆砌, 或勸芟之, 曰"常欲見造化生意." 置盆池, 蓄小魚數尾, 時時觀之, 或問之, 曰"欲觀萬物自得意." 范祖禹與陳瑩中[29]論, "顏子[30]不貳過[31], 惟伯淳能之." 瑩中曰, "伯淳誰也?" 公曰, "不識程伯淳邪?" 曰, "予生長東南, 實未知也." 乃作責沈文[32]以自責. 宋神宗朝, 爲監察御史[33]裏行[34]. 上問所以爲御史[35], 對曰, "使臣拾遺補闕, 裨贊朝廷則可, 使臣掇拾臣下短長, 以沽直名則不能." 上曰, "得眞御史體!" 上使擇人才, 薦

---

26) 庠序(상서) : 학교에 대한 총칭. 순왕舜王의 우虞나라 때 학교를 '상庠'이라고 하고, 하夏나라 때 학교를 '서序'라고 한 데서 유래하였다는 설이 있는가 하면, 은殷나라 때 학교를 '서'라고 하고 주周나라 때 학교를 '상'이라고 한 데서 유래하였다는 설이 있다. 여기서는 결국 소학小學을 가리키는 것으로 보인다.

27) 渾(혼) : 모두, 거의.

28) 茂章(무장) : 다른 문헌의 기록과 문맥상에 비추어 볼 때 '무초茂草'의 오기인 듯하다.

29) 陳瑩中(진영중) : 송나라 사람 진관陳瓘. '영중'은 자. 호는 요옹了翁이고, 시호는 충숙忠肅. 태학박사太學博士・좌사간左司諫 등을 역임하며 간신인 채변蔡卞(1058-1117)과 장돈章惇(1035-1105)을 탄핵하였다. ≪송사・진관전≫권345 참조.

30) 顏子(안자) : 춘추시대 노魯나라 공자의 수제자인 안회顏回에 대한 존칭. 자가 자연子淵이어서 '안연顏淵'으로도 불렸다. 덕행으로 유명하다. ≪사기・중니제자열전仲尼弟子列傳≫권67 참조.

31) 貳過(이과) : 같은 실수를 거듭 저지르다.

32) 責沈文(책심문) : 심沈씨를 책망하는 글. 춘추시대 때 섭공葉公 심제량沈諸梁이 공자를 알아보지 못 했다는 ≪논어・술이述而≫권7의 고사에서 유래한 말로 성현을 알아보지 못 한 것을 자책하는 글을 가리킨다.

33) 監察御史(감찰어사) : 관리들의 비행을 규찰하고 탄핵하는 업무를 관장하는 기관인 어사대御史臺의 속관屬官. 어사대에는 위로 장관인 어사대부御史大夫와 버금 장관인 어사중승御史中丞, 그리고 시어사侍御史・전중시어사殿中侍御史 등의 상관이 있다. 감찰어사는 비록 품계品階는 낮으나 실무를 관장하였기에 관원들이 가장 두려워하는 존재였다고 한다.

34) 裏行(이행) : 당송 때 정식 관원이 아닌 일종의 산관散官으로서 어사이행御史裏行・감찰이행監察裏行・전중이행殿中裏行 등이 있었다. '같은 반열에서 대행하다'라는 뜻에서 유래하였다.

35) 御史(어사) : 탄핵을 전담하는 기관인 어사대御史臺 소속의 벼슬에 대한 총칭. 당나라 때는 어사대를 헌대憲臺・숙정대肅正臺로 부르기도 하였다. 시대마다 다소 차이는 있으나 보통 장관은 어사대부御史大夫, 버금 장관은 어사중승御史中丞이라고 하였으며, 휘하에 시어사侍御史・전중시어사殿中侍御史・감찰어사監察御史・어사승御史丞 등의 속관이 있었다.

十數人, 而以父表弟[36]張載與其弟頤爲首. 張茂則嘗招講官[37]啜茶, 觀畵先生曰, "平生不喫茶, 亦不識畵." 元豐[38]八年卒[39], 年五十四. 文潞公[40]表其墓, 謚曰明道先生. 其表略云, "才周萬物, 而不自以爲高, 學際三才[41], 而不自以爲足, 行貫神明, 而不自以爲異, 識照古今而不自以爲得." 晦菴[42]贊[43]云, "揚休山立[44], 玉色金聲, 元氣之會, 渾然天成."

○정호(1032-1085)는 자가 백순으로 열 살에 시와 부를 지을 줄 알았고 열두세 살에 학교에서 지내며 성인처럼 행동하였기에 동생인 정이(1033-1107)와 함께 경학으로 다른 유학자들을 이끌었다. 앉으면 조각상처럼 보이고 사람과 만나면 온통 온화한 기상이 넘쳐났다. 창문 앞에 무성한 잡초가 섬돌을 덮고 있어 누군가 그것을 베라고 권하자 정호는 "늘상 조화옹의 생명력을 보고 싶습니다"라고 하였다. 또 연못을 만들어 작은 물고기 몇 마리를 키우면서 수시로 이를

---

36) 表弟(표제) : 내외종 사촌동생을 이르는 말.

37) 講官(강관) : 시독侍讀이나 시강侍講·시서侍書·설서說書처럼 경연經筵에서 임금에게 학문을 강의하는 일을 담당하는 벼슬을 가리키는 말.

38) 元豐(원풍) : 북송北宋 신종神宗의 연호(1078-1085).

39) 卒(졸) : 사대부가 죽었을 때 쓰는 말. ≪예기·곡례하曲禮下≫권5에 의하면 천자의 죽음은 '붕崩'이라고 하고, 공경公卿의 죽음은 '홍薨'이라고 하며, 대부大夫의 죽음은 '졸卒'이라고 하고, 사士의 죽음은 '불록不祿'이라고 하며, 평민의 죽음은 '사死'라고 하여 신분에 따라 죽음에 대한 표현에도 차이를 두었다.

40) 文潞公(문노공) : 송나라 때 명재상 문언박文彦博(1006-1097)에 대한 존칭. '노공'은 봉호인 노국공潞國公의 약칭. 저서로 ≪노공문집潞公文集≫ 40권이 전한다. ≪송사·문언박전≫권313 참조.

41) 三才(삼재) : 천지인天地人, 즉 하늘·땅·사람을 아우르는 말. '삼극三極' '삼령三靈' '삼원三元' '삼의三儀' '삼재三材'라고도 한다.

42) 晦菴(회암) : 송나라 때 성리학性理學의 집대성자이자 대문호인 주희朱熹(1130-1200)의 호. 시호는 문공文公. 저서로 ≪회암집晦庵集≫ 112권·≪자치통감강목資治通鑑綱目≫ 59권 등 다수가 전한다. ≪송사·도학열전道學列傳·주희전≫권429 참조.

43) 贊(찬) : 이 글은 <여섯 선생의 초상화에 쓴 찬문(六先生畵像贊)> 가운데 '명도선생明道先生'편을 인용한 것으로 ≪회암집≫권85에 전한다.

44) 揚休山立(양휴산립) : 멋있는 자태를 뽐내고 산처럼 우뚝 서다. ≪예기禮記·옥조玉藻≫권30의 "머리와 목은 반드시 반듯이 하여 산처럼 우뚝 서서 때가 되면 가고, 성한 기운을 모아 봄날 햇살이 만물을 키우듯 옥빛 같은 안색을 띤다(頭頸必中, 山立, 時行, 盛氣顚實, 揚休, 玉色)"는 말에서 유래한 말로 군자의 바른 자세를 비유한다. '양揚'은 '양陽'을 뜻하고, '휴休'는 '양養'을 뜻한다.

관찰하였는데, 누군가 그 이유를 물으면 "만물이 득의해 하는 모습을 관찰하고 싶습니다"라고 하였다. 범조우가 영중瑩中 진관陳瓘과 토론하다가 "(춘추시대 노魯나라) 안자(안회顔回)는 같은 실수를 반복하지 않았지만 오직 백순(정호)만은 그렇게 할 수 있지요"라고 말하자 진관이 물었다. "백순이 누구입니까?" 범조우가 말했다. "정순백을 모르십니까?" 그러자 진관이 말했다. "저는 동남방에서 성장해서 사실 아직 모릅니다." 이에 <성현을 알아보지 못 하는 것을 꾸짖는 글>을 지어 자책하였다. 송나라 신종 때 감찰어사이행을 맡았다. 신종이 어사를 택한 이유를 묻자 정호가 대답하였다. "만약 신이 빠뜨린 부분을 찾아내고 부족한 부분을 보충하여 조정에 도움을 줄 수 있다면 괜찮겠지만, 만약 신이 신하들의 장단점을 모아서 강직하다는 명성을 추구한다면 안 될 것입니다." 그러자 신종이 "진실된 어사로서의 참모습을 갖추었도다!"라고 하였다. 신종이 그에게 인재를 선발하라고 하자 10여 명을 추천하면서 부친의 표제인 장재와 자신의 동생인 정이를 우선시하였다. 장무가 일찍이 강론을 담당하는 관리들을 초빙하여 차를 마시면서 선생의 초상화를 살피더니 말했다. "평소 차를 마시지 않으면 역시 그림을 알아보지 못 하겠구나." (신종) 원풍 8년(1085) 생을 마쳤을 때 나이가 54세였다. 노국공潞國公 문언박文彦博이 그의 묘지명을 쓰면서 시호를 '명도선생'이라고 하였다. 그 내용은 대략 "재주는 만물을 두루 포괄하면서도 스스로 특출나다고 자부하지 않았고, 학문은 천·지·인을 넘나들면서도 스스로 만족스럽다고 생각하지 않았으며, 행동은 신명과 통하면서도 스스로 뛰어나다고 여기지 않았고, 지식은 고금을 두루 비추면서도 스스로 충분하다고 생각하지 않았다"는 것이다. 회암晦菴 주희朱熹는 찬문에서 "군자로서의 바른 자세를 갖추었으면서 점잖은 안색과 우렁찬 목소리를 지녔기에 훌륭한 기상을 자연스레 이루셨다"고 하였다.

◇眞侍講(진정한 시강)

●程頤, 字正叔, 以經學淑人[45]. 呂申公[46]·司馬公[47]同薦之云, "河南處士[48]程頤力學好古，安貧守節，年踰五十，不樂仕進，眞儒者之高尙，聖世之逸民.” 朱光庭言，“頤道德純備，學問淵博，有經天緯地之才，有制禮作樂之具. 以言乎道，則貫徹三才，而無一毫之爲間，以言乎德，則幷包衆美，而無一善之或遺，以言乎學，則博古通今，而無一物之不知，以言乎才，則開物成務[49]，而無一理之不明，乃天民之先覺，聖代之眞儒.” 元豐八年，以通直郎[50]召，授崇政殿說書[51]，入侍經筵. 文潞公聞其講說曰，“眞侍講[52]也!” 紹聖[53]中，孔文仲奏先生爲五鬼[54]之魁，胡宗愈深詆之，范致虛奏先生惑亂衆聽，事下河南府，盡逐學徒，隷元祐黨籍[55]，涪州編管[56]. 徽宗卽位，復宣德郞[57]. 大觀[58]元年卒，年七十五.

---

45) 淑人(숙인) : 훌륭한 사람. '숙淑'은 '양良'의 뜻. 군자와 뜻이 유사하다.

46) 呂申公(여신공) : 송나라 사람 여공저呂公著(1018-1089)에 대한 존칭. '신공'은 그의 봉호인 신국공申國公의 약칭. 시호는 정헌正獻. ≪송사 · 여공저전≫권336 참조.

47) 司馬公(사마공) : 송나라 때 명재상인 사마광司馬光(1019-1086)에 대한 존칭. 자는 군실君實이고, 시호는 문정文正이며, 봉호는 온국공溫國公. 저서로 ≪전가집傳家集≫ 80권, ≪자치통감資治通鑑≫ 294권, ≪속수기문涑水記聞≫ 16권 등이 전한다. ≪송사 · 사마광전≫권336 참조.

48) 處士(처사) : 벼슬하지 않은 선비를 이르는 말.

49) 開物成務(개물성무) : 만물의 이치를 깨달아 일을 잘 성사시키다.

50) 通直郞(통직랑) : 당송 때 29종의 문산관文散官 가운데 서열 17위인 종6품하從六品下에 해당하던 직책인 통직산기시랑通直散騎侍郞의 약칭.

51) 說書(설서) : 제왕帝王에게 경전經典을 강론하는 일을 전담하던 벼슬을 이르는 말.

52) 侍講(시강) : 제왕의 곁에서 경전의 강독을 전담하던 벼슬을 이르는 말.

53) 紹聖(소성) : 북송北宋 철종哲宗의 연호(1094-1097).

54) 五鬼(오귀) : 송나라 때 간신으로 지목당한 왕흠약王欽若(962-1025) · 정위丁謂(966-1037) · 임특林特 · 진팽년陳彭年(961-1017) · 유승규劉承珪 등 다섯 명을 아우르는 말. 모두 재상을 지냈기에 '오귀재상五鬼宰相'이라고도 하였다. ≪송사 · 왕흠약전≫권283 참조.

55) 元祐黨籍(원우당적) : 송나라 휘종徽宗 때 왕안석王安石(1021-1086)을 추종한 채경蔡京(1047-1126) 등이 신법新法을 반대한 사마광司馬光(1019-1086) 등 309명을 원우당인元祐黨人이라고 하여 그 죄상을 적어서 단례문端禮門에 비석을 세운 사건을 가리킨다. '원우'는 북송北宋 철종哲宗의 연호(1086-1093).

56) 編管(편관) : 송나라 때 유배형의 하나. 죄가 가벼운 사람은 일정한 장소에 거주시키고, 죄가 조금 무거운 사람은 먼 지방에 구금시켰는데 이를 '안치安置'라고 하였으며, 죄가 매우 무거운 사람은 아주 먼 지방의 호적에 편입시켜

號伊川先生. 晦翁贊[59]云, “規圓矩方, 繩直準平[60], 允矣君子, 展也大成. 布帛之文, 菽粟[61]之味, 知德者希, 孰識其貴?” 紹興初, 官其一孫, 名易.

○정이(1033-1107)는 자가 정숙이고 경학으로 군자의 반열에 올랐다. 신국공申國公 여공저呂公著와 사마광司馬光이 함께 그를 추천하며 “(하남성) 하남부의 처사 정이는 학문에 정진하여 옛 것을 좋아하고 안빈낙도하며 절조를 지키면서도 나이 50세가 넘도록 벼슬에 오르는 것을 달가워하지 않고 있으니, 진정 유학자 가운데 고상한 인물이자 태평성대의 은자이옵니다”라고 아뢰었다. 또 주광정은 “정이는 도덕을 순수하게 갖추고 있고 학문이 해박하여 천하를 경영할 재능이 있고 예악을 정비할 실력을 지니고 있다. 도리를 가지고 말한다면 천·지·인을 꿰뚫어보면서 추호의 틈도 없고, 덕행을 가지고 말한다면 모든 미덕을 두루 갖추었으면서 한 가지 선행도 빠뜨리지 않았으며, 학문을 가지고 말한다면 고금을 통틀어 해박하면서 한 가지 사물도 모르는 것이 없고, 재능을 가지고 말한다면 만물의 이치를 깨달아 일을 잘 성사시키면서 한 가지 이치도 모르는 것이 없으니 어디까지나 백성 가운데 선각자요 태평성대의 진정한 유생이다”라고 하였다. (신종) 원풍 8년(1085)에 통직랑의 신분으로 부름을 받아 숭정전설서를 배수받아서 입궐하여 경연에서 황제를 모셨다. 노국공潞國公 문언박文彦博은 그의 강론을 듣고서 “진정한 시강이로다!”라고 하였다. (철종) 소성(1094-1097) 연간에 공문중이 정이가 다섯

지방관의 통제를 받게 하였는데 이를 ‘편관編管’이라고 하였다.

57) 宣德郎(선덕랑) : 당송 때 품계品階가 정7품하正七品下인 비교적 낮은 직급의 문산관文散官 이름.

58) 大觀(대관) : 북송北宋 휘종徽宗의 연호(1107-1110).

59) 贊(찬) : 이 글은 <여섯 선생의 초상화에 쓴 찬문(六先生畵像贊)> 가운데 ‘이천선생伊川先生’편을 인용한 것으로 ≪회암집≫권85에 전한다.

60) 繩直準平(승직준평) : 먹줄(繩)로 직선을 긋고 수평자(準)로 수평을 측정하다. 앞의 ‘걸음쇠(規)로 원을 그리고 곱자(矩)로 사각형을 그린다’는 말과 마찬가지로 법도를 잘 지켜 타인의 모범이 되는 사람을 비유한다.

61) 菽粟(숙속) : 콩과 조. 일상용품을 뜻하는 말로 앞의 ‘포백布帛’과 함께 매우 흔하지만 유익한 것을 비유한다.

간신의 수괴라고 상주하고, 호종유가 그를 강하게 비난하고, 범치허가 그가 사람들의 귀를 어지럽힌다고 상주하는 바람에 사건이 (하남성) 하남부로 하달되어 제자들을 모두 축출하고 원우당적에 소속시킨 뒤 (사천성) 부주에 유배보냈다. 휘종이 즉위하면서 선덕랑으로 복귀하였다. (휘종) 대관 원년(1107) 생을 마쳤을 때 나이가 75세이다. 호는 이천선생이다. 회옹晦翁 주희朱熹는 찬문에서 "법도를 잘 지켜 타인의 모범이 되었으니 진실로 군자로서 큰 성취를 이루셨다. 베와 비단의 무늬나 콩과 조의 맛처럼 평범하면서도 많은 사람에게 보탬이 되었으나 덕을 아는 사람이 드무니 뉘라서 그분의 고귀함을 알아보리오?"라고 하였다. (고종) 소흥(1131-1162) 초에는 성명이 정이程易인 손자 한 명에게 관직을 하사하였다.

◇掌文柄(과거시험을 관장하는 권한을 손에 쥐다)

●程大昌, 字泰之, 乾道[62]中, 爲司業[63]兼禮侍[64], 一時文柄[65]屬公, 成就人才甚多. 著禹貢[66]論五十二篇, 辨江·淮·河·漢·弱水[67]·黑水[68]甚詳. 著演繁露[69]六卷·易老[70]通言·易原·莊錄四書略十卷, 頗

62) 乾道(건도) : 남송南宋 효종孝宗의 연호(1165-1173).
63) 司業(사업) : 국가 최고 교육 기관인 국자감國子監의 업무을 총괄하는 국자제주國子祭酒 다음 가는 버금 장관인 국자사업國子司業의 약칭.
64) 禮侍(예시) : 상서성尙書省 소속 육부六部 가운데 국가의 제례祭禮와 고시考試를 관장하는 예부의 버금 장관인 예부시랑禮部侍郎의 약칭. 장관은 '상서尙書'라고 하고, 차관을 '시랑'이라고 하며, 휘하에 낭중郎中과 원외랑員外郎을 거느렸다.
65) 文柄(문병) : 관리를 선발하거나 문단을 주재하는 권한을 이르는 말. 여기서는 전자를 가리킨다.
66) 禹貢(우공) : 하夏나라 우왕禹王의 행적을 적은 ≪서경·하서夏書≫권5의 편명篇名.
67) 弱水(약수) : 전설상의 강 이름. 물의 힘이 약하여 배를 띄울 수 없어서 건널 수가 없다고 전한다.
68) 黑水(흑수) : 강 이름. 위치에 대해서는 제가의 설이 분분한데 전설상의 강으로 보는 설도 있다.
69) 演繁露(연번로) : 송나라 정대창程大昌(1123-1195)의 저서. ≪속연번로續演繁露≫ 6권 포함 총 22권. 전한 동중서董仲舒(B.C.179-B.C.104)의 ≪춘추번로春秋繁露≫의 오류를 바로잡고 부연 설명하려고 하였으나 위서僞書를 바탕

有功於學者.

○(송나라) 정대창(1123-1195)은 자가 태지로 (효종) 건도(1165-1173) 연간에 국자사업 겸 예부시랑을 맡아 한때 과거시험을 관장하는 권한이 공에게 넘어감으로써 무척 많은 인재를 발굴하였다. ≪우공론≫ 52편을 지어 장강・회수・황하・한수・약수・흑수를 매우 상세하게 변별하였다. 또 ≪연번로≫ 6권과 ≪역로통언≫ ≪역원≫ ≪장록≫ 등 네 책을 대략 10권 가량 저술하여 학생들에게 자못 많은 도움을 주었다.

◇守庚申(경신일 밤을 정좌한 채 지새다)

●程紫霄, 有道之士也. 有朝士夜會終南太一[71]觀, 拉師, 同守庚申[72], 師作詩云, "不守庚申亦不疑, 此心只與道相依. 玉皇[73]已自知行止, 任汝三彭[74]說是非."

○(당나라 때 사람) 정자소는 도를 닦은 도사이다. 조정의 관료들이 밤에 (섬서성) 종남산의 태일관에 모여 그의 소매를 당기며 함께 경신일 밤을 정좌한 채 지새자고 하였다. 그러자 정자소가 시를 지어 "경신일에 정좌한 채 밤을 지새지 않아도 의심할 것 없나니, 이 마음은 단지 도와 서로 의지한다오. 옥황상제께서 이미 행동거지를 몸소 알고 계시니, 그대 몸 안의 세 팽씨(독충)가 잘잘못을 마음대로

으로 하였기에 오류가 많다. 그러나 변증이 상세하여 채택할 만한 것이 있다는 평을 받았다. ≪연번로≫는 항목을 분류하지 않았으나, ≪속연번로≫는 '제도制度' '문류文類' '시장詩章' '담조談助'의 네 부문으로 분류하였다. ≪사고전서간명목록・자부・잡가류雜家類≫권13 참조.

70) 易老(역로) : ≪역경≫과 ≪노자≫를 아우르는 말.

71) 太一(태일) : 우주 만물의 근원이자 이를 관장하는 신을 뜻하는 말. '태일泰一'로도 쓰고, '태을太乙'이라고도 한다. 여기서는 도관道觀 이름을 가리킨다.

72) 守庚申(수경신) : 사람 몸 안에 사는 독충인 삼시三尸가 경신일庚申日에 천제天帝에게 죄를 고한다는 미신 때문에 이를 피하기 위해 경신일 밤에 정좌靜坐한 채 잠을 자지 않고 지새는 풍습을 이르는 말.

73) 玉皇(옥황) : 도교에서 말하는 최고의 신인 옥황상제玉皇上帝의 준말.

74) 三彭(삼팽) : 사람 몸 안에 산다는 독충인 팽질彭質・팽교彭矯・팽거彭居를 아우르는 말. 신선술을 익히는 사람은 먼저 이 세 독충을 제거한다는 속설이 전한다.

떠들게 내버려두시게"라고 하였다.

●程邈, 秦時人, 改篆爲隸. 今楷字是.
○정요는 진나라 때 사람으로 전서체를 예서체로 바꿨다. 지금의 해서체가 그것이다.

●程林, 烏巾[75], 秦時人. 以釀美酒得名.
○정임은 검은 두건을 즐겨 쓰던 도사로 진나라 때 사람이다. 맛좋은 술을 잘 빚어 명성을 떨쳤다.

●程普仕吳, 與周瑜爲左右督[76]. 時人呼爲程公江表[77]虎臣[78].
○정보(?-215)는 (삼국) 오나라에서 벼슬길에 올라 주유와 함께 좌·우도독을 맡았다. 당시 사람들은 정보를 '강표호신'으로 불렀다.

●程攸[79], 梅州人, 結廬江濱. 人服其行義, 名其江曰程江.
○(남조南朝 남제南齊) 정백은 (광동성) 매주 사람으로 강가에 집을 지었다. 사람들은 그의 의로운 행동에 감복하여 그곳의 강을 '정강'이라고 이름 지었다.

●程靈洗少以勇聞, 仕陳, 爲豫州刺史, 號雲飛將軍.
○정영세는 어려서부터 용맹성으로 이름을 떨치더니 (남조南朝) 진나라에서 벼슬길에 올라 (하남성) 예주자사를 맡으면서 '운비장군'으로

75) 烏巾(오건) : 은자가 주로 쓰던 검은 두건. 오각건烏角巾이라고도 한다. 결국 은자나 도사를 상징한다.
76) 督(독) : 군사軍事 업무를 총괄하는 장관인 도독都督의 준말.
77) 江表(강표) : 장강의 밖. 즉 강남江南의 별칭. 여기서는 결국 삼국 오吳나라를 가리킨다.
78) 虎臣(호신) : 용맹한 장수를 비유하는 말. 혹은 군주를 측근에서 호위하는 무관을 가리킬 때도 있다.
79) 程攸(정백) : 명나라 이현李賢의 ≪명일통지明一統志≫권80에 의하면 남조南朝 남제南齊 때 사람이란 설도 있고 수나라 때 사람이란 설도 있는데, 여기서는 전자를 따른다.

불렸다.

●程文季, 靈洗之子, 勇決有父風. 北齊憚之, 號爲程彪.

○(남조南朝 진陳나라) 정문계는 정영세程靈洗의 아들로 용맹성에서 부친의 기풍을 물려받았다. (북조北朝) 북제가 그를 두려워하여 '정표'로 불렀다.

●程元師事王通[80], 北面[81]受王佐之道, 備閑[82]六經[83]之義.

○(수나라) 정원은 왕통(584-618)을 스승으로 섬겨 제자의 신분으로 왕을 보좌하는 도리를 전수받고 경전의 의미를 두루 섭렵하였다.

●程知節, 唐貞觀[84]中, 封盧國公, 圖形凌煙閣[85].

○정지절(?-655)은 당나라 (태종) 정관(627-649) 연간에 노국공에 봉해지고 (공신의 신분으로) 능연각에 초상화가 걸렸다.

●程琳, 字天球, 前後守魏十年, 宋元祐[86]中, 拜相. 諡文簡.

○정임(988-1056)은 자가 천구로서 전후로 10년 동안이나 (하북성) 위주자사를 지내다가 송나라 (철종) 원우(1086-1093) 연간에 재상을 배수받았다. 시호는 '문간'이다.

---

80) 王通(왕통) : 수隋나라 때 대유大儒(584-618). 사시私諡인 문중자文中子로 널리 알려졌다. 그의 언행을 기록한 책인 ≪중설中說≫(≪문중자중설文中子中說≫) 10권이 사고전서에 전한다.

81) 北面(북면) : 북쪽을 향하다. 매우 공경하는 것을 비유하는 말. 천자나 스승은 남향으로 앉고 신하나 제자는 북향으로 시립하기에 신하나 제자 노릇하는 것을 비유한다.

82) 備閑(비한) : 두루 익히다, 두루 섭렵하다. '한閑'은 '익힐 한嫻'과 통용자.

83) 六經(육경) : 유가儒家의 대표적인 경서經書인 ≪시경≫ ≪서경≫ ≪역경≫ ≪춘추≫ ≪예기≫ ≪악기≫를 아우르는 말. 결국 경전을 가리킨다.

84) 貞觀(정관) : 당唐 태종太宗의 연호(627-649).

85) 凌煙閣(능연각) : 공신을 표창하기 위해 지은 누각 이름. 당나라 태종太宗이 정관貞觀 17년(643)에 공신 24명의 초상화를 그려넣은 것으로 유명하다.

86) 元祐(원우) : 북송北宋 철종哲宗의 연호(1086-1093).

●程珦仕宋, 爲中散大夫[87]. 與潞公同甲會.(見文姓) 子顥・頤.

○정향(1006-1090)은 송나라에서 벼슬길에 올라 중산대부를 지냈다. 노국공潞國公 문언박文彦博과 동갑 모임을 가졌다.(상세한 내용은 앞의 '문'씨절 '기영회耆英會'항에 보인다) 아들은 정호程顥와 정이程頤이다.

●程瑀仕宋, 爲給事中[88], 居瑣闥[89], 以平奏自任. 上[90]特賜象笏.

○정우는 송나라에서 벼슬길에 올라 급사중을 맡아 문하성에 기거하며 공평한 상주문을 올리는 것에 자부심을 가졌다. 그래서 고종高宗이 특별히 상아로 만든 홀을 하사하였다.

※女德婚姻(여덕과 혼인)

◇烈婦(열녀)

●程氏事衡方厚. 爲董昌齡[91]所殺, 程氏步行詣闕, 自刎爲夫陳寃. 文宗詔封武昌縣君.

○(당나라 때 여인) 정씨는 형방후를 남편으로 섬겼다. 남편이 동창령에게 살해당하자 정씨는 걸어서 대궐로 찾아가 자결함으로써 남편을 위해 억울함을 호소하였다. 그래서 문종이 조서를 내려 그녀를 무창현군에 봉하였다.

---

87) 中散大夫(중산대부) : 전한 왕망王莽(B.C.45-A.D.23) 때 처음 설치된 벼슬로 황제의 자문 역할을 담당하였는데, 당송唐宋 때는 정5품상正五品上에 해당하는 문산관文散官이 되었다.

88) 給事中(급사중) : 황제의 자문과 정사의 논의에 참여하던 벼슬로, 진한秦漢 이래 열후列侯나 장군將軍의 가관加官이었다가, 진晉나라 이후로 정관正官이 되었다. 수당隋唐 이후로는 문하성門下省의 장관인 시중侍中과 버금장관인 문하시랑門下侍郎 다음 가는 요직으로 정령政令에 대한 논의와 시정時政을 담당하였다.

89) 瑣闥(쇄달) : 고리나 사슬의 무늬를 아로새긴 문하성門下省의 청쇄문靑瑣門을 가리키는 말로 문하성이나 조정을 비유한다.

90) 上(상) : ≪송사・정우전≫권381에 의하면 고종高宗을 가리킨다.

91) 董昌齡(동창령) : 당나라 때 사람. 오원제吳元濟(783-817)의 반란 때 반군에 가담했다가 조정에 귀순하여 감찰어사監察御使를 배수받았다. ≪신당서・동창령모양씨전董昌齡母楊氏傳≫권205 참조.

◇擇婦(며느리를 고르다)

●伊川遺訓[92]云, "世人多謹於擇婿, 而忽於擇婦. 其實婿易見, 而婦難知. 所係甚重, 豈可忽哉?"

○(송나라) 이천선생伊川先生 정이程頤(1033-1107)가 남긴 가르침에 "세상 사람들은 대부분 사위를 고르는 데는 신중을 기하면서 며느리를 고르는 것은 소홀히 여긴다. 기실 사위는 알기 쉬어도 며느리는 알기 어려운 법이지만, 관계가 심히 막중하니 어찌 소홀히 여길 수 있겠는가?"라는 말이 있다.

◇姑舅婚(고모와 외숙부 사이에 사돈을 맺다)

●程仁霸女適蘇老泉[93], 老泉女適仁霸孫之才.(見蘇姓) 程之邵[94]・程懿叔・程德儒, 皆東坡[95]表弟也. 坡送程六表弟云[96], "君家兄弟眞連璧[97], 門十朱輪[98]家萬石[99]." 賀[100]德孺生日, "長身自昔傳甥舅, 壽骨遙知是

---

92) 伊川遺訓(이천유훈) : 이는 송나라 주희朱熹(1130-1200)가 엮은 ≪이정유서二程遺書≫권1에 전한다.

93) 蘇老泉(소노천) : 송나라 사람 소순蘇洵(1009-1066). '노천'은 호. 자는 명윤明允. 과거시험에 누차 낙방하였으나 문장으로 구양수歐陽修(1007-1072)에게 인정을 받아 교서랑校書郎에 임명되었다. 당송팔대가唐宋八大家의 일인이고, 아들 소식蘇軾(1036-1101)・소철蘇轍(1039-1112)과 함께 '삼소三蘇'로도 불렸다. 저서로 ≪가우집嘉祐集≫ 16권이 전한다. ≪송사・소순전≫권443 참조. 한편으로는 '노천'을 소순의 아들인 소식蘇軾(1036-1101)의 자호自號로 보는 설도 있다.

94) 程之邵(정지소) : 송나라 때 사람(?-1105). 정인패程仁霸의 증손자이자 소식蘇軾과 동향인 사천성 미주眉州 미산현眉山縣 사람으로 소식의 표제表弟이다. 자가 의숙懿叔이므로 뒤의 '정의숙程懿叔'은 착각에 의한 연자衍字인 듯하다. ≪송사・정지소전≫권353 참조.

95) 東坡(동파) : 송나라 때 대문호인 소식蘇軾(1036-1101)의 호. 호북성 황주黃州로 폄적당했을 때 동파에 거주한 데서 비롯되었다. 저서로 ≪동파전집東坡全集≫ 115권이 전한다. ≪송사・소식전≫권338 참조.

96) 云(운) : 이는 칠언배율七言排律 <이전 시에 차운하여 표제 정지소程之邵를 전송하다(次前韻送程六表弟)> 가운데 제1연을 인용한 것으로 ≪동파전집≫권17에 전한다. 시제詩題에서 '육六'은 형제간의 항렬을 가리킨다.

97) 連璧(연벽) : 나란히 늘어 놓은 아름다운 옥을 이르는 말로 한 쌍의 아름다운 사람이나 사물을 비유하는 말. '쌍벽'과 뜻이 유사하다.

98) 朱輪(주륜) : 붉은 색을 칠한 수레바퀴. 신분이 높은 고관을 상징한다. '십주륜十朱輪'은 고관이 타는 수레 다섯 대를 가리키므로 결국 만석군萬石君을 나

弟兄."

○(송나라) 정인패의 딸은 노천老泉 소순蘇洵(1009-1066)에게 시집갔고, 소순의 딸은 정인패의 손자인 정지재程之才에게 시집갔다.(상세한 내용은 앞의 '소'씨절 '독범방전讀范滂傳'항에 보인다) 정지소와 정덕유 모두 동파東坡 소식蘇軾의 표제이다. 그래서 소식은 <표제인 정지소를 전송하는 시>에서 "그대 집안의 형제는 진정 쌍벽을 이루더니, 집안에 고관의 수레바퀴가 열 개라서 가문이 만석군일세"라고 하였고, <덕유의 생일을 축하하는 시>에서 "신장에 차이가 나 예전부터 생질과 외숙부 사이라고 전해졌지만, 장수할 골격이라서 멀리서 보아도 형제지간임을 알겠네"라고 하였다.

◇富婚(부잣집과 결혼하다)

●程楚賓家富于財, 重鄉人呂諲之才, 以女妻之. 諲早孤貧, 不能自振[101], 楚賓厚分資贍, 濟其所欲. 故其名譽日廣.

○(당나라) 정초빈은 집에 재산이 넉넉하였는데, 동향 사람인 여인(712-762)의 재능을 높이 사 딸을 그에게 시집보냈다. 여인이 일찌감치 부모를 여의고 가난하여 스스로 혼수품을 장만하지 못 하자 정초빈은 재산을 후하게 분배하여 그가 필요로 하는 물품을 마련해 주었다. 그래서 그의 명성이 날로 널리 퍼졌다.

●明道娶彭思永女.(見彭姓)

○(송나라) 명도선생明道先生 정호程顥(1032-1085)는 팽사영의 딸에

타낸다.

99) 萬石(만석) : 부자가 모두 봉록이 2천석인 고관에 올라 부자지간의 봉록이 도합 만 석에 달하는 것을 이르는 말. 전한 때 사람인 석분石奮이 네 아들과 함께 2천석의 고관에 올라 '만석군萬石君'으로 불렸다는 ≪사기·석분전≫권103과 ≪한서·석분전≫권46의 고사에서 유래하였다.

100) 賀(하) : 이는 칠언율시七言律詩 <표제 정덕유의 생일에 읊은 시(表弟程德孺生日)> 가운데 함련頷聯을 인용한 것으로 ≪동파전집≫권21에 전한다.

101) 自振(자진) : 스스로 떨쳐 일어나다. 스스로 필요한 물품을 장만하는 것을 말한다.

게 장가들었다.(상세한 내용은 뒤의 '팽'씨절에 보인다)

●明道之女適朱純之.
○(송나라) 명도선생明道先生 정호程顥(1032-1085)의 딸은 주순지에게 시집갔다.

●陶靖節[102]之妹適程氏.
○(진晉나라) 정절靖節 도연명陶淵明(365-427)의 여동생은 정씨 가문에 시집갔다.

●程文矩妻李淸[103]之女兄[104]穆姜.
○(후한 사람) 정문구는 이법李法의 누나인 이목강李穆姜에게 장가들었다.

●鵬程[105]. 烏程. 周程[106].
○(전설상의 새인) 붕새의 여정. (절강성의 속현屬縣인) 오정현. (송나라 때 대유大儒인) 주돈이周敦頤(1017-1073)와 정이程頤(1033-1107).

---

102) 靖節(정절) : 진晉나라 때 전원시인田園詩人 도연명陶淵明(365-427)의 호. 저서로 ≪도연명집≫ 8권이 전한다. ≪송서宋書·은일열전隱逸列傳·도잠전陶潛傳≫권93에 의하면 도연명은 본명이 '잠潛'이고 '연명淵明'이 자라는 설도 있고, 본명이 '연명'이고 '원량元亮'이 자라는 설도 있는데, 본명이 '연명'이고 '잠'은 은거한 뒤에 개명한 이름인 듯하다.

103) 李淸(이청) : 위의 예문과 유사한 내용이 ≪후한서·열녀전·이목강전李穆姜傳≫권114에 전하는데, 원문에 의하면 '이법李法'의 오기이다. 또한 앞의 '정문구程文矩'는 '진문구陳文矩'로 표기한 판본도 있는데 어느 것이 맞는지 불분명하기에 위의 예문을 따른다.

104) 女兄(여형) : 손윗누이를 이르는 말.

105) 鵬程(붕정) : 전설상의 새인 붕새의 여정. 전도양양함을 비유한다.

106) 周程(주정) : 송나라 때 대유大儒인 주돈이周敦頤(1017-1073)와 정이程頤(1033-1107)를 아우르는 말.

◆彭(팽씨)

▶商音. 隴西. 顓帝[107]孫陸終第三子曰大彭, 卽彭祖也. 堯封之彭城, 以國爲姓. 孔子竊比老彭[108], 註[109]云, "殷之賢大夫[110]."

▷음은 상음에 속하고 본관은 (감숙성) 농서군이다. (전설상의 임금인) 전욱顓頊 황제의 손자인 육종의 3남을 '대팽'이라고 하는데 바로 팽조이다. (당나라) 요왕이 그를 (강소성) 팽성에 봉하여 나라 이름을 성씨로 삼은 것이다. (춘추시대 노魯나라) 공자는 몰래 자신을 노팽(팽조)에게 견준 적이 있는데, (≪논어·술이述而≫권7의 삼국 위魏나라 하안何晏) 주에서는 "은(상商)나라 때 어진 대부이다"라고 하였다.

◇導引術(도인술)

●彭祖歷虞夏至商, 壽八百歲. 故號曰彭祖. 有導引術[111], 有疾則閉氣, 以攻所患, 運行體中, 達趾末, 卽體和矣. 嘗云, "服藥百裹[112], 不如獨臥." 本姓籛, 名鏗, 可借用.

○팽조는 우나라와 하나라를 거쳐 상나라에 이르기까지 8백 살이나 장수하였다. 그래서 '팽조'로 불린다. 도인술을 갖추었기에 병이 나면 숨을 참아서 병환을 공략하였는데, 몸속에서 기운을 운행하여 발끝까지 도달하면 몸이 부드러워졌다. 일찍이 "약을 수백 봉지 복용

---

107) 顓帝(전제) : 전설상의 임금인 오제五帝 가운데 두 번째 황제인 전욱顓頊의 별칭. 씨氏는 '고양高陽'이고, 성姓은 '희姬'이며, 황제黃帝의 증손자이다. ≪제왕세기·오제≫권2 참조.

108) 老彭(노팽) : 전설상의 인물인 팽조彭祖의 별칭. 성은 '전籛'이고, 이름은 '갱鏗'인데, 팽성彭城에 봉해진 조상이란 의미에서 '팽조'라는 별칭을 얻었다. 그에 관한 전기는 전한 유향劉向(약B.C.77-B.C.6)의 ≪열선전列仙傳≫권상과 진晉나라 갈홍葛洪(284-363)의 ≪신선전神仙傳≫권1에 전한다.

109) 註(주) : 이는 ≪논어·술이述而≫권7의 삼국 위魏나라 하안何晏 주를 가리킨다.

110) 大夫(대부) : 주周나라 때 신분 구분인 공公·경卿·대부大夫·사士의 하나. 삼공三公과 구경九卿 아래로 상대부上大夫·중대부中大夫·하대부下大夫가 있고, 그 밑으로 다시 상사上士와 중사中士·하사下士가 있었다. 후대에는 벼슬아치에 대한 범칭汎稱으로 쓰기도 하였다.

111) 導引術(도인술) : 신체 수련이나 호흡 조절 등을 통해 행하는 양생술養生術의 일종.

112) 裹(과) : 물건을 담은 주머니나 봉지를 세는 양사.

하느니 차라리 홀로 조용히 누워 있는 것이 낫다"고 말한 적이 있다. 본래 성이 '전籛'씨이고 이름이 '갱鏗'이기에 이를 차용해도 무방하다.

◇仙曲(신선의 악곡)

●彭令昭, 歌師也. 秦始皇時, 武夷君113)會鄕人于幔亭峯, 令昭歌人間可哀. 曲歌罷, 綵雲四合, 環珮鏘然114), 凌空而去.

○팽영소는 음악을 관장하는 악사이다. 진나라 시황제 때 무이군이 고을 사람들을 만정봉에 모으자 팽영서가 인간세상의 슬퍼할 만한 일을 노래로 불렀다. 노래가 끝나자 오색 구름이 사방에서 모이더니 패옥으로 낭랑한 소리를 내며 허공으로 올라 사라졌다.

◇張彭之學(장우張禹와 팽선彭宣의 학파)

●彭宣師事張禹, 治易, 禹受易於施讎. 由是施家有張彭之學. 禹薦宣明經115), 有威重可任政事, 入爲右扶風116). 哀帝朝, 拜大司空117), 封長平118)侯.

○(전한) 팽선(?-B.C.3)은 장우(?-B.C.5)를 스승으로 받들어 ≪역경≫

---

113) 武夷君(무이군) : 도서道書에서 '제16동천洞天'이라고 부르는 복건성 무이산을 관장하는 전설상의 신선 이름.

114) 鏘然(장연) : 소리가 낭랑한 모양.

115) 明經(명경) : 한나라 때 경서經書에 밝은 사람에게 책문策問에 답하게 해서 인재를 뽑던 과거시험의 하나. 수隋나라 때 경전을 대상으로 하는 명경과와 문재文才를 시험하는 진사과로 나뉘었고, 당송唐宋 때까지 이어지다가 송나라 때 진사시험으로 통일되면서 폐지되었다.

116) 右扶風(우부풍) : 한나라 때 '삼보三輔', 즉 섬서성 장안 동쪽을 관장하는 경조윤京兆尹과 장릉長陵 이북을 관장하는 좌빙익左馮翊, 위성渭城 서쪽을 관장하는 우부풍右扶風 가운데 하나.

117) 大司空(대사공) : 벼슬 이름. 소호少昊 때 처음 설치되었는데, 주周나라 때는 동관冬官으로서 치수와 토목공사를 관장하였고, 전한 때는 어사대부御史大夫의 별칭이었으며, 뒤에는 대사마大司馬(태위太尉)·대사도大司徒와 함께 삼공三公의 하나였다. 명청 때는 공부상서工部尙書의 별칭으로도 쓰였다.

118) 長平(장평) : 산서성 고평현高平縣 북서쪽에 있었던 성 이름. 전국시대 때 진秦나라 장수 백기白起가 조趙나라의 조괄趙括(?-B.C.260)를 대패시키고 적군 40만을 묻었던 곳으로 유명하다.

을 전수받았고, 장우는 시수에게서 ≪역경≫을 전수받았다. 그래서 시씨 가문에는 장우와 팽선의 학파가 생겨났다. 장우는 팽선을 명경과에 천거하였는데, 정사를 맡을 만한 위엄을 갖추었기에 입궐하여 우부풍에 임명되었다. 애제 때 대사공을 배수받고 장평후에 봉해졌다.

◇書學(≪서경≫에 관한 학문)

●彭閎治歐陽書[119]. 漢光拜桓榮爲博士, 榮曰, "臣不如同門生彭閎." 因拜爲議郎[120].

○팽굉은 (전한) 구양생歐陽生의 ≪서경≫에 정통하였다. 후한 광무제가 환영을 박사에 배수하자 환영이 "신은 동문인 팽굉만 못 하옵니다"라고 아뢴 덕에 팽굉은 의랑을 배수받았다.

◇童子義士(어린 나이에 의로운 선비의 풍모를 보이다)

●彭修, 字子陽, 漢永平[121]間人. 年十五, 父爲郡吏, 得休, 與修同歸, 道爲盜所劫. 脩拔刀, 前持盜曰, "父辱, 子死." 盜曰, "此童子義士也!" 辭謝而去. 後仕郡, 爲功曹[122].

○팽수는 자가 자양으로 후한 (명제) 영평(58-75) 때 사람이다. 나이 열다섯 살이 되었을 때 부친이 군의 관리를 맡다가 휴가를 얻어 팽수와 함께 귀가하게 되었는데, 도중에 강도에게 위협을 받았다. 그러자 팽수가 칼을 뽑아들더니 앞으로 나가 도둑을 잡고는 말했다. "부친이 모욕을 당하면 자식은 죽음을 불사하는 법이오." 그러자 도둑이 "이 아이는 의로운 선비로다!"라고 말하고는 사죄하고 사라졌다. 뒤에 군에서 벼슬길에 올라 공조참군을 지냈다.

---

119) 歐陽書(구양서) : 전한 때 박사博士를 지내고 자가 화백和伯인 구양생歐陽生이 정립한 ≪서경≫을 이르는 말.

120) 議郎(의랑) : 한나라 때 광록훈光祿勳 소속의 낭관郎官으로 자문에 응하고 인재를 초빙하는 업무를 맡아 보던 벼슬 이름.

121) 永平(영평) : 후한後漢 명제明帝의 연호(58-75).

122) 功曹(공조) : 군郡에서 서사書史를 관장하는 속관屬官인 공조참군功曹參軍의 약칭.

◇白日上昇(대낮에 승천하다)

●彭抗, 字武陽, 累遷尙書左丞, 以疾辭歸, 師事旌陽[123], 學修仙道, 日益精進. 宋永初[124]二年二月十六日, 擧家白日昇天. 趙宋[125]政和[126]中, 封潛惠眞人[127].

○팽항은 자가 무양으로 여러 관직을 거쳐 상서좌승으로 승진하였으나 병을 핑계로 사직하고 귀향하여 (호북성) 정양현령旌陽縣令을 지낸 허손許遜을 스승으로 모시며 신선술을 익히더니 날로 더욱 정진하였다. (남조南朝) 유송劉宋 (무제) 영초 2년(421) 2월 16일에는 온가족을 거느리고 대낮에 승천하였다. 송나라 (휘종) 정화(1111-1117) 연간에 잠혜진인에 봉해졌다.

◇恬退士(명예와 이익에 무관심한 선비)

●彭乘, 字利建, 擧進士, 與同年生[128]登相國寺[129]閣, 顧望鄕關曰, “親老矣, 安可捨晨昏[130]之奉, 以圖一身之榮乎?” 乃奏乞歸[131]侍養. 後中

---

123) 旌陽(정양) : 진晉나라 때 호북성 정양현령旌陽縣令을 지낸 도사 허손許遜의 별칭. 자는 경지敬之. ‘허군許君’ ‘허진군許眞君’으로도 불렸다. 오맹吳孟의 제자로 효렴과孝廉科에 천거되었다가 왕실의 혼란을 예견하여 은거하였는데 가솔들을 거느리고 승천하였다고 한다. 송나라 이방李昉(925-996)의 ≪태평광기太平廣記·신선14·허진군≫권14 참조.

124) 永初(영초) : 유송劉宋 무제武帝의 연호(420-422).

125) 趙宋(조송) : 조광윤趙匡胤(927-976)이 세운 송나라를 가리키는 말. 남조南朝 때 무제武帝 유유劉裕가 세운 송나라(유송劉宋)와 구분하기 위해 성씨를 앞에 붙인 것이다.

126) 政和(정화) : 북송北宋 휘종徽宗의 연호(1111-1117).

127) 眞人(진인) : 득도한 도사나 신선에 대한 별칭. 남자 도사는 ‘진인’이라고 하고, 여자 도사는 ‘원군元君’이라고 한다.

128) 同年生(동년생) : 합격동기생을 뜻하는 말. ‘같은 해에 합격했다’는 의미에서 유래하였다.

129) 相國寺(상국사) : 북조北朝 북제北齊 때 하남성 낙양에 세운 대건국사大建國寺를 당나라 때 고친 이름.

130) 晨昏(신혼) : ‘새벽에는 잘 주무셨는지 살피고 저녁에는 잠자리를 정리해 드린다’는 뜻의 ‘혼정신성昏定晨省’의 준말로 부모님께 효도하는 것을 뜻한다. ‘정성定省’이라고도 한다.

131) 乞歸(걸귀) : ‘귀향을 간청한다’는 의미에서 유래한 말로 황제에게 사직을 요청할 때 쓰는 겸사謙辭이다. 유사한 의미로 ‘걸병乞病’ ‘걸사乞祠’ ‘걸신乞身’

書[132]擬人, 乘在選中, 上曰, "此恬退[133]士也." 仁宗朝, 爲翰林學士[134].

○팽승(985-1049)은 자가 이건으로 진사시험에 급제하여 합격동기생과 함께 (하남성 낙양) 상국사의 전각에 올랐다가 고개를 돌려 고향의 관문을 바라보며 말했다. "부모님이 연로하시니 어찌 효심을 다해 모시는 일을 내팽개친 채 일신상의 부귀영화를 도모할 수 있으리오?" 이에 사직을 하고 고향에 돌아가 부모님을 모시겠다고 상주하였다. 뒤에 중서성에서 인선을 시행할 때 팽승이 명단에 들어 있자 임금이 말했다. "이 사람은 명예와 이익에 무관심한 선비라오." 인종 때 한림학사를 지냈다.

◇不拾遺金(남이 잃어버린 금비녀를 주워갖지 않다)

●彭思永, 字季長, 登天聖[135]五年第, 八九歲. 時晨就學舍, 得金釵於門外, 訪失主, 還之. 仁宗朝, 爲御史, 抗疏, 極論張堯佐·任守忠之憑恃寵倖, 上怒, 解公言職[136]. 公居顯仕, 奉養不改. 其素氣宇高爽, 未嘗有怠慢之色·戲侮之言. 以戶侍[137]致仕, 年七十一.

○(송나라) 팽사영은 자가 계장으로 (인종) 천성 5년(1027)에 실시한 과거시험에서 급제했을 때 나이가 고작 여덟아홉 살이었다. 때마침

'걸양乞養' '걸퇴乞退' '걸해골乞骸骨' '걸휴乞休' 등 다양한 표현이 있다.

132) 中書(중서) : 위진魏晉 이래로 국가의 기무機務·조령詔令·비기祕記 등을 관장하는 최고 행정 기관인 중서성中書省의 약칭. '중성中省'이라고도 한다.

133) 恬退(염퇴) : 명예와 이익에 무관심하여 양보를 잘 하는 것을 뜻하는 말.

134) 翰林學士(한림학사) : 당나라 현종玄宗 때 처음 설치된 한림원翰林院 소속 학사를 이르는 말. 황명이나 상소문 등 주요 문서의 초안을 작성하고, 황제의 비답批答을 대필하는 등 조정의 주요 문서에 관한 일을 관장하였기에 매우 명예로운 직책으로 여겼다.

135) 天聖(천성) : 북송北宋 인종仁宗의 연호(1023-1031).

136) 言職(언직) : 간언을 관장하는 직책인 간관諫官의 별칭. 즉 어사직을 가리킨다.

137) 戶侍(호시) : 상서성尙書省 소속 육부六部 가운데 국가의 재정과 회계에 관한 업무를 관장하는 호부의 버금 장관인 호부시랑戶部侍郎의 약칭. 장관은 '상서尙書'라고 하고, 차관을 '시랑'이라고 하며, 휘하에 낭중郎中과 원외랑員外郎을 거느렸다.

새벽에 학교에 갔다가 문밖에서 금비녀를 주웠기에 잃어버린 주인을 찾아 그것을 돌려주었다. 인종 때 어사를 맡아서는 상소문을 올려 장요좌와 임수충이 총애를 믿고 함부로 행동한다고 강력하게 주장하였지만 도리어 인종이 진노하여 공의 어사직을 해임하였다. 팽사영은 고관을 맡을 때도 부모님을 봉양하는 일을 게을리하지 않았다. 그는 평소 기상이 고매하여 태만한 기색이나 장난스런 말을 내보인 적이 없었다. 호부시랑으로 관직을 그만두었을 때 나이가 71세였다.

◇義莊(의장)

●彭汝礪, 字器資, 鄱陽人, 弱冠爲狀元. 王安石薦爲國子直講[138], 擢太子中允[139]・監察御史裏行. 初對上十事, 皆人所難言者. 元祐中, 爲中書舍人[140], 詞命[141]典雅, 有古人風, 上賜服紫金[142]. 居家孝友, 兄無子, 爲立後. 以所得官俸賑給族人之貧者, 置義莊[143]. 弟汝方知衢州, 立忠節, 方臘[144]陷城, 罵賊而死.

○팽여려(1047-1095)는 자가 기자이고 (강서성) 파양현 사람으로 약관의 나이에 과거시험에서 장원급제를 차지하였다. 왕안석이 그를 국자직강으로 추천하였다가 태자중윤과 감찰어사이행에 발탁하였다.

---

138) 國子直講(국자직강) : 당송唐宋 때 국가 최고 교육 기관인 국자감國子監의 속관屬官을 이르는 말. 국자감에는 장관인 국자제주國子祭酒와 버금 장관인 국자사업國子司業을 비롯하여 승丞・박사博士・직강直講・조교助敎・학록學錄・학정學正・주부監簿 등의 속관이 있었다.

139) 太子中允(태자중윤) : 태자궁太子宮 태자첨사부太子詹事府의 속관屬官으로서 태자중사인太子中舍人과 함께 문서를 관장하던 벼슬 이름.

140) 中書舍人(중서사인) : 황명의 기초起草와 출납出納을 관장하는 중서성中書省 소속의 벼슬. 장관인 중서령中書令과 버금 장관인 중서시랑中書侍郞 다음 가는 고관高官이다.

141) 詞命(사명) : 공문이나 책명策命 따위의 문서를 이르는 말.

142) 紫金(자금) : 진귀한 금속을 이르는 말. 여기서는 그것을 장식한 허리띠인 '자금대紫金帶'의 준말로 쓴 듯하다.

143) 義莊(의장) : 가난한 친지를 위해 문중에서 마련한 주택과 농토를 이르는 말.

144) 方臘(방납) : 송나라 사람. 휘종徽宗 때 마니교 신도들을 이용하여 호북성 목주睦州에서 반란을 일으켜 고종高宗 때까지 세력을 떨치다가 동관童貫에 의해 진압당했다. ≪송사・방납전≫권468 참조.

당초 임금의 면전에서 열 가지 정사를 아뢴 적이 있는데 모두 다른 사람들이 언급하기 어려운 내용이었다. (철종) 원우(1086-1093) 연간에는 중서사인을 지냈는데, 그가 지은 문서들이 모범적이고 우아하여 고인의 기풍이 담겨 있었기에 철종이 관복과 자금대를 하사하였다. 집에서 지낼 때는 부모에게 효성스럽고 형제간에 우애가 두터웠으니 형에게 아들이 없어 그를 위해 후사를 세워 주기까지 하였다. 자신이 받은 봉록은 친족 중에 가난한 사람에게 나눠주고 의장을 설치하였다. 동생 팽여방彭汝方은 (절강성) 구주지주사를 지내면서 충절을 지켰기에 방납이 성을 함락하자 반군에게 욕을 하다가 죽임을 당했다.

◇五恨三奇(다섯 가지 한을 품은 세 기인 가운데 한 사람)

●彭淵材[145], 家宜豐, 宋元豐間人. 平生喜遊, 出入京師[146]貴人之門十餘年. 父以書呼之, 歸侍一日, 以一黥徒[147]負一布橐而歸. 一邑聚觀, 意橐中皆金珠也. 淵材曰, "吾富可以埒[148]國." 及開橐, 止有李廷珪[149]墨一丸[150]・文與可[151]竹一枝・歐陽公[152]五代史藁一巨編而已. 嘗自

---

145) 彭淵材(팽연재) : 송나라 사람 팽반룡彭攀龍. '연재'는 자. 악률에 조예가 깊어 협률랑協律郎을 지냈다. ≪강서통지江西通志・방기方技・서주부瑞州府≫권106 참조.

146) 京師(경사) : 서울, 도읍을 이르는 말. 송나라 주희朱熹(1130-1200) 설에 의하면 '경京'은 높은 지대를 뜻하고, '사師'는 많은 사람을 뜻한다. 즉 높은 산에 의지하여 많은 사람이 모여 사는 곳이란 뜻에서 유래하였다. 여기서는 송나라 때 도성인 하남성 개봉開封을 가리킨다.

147) 黥徒(경도) : 경형黥刑(묵형墨刑)을 당한 죄수에서 유래한 말로 노비나 하인을 가리킨다.

148) 埒(날) : 규모나 수준이 서로 비슷하거나 대등한 것을 뜻하는 말.

149) 李廷珪(이정규) : 당나라 말엽 부친 이초李超와 함께 먹을 잘 만들었던 장인匠人 이름.

150) 丸(환) : 먹을 세는 양사.

151) 文與可(문여가) : 송나라 사람 문동文同(1018-1079). '여가'는 자. 호는 소소선생笑笑先生・석실선생石室先生・금강도인錦江道人・묵군墨君 등 다양하게 불렸다. 절강성 호주지주사湖州知州事와 태상박사太常博士를 역임하였고, 시문과 죽화竹畵・서예에 솜씨가 탁월하였다. 저서로 ≪단연집丹淵集≫ 40권이 전한다. ≪송사・문원열전文苑列傳・문동전≫권443 참조.

言, "平生有五恨, 一恨鰣魚[153]多骨, 二恨金橘[154]帶酸, 三恨蓴菜性冷, 四恨海棠無香, 五恨曾子固[155]不能詩." 曉大樂[156], 嘗獻樂書, 得協律郎[157]. 時洪覺範[158]奇於詩, 鄒元佐[159]奇於命, 淵材奇於樂, 號新昌三奇. 姪覺範爲僧, 名惠洪, 有冷齋夜話[160]·甘露集·林間錄, 行於世.

○연재淵材 팽반룡彭攀龍은 집이 (강서성) 의풍현으로 송나라 (신종) 원풍(1078-1085) 때 사람이다. 팽반룡은 평소 사람들과 어울리는 것을 좋아하여 (하남성 개봉開封의) 경사에 있는 귀인들의 집을 10년 넘게 드나들었다. 부친이 서신을 보내와 자신을 부르며 하루라도 돌아와 모시라고 하자 하인에게 베주머니를 짊어지게 하고서 귀향하였다. 고을 사람들이 모여서 구경하며 주머니 속에 모두 금과 진주가 들어 있으리라고 생각하였다. 그러자 팽반룡이 말했다. "저의 부는 나라 재정과 맞먹을 것입니다." 그러나 막상 주머니를 열었더니

---

152) 歐陽公(구양공) : 송나라 사람 구양수歐陽修(1007-1072)에 대한 존칭. 자는 영숙永叔이고 시호는 문충文忠. 저서로 ≪문충집文忠集≫ 158권 등이 전한다. ≪송사·구양수전≫권319 참조. '구공歐公'으로 약칭하기도 한다.

153) 鰣魚(시어) : 준치.

154) 金橘(금귤) : 비파나무 열매. '비파枇杷' '노귤盧橘'이라고도 한다.

155) 曾子固(증자고) : 송나라 때 구양수歐陽修(1007-1072)의 제자이자 당송팔대가唐宋八大家의 한 사람인 증공曾鞏(1019-1083). '자고'는 자. 저서로 ≪융평집隆平集≫ 20권과 ≪원풍류고元豐類藁≫ 50권이 전한다. ≪송사·증공전≫권319 참조.

156) 大樂(태악) : 궁중의 음악을 높여서 부르는 말. 혹은 이를 관장하는 벼슬을 가리킬 때도 있다. '태악太樂'과 같다.

157) 協律郎(협률랑) : 태상시太常寺에 소속되어 음악을 관장하던 벼슬 이름. 시대에 따라 '협률도위協律都尉' '협률교위協律校尉'라고도 하였다.

158) 洪覺範(홍각범) : 송나라 때 승려 혜홍惠洪의 별칭. '각범'은 자. ≪냉재야화冷齋夜話≫ 10권의 저자로 유명하다.

159) 鄒元佐(추원좌) : 송나라 사람 추왕신鄒王臣. '원좌'는 자. 역술曆術에 조예가 깊었다. ≪강서통지江西通志·방기方技·서주부瑞州府≫권106 참조.

160) 冷齋夜話(냉재야화) : 송나라 승려 혜홍惠洪이 지은 저서로 잡다한 견문과 시화詩話가 주종을 이루며, 황정견黃庭堅(1045-1105)의 말이 많이 인용되었다. 그러나 후인들의 첨삭으로 인해 원본이 훼손되었고, 각 조항의 표제標題도 모두 후인들이 멋대로 단 것이라고 한다. 총 10권. ≪사고전서간명목록·자부·잡가류雜家類≫권13 참조. 혜홍의 저서로는 이외에도 ≪선림승보전禪林僧寶傳≫ 32권과 ≪임간록≫ 3권·≪석문문자선石門文字禪≫ 30권 등이 사고전서에 전한다.

고작 이정규가 만든 먹 한 개와 여가與可 문동文同이 그린 대나무 그림 한 장·구양수歐陽修의 ≪신오대사≫ 원고 한 권뿐이었다. 그는 일찍이 "평생 다섯 가지 여한이 있으니 첫 번째 여한은 준치에 뼈가 많은 것이고, 두 번째 여한은 금귤이 신맛을 띠는 것이고, 세 번째 여한은 순채가 냉한 속성을 지닌 것이고, 네 번째 여한은 해당화에 향기가 없는 것이고, 다섯 번째 여한은 자고子固 증공曾鞏이 시를 잘 짓지 못 하는 것이다"라고 말한 적이 있다. 태악에 정통하여 일찍이 악서를 바쳐서 협률랑이란 관직을 얻은 적이 있다. 당시 각범覺範 혜홍惠洪은 시에 뛰어나고, 원좌元佐 추왕신鄒王臣은 역술에 뛰어나고, 팽반룡은 음악에 조예가 깊어 ('절강성 신창현 출신의 세 기인'이란 의미에서) '신창삼기'로 불렸다. (팽반룡의) 생질인 각범은 승려로서 이름이 혜홍인데, 저서인 ≪냉재야화≫ ≪감로집≫ ≪임간록≫이 세간에 유행하였다.

◇毋自欺(무자기재毋自欺齋)

●彭龜年, 字子壽, 登乾道五年第. 益篤於學, 以毋自欺名齋, 以書問南軒[161]中庸語孟大義. 鄭僑・張杓同薦爲太常博士[162]. 開禧[163]中, 以寶謨[164]待制致仕. 謚忠肅. 名隸僞學[165]僞黨之籍. 號止堂.

161) 南軒(남헌) : 송나라 사람 장식張栻(1133-1180)의 호. 명장 장준張浚(1097-1164)의 아들로 자는 경부敬夫(혹은 흠부欽夫)이고 시호는 선宣. 호굉胡宏(1106-1162)의 제자로 이학理學에 정통하였고, 주희朱熹(1130-1200)와 교유하였다. 이부시랑吏部侍郞을 역임하였고, 저서로 ≪남헌집≫ 44권이 전한다. ≪송사・장식전≫권429 참조.

162) 太常博士(태상박사) : 종묘의 의례와 관리 선발 시험을 관장하던 기관인 태상시太常寺의 속관屬官. 장관인 태상경太常卿은 구경九卿의 하나이고, 휘하에 차관인 태상소경太常少卿과 속관으로 태상승太常丞・태상박사太常博士 등이 있었다.

163) 開禧(개희) : 남송南宋 영종寧宗의 연호(1205-1207).

164) 寶謨(보모) : 송나라 때 광종光宗의 유품과 유작을 모아 놓은 장서각藏書閣 이름. 송나라 때는 황제가 사망하고 나면 유작과 유품을 소장하는 장서각을 마련하고, 이를 관장하는 관원으로 학사學士・직학사直學士・대제待制를 배치하는 관례가 있었다. 태종太宗의 용도각龍圖閣, 진종眞宗의 천장각天章閣, 인종仁宗의 보문각寶文閣, 신종神宗의 현모각顯謨閣, 철종哲宗의 휘유각徽猷閣, 휘종徽宗의 부문각敷文閣, 고종高宗의 환장각煥章閣, 효종孝宗의 화문각華文

○팽귀년(1142-1206)은 자가 자수로 (효종) 건도 5년(1169)에 실시한 과거시험에서 급제하였다. 학문에 더욱 독실해지자 ('자신을 속이지 말자'는 의미의) '무자기'로 서재 이름을 짓고, 서신을 보내 남헌선생南軒先生 장식張栻에게 ≪중용≫ ≪논어≫ ≪맹자≫의 대의를 물었다. 정교와 장표가 함께 그를 태상박사에 추천하였다. (영종) 개희(1205-1207) 연간에 보모각대제로 벼슬을 그만두었다. 시호는 '충숙'이다. 이름이 거짓 학문을 일삼는 거짓 붕당이라고 폄하당한 당적에 속하였다. 호는 지당이다.

◇五歲能詩(다섯 살에 시를 지을 줄 알다)

●彭興祖五歲能詩, 劉轂五歲能騎射. 紹興中, 張俊以名聞, 召見內殿, 以興祖爲迪功郎166), 轂爲進武校尉167), 皆賜袍笏.

○(송나라) 팽흥조는 다섯 살에 시를 지을 줄 알았고, 유곡은 다섯 살에 말타기와 활쏘기를 할 줄 알았다. (고종) 소흥(1131-1162) 연간에 장준은 명성이 알려져 황제의 부름을 받아 내전에서 황제를 알현하게 되자 팽흥조를 적공랑에 추천하고 유곡을 진무교위에 추천하여 모두 도포와 홀을 하사받게 해 주었다.

◇談詩(시에 대해 담론하다)

●彭仲擧, 乾道間, 爲正字168), 林謙之爲司業. 二人遊天竺169), 談詩, 談

閣, 광종光宗의 보모각寶謨閣, 영종寧宗의 보장각寶章閣, 이종理宗의 현문각顯文閣 등이 그러한 예이다. ≪송사·직관지職官志≫권162 참조.

165) 僞學(위학) : 남송 때 한탁주韓侂冑(1152-1207)가 정권을 잡은 뒤 자신과 뜻을 달리하는 주희朱熹(1130-1200)와 조여우趙汝愚(1140-1196) 등을 제거하기 위해 도학道學을 폄하貶下하려는 의도로 사용한 말.

166) 迪功郎(적공랑) : 송나라 때 설치했던 종9품에 속하는 하급 관리 이름.

167) 校尉(교위) : 장군의 휘하에서 한 부대의 통솔을 담당하거나 변방의 이민족을 관할하던 벼슬 이름.

168) 正字(정자) : 위진魏晉 이후로 국사의 편찬과 국가 도서에 관한 업무를 관장하던 기관인 비서성祕書省 휘하의 속관을 이르는 말. 장관인 비서감祕書監과 차관인 비서소감祕書少監, 비서승祕書丞·비서랑祕書郎·저작랑著作郎·교서랑校書郎 등의 상관이 있었다.

到少陵[170]好處. 仲擧大呼曰, "少陵可殺!" 聞者曰, "林司業・彭正字謀殺少陵."

○(송나라) 팽중거는 (효종) 건도(1165-1173) 연간에 비서성정자에 임명되고, 임겸지는 국자사업에 임명되었다. 두 사람이 천축사를 유람하며 시에 대해 담론을 나누다가 (당나라) 소릉야로少陵野老 두보杜甫의 장점에 대해 얘기하게 되었다. 팽중거가 큰 소리로 "소릉은 정말 죽여주지요!"라고 하자 이 말을 들은 어떤 사람이 (시에 대해 무식하여) "임사업(임겸지)과 팽정자(팽중거)가 소릉이란 사람을 죽이려고 모의하고 있다"고 하였다.

◇蓮峯幸民(연화봉蓮華峯의 은자)

●彭正建以詩名世. 有云, "天與蓮峯[171]作幸民[172], 舊時相識幾猶存? 家書千里懶開眼, 僦屋[173]兩間長閉門."

○(송나라) 팽정건은 시로써 당대에 이름을 떨쳤다. 그의 시 가운데는 "천제가 연화봉과 함께 은자를 낳았으나, 옛날부터 알고지내던 사람 중에 몇 명이나 살아남았던가? 천 리 멀리서 날아온 가족들 서신조차 눈을 뜨고 들여다보기 귀찮기에, 전셋집 두 칸에서 오래도록 문을 닫고 지내네"란 칠언절구가 있다.

---

169) 天竺(천축) : 인도의 옛 이름. 그러나 여기서는 절강성 천축산天竺山에 위치한 사찰을 가리킨다. 상천축사上天竺寺・중천축사中天竺寺・하천축사下天竺寺 등 세 군데가 있다.

170) 少陵(소릉) : 당나라 때 시인 두보杜甫(712-770)의 자호自號인 '소릉야로少陵野老'의 준말.

171) 蓮峯(연봉) : 봉우리 이름인 연화봉蓮華峯의 준말. 중국을 대표하는 오악五嶽 가운데 서악西嶽인 섬서성 화산華山과 절강성 천축산天竺山 등지에 동명의 봉우리가 있는데, 팽정건彭正建이 남송南宋 때 사람임을 감안하면 후자를 가리키는 듯하다.

172) 幸民(행민) : 요행을 바라는 사람을 이르는 말. 청나라 여악厲鶚(1692-1752)의 ≪송시기사宋詩紀事・팽정건≫권53에서 '일민逸民'으로 표기한 것으로 보아 여기서는 은자를 뜻하는 말로 쓰인 듯하다.

173) 僦屋(추옥) : 빌린 집, 전셋집. '추사僦舍'라고도 한다.

◇羯鼓綃詩(갈고의 끈을 읊은 시)

●彭公永，福州人，紹興戊午[174]登第．長子渙・次子演相繼及第．演嘗宿甘泉寺，因閒步，至一官舍，梁上有紅絲羯鼓[175]，綃數條垂於地．一老人杖而守之曰，“此開元[176]興慶宮也．二百年中至此者十二人，皆有留題，請書一絶．” 演詩云，“長安宮闕半蓬蒿，塵暗虹梁羯鼓綃．惟有水天[177]明月夜，一條空碧見秋毫．” 題畢而退．

○(송나라) 팽공영은 (복건성) 복주 사람으로 (고종) 소흥 무오년(1138)에 과거시험에 급제하였다. 장남인 팽환彭渙과 차남인 팽연彭演도 뒤를 이어 과거시험에 급제하였다. 팽연이 일찍이 (섬서성 장안의) 감천사에 묵은 적이 있는데, 산보를 즐기다가 한 관사에 도착하자 대들보 위에 붉은 실이 달린 갈고가 있고 끈 몇 가닥이 땅바닥에 드리워져 있었다. 한 노인이 지팡이를 짚고서 그곳을 지키다가 말했다. “이곳은 (당나라 현종) 개원(713-741) 연간에 세워진 흥경궁일세. 2백 년 동안 이곳을 찾은 사람이 열두 명인데 모두 시를 남겼으니 절구 한 수를 적어 주시게.” 그래서 팽연이 다음과 같은 시를 지었다. “장안의 궁궐은 온통 쑥 투성이인데, 먼지 어둑히 쌓인 아름다운 대들보에는 갈고의 끈이 드리워져 있네. 그저 물처럼 맑은 하늘에 밝은 달 뜬 밤, 푸른 하늘 아래 한 가닥 가을 터럭만 보이는구나.” 시를 다 짓고는 물러났다.

◇扁舟載鶴(일엽편주에 학을 싣다)

●彭戢，元豐中，爲兩浙[178]提擧[179]奉祠[180]以歸．嘗畜雙鶴，江左[181]士

174) 戊午(무오) : 남송南宋 고종高宗 소흥紹興 8년(1138)을 가리킨다.
175) 羯鼓(갈고) : 인도에서 전래되어 당나라 현종玄宗 이후로 유행한 타악기의 일종.
176) 開元(개원) : 당唐 현종玄宗의 연호(713-741).
177) 水天(수천) : 물처럼 맑은 하늘을 이르는 말.
178) 兩浙(양절) : 절동浙東과 절서浙西를 아우르는 말. 전당강錢塘江 이남을 절동이라고 하고, 이북을 절서라고 한다.
179) 提擧(제거) : 송나라 때 모종의 기관을 관장하는 업무나 그러한 벼슬을 일컫던 말. 제거상평提擧常平・제거궁관提擧宮觀 등이 그러한 예이다.
180) 奉祠(봉사) : 제사를 주관하는 벼슬. 송나라 때 늙어서 관직에서 물러나는

大夫送之, 詩[182]云, "扁舟載雙鶴, 萬卷貯群書."

○(송나라) 팽집은 (신종) 원풍(1078-1085) 연간에 양절 일대의 제거봉사를 맡아 귀향하였다. 일찍이 학 한 쌍을 키운 적이 있기에 강남 출신 사대부가 그를 전송하며 시를 지어 "일엽편주에는 학 한 쌍을 싣고, 수많은 두루마리에는 여러 글을 담았네"라고 하였다.

◇江西社(강서시파)

●彭元忠, 淳熙[183]中, 爲司戶[184], 楊誠齋[185]贈詩[186]云, "詩入江西社[187], 心傳肘後方[188]. 木天[189]須此事[190], 丹筆[191]校官黃[192]."

관원에게 주던 궁관사宮觀使・판관判官・도감都監・제거提擧・제점提點・주관主管 등 봉록만 받고 직무는 없었던 벼슬 가운데 하나를 가리킨다.

181) 江左(강좌) : 강남江南의 별칭. 남조南朝 때 왕조들이 수도를 장강의 왼쪽, 즉 장강의 동쪽인 건강建康(남경)에 정한 데서 유래하였다.

182) 詩(시) : 이는 송나라 축목祝穆의 ≪방여승람方輿勝覽・거주渠州≫권64에도 두 구절만 실린 것으로 보아 저자 미상의 일시逸詩인 듯하다.

183) 淳熙(순희) : 남송南宋 효종孝宗의 연호(1174-1189).

184) 司戶(사호) : 주군州郡에서 호구戶口에 관한 일을 관장하던 벼슬인 사호참군司戶參軍의 약칭.

185) 楊誠齋(양성재) : 송나라 사람 양만리楊萬里(1124-1206). '성재'는 호. 자는 정수廷秀이고 시호는 문절文節. 보문각대제寶文閣待制를 지냈고, 한탁주韓侂冑(1152-1207)의 전횡을 개탄하다가 병사하였다. 시문에 조예가 깊어 육유陸游(1125-1210)・범성대范成大(1126-1193)・우무尤袤(1127-1194)와 함께 남송사대가南宋四大家로 불렸다. 저서로 ≪성재집誠齋集≫ 132권과 ≪성재시화誠齋詩話≫ 1권이 전한다. ≪송사・양만리전≫권433 참조.

186) 詩(시) : 이는 오언율시五言律詩 <사호참군 팽원충을 전송하며 지은 시 2수(送彭元忠司戶二首)> 가운데 제1수의 경련頸聯과 미련尾聯을 인용한 것으로 ≪성재집≫권6에 전한다.

187) 江西社(강서사) : 송나라 때 두보杜甫(712-770)의 시풍을 추종한 황정견黃庭堅(1045-1105)과 진사도陳師道(1053-1101) 등 일련의 시인들을 지칭하는 말인 강서시파江西詩派의 별칭. 송나라 여본중呂本中이 지은 ≪강서시사종파도江西詩社宗派圖≫란 서명에서 유래하였기에 '강서종파江西宗派'라고도 한다.

188) 肘後方(주후방) : 진晉나라 갈홍葛洪(284-363)이 지은 의학 서적 이름. 총 6권. ≪수서・경적지≫권34 참고. 소매 안에 넣고 다니는 처방전을 뜻하는 말로 여기서는 언제 어디서나 시를 잘 짓는 것을 비유하는 말로 쓰인 듯하다.

189) 木天(목천) : 궁중의 주요 문서를 관장하는 기관인 비서성祕書省이나 장서각인 비서각祕書閣의 별칭. 건물이 웅장하고 높은 데서 유래하였다.

190) 此事(차사) : ≪성재집≫권6에는 '이 선비'를 뜻하는 말인 '차사此士'로 되어

○(송나라) 팽원충이 (효종) 순희(1174-1189) 연간에 사호참군을 맡자 성재誠齋 양만리楊萬里가 시를 기증하여 "시가 강서시파에 속하여, 진심으로 ≪주후방≫을 전하였네. 궁중의 목천(비서성祕書省)에서도 이러한 솜씨가 필요할 터, 붉은 붓을 든 사관이 황색 종이를 교정하려면"이라고 하였다.

●彭越, 漢高[193]開國功臣, 封梁王, 以無罪受誅.

○팽월(?-B.C.196)은 전한 고조 때 개국공신으로 양왕에 봉해졌다가 아무런 죄도 없이 사형을 당했다.

●彭齊文章, 江西三瑞[194].(見蕭姓)

○(송나라) 팽제의 문장은 강서 일대 세 가지 상서로운 일 가운데 하나이다.(상세한 내용은 앞의 '소'씨절 '강서삼서江西三瑞'항에 보인다)

●彭更[195].

○(전국시대 때 맹자孟子의 제자인) 팽경.

●彭任聞富弼使不測之域[196], 憤憤推酒牀, 拳皮皆裂.

○(송나라 때) 팽임은 부필이 앞날을 예측할 수 없는 거란족 땅에 사

있는데, 의미상에 큰 차이는 없어 보인다.

191) 丹筆(단필) : 붉은 글씨를 쓰는 붓. '주필朱筆'이라고도 한다. 역사를 기록하는 붓인 '사필史筆'을 뜻하는 말로 여기서는 비서성祕書省의 관원을 비유적으로 가리킨다.

192) 官黃(관황) : 순황색을 뜻하는 말. 여기서는 황명을 적는 황마지黃麻紙를 비유적으로 가리키는 듯하다.

193) 漢高(한고) : 전한의 건국자인 고조高祖 혹은 고제高帝 유방劉邦(B.C.247-B.C.195)의 별칭. '고조'는 묘호이고, '고제'는 시호이다.

194) 三瑞(삼서) : 송나라 사람 팽제彭齊의 문장과 양비楊丕의 청렴성·소정기蕭定基의 정사政事에 대한 미칭美稱.

195) 彭更(팽경) : 전국시대 때 맹자孟子의 제자. 그에 관한 기록은 ≪맹자·등문공하滕文公下≫권6하에 전한다.

196) 不測之域(불측지역) : 앞날을 예측할 수 없는 땅. 거란족의 금金나라를 가리킨다.

신으로 간다는 애기를 듣고서는 화가 치밀어 술상을 치는 바람에 손의 피부가 모두 찢어진 일이 있다.

※婚姻(혼인)

●彭抗師事旌陽, 納愛女旌陽之子爲婦. 旌陽嘉其誠恪, 應驗諸祕要197), 悉以傳之.

○(남조南朝 유송劉宋) 팽항은 (호북성) 정양현령旌陽縣令을 지낸 허손許遜을 스승으로 모시며 사랑하는 딸을 허손의 아들에게 아내로 들여보냈다. 허손이 그의 정성을 가상히 여겨 효과가 확실한 여러 가지 비방을 모두 그에게 전수해 주었다.

●彭思永, 程明道之母舅198). 明道年十二三, 思永見而奇之, 許妻以女.

○(송나라) 팽사영은 명도선생明道先生 정호程顥(1032-1085)의 외숙부이다. 정호가 나이 열두세 살일 때 팽사영이 그를 보고서 대견하게 여겨 딸을 시집보내기로 약조하였다.

●老彭. 岑彭199). 三彭. 韓彭200).

○(전설상의 인물인 팽조彭祖의 별칭) 노팽. (후한 때 건국공신) 잠팽. (사람 몸 안에 산다는 독충인) 팽질彭質・팽교彭矯・팽거彭居. (전한 때 건국공신인) 한신韓信(?-B.C.196)과 팽월彭越(?-B.C.196)

◆明(명씨)

▶宮音. 吳興. 周泰伯201)之裔爲百里奚202), 生孟明視, 子孫以王父203)字爲氏.

---

197) 祕要(비요) : 비방이나 비법, 혹은 이를 기록한 서책을 이르는 말.

198) 母舅(모구) : 모친의 남자 형제를 가리키는 말로 결국 외숙부를 뜻한다.

199) 岑彭(잠팽) : 후한 때 건국공신인 '이십팔장二十八將' 가운데 한 사람. ≪후한서・잠팽전≫권47 참조.

200) 韓彭(한팽) : 전한 고조高祖 유방劉邦(B.C.247-B.C.195)을 도와 한나라를 건국한 일등공신인 한신韓信(?-B.C.196)과 팽월彭越(?-B.C.196)을 아우르는 말. 두 사람의 전기는 ≪한서≫권34에 나란히 전한다.

▷음은 궁음에 속하고 본관은 (강소성) 오흥군이다. 주나라 (무왕武王의 조부인 계력季歷의 큰 형) 태백의 후손이 백리해인데 그가 맹명시를 낳자 자손들이 조부의 자를 성씨로 삼은 것이다.

◇篲冠(대껍질로 만든 갓)

●明儒紹[204], 字休烈, 少明經, 有儒術. 宋元嘉[205]中, 擧秀才[206], 後隱居攝山棲霞寺. 齊高帝欲見之不得, 他日謂其弟慶符曰, "卿兄高尙其事!" 賜以竹根如意[207]・筍篲冠, 儒者以爲榮. 封延伯[208]聞之, 嘆曰, "身彌後而名彌先, 亦宋齊之儒仲[209]也!" 弟慶符爲靑州刺史.

○명승소明僧紹는 자가 휴열로 어려서부터 경전에 정통하여 유학에 관한 지식이 깊었다. (남조南朝) 유송劉宋 (문제) 원가(424-453) 연간에 수재과에 급제하였으나 뒤에는 (강소성) 섭산의 서하사에 은거

---

201) 泰伯(태백) : 주周나라 무왕武王의 조부인 계력季歷의 큰 형. ≪사기・주본기≫권4에 무왕의 증조부인 고공단보古公亶父의 장남은 '태백泰伯'이라고 하였다.

202) 百里奚(백리해) : 춘추시대 진秦나라의 승상. '백리'는 복성複姓. 한편으로는 성이 '백'이고 '리'가 자이며 '해'가 이름이란 설도 있다. 본래는 우虞나라 대부大夫였으나 우나라 군주가 어리석어 진나라 목공穆公에게 귀의해서 패업霸業을 이루었다. 한편으로는 진나라 목공이 양 가죽 다섯 장으로 속죄하여 데려왔다고 하여 '오고대부五羖大夫'로도 불렸다. ≪사기・진본기秦本紀≫권5 참조.

203) 王父(왕부) : 할아버지의 별칭. 할머니는 '왕모王母'라고 한다.

204) 明儒紹(명유소) : ≪남사南史・명승소전≫권50에 의하면 '명승소明僧紹'의 오기이다.

205) 元嘉(원가) : 유송劉宋 문제文帝의 연호(424-453).

206) 秀才(수재) : 한나라 이후로 과거시험 가운데 하나. 당송 때는 주로 과거시험 응시자를 일컬었고, 명청明淸 때는 부학府學・주학州學・현학縣學에 입학한 생원生員을 일컬었으며, 일반 서생을 지칭하기도 하였다.

207) 如意(여의) : 등을 긁는 데 사용하는 효자손 모양의 도구. 원래는 승려들이 설법을 메모하거나 호신하는 데 사용하였다.

208) 封延伯(봉연백) : 남조南朝 남제南齊 때 사람. 자는 중련仲連. 하남성 양군태수梁郡太守를 지내면서도 은자처럼 살았다. ≪남사・효의열전孝義列傳・봉연백전≫권73 참조.

209) 儒仲(유중) : 후한 사람 왕패王霸의 자. 동향 사람인 영호자백令狐子伯의 아들이 승상에 오른 반면 자신의 아들은 행색이 초라하여 부끄럽게 여기다가 아내의 충언을 듣고서 자신의 잘못을 깨우쳐 부부가 함께 은자가 되었다는 고사가 ≪후한서・일민열전逸民列傳・왕패전≫권113에 전한다. 여기서는 명승소明僧紹를 비유적으로 가리킨다.

하였다. 남제南齊 고제가 그를 만나고 싶어도 만날 수 없자 훗날 그의 동생인 명경부明慶符에게 말했다. "경의 형은 행동거지가 고상하구려!" (은자에게 어울리는) 죽근으로 만든 여의와 대껍질로 만든 갓을 하사하였기에 유생들이 무척 영광스럽게 생각하였다. 봉연백이 이 얘기를 듣고서는 감탄하여 "몸을 뒤로 빼면 뺄수록 명예는 더욱 앞서니 역시 유송과 남제 때 유중(후한 왕패王霸)이로다!"라고 하였다. 동생 명경부는 (산동성) 청주자사를 지냈다.

◇珥金拖紫(금도장을 차고 자색 인끈을 끄는 고관에 오르다)

●明山賓, 字孝若, 梁武朝, 首應五經博士, 出守大藩[210], 擁旌節[211], 珥金拖紫[212], 而恒事屢空[213]. 帝命裁成大典[214], 吉禮則明山賓, 凶禮則嚴植之, 軍禮則陸璉, 賓禮則賀瑒, 嘉禮則.(闕). 又命沈約・徐勉等參評.

○명산빈은 자가 효약으로 (남조南朝) 양나라 무제 때 처음에는 오경박사를 맡았다가 조정을 나서 요충지를 지키느라 깃발과 부절符節을 앞세웠는데, 금도장을 차고 자색 인끈을 끄는 고관에 올라서도 늘 가난한 삶을 영위하였다. 무제가 국가의 주요 법전을 완성하라는 명을 내리자 길례(제례)는 명산빈이, 흉례(장례)는 엄식지가, 군례는 육연이, 빈례는 하양이, 가례(혼례)는 (아무개가 작성하였다.) 또 심약과 서면 등에게 명하여 평문 작성에 참여케 하였다.

---

210) 大藩(대번) : 중요한 위치에 있는 주州나 군郡을 이르는 말.

211) 旌節(정절) : 황제가 사신에게 하사하는 깃발과 부절符節. '정旌'은 포상을 행사할 수 있는 권한을 표시하고, '절節'은 사람을 죽일 수 있는 권한을 나타낸다. 후대에는 절도사節度使의 막강한 권한을 상징하는 말이 되었다.

212) 珥金拖紫(이금타자) : 금도장을 차고 자주빛 인끈을 끌다. 삼공三公과 같은 고관高官에 오르는 것을 비유한다.

213) 屢空(누공) : 자주 곳간이 비다. ≪논어・선진先進≫권11의 "안회顔回는 군자의 경지에 도달했구나! 하지만 늘 가난하니 아무것도 소유한 것이 없는 것 같구나!(回也, 其庶乎! 屢空, 有若無者歟!)"라는 고사에서 유래한 말로 집안이 가난한 것을 말한다.

214) 大典(대전) : 국가의 역사나 법전, 예법 등을 담은 중요한 전적을 이르는 말.

◇盛夏取雪(한여름에 눈을 구해오다)

●明崇儼以奇術自名. 唐高宗召見, 盛夏思雪, 崇儼坐, 頃卽取以進, 自云, "於陰山[215]取之." 上又憶瓜, 索百錢, 須臾以瓜獻曰, "得之緱氏[216]老人圃中." 上召問老人云, "失一瓜而得百錢."

○명숭엄은 기이한 도술로 이름을 떨쳤다. 당나라 고종이 그를 불러 접견하고는 한여름에 눈을 보고 싶다고 하자 명숭엄은 앉은 자리에서 순식간에 그것을 가져다가 바치며 말했다. "(산동성) 음산에서 이것을 얻었나이다." 고종이 다시 참외를 먹고 싶어하자 동전 백 냥을 달라고 하더니 순식간에 참외를 바치며 말했다. "(하남성) 구씨산의 노인이 재배하는 채마밭에서 이것을 얻었나이다." 고종이 노인을 불러 묻자 "참외를 하나 잃은 대신 동전 백 냥을 얻었나이다"라고 대답하였다.

●明仲璋亦居栖霞寺. 寺後有碧鮮亭·白雲菴·白雲泉.

○(남조南朝 남제南齊 때 사람) 명중장도 (부친인 명승소明僧紹와 마찬가지로 강소성 섭산攝山의) 서하사에 거처하였다. 사찰 뒤에는 벽선정·백운암·백운천이 있다.

●明公霞, 梁簡文除爲尙書[217]曰, "不喜卿得尙書, 喜朝廷得人."

○명공하를 (남조南朝) 양나라 간문제는 상서에 제수하면서 "경이 상서에 오른 것을 기뻐하는 것이 아니라 조정이 인재를 얻은 것이 기쁘구려"라고 말한 일이 있다.

---

215) 陰山(음산) : 산동성 천진시天津市 북쪽에 있는 산 이름. '무종산無終山' '옹동산翁同山'이라고도 한다. 북방 이민족과의 경계 지역으로 삼국 위魏나라 전주田疇가 은거한 곳으로 유명하다.

216) 緱氏(구씨) : 진한秦漢 때 현縣 이름이자 산 이름. 지금의 하남성 구씨진緱氏鎭 일대.

217) 尙書(상서) : 한나라 이후로 정무政務와 관련한 문서의 발송을 주관하는 일, 혹은 그러한 업무를 관장하던 벼슬을 가리킨다. '상尙'은 '주관한다(主)'는 뜻이다. 후대에는 이부상서吏部尙書나 병부상서兵部尙書와 같이 그런 업무를 관장하는 상서성尙書省 소속 장관을 뜻하는 말로 쓰였다. 휘하에 시랑侍郎과 낭중郎中·원외랑員外郎 등을 거느렸다.

●明鎬, 字化基. 薛奎稱其有廊廟[218]材. 宋仁宗朝, 參政[219].

○명호(989-1048)는 자가 화기이다. 설규는 그에게 재상으로서의 자질이 있다고 칭찬하였다. 송나라 인종 때 참지정사에 올랐다.

●明槖, 宋紹興中, 爲御史, 宣諭[220]廣東, 訪求遺逸[221].

○명탁은 송나라 (고종) 소흥(1131-1162) 연간에 어사를 맡아 광동 지방에 황명을 전하며 숨은 인재를 찾았다.

●昆明[222]. 孔明[223]. 淵明[224].

○(섬서성 장안長安의) 곤명지. (삼국 촉蜀나라 승상) 공명孔明 제갈양諸葛亮(181-234). (진晉나라 때 전원시인田園詩人) 도연명陶淵明(365-427).

◆平(평씨)

▶商音. 河內. 韓哀侯少子食采平邑, 因氏焉.

▷음은 상음에 속하고 본관은 (하남성) 하내군이다. (전국시대 때) 한나라 애후의 막내아들이 평읍을 식읍으로 받자 그참에 이를 성씨로 삼은 것이다.

---

218) 廊廟(낭묘) : 궁전의 외곽 건물과 태묘太廟. 즉 조정을 일컫는 말로 재상의 지위를 상징한다.

219) 參政(참정) : 송나라 때 처음으로 설치하여 재상에 버금가는 권한을 부여했던 참지정사參知政事의 약칭.

220) 宣諭(선유) : 황제의 훈시를 높여 부르는 말.

221) 遺逸(유일) : 숨은 인재나 실전된 작품을 이르는 말.

222) 昆明(곤명) : 전한 무제武帝가 원수元狩 3년(B.C.120)에 곤명국昆明國의 오랑캐를 정벌하려고 수전水戰을 연습하기 위해 장안長安 남서쪽에 운남雲南의 곤명지昆明池를 본떠서 판 연못. 후에는 황성 부근의 연못을 비유하는 말로 쓰였다. '곤명'은 원래 운남성에 살던 소수민족 국가 이름.

223) 孔明(공명) : 삼국시대 촉蜀나라 승상 제갈양諸葛亮(181-234)의 자. ≪삼국지·촉지·제갈양전≫권35 참조.

224) 淵明(연명) : 진晉나라 때 전원시인田園詩人 도연명陶淵明(365-427). ≪송서宋書·은일열전隱逸列傳·도잠전陶潛傳≫권93에 의하면 도잠은 본명이 '잠'이고 '연명淵明'이 자라는 설도 있고, 본명이 '연명'이고 '원량元亮'이 자라는 설도 있는데, 본명이 '연명'이고 '잠'은 은거한 뒤에 개명한 이름인 듯하다.

◇父子宰相(부자가 모두 재상에 오르다)

●平當, 字子思, 以尙書[225]授朱普・鮑宣. 由是歐陽書有平陳[226]之學. 漢哀帝朝, 拜相, 賜爵關內侯[227]. 子晏亦以明經拜相, 封侯. 漢興, 父子拜相, 惟韋平[228]二氏.

○평당(?-B.C.4)은 자가 자사로 ≪서경≫을 주보와 포선에게 전수하였다. 그래서 구양생歐陽生의 ≪서경≫에는 평당平當과 진옹생陳翁生의 학파가 생겼다. 전한 애제 때 재상을 배수받고 작위로 관내후를 하사받았다. 아들 평안平晏 역시 경전에 정통하여 재상을 배수받고 제후에 봉해졌다. 한나라가 흥성한 이래로 부자가 모두 재상을 배수받은 것은 오직 위현韋賢(B.C.143-B.C.62)・위현성韋玄成(?-B.C.36) 부자와 평당平當(?-B.C.4)・평안平晏 부자 두 가문뿐이다.

◇視井湧泉(우물을 응시하여 물을 솟구치게 하다)

●平鑒, 字明達, 受詩書禮, 通大義. 仕魏, 爲懷州刺史. 敵來攻城, 城內泉竭, 鑒具衣冠, 俯井而視, 水泉湧出.(北史[229])

○평감은 자가 명달로 ≪시경≫ ≪서경≫ ≪예기≫를 전수받아 대의에 통달하였다. (북조北朝) 북위北魏에서 벼슬길에 올라 (하남성) 회주자사를 지냈다. 적군이 몰려와 성을 공략했을 때 성안의 샘물이 말랐지만 평감이 의관을 갖춰입고 우물을 내려다보자 물이 솟구쳐나왔다.(≪북사・평감전≫권55)

---

225) 尙書(상서) : ≪서경≫의 별칭. '상尙'은 '고古'의 뜻이므로 '오래된 역사책'이란 의미에서 유래하였다.

226) 平陳(평진) : 전한 때 유학자인 평당平當(?-B.C.4)과 진옹생陳翁生을 아우르는 말. 임존林尊에게서 ≪고문상서古文尙書≫를 전수받았다. ≪한서・유림열전儒林列傳・임존전≫권88 참조.

227) 關內侯(관내후) : 진한秦漢 때 작호爵號를 받아 경기 일대에 거주할 수는 있지만 식읍食邑은 없었던 작위 이름.

228) 韋平(위평) : 전한 때 유학자인 위현韋賢(B.C.143-B.C.62)・위현성韋玄成(?-B.C.36) 부자와 평당平當(?-B.C.4)・평안平晏 부자를 아우르는 말.

229) 北史(북사) : 당나라 이연수李延壽가 북조北朝의 북위北魏부터 수隋나라까지 도합 242년의 역사를 간략히 정리하여 서술한 사서史書. 총 100권. ≪사고전서간명목록・사부・정사류正史類≫권5 참조.

●平恒安貧樂道, 魏帝徵爲中書博士.

○평항(?-486)은 안빈낙도하다가 (북조北朝) 북위北魏의 황제의 부름을 받고 중서성 박사에 올랐다.

●廣平[230]. 君平[231]. 卲平[232].

○(하북성) 광평군. (전한 사람) 군평君平 엄준嚴遵. (전국시대 말엽 진秦나라 때 세 명의) 소평.

◆荊(형씨)

▶角音. 廣平. 楚, 熊繹[233]國, 古荊州之地, 故亦號荊, 支孫[234]因氏焉.

▷음은 궁음에 속하고 본관은 (호북성) 광평군이다. 초나라는 웅역이 세운 나라로 옛 형주의 땅이라서 '형'나라로도 불렸기에 지손이 그참에 이를 성씨로 삼은 것이다.

◇攝相(재상을 대신하다)

●荊公攝相事, 孔子使人往觀, 返曰, "其朝淸靜無事."(家語[235])

○(춘추시대 때 초楚나라) 형공이 재상의 업무를 대신하기에 (노魯나라) 공자가 사람을 시켜 가서 살피게 하였더니 돌아와 보고하기를 "조정이 조용하니 별일이 없습니다"라고 하였다.(≪공자가어孔子家語·

---

230) 廣平(광평) : 하북성의 속군屬郡 이름. 호북성의 속군을 가리킬 때도 있다.

231) 君平(군평) : 전한 때 촉蜀 지역 사람인 엄준嚴遵의 자. 복서卜筮에 정통하였다. ≪한서·왕공양공포전王貢兩龔鮑傳≫권72 참조.

232) 卲平(소평) : 전국시대 말엽 진秦나라 때 세 명의 소평이 있었는데, 한 사람은 섬서성 장안 동쪽에서 동릉과東陵瓜라는 맛좋은 참외를 재배하며 살았던 은자를 가리키고, 또 한 사람은 진승陳勝을 위해 강소성 광릉廣陵을 공격했던 장수를 가리키며, 또 한 사람은 제국齊國 애왕哀王의 승상을 지낸 사람을 가리키기도 한다.

233) 熊繹(웅역) : 주周나라 문왕文王의 스승인 육웅鬻熊의 증손자이자 제후국인 초楚나라의 시조. 초나라를 처음 봉토로 받았다.

234) 支孫(지손) : 동일 종파의 자손을 이르는 말.

235) 家語(가어) : 춘추시대 노魯나라 공자와 관련된 일련의 일화를 모아 놓은 ≪공자가어孔子家語≫의 약칭. 저자는 미상이고, 위魏나라 왕숙王肅(195-256)이 주를 달았다. 총 10권. ≪사고전서간명목록·자부·유가류儒家類≫권9 참조. 왕숙의 위작僞作이란 설도 있고, 왕숙이 원본에 첨삭을 가했다는 설도 있다.

육본六本≫권4)

◇易水悲風(역수에 서글픈 바람이 불다)

●荊軻, 衛人. 燕太子丹客之, 稱荊卿, 令劫秦王, 反諸侯侵地. 方入秦, 賓客[236]皆白衣冠, 送至易水. 旣祖取道, 高漸離擊筑[237], 荊卿和而歌曰, "風蕭蕭兮易水寒, 壯士一去兮不復還." 復爲羽聲, 士皆瞑目, 髮盡指冠. 入秦, 事不成, 死之.

○형가(?-B.C.227)는 (전국시대 때) 위나라 사람이다. 연나라 태자 단丹이 그를 손님으로 모셔 '형경'이라고 존칭하면서 그에게 진나라 시황제를 협박해 침략한 땅을 제후들에게 돌려주게 하라고 시켰다. 바야흐로 진나라로 들어가려고 할 때 손님들이 모두 (미리 조문하기 위해) 흰 의관을 차려입고 역수까지 배웅하였다. 편한 길에 오르도록 길제사를 지내고 나자 고점리가 축을 연주하고 형가가 그에 맞춰 "바람이 쓸쓸하니 역수가 차가운데, 장사 한번 떠나면 다시는 돌아오지 못 하리라"고 노래하였다. 다시 우성으로 부르자 선비들이 모두 눈을 감은 채 머리카락이 갓을 찌를 정도로 울분을 토로하였다. 진나라에 들어갔으나 일을 성사시키지 못 하고 죽임을 당했다.

◇名將(명장)

●荊罕儒, 後周名將也. 前後一百五十餘戰, 皆有功而未嘗自伐.

○형한유는 (오대) 후주 때 명장이다. 전후로 150번 넘게 전투에 참여하여 늘 공을 세웠지만 스스로 이를 자랑한 적이 없다.

●班荊[238]. 紫荊[239]. 負荊[240]. 識荊[241].

---

236) 賓客(빈객) : 손님에 대한 총칭. '빈賓'은 신분이 높은 손님을 가리키고, '객客'은 수행원과 같이 신분이 낮은 손님을 가리키는 데서 유래하였다.

237) 筑(축) : 대나무를 이용해서 소리를 내는 고대 현악기 이름. 줄 수에 대해서는 5현·13현·21현 등 여러 설이 있다.

238) 班荊(반형) : 싸리나무를 깔다. '반班'은 '포布'의 뜻. 자책 내지 결의의 의미가 담겨 있다.

239) 紫荊(자형) : 박태기나무. 산 이름, 관문 이름, 누대 이름 등을 가리킬 때도

○싸리나무를 깔다. 박태기나무. 싸리나무를 짊어지다. 만나뵙게 되어 영광입니다

◆京(경씨)

▶角音. 東都. 衛武公少子段封京, 謂之京城大叔, 因氏焉.

▷음은 각음에 속하고 본관은 (하남성) 동도(낙양)이다. (춘추시대 때) 위나라 무공의 막내아들인 단段이 동경(낙양)에 봉해지자 그를 '경성대숙'으로 부르면서 그참에 이를 성씨로 삼은 것이다.

◇易學(≪역경≫에 관한 학문)

●京房, 字君明, 治易, 長於災變, 分六十卦[242], 更日用事, 以風雨寒溫爲候. 初事焦延壽, 延壽曰, "傳吾道以亡身者京生也." 後果因上封事[243], 言災異, 下獄, 棄市[244]. 漢元帝朝, 爲魏郡太守, 秩八百石.

○경방(B.C.77-B.C.37)은 자가 군명으로 ≪역경≫을 연구하여 재앙에 정통하더니 60괘를 나눠서 날을 바꿔가며 사안을 적용하고 바람·비·추위·더위로써 절후를 정했다. 처음에 초연수를 스승으로 받들었으나 초연수가 "나의 도를 전수받아 목숨을 잃을 사람은 바로 경방일 것이다"라고 말한 일이 있다. 뒤에 정말로 밀봉한 상소문을 올

있다.

240) 負荊(부형) : 옷을 벗어 맨몸을 드러내고 싸리나무를 짊어지는 것을 뜻하는 말인 '육단부형肉袒負荊'의 준말로 정중하게 사죄를 표하는 행위를 가리킨다.

241) 識荊(식형) : 형주자사荊州刺史를 알게 되다. 당나라 이백李白(701-762)의 ≪이태백문집李太白文集·표表≫권25에 수록된 <(호북성) 형주자사荊州刺史 한조종韓祖宗에게 드리는 글(與韓荊州書)>에 실린 시 가운데 "살아 생전 식읍이 만 호인 제후에 봉해질 필요 없이, 단지 형주자사 한조종과 한 번 일면식을 갖기를 바란다네(生不願封萬戶侯, 但願一識韓荊州)"라는 구절에서 유래한 말로 처음 상대방을 만났을 때 건네는 '만나뵙게 되어 영광입니다' 정도의 의미가 담긴 인사말을 가리킨다. '식한識韓'이라고도 한다.

242) 六十卦(육십괘) : ≪역경≫ 64괘에서 동서남북을 상징하는 이離·감坎·진震·태괘兌卦를 제외한 나머지 60괘를 가리키는 말.

243) 封事(봉사) : 밀봉한 상소문. 기밀이 누설되는 것을 방지하기 위해 상소문을 검은 천으로 만든 주머니에 넣고 밀봉하여 올린 데서 유래하였다.

244) 棄市(기시) : 죄수를 사형에 처하고 시체를 저자 거리에 내다버려 본보기를 보이는 형벌을 일컫는 말.

려 재앙에 대해 건의한 일 때문에 감옥에 갇히고 기시형을 당했다. 전한 원제 때 (하북성) 위군태수를 지내면서 봉록을 8백 석 받았다.

◇公輔器(재상으로서의 자질)

●京鏜, 字仲遠, 豫章人. 宋紹興中, 擧進士. 高宗謂趙師雄曰, "京鏜有公輔[245]器." 使金國, 以我喪故, 不肯受宴樂, 題詩于館云, "鼎湖[246]龍去已無蹤, 三遣行人意則同. 凶禮强更爲吉禮, 北風終不變南風. 假令耳與笙鏞末, 只願身甘鼎鑊[247]中. 已辦滯留期必得, 不能[248]築館汴江[249]東." 使還, 上曰, "京鏜, 今之毛遂[250]也." 有樂章, 自號松坡居士[251]集. 與何浩·劉德秀·胡紘專主僞學之禁. 宋寧宗慶元[252]中, 拜右相. 子沆.

○경당(1138-1200)은 자가 중원으로 (강서성) 예장군 사람이다. 송나라 (고종) 소흥(1131-1162) 연간에 진사시험에 급제하였다. 고종이 조사웅에게 "경당은 재상으로서의 자질이 있소"라고 말한 일이 있다. 금나라에 사신으로 갔을 때는 국상 때문에 연회를 받으려고 하지 않고는 숙소에다가 다음과 같은 시를 적었다. "정호궁의 용(천자)

---

245) 公輔(공보) : 천자를 보좌하는 삼공三公과 사보四輔, 즉 재상을 이르는 말. '재보宰輔' '보신輔臣'이라고도 한다.

246) 鼎湖(정호) : 한나라 때 섬서성 남전현藍田縣에 세웠던 궁궐 이름. 여기서는 송나라 궁궐을 비유적으로 가리키는 듯하다.

247) 鼎鑊(정확) : 세발솥과 가마솥. 팽형烹刑을 실시하는 데 사용하던 도구로 결국 사형을 비유한다.

248) 能(능) : 송나라 나대경羅大經의 ≪학림옥로鶴林玉露≫권5 등 다른 문헌에는 모두 '사辭'로 되어 있기에 이를 따른다. 자형의 유사성으로 인한 필사 과정상의 단순 오기로 보인다.

249) 汴江(변강) : 하남성 개봉開封(변경汴京)을 흐르는 변수汴水의 별칭. 결국 북송 때 수도인 개봉을 가리킨다.

250) 毛遂(모수) : 전국시대 조趙나라 사람. 평원군平原君이 초楚나라에 사신으로 가면서 수행원을 뽑을 때 모수가 자신에게 기회를 주는 것은 송곳이 주머니 속에 들어가면 밖으로 튀어나오게 되는 것과 같다고 말했다는 ≪사기·평원군조승전平原君趙勝傳≫권76의 '모수자천毛遂自薦'의 고사로 유명하다.

251) 居士(거사) : 학식과 덕망을 겸비하고서도 벼슬하지 않거나 은거한 사람에 대한 호칭.

252) 慶元(경원) : 남송南宋 영종寧宗의 연호(1195-1200).

이 떠나고 하마 발자취 없기에, 세 번이나 사신을 파견해도 뜻은 똑같다네. 흉례(장례)를 억지로 길례(제례)로 바꾸려 해도, 북풍은 끝내 남풍으로 변하지 않는 법. 설령 귀로 음악 소리 듣게 되는 끝무렵이 된다 해도, 그저 나 자신 기꺼이 가마솥에 들어가 팽형을 당하는 신세가 되기를 바라노라. 이미 오래 머물러 돌아갈 날이 반드시 오리라는 것을 알지만, (하남성 개봉의) 변강 동쪽에 집 짓는 것도 사양하지 않으리." 그래서 사신으로 갔다가 돌아오자 고종이 "경당은 오늘날 (전국시대 조趙나라) 모수 같은 사람이오"라고 하였다. 악장을 짓고서 스스로 ≪송파거사집≫이라고 이름 붙였다. 하호・유덕수・호횡과 함께 (주희朱熹의 도학道學인) 위학을 금지시키는 일을 주도하였다. 송나라 영종 경원(1195-1200) 연간에 우승상을 배수받았다. 아들은 경항京沆이다.

●玉京[253]. 八世莫京[254].
○천제天帝의 도읍. 팔대가 지나도 겨룰 상대가 없다.

◆榮(영씨)

▶角音. 上谷[255]. 周大夫榮叔, 其先食采於榮, 因氏焉.
▷음은 각음에 속하고 본관은 (하북성) 상곡군이다. 주나라 대부 영숙이 자신의 선조가 영 땅을 식읍으로 받았기에 이를 성씨로 삼은 것이다.

◇三樂(세 가지 즐거움)

●榮启期鹿裘[256]帶索, 鼓琴而歌. 孔子遊太山[257], 見而問, "何以樂?"

---

253) 玉京(옥경) : 천제天帝의 처소에 대한 미칭美稱으로 경성이나 궁궐을 비유한다.
254) 謂(위) : 이는 주周나라 때 일시逸詩 가운데 "팔대 후손에 이르러도 그와 겨룰 이가 없으리라(八世之後, 莫之與京)"는 구절을 축약한 말로 원시原詩 8구는 ≪좌전左傳・장공莊公22년≫권8에 인용되어 전한다.
255) 上谷(상곡) : 진秦나라 때 하북성에 설치하였던 군郡 이름.
256) 鹿裘(녹구) : 사슴 가죽으로 만든 갖옷. 은자를 상징한다.
257) 太山(태산) : 산동성 태산泰山의 다른 표기.

曰, "吾得爲人, 一樂也. 得爲男, 二樂也. 人有不免襁褓, 吾行年九十矣, 三樂也. 貧者, 士之常, 死者, 人之終, 處常得終, 吾所樂也."(列子[258])

○(춘추시대 노魯나라) 영계기는 사슴 가죽 갖옷을 입고 새끼줄을 허리띠 삼아 매고서 금을 연주하며 노래하였다. 공자가 태산을 유람하다가 그를 발견하고는 물었다. "어째서 즐거워하십니까?" 그러자 영계기가 대답하였다. "나는 사람 노릇 할 수 있는 것이 첫 번째 즐거움이고, 사내로 태어난 것이 두 번째 즐거움이고, 남들 가운데는 강보에 싸인 갓난아기 시절을 벗어나지 못 하는 사람이 있지만 나는 나이가 90살 먹었으니 세 번째 즐거움이라오. 가난은 선비의 일상사이고 죽음은 사람의 종말이니 일상사를 겪으며 종말을 맞이하는 것이 나의 즐거움이라오."(≪열자·천서天瑞≫권1)

●楚榮黃諫子玉[259]), 請以瓊弁玉纓畀于河神.(僖八)

○(춘추시대) 초나라 영황은 자옥子玉 성득신成得臣에게 간언하여 옥을 장식한 고깔과 갓끈을 황하의 수신에게 바칠 것을 청하였다.(≪좌전左傳·희공僖公8년≫권12)

●魯大夫榮成伯, 勸襄公如楚曰, "遠圖者忠也."

○(춘추시대) 노나라 대부 영성백은 양공에게 초나라로 갈 것을 권하면서 "먼 훗날까지 도모하는 것이 충심입니다"라고 하였다.

●榮毗, 字子諶, 仕隋, 爲侍御史[260]). 立朝侃然[261])正色, 百僚所憚.

---

258) 列子(열자) : 구본舊本에는 전국시대 정鄭나라 사람인 열어구列禦寇가 지었다고 하였으나, 그의 사후의 기록도 있는 것으로 보아 그의 문인들이 지은 것으로 보인다. 위진魏晉 때 위작으로 보는 설도 있다. 진晉나라 장담張湛이 주를 달았다. 총 8권. ≪사고전서간명목록·자부·도가류道家類≫권14 참조.

259) 子玉(자옥) : 춘추시대 초楚나라의 경卿 성득신成得臣의 자. 영윤令尹에 올랐다가 진晉나라와의 전투에서 사망하였다.

260) 侍御史(시어사) : 주周나라 때 주하사柱下史에서 유래한 벼슬로서 위진魏晉 이후로는 주로 관리들의 비리를 규찰하였다. 당송唐宋 때는 어사대御史臺 소속으로 어사대부御史大夫·어사중승御史中丞 다음 가는 벼슬이었다.

261) 侃然(간연) : 강직한 모양.

○영비는 자가 자심으로 수나라에서 벼슬길에 올라 시어사를 지냈다. 조정에 서면 강직하고 근엄한 안색을 지었기에 관원들이 두려워하는 대상이었다.

●榮旂, 字子祺, 孔門弟子, 贈雩婁伯.
○(춘추시대 노魯나라) 영기는 자가 자기로 공자 문하의 제자였다가 우루백을 추증받았다.

●尊榮. 仁則榮[262]. 前榮.
○존귀하여 명예롭다. 어질면 명예를 누리다. 예전의 부귀영화.

◆成(성씨)

▶商音. 上谷. 周文王五子郕叔式之後, 以國爲氏, 其後去邑爲成. 成肅公爲周卿士[263]. 成覵, 齊人.
▷음은 상음에 속하고 본관은 (하북성) 상곡군이다. 주나라 문왕의 5남인 성숙식의 후손이 나라 이름을 성씨로 삼았다가 그 뒤에 '마을 읍邑(阝)' 부수를 삭제하고 '성成'으로 쓴 것이다. 성숙공은 주나라 때 경사이다. 성간은 (춘추시대) 제나라 사람이다.

◇貴仕(고관에 오르다)

●成得臣, 字子玉, 仕于楚, 伐陳有功, 使爲令尹[264]. 子文[265]曰, "有大

262) 仁則榮(인즉영) : 어질면 명예를 누리다. ≪맹자·공손추상公孫丑上≫권3의 "어질면 명예를 누리지만 어질지 않으면 욕을 당한다(仁則榮, 不仁則辱)"는 구절을 가리킨다.
263) 卿士(경사) : 천자의 정사를 집행하는 고위 관료를 이르는 말. 공경사대부公卿士大夫의 준말을 가리킬 때도 있다.
264) 令尹(영윤) : 춘추시대 초楚나라에서 정치를 집행하던 최고 벼슬인 상경上卿을 지칭하던 말. 후대에는 진한秦漢 이래 현령縣令이나 원나라 때 현윤縣尹 등 지방 장관을 아우르는 말로 쓰였다.
265) 子文(자문) : 춘추시대 초나라 때 대부大夫인 투구오도鬪穀於菟의 자. 투백비鬪伯比의 아들인데 버림을 받아 호랑이(於菟) 젖(穀)을 먹고 자랐다고 해서 이름을 '구오도'로 지었다고 한다. 성왕成王 때 영윤令尹이 되어 선정을 베풀며 많은 업적을 남겼다. 그에 관한 고사는 ≪좌전·희공僖公≫에 산재되어 전

功而無貴仕, 其人能靖者與266)有幾?"(僖三) 子大心.

○성득신은 자가 자옥으로 (춘추시대 때) 초나라에서 벼슬길에 올라 진나라를 정벌하고서 공을 세웠기에 그에게 영윤을 맡게 하였다. 자문子文 투구오도鬭穀於菟는 "큰 공을 세우고서도 벼슬살이를 중시하지 않으니 그 사람처럼 나라를 안정시킬 수 있는 사람이 몇 명이나 되겠습니까?"라고 말한 일이 있다.(≪좌전左傳·희공僖公3년≫권11) 아들은 성대심成大心이다.

◇坐嘯(앉아서 휘파람을 불다)

●成瑨, 漢桓帝朝, 爲南陽太守, 信任功曹岑晊. 時語曰, "南陽太守岑公孝267), 弘農成瑨但坐嘯."

○성진(?-166)은 후한 환제 때 (하남성) 남양태수를 지내며 공조참군 잠질을 신임하였다. 그래서 당시에 "남양태수는 잠공효(잠질), (하남성) 홍농 사람 성진은 단지 앉아서 휘파람만 분다네"라는 말이 돌았다.

◇公車聘禮(공거에서 예를 갖춰 초빙하다)

●成翊世, 漢逸士也. 安帝卽位, 陳忠上書, 薦周爕·杜根·成翊世爲有道之士. 於是公車268)聘禮焉.

○성익세는 후한 때 은자이다. 안제가 즉위하자 진충이 글을 올려 주섭·주근·성익세가 도를 닦은 선비라고 추천하였다. 그래서 공거에서 예를 갖춰 그를 초빙하였다.

한다.

266) 與(여) : 어말조사語末助詞. '여歟'와 통용자.

267) 公孝(공효) : 후한 사람 잠질岑晊의 자. ≪후한서·잠질전≫권97 참조.

268) 公車(공거) : 한나라 때 관서 이름. 구경九卿인 위위衛尉의 산하 기관으로 공거령公車令의 지휘를 받으며 궁궐 외문外門의 경비와 재야 인사의 초빙 등의 업무를 관장하였다.

◇政績(치적을 쌓다)

●成景雋仕爲豫州刺史, 有政績, 甚得吏民心.(南史[269])

○(남조南朝 양梁나라) 성경준은 벼슬길에 올라 (하남성) 예주자사를 지내면서 치적을 쌓아 관리와 백성들의 민심을 크게 얻었다.(≪남사·성경준전≫권74)

◇職在典刑(직무가 형벌을 관장하는 것이다)

●成幼文仕南唐, 爲大理卿[270], 作謁金門[271]云, "風乍起吹, 皺[272]一池春水." 唐王召, 問之曰, "職在典刑, 一池春水關卿甚事[273]?"

○성유문은 (오대십국) 남당에서 벼슬길에 올라 대리경을 지내면서 <금마문을 알현하다>란 글을 지어 "바람이 갑자기 일어나 연못 봄물에 잔물결을 일으키네"라고 하였다. 그러자 남당의 군주가 그를 불러 물었다. "그대의 직무는 형벌을 관장하는 것이거늘 연못의 봄물이 경과 무슨 상관이 있소?"

◇應制科(제과에 응시하다)

●成銳, 宋人, 應制科[274], 以詩上王文惠公[275]. 其野菊[276]云, "綵檻[277]

---

269) 南史(남사) : 당나라 이연수李延壽가 남조南朝의 유송劉宋부터 진陳나라 말까지 도합 170년의 역사를 간략하게 정리하여 서술한 사서史書. 총 80권. 기존의 ≪송서宋書≫ 등의 내용을 보완한 것은 적고 삭제한 것이 많아 ≪북사北史≫보다는 못 하다는 평을 받는다. ≪사고전서간명목록·사부·정사류正史類≫권5 참조.

270) 大理卿(대리경) : 형법과 재판에 관한 업무를 관장하는 기관인 대리시大理寺의 장관으로 구경九卿의 하나. 버금 장관인 대리소경大理少卿과 대리정大理正·대리승大理丞·대리평사大理評事 등의 속관을 거느렸다.

271) 金門(금문) : 한나라 때 학사學士들이 황명을 기다리던 궁문宮門인 금마문金馬門의 준말로 조정이나 도성을 비유한다.

272) 皺(추) : 주름. 여기서는 잔물결을 일으키는 것을 말한다.

273) 甚事(심사) : 무슨 일, 무슨 상관. '심甚'은 '하何'의 구어체.

274) 制科(제과) : 당송 때 진사시험 외에 황제가 친히 치르는 과거시험을 이르는 말. '전시殿試' '정시廷試'라고도 한다.

275) 王文惠公(왕문혜공) : 송나라 사람 왕수王隨(973-1039)에 대한 존칭. '문혜'는 시호. 자는 자정子正. 급사중給事中·예부시랑禮部侍郎·동중서문하평장사同中書門下平章事 등 고관을 지냈다. ≪송사·왕수전≫권311 참조.

應無分, 東西不借恩." 其野花云, "馨香雖有地, 栽植未逢人."

○성예는 송나라 때 사람으로 제과에 응시하고는 시를 문혜공文惠公 왕수王隨에게 바쳤는데, 그중 <들국화를 읊은 시>에서는 "오색 난간에 당연히 몫이 없을 것이기에, 동서로 분주히 다녀도 은혜를 입지 못 하네"라고 하고, 또 <야생화를 읊은 시>에서는 "비록 향기를 피울 터는 있지만, 잘 재배해 줄 사람을 아직은 만나지 못 했네"라고 하였다.

※婚姻(혼인)

●成藻爲南宮令[278], 奇馮素弗之爲人, 以女妻之.

○(오호십육국五胡十六國 후연後燕) 성조는 남궁령(상서령)을 지내면서 풍소불의 사람 됨됨이를 높이 평가해 딸을 그에게 시집보냈다.

●陶成. 大成. 虧成[279].

○빚어내다. 크게 성공하다. 패배와 승리.

◆英(영씨)

▶羽音. 晉陵. 英氏國, 皋陶[280]之後也, 其後以國爲氏.

▷음은 우음에 속하고 본관은 (강소성) 진릉군이다. 영씨라는 국가는 (우虞나라 순왕舜王 때 신하인) 고요의 후손이 세운 나라인데, 그 후손이 나라 이름을 성

---

276) 野菊(야국) : 들국화. 여기서는 의지할 데 없는 시인 자신을 비유하는 말로 쓰인 듯하다. 이 시는 ≪송시기사宋詩紀事≫권10 등 다른 문헌에도 두 구절만 인용되어 전하는 것으로 보아 일시逸詩인 듯하다.

277) 綵檻(채함) : 오색 난간. 궁궐 난간을 가리키는 말로 여기서는 제과制科에서의 급제를 상징적으로 나타내기 위해 쓰인 듯하다.

278) 南宮令(남궁령) : 한나라 이후로 문서의 수발과 행정을 총괄하던 상서성尙書省의 장관인 상서령尙書令의 별칭. 상서성이 남쪽에 위치해 '남궁'이라고 별칭한 데서 유래하였다.

279) 虧成(휴성) : 실패와 성공, 패배와 승리 등을 이르는 말.

280) 皋陶(고요) : 우虞나라 순왕舜王 때 형벌을 관장하던 장관의 이름. 당唐나라 요왕堯王의 이복동생이라는 설이 있다.

씨로 삼은 것이다.

●英布, 六[281]人也. 少時, 有客相之曰, "當刑而王." 及壯, 坐法黥, 故曰黥布. 陳涉起, 布往見番君[282], 番君以女妻之. 後事項王[283], 又挾劍歸漢. 高祖卽位, 封淮南王.

○(전한) 영포(?-B.C.195)는 (안휘성) 육현六縣 사람이다. 어렸을 때 한 손님이 그의 관상을 살피더니 "분명 형벌을 당하고서도 왕에 오를 것입니다"라고 하였다. 장성해서 법을 어겨 경형(묵형)을 당했기에 '경포'로 불렸다. (진秦나라 말엽에) 진섭이 군대를 일으켰을 때 영포가 파군番君 오예吳芮를 찾아가 알현하자 파군이 딸을 그에게 시집보냈다. 뒤에 항왕(항우項羽)을 섬기다가 다시 검을 들고 한나라로 귀순하였다. 고조(유방劉邦)가 즉위하면서 회남왕에 봉해졌다.

●雲英[284]. 落英. 英英[285].

○돌비늘(운모). 떨어지는 꽃잎. 가벼운 모양.

◆衡(형씨)

▶商音. 平陽. 商伊尹爲阿衡[286], 子孫因以爲氏.

▷음은 상음에 속하고 본관은 (산서성) 평양군이다. 상나라 때 이윤이 아형을 맡

---

281) 六(육) : 안휘성의 속현屬縣 이름.

282) 番君(파군) : 진秦나라 오예吳芮(?-B.C.202)에 대한 존칭. 강서성 파양현番陽縣의 현령을 지내면서 민심을 얻어 '파군'으로 불렸다. 그에 관한 기록은 이미 앞의 '오吳'씨절 '番君(파군)'항에 보인다.

283) 項王(항왕) : 진秦나라 말엽 초왕楚王 항적項籍(B.C.232-B.C.202)의 별칭. 본명보다는 자를 딴 별칭인 '항우項羽'로 더 알려졌다.

284) 雲英(운영) : 광물의 일종인 돌비늘. '운모雲母'라고도 한다. 종이 표면이 매끄러운 것을 비유할 때도 있다.

285) 英英(영영) : 가벼운 모양. 혹은 아름다운 모양, 빼어난 모양, 분명한 모양 등 다양한 형용어로 쓰인다.

286) 阿衡(아형) : 상商나라 때 이윤伊尹이 맡았던 관직 이름. '아阿'는 '의지하다'란 뜻이고, '형衡'은 '평형'을 뜻한다. 따라서 '왕이 균형을 맞추기 위해 의지하는 관리'라는 뜻으로 후대의 재상과 흡사한 직책이다. 그러나 ≪사기·은본기殷本紀≫권3에서는 '아형'을 이윤의 이름으로 보기도 하였다.

자 자손들이 그참에 이를 성씨로 삼은 것이다.

●衡方厚, 唐人.(見程氏)

○형방후는 당나라 때 사람이다.(상세한 내용은 앞의 '정'씨절 '열부烈婦'항에 보인다.)

●匡衡. 林衡287). 權衡288).

○(전한 사람) 광형. (주周나라 때 산림을 관장하던 관직인) 임형. 저울추와 저울대.

□十五青(15청)

◆丁(정씨)

▶徵音. 濟陽. 齊大公289)生丁公伋, 子孫以王父字爲氏.

▷음은 치음에 속하고 본관은 (산동성) 제양군이다. 제나라 강태공이 정공 급을 낳자 자손들이 조부의 자를 성씨로 삼은 것이다.

◇名藏金匱(이름을 적어 금궤에 보관하다)

●丁復佐漢有功. 高帝290)卽位, 剖符作誓, 金匱291)石室. 定元功292)十八

---

287) 林衡(임형) : 주周나라 때 산림을 관장하던 지관地官 소속 벼슬 이름. 관장하는 영역에 따라 '산우山虞' '택우澤虞' '우형虞衡' '천형川衡' 등의 벼슬이 있었다.

288) 權衡(권형) : 사물의 무게를 측정하는 저울추와 저울대를 지칭하는 말로 척도나 기준을 비유한다.

289) 大公(태공) : 주周나라 문왕文王의 스승이자 무왕武王 때 재상인 여상呂尙의 별칭. '태공'은 부친에 대한 존칭으로 문왕이 여상을 만나 "우리 선친께서 그대를 기다린 지 오래되었소(吾太公望子, 久矣)"라고 말한 데서 '태공망太公望'이란 별칭이 생겼고, 무왕武王이 재상에 임명하고서 '부친처럼 모셨다'는 의미에서 여상의 성을 붙여 '강태공姜太公'으로도 불렀다. 제齊나라를 봉토로 받았다. ≪사기·제태공세가≫권32 참조. '태大'는 '태太'와 통용자.

290) 高帝(고제) : 전한의 건국자인 유방劉邦(B.C.247-B.C.195)의 시호. 보통은 묘호廟號인 고조高祖로 불렸다.

291) 金匱(금궤) : 구리상자. 문서를 보관하는 데 사용하기에 소중한 문헌을 상징한다.

人位, 復居十七.

○정복은 한나라를 도와 공을 세웠다. 고제(유방劉邦)가 즉위하자 부신符信을 쪼개고 서약을 작성하여 금궤에 담아서 석실에 보관하였다. 개국공신 18인의 서열을 정할 때 정복은 17위를 차지하였다.

◇易學(≪역경≫에 관한 학문)

●丁寬, 字子襄, 事田何, 學易. 學成, 東歸, 何謂門人曰, "易已東矣." 漢景朝, 爲梁孝王293)將軍. 作易說三萬言.

○정관은 자가 자양으로 전하를 스승으로 섬겨 ≪역경≫을 배웠다. 학문을 완성하고 동쪽으로 귀향하려고 하자 전하가 문인들에게 말했다. "≪역경≫의 중심지가 이제 동방으로 건너가게 생겼네 그려." 전한 경제 때 양효왕(유무劉武)의 장군을 지냈다. ≪역설≫ 3만 자를 지었다.

◇殿中無雙(궁중에 겨룰 상대가 없다)

●丁鴻, 字孝公, 治尙書. 漢肅宗294)詔鴻, 與諸儒於白虎觀295)論定五經296). 鴻論難最明, 時語曰, "殿中無雙丁孝公." 封馬亭鄕侯. 父綝從光武征伐, 願封本鄕, 封新安鄕侯.

---

292) 元功(원공) : 큰 공이나 그러한 공을 세운 공신을 이르는 말. '원元'은 '대大'의 뜻.

293) 梁孝王(양효왕) : 전한 때 문제文帝(유항劉恒)와 두황후竇皇后 사이에서 태어난 종실 사람으로 경제景帝(유계劉啓)의 동생인 유무劉武(B.C.178-B.C.144). '양'은 봉호이고, '효'는 시호. 당시 명사인 사마상여司馬相如(?-B.C.117)·매승枚乘(?-B.C.141)·추양鄒陽 등과 함께 토원兎園에서 교유를 가졌다. '토원'은 '양원梁園' '양원梁苑'이라고도 한다. ≪한서·문삼왕전文三王傳·양효왕유무전≫권47 참조.

294) 肅宗(숙종) : 후한 장제章帝 유달劉炟. 명제明帝의 5남으로 장제는 시호이고 숙종은 묘호이다. ≪후한서·장제기≫권3 참조.

295) 白虎觀(백호관) : 후한 때 오경五經을 강론하고 정리하기 위해 미앙궁未央宮 안에 세웠던 전각 이름. 후한 반고班固(32-92)의 ≪백호통白虎通≫이란 서명도 여기서 유래하였다.

296) 五經(오경) : ≪역경易經≫ ≪서경書經≫ ≪시경詩經≫ ≪예기禮記≫ ≪춘추경春秋經≫을 아우르는 말. '육경六經'과 함께 결국 경전을 총칭한다.

○정홍(?-94)은 자가 효공으로 ≪서경≫에 정통하였다. 후한 숙종(장제章帝)은 정홍에게 조서를 내려 다른 유생들과 함께 백호관에서 오경을 정리케 하였다. 정홍이 난제를 가장 명석하게 풀었기에 당시에 "궁중에는 정효공(정홍)과 겨룰 상대가 없다네"란 말이 돌았다. 마정향후에 봉해졌다. 부친 정임丁綝은 광무제를 따라 정벌전에 참여하였다가 고향에 봉해지기를 원하였기에 신안향후에 봉해졌다.

◇松夢(소나무 꿈을 꾸다)

●丁固初爲尙書, 夢松生腹上, 謂人曰, "松字, 十八公也, 十(八[297])歲其[298]爲公乎!" 卒如其言.(吳人)

○정고(198-273)은 당초 상서에 임명되었을 때 소나무가 배 위에서 자라나는 꿈을 꾸자 사람들에게 "'소나무 송'자는 '십十' '팔八' '공公' 세 글자로 이루어져 있으니 열여덟 살에 아마도 삼공三公에 오를 수 있을 것이오!"라고 하였다. 결국 그의 말대로 되었다.(정고는 삼국 오나라 때 사람이다)

◇聚書(서책을 모으다)

●丁顗, 宋初人, 盡家貲, 買書至八千卷曰, "吾聚書多矣, 必有好學者, 爲吾子孫." 子逢吉爲光祿寺丞[299]. 孫度.

○정의는 송나라 초엽 사람으로 가산을 다 털어 8천 권에 달하는 서책을 매입하며 말했다. "내가 서책을 많이 모았으니 필시 학문을 좋아하는 사람이 있다면 내 자손일 것이오." 아들 정봉길丁逢吉이 광록시승에 임명되었다. 손자는 정도丁度이다.

---

297) 八(팔) : 문맥상으로 볼 때 이 글자가 누락되었기에 첨기한다.
298) 其(기) : 추측 어기조사.
299) 光祿寺丞(광록시승) : 진한秦漢 때는 황제의 호위를 관장하다가 수당隋唐 이후로는 황제의 음식을 관장하던 기관인 광록시光祿寺의 속관屬官을 이르는 말. 장관인 경卿으로부터 품계에 따라 소경少卿·승丞·주부主簿·녹사錄事 등의 벼슬이 있었다.

◇邇英要覽(≪이영요람≫)

●丁度, 字公雅, 登服勤詞學科[300]. 仁宗朝, 爲翰林[301]十年, 著邇英要覽十卷. 上呼爲學士而不名. 遷端明殿學士. 仁宗曰, “度爲侍從[302]十五年, 議論天下事, 未嘗及私.” 後拜參政.

○(송나라) 정도(990-1053)는 자가 공아로 복근사학과에 급제하였다. 인종 때 10년 동안 한림원에서 근무하며 ≪이영요람≫ 10권을 지었다. 인종은 그를 ‘학사’라고 불렀지 (존중하는 의미에서) 그의 이름을 호명하지 않았다. 단명전학사로 승진하였다. 인종이 “정도는 15년 동안 시종관을 지내면서 천하 정사에 대해 의견을 개진하였지 사적인 일에 대해 언급한 적이 없소”라고 말한 일이 있다. 뒤에 참지정사參知政事를 배수받았다.

◇骰子選(윷놀이로 뽑다)

●丁謂, 字公言, 宋太宗朝, 登第. 孫何第一, 謂第四, 恥居其下. 上曰, “甲乙丙丁, 合居第四, 夫復何言?” 眞宗朝, 拜參政. 或率楊億賀, 億曰, “骰子[303]選耳, 何足道哉?” 後拜相. 自以爲令威[304]後, 故好鶴, 人呼爲鶴相.

○정위(966-1037)는 자가 공언으로 송나라 태종 때 과거시험에 급제하였다. 손하가 장원급제를 차지하고 자신이 4등을 차지하자 정위는

---

300) 服勤詞學科(복근사학과) : 송나라 진종眞宗 대중상부大中祥符(1008-1016) 연간에 실시했던 과거시험 이름. 휘종徽宗 때는 사학겸무과詞學兼茂科로 개명하였다가 남송 고종高宗 때는 박학굉사과博學宏詞科로 개명하였다.

301) 翰林(한림) : 당나라 초기에 각계의 전문가로 구성한 황제의 자문기구인 한림원翰林院의 약칭. 송나라 때는 천문·서예·도화圖畵·의관醫官 4국을 총괄하였고, 명청明淸 때는 사서史書의 편찬이나 저작著作·도서圖書 등의 업무를 관할하였다. 여기서는 결국 한림학사翰林學士를 가리킨다.

302) 侍從(시종) : 송나라 때 한림학사翰林學士·급사중給事中·육부六部의 상서尙書와 시랑侍郎에 대한 총칭.

303) 骰子(투자) : 윷이나 주사위 따위의 도박용 도구를 이르는 말. 삼국시대 위魏나라 조식曹植(192-232)이 처음 만들었다고 전한다.

304) 令威(영위) : 전한 사람 정영위丁令威. 영허산靈虛山에서 득도하여 신선이 되었는데 학으로 변신해 고향을 찾았다가 세태를 한탄하며 떠났다는 고사가 진晉나라 도연명陶淵明(365-427)의 ≪수신후기搜神後記≫권1에 전한다.

손하보다 뒤떨어진 것을 수치스럽게 생각하였다. 그러자 태종이 말했다. "갑·을·병·정이라서 정씨가 당연히 4등을 차지한 것이거늘 더 이상 말할 게 뭐 있겠소?" 진종 때는 참지정사參知政事를 배수받았다. 누군가 양억을 데리고서 축하하려고 하자 양억이 말했다. "윷놀이로 뽑은 것일 뿐이거늘 말할 게 뭐 있겠소?" 뒤에 재상을 배수받았다. 그 스스로 (전한 때 도사) 정영위丁令威의 후손이라고 생각해 학을 좋아하였기에 사람들은 그를 '학상'으로 불렀다.

●丁恭以春秋[305]教授生徒數百人, 當世稱爲大儒.

○(후한 사람) 정공은 ≪춘추경≫을 학생 수백 명에게 가르쳐 당대에 대유학자로 칭송받았다.

●丁儀·丁廙兄弟, 竝有文采. 魏文帝以爲曹植黨, 誅之.

○정의(?-220)와 정이(?-220) 형제는 함께 명성을 떨쳤다. 그러나 (삼국) 위나라 문제(조비曹丕)는 그들을 조식의 일당으로 생각해 살해하였다.

●丁蘭事母孝.

○(후한 때 효자) 정난은 효심을 다해 모친을 섬겼다.

●丁令威, 鶴仙也. 化爲白鶴, 集遼東華表[306]柱, 吟一詩而去.

○(전한) 정영위는 학을 좋아하던 신선이다. 백학으로 변신해 요동의 화표 기둥에 날아들었다가 시를 한 수 읊조리고는 사라졌다.

---

305) 春秋(춘추) : 주周나라 춘추시대 때 역사를 기록한 ≪춘추경春秋經≫. 오경五經의 하나로 지금은 해설서인 ≪좌전左傳≫ ≪곡량전穀梁傳≫ ≪공양전公羊傳≫으로 전한다.

306) 華表(화표) : 궁궐이나 성벽·성문·다리·능묘 앞에 세워 놓는 커다란 장식용 돌기둥을 뜻하는 말.

※女德婚姻(여덕과 혼인)

◇仙女塔(선녀탑)

●丁義[307]以神方授吳眞君[308]. 今瑞州崇元觀, 乃丁眞君女秀英煉丹之所, 丹井猶存. 秀英仙去, 葬衣冠於觀北, 至今, 呼爲仙女塔.

○(진晉나라 때 도사) 정의는 신선술을 오진군(오맹吳猛)에게 전수하였다. 오늘날 (강서성) 서주의 숭원관이 바로 정진군(정의)의 딸 정수영丁秀英이 단약을 제련하던 곳으로 단약을 제련하던 우물이 아직도 남아 있다. 정수영이 선녀가 되어 사라지면서 숭원관 북쪽에 의관을 묻었기에 오늘날까지도 선녀탑이라고 부른다.

◇擇婿(사위를 고르다)

●丁顥與竇偁同幕. 時顥子謂尙幼, 偁見而奇之曰, "此子後必以文致遠[309]." 以女妻之.

○(송나라) 정호는 두칭과 같은 막부에 있었다. 당시 정호의 아들 정위丁謂(966-1037)는 아직 어린 나이였지만, 두칭이 그를 보고서 대견하게 여겨 "이 아들은 훗날 틀림없이 문장으로 큰 뜻을 이룰 것입니다"라고 말하고는 딸을 그에게 시집보냈다.

●丁姬生哀帝. 由是許史[310]丁傅[311]之家, 皆重侯累爵.

○(전한 때) 정희가 애제를 낳았다. 그래서 허황후許皇后·사황손史皇孫의 아내·정희丁姬·부소의傅昭儀의 가문이 모두 제후에 오르고 높은 관작을 받았다.

---

307) 丁義(정의) : 진晉나라 때 도사이자 의사. ≪대청일통지≫권251 참조.

308) 吳眞君(오진군) : 진晉나라 때 도사 오맹吳猛(?-약 340)의 별칭. '진군'은 신선이나 득도한 도사에 대한 존칭으로 '진인眞人'과 뜻이 유사하다. ≪진서·오맹전≫권95, ≪대청일통지大淸一統志·남창부南昌府2≫권239 참조.

309) 致遠(치원) : 심원한 경지에 이르다, 큰 뜻을 이루다.

310) 許史(허사) : 전한 선제宣帝 때 허황후許皇后와 사황손史皇孫의 처가인 왕王씨 가문을 아우르는 말. ≪한서·외척열전≫권97 참조.

311) 丁傅(정부) : 전한 원제元帝 때 후궁인 정희丁姬와 부소의傅昭儀를 아우르는 말. ≪한서·외척열전≫권97 참조.

●丁謂女適錢惟演之子.

○(송나라) 정위(966-1037)의 딸은 전유연의 아들에게 시집갔다.

●識丁[312). 添丁[313). 石與丁[314).

○무식한 사람. (당나라 때 시인 노동盧仝의 아들) 노첨정盧添丁. (송나라) 석연년石延年(994-1041)과 정도丁度(990-1053).

◆邢(형씨)

▶商音. 河間. 周公[315)第四子封於邢. 傳[316)所謂"邢・茅・胙・祭, 周公之胤," 是也. 子孫以國爲氏. 邢前[317), 勇士也.(襄二十一年)

▷음은 상음에 속하고 본관은 (하북성) 하간군이다. (주周나라) 주공의 4남이 형땅에 봉해졌다. ≪좌전左傳・희공僖公24년≫권14에서 말한 "형나라・모나라・조나라・제나라는 모두 주공의 후손이 세운 제후국이다"라고 한 것도 이를 두고 한 말인데, 자손들이 나라 이름을 성씨로 삼은 것이다. (춘추시대 노魯나라) 형괴邢蒯는 용맹한 선비였다.(≪좌전・양공襄公21년≫권34)

---

312) 識丁(식정) : 눈으로 '정丁'자도 알아보지 못 하다는 것을 뜻하는 말인 '목불식정目不識丁'의 준말로 무식함을 비유한다.

313) 添丁(첨정) : 당나라 때 시인 노동盧仝의 아들 이름.

314) 石與丁(석여정) : 송나라 사람 석연년石延年(994-1041)과 정도丁度(990-1053)를 아우르는 말. 두 사람 모두 죽어서 신선이 되어 선계에 있는 부용성芙蓉城의 성주가 되었다는 설화가 각각 송나라 구양수의 ≪육일시화六一詩話≫와 장사정張師正의 ≪괄이지・부용관주芙蓉館主≫권7에 전하고, 소식蘇軾이 ≪동파전집東坡全集≫권9에 실린 칠언고시七言古詩 <부용성(芙蓉城)>의 첫 연에서 "부용성에 꽃이 자욱한데, 누가 그 주인이런가? 석연년과 정도라네(芙蓉城中花冥冥, 誰其主者石與丁)"라고 읊은 일이 있다.

315) 周公(주공) : 주周나라 무왕武王 희발姬發의 동생이자 성왕成王 희송姬誦의 숙부인 희단姬旦에 대한 존칭. 성왕이 나이가 어려 섭정攝政을 하였고, 성왕이 성장한 뒤 물러나 노魯나라를 봉토封土로 받았다. ≪사기・노주공세가魯周公世家≫권33 참조.

316) 傳(전) : 노魯나라 은공隱公 원년元年(B.C.722년)부터 애공哀公 27년(B.C.468년)까지 약 250년 간의 춘추시대 역사를 기록한 ≪춘추경春秋經≫에 대한 전국시대 노魯나라 좌구명左丘明의 해설서인 ≪춘추좌씨전春秋左氏傳≫의 약칭. ≪춘추좌전≫ ≪좌씨전≫ ≪좌전≫으로 약칭하기도 한다.

317) 邢前(형전) : ≪좌전・양공襄公21년≫권34의 원문에 의하면 '형괴邢蒯'의 오기이다. 자형의 유사성으로 인한 필사 과정상의 단순 오기로 보인다.

◇雅士(단아한 선비)

●邢顒, 字子昻, 擧孝廉[318]. 時人語曰, "德行堂堂邢子昻." 劉楨曰, "邢顒, 北土之彦. 少秉高節, 眞雅士也." 魏文帝拜爲尙書僕射[319]. 子友·曾孫文, 官至尙書.

○형옹은 자가 자앙으로 효렴과에 급제하였다. 그래서 당시 사람들이 "덕행으로 당당한 이는 형자앙(형옹)이라네"라고 하였다. 유진은 "형옹은 북방의 인재이다. 어려서부터 고상한 절조를 지켰으니 진정 단아한 선비이다"라고 말한 일이 있다. (삼국) 위나라 문제가 그를 상서복야에 배수하였다. 아들 형우邢友와 증손자 형문邢文은 관직이 상서까지 올랐다.

◇緯世之器(세상을 경영하는 훌륭한 인재)

●邢巒, 字洪賓, 才兼文武, 內參機揆[320], 外寄折衝[321], 其緯世之器歟! 北魏中書侍郞[322].

○형만(464-514)은 자가 홍빈으로 문관과 무관으로써의 재능을 겸비하여 궁중에 있을 때는 조정의 기무를 관장하는 일에 참여하고, 도성을 나서면 적과 담판을 짓는 일을 맡았으니 세상을 경영하는 훌륭한 인재라 하겠다. (북조北朝) 북위에서 중서시랑을 지냈다.

---

318) 孝廉(효렴) : 한나라 때 관리를 선발하는 제도의 하나. 효렴과孝廉科 외에도 현량방정賢良方正·직언극간直言極諫 등의 과목이 있었다.

319) 僕射(복야) : 진秦나라 때 처음 설치되었고, 한나라 때는 5상서尙書 가운데 한 명을 복야에 임명하여 조정의 핵심 행정 기관인 상서성尙書省의 업무를 총괄하게 하였는데, 뒤에 권한이 막강해지자 좌·우복야를 두면서 당송唐宋 때까지 지속되었다. 보통 승상丞相의 지위를 겸하였다.

320) 機揆(기규) : 기무機務, 기밀문서를 관장하는 일. 즉 조정의 주요 업무를 가리킨다.

321) 折衝(절충) : 적을 되돌려보내거나 담판을 잘 짓는 것을 비유하는 말. '충衝'은 전차를 뜻하는 말로서 '적의 전차를 부순다'는 뜻에서 유래하였다.

322) 中書侍郞(중서시랑) : 황명의 기초와 출납을 관장하는 중서성中書省에서 장관인 중서령中書令 다음 가는 직책을 이르는 말.

◇一代模楷(한 시대의 모범)

●邢卲[323], 字子才, 十歲能屬文. 日誦萬言, 五行俱下[324], 一覽無遺, 讀漢書五日, 略能編記. 年未二十, 名動衣冠[325], 文章獨步當時. 每一文出, 京師爲之紙貴. 時與溫子升爲文士之冠, 世謂之溫邢. 魏收亦天才艶發, 溫歿後, 世稱邢魏. 仕北魏, 爲中書令[326].

○형소(494-?)는 자가 자재로 열 살에 글을 지을 줄 알았다. 하루에 만 자를 외우되 다섯 줄을 한꺼번에 읽어 내려가면서도 한 번 본 것은 잊지 않았기에 ≪한서≫를 5일만에 읽고서 거의 다 기억하였다. 나이 채 스무 살이 되기도 전에 명성이 사대부들 사이에 파다하게 퍼지더니 문장이 당시에 독보적이었다. 매번 문장을 하나 내놓으면 경사 사람들이 이를 베끼는 바람에 종이값이 폭등할 정도였다. 당시 온자승과 함께 문단에 영수가 되어 세간에서는 그들 두 사람을 '온형'이라고 하였다. 위수 역시 천부적 재질이 뛰어났기에 온자승이 죽은 뒤에는 세간에서 그들 두 사람을 '형위'라고 불렀다. (북조北朝) 북위에서 벼슬길에 올라 중서령을 지냈다.

◇國藩(나라를 지키는 울타리)

●邢君牙, 唐元和[327]中, 爲鳳翔節度使[328]. 韓愈與之書云, "閣下[329]爲

---

323) 卲(소) : '고을 이름 소邵'는 '아름다울 소卲'의 와자訛字이나 후대에는 혼용되었다.

324) 五行俱下(오항구하) : 다섯 줄을 한꺼번에 읽어내려 가다. 속독의 능력이 뛰어남을 말한다. '오항병하五行竝下'라고도 한다.

325) 衣冠(의관) : 관복官服과 갓. 사대부나 벼슬아치를 비유한다.

326) 中書令(중서령) : 위진魏晉 이래로 국가의 기무機務・조령詔令・비기祕記 등을 관장하는 최고 행정 기관인 중서성中書省의 장관.

327) 元和(원화) : 당唐 헌종憲宗의 연호(806-820).

328) 節度使(절도사) : 당송唐宋 때 한 도道나 여러 주州의 군사・민정・재정 등을 관할하던 벼슬. 송 이후로는 실권이 없이 직함만 있었다.

329) 閣下(각하) : 고관에 대한 존칭. '누각 아래서 공손히 대기한다'는 의미에서 유래하였다. 황제皇帝에게는 '섬돌 아래 있다'는 의미의 '폐하陛下'를, 친왕親王이나 제후에게는 '전각 아래 있다'는 의미의 '전하殿下'를, 고관에게는 '누각 아래 있다'는 의미의 '각하閣下'를, 그리고 신분이나 연령이 높은 사람에게는 '발 아래 있다'는 의미의 '족하足下'를 사용함으로써 상대방의 지위가 낮아질수

王爪牙[330], 爲國藩垣[331]."

○형군아는 당나라 (헌종) 원화(806-820) 연간에 (섬서성) 봉상절도사를 지냈다. 한유가 그에게 서신을 보내 "각하는 제왕을 지키는 용맹한 무관이자 나라를 지키는 울타리이십니다"라고 하였다.

◇鑿墻度厄(담장을 뚫어 액운을 지나가게 하다)

●邢和璞[332]得仙, 與崔司馬[333]有舊. 崔病, 經年且死. 一日臥室, 聞北墻有斸聲, 七日不已. 窺之, 有人立[334]云, "邢眞人處分, 開此司馬厄."

○(당나라) 형화박은 신선술을 터득하였는데 최사마와는 오랜 친분이 있었다. 최사마가 병이 들어 한 해가 지나면서 거의 사망하게 되었다. 하루는 방에 누워 있는데 북쪽 담장에서 괭이질 소리가 들리더니 7일 동안이나 멈추지를 않았다. 이를 훔쳐보자 어떤 사람이 즉시 "형진인(형화박)이 처리하여 최사마의 이 액운을 풀어 주는 것이오"라고 하는 것이었다.

◇講學精博(강의가 정확하고 해박하다)

●邢昺, 字叔明. 講師·比[335]二卦, 宋太宗嘉其精博, 召爲國子監丞[336],

록 점차 거리를 가까이하는 의미가 담겨 있다.

330) 爪牙(조아) : 날카로운 발톱과 어금니. 용맹한 군인이나 무관을 비유한다.

331) 藩垣(번원) : 울타리와 담장. 황제를 보위하는 신하를 비유한다.

332) 邢和璞(형화박) : 당나라 때 도사. 노장사상老莊思想과 점술에 정통하고 영양潁陽에 은거하며 ≪영양서潁陽書≫ 3권을 저술하였다. ≪신당서·형화박전≫권204 참조.

333) 司馬(사마) : 벼슬 이름. 주周나라 때는 육경六卿의 하나인 하관夏官으로서 군사를 관장하였고, 한나라 때는 삼공三公의 하나로서 승상이 되기도 하였다. 한나라 이후로는 왕부王府나 승상부丞相府·장군부將軍府 등에서 병마兵馬를 관장하던 벼슬이 되었고, 당나라 이후로는 주로 별가別駕·장사長史·녹사참군사錄事參軍事·참군사參軍事·녹사錄事·승丞·문학文學 등과 함께 자사刺史의 속관이 되었다. '최사마'는 형화박을 따르던 최서崔曙를 가리키는 듯하다.

334) 立(입) : 즉시, 바로.

335) 師比(사비) : ≪역경≫ 64괘 가운데 제7괘인 사괘師卦와 제8괘인 비괘比卦를 아우르는 말.

336) 國子監丞(국자감승) : 당송唐宋 때 국가 최고 교육 기관인 국자감國子監의 속관屬官을 이르는 말. 국자감에는 장관인 국자제주國子祭酒와 버금 장관인

專講學之任. 眞宗始置翰林侍講, 首以命昺.

○형병(932-1010)은 자가 숙명이다. 사괘師卦와 비괘比卦 두 괘에 대해 강의하자 송나라 태종이 그의 정확하고 해박한 지식에 감탄하여 궁중으로 불러서 국자감승에 임명해 강학의 임무를 전담케 하였다. 진종은 처음으로 한림시강을 설치하면서 맨먼저 형병을 임명하였다.

◇父子情(부자간의 애정)

●邢恕, 字和叔, 從伊川學. 呂公著薦爲崇政院說書. 元祐初, 除御史, 後謫隨州. 子居實, 字敦夫, 早有詩名. 山谷[337]詩[338]云, "兒中兀老蒼, 趣造[339]甚奇異." 早天山谷詩[340]云, "兒到隨州更老成, 江山爲助筆縱橫. 眼看白壁[341]埋黃壤, 何況人間父子情?"

○(송나라) 형서는 자가 화숙으로 이천선생伊川先生 정이程頤의 문하에서 공부하였다. 그래서 여공저는 그를 숭정원설서에 추천하였다. (철종) 원우(1086-1093) 초에 어사를 제수받았다가 뒤에 (호북성) 수주로 폄적당했다. 아들 형거실邢居實은 자가 돈부로 어려서부터 시로 명성을 떨쳤다. 그래서 산곡山谷 황정견黃庭堅은 시에서 "아이 가운데 단연 노련하나니, 운치와 경지가 사뭇 기이하구나"라고 하였다. 또 일찌감치 황정견은 시를 지어 "아이가 수주로 가더니 더욱

국자사업國子司業을 비롯하여 승丞·박사博士·직강直講·조교助教·학록學錄·학정學正·주부監簿 등의 속관이 있었다.

337) 山谷(산곡) : 송나라 사람 황정견黃庭堅(1045-1105). '산곡'은 호. '부옹涪翁'이라고도 한다. 자는 노직魯直. 소식蘇軾(1036-1101)의 제자이자 강서시파江西詩派의 창시자로서 비서승祕書丞과 사천성 부주별가涪州別駕 등을 역임하였다. 저서로 ≪산곡집山谷集≫ 67권이 전한다. ≪송사·문원열전文苑列傳·황정견전≫권444 참조.

338) 詩(시) : 이는 오언고시五言古詩 <차운하여 돈부惇夫 형거실邢居實의 시에 화답하다(次韻答邢惇夫)> 가운데 한 연을 인용한 것으로 ≪산곡집≫권3에 전한다.

339) 趣造(취조) : 운치나 경지를 이르는 말. '조造'는 '지至' '예詣'의 뜻.

340) 詩(시) : 이는 칠언절구七言絶句 <돈부 형거실을 추억하다(憶邢惇夫)>를 인용한 것으로 ≪산곡집≫권9에 전한다.

341) 白壁(백벽) : 훌륭한 인재를 비유하는 말인 '백벽白璧'의 오기. 자형의 유사성으로 인한 필사 과정상의 단순 오기로 보인다.

노련해졌거니와, 강산마저 도움을 베풀어 붓을 종횡무진 자유롭게 구사하네. 백벽白璧이 황토에 묻히는 것을 눈으로 직접 보았거늘, 하물며 인간세상 부자간의 애정이 애틋함에야 말할 나위 있으랴?"라고 한 적이 있다.

◇逸民(은자)

●邢淳, 字君雅, 雍丘人. 宋眞宗幸亳州, 以布衣[342]召對, 問治道, 對曰, "陛下[343]東封西祀, 皆已畢矣, 臣復何言?" 上大悅, 除許州助敎, 不就. 及卒, 人見其勅與麻紙[344]同束在屋梁間.

○형순은 자가 군아로 (하남성) 옹구현 사람이다. 송나라 진종이 (안휘성) 박주로 행차하여 평민 신분으로 불러들여 대면하는 자리에서 정치상 도의에 대해 묻자 형순이 대답하였다. "폐하께서 동쪽 태산에서 천제에게 제를 올리고 서쪽 교외에서 지신에게 제사지내는 일을 모두 이미 마치셨거늘 신이 또 무슨 말씀을 드리겠나이까?" 진종이 무척 기분이 좋아서 (하남성) 허주조교에 제수하였으나 취임하지 않았다. 그가 사망하고 나서 사람들은 조서와 마지가 대들보에 함께 묶여 있는 것을 발견하였다.

●邢貞, 魏太常卿[345], 奉策使吳, 入門不下車, 張昭詰之.

○형정은 (삼국) 위나라에서 태상경을 맡아 책서를 받들고 오나라에 사신으로 갔는데, 성문에 들어서서도 수레에서 내리지 않았기에 장소가 그를 힐난하였다.

---

342) 布衣(포의) : 베옷. 벼슬에 오르지 않은 평민 신분을 상징한다.

343) 陛下(폐하) : 황제에 대한 존칭. '섬돌 아래 공손히 자리한다'는 의미에서 유래하였다.

344) 麻紙(마지) : 삼으로 만든 종이. 재상이나 장수를 임면任免하는 제서制書에 사용하던 백마지白麻紙를 가리킨다.

345) 太常卿(태상경) : 예악禮樂과 천문天文에 관련된 업무를 관장하는 기관인 태상시太常寺의 장관. 태상경은 구경九卿 중에서도 서열이 가장 높은 고관高官이었다.

●邢臧，字子良，除東牟太守，和雅信厚，有長者[346)]風.
○(북조北朝 북위北魏 때 사람) 형장은 자가 자량으로 (산동성) 동모 태수를 제수받았는데, 온화하고 신의가 두터워 장자의 풍모가 있었다.

●邢冉，唐貞元[347)]中，與李絳等同龍虎榜[348)].
○형염은 당나라 (덕종) 정원(785-805) 연간에 이강 등과 함께 과거 시험에 급제하였다.

※女德婚姻(여덕과 혼인)

◇邢姨(형나라 군주의 이모)

●"邢侯之姨，譚公維私[349)]. 手如柔荑，膚如凝脂，" 謂莊姜[350)]也.(詩碩人)
○"형나라 군주의 이모는 담나라 군주의 부인과 동서라네. 손은 여린 새싹처럼 가녀리고, 피부는 응고된 기름처럼 하얗네"라고 한 것은 (춘추시대 위衛나라) 장공莊公의 아내인 강姜씨를 두고 한 말이다. (≪시경·위풍衛風·석인碩人≫권5)

◇尹邢(윤부인과 형첩여)

●邢婕妤[351)]與尹夫人，漢武時竝得幸，詔不得相見. 尹請見邢，帝使邢衣

346) 長者(장자) : 나이나 신분, 인품이 높은 사람에 대한 존칭.
347) 貞元(정원) : 당唐 덕종德宗의 연호(785-805).
348) 龍虎榜(용호방) : 당나라 덕종德宗 때 육지陸贄가 진사시험의 감독관을 맡았을 때 가능賈稜·진우陳羽·구양첨歐陽詹·이관李觀·풍숙馮宿·왕애王涯·이박李博·장계우張季友·유준고劉遵古·허계동許季同·한유韓愈·이강李絳·유승선庾承宣·원결元結·호양胡諒·최군崔群·형책邢册·배광보裴光輔·만당萬當 등이 급제자 명단에 이름을 올렸는데 세간에서는 이를 '용호방'으로 불렀다는 ≪신당서·구양첨≫권203의 고사에서 유래한 말로서 진사과 급제자 명단을 비유한다. '호방虎榜'으로 약칭하기도 하고, '방榜'은 '방牓'으로도 쓴다.
349) 私(사) : 동서同壻.
350) 莊姜(장강) : 춘추시대 위衛나라 장공莊公의 아내 강姜씨.
351) 婕妤(첩여) : 한나라 때 황실을 모시던 여관女官 중의 하나. 당송 때는 궁중의 내관內官으로서 품계가 비妃와 빈嬪 다음 가는 정3품이었다. '첩여倢伃'로

故衣, 獨身來前. 見之俛泣, 自痛其不如也.

○형첩여와 윤부인은 전한 무제 때 나란히 총애를 받아 (시기하지 못하도록 하기 위해) 서로 만나지 못 하도록 조서가 내려졌다. 윤부인이 형첩여를 만나겠다고 간청하자 무제는 형첩여에게 헌 옷을 입고서 혼자서 찾아오게 하였다. 윤부인이 그녀를 보더니 고개를 숙인 채 눈물을 흘리며 자신이 그녀만 못 하다고 가슴 아파하였다.

◇女君(여군)

●邢女君[352], 濠州人, 與鄰女瀍徐二水之間. 有數婦從水出, 若連腰裙. 至前曰, "東海君聘女[353]爲婦." 敷茵褥水上, 置女坐其上, 遂逝. 鄉人爲立女君祠.

○형여군은 (안휘성) 호주 사람으로 이웃집 여인과는 구수와 서수 두 강물을 사이에 두고 살았다. 아낙 몇 명이 물에서 나오는데 마치 허리가 붙은 치마를 함께 입고 있는 듯하였다. 앞에 도착해서는 "(동해의 용왕이신) 동해군이 당신을 아내로 맞이하려고 하오"라고 하였다. 물가에 요와 이불을 펼치고는 그녀를 데려다가 그 위에 두고는 마침내 사라졌다. 그래서 고을 사람들이 그녀를 위해 여군사란 사당을 세워 주었다.

●魏河間邢氏, 高允娶之.

○(북조北朝) 북위北魏 때 하간군 출신 형씨를 고윤(390-487)이 아내로 맞았다.

●唐邢渙初娶季忠[354]女, 再娶張植女.

도 쓴다.

352) 女君(여군) : 황후나 본부인에 대한 존칭.

353) 女(여) : 너, 그대. '여汝'와 통용자.

354) 季忠(계충) : 당나라 두목杜牧(803-852)의 ≪번천문집樊川文集≫권5에 실린 <당나라 때 (안휘성) 섭주자사를 지낸 고 형군(형환邢渙)의 묘지명(唐故歙州刺史邢君墓誌銘)>에 의하면 '이좌李佐'의 오기이다. 이좌가 사천성 충주자사忠州刺史를 지낸 적이 있기에 전사 과정에서 혼선이 생긴 듯하다.

○당나라 형환은 처음에 이좌李佐의 딸에게 장가들었다가 다시 장식의 딸에게 장가들었다.

◆泠(영씨)

▶詳見冷姓.

▷상세한 내용은 뒤의 '냉冷'씨절에 보인다.

●泠至, 秦伯使, 如晉, 報問.(僖十)

○(춘추시대 때) 영지는 진秦나라 군주의 사신이 되어 진晉나라에 가서 안부인사를 전한 일이 있다.(≪좌전左傳 · 희공僖公10년≫권12)

□十六蒸(16증)

◆曾(증씨)

▶商音. 魯國. 夏少康[355]封少子曲烈于鄫, 周末, 莒滅鄫, 太子巫仕魯, 去邑爲曾氏. 三桓[356]家臣曾夭 · 曾阜, 其後也.

▷음은 상음에 속하고 본관은 (산동성) 노국이다. 하나라 군주 소강이 막내아들 곡열을 증나라에 봉하였는데, 주나라 말엽에 거나라가 증나라를 멸망시키자 (증나라) 태자 무巫가 노나라에서 벼슬길에 오르면서 '고을 읍邑(阝)' 부수를 삭제하고 '증'씨라고 한 것이다. 환공桓公의 세 후손인 중손仲孫 · 숙손叔孫 · 계손季孫의 가신인 증요와 증부가 바로 그 후손들이다.

◇堯舜氣象(요왕과 순왕의 기상)

●曾點, 字晳, 言志有沂水詠歸之樂. 程子[357]云[358], "點與聖人志同, 便

---

355) 少康(소강) : 하夏나라 때 여섯 번째 황제로 상相의 아들.

356) 三桓(삼환) : 춘추시대 노魯나라 환공桓公의 후손으로 대부大夫를 지낸 중손仲孫 · 숙손叔孫 · 계손季孫을 아우르는 말.

357) 程子(정자) : 송나라 때 도학자인 정호程顥(1032-1085)와 정이程頤(1033-1107) 형제에 대한 존칭. 저서로 ≪이정문집二程文集≫ 15권 등이 전한다. ≪송사 · 도학열전 · 정호전≫권427 참조.

358) 云(운) : 이는 송나라 주희朱熹(1130-1200)가 엮은 ≪이정유서二程遺書≫ 권12에 인용되어 전한다.

是堯舜氣象也.” 子參.

○(춘추시대 노魯나라) 증점은 자가 석晳으로 기수에서 시를 읊조리며 귀가하는 즐거움을 마음에 품고 있다는 말을 한 일이 있다. 그래서 (송나라) 정자는 “증점은 성인과 뜻을 같이 하였으니 바로 (당唐나라) 요왕堯王과 (우虞나라) 순왕舜王의 기상을 품은 것이다”라고 하였다. 아들은 증참曾參이다.

◇道統之傳(도통을 전수하다)

●曾參, 字子輿, 一唯之間[359], 深悟一貫之旨. 封郕國公.

○(춘추시대 노魯나라) 증참(B.C.505-B.C.436)은 자가 자여로 아주 짧은 시간에 (성인의) 일관된 취지를 정확히 꿰뚫어볼 줄 알았다. 성국공에 봉해졌다.

◇世取科第(대대로 과거시험에 급제하다)

●曾致堯, 南豐人. 盱江[360]擢第, 自致堯始. 幼子易簡·易占, 竝登科. 易占三子鞏·布·肇.

○(송나라) 증치요는 (강서성) 남풍군 사람이다. (남풍군) 우강현 출신이 과거시험에 급제한 것은 증치요로부터 시작되었다. 어린 아들 증이간曾易簡과 증이점曾易占도 나란히 과거시험에 급제하였다. 증이점의 세 아들은 증공曾鞏·증포曾布·증조曾肇이다.

◇五朝史事(다섯 왕조의 사서를 편수하다)

●曾鞏, 字子固, 號南豐先生. 平生嗜書, 家藏至二萬餘卷. 手自讎對, 白首不倦. 有元豐類藁五十卷. 王震序其文曰, “南豐以文章名天下, 久矣. 其文雄渾瓌偉, 若江湖之波濤, 煙雲之姿狀, 一何奇也?” 元豐五年, 與李淸臣·王存等脩史, 上手詔[361]中書曰, “五朝[362]史事, 宜付曾鞏.”

---

359) 一唯之間(일유지간) : 한 번 ‘네!’하고 대답하는 사이. 매우 짧은 시간을 비유한다.

360) 盱江(우강) : 강서성의 속현屬縣 이름.

361) 手詔(수조) : 임금이 직접 작성한 친필 조서를 일컫는 말.

遂爲史館修撰[363]. 史成, 上賜龍衣金帶, 擢試[364]中書舍人.

○(송나라) 증공(1019-1083)은 자가 자고이고 호가 남풍선생이다. 평소 글을 좋아하여 집에 2만 권이 넘는 서책을 소장하였다. 손수 교정하고 대조하면서 백발이 되어서도 게을리하지 않더니 ≪원풍류고≫ 50권을 남겼다. 왕진이 그의 문집에 서문을 지어 "남풍선생은 문장으로 천하에 명성을 떨친 지 오래되었다. 그의 문장은 웅장하고 아름다워 마치 강과 호수에서 일어나는 물결 같고 안개와 구름의 형상 같으니 그 얼마나 기이하던가?"라고 하였다. 원풍 5년(1082)에 이청신・왕존 등과 함께 사서를 편수하자 신종神宗이 친필 조서에 "(태조太祖・태종太宗・진종眞宗・인종仁宗・영종英宗 등) 다섯 왕조의 사서 편찬은 의당 증공에게 맡겨야 하리라"고 적었다. 그래서 결국 사관수찬을 맡았다. 사서가 완성되자 신종은 어의와 금 장식 허리띠를 하사하고 중서사인으로 발탁하였다.

◇黨附時相(당시 재상에게 빌붙다)

●曾布, 字子宣, 擧進士. 王安石薦之, 召除崇政院說書. 後新法靑苗[365]・助役[366], 皆布與惠卿[367]建議也. 徽宗朝, 拜右僕射, 漸進紹述[368]之

---

362) 五朝(오조) : 송나라 신종神宗의 선왕인 태조太祖・태종太宗・진종眞宗・인종仁宗・영종英宗 등 다섯 황제를 가리킨다.

363) 史館修撰(사관수찬) : 사관史館에서 국사 편찬을 관장하는 벼슬을 가리키는 말.

364) 試(시) : 관직의 대행 내지 임시 담당을 뜻하는 말. 당나라 두우杜佑(735-812)의 ≪통전通典・직관職官≫권19에 의하면 당나라 때는 정식 관원이 아니라 일종의 대행을 '시試'라고 한 반면, ≪송사宋史・직관지職官志≫권169에 의하면 송나라 때는 본래의 품계보다 두 등급 낮은 관직을 대행하는 것을 '시試'라고 하였다.

365) 靑苗(청묘) : 송나라 신종神宗 때 왕안석王安石(1021-1086)이 곡식이 여물기 전에 농토의 면적에 따라서 농민들에게 돈을 대여해 주던 신법新法 제도인 청묘법靑苗法이나 그 돈인 청묘전靑苗錢의 약칭.

366) 助役(조역) : 송나라 왕안석王安石의 신법新法에 따라 거두던 일종의 세금. 모든 가구를 다섯 등급으로 나누어 세금을 거두고 그 돈으로 요역을 사서 대체하게 하였다. 요역을 면제받던 벼슬아치・지방 토호・도사・승려들로부터도 돈을 거두어 요역을 돕게 한 데서 명칭이 유래하였다.

367) 惠卿(혜경) : 송나라 신종神宗 때 사람 여혜경呂惠卿(1032-1111). 왕안석王

說. 謚文肅, 封曾[369].

○(송나라) 증포(1036-1107)는 자가 자선으로 진사시험에 급제하였다. 왕안석이 그를 추천하여 황제의 부름을 받고 숭정원설서를 제수받았다. 뒤에 신법인 청묘법과 조역법은 모두 증포와 여혜경呂惠卿이 건의한 것이다. 휘종 때 우복야를 배수받자 점차 신법을 회복시켜야 한다는 주장을 개진하였다. 시호는 '문숙'이고 노국공魯國公에 봉해졌다.

◇前輩風流(선배들의 풍류)

●曾肇, 字子開, 天姿仁厚剛大之氣, 睟然[370]見於面, 知其爲成德君子也. 在朝, 以論思之責爲己任. 龜山[371]云[372], "公愼重, 深得大臣之體. 前輩風流, 惟公一人耳." 徽宗朝, 爲翰林學士. 謚文昭.

○(송나라) 증조(1047-1107)는 자가 자개로 천부적으로 후덕하면서 강직한 기상을 타고나 온화한 기운이 얼굴에 드러났기에 그가 성인군자라는 것을 알 수 있었다. 조정에 있을 때는 생각을 논리적으로 밝히는 책무를 자신의 소임으로 여겼다. 그래서 귀산龜山 양시楊時는 "공은 처신이 신중하여 대신으로서의 참모습을 깊이 갖추었다.

安石의 추천을 받아 태자중윤太子中允이 되어 신법新法의 제정에 참여하였고, 뒤에는 왕안석의 추천으로 참지정사參知政事까지 올랐으나 왕안석과 갈등을 빚어 외직으로 쫓겨났다가 사망하였다. ≪송사·여혜경전≫권471 참조.

368) 紹述(소술) : 신종神宗이 죽은 뒤 고태후高太后가 수렴청정을 하면서 신법新法을 모두 폐지시켰는데, 고태후가 죽은 뒤 철종哲宗이 친정親政을 하면서 연호를 '소성紹聖'이라고 하고 신종의 신법을 모두 회복시킨 일을 말한다.

369) 曾(증) : 봉호인 '노魯'의 오기. 자형의 유사성으로 인한 필사 과정상의 단순 오기로 보인다.

370) 睟然(수연) : 온화하고 자상한 모양.

371) 龜山(귀산) : 송나라 때 유학자 양시楊時(1054-1135)의 호. 자는 중립中立이고 시호는 문정文靖. 정호程顥(1032-1085)·정이程頤(1033-1107) 형제의 제자로 주희朱熹(1130-1200)와 장식張栻(1133-1180)의 선구가 되었다. 공부시랑工部侍郎·용도각직학사龍圖閣直學士 등을 역임하였다. 저서로 ≪귀산집龜山集≫ 42권이 전한다. ≪송사·도학열전道學列傳·양시전≫권428 참조.

372) 云(운) : 이는 <(절강성) 여항현에서 들은 소문(餘杭所聞)>이란 글을 인용한 것으로 ≪귀산집·어록語錄3≫권12에 전한다.

선배들의 풍류를 갖춘 이는 오직 공 한 사람뿐이다"라고 하였다. 휘종 때 한림학사를 지냈다. 시호는 '문소'이다.

◇賢子弟(어진 자제)

●曾紆工詩詞, 號空靑先生, 布第四子也. 汪彦章[373]誌其墓云, "公材高識明, 悟極書史, 爲家賢子弟. 以文章翰墨・風流蘊藉爲時名勝[374], 以精明强力・見事風生[375]爲國能吏." 官至中大夫[376]. 三子惇・忺・憕.

○(송나라) 증우는 시와 사를 잘 지었는데, 호는 공청선생으로 증포曾布(1036-1107)의 넷째 아들이다. 언장彦章 왕조汪藻가 그의 묘지명을 지어 "공은 재주가 뛰어나고 안목이 밝아 서책에 담긴 내용을 잘 깨우쳤으며 가문에서 어진 자제 역할을 충실히 수행하였다. 훌륭한 문장과 풍류스러운 풍모로 당시 명망 높은 선비가 되었고, 정확한 안목과 사안에 대한 신속한 처리 능력으로 나라에서 재능이 뛰어난 관리 역할을 감당하였다"고 하였다. 관직은 중대부까지 올랐다. 세 아들은 증돈曾惇・증험曾忺・증징曾憕이다.

◇鳳池(봉황지)

●曾公亮, 字明仲. 宋天聖初, 試'雲瑞紀官[377]'賦, 宋郊榜[378]第五人. 嘉

---

373) 汪彦章(왕언장) : 송나라 때 문인 왕조汪藻. '언장'은 자. 중서사인中書舍人・병부시랑兵部侍郎・한림학사翰林學士를 지냈고, 문집으로 ≪왕언장집汪彦章集≫ 10권, ≪부계선생문집浮溪先生文集≫ 60권이 있었다고 하나 지금은 사고전서에 ≪부계집浮溪集≫ 32권과 ≪부계문수浮溪文粹≫ 15권이 전한다. 송나라 조공무晁公武의 ≪군재독서지郡齋讀書志・별집류別集類≫권4・5 참조.

374) 名勝(명승) : 명망이 높고 재능이 뛰어난 선비를 이르는 말.

375) 見事風生(견사풍생) : 일을 만나면 바람이 일어나다. 활기차고 신속하게 일을 처리하는 것을 비유한다. '우사풍생遇事風生'이라고도 한다.

376) 中大夫(중대부) : 진한秦漢 이후로 의론을 주관하던 벼슬 가운데 하나. 태중대부大中大夫・중대부中大夫・간대부諫大夫가 있었다.

377) 雲瑞紀官(운서기관) : 구름의 상서로운 징후로 관직명을 기록하다. 전설상의 임금인 황제黃帝가 천명을 받아 즉위하였을 때 상서로운 구름이 일어났기에 구름으로 사건을 기술하고 백관의 장관들을 모두 구름으로 이름 지었다는 고사를 가리킨다.

378) 宋郊榜(송교방) : 송교宋郊가 장원급제한 과거시험 급제자 명단을 가리킨다.

祐[379]中, 拜相. 至熙寧中, 尙在中書, 年雖老, 精力不衰. 故無非之者. 惟李復圭作詩[380]曰, "老鳳池[381]邊蹲不去, 饑烏臺[382]上噤無聲." 以太傅[383]致仕, 年八十薨[384]. 謚憲靖. 封魯國公. 碑曰, "兩朝顧命[385], 定策[386]亞勳"之碑. 子孝寬, 字公綽, 除簽書[387]. 時魯公還政[388], 迎養西府[389], 世以爲榮.

○증공량(999-1078)은 자가 명중이다. 송나라 (인종) 천성(1023-1031) 초에 '구름의 상서로운 징후로 관직명을 적다'란 제목의 부를 시험쳐 송교가 장원급제한 급제자 명단에서 5등을 차지하였다. (인종)

---

379) 嘉祐(가우) : 북송北宋 인종仁宗의 연호(1056-1063).

380) 詩(시) : 다른 문헌에도 두 구절만 인용되어 전하는 것으로 보아 일시逸詩인 듯하다.

381) 鳳池(봉지) : 국가의 기무機務・조령詔令・비기祕記 등을 관장하는 최고 행정 기관인 중서성中書省의 별칭. 위진남북조魏晉南北朝 이래로 중서성 옆에 있는 연못을 '봉황지鳳凰池'라고 부른 데서 유래하였다.

382) 烏臺(오대) : 관리들의 비행을 규찰하고 탄핵하는 업무를 관장하는 기관인 어사대御史臺의 별칭. 한나라 때 주변에 측백나무를 심자 늘 야생 까마귀 수천 마리가 그 위에 깃들며 새벽에 떠났다가 저녁이면 돌아왔는데, 하루는 까마귀가 찾아오지 않다가 주박朱博이 어사대부御史大夫를 맡자 까마귀들이 다시 찾아왔다는 고사에서 유래하였다.

383) 太傅(태부) : 재상의 지위인 삼공三公, 즉 태사太師・태부太傅・태보太保 가운데 하나. 그러나 후에는 태위太尉・사도司徒・사공司空을 삼공으로 설치하고, '큰 스승'이란 의미에서 삼공보다 높여 별도로 '상공上公'이라고 하면서 '삼사三師'로 세우기도 하였다.

384) 薨(훙) : 제후나 공경公卿 등 고관이 죽었을 때 쓰는 말. ≪예기・곡례하曲禮下≫권5에 의하면 천자의 죽음은 '붕崩'이라고 하고, 공경의 죽음은 '훙薨'이라고 하고, 대부大夫의 죽음은 '졸卒'이라고 하고, 사士의 죽음은 '불록不祿'이라고 하고, 평민의 죽음은 '사死'라고 하여 신분에 따라 죽음에 대한 표현에도 차이를 두었다.

385) 顧命(고명) : 천자가 황태자를 생각해 대신들에게 잘 보필하라고 유명을 남기는 것을 이르는 말.

386) 定策(정책) : 천자를 옹립한 뒤 그 일을 간책簡策에 기재하는 일.

387) 簽書(첨서) : 첨서추밀원사簽書樞密院事의 약칭. '첨원簽院' '첨추簽樞'라고도 하는데, 동지추밀원사同知樞密院事・추밀부사樞密副使와 함께 추밀원樞密院의 장관인 추밀사樞密使나 지추밀원사知樞密院事를 보좌하는 역할을 담당하였다.

388) 還政(환정) : 권력을 이양하다. 즉 벼슬을 그만두는 것을 말한다.

389) 西府(서부) : 추밀사樞密使의 거처를 이르는 말로 뒤에는 추밀원의 별칭이 되었다. 추밀원이 궁중의 서쪽에 위치한 데서 비롯되었다.

가우(1056-1063) 연간에는 재상을 배수받았다. (신종) 희녕(1068-1077) 연간에도 여전히 중서성의 장관으로 있었는데 나이는 비록 연로하였지만 정력은 쇠하지 않았다. 그래서 그를 비난하는 이가 없었다. 오직 이복규만이 시를 지어 “늙은 봉황이 봉황지(중서성中書省) 옆에 웅크린 채 떠나지 않는데도, 굶주린 까마귀들은 오대(어사대御史臺)에서 입을 다문 채 소리내지 않는구나”라고 풍자하였을 뿐이다. 태부의 신분으로 벼슬을 그만두고 나이 81세에 생을 마쳤다. 시호는 ‘헌정’이다. 노국공에 봉해졌다. 비석에는 “두 왕조에서 유명을 받들어 황제를 세웠으니 건국 공로에 버금가노라”는 비문이 적혀 있다. 아들 증효관曾孝寬은 자가 공작으로 첨서추밀원사簽書樞密院事를 제수받았다. 당시 (부친인) 노국공 증공량이 벼슬에서 물러나자 추밀원에서 그를 맞아 음식을 받들었기에 세간에서는 명예로운 일로 여겼다.

●曾覿, 字純甫, 號海野. 東都[390]故老, 有詞可稱.

○(송나라) 증적(1109-1180)은 자가 순보이고 호가 해야이다. (하남성 개봉) 동도의 원로로서 칭송을 받을 만한 사를 남겼다.

●曾從龍, 字天錫, 慶元五年, 進士第一人.

○(송나라) 증종룡은 자가 천석으로 (영종) 경원 원년(1195)에 진사시험에서 장원급제를 차지하였다.

●曾懋・曾開・曾幾兄弟榮貴. 懋尙書, 開・幾侍郞[391]. 懋二子迪・造. 幾子逢爲左司[392], 次子逮爲侍郞.

---

390) 東都(동도) : 송나라 때 도성인 하남성 개봉開封(변경汴京)의 별칭. 한나라나 당나라 때는 장안長安을 서도西都, 낙양洛陽을 동도東都라고 하였으나, 송나라 때는 개봉이 동쪽에 있었기에 낙양을 서도라고 하고 개봉을 동도라고 하였다.

391) 侍郞(시랑) : 조정의 각 행정 기관의 버금 장관에 해당하는 벼슬. 즉 중서시랑中書侍郞・문하시랑門下侍郞 및 상서성尙書省의 이부시랑吏部侍郞・호부시랑戶部侍郞 등을 말한다.

○(송나라) 증무·증개·증기 형제는 모두 고관에 올랐다. 증무는 상서를 지냈고, 증개와 증기는 시랑을 지냈다. 증무의 두 아들은 증적曾迪과 증조曾造이다. 증기의 장남 증봉曾逢은 (상서성尙書省의) 좌사 소속 벼슬을 지냈고, 차남 증체曾逮는 시랑을 지냈다.

※婚姻(혼인)

●曾崇範[393]妻, 兄許嫁者數人, 每至親迎[394]之夕, 其夫輒死. 一夕, 夢有人謂曰, "田頭有鹿迹[395], 田尾有日炙, 乃汝夫也." 後嫁崇範, 乃悟其語.

○(오대십국五代十國 남당南唐) 증숭범의 아내는 오빠가 결혼을 허락한 사람이 여러 명 되었지만 매번 결혼식 밤만 되면 남편이 번번이 사망하고 말았다. 하룻밤은 꿈에 어떤 사람이 나타나 말했다. "밭(田) 머리에 사슴 발자국(八)이 있고, 밭 꼬리에 햇볕(日)에 탄 자국이 있는 사람('曾'씨)이 바로 자네 남편감일세." 뒤에 증숭범에게 시집가고서야 비로소 그 말뜻을 알아챘다.

●顏曾[396]. 何曾. 王曾.

○(춘추시대 노魯나라) 안회顏回와 증참曾參. (진晉나라 건국공신) 하

---

392) 左司(좌사) : 상서성에 소속된 하부 기구를 일컫는 말. '좌사左司'와 '우사右司'가 있고 속관으로 낭중郎中과 원외랑員外郎이 있는데, 수隋나라 때부터 명明나라 때까지 존속되었다.

393) 曾崇範(증숭범) : 위의 고사가 송나라 공전孔傳의 ≪백공육첩白孔六帖·은어隱語≫권30에 인용된 송나라 용곤龍袞의 ≪강남야사江南野史≫에 전하는 것으로 보아 오대십국五代十國 남당南唐 때 사람임을 알 수 있으나 신상에 대해서는 알려지지 않았다.

394) 親迎(친영) : 신랑이 몸소 신부집에 가서 신부를 맞이하는 예법을 행하는 일. 결국 결혼식 날을 가리킨다.

395) 鹿迹(녹적) : 사슴 발자국. 여기서는 사슴 발자국처럼 생긴 한자인 '팔八'자를 가리킨다. 위의 예문은 '팔八'+'전田'+'일日'이 합쳐지면 곧 '증曾'자가 되므로 증숭범曾崇範이 남편감이라는 말이다.

396) 顏曾(안증) : 춘추시대 노魯나라 공자의 수제자인 안회顏回와 증참曾參을 아우르는 말.

증(199-278). (송나라 때 재상을 지낸) 왕증(978-1038).

◆應(응씨)

▶羽音. 汝南. 周武王子封于應, 傳言'邘・晉・應・韓, 武之穆[397]也.' 其後以國爲氏.
▷음은 우음에 속하고 본관은 (하남성) 여남군이다. 주나라 무왕의 아들이 응나라에 봉해졌기에 ≪좌전左傳・희공僖公24년≫권14에 "우나라・진나라・응나라・한나라는 모두 무왕의 아들이 세운 제후국이다"라는 기록이 있다. 그 후손이 나라 이름을 성씨로 삼은 것이다.

◇淮陽一老(회양산의 한 늙은 은자)

●應曜隱於淮南山中. 漢高時, 與四皓[398]俱被徵命, 曜不至. 時語曰, "商山四皓, 不如淮陽一老."
○응요는 회수 남쪽에 위치한 (강소성) 회양산에서 은거생활을 하였다. 전한 고조 때 사호와 함께 부름을 받았지만 응요는 방문하지 않았다. 그래서 당시에 "(섬서성) 상산에 은거한 사호가 회양산의 한 늙은 은자만도 못 하다네"라는 말이 돌았다.

◇七世通顯(7대에 걸쳐 고관에 오르다)

●漢中興[399]初有應嫗, 生四子而寡, 見神光照社, 探之, 得黃金. 自是諸子宦學[400], 竝有才名. 應順子疊, 疊子郴, 郴子奉, 奉子劭, 劭子郇, 郇子瑒, 七世通顯.

---

397) 穆(목) : 종묘에서 신위의 위치를 가리키는 소목昭穆 가운데 시조始祖의 오른쪽에 위치하는 신위를 가리키는 말로 여기서는 결국 후손(아들)을 뜻한다.
398) 四皓(사호) : 진秦나라 말엽에 혼란한 세상을 피해 섬서성 상산商山에 은거했던 네 명의 은자인 동원공東園公・기리계綺里季・하황공夏黃公・녹리선생甪里先生을 가리키는 말. 통칭 '상산사호商山四皓'라고 한다. 네 사람 모두 눈썹과 수염이 하얗기에 '호皓'라는 별명이 붙었다고 전한다. 그들에 대한 기록은 ≪한서・장양전張良傳≫권40이나 ≪한서・왕공량공포전王貢兩龔鮑傳≫권72에 상세히 전한다.
399) 中興(중흥) : 한 왕조가 세력이 약해진 뒤 동일 왕조가 부흥하는 시기를 통칭하는 말. 후한後漢・동진東晉・남송南宋 등의 시기에 상용되었는데 여기서는 후한을 가리킨다.
400) 宦學(환학) : 관리에게 필요한 여러 가지 학문에 대한 총칭.

○한나라가 중흥한 후한 초에 응씨 노파가 아들을 네 명 낳고 과부가 되었다가 신광이 토지신을 모신 사당을 비추는 것을 보고는 그곳을 뒤져 황금을 얻었다. 그로부터 아들들이 관리직에 필요한 학문을 닦아 나란히 명성을 떨쳤다. 응순應順의 아들은 응첩應疊이고, 응첩의 아들은 응침應郴이고, 응침의 아들은 응봉應奉이고, 응봉의 아들은 응소應劭이고, 응소의 아들은 응순應郇이고, 응순의 아들은 응양應瓖으로 7대에 걸쳐 고관에 올랐다.

◇半面識(얼굴 반쪽도 알아보다)

●應奉 字世叔, 少聰明, 讀書五行俱下. 黨事[401]起, 慨然以疾自退, 追思屈原[402], 作感騷三十篇. 嘗詣袁賀, 賀時出閉門, 造[403]車匠, 於內開扇, 出半面, 視之. 後數年, 路逢車匠, 識而呼之. 漢桓帝朝, 爲司隷校尉[404].

○응봉은 자가 세숙으로 어려서부터 총명하여 글을 읽으면 다섯 줄을 한꺼번에 읽어 내려갔다. 당고黨錮 사건이 일어나자 슬픈 심경을 안은 채 병을 핑계로 스스로 관직에서 물러나 (전국시대 초楚나라) 굴원을 추억하며 ≪감소≫ 30편을 지었다. 일찍이 원하를 예방하였을 때 원하가 때마침 외출하면서 문을 닫았기에 수레 장인을 찾아갔더니 안에서 부채를 펼친 채 얼굴을 반쪽만 내밀고는 그를 쳐다보았다. 몇 년 뒤 길에서 수레 장인을 만나서도 그를 알아보고 부를 정도로 눈썰미가 좋았다. 후한 환제 때 사례교위를 지냈다.

---

401) 黨事(당사) : 후한 말엽에 관료들이 붕당을 만든다는 환관宦官의 무고 때문에 이응李膺(?-169)·가표賈彪 등 당시 명사名士들이 금고禁錮에 처해진 사건을 가리킨다. 이에 대한 기록은 남조南朝 유송劉宋 범엽范曄(398-445)의 ≪후한서後漢書·당고전黨錮傳≫권97에 상세히 전한다.

402) 屈原(굴원) : 전국시대 초楚나라 사람 굴평屈平. '원原'은 자字. 본명보다는 자로 더 알려졌다. 호는 영균靈均. 회왕懷王 때 삼려대부三閭大夫를 지내다가 참소를 당하자 ≪이소離騷≫를 짓고, 양왕襄王 때 다시 참소를 당하자 멱라강汨羅江에 투신자살하였다. ≪사기·굴원전≫권84 참조.

403) 造(조) : 찾아가다, 이르다.

404) 司隷校尉(사례교위) : 한나라 때 순찰巡察과 치안 업무를 관장하던 고위직 벼슬 이름.

◇著述(저술)

●應邵, 字仲遠, 少篤學, 博覽洽聞, 擧高第. 刪定律令, 著漢官儀[405], 又選風俗通[406], 以辨物類名號. 漢獻朝, 拜軍謀太尉[407].

○응소應劭는 자가 중원으로 어려서부터 학문을 열심히 닦아 서책을 두루 열람하여서 견문을 넓히더니 과거시험에 우수한 성적으로 급제하였다. 법령을 산정하여 ≪한관의≫를 짓고, 다시 ≪풍속통≫을 정리하여 물류의 명칭을 변별하였다. 후한 헌제 때 군모교위軍謀校尉를 배수받았다.

◇三入承明(세 차례나 승명려에 들어가다)

●應瑒, 字德璉, 璩, 字休璉, 兄弟竝以文章貴顯. 璩作詩[408]云, "問我何功德? 三入承明廬[409]." 蓋爲侍郎·常侍[410]·侍中[411]也. 魏建安七

---

405) 漢官儀(한관의) : 후한後漢 때 사람인 응소應劭가 한나라 때의 관제官制를 정리한 책으로 총 10권. ≪수서·경적지≫권33 참조. 현재는 한나라 때 관제에 관한 유사한 사서史書로 후한 때 위굉衛宏이 지은 ≪한관구의漢官舊儀(한구의漢舊儀)≫ 2권이 사고전서에 전하고, 응소의 ≪한관의≫는 속수사고전서續修四庫全書에 2권본으로 전한다.

406) 風俗通(풍속통) : 후한 응소應劭가 지은 ≪풍속통의風俗通義≫의 약칭. 송나라 때 이미 실전되었으나, ≪영락대전永樂大典≫에 흩어져 전하던 것을 다시 수합하여 정리하였다. 부록 1권 포함 총 11권. 후한 반고班固(32-92)의 ≪백호통의白虎通義≫ 및 채옹蔡邕(133-192)의 ≪독단獨斷≫과 함께 한나라 때 학술과 제도를 연구하는 데 귀중한 자료로 평가된다. ≪사고전서간명목록·자부·잡가류雜家類≫권13 참조.

407) 軍謀太尉(군모태위) : ≪후한서·응소전≫권78에 의하면 장수의 참모 역할을 하는 무관武官 이름인 군모교위軍謀校尉의 오기이다.

408) 詩(시) : 이는 오언고시五言古詩 <백일시(百一詩)> 가운데 한 연을 인용한 것으로 양梁나라 소통蕭統(501-531)이 엮은 ≪문선文選·백일百一≫권21에 전한다.

409) 承明廬(승명려) : 한나라 때 시종관侍從官들이 숙직하던 건물 이름. 황제의 신임을 받는 근신近臣이나 조정의 고관을 상징한다.

410) 常侍(상시) : 황제의 곁에서 잘못을 간언하고 자문에 대비하는 직책을 이르는 말.

411) 侍中(시중) : 황제의 측근에서 기거起居를 보살피고 정령政令을 집행하는 일을 관장하는 벼슬 이름. 진晉나라 이후로 재상의 지위에까지 오르고, 수나라 때 납언納言 혹은 시내侍內라고 하였으며, 당송 이후로는 조정의 주요 행정기관인 삼성三省 가운데 문하성門下省의 수장首長이 되었다.

子[412]), 瑒其一也.

○응양(?-217)은 자가 덕련이고 응거應璩(190-252)는 자가 휴련으로 형제가 나란히 문장으로 고관에 올랐다. 응거는 시를 지어 "내게 무슨 공덕이 있냐고 묻는다면, 세 차례나 승명려에 들어갔다고 하리라"고 하였다. 아마도 시랑·상시·시중을 지내서였을 것이다. (삼국) 위나라 때 건안칠자로 불리는 문인들이 있었는데, 응양도 그중 한 사람이다.

◇百姓歌謠(백성들이 노래하다)

●應詹, 字思遠, 仕晉, 督南平·武陵·天門三郡軍事. 時天下大亂, 詹境獨全. 百姓歌之曰, "歲寒[413])不凋, 孤境獨守. 拯我塗炭, 惠隆丘阜. 潤同江海, 恩猶父母."

○응첨(274-326)은 자가 사원으로 진나라에서 벼슬길에 올라 (호북성) 남평군과 (호남성) 무릉군·천문군 세 군의 군사업무를 감독하였다. 당시 천하가 크게 어지러워졌지만 응첨이 다스리는 경내만은 온전하였다. 그래서 백성들이 "날이 추워져도 (소나무와 측백나무가) 시들지 않듯이, 고립된 지역을 홀로 지키셨네. 우리를 도탄에서 구하고, 은혜를 산야에까지 퍼뜨리셨네. 혜택이 강과 바다처럼 한이 없으니, 은혜가 부모님과 같아라"고 노래하였다.

◇廟食百世(사당에서 영원히 제삿밥을 받다)

●應智頊, 九江人, 徙居靖州.(今瑞州) 隋末林士弘攻掠江西, 應於華林山置

---

412) 建安七子(건안칠자) : 후한後漢 헌제獻帝 건안(196-220) 연간에 활동했던 7명의 문인을 아우르는 말. 즉 노국魯國 사람 문거文擧 공융孔融(153-208), 광릉廣陵 사람 공장孔璋 진임陳琳(?-217), 산양山陽 사람 중선仲宣 왕찬王粲(177-217), 북해北海 사람 위장偉長 서간徐幹(171-218), 진류陳留 사람 원유元瑜 완우阮瑀(약165-212), 여남汝南 사람 덕련德璉 응양應瑒(?-217), 동평東平 사람 공간公幹 유정劉楨(?-217) 등 7인을 가리킨다.

413) 歲寒(세한) : 한겨울의 추위. ≪논어·자한子罕≫권9의 "날이 추워진 뒤라야 소나무와 측백나무가 시들지 않는다는 것을 알 수 있다(歲寒, 然後知松栢之後彫也)"는 고사에서 유래한 말로 굳은 절조를 비유한다.

雲柵[414], 募義兵, 保靖一方. 武德[415]五年, 歸唐, 以爲靖州刺史. 死, 爲城隍[416]之神, 廟食一郡. 妻梅氏, 新昌人.

○응지항은 (강서성) 구강현 사람으로 정주(지금의 강서성 서주)로 이주하였다. 수나라 말엽에 임사홍이 강서 일대를 공략하자 응지항은 화림산에 울짱을 높게 설치하고서 의병을 모집하여 그 일대를 보호하였다. (고조) 무덕 5년(622)에 당나라로 귀순하여 정주자사가 되었다. 죽은 뒤 성을 지키는 신령이 되어 온고을 사람들의 제삿밥을 받았다. 아내 매씨는 (절강성) 신창현 사람이다.

◇三紅秀才('홍紅' 자를 즐겨 사용하는 수재)

●應子和詩有云, '兩岸夕陽紅,' '爛炬短燒紅,' '風過落花紅.' 因話錄[417]云, "張子野[418]爲三影[419]尙書, 子可爲三紅秀才." 仕宋.

○응자화의 시에는 '양쪽 강언덕에 석양이 붉게 물드네' '횃불에 짧은 불꽃이 붉게 타오르네' '바람이 지나가자 떨어지는 꽃잎이 붉네'라는

414) 雲柵(운책) : 높이 세운 울짱이나 목책木柵을 이르는 말.

415) 武德(무덕) : 당唐 고조高祖의 연호(618-626).

416) 城隍(성황) : 성벽과 해자. 혹은 성벽만 뜻하기도 한다. '성지城池' '비황陴隍'이라고도 한다.

417) 因話錄(인화록) : 당나라 때 조인趙璘이 지은 소설류의 책으로 총 6권. ≪사고전서간명목록·자부·소설가류≫권14 참조. 그러나 위의 예문은 현전하는 ≪인화록≫에 보이지 않는다. ≪인화록≫의 저자가 당나라 사람이고, 자야子野 장선張先이 송나라 사람이므로 장선에 관한 기록이 ≪인화록≫에 실리는 것은 불가능하다. 더욱이 송나라 진양陳亮(1143-1194)은 ≪용천집龍川集·서序≫ 권15에 실린 <≪두응씨종보≫의 후서(後杜應氏宗譜序)>란 글에서 응자화應子和에 대해 '응문신應文臣의 아들로 남송 효종孝宗 순희淳熙(1174-1189) 연간에 진사進士에 급제하였다'고 밝히고 있다. 따라서 응자화에 관한 기록이 ≪인화록≫에 실리는 것 역시 불가능하다. 그래서 청나라 강희제康熙帝 칙찬勅撰 ≪패문운부佩文韻府·홍紅≫권1-4에서는 출처에 대해 송나라 완열阮閱의 ≪시화총귀詩話總龜≫라고 하였다. 그러나 현전하는 ≪시화총귀≫에도 응자화에 관한 기록은 보이지 않는다. 아마도 전래 과정에서 잘못 첨기된 듯하다. 다만 여기서의 번역은 위의 예문을 그대로 따른다.

418) 張子野(장자야) : 송나라 때 문인 장선張先(990-1078). '자야'는 자. 장손張遜의 손자로 박주지주사亳州知州事를 지냈고, 사詞를 잘 지었다. 저서로 ≪안륙집安陸集≫ 1권이 전한다. ≪송사·장손전≫권268 참조.

419) 三影(삼영) : 송나라 장선張先이 시에서 '영影'자를 즐겨 쓴 데서 생긴 별명.

구절이 있다. ≪인화록≫에서는 "자야子野 장선張先을 '삼영상서'라 고 하니 선생은 '삼홍수재'로 부를 만하다"라고 하였다. 송나라에서 벼슬에 올랐다.

●應貞, 字吉甫, 自漢至魏, 世以文章顯, 軒冕[420]相襲爲盛族.

○응정은 자가 길보로 후한부터 (삼국) 위나라까지 집안 대대로 문장으로 이름을 날려 고관을 대대로 이어가더니 명문세가를 이루었다.

◆滕(등씨)

▶宮音. 南陽. 周文王第十四子封於滕, 子孫以國爲氏.

▷음은 궁음에 속하고 본관은 (하남성) 남양군이다. 주나라 문왕의 열네 번째 아들이 등나라에 봉해지자 자손들이 나라 이름을 성씨로 삼은 것이다.

◇文武材(문관과 무관으로서의 재능)

●滕撫. 漢順帝朝, 博求將帥, 三公[421]擧撫有文武材, 拜九江都督[422]. 東南悉平.

○등무에 관한 기록이다. 후한 순제 때 장수를 널리 구하자 삼공이 등무에게 문관과 무관으로서의 재능이 있다고 추천하여 (강서성) 구강 도독을 배수받았다. 그러자 동남방이 모두 평정되었다.

◇通家之好(사돈지간의 친분)

●滕胄, 北海人, 與劉繇通家[423], 漢末以世亂, 渡江依繇. 善屬文, 孫權待以賓禮, 家國書疏, 常令潤色之. 子胤, 字承嗣, 少有節操, 爲丹陽太

---

420) 軒冕(헌면) : 대부大夫 이상의 관원이 타는 수레와 예복을 뜻하는 말로서 벼슬이나 고관을 비유한다.

421) 三公(삼공) : 세 명의 재상을 일컫는 말. 시대마다 차이가 있는데, 주周나라 때는 태사太師·태부太傅·태보太保를 삼공이라고 하다가, 진秦나라와 전한 초에는 승상丞相·어사대부御史大夫·태위太尉를 삼공이라고 하였고, 전한 말엽에는 대사마大司馬(태위太尉)·대사도大司徒·대사공大司空을 삼공이라고 하였으며, 후대에는 태위太尉·사도司徒·사공司空을 삼공이라고 하였다.

422) 都督(도독) : 군사軍事 업무를 총괄하는 장관을 이르는 말.

423) 通家(통가) : 집안 대대로 잘 알고 지내는 사이나 사돈관계를 뜻하는 말.

守, 日接賓客, 夜省文書.

○등주는 (산동성) 북해군 사람으로 유주와 사돈지간이어서 후한 말엽에 세상이 어지러워지자 장강을 건너 유요에게 의지하였다. 문장을 잘 지었기에 (오吳나라) 손권이 귀빈에 대한 예법으로 대우해 주면서 국가의 공문서나 상주문을 늘 그에게 윤색케 하였다. 아들 등윤滕胤(?-256)은 자가 승사로 어려서부터 절조가 있어 (강소성) 단양태수를 맡았는데, 낮에는 손님을 접대하고 밤에 공문서를 살폈다.

◇寒瓜之養(수박을 바치다)

●滕曇恭年五歲, 母病熱, 思得寒瓜[424], 土俗不產. 曇恭遍求, 乃遇桑門[425], 得一瓜以進. 父母卒, 水漿不入口者旬日. 人號爲滕曾子.(南史)

○등담공이 나이 다섯 살 되었을 때 모친이 열병에 걸려 수박을 먹고 싶어하였으나 풍토상 생산되지 않았다. 등담공은 이곳저곳을 돌아다니며 찾다가 마침내 한 승려를 만나 수박을 얻어서 바쳤다. 부모님이 돌아가시자 열흘 동안이나 음료를 입에 대지 않았다. 사람들은 그를 '등효자'라고 불렀다.(≪남사・효의열전孝義列傳・등담공전≫권74)

◇活飢民(굶주린 백성을 살리다)

●滕甫, 字元發, 宋神宗朝, 爲翰林學士, 以論新法, 出知定州. 元祐初, 徙知蘇・揚二州, 又徙鄆州, 稱爲名帥. 時淮南・京東飢, 召富民, 約曰, "吾得城外營地, 爲屋二千五百間, 活五萬餘人." 題德安府浮雲樓詩云, "舉頭便見長安[426]日, 弄袖時飄夢澤[427]風. 吳苑久拋飛鳥外, 楚臺遙望碧雲中."

○등보(1020-1090)는 자가 원발로 송나라 신종 때 한림학사를 지내

---

424) 寒瓜(한과) : 수박이나 가을 참외를 이르는 말.
425) 桑門(상문) : 범어梵語 'Sramana'의 음역音譯으로 승려를 이르는 말. '사문沙門' '사문婆門' '상문喪門'으로도 쓴다.
426) 長安(장안) : 당나라 때 도성이므로 여기서는 뒤의 '오원吳苑'이나 '초대楚臺'와 함께 송나라 때 도성인 하남성 개봉을 비유적으로 가리키는 듯하다.
427) 夢澤(몽택) : 호북성에 있는 호수인 운몽택雲夢澤의 준말.

며 신법에 대해 따지다가 조정에서 쫓겨나 (하북성) 정주지주사를 맡았다. (철종) 원우(1086-1093) 초에는 (강소성) 소주와 양주 두 주의 지주사로 전근하였다가 다시 (산동성) 운주로 전근하여 훌륭한 장수라는 칭송을 받았다. 당시 회남로淮南路와 경동로京東路에 기근이 들자 부자를 불러 약조하기를 “내 성 밖에 군영 터를 구해 가옥 2,500칸을 지어서 백성을 5만 명 넘게 살릴 것이오”라고 하였다. 그는 <(호북성) 덕안부 부운루에서 지은 시>에서 “고개를 들면 바로 장안(도성)이 보이던 날에는, 소매를 흔들면 때로 운몽택의 바람에 휘날렸었건만, 날아가는 새 저 너머로 오나라 궁원(도성)을 오래 전에 버렸기에, 구름 속으로 초나라 누대(도성)를 멀리서 바라보는 신세가 되었네”라고 하였다.

◇四絶(뛰어난 네 가지)

●滕宗諒, 字子京, 明道[428]中, 以司諫[429]謫守岳州, 重修岳陽樓. 時稱此樓子京作. 范文正[430]記・蘇子美[431]書・邵(闕)篆, 頗號四絶.

○(송나라) 등종량(약 991-1047)은 자가 자경으로 (인종) 명도(1032-1033) 연간에 사간을 지내다가 (호북성) 악주자사로 폄적가 악양루를 중수하였다. 그래서 당시 사람들은 이 누각을 등종량이 지었다고 하였다. 문정공文正公 범중엄范仲淹의 기행문・자미子美 소순흠蘇舜欽의 글씨・소(아무개)의 전각篆刻과 함께 ‘사절’로 불렸다.

●滕涉, 二十四賢[432]中人.

---

428) 明道(명도) : 북송北宋 인종仁宗의 연호(1032-1033).

429) 司諫(사간) : 당나라 때 간언을 관장하던 보궐補闕을 송나라 때 개칭한 벼슬 이름. 보궐과 마찬가지로 좌사간左司諫과 우사간右司諫이 있는데, 좌사간은 문하성門下省 소속이고, 우사간은 중서성中書省 소속이었다.

430) 范文正(범문정) : 송나라 때 재상을 지낸 범중엄范仲淹(989-1052). ‘문정’은 시호. 자는 희문希文. 저서로 ≪범문정집范文正集≫ 29권이 전한다. ≪송사・범중엄전≫권314 참조.

431) 蘇子美(소자미) : 송나라 때 시인인 소순흠蘇舜欽(1008-1048). ‘자미’는 자. 저서로 ≪소학사집蘇學士集≫ 16권이 전한다. ≪송사・문원열전文苑列傳・소순흠전≫권442 참조.

○등섭은 (송나라 진종 때) 24현 가운데 한 사람이다.

※婚姻(혼인)

●滕元發五女, 長適何洵直, 次適王炳, 卒, 又以第四女續姻, 三適王渙之, 五適張方平之子恕. 元發娶李氏.

○(송나라) 원발元發 등보滕甫(1020-1090)의 딸 다섯 명 가운데 장녀는 하순직에게 시집가고, 차녀는 왕병에게 시집갔으나 사망하는 바람에 다시 넷째 딸을 뒤를 이어 시집보냈으며, 셋째 딸은 왕환지에게 시집가고, 다섯째 딸은 장방평의 아들인 장서張恕에게 시집갔다. 등보는 이씨에게 장가들었다.

●長滕[433]. 齊滕.

○등나라 군주를 어른으로 대접하다. (춘추시대) 제나라와 등나라.

◆凌(능씨)

▶徵音. 河間. 衛康叔[434]支子[435]爲周凌人[436], 子孫以官爲氏.

---

432) 二十四賢(이십사현) : 송나라 경덕景德 원년(1004)에 진종眞宗이 숭정전崇政殿에서 대책對策을 실시하였을 때 선발된 24명의 인재를 이르는 말. 변숙邊肅・국중모鞠仲謀・학태충郝太沖・주협朱協・이현李玄・마경馬京・하양何亮・위태소衛太素・진소도陳昭度・최단崔端・조상趙湘・강서姜嶼・등섭滕涉・조광曹廣・주강周絳・사도謝濤・고근미高謹微・장약곡張若谷・진월陳越・황보선皇甫選・육현규陸玄圭・이봉천李奉天・최준도崔遵度와 신상 미상의 한 명을 가리킨다.

433) 長滕(장등) : 등나라 군주를 어른으로 대접하다. 춘추시대 때 등후滕侯와 설후薛侯가 서로 어른 대접을 받으려고 하다가 노魯나라 은공隱公의 부탁으로 설후가 등후를 웃사람으로 인정했다(長)는 고사가 ≪좌전左傳・은공隱公11년≫권3에 전한다.

434) 康叔(강숙) : 주周나라 무왕武王 희발姬發의 아홉 번째 동생인 희봉姬封. 처음에 강康에 봉해졌다가 주공周公이 무강武康을 죽인 뒤 위군衛君에 봉하였고, 뒤에는 성왕成王 희송姬誦이 그를 사구司寇에 임명하였다. ≪사기・위강숙세가衛康叔世家≫권37 참조.

435) 支子(지자) : 종법상宗法上 적장자嫡長子를 제외한 나머지 아들에 대한 총칭.

▷음은 치음에 속하고 본관은 (하북성) 하간군이다. 위나라 강숙의 지자가 주나라에서 (얼음을 관장하는 천관天官 소속 벼슬인) 능인을 맡자 자손들이 벼슬 이름을 성씨로 삼은 것이다.

◇虎兒(호랑이 새끼)

●凌統, 字公績, 吳人. 禮賢好士, 輕利重義, 有國士[437]之風. 魏張遼軍, 奄至津口, 統率兵三百, 陷圍而出, 拜偏將軍[438]. 評曰, "江表虎臣也." 子烈及封年, 各數歲, 每賓客至, 呼而出之曰, "此吾虎兒也."

○능통은 자가 공적으로 (삼국) 오나라 사람이다. 현자를 예우하고 선비를 좋아하였으며 이익을 가벼이 여기고 의리를 중시하였기에 국사로서의 풍모가 있었다. 위나라 장요의 군대가 갑자기 나룻터에 이르자 능통이 병사 3백 명을 거느리고 포위를 뚫고 탈출하여 편장군을 배수받았다. 그래서 "강남(오나라)의 호신이로다!"라는 평을 받았다. 아들 능열凌烈과 능봉년凌封年이 각기 몇 살밖에 안 되었을 때 능통은 손님이 찾아올 때마다 그들을 불러서 내보이며 "이 아이들이 저의 호랑이 새끼입니다"라고 말하곤 하였다.

◇後漢春秋(≪후한춘추≫)

●凌準, 字宗一, 唐元和間人. 讀書爲文, 著後漢春秋二十餘萬言, 尙氣節. 年二十, 以書干[439]丞相, 丞相以聞, 試其文, 日萬言, 授校書郎[440], 賜緋魚袋[441], 爲浙東廉使[442]判官[443]. 撫循按驗厥績, 以茂[444]召拜翰林

---

436) 凌人(능인) : 주周나라 때 얼음 창고를 관장하던 천관天官 소속 벼슬 이름.

437) 國士(국사) : 나라에서 재능이 뛰어난 선비를 일컫는 말.

438) 偏將軍(편장군) : 일부 군대를 관장하는 장군이나 부장군副將軍을 가리키는 말.

439) 干(간) : 청하다, 요구하다. '구求'의 뜻.

440) 校書郎(교서랑) : 한나라 이래로 국가 도서의 교감에 관한 업무를 관장하던 비서성祕書省 소속의 관원을 이르는 말. 상관으로 비서감祕書監과 비서소감祕書少監 · 비서승祕書丞 · 비서랑祕書郎 · 저작랑著作郎이 있다.

441) 緋魚袋(비어대) : 당송唐宋 때 5품 이상 고관의 복장인 비복緋服과 어대魚袋(패어佩魚)를 아우르는 말. '비어緋魚'로 약칭하기도 한다.

442) 廉使(염사) : 당나라 때 관찰사觀察使나 송원宋元 이후 염방사廉訪使 · 안찰사按察使 등에 대한 범칭. '염廉'은 '찰察'의 뜻. '지방관의 청렴성 여부를 감찰

學士. 柳子厚[445]銘[446]其墓. 子四人, 夷仲·永仲·南仲·殷仲.

○능준은 자가 종일로 당나라 (헌종) 원화(806-820) 연간 사람이다. 글을 읽고 문장을 짓다가 ≪후한춘추≫ 20여만 자를 저술하면서 절조를 중시하였다. 나이 스무 살에 글을 가지고 승상에게 알현을 청하자 승상이 이를 황제에게 보고하고 그의 글을 시험하였는데, 날마다 만 자를 써 내어 교서랑을 배수받았다가 비복과 어대를 하사받은 뒤 절동관찰사의 판관에 임명되었다. 순찰관이 그곳의 치적을 조사하고는 우수한 성적을 거두었다고 보고하여 황제의 부름을 받아 한림학사를 배수받았다. 자후子厚 유종원柳宗元이 그의 무덤에 묘지명을 지어 주었다. 아들 네 명은 능이중凌夷仲·능영중凌永仲·능남중凌南仲·능은중凌殷仲이다.

◇儒官(유학을 가르치는 교관)

●凌士燮, 唐人. 柳子[447]有贈凌助敎蓬屋詩序[448]云, "儒有蓬戶甕牖[449]而自立者, 河間凌士燮, 窮計六籍[450], 而爲儒官[451]."

하는 사신'이란 뜻에서 유래하였다.

443) 判官(판관) : 당송唐宋 때 지방 장관이나 절도사節度使·관찰사觀察使·방어사防禦使·선무사宣撫使 등 여러 사신 밑에 두었던 속관屬官 가운데 하나. 속관에는 사신마다 차이가 있으나, ≪신당서·백관지≫권49에 의하면 대개 부사副使·행군사마行軍司馬·판관判官·지사支使·장서기掌書記·추관推官·순관巡官·아추衙推 등을 두었다.

444) 茂(무) : 우수한 성적을 이르는 말.

445) 柳子厚(유자후) : 당나라 때 문인 유종원柳宗元(773-819). '자후'는 자. 당송팔대가唐宋八大家의 일인으로 시문을 잘 지었다. 저서로 ≪유하동집柳河東集≫ 48권이 전한다. ≪신당서·유종원전≫권168 참조.

446) 銘(명) : 이는 <(사천성) 연주의 원외사마를 지낸 고 능군(능준凌準)의 묘지명(故連州員外司馬凌君權厝誌)>이란 제목으로 ≪유하동집≫권10에 전한다. 제목에서 '권조지權厝誌'는 장사 지내기 전에 관을 임시로 안치하고 쓰는 묘지명을 가리킨다.

447) 柳子(유자) : 당나라 때 문인 유종원柳宗元(773-819)에 대한 존칭.

448) 序(서) : 이는 동명의 제목으로 ≪유하동집≫권25에 전한다.

449) 蓬戶甕牖(봉호옹유) : '쑥대로 엮은 대문과 깨진 항아리로 만든 창문'을 뜻하는 말로 가난한 사람의 누추한 집을 비유한다.

450) 六籍(육적) : 육경六經, 즉 ≪역경≫ ≪서경≫ ≪시경≫ ≪춘추경≫ ≪예기≫ ≪악기≫를 아우르는 말. 결국 경전을 가리킨다.

○능사섭은 당나라 때 사람이다. 유종원은 <조교 능사섭에게 드리는 가난한 집을 읊은 시>의 서문에서 "유생 중에 가난하게 살면서도 자립한 이로는 (하북성) 하간 사람 능사섭이 있으니 경전을 두루 섭렵하여 유학을 가르치는 교관이 되었다"고 하였다.

◇印劍之祥(도장과 검을 받은 상서로운 징조)

●凌策, 字子奇, 宋初擧進士. 夢人以六印加劍遺之, 其後官劍外[452]者凡六, 人以爲異. 知益州, 遷侍郎.

○능책은 자가 자기로 송나라 초엽에 진사시험에 급제하였다. 어떤 사람이 도장 여섯 개에 검을 보태서 자신에게 주는 꿈을 꾸더니 그 뒤로 (사천성 일대인) 검문산劍門山 밖에서 관직을 지낸 것이 도합 여섯 차례나 되었기에 사람들이 신기하게 생각하였다. (사천성) 익주지주사를 지내다가 시랑으로 승진하였다.

●凌景陽, 天禧[453]中, 因廖復訟, 覆考[454], 遂取高第.

○(송나라) 능경양은 (진종) 천희(1017-1021) 연간에 요복이 소송을 제기하는 바람에 재시험을 치러 결국 우수한 성적으로 급제하였다.

●凌氏, 蘇頌妻也.

○(송나라 때) 능씨가 소송(1020-1101)의 아내가 되었다.

◆承(승씨)

▶商音. 千乘[455]. 衛大夫承成之後.

---

451) 儒官(유관) : 유학을 가르치는 공립학교의 교관을 이르는 말. 여기서는 결국 조교직을 가리킨다.

452) 劍外(검외) : '검문산劍門山 밖'을 뜻하는 말로 사천성 일대를 가리킨다.

453) 天禧(천희) : 북송北宋 진종眞宗의 연호(1017-1021).

454) 覆考(복고) : 초시에 합격한 사람이 제2차로 시험을 치르거나 시험을 잘못 실시하는 바람에 다시금 시험을 치르는 것을 이르는 말. '복시覆試'라고도 한다.

455) 千乘(천승) : 산동성의 속현屬縣 이름.

▷음은 상음에 속하고 본관은 (산동성) 천승현으로 (춘추시대) 위나라 대부 승성의 후손이다.

●承宮, 字子少, 八歲時, 爲人牧豕, 過徐子盛學舍, 棄猪而留, 聽講. 後爲大儒. 漢永平中, 爲博士, 遷中郞將[456]. 數進直言, 朝臣憚之. 名播匈奴[457], 北單于[458]求見宮, 宮貌醜, 以魏應代之.

○승궁은 자가 자소로 여덟 살 때 남을 위해 돼지를 키우다가 서자성의 학관에 들르자 돼지를 버린 채 그곳에 머무르며 강의를 들었다. 그래서 뒤에 대유학자가 되었다. 후한 (명제) 영평(58-75) 연간에 박사가 되었다가 중랑장으로 승진하였다. 빈번하게 직언을 올렸기에 조정의 신하들도 그를 꺼려하였다. 명성이 흉노에게까지 퍼지자 북방의 선우(흉노왕)가 승궁을 만나고 싶어하였지만 승궁의 용모가 추하여 위응에게 그를 대신케 하였다.

◆弘(홍씨)

●弘演, 衛人. 閔[459]二年, 狄人滅衛, 殺懿公, 盡食其肉, 獨舍其肝. 演哭之, 盡哀曰, "臣請爲褓." 自出其肝, 而內[460]懿公之肝.

○홍연은 (춘추시대) 위나라 사람이다. (노魯나라) 민공閔公 2년(B.C.660)에 적족 사람들이 위나라를 침공하여 의공을 살해하고 그의 살을 다 먹어치우더니 그의 간을 내다버렸다. 그러자 홍연이 통곡을 하고 애도를 다 표하면서 "신이 나신이 되겠나이다"라고 하였다. 그

---

456) 中郞將(중랑장) : 한나라 이후로 삼서三署의 장관인 오관중랑장五官中郞將·좌중랑장左中郞將·우중랑장右中郞將 가운데 하나로 궁중 호위를 관장하던 벼슬 이름.

457) 匈奴(흉노) : 중국 상고시대부터 북방에 살던 유목민족을 부르던 이름. 호족胡族이라고도 하였다. 귀방鬼方·훈육獯鬻·험윤獫狁의 후예라고도 하고, 몽고蒙古·돌궐突厥과 동일 종족이라고도 하는 등 여러 설이 있다.

458) 單于(선우) : 흉노족匈奴族의 왕을 일컫는 말.

459) 閔(민) : 춘추시대 노魯나라 군주의 시호. B.C.661-B.C.660 재위. 통용자인 '민湣'으로 표기한 문헌도 있다.

460) 內(납) : 집어넣다. '납納'과 통용자.

러더니 스스로 자신의 간을 꺼내고 의공의 간을 (보호하기 위해) 자신의 몸속에 집어넣었다.

●萇弘. 公孫弘. 王茂弘461).
○(주周나라 경왕敬王 때 대부大夫) 장홍. (전한 무제武帝 때 승상) 공손홍(B.C.200-B.C.121). (진晉나라 때 승상) 무홍茂弘 왕도王導(276-339).

■氏族大全卷十■

461) 王茂弘(왕무홍) : 진晉나라 때 사람 왕도王導(276-339). '무홍'은 자. 원제元帝의 신임을 받아 '중부仲父'라는 존칭으로 불리며 승상丞相에 올랐고, 원제의 유명遺命으로 명제明帝와 성제成帝를 보좌하며 황실을 보위하였다. ≪진서·왕도전≫권71 참조.

■氏族大全卷十一■

□十八尤(18우)

◆尤(우씨)

▶徵音. 吳興. 聃季[1]之後爲沈姓, 子孫因避仇, 去水爲尤.

▷음은 치음에 속하고 본관은 (강소성) 오흥군이다. (주周나라) 담계의 후손이 성을 '심沈'이라고 하였다가 자손들이 원수를 피하느라 '물 수水(氵)' 부수를 삭제하고 '우尤'라고 한 것이다.

●尤袤, 字延之, 年八九歲, 讀杜甫長篇歌行, 一過卽能逆誦[2]. 宋紹興[3]中, 陳俊卿進, 擬延之爲祕書丞[4], 南軒[5]得報曰, "此眞祕丞矣." 淳熙[6]中, 與楊誠齋[7]同靑宮[8]寮寀, 定爲金石交[9]. 終禮尙書[10]. 謚文簡, 自號

---

1) 聃季(담계) : 주周나라 문왕文王의 열 번째 아들이자 무왕武王의 동생. 이름은 재載. 열일곱 번째 아들이란 설도 있다.
2) 逆誦(역송) : 처음으로 거슬러올라가 다시 암송하다.
3) 紹興(소흥) : 남송南宋 고종高宗의 연호(1131-1162).
4) 祕書丞(비서승) : 국가의 주요 문서와 도서를 관장하는 비서성祕書省 소속 관원. 비서감祕書監·비서소감祕書少監보다는 낮고 비서랑祕書郎보다는 높은 직책이었다.
5) 南軒(남헌) : 송나라 사람 장식張栻(1133-1180)의 호. 명장 장준張浚(1097-1164)의 아들로 자는 경부敬夫(혹은 흠부欽夫)이고 시호는 선宣. 호굉胡宏(1106-1162)의 제자로 이학理學에 정통하였고, 주희朱熹(1130-1200)와 교유하였다. 이부시랑吏部侍郎을 역임하였고, 저서로 ≪남헌집≫ 44권이 전한다. ≪송사·장식전≫권429 참조.
6) 淳熙(순희) : 남송南宋 효종孝宗의 연호(1174-1189).
7) 楊誠齋(양성재) : 송나라 사람 양만리楊萬里(1124-1206). '성재'는 호. 자는 정수廷秀이고 시호는 문절文節. 보문각대제寶文閣待制를 지냈고, 한탁주韓侂冑(1152-1207)의 전횡을 개탄하다가 병사하였다. 시문에 조예가 깊어 육유陸游(1125-1210)·범성대范成大(1126-1193)·우무尤袤(1127-1194)와 함께 남송사대가南宋四大家로 불렸다. 저서로 ≪성재집誠齋集≫ 132권과 ≪성재시화誠齋詩話≫ 1권이 전한다. ≪송사·양만리전≫권433 참조.
8) 靑宮(청궁) : 태자나 동궁東宮(태자궁)의 별칭. '청방靑坊' '청전靑殿'이라고도 한다. 청색이 동쪽을 상징하는 데서 유래하였다.
9) 金石交(금석교) : 쇠와 돌처럼 단단한 우정을 이르는 말인 '금석지교金石之交'

遂初.

○우무(1127-1194)는 자가 연지로 나이 여덟아홉 살 때 (당나라) 두보의 장편 악부시를 읽으면 단번에 처음부터 다시 외울 수 있었다. 송나라 (고종) 소흥(1131-1162) 연간에 진준경이 건의하여 우무를 비서승에 임명하려고 하자 남헌선생南軒先生 장식張栻이 보고를 받고서는 말했다. "이 사람은 진정 비서승다울 것입니다." (효종) 순희(1174-1189) 연간에 성재誠齋 양만리楊萬里와 함께 동궁의 관료로 지내면서 변치않는 우정을 쌓았다. 예부상서를 지내다가 생을 마쳤다. 시호는 '문간'이고, 자호는 '수초'이다.

●效尤. 蚩尤[11]. 拔其尤.

○잘못을 따라하다. (전설상의 인물) 치우. 가장 뛰어난 인재를 선발하다.

◆游(유씨)

▶宮音. 東平. 鄭穆公子偃, 字子游, 其後以王父[12]字爲氏. 游吉・游闕[13], 皆其後也.

▷음은 궁음에 속하고 본관은 (산동성) 동평군이다. (춘추시대) 정나라 목공의 아

의 준말.

10) 禮尙書(예상서) : 조정의 핵심 행정 기관인 상서성尙書省 소속의 육부六部 가운데 국가의 제사・교육 등과 관련한 주요 업무를 관장하던 기관인 예부의 장관 예부상서禮部尙書의 약칭. 버금 장관으로 예부시랑禮部侍郞을 두고, 휘하에 예부禮部・사부祀部・선부膳部・주객主客의 4사司를 설치하여 낭중郞中과 원외랑員外郞에게 관장케 하였다.

11) 蚩尤(치우) : 전설상의 인물로 문헌마다 기록이 상이하나, 황제黃帝와 탁록涿鹿에서 전투를 벌이다 패하여 죽임을 당한 것으로 보는 설이 일반적이다. 염제炎帝 혹은 황제黃帝의 신하라는 설도 있고 전쟁의 신으로 추앙받기도 하였다.

12) 王父(왕부) : 할아버지의 별칭. 할머니는 '왕모王母'라고 한다.

13) 游闕(유궐) : ≪좌전左傳・선공宣公12년≫권23의 "반당에게 여벌용 전차 40대를 인솔케 했다(使潘黨率游闕四十乘)"는 기록에 대해 진晉나라 두예杜預는 주에서 "'유궐'은 전차 중에 부족한 부분을 보충하기 위한 것이다(游闕, 游車補闕者)"라고 풀이한 것을 보면 '여벌용 전차'를 뜻하는 말인데 인명으로 잘못 이해한 데서 비롯된 듯하다. 다만 여기서는 문맥상 인명으로 간주한 위의 예문을 따른다.

들 언偃의 자가 자유라서 그 후손이 조부의 자를 성씨로 삼은 것이다. (정鄭나라 대부大夫) 유길과 유궐 모두 그 후손이다.

◇名著文苑(이름을 문단에 떨치다)

●游雅, 字伯度. 文苑傳序[14]云, "魏有許謙·崔宏·高允·游雅, 聲實[15]俱茂, 詞義典正, 有永嘉[16]之遺." 大武[17]朝, 徵爲祕書監[18].

○유아(?-461)는 자가 백도이다. ≪북사北史·문원전≫권83의 서문에서는 "(북조北朝) 북위北魏 때 허겸·최굉·고윤·유아 등이 명성과 실제 작품 활동에서 대단한 성가를 올렸는데, 문장이 전아하여 (진晉나라 회제) 영가(307-313) 연간의 문풍을 이어받았다"고 하였다. 태무제太武帝 때 황제의 부름을 받아 비서감에 임명되었다.

◇上卿祿(상경의 봉록을 지급받다)

●游明根, 字志遠, 仕魏, 歷官內外五十餘年. 處身以仁和, 接物以禮讓, 時論貴之. 與高閭以儒學特被禮遇, 世稱高游. 太武朝, 表求致仕, 拜爲五更[19], 給上卿[20]祿.

○유명근(419-499)은 자가 지원으로 (북조北朝) 북위北魏에서 벼슬길에 올라 조정 안팎에서 50년 넘게 여러 관직을 역임하였다. 어진 성

---

14) 序(서) : 이는 ≪북사北史·문원전≫권83의 서문을 가리킨다.
15) 聲實(성실) : 명성과 실제. 즉 명성과 실제로 지은 작품을 가리킨다.
16) 永嘉(영가) : 진晉 회제懷帝의 연호(307-313). 여기서는 '삼장三張' '이륙二陸' '양반兩潘' '일좌一左'로 대표되는 진나라 때 문풍을 가리킨다.
17) 大武(태무) : 북조北朝 북위北魏의 황제 태무제太武帝의 준말. '태大'는 '태太'와 통용자.
18) 祕書監(비서감) : 국가의 경적經籍·도서圖書·저작著作 등을 관장하던 비서성祕書省의 장관을 이르는 말. 버금 장관은 '소감少監'이라고 하고, 휘하에 비서랑祕書郎·저작랑著作郎·교서랑校書郎 등의 속관을 거느렸다.
19) 五更(오경) : 장로, 원로를 뜻하는 말. ≪예기·문왕세자文王世子≫권20에 원로의 직책으로 삼로三老·오경五更·군로群老를 설치했다는 기록이 보이는데, 삼로와 오경은 삼신三辰과 오성五星을 본떠 만든 고귀한 벼슬로 정원은 각각 한 명이었다. 여기서는 퇴직한 고관에게 주는 일종의 산관散官을 가리킨다.
20) 上卿(상경) : 춘추전국시대 때는 군주 다음 가는 최고의 집정관執政官을 가리키는 말로서 '정경正卿'이라고도 하였는데, 여기서는 구경九卿 가운데 서열이 높은 고관을 가리키는 말로 쓰인 듯하다.

품으로 처신하고 예의와 겸양으로 사람들을 접대하였기에 당시 여론이 그를 존중하였다. 고여와 함께 유학으로 특별히 예우를 받았기에 세간에서는 그들을 '고유'라고 불렀다. 태무제 때 상소문을 올려 사직을 청한 뒤에도 오경을 배수받고 상경의 봉록을 지급받았다.

◇歲寒松栢(한겨울의 추위를 견디는 소나무와 측백나무)

●游元, 字楚客, 隋開皇[21]中, 楊玄感脅之爲逆, 不從, 遇害. 誠節傳序云, "歲寒貞栢[22], 疾風勁草[23], 千載之後, 凛凛如生." 追贈銀青光祿大夫[24].

○유원은 자가 초객으로 수나라 (문제) 개황(581-600) 연간에 양현감이 자신에게 반역에 참가하라고 윽박질렀지만 그의 말을 따르지 않다가 살해당했다. 그래서 ≪수서·성절전≫권71의 서문에서도 "한겨울 추위에도 곧은 측백나무와 거센 바람에도 꿋꿋이 버티는 풀처럼 곧은 지조를 지켰으니 천 년 뒤에도 살아 있을 때처럼 늠름하리라"고 하였다. 은청광록대부를 추증받았다.

◇立雪(눈 속에 시립하다)

●游酢, 字定夫, 與兄醇俱以文學知名, 師事伊川[25]. 一日與楊時同見先

---

21) 開皇(개황) : 수隋 문제文帝의 연호(581-600).

22) 歲寒貞栢(세한정백) : 한겨울의 추위에도 곧은 측백나무. ≪논어·자한子罕≫ 권9의 "날이 추워진 뒤라야 소나무와 측백나무가 시들지 않는다는 것을 알 수 있다(歲寒, 然後知松栢之後彫也)"는 고사에서 유래한 말로 굳은 절조를 비유한다.

23) 疾風勁草(질풍경초) : '거센 바람이 불어야 억센 풀을 알다'라는 뜻의 '질풍지경초疾風知勁草'의 준말로 어떠한 난관이 닥쳐도 뜻을 굽히지 않는 굳은 절조를 비유한다.

24) 銀青光祿大夫(은청광록대부) : 황제의 자문 역할을 담당하던 벼슬로 품계가 종3품인 서열 5위의 산관散官 이름. 진한秦漢 때 중대부中大夫를 전한 무제武帝가 '광록대부光祿大夫'로 고쳤는데, 수당隋唐 때는 광록대부 외에도 금자광록대부金紫光祿大夫와 은청광록대부가 더 있었다. '은청'은 진한秦漢 때 녹봉이 이천석 이상에 해당하는 고관들이 패용佩用하던 은으로 만든 인장과 청색의 인끈을 뜻하는 '은인청수銀印青綬'의 준말이다.

25) 伊川(이천) : 송나라 때 대유大儒인 정이程頤(1033-1107)의 존호. 저서로 ≪

生, 先生忽瞑目坐. 立侍久之, 先生顧曰, "二子猶在乎? 日暮矣, 姑[26]就舍." 退則門外雪深尺餘矣. 公之淸德重望, 皎如日星, 奴隷之賤皆知美, 流風餘韻[27], 足以爲世師範. 范忠宣公[28]判[29]河南, 待以國士. 還朝, 薦爲大博[30]. 宋徽宗朝, 除監察御史[31].

○유작(1053-1123)은 자가 정부로 형 유순游醇과 함께 글재주와 학문으로 이름을 떨치며 이천선생伊川先生 정이程頤를 스승으로 모셨다. 하루는 양시와 함께 이천선생을 알현하자 이천선생이 갑자기 눈을 감은 채 앉았다. 한참 동안 시립하고 있자 이천선생이 돌아보며 말했다. "두 사람은 아직도 거기에 서 있는가? 날이 저물었으니 잠시 숙소로 돌아가시게." 물러나서 보니 문밖에 눈이 한 자 넘게 쌓여 있었다. 유작의 깨끗한 덕행과 중후한 명망은 해와 별처럼 밝아 노예 같은 천민들도 모두 알고서 찬미하였으니 그가 남긴 풍도는 세간의 모범이 되기에 충분하다. 충선공忠宣公 범순인范純仁이 (하남성) 하남부를 관장하면서 국사로 대접하다가 조정으로 돌아가자 태학박사로 추천하였다. 송나라 휘종 때는 감찰어사를 제수받았다.

이정문집二程文集≫ 15권이 전한다. ≪송사·도학열전道學列傳·정이전≫권427 참조.

26) 姑(고) : 잠시, 임시나마.

27) 流風餘韻(유풍여운) : 전대 사람의 훌륭한 풍도나 예전 작품의 미려한 풍격을 이르는 말.

28) 范忠宣公(범충선공) : 송나라 범중엄范仲淹(989-1052)의 차남인 범순인范純仁(1027-1101)에 대한 존칭. '충선'은 시호. 시어사侍御史·급사중給事中·동지추밀원사同知樞密院事 등을 역임하였고, 왕안석王安石(1021-1086)의 신법新法에 극력 반대하였다. 저서로 ≪범충선집范忠宣集≫ 22권이 전한다. ≪송사·범순인전≫권314 참조.

29) 判(판) : 높은 관직에 있는 사람이 낮은 관직을 겸직하는 것을 일컫는 말. 겸직의 의미를 지닌 유사한 용어로 '검교檢校' '수守' '시試' '섭攝' 등이 사용되었다.

30) 大博(태박) : 도성의 최고교육기관인 태학太學에서 학생들을 가르치는 업무를 관장하는 벼슬인 태학박사太學博士의 약칭. '태大'는 '태太'와 통용자.

31) 監察御史(감찰어사) : 관리들의 비행을 규찰하고 탄핵하는 업무를 관장하는 기관인 어사대御史臺의 속관屬官. 어사대에는 위로 장관인 어사대부御史大夫와 버금 장관인 어사중승御史中丞, 그리고 시어사侍御史·전중시어사殿中侍御史 등의 상관이 있다. 감찰어사는 비록 품계品階는 낮으나, 실무를 관장하였기에 관원들이 가장 두려워하는 존재였다고 한다.

◇泛瀛洲(영주산으로 배를 띄우다)

●游操, 字存誠, 宋紹興中, 與潘良能・沈介・洪景伯[32], 俱爲祕書省[33]正字, 同日赴館職[34]. 少監秦熺於會食之次出對曰, '潘・游・洪・沈泛瀛洲[35],' 有欲用'絳・繹・繪・維綰[36]綸綍[37]'爲對. 蓋熙寧[38]中, 韓維・陳繹・韓絳・楊繪相先後除學士[39]也.

○유조는 자가 존성으로 송나라 (고종) 소흥(1131-1162) 연간에 반양능・심개・경백景伯 홍괄洪适과 함께 비서성정자에 임명되어 같은 날 관직館職에 부임하였다. 비서소감을 맡고 있던 진희가 회식 자리에서 응대하면서 '반양능・유조・홍괄・심개가 (동해의) 영주산으로 배를 띄웠네'라고 읊자, 유조는 '한강・진역・양회・한유가 황제의 조서를 관장하였네'라는 구절로 대구를 지으려고 하였다. 아마도 (신종) 희녕(1068-1077) 연간에 한유・진역・한강・양회가 서로 전후로 학사를 제수받은 적이 있어서였을 것이다.

---

32) 洪景伯(홍경백) : 송나라 사람 홍괄洪适(1117-1184). '경백'은 자. 홍호洪皓(1088-1155)의 아들로 동생 홍준洪遵(1120-1174)・홍매洪邁(1123-1202)와 함께 문장으로 이름을 날렸다. 저서로 ≪반주문집盤洲文集≫ 80권이 전한다. ≪송사・홍괄전≫권373 참조.

33) 祕書省(비서성) : 위진魏晉 이후로 국사의 편찬과 국가 도서에 관한 업무를 관장하던 기관을 이르는 말. 장관인 비서감祕書監과 차관인 비서소감祕書少監, 비서승祕書丞・비서랑祕書郎・저작랑著作郎・교서랑校書郎・정자正字 등의 속관이 있다.

34) 館職(관직) : 당송 때 소문관昭文館・사관史館・집현원集賢院 등 문서를 관장하는 기관에서 저술・편집・교정 등의 일을 맡아 보던 관직에 대한 통칭.

35) 瀛洲(영주) : 동해에 신선이 산다는 전설상의 선산仙山 이름. 이는 당나라 태종太宗 때 '영주십팔학사瀛洲十八學士'에서 유래한 말로 학사에 임명되는 것이 선경仙境에 들어가는 것처럼 각별한 명예를 얻는 것임을 비유한다.

36) 綰(관) : 관장하다, 장악하다.

37) 綸綍(윤발) : 제왕의 조칙詔勅을 비유하는 말. '윤綸'은 ≪예기・치의≫권55에서 유래한 말로 황제의 말을 비유한다.

38) 熙寧(희녕) : 북송北宋 신종神宗의 연호(1068-1077).

39) 學士(학사) : 위진魏晉 이후로 문학과 저술을 관장하던 벼슬. 당송唐宋 때는 학사원學士院을 두어 제고制誥를 전담케 하여 요직으로 꼽혔다. 홍문관학사弘文館學士・집현전학사集賢殿學士・숭문관학사崇文館學士 등이 있었으나 보통은 한림학사翰林學士를 지칭하는 말로 쓰였다. 또한 5품 이상은 학사, 6품 이상은 직학사直學士로 구분하기도 하였다.

◇太極說(태극설)

●游誠之[40], 南軒高弟[41]也. 嘗論太極[42]無極[43], 聞者服其簡. 工詩, 如[44]'東風未肯催桃李, 留得疏籬淺淡香,' '平生意思春風裏, 信手題詩不用工,' '閒處謾憂當世事, 靜中方識古人心'等句, 詩家所稱.

○(송나라) 성지誠之 유구언游九言(1142-1206)은 남헌선생南軒先生 장식張栻의 수제자이다. 일찍이 태극설과 무극설에 대해 논한 적이 있는데, 이를 들은 사람들이 그 간결한 논리에 탄복해 하였다. 시도 잘 지어 이를테면 '동풍(봄바람)이 아직 복사꽃과 자두꽃을 (빨리 지라고) 재촉하지 않기에, 성긴 울타리 사이로 은은한 향기를 남겨 놓았네'와 '평소의 생각은 봄바람 속에서, 손 가는 대로 시를 짓되 기교를 부리지 않는 것이라네,' 그리고 '한가롭게 지내며 짐짓 당대의 일을 걱정하는 척하지만, 조용한 삶을 누리다 보니 비로소 고인의 마음을 알겠구나'와 같은 구절들은 다른 시인들도 칭송한 것들이다.

●優游. 貴游[45]. 馬少游[46].

○우유부단하다. 벼슬 없는 귀족. (후한 마원馬援의 종제從弟) 마소유.

---

40) 游誠之(유성지) : 송나라 사람 유구언游九言(1142-1206). '성지'는 자. 호는 묵재선생默齋先生이고 시호는 문정文靖. 저서로 ≪묵재유고默齋遺稿≫ 2권이 전한다. ≪사고전서총목·집부·별집류≫권163 참조.

41) 高弟(고제) : 수제자, 뛰어난 제자.

42) 太極(태극) : 천지 및 음양이 나뉘어지기 전의 혼돈 상태를 뜻하는 말로 송나라 때 도학자인 주돈이周敦頤(1017-1073)가 주창한 태극설이 대표적이다.

43) 無極(무극) : 우주만물이 생성되기 전의 근원적인 상태를 이르는 말. '태극'과 뜻이 유사하다.

44) 如(여) : 위에 인용된 구절들은 모두 현전하는 ≪묵재유고≫에 실리지 않았고, 송나라 나대경羅大經의 ≪학림옥로鶴林玉露≫권6에도 두 구절씩만 인용된 것으로 보아 일시逸詩인 듯하다.

45) 貴游(귀유) : 관직을 맡고 있지 않은 귀족 가문을 일컫는 말.

46) 馬少游(마소유) : 후한 사람. 마원馬援(B.C.14-A.D.49)의 종제從弟로 성품이 담박하여 욕심이 없었다. 별도의 전기는 없고 ≪후한서·마원전≫권54에 간략한 기록이 보인다.

◆劉(유씨)

▶宮音. 彭城. 陶唐氏[47]之後受封於劉, 其後劉累事孔甲[48], 爲御龍氏, 在商爲豕韋氏, 在周爲唐杜氏. 杜伯子陶叔奔晉爲士氏. 士會[49]奔秦, 後歸晉, 有子留於秦, 爲劉氏. 周大夫[50]食采於劉, 亦爲劉氏, 劉康公, 其後也. 漢祖[51]賜婁敬姓劉, 項伯[52]歸漢, 亦賜姓劉. 劉聰[53]自以爲漢甥, 改姓劉氏. 劉知遠[54], 本沙陀[55]人, 冒姓劉氏. 元魏[56]孝文欲革舊俗, 改獨孤氏爲劉氏.

▷음은 궁음에 속하고 본관은 (강소성) 팽성현이다. (당唐나라) 도당씨(요왕堯王)의 후손이 유나라를 봉토로 받았고, 그 후손 유누가 (하夏나라 임금) 공갑을 섬기면서 '어룡씨'라고 하였다가 상나라 때는 '시위씨'라고 하였고, 주나라 때는 '당두씨'라고 하였다. 두백의 아들 도숙은 진晉나라로 망명하여 '사씨'라고 하였다. (진晉나라 대부大夫) 사회는 진秦나라로 망명하였다가 뒤에 진晉나라로 귀순하였지만, 아들은 진秦나라에 머물면서 '유씨'라고 하였다. 주나라 대부가 유

---

47) 陶唐氏(도당씨) : 전설상의 황제인 오제五帝 가운데 요왕堯王의 국호이자 씨를 이르는 말.

48) 孔甲(공갑) : 하夏나라 임금인 불강不降의 아들로 음란한 행위를 일삼다가 제후들에게 배척당했다. 전설상의 임금인 황제黃帝의 사관을 가리킬 때도 있다.

49) 士會(사회) : 춘추시대 진晉나라 대부大夫. 범范 땅에 봉해져 보통 범사회范士會로 불렸고, 시호가 무자武子여서 '범무자'로도 불렸다.

50) 大夫(대부) : 주周나라 때 신분 구분인 공公·경卿·대부大夫·사士의 하나. 삼공三公과 구경九卿 아래로 상대부上大夫·중대부中大夫·하대부下大夫가 있고, 그 밑으로 다시 상사上士와 중사中士·하사下士가 있었다. 후대에는 벼슬아치에 대한 범칭汎稱으로 쓰기도 하였다.

51) 漢祖(한조) : 전한 고조高祖에 대한 약칭.

52) 項伯(항백) : 초왕楚王 항우項羽(항적項籍 B.C.232-B.C.202)의 계부季父인 항전項纏(?-B.C.192)의 별칭. '백'은 자. 항우의 종제從弟인 항장項莊이 한왕漢王 유방劉邦(B.C.247-B.C.195)을 암살하려 할 때 이를 막은 공으로 한나라 건국 후 사양후射陽侯에 봉해지고 유劉씨를 하사받았다. ≪사기·항우본기≫ 권7 참조.

53) 劉聰(유총) : 오호십육국五胡十六國의 하나인 한漢나라(전조前趙)의 제2대 임금인 소무제昭武帝. ≪진서晉書·유총재기劉聰載記≫권102 참조.

54) 劉知遠(유지원) : 오대五代 후한後漢 고조高祖. 후진後晉 때 중서령中書令에 올랐다가 후진이 망하자 후한을 건국하고 하남성 변경汴京에 도읍을 정했다. 동생 유숭劉崇은 북한北漢을 건국하였다. ≪신오대사·후한고조본기≫권10 참조.

55) 沙陀(사타) : 서돌궐西突厥 가운데 한 부족 이름.

56) 元魏(원위) : 조비曹丕(187-226)가 세운 삼국 위魏나라와 구별하기 위해 북조北朝 북위北魏를 달리 부르는 말. 종실은 원래 탁발拓跋씨였는데 효문제孝文帝 때 원元씨로 바꿨다. '후위後魏'라고도 한다.

나라를 식읍으로 받으면서 또한 '유씨'라고 하였으니 유강공이 바로 그 후손이다. 전한 고조는 누경에게 유씨 성을 하사하였고, (초왕楚王 항우項羽의 계부季父인) 항백(항전項纏)이 한나라로 귀순하자 그에게도 역시 유씨 성을 하사하였다. (오호십육국五胡十六國 전조前趙의 군주) 유총은 스스로 한나라 황실의 생질뻘이라고 생각하여 '유씨'로 개성한 것이다. (오대五代 후한後漢 고조高祖) 유지원은 본래 (돌궐족 가운데 한 종족인) 사타족 사람인데도 멋대로 유씨 성을 채택하였다. (북조北朝) 북위北魏 때는 효문제가 옛 풍속을 개혁하려고 '독고씨'를 '유씨'로 바꾼 일이 있다.

◇枕中祕書(베개 속에서 비급을 얻다)

●劉向, 字子政, 本名更生. 漢宣招選名儒俊才, 向與王褒·張子僑進對, 獻賦頌數十篇. 初父德治淮南獄[57], 得其枕中鴻寶苑[58]祕書, 向以獻之, 方不驗. 兄陽城侯入國戶半, 爲之贖罪.

○유향(약 B.C.77-B.C.6)은 자가 자정으로 본명은 갱생이다. 전한 선제가 훌륭한 유학자와 인재들을 초빙하여 선발하려고 하자 유향은 왕포·장자교와 함께 궁중에 들어가 황제와 응대하는 자리에서 부와 송 수십 편을 바쳤다. 당초 부친 유덕劉德은 회남왕(유택劉澤)의 모반 사건을 조사하다가 그의 베개에서 홍보원의 비급을 얻었는데, 유향이 이를 바쳤지만 처방이 아무런 효험을 보지 못 했다. 그래서 형 양성후가 제후국의 호구 절반을 조정에 바쳐 그를 위해 속죄하였다.

◇藜燈(명아주 지팡이에 불을 붙이다)

●向校書天祿閣[59], 有老人黃衣, 植[60]青藜杖, 叩閣而進. 時向坐暗中, 誦書, 乃吹[61]杖端, 煙焰照之曰, "我太乙[62]之精, 天帝聞卯金[63]之子博

---

57) 淮南獄(회남옥) : 전한 소제昭帝 때 회남왕淮南王 유택劉澤이 모반하였다가 체포되어 감옥에 갇힌 사건을 가리킨다.
58) 鴻寶苑(홍보원) : 선계의 비궁을 가리키는 말로 신선술이나 연단술煉丹術을 상징적으로 가리킨다.
59) 天祿閣(천록각) : 한나라 때 궁중의 장서각藏書閣 이름. 후에도 장서각을 비유하는 말로 쓰였다.
60) 植(치) : 짚다, 세우다. '치置'와 통용자.
61) 吹(취) : 불을 피우다. '취炊'와 통용자.

學, 下而觀焉.” 乃出懷中竹牒, 有天文地圖之說, 授之. 自是向學日進, 著烈女傳64)八篇・新序65)・說苑66)五十篇. 歷事三帝67), 居列大夫68), 官前後三十餘年. 成帝時, 王氏愈盛, 向著洪範五行傳69), 論奏之. 天子心知向忠精, 而不能用, 遷中壘校尉70). 年七十一, 卒71). 三子伋・賜・歆.

○(전한) 유향劉向(약 B.C.77-B.C.6)이 천록각에서 서적을 교정할 때 노란 옷을 입은 웬 노인이 청색 명아주 지팡이를 짚고서 누각을 두드리더니 들어왔다. 당시 유향은 어둠 속에 앉은 채 서적을 외우고

62) 太乙(태을) : 우주 만물의 근원을 뜻하는 말이자 천신天神 이름. '태일太一'이라고도 한다.

63) 卯金(묘금) : '묘卯'자와 '금金'자. 두 글자를 합치면 '유劉'에서 '칼 도刀' 부수를 뺀 문자가 되므로 결국 유향劉向을 가리킨다.

64) 列女傳(열녀전) : 전한 유향劉向(약B.C.77-B.C.6)이 귀감이 될 만한 여인들에 대해 기록한 전기류傳記類의 책으로 작자 미상의 속편 1권까지 총 8권으로 전한다. ≪사고전서간명목록・사부・전기류≫권6 참조.

65) 新序(신서) : 전한 유향劉向이 춘추시대부터 전한 초까지 교훈이 될 만한 일화를 모아 엮은 책. 당나라 이전에는 30권본이었으나 송나라 이후로는 10권본으로 전하는데 합병으로 인한 것인지 잔본殘本으로 인한 것인지는 불분명하다. ≪사고전서간명목록・자부・유가류儒家類≫권9 참조.

66) 說苑(설원) : 전한 때 유향劉向이 춘추시대부터 전한 초까지 교훈이 될 만한 고사들을 모아 놓은 책. 총 20권. ≪사고전서간명목록・자부・유가류≫권9 참조.

67) 三帝(삼제) : 세 황제. 즉 선제宣帝・원제元帝・성제成帝를 가리킨다.

68) 列大夫(열대부) : 상대부上大夫・중대부中大夫・하대부下大夫 가운데 중대부中大夫의 별칭.

69) 洪範五行傳(홍범오행전) : 전한 때 유향劉向(약B.C.77-B.C.6)이 지은 ≪상서홍범오행전尙書洪範五行傳≫의 약칭. 총 11권. ≪구당서・경적지≫권46 참조. 전한 복승伏勝(약B.C.268-B.C.178)이 지었다고 전하는 ≪상서대전尙書大傳≫의 한 편명을 가리킬 때도 있다.

70) 中壘校尉(중루교위) : 전한 무제武帝 때 처음 설치된 8교위校尉인 중루교위中壘校尉・둔기교위屯騎校尉・보병교위步兵校尉・월기교위越騎校尉・장수교위長水校尉・호기교위胡騎校尉・석성교위射聲校尉・호분교위虎賁校尉 가운데 성루의 경비를 관장하는 벼슬 이름. '누위壘尉'로 약칭하기도 한다.

71) 卒(졸) : 사대부가 죽었을 때 쓰는 말. ≪예기・곡례하曲禮下≫권5에 의하면 천자의 죽음은 '붕崩'이라고 하고, 공경公卿의 죽음은 '홍薨'이라고 하며, 대부大夫의 죽음은 '졸卒'이라고 하고, 사士의 죽음은 '불록不祿'이라고 하며, 평민의 죽음은 '사死'라고 하여 신분에 따라 죽음에 대한 표현에도 차이를 두었다.

있었는데, 그 노인이 지팡이 끝에 불을 붙여 불꽃으로 그를 비추며 말했다. "나는 태을신의 정기로 천제께서 성씨에 '묘'자와 '금'자가 들어가는 선생이 박학하다는 소문을 들었기에 지상으로 내려와 그대를 살피는 것일세." 그리고는 품속에서 죽첩을 꺼냈는데 천문과 지리에 관한 학설이 들어 있었고 이를 그에게 전수하였다. 그때부터 유향은 학문이 날로 발전하여 ≪열녀전≫ 8편·≪신서≫와 ≪설원≫ 50편을 지었다. (선제宣帝·원제元帝·성제成帝 등) 세 황제를 두루 섬기며 열대부에 오르고는 전후로 30년 넘게 관직생활을 하였다. 성제 때 (외척인) 왕씨 가문이 더욱 번성하자 유향은 ≪홍범오행전≫을 지어 그들에 대해 비판조로 상주하였다. 천자는 유향이 충신이란 사실을 알면서도 그의 주장을 채택할 수 없어 그를 중루교위로 전근시켰다. 나이 71세에 생을 마쳤다. 세 아들은 유급劉伋·유사劉賜·유흠劉歆이다.

◇父子異趣(부자지간에 길을 달리하다)

●劉歆, 字子駿, 好古博學, 仕王莽, 爲國師[72]. 容齋[73]云, "向拳拳[74]國家, 欲抑王氏, 歆力贊王莽, 至爲之國師. 又改名秀, 以應圖讖[75], 竟不免爲莽所誅. 子棻投四裔[76], 天道如是, 不善者其知懼乎!" 漢書[77]有與歆同姓名者四[78].

---

72) 國師(국사) : 국가의 사표師表가 되는 훌륭한 사람을 뜻하는 말. 국자제주國子祭酒의 별칭을 가리킬 때도 있다.

73) 容齋(용재) : 송나라 홍매洪邁(1123-1202)의 호이자 그가 경전이나 전고典故·문학 작품들에 대해 연구하면서 자신의 견해를 엮은 책인 ≪용재수필容齋隨筆≫의 약칭. 수필 16권, 속필續筆 16권, 삼필三筆 16권, 사필四筆 16권, 오필五筆 10권으로 총 74권으로 되어 있으나 오필은 미완성으로 끝났다. ≪사고전서간명목록·자부·잡가류雜家類≫권13 참조.

74) 拳拳(권권) : 정성을 다하는 모양, 부지런히 노력하는 모양.

75) 圖讖(도참) : 제왕帝王이 천명天命을 받는 징조에 관련된 일을 방사方士나 유생儒生이 엮은 글을 뜻하는 말. 일종의 예언서.

76) 四裔(사예) : 사방의 먼 지역을 이르는 말.

77) 漢書(한서) : 여기서는 후한 반고班固의 ≪한서≫와 남조南朝 유송劉宋 범엽范曄의 ≪후한서≫를 함께 가리킨다.

78) 四(사) : 전한 말엽 유향劉向의 아들, 후한 초 경시제更始帝 유현劉玄(?-25)

○(전한 말엽 유향劉向의 아들인) 유흠(?-23)은 자가 자준으로 옛 것을 좋아하고 박학하여 왕망의 휘하에서 벼슬길에 올라 국사 대접을 받았다. 그러나 ≪용재수필·유흠불효劉歆不孝≫권9에서는 "유향은 나라를 위해 부지런히 힘쓰면서 왕망을 막으려 하였으나, (아들인) 유흠은 왕망을 힘껏 도와 그에게 국사 대접을 받기까지 하였다. 다시 이름을 '수秀'로 개명하여 예언서에 호응하려고 했지만 결국 왕망에게 살해당하는 일에서 벗어나지 못 했고, (유흠의) 아들 유분劉棻은 변방으로 도망치고 말았다. 하늘의 이치가 이와 같으니 선하지 못 한 자들은 두려워할 줄 알아야 하리라!"고 하였다. ≪한서≫와 ≪후한서≫에 의하면 유흠과 성명이 같은 사람이 네 명 있다.

◇雲臺功臣(운대에 초상화가 걸린 공신)

●劉隆, 建武[79]中, 封長平[80]侯, 劉植封昌城侯, 俱圖像南宮[81]雲臺[82].

○(후한) 유융(?-57)은 (광무제) 건무(25-55) 연간에 장평후에 봉해지고 유식은 창성후에 봉해졌는데, 모두 (하남성 낙양의) 남궁에 있는 운대에 초상화가 걸렸다.

◇虎北渡河(호랑이가 북쪽으로 황하를 건너가다)

●劉昆, 建武中, 徵爲光祿卿[83]. 帝勞之曰, "前在江陵, 反風滅火, 後守

의 아들, 후한 때 자가 세細인 사람, 후한 광무제光武帝 때 유식劉植의 종형從兄으로 부양후浮陽侯에 봉해진 사람 등 네 명을 가리킨다. 남조南朝 양梁나라 원제元帝의 ≪고금동성명록古今同姓名錄≫권상 참조.

79) 建武(건무) : 후한後漢 광무제光武帝의 연호(25-55).

80) 長平(장평) : 산서성 고평현高平縣 북서쪽에 있었던 성 이름. 전국시대 때 진秦나라 장수 백기白起가 조趙나라의 조괄趙括(?-B.C.260)를 대패시키고 적군 40만 명을 묻었던 곳으로 유명하다.

81) 南宮(남궁) : 진한秦漢 때 하남성 낙양洛陽에 있었던 궁궐 이름.

82) 雲臺(운대) : 누각 이름. 후한後漢 광무제光武帝 유수劉秀(B.C.6-A.D.57)가 중신들과 국사를 논의하였고, 명제明帝가 부친인 광무제 때의 공신들의 업적을 기리기 위해 등우鄧禹(2-58) 등 28명의 초상화를 그려 넣은 장소로 유명하다.

83) 光祿卿(광록경) : 황제의 호위와 궁중 음식을 관장하던 벼슬로서 구경九卿의 하나. 뒤에는 궁중 음식만 전담하였다.

弘農, 虎北渡河, 行何德政而致是事?" 對曰, "偶然耳." 帝曰, "此長者[84]之言也!" 顧命[85]書諸[86]策.

○(후한) 유곤은 (광무제) 건무(25-55) 연간에 황제의 부름을 받고 광록경에 임명되었다. 광무제가 그를 격려하며 물었다. "전에 (호북성) 강릉에 있을 때는 바람을 거꾸로 불게 해 화재를 진압하더니 뒤에 (하남성) 홍농군에서 태수로 있을 때는 호랑이가 북쪽으로 황하를 건너간 일이 있다지요. 어떠한 덕정을 베풀기에 이러한 결과를 초래할 수 있는 것이오?" 이에 유곤은 "단지 어쩌다가 그리 된 것일 뿐입니다"라고 (겸허하게) 대답하였다. 그러자 광무제가 "이는 장자의 말이로다!"라고 하였다. 유명을 남겨 이를 사서에 적게 하였다.

◇一錢太守(동전 하나만 받은 태수)

●劉寵, 字祖榮, 桓帝時, 爲會稽太守, 徙將作監[87]. 山陰[88]有五六老叟人, 齎百錢送寵, 寵爲人選一大錢[89], 受之.

○(후한) 유총은 자가 조영으로 환제 때 (절강성) 회계태수를 지내다가 장작감으로 전근하게 되었다. 그러자 산음현에서 대여섯 명의 노인이 동전 백 냥을 마련하여 유총에게 보내왔지만, 유총은 사람들을 위해 커다란 동전 하나만 골라서 받았다.

---

84) 長者(장자) : 나이나 신분, 인품이 높은 사람에 대한 존칭.

85) 顧命(고명) : 천자가 황태자를 생각해 대신들에게 잘 보필하라고 유명을 남기는 것을 이르는 말.

86) 諸(제) : '지어之於'의 합성어.

87) 將作監(장작감) : 궁궐과 종묘宗廟·능침陵寢 및 기타 토목공사를 관장하던 기관, 혹은 이를 관장하는 벼슬을 이르는 말. 기관명은 진한秦漢과 당송唐宋을 거치며 장작·장작시將作寺·장작감 등 시대마다 차이가 있고, 벼슬 이름도 장작소부將作少府·장작대장將作大匠·장작감將作監 등 역시 시대마다 출입이 있다.

88) 山陰(산음) : 절강성 회계군會稽郡의 속현屬縣 이름.

89) 大錢(대전) : 주周나라 경왕景王 때 백성들의 편의를 위해 처음으로 주조한 동전 이름. 여기서는 좀 더 값어치가 나가는 큰 동전을 가리키는 말로 쓰인 듯하다.

◇蒲鞭(부들로 만든 채찍)

●劉寬, 字文饒, 桓帝時, 爲南陽太守. 溫仁多恕, 吏人有過, 用蒲鞭[90]罰之, 示辱而已. 後爲太尉[91]. 當朝, 會夫人[92]令侍婢奉羹, 翻汚朝衣, 寬徐曰, "羹爛汝手." 其性度如此, 天下稱爲長者.

○(후한) 유관은 자가 문요로 환제 때 (하남성) 남양태수를 지냈다. 성품이 온화하고 관대하여 관리나 백성이 과오를 범해도 부들 채찍으로 벌하여 수치심을 주는 데 그쳤다. 뒤에 태위에 올랐다. 조회에 참석하던 날 마침 부인이 하녀를 시켜 국을 준비케 했는데, 하녀가 실수로 그릇을 엎어 조복을 더럽혔지만 유관은 느긋한 어투로 "국 때문에 네 손이 뎄구나"라고 하였다. 그의 도량이 이와 같았기에 천하 사람들이 장자라고 칭송하였다.

◇三君八俊(세 명의 군자와 여덟 명의 준걸)

●劉淑・陳蕃・竇武爲三君, 劉祐等爲八俊[93], 劉祇等爲八顧[94], 劉儒等爲八廚[95], 皆漢桓靈[96]時, 黨人[97]標號也.

---

90) 蒲鞭(포편) : 부들로 만든 채찍. 가벼운 형벌을 상징한다.

91) 太尉(태위) : 진한秦漢 이래 군정軍政을 총괄하는 벼슬로서 대사마大司馬로도 불렸다. 후에는 사도司徒・사공司空과 함께 삼공三公으로 불렸는데, 태위가 삼공 가운데 서열이 가장 높았다.

92) 夫人(부인) : 황제의 후처後妻인 비빈妃嬪이나 제후의 적처嫡妻에 대한 존칭. 후에는 고관의 부인에 대한 존칭으로도 쓰였다.

93) 八俊(팔준) : 후한 말엽 당고黨錮 사건에 휘말려 살해된 여덟 명의 준걸을 아우르는 말. 이응李膺(?-169)・순욱荀昱(?-169)・두밀杜密(?-169)・왕창王暢(?-169)・유우劉祐(?-168)・위낭魏朗(?-168)・조전趙典・주우朱寓를 가리킨다.

94) 八顧(팔고) : 후한 말엽에 사대부들에게 존경받던 8인을 아우르는 말로 여기에는 두 부류가 있다. 하나는 곽태郭泰・종자宗慈・파숙巴肅・하복夏馥・범방范滂・윤훈尹勳・채연蔡衍・양척羊陟을 말하고, 또 하나는 전임田林・장은張隱・유표劉表・설욱薛郁・왕방王訪・유지劉祇・선정宣靖・공서공公緖恭을 말하는데 여기서는 후자를 가리킨다.

95) 八廚(팔주) : 후한 말엽에 재물로 남을 도운 여덟 명의 현자를 아우르는 말. 도상度尙・장막張邈・왕고王考・유유劉儒・호무반胡毋班・진주秦周・번향蕃嚮・왕장王章을 가리킨다. '주廚'는 재물로 사람을 구하는 것을 뜻한다. 이상 '팔준八俊' '팔고八顧' '팔주八廚'에 관한 기록은 ≪후한서・당고열전黨錮列傳≫권97의 서문에 전한다.

96) 桓靈(환령) : 후한 말엽 황제인 환제桓帝와 영제靈帝를 아우르는 말.

○유숙・진번・두무를 '삼군'이라고 하고, 유우 등을 '팔준'이라고 하고, 유지 등을 '팔고'라고 하고, 유유 등을 '팔주'라고 하는데, 모두가 후한 환제와 영제 때 당고사건에 휘말린 사람들을 가리키는 칭호이다.

◇依劉(왕찬王粲이 유표劉表에게 의지하다)

●劉表, 字景升, 姿皃奇偉. 漢末爲荊州刺史, 坐保江漢之間, 王粲往依之. 二子曰琦曰琮, 弗克負荷, 曹操曰, "劉景升兒子豚犬耳."

○유표(142-208)는 자가 경승으로 용모가 비범하기 그지없었다. 후한 말엽 (호북성) 형주자사를 맡았을 때 장강과 한수 일대를 잘 지켰기에 왕찬이 그를 찾아가 의지하였다. 두 아들은 유기劉琦와 유종劉琮이라고 하는데 책무를 감당하지 못 했기에 조조가 "유경승(유표)의 아들들은 돼지나 개와 진배없소"라고 폄훼하였다.

◇髀肉之嘆(넓적다리에 살이 찌는 것을 한탄하다)

●劉備, 字玄德, 耳到肩, 手垂過膝. 曹操曰, "大耳兒最叵[98]信." 後嘗於劉表坐上流涕, 嘆曰, "尋常身不離鞍, 髀肉皆消. 今不復騎, 髀裏肉生. 日月如流, 老將至矣, 而功業不建."

○(후한 말엽 촉蜀나라 군주) 유비(162-223)는 자가 현덕으로 귀가 어깨까지 닿고 손을 내리면 무릎을 지나칠 정도로 팔이 길었다. 그래서 조조는 "귀가 큰 사람은 가장 믿을 수 없소"라고 하였다. 유비는 뒤에 일찍이 유표가 마련한 자리에서 눈물을 흘리며 한탄조로 "평소 몸이 말안장을 떠나지 않아 넓적다리에 군살이 하나도 없었소만, 지금은 더 이상 말을 타지 않아 넓적다리에 살이 찌고 말았소.

97) 黨人(당인) : 정치적 견해를 같이 하는 붕당朋黨을 이르는 말. 후한 말엽에 환관들이 이응李膺(?-169)・두밀杜密(?-169) 등을 당인으로 몰아 하옥시킨 당고黨錮 사건이나, 송나라 휘종徽宗 때 왕안석王安石(1021-1086)을 추종한 채경蔡京(1047-1126) 등이 신법新法을 반대한 사마광司馬光(1019-1086) 등 309명을 '원우당인元祐黨人'이라고 하여 그 죄상을 적어서 단례문端禮門에 비석을 세운 사건 등이 유명하다.

98) 叵(파) : …할 수 없다. '불능不能' '불가不可'의 뜻.

세월이 유수처럼 흘러 노년이 다가오건만 공업을 이루지 못 하고 있구려"라고 말한 적이 있다.

◇曹劉絶唱(조식曹植과 유정劉楨이 가장 뛰어난 시인이다)

●劉楨, 字公幹, 有逸才. 建安七子[99], 以曹劉[100]爲絶唱. 魏文云[101], "七子者騁騏驥[102]於千里, 仰齊足而竝馳, 竝文苑羽儀[103], 詩人龜鑑." 鍾嶸云, "若孔門用詩, 則公幹升堂, 子建[104]入室[105], 景陽[106]潘陸[107], 可坐於廊廡[108]之間."(詩話[109])

---

99) 建安七子(건안칠자) : 후한後漢 헌제獻帝 건안(196-220) 연간에 활동했던 7명의 문인을 아우르는 말. 즉 노국魯國 사람 문거文擧 공융孔融(153-208), 광릉廣陵 사람 공장孔璋 진임陳琳(?-217), 산양山陽 사람 중선仲宣 왕찬王粲(177-217), 북해北海 사람 위장偉長 서간徐幹(171-218), 진류陳留 사람 원유元瑜 완우阮瑀(약165-212), 여남汝南 사람 덕련德璉 응양應瑒(?-217), 동평東平 사람 공간公幹 유정劉楨(?-217) 등 7인을 가리킨다.

100) 曹劉(조류) : 후한 말엽 건안 시기를 대표하는 시인인 조식曹植(192-232)과 유정劉楨(?-217)을 아우르는 말. 조식은 원래 건안칠자建安七子에 속하지 않지만 그들과 함께 활동하였기에 거론한 것으로 보인다.

101) 云(운) : 이는 삼국 위魏나라 문제文帝 조비曹丕의 ≪전론典論≫에 있던 글을 인용한 것인데, 원전은 오래 전에 실전되고 대신 당나라 구양순歐陽詢(557-641)의 ≪예문류취藝文類聚・잡문부雜文部2≫권56에 인용되어 전한다.

102) 騏驥(기기) : 천리마. '기騏'와 '기驥' 모두 천리마 이름.

103) 羽儀(우의) : 기러기는 높은 곳에 있으면서 재덕을 갖추고 있어 의표儀表로 삼을 만하다는 고사에서 유래한 말로 모범이나 귀감을 뜻한다.

104) 子建(자건) : 삼국시대 위魏나라 때 시인 조식曹植(192-232)의 자. 무제武帝 조조曹操(155-220)의 아들이자 문제文帝 조비曹丕(187-226)의 동생. 문재文才가 뛰어났으나 그 때문에 형인 조비의 시기를 받아 불행한 삶을 살았다. 봉호가 진왕陳王이고 시호가 사思여서 진사왕陳思王으로도 불렸다. 저서로 ≪조자건집曹子建集≫ 10권이 전한다. ≪삼국지・위지・진사왕조식전陳思王曹植傳≫권19 참조.

105) 入室(입실) : 방에 들어가다. ≪논어・선진先進≫권11에서 공자가 "중유仲由는 대청에 오를 수는 있어도 아직 방에는 들어갈 수 없느니라(由也升堂矣, 未入於室也)"라고 평했다는 고사에서 유래한 말로 학문이나 예술이 최고의 경지에 오른 것을 비유한다.

106) 景陽(경양) : 진晉나라 사람 장협張協(?-약307)의 자. 형 장재張載 및 동생 장항張亢과 함께 문재로 명성을 떨쳤다. 하간내사河間內史를 지내다가 세상이 혼란해지자 은거하고 벼슬에 나가지 않았다. ≪진서・장협전≫권55 참조.

107) 潘陸(반육) : 진晉나라 때 유명한 문인인 반악潘岳(247-300)과 육기陸機(261-303)를 아우르는 말.

○유정(?-217)은 자가 공간으로 글재주가 빼어났다. 그래서 건안칠자 가운데서도 조식과 유정을 가장 뛰어난 시인으로 꼽는다. (삼국) 위나라 문제는 "건안칠자는 천 리 멀리까지 천리마를 몰면 고개를 들고 발을 나란히 한 채 힘차게 달리는 것과 같으니 문단의 모범이요 시인의 귀감이로다"라고 평하였다. 또 (남조南朝 양梁나라 때) 종영은 "만약 (춘추시대 노魯나라) 공자(공구孔丘)의 문하생들이 시를 짓는다면 공간(유정)은 대청에 오르고 자건(조식)은 방에 들어가는 반면, (진晉나라) 경양(장협張協)과 반악潘岳·육기陸機는 행랑채에 앉는 수준이라고 평할 수 있을 것이다"라고 하였다.(≪시품詩品·상품上品≫권1)

◇任達(성격이 자유분방하다)

●劉伶, 字伯倫, 放情肆志, 與嵇阮110)爲竹林之友. 嘗乘鹿車111), 携一壺酒, 使人荷鍤, 隨之曰, "死, 便埋我." 著酒德頌一篇, 爲時所稱. 仕東晉, 爲建威將軍.

○유영은 자가 백륜으로 성격이 자유분방하여 혜강嵇康·완적阮籍과 죽림에서 친분을 맺었다. 일찍이 조촐한 수레를 타고 술병 하나를 들고서는 사람을 시켜 삽을 들고 자신을 따르게 하며 말했다. "죽거든 바로 나를 땅에 묻게." <술의 은덕에 대한 송문> 한 편을 지어 당시 칭송받았다. 동진에서 벼슬길에 올라 건위장군을 지냈다.

◇乘月清嘯(달빛을 틈타 맑게 휘파람을 불다)

●劉琨, 字越石, 初與祖逖俱爲司州主簿112). 同寢中, 夜聞雞鳴, 逖蹴琨

---

108) 廊廡(낭무) : 본채 바깥으로 세워진 건물을 이르는 말. 행랑채.

109) 詩話(시화) : 시에 관한 평론이나 일화를 모아 놓은 저서를 이르는 말. 여기서는 남조南朝 양梁나라 종영鍾嶸(?-518)의 ≪시품詩品≫을 가리킨다. 위의 예문은 ≪시품·상품上品≫권1에 보인다.

110) 嵇阮(혜완) : 진晉나라 때 죽림칠현竹林七賢의 대표적 인물인 혜강嵇康(224-263)과 완적阮籍(210-263)을 아우르는 말.

111) 鹿車(녹거) : 사슴이 끄는 수레. 작고 조촐한 수레를 비유한다.

112) 主簿(주부) : 한나라 이후로 문서 처리를 관장하는 속관屬官을 이르던 말.

覺曰, "此非惡聲也." 皆起舞. 後聞逖被用, 與親故書曰, "吾枕戈待旦, 志梟[113]叛逆, 常恐祖生先我著鞭." 在晉陽, 爲騎兵所圍, 琨乘月, 登樓淸嘯, 中夜奏笳, 敵有懷土之思, 棄圍去. 永嘉初, 都督[114]幷·幽·冀三州事. 兄璵, 字慶孫, 京師[115]語曰, "洛中奕奕[116], 慶孫·越石."

○(진晉나라) 유곤(271-318)은 자가 월석으로 당초 조적과 함께 (하남성) 사주에서 (문서를 관장하는 벼슬인) 주부를 지냈다. 함께 잠을 자던 중 밤에 닭울음소리가 들리자 조적이 유곤을 발로 차 깨우며 말했다. "이는 불길한 소리가 아니오." 그래서 모두 일어나 춤을 추었다. 뒤에 조적이 기용되자 유곤은 친지에게 보내는 글에서 "저는 새벽까지 창을 베고 잠을 자며 반역자를 제거하는 데 뜻을 두었지만, 늘 조선생(조적)이 나보다 먼저 채찍을 손에 들까 염려하였지요" 라고 하였다. (산서성) 진양군에 있을 때는 기병에 포위를 당하자 유곤이 달빛을 틈타 누각에 올라서 맑게 휘파람을 불고 한밤중에 호드기를 불었기에 적군이 고향에 대한 그리움이 일어나 포위를 풀고 떠난 일이 있다. (회제) 영가(307-313) 초에는 (산서성) 병주幷州·(하북성) 유주幽州와 기주冀州 등 세 주의 군사 업무를 총괄하는 도독을 지냈다. 형 유여劉璵는 자가 경손인데 경사에는 "(하남성) 낙양 땅에서 명성이 드높은 이는 월석(유곤)과 경손(유여)이라네"라는 말이 돌았다.

◇十部從事(십부종사)

●劉弘仕晉, 爲開府儀同三司[117]. 每有興廢, 致手書守相[118], 丁寧[119]款

중앙 및 지방의 각 행정 기관에 모두 설치하였다.

113) 梟(효) : 죽이다, 효수형에 처하다. 즉 제거하는 것을 말한다.

114) 都督(도독) : 군사軍事 업무를 총괄하는 장관을 이르는 말.

115) 京師(경사) : 서울, 도읍을 이르는 말. 송나라 주희朱熹(1130-1200) 설에 의하면 '경京'은 높은 지대를 뜻하고, '사師'는 많은 사람을 뜻한다. 즉 높은 산에 의지하여 많은 사람이 모여 사는 곳이란 뜻에서 유래하였다. 여기서는 진나라 때 도성인 하남성 낙양을 가리킨다.

116) 奕奕(혁혁) : 명성이 높은 모양, 아름다운 모양.

117) 開府儀同三司(개부의동삼사) : 일종의 산관散官. 한나라 때 태위太尉·사도司徒·사공司空의 삼공三公을 삼사三司라고 하였는데, 삼사가 아니지만 의제

密[120], 咸曰, "得劉公一紙書, 賢於十部從事[121]."

○유홍(236-306)은 진나라에서 벼슬길에 올라 개부의동삼사에 올랐다. 매번 진작시키거나 폐지시켜야 할 일이 있으면 손수 태수나 제후국의 승상들에게 친필 서신을 보내 간곡하고 친밀하게 뜻을 전하였기에 사람들이 모두들 이구동성으로 말했다. "유공(유홍)의 서신을 한 장 얻는 것이 십부종사를 통하는 것보다 낫다오."

◇蓮社(백련사白蓮社)

●劉驎之, 字遺民, 一字子驥. 晉末作柴桑[122]令. 人多以柴桑翁爲淵明[123], 不知遺民嘗作此令也. 慕遠公[124]名德, 白首同社.

○유인지는 자가 유민이면서 한편으로는 자를 자기라고도 하였다. 진나라 말엽에 (강서성) 시상현의 현령을 지냈다. 사람들은 대부분 '시상옹'을 도연명으로 생각하지만 유인지가 이곳의 현령을 지낸 적이 있다는 것을 몰라서이다. 원공(혜원慧遠)의 명성과 인품을 흠모하여 백발의 나이에 백련사白蓮社에 함께 참여하였다.

儀制와 대우가 삼사와 동등한 벼슬을 '의동삼사'라고 하였다. 후한 이후로 승상부丞相府를 별도로 개설할 수 있는 개부開府의 권한을 가지고 삼사에 버금가는 지위를 가진 벼슬을 '개부의동삼사開府儀同三司'라고 칭하였다. 당송 때는 종1품에 해당하는 문산관文散官으로 서열이 가장 높았다.

118) 守相(수상) : 지방의 태수와 제후국의 승상을 아우르는 말.

119) 丁寧(정녕) : 거듭해서 부탁하거나 고지하는 것을 이르는 말. 혹은 말이 간곡하고 정성 어린 모양을 뜻하기도 한다.

120) 款密(관밀) : 친밀하다, 친숙하다.

121) 十部從事(십부종사) : 모종의 기관에 소속되어 있는 구실아치들에 대한 총칭. 줄여서 '십부十部'라고도 한다.

122) 柴桑(시상) : 강서성의 속현屬縣 이름이자 산 이름. 진晉나라 도연명陶淵明(365-427)이 이곳에 은거하였기에 도연명을 비유적으로 가리킬 때도 있다.

123) 淵明(연명) : 진晉나라 때 전원시인田園詩人 도연명陶淵明(365-427). ≪송서宋書·은일열전隱逸列傳·도잠전陶潛傳≫권93에 의하면 도잠은 본명이 '잠'이고 '연명淵明'이 자라는 설도 있고, 본명이 '연명'이고 '원량元亮'이 자라는 설도 있는데, 본명이 '연명'이고 '잠'은 은거한 뒤에 개명한 이름인 듯하다.

124) 遠公(원공) : 진晉나라 고승 혜원慧遠(334-416)에 대한 존칭. 염불 수행을 위해 혜영慧永·뇌차종雷次宗 등과 함께 '백련사白蓮社'를 결성한 것으로 유명하다.

◇一擲百萬(한 번에 백만 냥을 쾌척하다)

●劉毅, 字希樂, 家無擔石125)之儲, 樗蒲126)一擲百萬. 晉末爲青州刺史, 討桓玄. 玄初於南郡起齋, 號蟠龍齋. 毅, 小字蟠龍, 至是始居之.

○유의(?-412)는 자가 희락으로 집에 비축한 식량이 한두 섬도 안 될 정도로 가난했지만 도박을 하면 한 번에 백만 냥을 쾌척하였다. 진나라 말엽에 (산동성) 청주자사를 지내면서 환현을 토벌하였다. 환현이 당초 (호북성) 남군에 서재를 세우고 이름을 '반룡재'라고 지은 적이 있는데, 유의는 어렸을 때 자가 반룡이어서 이때에 이르러 이곳에 거주하기 시작하였다.

◇七業俱興(일곱 가지 학문이 모두 흥성하다)

●劉殷, 字長盛, 性至孝. 於西籬下得粟十五鍾127), 銘曰, "七年128)粟百碩129), 以賜孝子." 劉殷有子七人, 五子受五經130), 一子受太史131), 一子受漢書, 一門之內, 七業俱興. 晉永嘉之亂132), 陷於劉聰, 聰以爲尙書133).

---

125) 擔石(담석) : 도량형 단위. '담'은 두 섬을 뜻하고, '석'은 한 섬을 뜻한다. 결국 적은 양을 비유한다.

126) 樗蒲(저포) : 한나라 이후 생겨서 진나라 때 크게 유행한, 윷 모양의 패를 던져서 승부를 가리는 놀이의 일종. 그러나 상세한 내용은 알려지지 않았다. '저樗'는 '저摴'로도 쓴다.

127) 鍾(종) : 도량형 단위. '부釜'의 열 배로 6휘(斛) 4말(斗). 혹은 8휘, 10휘라는 설도 있다.

128) 七年(칠년) : 7년 동안 먹을 양을 말한다. ≪진서·유은전≫권88에 "7년이 지나서야 비로소 다 먹었다(七載方盡)"는 문구가 첨기되어 있다.

129) 碩(석) : 도량형 단위인 '석石'(휘)과 통용자. 따라서 '100석碩'은 결국 '15종鍾'과 용량이 대략 같다.

130) 五經(오경) : ≪역경易經≫ ≪서경書經≫ ≪시경詩經≫ ≪예기禮記≫ ≪춘추경春秋經≫을 아우르는 말. '육경六經'과 함께 경전을 총칭하기도 한다.

131) 太史(태사) : ≪사기史記≫의 별칭. 전한前漢 사마담司馬談(?-B.C.110)과 그의 아들 사마천司馬遷(B.C.135-?) 모두 태사령太史令을 지내 '태사공太史公'이란 존칭으로 불렸는데, ≪한서·예문지≫권30에 의하면 '태사공'은 ≪사기≫의 원명이기도 하다.

132) 永嘉之亂(영가지란) : 서진西晉 말엽 회제懷帝 때 유총劉聰이 반란을 일으켜 낙양洛陽을 점령하고 회제를 시해한 일을 이르는 말. 이 난리로 고서古書가 많이 유실되었다고 전한다. '영가'는 회제 때 연호(307-313).

○유은(?-312)은 자가 장성으로서 천성적으로 지극히 효성스러웠다. 서쪽 울타리 아래서 밤 15종을 얻었는데, 거기에는 "7년 동안 먹을 밤 100석(15종)을 효자에게 하사하노라"는 문구가 새겨져 있었다. 유은에게는 아들이 7명 있었는데, 아들 다섯 명은 오경을 전수받고, 한 명은 ≪사기≫를 전수받고, 한 명은 ≪한서≫를 전수받아 한 가문 안에서 일곱 가지 학문이 모두 흥성하였다. 진나라 (회제) 영가(307-313) 연간의 혼란 때 (오호십육국五胡十六國 전조前趙의 군주인) 유총에게 항복하자 유총이 그를 상서에 임명하였다.

◇總稱二府(두 군부를 총괄하여 다스리다)

●劉穆之, 字道和, 晉末爲左僕射[134], 領監軍[135]·中軍[136]二府. 內總朝政, 外佐軍旅, 決斷如流, 賓客[137]輻輳[138], 盈階滿室. 目覽詞訟, 手答牋書. 耳行聽受[139], 口竝應酬, 不相參涉[140], 悉皆贍擧[141].

---

133) 尙書(상서) : 한나라 이후로 정무政務와 관련한 문서의 발송을 주관하는 일, 혹은 그러한 업무를 관장하던 벼슬을 가리킨다. '상尙'은 '주관한다(主)'는 뜻이다. 후대에는 이부상서吏部尙書나 병부상서兵部尙書와 같이 그런 업무를 관장하는 상서성尙書省 소속 장관을 뜻하는 말로 쓰였다. 휘하에 시랑侍郎과 낭중郎中·원외랑員外郎 등을 거느렸다.

134) 僕射(복야) : 진秦나라 때 처음 설치되었고, 한나라 때는 5상서尙書 가운데 한 명을 복야에 임명하여 조정의 핵심 행정 기관인 상서성尙書省의 업무를 총괄하게 하였는데, 뒤에 권한이 막강해지자 좌·우복야를 두면서 당송唐宋 때까지 지속되었다. 보통 승상丞相의 지위를 겸하였다.

135) 監軍(감군) : 군대를 감독하는 벼슬 이름. 대개 환관宦官이 담당하였는데 여기서는 그러한 군대를 가리키는 말로 쓰인 듯하다.

136) 中軍(중군) : 삼군三軍인 좌군左軍·중군中軍·우군右軍 가운데 가장 핵심 부대를 가리키는 말. 뒤에는 전의되어 주장主將이나 지휘부를 가리키는 말로도 쓰였다.

137) 賓客(빈객) : 손님에 대한 총칭. '빈賓'은 신분이 높은 손님을 가리키고, '객客'은 수행원과 같이 신분이 낮은 손님을 가리키는 데서 유래하였다.

138) 輻輳(복주) : 수레의 바퀴살이 축으로 모이듯이 사람들이 폭주하는 것을 이르는 말.

139) 聽受(청수) : 듣고서 받아들이다, 잘 청취하다.

140) 參涉(참섭) : 방해하다, 간섭하다.

141) 贍擧(섬거) : 행동거지가 넉넉하다. 여러 가지 일을 한꺼번에 여유롭게 처리하는 것을 말한다.

○유목지(360-417)는 자가 도화로 진나라 말엽에 좌복야에 올라 감군과 중군 두 군부를 통솔하였다. 안으로는 조정을 총괄하고 밖으로는 군대 일을 도우면서 물 흐르듯이 결단을 내렸기에 손님들이 폭주하여 섬돌과 방안을 가득 메웠다. 직접 송사를 읽으면 손수 서신으로 답해 주었다. 귀로 청취하고 입으로 동시에 응수하면서도 서로 어긋나는 일 없이 모두 여유롭게 잘 처리하였다.

◇鬼笑(귀신이 비웃다)

●劉伯龍仕宋，爲武陵太守，貧寠尤甚，在家慨然．將營什一之利，忽一鬼在傍，撫掌大笑．伯龍嘆曰，“貧窮固有命，乃爲鬼所笑!”(南史142))

○유백룡은 (남조南朝) 유송劉宋에서 벼슬길에 올라 (호남성) 무릉태수를 지냈는데, 집안 살림이 무척이나 곤궁하여 집에 있을 때면 서글픈 표정을 짓곤 하였다. 장차 10분의 1의 이익을 도모하려 하자 갑자기 귀신이 옆에 나타나더니 박장대소하는 것이었다. 그러자 유백룡이 탄식하며 말했다. “가난도 실로 주어진 운명이 있어서 급기야 귀신마저도 비웃는가 보구나!”(≪남사・유백룡전≫권17)

◇第一官(으뜸가는 관직)

●劉孝綽143)，小字阿士，七歲能屬文．舅王融稱爲神童，且曰，“天下文章無我，當歸阿士.” 侍梁武帝宴，作詩七首，帝篇篇嗟賞，授祕書丞，謂周捨曰，“第一官當用第一人.” 詞藻爲後進所宗，流聞河朔．兄弟群從子姪七十人皆能文，近古未之有也．第三弟孝儀・第六弟孝威，孝綽嘗云，‘三筆六詩，’各擧其所長也．子諒悉晉代故事，號皮裏晉書．

---

142) 南史(남사) : 당나라 이연수李延壽가 남조南朝의 유송劉宋부터 진陳나라 말까지 도합 170년의 역사를 간략하게 정리하여 서술한 사서史書. 총 80권. 기존의 ≪송서宋書≫ 등의 내용을 보완한 것은 적고 삭제한 것이 많아 ≪북사北史≫보다는 못 하다는 평을 받는다. ≪사고전서간명목록・사부・정사류正史類≫권5 참조.

143) 劉孝綽(유효작) : 남조南朝 양梁나라 사람 유염劉冉(481-539). ‘효작’은 자. 본명보다는 자로 더 알려졌다. 형제들이 모두 문재로 이름을 떨쳤다. ≪양서・유효작전≫권33 참조.

○유효작(유염劉冉 481-539)은 어렸을 때 자가 아사로 일곱 살에 이미 글을 지을 줄 알았다. 외숙부인 왕융이 그를 신동이라고 칭찬하며 아울러 "천하의 문장은 내가 없으면 의당 아사(유효작)에게로 돌아갈 것이다"라고 하였다. (남조南朝) 양나라 무제를 모시고 연회에 참석했을 때 시 7수를 짓자 무제가 작품마다 훌륭하다고 칭찬하고는 비서승에 임명하며 주사에게 말했다. "으뜸가는 관직에는 의당 으뜸가는 사람을 기용해야 할 것이오." 문장력에서 후배들이 종사로 떠받들어 황하 북방에까지 이름이 알려졌다. 형제와 여러 사촌형제 및 조카들 70명이 모두 글을 잘 지은 것은 고금을 통틀어 없었던 일이다. 세 번째 동생인 유효의劉孝儀 및 여섯 번째 동생인 유효위劉孝威와 관련해 유효작은 일찍이 '삼필육시'라고 한 적이 있는데, 이는 각기 자신들의 장점을 거론한 것이다. 아들 유양劉諒은 진나라 때 고사에 대해 잘 알았기에 ('몸 속에 ≪진서≫를 담고 있다'는 의미에서) '피리진서'로 불렸다.

◇絶交論(절교에 대해 논하는 글)

●劉峻, 字孝標, 爲任昉之子著廣絶交論[144], 大略言, "因五交[145]而生三釁[146]也." 梁武帝引見, 占對[147]不稱, 乃著辨命論, 寄其懷. 遊東陽紫岩山, 築室居焉. 卒, 謚玄靜先生.

○유준(458-522)은 자가 효표로 임방의 아들(임서화任西華)을 위해

---

144) 廣絶交論(광절교론) : 남조南朝 양梁나라 유준劉峻이 임방任昉(460-508)의 아들인 임서화任西華의 초라한 모습을 보고서 그의 친구들을 비난하기 위해 지은 글로서 후한 주목朱穆의 <절교론>를 부연한다는 의미가 담겨 있다. 이 글은 양梁나라 소명태자昭明太子 소통蕭統(501-531)이 엮은 ≪문선文選·논論5≫권55에 전한다.

145) 五交(오교) : 실리적인 목적을 이루기 위한 다섯 가지 유형의 사귐을 이르는 말. 즉 권세가와의 사귐(勢交), 부자와의 사귐(賄交), 유명인과의 사귐(談交), 명분 없이 상대를 이용하기 위한 사귐(窮交), 이익을 얻을 수 있다는 계산하의 사귐(量交)을 가리킨다.

146) 三釁(삼흔) : 세 가지 죄. 명분과 의리를 잃어 짐승처럼 되는 죄, 사람 사이의 갈등을 조장하는 죄, 정직한 사람들에게 멸시받는 죄 등을 가리킨다.

147) 占對(점대) : 구두로 응답하는 것을 뜻하는 말.

<(후한 주목朱穆의) '절교에 대해 논하는 글'을 다시 부연하다>란 글을 지었는데, 그 대략의 내용은 "다섯 가지 사귐으로 인해 세 가지 죄가 생긴다"는 것이었다. (남조南朝) 양나라 무제가 불러 접견하였으나 구두시험 결과가 황제의 마음에 들지 않자 <운명을 판별하는 방법에 대해 논하는 글>을 지어 자신의 생각을 기탁하였다. (절강성) 동양군의 자암산을 유람하다가 그곳에 집을 짓고서 거주하였다. 죽은 뒤 '현정선생'이란 시호를 하사받았다.

◇三隱(세 명의 은자)

●劉紆[148], 字彥度, 梁人, 與阮孝緒・劉歆[149]爲三隱. 卜築鍾山[150], 有終焉之志. 孝標嘗與書云, "紆超超越俗, 如半天朱霞, 歆矯矯[151]出塵, 如雲中白鶴, 皆歉歲[152]之粱稷, 寒年之纖纊[153]!" 嘗[154]著穀皮冠[155], 被衲衣[156], 遊山澤, 風神穎俊, 意氣彌遠, 遇者以爲神人.

○유우劉訏는 자가 언도이고 (남조南朝) 양나라 때 사람으로 완효서・유효劉歊와 함께 '삼은'으로 불렸다. (강소성) 종산에 집을 마련하고서 거기서 생을 마치고자 하는 뜻을 품었다. 효표孝標 유준劉峻이 일찍이 그에게 주는 서신에서 "유우는 자유로이 세속을 초월한 모습

---

148) 劉紆(유우) : ≪양서・유우전≫권51과 ≪남사・유우전≫권49에 의하면 '유우劉訏'의 오기이다.

149) 劉歆(유흠) : ≪양서・유우전≫권51과 ≪남사・유우전≫권49에 의하면 유우劉紆의 족형族兄인 '유효劉歊'의 오기이다. 자형의 유사성으로 인한 필사 과정상의 단순 오기로 보인다.

150) 鍾山(종산) : 강소성 금릉金陵(남경) 동쪽에 있는 산 이름. '자금산紫金山' 혹은 '장산蔣山'이라고도 한다.

151) 矯矯(교교) : 강직한 모양, 당당한 모양.

152) 歉歲(겸세) : 흉년.

153) 纖纊(섬광) : 가늘고 고운 솜을 이르는 말.

154) 嘗(상) : 늘, 항상. '상常'과 통용자.

155) 穀皮冠(곡피관) : 사슴 가죽으로 만든 갓을 뜻하는 말인 '녹피관鹿皮冠'의 오기. 자형의 유사성으로 인한 필사 과정상의 단순 오기로 보인다. 은자나 도사・신선 등을 상징한다.

156) 衲衣(납의) : 기운 옷, 낡은 옷을 뜻하는 말. 승려가 입는 옷인 승복僧服을 가리킬 때도 있다.

이 마치 하늘을 가득 덮은 붉은 노을 같고, 유효는 당당하게 속세를 초월한 모습이 마치 구름 속을 나는 백학 같으니 모두가 흉년 때의 곡식이요 추운 때에 필요한 고운 솜과 같은 존재로다!"라고 하였다. 늘 사슴 가죽으로 만든 갓을 착용하고 허름한 옷을 입은 채 산택을 유람하였는데, 풍모가 빼어나고 기상이 고상하여 만나는 사람들이 그를 신선으로 생각하였다.

◇二劉(두 명의 유씨)

●劉悼[157], 字士元, 少與劉炫結盟爲友, 俱以儒學知名, 世稱二劉. 隋開皇中, 二子與王邵同修國史, 時求天下遺書, 炫僞造書百餘卷, 題曰連山易[158]及魯史記[159]等, 錄上送官, 取賞而去. 後人訟之, 得赦免罪. 炫卒, 門人諡曰宣德先生. 自贊, "齊鑣驥騄[160], 竝翼鵾鴻[161], 整緗素[162]於鳳池[163], 記言動於麟閣[164]."

○유작劉焯(544-610)은 자가 사원으로 어려서부터 유현(약 546-약 6

157) 劉悼(유도) : ≪수서·유작전≫권75에 의하면 '유작劉焯'의 오기이다. 자형의 유사성으로 인한 필사 과정상의 단순 오기로 보인다.

158) 連山易(연산역) : 중국 고대의 '삼역三易', 즉 세 가지 ≪역경≫ 가운데 하나. 하夏나라 것을 연산連山, 상商나라 것을 귀장歸藏, 주周나라 것을 주역周易이라고 한다. 오늘날 ≪역경≫은 주역을 가리킨다.

159) 魯史記(노사기) : 춘추시대 노魯나라 공자가 엮었다고 하는 ≪춘추경春秋經≫의 본명.

160) 驥騄(기록) : 준마.

161) 鵾鴻(곤홍) : ≪수서·유현전≫권75에 의하면 원추와 큰기러기를 뜻하는 말인 '원홍鵷鴻'의 오기이다. 줄지어 질서정연하게 날기에 조정 관원의 반열을 비유하는데, 여기서는 앞의 '기록驥騄'과 함께 유현劉炫 자신 및 유작劉悼 같은 인재들을 비유하는 말로 쓴 듯하다.

162) 緗素(상소) : 글씨를 쓰는 데 사용하는 담황색 비단을 뜻하는 말로 글이나 서책을 비유한다. 여기서는 황제의 조서를 가리킨다.

163) 鳳池(봉지) : 국가의 기무機務·조령詔令·비기祕記 등을 관장하는 최고 행정 기관인 중서성中書省의 별칭. 위진남북조魏晉南北朝 이래로 중서성 옆에 있는 연못을 '봉황지鳳凰池'라고 부른 데서 유래하였다.

164) 麟閣(인각) : 위진魏晉 이래로 국가 도서의 수집·보관·필사에 관한 업무를 관장하던 기관인 비서성祕書省의 별칭. 당나라 예종睿宗 때 비서성을 '인각'으로 개칭한 적이 있는데, 한나라 때 장서각을 '기린각麒麟閣'이라고 한 데서 유래하였다.

13)과 친구로 지내기로 맹약을 맺고 함께 유학으로 이름을 날려 세간에서 '이류'로 불렸다. 수나라 (문제) 개황(581-600) 연간에 두 사람이 왕소와 함께 국사를 편수하게 되었는데, 당시 천하에 남겨진 서책들을 찾게 되자 유현이 백 권이 넘는 서책을 위조하고는 ≪연산역≫ 및 ≪노사기≫ 등으로 제목을 붙인 뒤 이를 초록하여 관청에 올려보내고서 상금을 챙겨 사라졌다. 뒤에 누군가 이에 대해 소송을 걸었지만 사면을 받아 죄를 면했다. 유현이 죽자 문인들이 '선덕선생'이란 시호를 지어 주었다. 그는 스스로 찬문을 지어 "재갈을 나란히 한 채 달리는 준마와 날개를 나란히 한 채 나는 원추・큰기러기들이 봉황지(중서성)에서 담황색 비단을 정리하고 인각(비서성)에서 언행을 기록하였다"고 하였다.

◇解事僕射(일을 잘 해결하는 복야)

●劉仁軌, 字正則, 唐高宗朝, 爲左僕射. 時戴至德爲右僕射, 更日聽獄. 有老嫗投牒[165], 至德受訖, 嫗復取之曰, "本投解事僕射, 乃不解事僕射邪?"

○유인궤(601-685)는 자가 정칙으로 당나라 고종 때 좌복야를 지냈고, 당시 대지덕은 우복야를 맡아 날을 번갈아가며 교대로 옥사를 처리하였다. 한 노파가 소장을 제출하여 대지덕이 접수를 마치자 그 노파가 다시 그것을 회수하며 말했다. "본래 일을 잘 해결하는 복야(유인궤)에게 제출한 것인데 오히려 일을 해결할 줄 모르는 복야(대지덕)가 받다니요?"

◇九老會(아홉 노인의 모임)

●劉宗, 唐武宗朝, 爲磁州刺史, 與胡果等爲九老會[166].(見胡姓)

---

165) 投牒(투첩) : 소장訴狀을 제출하는 일.
166) 九老會(구로회) : 당나라 때 향산거사香山居士 백거이白居易(772-846)를 중심으로 결성한 모임을 이르는 말. '구로'는 백거이의 ≪백씨장경집白氏長慶集・율시律詩≫권37에 실린 칠언배율七言排律 <호고・길교・정거・유진・노진・장혼 등 여섯 현인은 모두 연세가 많고 나 역시 그 다음 간다. 어쩌다 우리

○유진劉眞은 당나라 무종 때 (하남성) 자주자사를 지내며 호고胡杲 등과 함께 구로회를 결성하였다.(상세한 내용은 앞의 '호'씨절 '구로九老'항에 보인다)

◇神童(신동)

●劉晏, 字士安, 八歲獻頌行在167). 元宗168)奇其幼, 命張說試之. 說曰, "國瑞也." 號曰神童, 賜游宮169). 貴妃170)坐之膝上, 親爲畵眉總髻, 宮人遺花投果. 授正字, 上問曰, "正得幾字?" 對曰, "皆正, 惟朋字171)未正." 代宗朝, 同平章事172), 領江淮常平173)使. 長於理財, 每朝謁, 馬

집에 모여 연장자를 존중하는 모임을 결성하였다. 일곱 노인이 서로를 돌아보며 술에 취해 기분이 무척 좋았는데, 곰곰이 생각해 보니 이런 모임도 드물기에 7언6운의 율시를 지어 기록해서 호사가들에게 전한다(胡·吉·鄭·劉·盧·張等六賢, 皆多年壽, 予亦次焉. 偶於弊居合, 成尙齒之會. 七老相顧, 旣醉甚歡. 靜而思之, 此會稀有, 因成七言六韻以紀之, 傳好事者)>라는 시의 후기後記에 의하면 호고胡杲·길교吉皎·유진劉眞·정거鄭據·노진盧眞·백거이白居易·장혼張渾·이원석李元奭과 승려 여만如滿 등 아홉 명을 가리킨다. 따라서 앞의 '유종劉宗'은 '유진劉眞'의 오기이고, '호과胡果'는 '호고胡杲'의 오기이다.

167) 行在(행재) : 임금이 출행할 때 머무는 곳인 행재소行在所의 약칭.

168) 元宗(원종) : 당나라 현종玄宗의 별칭. '원元'은 청나라 강희제康熙帝의 휘避 때문에 '현玄'을 고쳐 쓴 것이다.

169) 游宮(유궁) : 궁중을 마음대로 돌아다닐 수 있는 자격 내지 권한을 가리킨다.

170) 貴妃(귀비) : 황제의 첩실이자 후궁의 고위 내관內官 이름. 당송唐宋 때는 정1품에 속하는 사비四妃, 즉 귀비貴妃·숙비淑妃·덕비德妃·현비賢妃 가운데 하나였다. 사비 아래로는 정2품 구빈九嬪, 정3품 첩여婕妤, 정4품 미인美人, 정5품 재인才人 등의 관제가 있었다. 여기서는 당나라 현종玄宗의 총희寵姬인 양귀비楊貴妃를 가리킨다.

171) 朋字(붕자) : 위의 고사와 유사한 내용이 당나라 정처회鄭處誨의 ≪명황잡록明皇雜錄≫권상에 전하는데, 이에 의하면 당시 붕당朋黨에 간교한 인물이 많았기에 이를 풍자하는 말이라고 하였다.

172) 同平章事(동평장사) : 벼슬 이름인 동중서문하평장사同中書門下平章事의 약칭. 당나라 때 핵심 권력 기관인 상서성尙書省·중서성中書省·문하성門下省의 장관인 상서령尙書令·중서령中書令·문하시중門下侍中을 재상이라 하였는데, 상설하지 않는 대신 다른 집정관執政官들 가운데 선임하여 '동중서문하평장사同中書門下平章事'라 하고 재상으로 대우하였다. 명나라 초까지 이어지다가 폐지되었고, 그 지위와 명칭은 시대마다 약간의 차이가 있다.

173) 常平(상평) : 곡식이 비쌀 때 사들였다가 쌀 때 내다 팔아 곡식의 가격을 조절하는 제도. 전한 선제宣帝 때 경수창耿壽昌이 창안하였다.

上以鞭算. 死之日, 家惟雜書兩乘, 米麥數斛而已.

○(당나라) 유안(715-780)은 자가 사안으로 여덟 살 때 행재소에서 송축하는 글을 바쳤다. 현종이 그가 어린아이라는 점을 기특하게 여겨 장열을 시켜 그에게 시험을 치르게 하자 장열이 아뢰었다. "나라의 길조이옵니다." 그래서 그를 '신동'이라고 부르며 궁중을 마음대로 돌아다닐 수 있는 권한을 주었다. 양귀비는 그를 무릎에 앉히고 몸소 그를 위해 눈썹도 그리고 상투도 묶어 주었고, 궁인들은 꽃과 과일을 선물로 주었다. (비서성) 정자를 배수하고서 현종이 물었다. "몇 글자를 교정하였는고?" 그러자 유안이 대답하였다. "모두 교정하고 단지 (붕당 때문에) '붕'자만 아직 교정하지 않았나이다." 대종 때는 동평장사의 신분으로 장강과 회수 일대의 상평사를 맡았는데, 재정 관리에 뛰어난 솜씨를 보여 매번 조알할 때면 말 위에 앉은 채 채찍으로 계산하곤 하였다. 죽을 때 집안에는 단지 수레 두 대 분량의 잡서 및 쌀과 보리 몇 휘만 있었을 뿐이다.

◇詩豪(시의 대가)

●劉禹錫, 字夢得, 偃蹇[174]寡合[175], 白居易推爲詩豪, 又言'其詩在處有神物護持.' 嘗與元微之[176]・韋楚客會于樂天[177]之居, 賦詩, 夢得首倡. 白公曰, "四人探驪(龍)[178], 劉子先得其珠, 其餘鱗甲將何爲?" 三公罷

174) 偃蹇(언건) : 지치고 고달픈 모양, 순탄치 않은 모양.

175) 寡合(과합) : 남과 잘 어울리지 못 하다, 남에게 영합하지 않다.

176) 元微之(원미지) : 당나라 때 사람 원진元稹(779-831). '미지微之'는 자. 좌습유左拾遺・무창절도사武昌節度使를 역임하였고, 시에 뛰어나 백거이白居易(772-846)와 함께 '원백元白'으로 불렸으며, 그 시체는 '원화체元和體'로 불렸다. 저서로 ≪원씨장경집元氏長慶集≫ 66권이 전한다. ≪신당서・원진전≫권174 참조.

177) 樂天(낙천) : 당나라 시인 백거이白居易(772-846)의 자. 호는 향산거사香山居士. 한림학사翰林學士・형부상서刑部尙書를 지냈고, 시로 이름을 떨쳐 원진元稹(779-831)과 함께 '원백元白'으로 불렸으며, 유우석劉禹錫(772-842)과 함께 '유백劉白'으로도 불렸다. 저서로 ≪백씨장경집白氏長慶集≫ 71권이 전한다. ≪신당서・백거이전≫권119 참조.

178) 龍(룡) : 다른 문헌에 의하면 이 글자가 누락되었기에 보충한다. '여룡'은 흑룡을 뜻하는 말로서 귀한 사람이나 사물을 비유하는데, 여기서는 훌륭한 시를

吟. 憲宗立, 斥朗州司馬179), 作竹枝辭十餘篇, 又作問大鈞180)等賦. 後入爲主客郎中181), 復作玄都看花君子二詩182), 言“始謫十年, 還京師, 道士植桃, 甚盛若霞, 又十四年過之, 無復一存, 惟兎葵·燕麥183), 動搖春風耳.” 以詆權近, 聞者益薄其行. 會昌184)初, 加禮部尙書, 卒.

○(당나라) 유우석(772-842)은 자가 몽득으로 삶이 순탄치 않고 남과 잘 어울리지 못 했지만, 백거이가 그를 시의 대가로 추대하고 또 '그의 시가 있는 곳은 신의 도움이 있다'고 하였다. 일찍이 미지微之 원진元稹·위초객과 함께 백거이의 집에 모여 시를 지은 적이 있는데, 유우석이 먼저 읊자 백거이가 말했다. “네 사람이 흑룡을 만지려 할 때 유선생이 먼저 (흑룡의) 진주를 얻었으니 나머지 비늘 조각이야 무슨 소용이 있겠소?” 그래서 세 사람이 시 짓는 것을 포기하였다. 헌종이 즉위하고서 (호남성) 낭주사마로 쫓겨나자 <죽지사> 10여 수를 짓고, 또 <조물주에게 묻다> 등의 부를 지었다. 뒤에 조정으로 들어가 주객낭중을 맡으면서 거듭 <(섬서성 장안의) 현도관

완성한 것을 비유한다.

179) 司馬(사마) : 벼슬 이름. 주周나라 때는 육경六卿의 하나인 하관夏官으로서 군사를 관장하였고, 한나라 때는 삼공三公의 하나로서 재상이 되기도 하였다. 한나라 이후로는 왕부王府나 승상부丞相府·장군부將軍府 등에서 병마兵馬를 관장하던 벼슬이 되었고, 당나라 이후로는 주로 별가別駕·장사長史·녹사참군사錄事參軍事·참군사參軍事·녹사錄事·승丞·문학文學 등과 함께 자사刺史의 속관이 되었다.

180) 大鈞(대균) : 조물주, 창조주를 이르는 말.

181) 主客郎中(주객낭중) : 조정의 핵심 행정 기관인 상서성尙書省 소속 예부禮部의 휘하에서 변방 국가의 조공 및 외교에 관한 업무를 관장하던 벼슬을 이르는 말.

182) 二詩(이시) : 이는 칠언절구七言絶句 <(헌종) 원화 11년(816) (호남성) 낭주로부터 황제의 부름을 받들어 (섬서성 장안長安) 경사에 도착해 장난삼아 꽃구경하는 군자들에게 드리다(元和十一年, 自朗州承召至京, 戱贈看花諸君子)>와 그 속편격인 <현도관을 유람하다(遊玄都觀詩)> 두 수를 가리키는 말로 유우석劉禹錫의 ≪유빈객문집劉賓客文集≫권24에 나란히 전한다.

183) 兎葵燕麥(토규연맥) : 새삼과 귀리. 새삼은 삼처럼 생겼지만 실을 짤 수 없고, 귀리는 곡식처럼 생겼지만 식용으로 쓸 수 없기에 유명무실한 사물을 비유한다. 여기서는 유우석劉禹錫(772-842) 자신을 폄적시킨 사대부들을 비꼬는 말로 썼다.

184) 會昌(회창) : 당唐 무종武宗의 연호(841-846).

에서 꽃 구경하는 군자들에게 드리는 시> 두 수를 지으면서 서문에서 "처음 10년 동안 폄적당했다가 경사로 돌아오니 도사가 복숭아나무를 심었는데 꽃이 노을처럼 성대하게 피었었다. 다시 14년이 지나 이곳에 들르니 남은 사람 한 명 없이 오직 새삼과 귀리만이 봄바람에 흔들릴 뿐이로다"라고 하였다. 이는 권신들을 비난하기 위한 것이었기에 이 얘기를 들은 사람들이 그의 행실이 더욱 경박해졌다고 비판하였다. (무종) 회창(841-846) 초에 예부상서를 더 받았으나 생을 마치고 말았다.

◇雪車氷柱(눈 수레와 고드름을 읊은 시)

●劉叉少任俠, 晩折節讀書, 聞韓愈接天下士, 徒步歸之, 作雪車·氷柱二詩[185], 出盧仝·孟郊之右. 因持愈白金數斤而去. 曰, "此諛墓中人所得, 不若與劉君爲壽."

○(당나라) 유차는 어려서부터 의협심을 발휘하기 좋아하였으나 만년에는 생각을 바꿔 글을 읽다가 한유가 천하의 선비들을 접대한다는 얘기를 듣자 걸어서 그를 찾아가 <눈 수레>와 <고드름> 두 시를 지었는데 노동이나 맹교보다도 훨씬 뛰어났다. 그참에 한유의 백금 몇 근을 들고서 떠나며 말했다. "이는 무덤 속에 들어간 사람에게 아부해서 얻은 것이라서 차라리 저에게 주면서 축수하는 것이 나을 것입니다."

◇材過晁董(글재주가 조조晁錯와 동중서董仲舒를 능가하다)

●劉蕡, 字去華. 唐文宗太和[186]二年, 擧賢良方正[187], 考官[188]馮宿見蕡對, 嘆服以爲過晁·董[189], 而畏中官[190], 不敢取. 李郃曰, "劉蕡下第,

---

185) 二詩(이시) : 이는 각각 장편 오언고시五言古詩와 장편 칠언고시七言古詩로서 동명의 제목으로 ≪전당시全唐詩·유차≫권395에 전한다.

186) 太和(태화) : 당唐 문종文宗의 연호(827-835).

187) 賢良方正(현량방정) : 한나라 이후로 관리를 선발하는 과거제도의 하나. 현량방정과 외에도 효렴孝廉·직언극간直言極諫 등의 과목이 있었다.

188) 考官(고관) : 시험감독관. '시관試官' '주고主考' '주문主文'이라고도 한다.

189) 晁董(조동) : 전한 때 명문장가인 조조晁錯(B.C.200-B.C.154)와 동중서董仲

我輩登科, 能無厚顔?"

○유분은 자가 거화이다. 당나라 문종 태화 2년(828)에 현량방정과에 응시하자 시험감독관인 풍숙이 유분의 답안지를 보고서 탄복하여 (전한) 조조와 동중서를 능가한다고 생각하였지만 환관을 두려워하여 감히 뽑지 않았다. 그러자 이합이 말했다. "유분이 낙방하고 우리가 급제한다면 후안무치하다고 하지 않을 수 있겠소?"

◇耆英會(원로들의 모임)

●劉几, 字伯壽, 宋元豐[191]中, 與潞公[192]等爲耆英會[193]. 几詩[194]云, "偶以暮年陪盛宴, 喜將白髮照靑春." 以祕書監致仕, 時七十五歲.

○유궤는 자가 백수로 송나라 (신종) 원풍(1078-1085) 연간에 노국공潞國公 문언박文彦博 등과 기영회를 결성하였다. 유궤는 시에서 "우연히 말년에 성대한 연회에 참석하니, 기쁘게도 백발에 청춘의 기운이 감도네"라고 하였다. 비서감을 지내다가 벼슬을 그만두었는데 당시 나이가 75세였다.

◇元和風格(당나라 원화 때의 풍격)

●劉筠, 字子儀. 宋景德[195]中, 三入玉堂[196], 希望大用[197]. 詩[198]云,

舒(B.C.179-B.C.104)를 아우르는 말.

190) 中官(중관) : 궁궐에서 황제와 그 가족을 모시던 성기능을 제거한 신하. '내시內侍' '내관內官' '내신內臣' '내감內監' '엄시閹寺' '엄환閹宦' '엄인閹人' '엄시奄寺' '엄인奄人' '중사中使' '중인中人' '혼시閽寺' '환관宦官' '환자宦者' 등 다양한 호칭으로도 불렸으며, 황제를 측근에서 모시는 것을 빌미로 막강한 권력을 행사하기도 하였다.

191) 元豐(원풍) : 북송北宋 신종神宗의 연호(1078-1085).

192) 潞公(노공) : 송나라 때 명재상 문언박文彦博(1006-1097)에 대한 존칭. '노공'은 봉호인 노국공潞國公의 약칭. 저서로 ≪노공문집潞公文集≫ 40권이 전한다. ≪송사·문언박전≫권313 참조.

193) 耆英會(기영회) : 송나라 신종神宗 때 문언박文彦博(1006-1097)이 하남성 낙양에서 부필富弼(1004-1083)·사마광司馬光(1019-1086) 등 13인의 명사들과 함께 결성한 모임 이름. '기영'은 연배와 덕망이 높은 사람을 뜻한다.

194) 詩(시) : 이는 칠언율시七言律詩 <기영회(耆英會)> 가운데 함련頷聯을 인용한 것으로 청나라 여악厲鶚(1692-1752)의 ≪송시기사宋詩紀事≫권12에 전한다.

"蟠桃[199]三竊成何味? 上盡鼇山[200]迹轉孤." 稱疾不出, 王旦云, "劉筠·宋綬相繼, 翰苑屬文, 有貞元[201]·元和[202]風格."

○유균(971-1031)은 자가 자의이다. 송나라 (진종) 경덕(1004-1007) 연간에 세 차례나 한림원에 들어가 재상에 기용되기를 희망하였다. 그래서 그는 시에서 "선계의 복숭아를 세 차례나 훔쳤으나 무슨 맛을 냈던가? 오산에 다 올라도 발자취는 더욱 외롭기만 하다네"라고 하였다. 병을 핑계로 출근하지 않자 왕단이 말했다. "유균과 송수가 서로 이어가며 한림원에서 글을 짓는데, (당나라 덕종) 정원(785-805)과 (헌종) 원화(806-820) 연간의 풍격이 담겨 있더이다."

◇身登黃閣(몸이 황각에 오르다)

●劉沆, 吉郡[203]人, 少倜儻[204]任氣. 作述懷詩云, "虎生三歲便窺牛, 獵食寧能掉尾求? 若不去登黃閣[205]貴, 便須來伴赤城[206]遊." 王拱辰

---

195) 景德(경덕) : 북송北宋 진종眞宗의 연호(1004-1007).

196) 玉堂(옥당) : 한림원翰林院의 별칭. '금란원金蘭院' '금서禁署' '금림禁林' '내서內署' '북원北院' '사림詞林' '오금鼇禁' '오두鼇頭' '오봉鼇峰' '오액鼇掖' '옥서玉署' '한원翰苑' 등 다양한 별칭으로도 불렸다.

197) 大用(대용) : 크게 중용하다. 재상에 임명하는 것을 말한다.

198) 詩(시) : 송나라 완열阮閱의 ≪시화총구詩話總龜≫권38 등에도 두 구절만 전하는 것으로 보아 일시逸詩인 듯하다.

199) 蟠桃(반도) : 선계의 복숭아 이름. 서왕모西王母가 전한 무제武帝에게 주었는데 무제가 이를 심으려 하자 인간세상에서는 키울 수 없다고 말했다는 고사가 ≪한무제고사漢武帝故事≫에 전한다. 여기서는 한림학사翰林學士를 비유하는 듯하다.

200) 鼇山(오산) : 등롱을 큰 자라 모양으로 쌓아 산처럼 만든 조명 기구를 이르는 말. '오산鰲山'으로도 쓴다. 송나라 이전에는 '산등山燈'이라고 하였다. 여기서는 한림원翰林院을 비유적으로 가리키는 듯하다.

201) 貞元(정원) : 당唐 덕종德宗의 연호(785-805).

202) 元和(원화) : 당唐 헌종憲宗의 연호(806-820). 여기서는 백거이白居易(772-846)와 원진元稹(779-831) 등의 문풍을 가리킨다.

203) 吉郡(길군) : 강서성 길주吉州의 별칭.

204) 倜儻(척당) : 호방하여 세속적인 예법에 얽매이지 않는 모양.

205) 黃閣(황각) : 재상의 관서를 일컫는 말. 한나라 때 승상·태위太尉, 그후로 삼공三公이 집무하는 관서의 대문을 황색으로 칠한 데서 유래하였다.

206) 赤城(적성) : 전설상의 신선 세계를 뜻하는 말로 황궁을 비유하기도 한다.

榜[207]第二人, 至和[208]中, 拜相.

○(송나라) 유항(995-1060)은 (강서성) 길주 사람으로 어려서부터 성품이 호방하고 자유분방하였다. 그는 <감회를 서술한 시>를 지어 “호랑이는 태어나 세 살이 되면 소를 노리는데, 사냥해서 잡아먹는 몸으로 어찌 꼬리를 흔들며 구걸하리오? 만약 황각에 올라 귀한 신분(재상)이 되지 않는다면, 모름지기 신선들과 벗하여 노닐어야 하리라”고 하였다. 왕공신이 장원급제한 과거시험에서 2등을 차지하더니 (인종) 지화(1054-1055) 연간에 재상을 배수받았다.

◇三劉(세 명의 유씨)

●劉敞, 字原父, 號公是先生, 弟攽, 字貢父, 號公非先生, 敞子奉世, 字仲馮, 是爲三劉. 劉渙, 字凝之, 號西澗先生, 子恕, 字道原, 恕子羲仲, 亦爲三劉.

○(송나라) 유창(1019-1068)은 자가 원보로 호가 공시선생이고, 동생 유반劉攽(1023-1089)은 자가 공보로 호가 공비선생이며, 유창의 아들 유봉세劉奉世(1041-1113)는 자가 중빙인데, 이들 세 사람은 ‘삼류’로 불렸다. 유환은 자가 응지로 호가 서간선생이고, 아들 유서劉恕(1032-1078)는 자가 도원이며, 유서의 아들은 유희중劉羲仲(약 1059-1120)인데, 이들 세 사람도 ‘삼류’로 불렸다.

◇一揮九制(단숨에 제서制書 아홉 장을 작성하다)

●原父, 治平[209]中, 在西掖[210], 一日進封皇子公主九人, 立馬卻坐[211], 一揮九制, 文詞典雅.

○(송나라) 원보原父 유창劉敞(1019-1068)은 (영종) 치평(1064-106

---

207) 王拱辰榜(왕공신방) : 왕공신이 장원급제한 과거시험 합격자 명단을 가리킨다.

208) 至和(지화) : 북송北宋 인종仁宗의 연호(1054-1055).

209) 治平(치평) : 북송北宋 영종英宗의 연호(1064-1067).

210) 西掖(서액) : 황명의 기초와 출납을 관장하는 중서성中書省의 별칭. 관서가 궁중 서쪽에 위치한 데서 유래하였다.

211) 卻坐(각좌) : 가만히 앉다, 그 자리에 앉다.

7) 연간에 중서성에서 근무하다가 하루는 황자와 공주 아홉 명의 봉호를 승격시키는 일이 생기자 말을 세운 뒤 그 자리에 앉아서는 단숨에 제서 아홉 장을 작성하였는데 문장이 모범적이고 우아하였다.

◇著漢書(≪한서간오漢書刊誤≫를 짓다)

●貢父, 宋神宗朝, 充集賢院校理212), 著漢書誤213), 謫倅214)泰州. 題館壁云215), "璧門金闕倚天開, 五見宮花落井槐216). 明日扁舟滄海去, 却從雲氣望蓬萊217)." 王介甫218)愛之, 書於扇.

○공보貢父 유반劉攽(1023-1089)은 송나라 신종 때 집현원교리를 맡으면서 ≪한서간오≫를 지었다가 (강소성) 태주의 통판으로 폄적당했다. 그러자 집현원 건물 벽에다가 다음과 같은 시를 남겼다. "아름다운 궁문이 하늘(천자)에 의지한 채 열렸기에, 꽃잎이 우물에 떨어지는 홰나무를 다섯 번이나 보았건만, 내일 일엽편주를 타고 바다(태주)로 간다면, 구름을 따르며 (동해의) 봉래산을 바라보리라." 개

---

212) 集賢院校理(집현원교리) : 궁중의 도서를 교감하는 일을 관장하는 벼슬 이름.

213) 漢書誤(한서오) : 송나라 유반劉攽(1023-1089)이 ≪한서≫를 교정하기 위해 지은 책인 ≪한서간오漢書刊誤≫의 약칭. 총 4권. ≪송사·예문지≫권203 참조.

214) 倅(쉬) : 보좌하다. 자사刺史의 부관副官을 뜻하는 말로서 당나라 때는 별가別駕, 송나라 때는 통판通判을 일컬었다.

215) 云(운) : 이는 동명의 칠언절구七言絶句를 인용한 것으로 유반劉攽의 ≪팽성집彭城集≫권18에 전한다.

216) 槐(괴) : 홰나무. 삼공三公 내지 재상을 상징한다. 주周나라 때 세 그루의 홰나무(槐)와 아홉 그루의 가시나무(棘)를 심어 삼공과 구경九卿의 자리를 정한 데서 비롯되었다.

217) 蓬萊(봉래) : 동해東海에 신선이 산다는 전설상의 삼신산三神山인 봉래산蓬萊山·방장산方丈山·영주산瀛洲山 가운데 하나.

218) 王介甫(왕개보) : 송나라 사람 왕안석王安石(1021-1086). 개보는 자. 호는 반산半山이고 시호는 문文. 신종神宗 때 발탁되어 신법新法을 실시하고 개혁정책을 추진하였으나, 사마광司馬光(1019-1086)·문언박文彦博(1006-1097) 등 구법당舊法黨과 갈등을 빚다가 파면되었다. 뒤에 형국공荊國公에 봉해져 '왕형공'으로 불리기도 하였다. 시문에도 뛰어나 당송팔대가唐宋八大家의 일인이기도 하다. 저서로 ≪임천문집臨川文集≫ 100권이 전한다. ≪송사·왕안석전≫권327 참조.

보介甫 왕안석王安石이 이 시를 좋아하여 부채에 적어 넣었다.

◇臺評(어사대의 탄핵)

●仲馮爲傅堯兪所劾, 攽曰, “小姪何過, 致煩臺評?” 傅慙曰, “三平二滿[219]文字.” 劉曰, “七上八下[220]人才.”

○(송나라) 중빙仲馮 유봉세劉奉世(1041-1113)가 부요유에게 탄핵을 당하자 (숙부인) 유반劉攽(1023-1089)이 말했다. “어린 조카가 무슨 잘못을 범했기에 어사대御史臺의 탄핵을 받을 정도로 누를 끼치게 된 것입니까?” 부요유가 겸언쩍은 표정으로 말했다. “문장이 너무 평범합니다.” 그러자 유반이 말했다. “보통 이상은 되니 인재지요.”

◇丈夫壯節(대장부의 굳은 절조)

●凝之, 宋天聖[221]中, 爲潁上令, 棄官歸, 徙居廬山之陽. 歐公[222]與公同年[223], 高其節, 賦廬山高以美之, 中有‘丈夫壯節似君少’之句[224]. 朱文公[225]守南康, 爲作壯節亭記[226]. 蘇子由[227]稱[228]其“氷淸玉剛, 廉潔

---

219) 三平兩滿(삼평량만) : 사흘은 평온하고 이틀은 만족하다. 무사안일하거나 평범한 것을 비유한다.

220) 七上八下(칠상팔하) : 7보다는 위이고 8보다는 아래다. 재능이 보통 이상은 된다는 말이다.

221) 天聖(천성) : 북송北宋 인종仁宗의 연호(1023-1031).

222) 歐公(구공) : 송나라 사람 구양수歐陽修(1007-1072)에 대한 존칭. 자는 영숙永叔이고 시호는 문충文忠. 저서로 ≪문충집文忠集≫ 158권 등이 전한다. ≪송사・구양수전≫권319 참조.

223) 同年(동년) : 합격동기생을 뜻하는 말. ‘같은 해에 합격했다’는 의미에서 유래하였다.

224) 句(구) : 이는 장편 잡언고시雜言古詩 <‘여산이 높다’라는 노래를 지어 (강서성) 남강군으로 돌아가는 태자중윤太子中允 유환劉渙에게 드리다(廬山高, 贈同年劉中允歸南康)> 가운데 한 구절을 인용한 것으로 송나라 구양수歐陽修(1007-1072)의 ≪문충집文忠集≫권5에 전한다.

225) 朱文公(주문공) : 송나라 때 성리학性理學의 집대성자이자 대문호인 주희朱熹(1130-1200)에 대한 존칭. ‘문文’은 시호이고, ‘공公’은 존칭. 저서로 ≪회암집晦庵集≫ 112권 등 다수가 전한다. ≪송사・도학열전道學列傳・주희전≫권429 참조.

不撓, 凛乎非今世之士.” 張耒云229), “文章似司馬遷談230), 而遷談無其氣節. 風節似疏廣受231), 而廣受無其文學.”

○응지凝之 유환劉渙은 송나라 (인종) 천성(1023-1031) 연간에 (안휘성) 영상현의 현령을 지내다가 관직을 버리고 귀향하여 여산 남쪽으로 이주하였다. 구양수歐陽修는 유환과 과거시험 합격동기생으로서 그의 절조를 높이 평가해 <여산은 높다>라는 시를 지어 그를 찬미하였는데, 그속에는 '대장부의 굳은 절조 그대 만한 이가 없구나'라는 구절이 들어 있다. 문공文公 주희朱熹는 (강서성) 남강군의 태수를 지내면서 그를 위해 <장절정에서 쓴 글>을 지은 일이 있다. 또 자유子由 소철蘇轍은 그에 대해 "얼음처럼 맑고 옥처럼 단단하여 청렴하고 고결한 지조를 바꾸지 않았으니 그 늠름한 기상은 오늘날의 선비가 아니로다!"라고 칭송하였고, 장뇌는 "문장은 (전한) 사마천司馬遷과 사마담司馬談 같지만 사마천과 사마담에게는 그의 절조가 없다. 풍모는 (전한) 소광과 소수疏受 같지만 소광과 소수에게는 그의 글재주와 학식이 없다"고 평하였다.

◇騎牛圖(소를 타는 모습을 그린 그림)

●凝之與陳舜俞養犢爲騎. 舜俞作騎牛歌232), 稱凝之爲白雲老. 李伯

226) 記(기) : 이는 동명의 제목으로 ≪회암집≫권80에 전한다.

227) 蘇子由(소자유) : 송나라 사람 소철蘇轍(1039-1112). '자유'는 자. 호는 영빈유로潁濱遺老. 부친인 소순蘇洵(1009-1066) 및 형 소식蘇軾(1036-1101)과 함께 당송팔대가唐宋八大家의 한 사람. 저서로 ≪난성집欒城集≫ 96권이 전한다. ≪송사・소철전≫권339 참조.

228) 稱(칭) : 이는 <둔전원외랑屯田員外郎을 지낸 유응지(유환劉渙)의 죽음을 애도하는 글(劉凝之屯田哀辭)>을 인용한 것으로 ≪난성집≫권18에 전한다.

229) 云(운) : 이는 현전하는 송나라 장뇌張耒(1052-1112)의 ≪가산집柯山集≫에 실리지 않은 것으로 보아 일문逸文인 듯하다.

230) 遷談(천담) : ≪사기≫의 저자인 전한 사마천司馬遷과 그의 부친 사마담司馬談을 아우르는 말.

231) 廣受(광수) : 전한 때 소광疏廣과 그의 조카인 소수疏受를 아우르는 말. 소광은 태자태부太子太傅를 맡았고, 조카인 소수는 태자소부太子少傅를 맡았는데 함께 벼슬을 그만두고 고향에 은거하였다. ≪한서・소광전≫권71 참조. 부지지간이란 설도 있다.

時233)畫騎牛圖. 山谷234)拜其像, 賦詩235)云, "棄官淸潁尾, 買田落星灣. 身在菰蒲236)中, 名滿天地間. 誰能四十年, 保此淸靜退, 往來澗谷中, 神光射牛背?" 年八十餘卒. 官至屯田員外郞237).

○응지凝之 유환劉渙은 진순유와 함께 송아지를 탈거리로 키웠다. 진순유는 <소를 타며 부르는 노래>를 지으면서 유환을 '백운노'로 불렀고, 백시伯時 이공린李公麟은 소를 타는 모습을 그린 그림을 그렸다. 산곡山谷 황정견黃庭堅은 그의 초상화에 절을 올리면서 시를 지어 "벼슬을 버리고 맑은 영수 끝자락에 은거하더니, (별이 떨어지는 물굽이인) 낙성만에 밭을 매입하셨네. 몸은 산수에 맡겼으나, 명성만은 천지를 가득 채우셨으니, 뉘라서 나이 사십에, 이러한 청정한 뜻을 품고 은퇴하여, 시냇물과 골짜기를 오가며, 신광어린 눈빛을 소 등에 쏠 수 있으리오?"라고 하였다. 나이 80세가 넘어 생을 마쳤다. 관직은 둔전원외랑까지 올랐다.

---

232) 騎牛歌(기우가) : 이는 동명의 제목으로 송나라 진순유陳舜兪(?-1076)의 ≪도관집都官集≫권12에 전한다.

233) 李伯時(이백시) : 송나라 사람 이공린李公麟. '백시'는 자. 중서문하후성산정관中書門下後省删定官을 역임하고, 시를 잘 지었으며, 특히 그림에 조예가 깊어 송대 제일 화가로 손꼽힌다. ≪송사·이공린≫권444 참조.

234) 山谷(산곡) : 송나라 사람 황정견黃庭堅(1045-1105)의 호. '부옹涪翁'이라고도 한다. 자는 노직魯直. 소식蘇軾(1036-1101)의 제자이자 강서시파江西詩派의 창시자로서 비서승祕書丞과 사천성 부주별가涪州別駕 등을 역임하였다. 저서로 ≪산곡집山谷集≫ 67권이 전한다. ≪송사·문원열전文苑列傳·황정견전≫권444 참조.

235) 詩(시) : 이는 오언고시五言古詩 <유응지(유환劉渙)의 초상화에 절하다(拜劉凝之畫像)>를 인용한 것으로 ≪산곡집≫권7에 전한다.

236) 菰蒲(고포) : 줄풀과 부들. 강과 호수를 비유하는 말로 결국 산수 내지 자연을 가리킨다.

237) 屯田員外郞(둔전원외랑) : 당송唐宋 때 조정의 핵심 행정 기관인 상서성尙書省 소속 이부吏部·호부戶部·예부禮部·병부兵部·형부刑部·공부工部의 육부六部 가운데 공부 산하에서 둔전屯田의 개간 및 물품 공급에 관한 실무를 맡아 보던 벼슬 이름. 공부의 조직은 장관인 공부상서工部尙書와 차관인 공부시랑工部侍郎, 그리고 관리직인 공부낭중工部郎中·공부원외랑 및 실무진인 주사主事 등 여러 영사令史(하급관리)로 구성되어 있었다.

◇史學(사학)

●道原, 初穎悟. 宋皇祐[238]初, 司馬公[239]爲貢院[240]屬官, 趙周翰知擧[241], 問以春秋[242]大義, 所對精詳. 凡二十問皆然, 擢爲第二司馬. 以是重之, 時年十八. 英宗詔光, 修次通鑑[243], 令自擇館閣[244]人材. 光曰, "專精史學, 劉恕一人而已."

○도원道原 유서劉恕(1032-1078)는 어려서부터 무척 영특하였다. 송나라 (인종) 황우(1049-1053) 초 사마광이 과거시험장의 속관으로 있을 때 조주한이 지공거를 맡아서 ≪춘추경≫의 대의를 물었는데 답변이 정확하고 상세하였다. 도합 스무 가지 질문에 대해 다 그러하였기에 제2의 사마로 발탁하였다. 이 때문에 그를 중시하였는데 당시 나이가 28세였다. 영종이 사마광에게 조서를 내려 ≪자치통감≫을 편수케 하며 그에게 직접 관각의 인재를 고르게 하였다. 그러자 사마광은 "사학에 전문적으로 정통한 사람은 유서 한 사람뿐이옵니다"라고 아뢴 일이 있다.

---

238) 皇祐(황우) : 북송北宋 인종仁宗의 연호(1049-1053).

239) 司馬公(사마공) : 송나라 때 명재상인 사마광司馬光(1019-1086)에 대한 존칭. 자는 군실君實이고, 시호는 문정文正이며, 봉호는 온국공溫國公. 저서로 ≪전가집傳家集≫ 80권, ≪자치통감資治通鑑≫ 294권, ≪속수기문涑水記聞≫ 16권 등이 전한다. ≪송사·사마광전≫권336 참조.

240) 貢院(공원) : 공거貢擧를 치르는 장소, 즉 과거시험장을 가리킨다. '공위貢闈' '시원試院' '시위試闈'라고도 한다.

241) 知擧(지거) : 과거시험을 관장하는 일이나 그러한 업무를 관장하는 시험감독관을 뜻하는 말인 지공거知貢擧의 약칭.

242) 春秋(춘추) : 주周나라 춘추시대 때 역사를 기록한 ≪춘추경春秋經≫의 원명. 오경五經의 하나로 지금은 해설서인 ≪좌전左傳≫ ≪곡량전穀梁傳≫ ≪공양전公羊傳≫으로 전한다.

243) 通鑑(통감) : 송나라 사마광司馬光(1019-1086)이 영종英宗의 칙명으로 주周나라 위열왕威烈王(B.C.425-B.C.402 재위)부터 오대五代 후주後周의 세종世宗(955-959 재위)에 이르기까지 113왕 1362년 간의 사적을 편년체編年體로 엮은 역사책인 ≪자치통감資治通鑑≫의 약칭. 총 294권. 송나라 진진손陳振孫(?-약 1261)의 ≪직재서록해제直齋書錄解題·편년류編年類≫권4 참조.

244) 館閣(관각) : 당송 때 도서의 관리와 국사 편찬 등 학문을 관장하던 소문관昭文館·사관史館·집현원集賢院이나 여러 장서각藏書閣에 대한 총칭.

◇漫浪翁(만랑옹)

●羲仲文學風節, 能世其家. 有漫浪翁圖, 山谷書其後云, "子劉子[245]讀書千卷, 無不貫穿, 不可謂漫, 未見古人, 如不能得, 既見古人曰, '吾未能如古人也!' 不可謂浪. 年未四十, 而學日夜進, 不可謂翁."

○유희중劉羲仲(약 1059-1120)은 글재주와 학문이나 풍모 면에서 자신의 가업을 잘 물려받았다. '만랑옹漫浪翁'(유희중)을 그린 그림이 있는데, 산곡山谷 황정견黃庭堅이 뒤에 서문을 써 "유선생은 책을 천 권이나 읽어 꿰뚫어보지 못 하는 것이 없으니 '만漫'이라고 불러서는 안 된다. 고인을 만나기 전에는 만날 수 없을 듯이 하다가 고인을 만나고 나서는 '나는 고인과 같은 경지에 오를 수가 없겠구나!'라고 하였으니 '랑浪'이라고 불러서도 안 된다. 나이 마흔이 되기 전에 학문이 날로 발전하였으니 '옹翁'이라고 불러서도 안 된다"고 하였다.

◇鐵漢(쇠처럼 강인한 사나이)

●劉安世, 字器之, 宋元祐[246]中, 爲中書舍人[247], 面折[248]廷爭, 目之爲殿上虎. 紹聖[249]初, 黨禍起, 公尤爲章惇·蔡卞所忌, 遂謫嶺外[250]. 人言"春·循·梅·新, 與死爲隣. 高·竇[251]·雷·化, 說著也怕." 八州

---

245) 子劉子(자유자) : 송나라 유희중劉羲仲에 대한 존칭. 앞의 '자子'와 뒤의 '자子' 모두 경어敬語이다.

246) 元祐(원우) : 북송北宋 철종哲宗의 연호(1086-1093).

247) 中書舍人(중서사인) : 황명의 기초起草와 출납出納을 관장하는 중서성中書省 소속의 벼슬. 장관인 중서령中書令과 버금 장관인 중서시랑中書侍郎 다음 가는 고관高官이다.

248) 面折(면절) : 면박을 주다, 면전에서 냉정하게 말하다.

249) 紹聖(소성) : 북송北宋 철종哲宗의 연호(1094-1097).

250) 嶺外(영외) : 오령五嶺, 즉 대유령大庾嶺·시안령始安嶺·임하령臨賀嶺·계양령桂陽嶺·게양령揭陽嶺 이남의 광동廣東·광서廣西 일대를 가리키는 말. '영남嶺南' '영표嶺表'라고도 한다. 유배지를 상징한다.

251) 竇(두) : 주州 이름. 위의 예문과 유사한 내용이 송나라 주희朱熹(1130-1200)가 엮은 ≪송명신언행록宋名臣言行錄·유안세≫후집後集권12에도 전하는데 여기에는 '염廉'으로 되어 있다. 염주廉州는 광동성에 있는 주 이름이고, 두주竇州는 한나라 때 광서성 창오군蒼梧郡을 당나라 때 개명한 이름이다. 위의

惡地, 公歷遍其七, 坡[252]曰, "劉器之, 眞鐵漢, 不可及也." 其在宋州, 不妄接人, 而田夫野老皆曰, "過南京[253], 不見劉待制[254], 如過泗州, 不見大聖[255]." 號元城先生. 年七十八薨. 楊中立[256]祭之曰, "劫火[257]洞然, 不燼惟玉."

○유안세(1048-1125)는 자가 기지로 송나라 (철종) 원우(1086-1093) 연간에 중서사인을 지내면서 사람들에게 면박을 주고 조정에서 간쟁을 벌였기에 사람들이 그에게 ('궁중의 호랑이'란 의미에서) '전상호'란 별명을 붙여 주었다. (철종) 소성(1094-1097) 초에 (구법당파와 신법당파 사이에) 당쟁 사건이 일어나면서 유안세는 특히 장돈과 채변의 미움을 받아 결국 (광동성·광서성 일대인) 영남 지역으로 폄적당했다. 사람들은 "(광동성) 춘주·순주·매주·신주는 죽음과 이웃한 곳이요, 고주·염주廉州·뇌주·화주는 입에 올리기도 무서운 땅이다"라고들 말했다. 이상 8개 주는 열악한 땅인데도 공은 그중 7개 주에서의 폄적생활을 두루 다 겪었다. 그래서 동파東坡 소식蘇軾은 "유기지(유안세)는 진정 철의 사나이라서 따라잡을 수가 없구나!"라고 말했다. 유안세는 (하남성) 송주에 있을 때 함부로 사람들과 만나지 않았지만 농부들도 모두들 "(하남성 응천부應天府)

예문에서 유배지로 거론된 춘주春州·순주循州·매주梅州·신주新州·고주高州·뇌주雷州·화주化州가 모두 광동성에 있는 주 이름인 점에 비추어 볼 때 ≪송명신언행록≫의 기록을 따르는 것이 적절할 듯하다.

252) 坡(파) : 송나라 때 대문호 소식蘇軾(1036-1101)의 호인 '동파東坡'의 약칭. 호북성 황주黃州로 폄적당했을 때 동파에 거주한 데서 비롯되었다. 저서로 ≪동파전집東坡全集≫ 115권이 전한다. ≪송사·소식전≫권338 참조.

253) 南京(남경) : 송나라 때 응천부應天府의 별칭. 지금의 하남성 상구현商丘縣 남쪽 일대.

254) 待制(대제) : 당나라 태종太宗 때부터 5품 이상의 경관京官 가운데 조정의 주요 기관에서 숙직하며 수시로 황제에게 자문을 주던 관직을 이르는 말.

255) 大聖(대성) : 위대한 성인. 여기서는 춘추시대 노魯나라 공자를 가리킨다. 사주泗州를 흐르는 강인 사수泗水는 공자가 제자들을 가르치던 장소로 학문의 본고장을 상징한다.

256) 楊中立(양중립) : 송나라 때 유학자 양시楊時(1054-1135). '중립'은 자. 호는 귀산龜山이고, 시호는 문정文靖. 저서로 ≪귀산집龜山集≫ 42권이 전한다. ≪송사·도학열전道學列傳·양시전≫권428 참조.

257) 劫火(겁화) : 세상을 파멸로 몰아넣는다는 큰 화재를 이르는 불교 용어.

남경을 지나면서 유대제(유안세)를 만나지 않는 것은 마치 (강소성) 사주를 지나면서 위대한 성인(공자)을 보지 않는 것과 같다"고 하였다. 호는 원성선생이다. 나이 78세에 생을 마쳤다. 중립中立 양시楊時은 그에게 제를 올리며 "큰 화재가 일어나도 다 타지 않는 것은 오직 옥이로다"라고 하였다.

◇三老堂(세 원로를 기리는 대청)

●劉摯, 字莘老, 教子孫先行實, 後文藝. 每曰, "士當以器識爲先." 有三老[258]堂. 胡彦國詩云, "歷陽賓主昔多賢, 三老風流二十年. 獬豸冠[259]中曾補袞[260], 鳳凰池上迭擎天[261]." 元祐中, 拜右相, 後謫新州, 卒. 諡忠肅.

○(송나라) 유지(1030-1097)는 자가 신로로 자손들에게 실천을 우선시하고 문예를 후순위로 하라고 가르쳤다. 그는 매번 "선비는 응당 도량과 식견을 앞세워야 하느니라"라고 하였다. (세 원로를 기리기 위한) 삼로당을 세웠다. 호언국은 시에서 "(안휘성) 역양현의 손님과 주인은 옛날에 현자가 많았기에, 세 원로의 풍류가 20년을 유지하였네. (어사대에 있을 때는) 해태관을 쓰고서 일찍이 곤룡포를 보필하였고, 봉황지(중서성)에 있을 때는 번갈아 하늘(천자)을 떠받들었네"라고 하였다. (철종) 원우(1086-1093) 연간에 우승상을 배수받았다가 뒤에 (광동성) 신주로 폄적가 생을 마쳤다. 시호는 '충숙'이다.

◇鐵肝御史(철간어사)

●劉顗爲御史[262], 以言事貶. 坡詩[263]云, "烏府[264]先生鐵作肝, 風霜卷

---

258) 三老(삼로) : 송나라 유지劉摯·부요유傅堯俞·범순인范純仁을 아우르는 말.
259) 獬豸冠(해태관) : 어사대부御史大夫 등 법률과 관련한 직무를 관장하는 어사대御史臺의 관원들이 쓰던 모자를 이르는 말. '해태'는 선악과 시비를 잘 구별한다는 전설상의 동물 이름이다.
260) 補袞(보곤) : 곤룡포를 깁다. 즉 황제를 잘 보필하는 것을 비유한다.
261) 擎天(경천) : 하늘을 떠받히다. 앞의 '보곤補袞'과 마찬가지로 황제를 보필하는 것을 비유한다.
262) 御史(어사) : 탄핵을 전담하는 기관인 어사대御史臺 소속의 벼슬에 대한 총

地不知寒." 世因目爲鐵肝御史.

○(송나라) 유의는 어사를 지내다가 정사에 대해 건의한 일 때문에 폄적당했다. 그러자 동파東坡 소식蘇軾이 시를 지어 "어사대 소속 선생(유의)은 쇠로 간을 만들었는지, 바람과 서리가 땅을 말아올려도 추운 줄을 모른다네"라고 하였다. 세간에서는 그래서 그에게 '철간어사'란 별명을 붙여 주었다.

◇軋茁(천지가 부딪혀야 만물이 소생하다)

●劉煇好爲險語, 歐公惡之. 有一人論曰, "天地軋, 萬物茁, 聖人發." 公曰, "此劉幾也." 因戲曰, "秀才[265]刷[266], 試官[267]刺." 以朱筆橫抹之, 謂之紅勒帛. 後嘉祐[268]中, 公爲御試[269]考官, 試'堯舜性仁'賦, 有曰, "靜以延年, 獨高五帝[270]之壽, 動而有勇, 形爲四罪[271]之誅." 公稱賞,

---

칭. 당나라 때는 어사대를 헌대憲臺·숙정대肅正臺로 부르기도 하였다. 시대마다 다소 차이는 있으나 보통 장관은 어사대부御史大夫, 버금 장관은 어사중승御史中丞이라고 하였으며, 휘하에 시어사侍御史·전중시어사殿中侍御史·감찰어사監察御史·어사승御史丞 등의 속관이 있었다.

263) 詩(시) : 이는 칠언율시七言律詩 <안도安道 전의錢顗가 마련한 자리에서 가기에게 도사의 복장을 노래하게 하다(錢安道席上, 令歌者道服)> 가운데 수련首聯을 인용한 것으로 송나라 소식蘇軾(1036-1101)의 ≪동파전집東坡全集≫권5에 전한다.

264) 烏府(오부) : 어사대御史臺의 별칭. 한나라 때 어사대에 측백나무를 심었는데 까마귀 수천 마리가 날아들었다는 고사에서 유래하였다. '오대烏臺' '백대柏臺'라고도 하였다.

265) 秀才(수재) : 한나라 이후로 과거시험 가운데 하나. 당송 때는 주로 과거시험 응시자를 일컬었고, 명청明淸 때는 부학府學·주학州學·현학縣學에 입학한 생원生員을 일컬었으며, 일반 서생을 지칭하기도 하였다.

266) 刷(쇄) : 위의 예문과 유사한 내용이 송나라 심괄沈括(1031-1095)의 ≪몽계필담夢溪筆談·인사人事1≫권9에도 전하는데, 이에 의하면 '닦을 쇄刷'와 '새길 자刺'의 순서가 바뀌었기에 이를 따른다.

267) 試官(시관) : 시험감독관. '고관考官' '주고主考' '주문主文'이라고도 한다.

268) 嘉祐(가우) : 북송北宋 인종仁宗의 연호(1056-1063).

269) 御試(어시) : 천자가 직접 실시하는 시험을 이르는 말. '정시廷試' '전시殿試'라고도 한다.

270) 五帝(오제) : 전설상의 다섯 황제. 전한 사마천司馬遷(B.C.135-?)은 ≪사기史記·오제본기五帝本紀≫권1에서 황제黃帝·전욱顓頊·제곡帝嚳·요堯·순舜을 가리킨다고 한 반면, 진晉나라 황보밀皇甫謐(215-282)은 ≪제왕세기帝王

擢爲第一, 唱名[272]乃劉煇也. 人曰, "此卽劉幾易名." 公愕然久之.

○(송나라) 유휘(유기)가 해괴한 말을 즐겨 사용하자 구양수歐陽修가 그를 싫어하였다. 그러자 어떤 사람이 "하늘과 땅의 기운이 부딪혀야 만물이 소생하고 성인이 출현하는 법이지요"라고 주장하였다. 이에 구양수는 "이는 유기가 한 말일 것이오"라고 말하더니 그참에 장난삼아 "수재가 글자를 새기면 시험감독관이 글자를 닦아내네"라고 하고는 붉은 먹물을 묻힌 붓으로 그것을 가로로 그어서 지우고는 이를 ('붉은 띠 모양의 비단자락'이란 의미에서) '홍륵백'이라고 불렀다. 뒤에 (인종) 가우(1056-1063) 연간에 구양수가 어시(전시)의 시험감독관이 되어 '(당나라) 요왕과 (우나라) 순왕은 성품이 어질다'는 제목의 부를 가지고 시험치자 누군가 "조용히 입 다물고 목숨을 늘리면 단연 오제보다 장수할 수 있지만, 몸을 움직여 용기를 내면 네 명의 죄인처럼 사형을 당할 수 있다네"라고 하였다. 구양수가 칭찬을 하고서 그를 장원급제자로 발탁한 뒤 호명하고 보니 바로 유휘였다. 사람들이 "이는 바로 유기가 개명한 것입니다"라고 하자 구양수가 한참 동안이나 놀란 표정을 감추지 못 했다.

◇五世封忠(오대에 걸쳐 충신으로 봉해지다)

●劉翺, 京兆人, 官建州, 因家焉. 居官廉明, 爲政慈惠. 或收寇, 或決獄, 或賑貧, 或拯難, 居人無數. 率義興仁, 公所至, 人則曰, "活我, 劉公至也." 其後孫領收峒[273]寇有功. 謚忠簡. 孫純收邵寇, 賜廟, 封忠烈. 從孫軨, 謚忠顯. 軨子子羽, 謚忠定. 子羽子珙, 謚忠肅. 世號五忠劉氏.

○(송나라) 유고는 (섬서성) 경조군 사람으로 (복건성) 건주에서 관리

世紀·오제≫권2에서 소호少昊·전욱顓頊·제곡帝嚳·요堯·순舜을 가리킨다고 하는 등 설에 따라 차이가 있다.

271) 四罪(사죄) : 우虞나라 순왕舜王 때 악명이 높았던 공공共工·환도驩兜·삼묘三苗·곤鯀을 아우르는 말. 혼돈渾敦·궁기窮奇·도올檮杌·도철饕餮을 가리킨다는 설도 있다. '사영四佞' '사흉四凶'이라고도 한다.

272) 唱名(창명) : 전시殿試가 끝난 뒤 황제가 직접 과거시험 합격자의 이름을 부르는 일.

273) 峒(동) : 남서 지역의 소수민족에 대한 범칭.

생활을 하게 되면서 그참에 그곳에 집을 마련하였다. 관직에 있으면서 청렴하게 행동하고 정사를 펼칠 때는 자애로웠다. 어떤 때는 도적을 잡아들이고, 어떤 때는 옥사를 해결해 주고, 어떤 때는 가난한 사람들을 구제하고, 어떤 때는 어려움을 해소해 주었기에 백성들이 헤아릴 수 없을 정도로 많아졌다. 도의를 솔선하여 지키고 선정을 베풀었기에 유고가 가는 곳에서는 사람들마다 "우리를 살린 것은 유공이 오셔서라오"라고 하였다. 그의 후손은 동족峒族의 반군을 잡아들이는 일을 통솔하면서 공을 세웠다. 시호는 '충간'이다. 손자 유순劉純은 (호남성) 소주邵州의 도적을 잡아들여 사당을 하사받고 '충렬공'에 봉해졌다. 종손인 유겹劉韐은 시호가 '충현'이고, 유겹의 아들 유자우劉子羽(1097-1146)는 시호가 '충정'이며, 유자우의 아들 유공劉珙(1122-1178)은 시호가 '충숙'이다. 그래서 세간에서는 그들을 '오충유씨'라고 불렀다.

◇烈丈夫(열정적인 대장부)

●劉韐, 字仲淹, 始書生, 起白屋[274], 累歷大藩[275], 歷事五朝[276]. 紹興中, 奉使大金[277], 死之. 李綱作詩, 序[278]云, "公視死如歸, 豈不誠烈丈夫哉?" 孝宗卽位, 勑賜旌忠褒節之碑. 謚忠顯. 二子子羽・子翬.

○(송나라) 유겹은 자가 중엄으로 처음에는 서생의 신분이라서 초라한 집을 짓고 살다가 요충지의 수장을 두루 역임하고 다섯 황제를 두루 섬겼다. (고종) 소흥(1131-1162) 연간에 황명을 받들고 금나라에 사신으로 갔다가 그곳에서 죽었다. 이강은 시를 짓고서 서문에서

---

274) 白屋(백옥) : 원목을 사용하여 지은 소박한 집. 혹은 흰 띠풀(白茅)로 지은 집을 뜻하는 말로 보기도 한다. 가난한 선비나 평민이 사는 집을 상징한다.

275) 大藩(대번) : 중요한 위치에 있는 주州나 군郡을 이르는 말.

276) 五朝(오조) : 신종神宗(1068-1085)・철종哲宗(1086-1100)・휘종徽宗(1101-1125)・흠종欽宗(1126-1127)・고종高宗(1127-1162)의 다섯 황제를 가리킨다.

277) 大金(대금) : 금나라에 대한 존칭.

278) 序(서) : 이는 <자정전태학사資政殿大學士를 지내신 중언仲偃 유겹劉韐의 죽음을 애도하는 글(劉仲偃大資政哀辭)>이란 제목으로 송나라 이강李綱의 ≪양계집梁谿集≫권164에 전한다.

“공은 죽음을 마치 자연으로 돌아가는 것처럼 받아들였으니 어찌 성실하고 열정적인 대장부라 하지 않을 수 있으리오?”라고 하였다. 효종이 즉위하면서 충심을 표창하고 절조를 칭송하는 비석을 하사하라는 칙령을 내렸다. 시호는 ‘충현’이다. 두 아들은 유자우劉子羽와 유자휘劉子翬이다.

◇三字符(석 자 짜리 부적)

●劉子翬, 字彦沖, 家世屛山, 有園林水石之勝, 號屛山先生. 晚年歌詠自適, 兄弟間怡怡如[279]也. 朱熹問入道次第, 答曰, “吾於易得入道之門焉. 所謂‘不遠復[280]’者, 吾三字符也.” 家有二齋, 東曰復齋, 西曰蒙[281]齋, 各有記[282].

○(송나라) 유자휘(1101-1147)는 자가 언충으로 집안 대대로 병산에 거주하면서 정원・숲・물・돌 등의 빼어난 경관을 갖추고는 호를 ‘병산선생’이라고 하였다. 만년에는 시를 읊조리고 유유자적한 생활을 누리면서 형제간에 화목하게 지냈다. (제자인) 주희가 도를 터득하는 순차에 대해 묻자 유자휘가 대답하였다. “나는 ≪역경≫에서 도를 터득하는 길을 알게 되었네. 이른바 ‘멀리 벗어나지 않고 되돌아오라’는 것이 나의 석 자 짜리 부적이라네.” 집에 서재를 두 군데 마련한 뒤 동쪽의 것을 ‘복재’라고 이름 짓고 서쪽의 것을 ‘몽재’라고 이름 짓고는 각기 그에 관한 글을 남겼다.

---

279) 怡怡如(이이여) : 화목한 모양.

280) 不遠復(불원복) : 이는 ≪역경≫의 제24괘인 복괘復卦 가운데 초구효初九爻의 효사爻辭 중 ‘멀리 벗어나지 않고 되돌아오면 큰 실수를 범하지 않는다(不遠復, 无祗悔)’는 말에서 앞 구절을 인용한 것이다.

281) 蒙(몽) : 이 역시 ≪역경≫의 제4괘인 ‘몽괘蒙卦’에서 이름을 취한 것으로 보인다.

282) 記(기) : 현전하는 유자휘劉子翬의 ≪병산집屛山集≫권5에 <몽재에 관한 글(蒙齋記)>만 전하는 것으로 보아 앞의 <복재에 관한 글(復齋記)>는 실전된 듯하다.

◇刺刺孟(≪맹자≫를 비판하는 글에 대해 다시 비판하다)

●劉章, 字文孺, 以小戴禮[283]應鄕書[284], 四冠其選. 紹興廷對[285], 天子親擢之第一. 晩年好著書, 王充作刺孟[286], 乃作刺刺孟, 柳子厚[287]作非國語[288], 乃作非非國語.

○(송나라) 유장은 자가 문유로 ≪예기≫로 향시에 응시하여 네 번이나 장원을 차지하였다. (고종) 소흥(1131-1162) 때 전시에 응시하자 천자가 직접 그를 장원급제자로 발탁하였다. 만년에는 저서에 몰두하더니 (후한) 왕충이 <≪맹자≫를 비판하는 글>을 지었기에 도리어 <≪맹자≫를 비판하는 글에 대해 다시 비판하다>란 글을 짓고, (당나라) 자후子厚 유종원柳宗元이 <≪국어≫를 비판하는 글>을 지었기에 도리어 <≪국어≫를 비판하는 글에 대해 다시 비판하다>라는 글을 지었다.

◇墨莊(묵장)

●劉淸之, 字子澄, 與呂東萊[289]・朱晦翁[290]・江玉山[291]・李巽巖[292]・

---

283) 小戴禮(소대례) : 전한 때 대덕戴德이 정리한 85편의 예기禮記인 ≪대대례大戴禮≫를 뒤에 대성戴聖이 다시 46편으로 정리한 책. 지금의 ≪예기≫를 가리킨다.

284) 鄕書(향서) : 향시鄕試를 뜻하는 말인 '향로서鄕老書'의 준말. '향거鄕擧'라고도 한다.

285) 廷對(정대) : 조정에서 천자의 물음에 응대한다는 뜻으로 전시殿試(정시廷試)를 가리킨다.

286) 刺孟(자맹) : 이는 후한 왕충王充(27-약 97)이 ≪맹자≫를 비판하기 위해 쓴 글로 그의 저서인 ≪논형論衡≫권10에 ≪한비자韓非子≫를 비난하는 글인 <비한非韓>편과 함께 나란히 수록되어 전한다.

287) 柳子厚(유자후) : 당나라 때 문인 유종원柳宗元(773-819). '자후'는 자. 당송팔대가唐宋八大家의 일인으로 시문을 잘 지었다. 저서로 ≪유하동집柳河東集≫ 48권이 전한다. ≪신당서・유종원전≫권168 참조.

288) 非國語(비국어) : 이는 동명의 제목으로 ≪유하동집≫권44와 권45에 전한다. 상・하권 합쳐 모두 67편의 장문長文으로 이루어져 있다.

289) 呂東萊(여동래) : 송나라 사람 여조겸呂祖謙(1137-1181). '동래'는 호. 자는 백공伯恭이고, 시호는 성成 혹은 충량忠亮. 경학經學에 정통하여 주희朱熹(1130-1200)・장식張栻(1133-1180)과 함께 '동남삼현東南三賢'으로 불렸다. 저서로 ≪동래집東萊集≫ 40권 등 다수가 전한다. ≪송사・여조겸전≫권434 참조.

290) 朱晦翁(주회옹) : 송나라 때 성리학性理學의 집대성자이자 대문호인 주희朱

張廣漢講論義理之學[293], 爲天下倡. 公先世藏書千卷, 謂之墨莊. 光宗卽位, 御史胡晉臣薦公, 起知袁州. 號靜春先生.

○(송나라) 유청지(1134-1190)는 자가 자징으로 동래東萊 여조겸呂祖謙・회옹晦翁 주희朱熹・옥산玉山 왕응신汪應辰・손암巽巖 이도李燾・장광한과 함께 성리학에 대해 강론하면서 천하의 선도자로 인정받았다. 그는 선대부터 서책을 천 권이나 소장하면서 이를 '묵장'이라고 하였다. 광종이 즉위하자 어사 호진신이 그를 추천하여 (강서성) 원주지주사(원주자사)로 벼슬을 시작하였다. 호는 정춘선생이다.

◇梅詩(매화를 읊은 시)

●劉克莊, 字潛夫, 號後村, 詩文閎肆瑰奇[294], 超邁特立. 宋淳祐[295]中, 賜進士出身[296], 除祕書少監[297], 兼崇政殿說書[298], 遷祕閣修撰[299]. 後因落梅[300]詩, 忤時相, 得謫. 有梅花百詠・文集五十卷.

○유극장(1187-1269)은 자가 잠부이고 호가 후촌으로 시문이 웅장하

熹(1130-1200). '회옹'은 호. 시호는 문공文公. 저서로 ≪회암집晦庵集≫ 112권 등 다수가 전한다. ≪송사・도학열전道學列傳・주희전≫권429 참조.

291) 江玉山(강옥산) : 이는 '왕옥산汪玉山'의 오기인 듯하다. '옥산'은 왕응신汪應辰(1119-1176)의 호. 자는 성석聖錫이고 시호는 문정文定. 이부상서吏部尙書를 지냈다. ≪송사・왕응신전≫권387 참조.

292) 李巽巖(이손암) : 송나라 사람 이도李燾(1115-1184). '손암'은 호. 자는 인보仁甫이고 시호는 문간文簡. 예부시랑을 지냈다. ≪송사・이도전≫권388 참조.

293) 義理之學(의리지학) : 송나라 때 유학인 성리학性理學의 별칭.

294) 閎肆瑰奇(굉사괴기) : 글이 호방하면서 아름다운 모양.

295) 淳祐(순우) : 남송南宋 이종理宗의 연호(1241-1256).

296) 出身(출신) : 과거시험에 합격한 사람의 신분이나 자격을 일컫는 말. 제1갑甲과 제2갑에 속한 합격자는 '급제'라고 하고, 제3갑과 제4갑에 속한 합격자는 '출신'이라고 하였다.

297) 祕書少監(비서소감) : 국가의 경적經籍과 도서・저작 등을 관장하는 비서성祕書省의 장관인 비서감祕書監 다음 가는 차관次官을 가리키는 말.

298) 說書(설서) : 제왕帝王에게 경전經典을 강론하는 일을 전담하던 벼슬을 이르는 말.

299) 祕閣修撰(비각수찬) : 궁중의 도서를 편수하는 업무를 맡은 벼슬 이름.

300) 落梅(낙매) : 이는 동명의 칠언율시七言律詩를 가리키는 말로 유극장劉克莊(1187-1269)의 ≪후촌집後村集≫권3에 전한다.

고 아름다우면서 특출나고 독특하다. 송나라 (이종) 순우(1241-1256) 연간에 진사출신을 하사받아 비서소감을 제수받고 숭정전설서를 겸직하였다가 비각수찬으로 승진하였다. 뒤에 <떨어지는 매화를 읊은 시>를 지은 일 때문에 당시 재상의 심기를 거스러 폄적당했다. 저서로 ≪매화백영≫과 문집 50권이 있다.

●劉牢之, 字道堅, 鬚目驚人. 破符堅[301], 爲前鋒, 號北府[302]兵.

○(진晉나라) 유뇌지(?-402)는 자가 도견으로 사람을 놀라게 할 정도로 용모가 출중하였다. (오호십육국五胡十六國 전진前秦의 군주인) 부견을 물리칠 때 선봉장을 맡아 '북부병'으로 불렸다.

●劉栖楚諫敬宗游畋失德, 以額叩龍墀[303], 流血被面.

○(당나라) 유서초(?-827)는 경종이 사냥에 빠져 덕을 잃었다고 간언할 때 이마로 궁중의 섬돌을 두드리는 바람에 얼굴 가득 피가 흘렀다.

●劉子羽慷慨自許, 有捐身徇國之志. 終徽猷[304]. 子珙.

---

301) 符堅(부견) : 오호십육국五胡十六國 전진前秦 왕 부견苻堅(338-385). ≪진서晉書·부홍재기苻洪載記≫권112에 의하면 원래는 '부符'씨였으나 부견의 어깨에 풀의 문양이 있었고, '풀이 붙으면 왕이 된다(草付應王)'는 예언 때문에 '부符'를 '부苻'로 고쳤다고 한다.

302) 北府(북부) : 동진東晉 때 도성인 강소성 건강建康의 북쪽에 설치한 군부軍府를 가리키는 말.

303) 龍墀(용지) : 궁궐의 붉은 섬돌이나 섬돌 사이의 평평한 공터를 가리키는 말. 유사한 말로 '단지丹墀' '적지赤墀' '금지金墀' 등 여러 가지 표현이 있다. 여기서는 결국 섬돌을 가리킨다.

304) 徽猷(휘유) : 벼슬 이름인 휘유각대제徽猷閣待制의 준말. '휘유각'은 송나라 휘종徽宗 때 철종哲宗의 문집을 보관하기 위해 지은 장서각藏書閣 이름. 송나라 때는 황제가 사망하고 나면 유작과 유품을 소장하는 장서각을 마련하고, 이를 관장하는 관원으로 학사學士·직학사直學士·대제待制를 배치하는 관례가 있었다. 태종太宗의 용도각龍圖閣, 진종眞宗의 천장각天章閣, 인종仁宗의 보문각寶文閣, 신종神宗의 현모각顯謨閣, 철종哲宗의 휘유각徽猷閣, 휘종徽宗의 부문각敷文閣, 고종高宗의 환장각煥章閣, 효종孝宗의 화문각華文閣, 광종光宗의 보모각寶謨閣, 영종寧宗의 보장각寶章閣, 이종理宗의 현문각顯文閣 등이

○(송나라) 유자우(1097-1146)는 성품이 호쾌하고 자부심이 강해 나라를 위해 목숨을 바칠 의지를 품었다. 휘유각대제를 지내다가 생을 마쳤다. 아들은 유공劉珙이다.

●劉珙入禁掖[305], 思論潤色, 皆稱其得體. 爲留守[306]. 謚忠肅.

○(송나라) 유공(1122-1178)은 조정에 들어가 논리를 구상하거나 문장을 아름답게 꾸미는 방면에서 모두 본체를 얻었다는 칭찬을 받았다. 유수직을 지냈다. 시호는 '충숙'이다.

●劉錡, 紹興名將, 順昌之捷, 其功卓然. 父子建節[307].

○유기(1098-1162)는 (송나라 고종) 소흥(1131-1162) 연간의 명장으로 (안휘성) 순창부에서 (거란과 싸워) 승전할 때 탁월한 전공을 세웠다. 부자가 모두 절도사를 지냈다.

●劉光世, 紹興名將, 入覲, 誓竭力報國. 謚武僖公.

○유광세(1089-1142)는 (송나라 고종) 소흥(1131-1162) 연간의 명장으로 황제를 알현하러 입궐하여 힘을 다해 나라에 보답할 것을 맹서하였다. 시호는 무희공이다.

※仙道(신선과 도사)

●劉奉林在天台山駕鶴輕擧[308]. 鶴嘗墜羽, 故名其山曰委羽山. 王十朋

그러한 예이다. ≪송사・직관지職官志≫권162 참조.

305) 禁掖(금액) : 궁궐에 달린 건물들을 아우르는 말. 결국 궁중이나 조정을 가리킨다.

306) 留守(유수) : 임금이 순행巡行하거나 친정親征할 때 임시로 수도를 관할하는 벼슬. 경성의 유수는 대신大臣으로 임명하고 배경陪京과 행도行都는 지방관으로 겸임시키다가 북조北朝 북위北魏 때 정식 관리로 임명하였다. '유도留都' '유대留臺'라고도 한다.

307) 建節(건절) : 부절符節을 세우다. 한 지방을 통수하는 절도사節度使나 장수가 되는 것을 말한다.

308) 輕擧(경거) : 가볍게 날아오르다. 즉 신선이 되거나 도사・은자로서 은둔생

詩309)云, "應有赤城鸞鳳過, 一聲長嘯入靑冥."

○(송나라) 유봉림은 (절강성) 천태산에서 학을 몰며 은둔생활을 하였다. 학이 깃털을 떨어뜨린 적이 있기에 그 산 이름을 '위우산'이라고 한다. 왕십붕은 시에서 "분명 선계의 난새와 봉황이 지나가며, 한바탕 길게 휘파람을 불고서 푸른 하늘로 들어가리라"고 하였다.

●劉無名夜坐, 守庚申310), 常服雄黃311). 後見一鬼使曰, "我來攝君. 君頭上有黃光數丈, 不可近. 一金二石, 謂之丹. 君服其石, 更服其金, 則黑籍312)落名, 靑華313)定籙." 後遇靑華眞人314), 授丹訣, 鉛爲君, 汞爲臣, 石爲使, 黃芽315)爲田.

○유아무개는 밤에 앉은 채 경신일 밤을 지새게 되면 늘 웅황을 복용하였다. 그러자 뒤에 한 저승사자가 나타나더니 "저는 선생을 도우러 왔습니다. 선생 머리에서 몇 장 길이로 황금빛이 일어나는데 가까이할 수가 없습니다. 금 하나와 돌 두 개를 합치면 이를 '단'이라고 합니다. 선생께서 돌을 복용하고 다시 금을 복용하면 악인의 명부에서 이름이 빠지고 청화제군께서 비록에 적으실 것입니다"라고

활하는 것을 말한다.

309) 詩(시) : 이는 현전하는 송나라 왕십붕王十朋(1112-1171)의 ≪매계집梅溪集≫에는 실리지 않았다. 대신 송나라 진기경陳耆卿의 ≪적성지赤城志·산수문山水門2≫권20에 수록되어 전하는데, 위의 예문은 '위우산委羽山'을 읊은 칠언율시七言律詩 가운데 미련尾聯을 인용한 것이다.

310) 守庚申(수경신) : 사람 몸 안에 사는 독충인 삼시三尸가 경신일庚申日에 천제天帝에게 죄를 고한다는 미신 때문에 이를 피하기 위해 경신일 밤에 정좌靜坐한 채 잠을 자지 않고 지새는 풍습을 이르는 말.

311) 雄黃(웅황) : 도가에서 단약을 만드는 데 사용하던 팔석八石 가운데 하나.

312) 黑籍(흑적) : 신선이나 부처가 가지고 있다는 악인의 명부를 이르는 말.

313) 靑華(청화) : 도교에서 동방을 관장하는 신선인 청화제군靑華帝君의 준말. '청화선진靑華仙眞' '동극청화대제東極靑華大帝' '태을구고천존太乙救苦天尊'이라고도 한다.

314) 眞人(진인) : 득도한 도사나 신선에 대한 별칭. 남자 도사는 '진인'이라고 하고, 여자 도사는 '원군元君'이라고 한다.

315) 黃芽(황아) : 납에서 추출한 물질을 뜻하는 도교 용어. 수은의 별칭이란 설도 있으나 위의 예문에서는 앞에 이미 수은(홍汞)이 등장하고 있으므로 부적절해 보인다.

하였다. 뒤에 청화진인을 만나 단약을 제련하는 비결을 전수받았는데, 납을 임금이라고 하고, 수은을 신하라고 하고, 돌을 사신이라고 하고, 납의 추출물을 밭이라고 하였다.

●劉海蟾[316]寄問藍方[317]云, "十月聖胎[318]已成, 如何得出?"

○(송나라 때) 유해섬(유철劉哲)은 남방에게 서신을 보내 "초겨울 10월에 금단金丹이 이미 완성되었으나 어떻게 해야 꺼낼 수 있는지요?"라고 물은 일이 있다.

※女德婚姻(여덕과 혼인)

◇才學(글재주와 학식)

●劉孝綽三妹, 竝有才學. 一適王叔英, 一適張嵊, 一適徐緋者, 稱劉三娘, 文尤淸拔.

○(남조南朝 양梁나라) 유효작(유염劉冉 481-539)의 세 여동생은 모두 글재주가 뛰어나고 학식이 깊었다. 한 명은 왕숙영에게 시집가고, 한 명은 장영에게 시집갔는데, 나머지 서비에게 시집간 한 명은 '유삼낭'으로 불리면서 더욱 탁월한 문장력을 발휘하였다.

◇仙婚(선녀와 결혼하다)

●劉晨, 剡縣人, 漢永平[319]中, 與阮肇入天台山, 採藥, 望山頭有桃, 共

316) 劉海蟾(유해섬) : 오대五代 후량後梁 때 도사 유철劉哲의 별칭. 자는 원영元英으로 섬서성 종남산終南山에 은거하였다가 득도하여 학이 되었다고 한다. 한편 본명이 유조劉操이고 자가 소원昭遠으로 도교 남종南宗의 조사라는 설도 있다.

317) 藍方(남방) : 송나라 때 도사. 자호는 양소선생養素先生. 유해섬劉海蟾을 만나고자 하였으나 뜻을 이루지 못 하고 죽었다고 전한다. 명나라 요용현廖用賢의 ≪상우록尙友錄・남방전≫권14 참조.

318) 聖胎(성태) : 금단金丹의 별칭. 내단가內丹家가 정精・기氣・신神을 응집하여 단丹을 단련하는 것이 마치 태아가 어머니 뱃속에 들어서는 것과 같다는 말에서 유래하였다.

319) 永平(영평) : 후한後漢 명제明帝의 연호(58-75).

取食之. 下山, 取澗水, 飮之, 見一杯流出, 中有胡麻[320]飯屑. 因渡水, 又過一山, 見二女絶色, 喚劉阮姓名, 道“郎等來何晩也?” 邀至其家, 廳館服飾鮮華. 東西各有牀帳帷幔, 七寶[321]纓絡. 設甘酒・山羊脯・胡麻飯. 就女家, 成夫婦, 仙客數人, 將三五桃來, 慶女壻[322]. 住半年, 二人求歸, 女曰, “罪根未滅, 使君等至此.” 還家, 驗得七代子孫, 却欲還女家, 尋不獲. 至晉大康[323]八年, 失二人所在. 元稹詩[324]云, “芙蓉粉面綠雲鬟[325], 罨畵[326]樓臺靑黛[327]山. 千樹桃花萬年藥, 不知何事憶人間.”

○유신은 (절강성) 섬현 사람으로 후한 (명제) 영평(58-75) 연간에 완조와 함께 천태산으로 들어가 약초를 캐다가 멀리 산꼭대기에 복숭아나무가 있는 것을 보고는 함께 그것을 따서 먹었다. 산을 내려와 시냇물을 떠서 마시다가 술잔 하나가 물을 따라 흘러나오기에 보았더니 그속에는 참깨로 지은 밥알이 들어 있었다. 그참에 물을 건너고 다시 산을 하나 지나자 아름다운 여인 두 명이 나타나더니 유신과 완조의 성명을 부르며 “젊은이들은 어찌 이리도 늦게 찾아오셨는지요?”라고 말하는 것이었다. 자신들 집으로 초대하였는데 건물의 장식품들이 아름답고 화려하였다. 동서로는 각기 평상과 여러 가지 다양한 휘장이 설치되어 있었는데 거기에는 각종 보석이 달려 있었다. 그리고 감주와 산양 고기・참깨로 지은 밥을 차려 주었다. 여인

320) 胡麻(호마) : 참깨. 전한 때 장건張騫이 서역(胡)에서 들여온 데서 이름이 유래하였다. ‘지마脂麻’ ‘구슬狗蝨’ ‘방경方莖’이라고도 한다.

321) 七寶(칠보) : 여러 가지 보석을 아우르는 말. ‘칠보’의 종류에 대해서는 설이 구구하다.

322) 女壻(여서) : 딸의 남편. 즉 사위를 가리킨다.

323) 大康(태강) : 진晉 무제武帝의 연호(280-289). ‘태大’는 ‘태太’와 통용자.

324) 詩(시) : 이는 칠언절구七言絶句 <유신劉晨과 완조阮肇의 아내를 읊은 시(劉阮妻)> 2수 가운데 제2수를 인용한 것으로 현전하는 당나라 원진元稹(779-831)의 ≪원씨장경집元氏長慶集≫에는 수록되지 않았다. 대신 당나라 위곡韋穀이 엮은 ≪재조집才調集・원진≫권5에 수록되어 전한다.

325) 雲鬟(운환) : 구름처럼 말아 올린 여인의 쪽진 머리에 대한 미칭美稱.

326) 罨畵(엄화) : 아름다운 채색화가 가득한 것을 이르는 말.

327) 靑黛(청대) : 푸른 눈썹먹. 여기서는 선산仙山의 아름다운 경관을 비유하는 말로 쓰인 듯하다.

의 집으로 가서 부부의 인연을 맺자 신선 몇 명이 복숭아 몇 개를 가지고 와서 사위를 맞은 일을 경축하였다. 반 년을 머물다가 두 사람이 귀가하겠다고 하자 여인이 말했다. "죄의 뿌리가 아직 소멸되지 않았기에 그대들을 이곳으로 오게 한 것입니다." 집으로 돌아가서도 7대 자손까지 효험을 보았는데 도리어 다시금 여인의 집으로 돌아가고자 하였으나 끝내 찾을 수는 없었다. 진나라 (무제) 태강 8년(287)에 이르러 두 사람이 어디로 갔는지 알 수 없었다. (당나라) 원진은 시에서 "부용꽃처럼 화사하게 화장한 얼굴에 아름다운 쪽진 머리, 채색화로 뒤덮인 누대가 있는 푸른 눈썹먹처럼 아름다운 산에, 수천 그루 복숭아나무와 장수를 누리게 하는 약초가 있거늘, 무엇 때문에 인간세상을 그리워했는지 모르겠구나"라고 하였다.

◇擇婿(사위를 고르다)

●劉惔, 字眞長, 少淸遠, 有標致[328]. 與母任氏寓居京口[329], 織芒屩, 自給. 蓽門[330]陋巷, 晏如也. 王導深器之. 晉武帝求婚曰, "得如劉眞長, 足矣."

○유담(약 314-약 349)은 자가 진장으로 어려서부터 성품이 맑고 품격이 있었다. 모친인 임씨와 함께 (강소성) 경구에 기거하며 짚신을 짜서 자급자족하였다. 가난하고 누추한 집에서 살면서도 마음만은 편하였다. 왕도가 그를 무척 높이 평가하였다. 진나라 무제는 사위를 구하면서 "유진장(유담) 정도만 된다면 흡족할 것이오"라고 말한 일이 있다.

---

328) 標致(표치) : 풍모나 품격·운치 따위를 이르는 말.

329) 京口(경구) : 지금의 강소성 진강시鎭江市에 있었던 땅 이름. 점술가가 그곳에 왕의 기운이 있다고 말하자 진秦나라 시황제始皇帝(B.C.259-B.C.210)가 붉은 옷을 입은 무리 3천 명을 보내 갱도를 만들어서 그 기운을 흘려 보내게 했다는 고사에서 유래하였다.

330) 蓽門(필문) : 가시나무나 대나무로 짠 허술한 문. 가난한 집을 비유한다.

◇名族(명문세가)

●劉頌, 字子雅, 廣陵人, 世爲名族, 與同郡雷・蔣・穀・魯四大姓相匹敵, 嫁女於陳矯. 矯本劉氏子, 出養於姑, 人譏之.

○(진晉나라) 유송은 자가 자아이고 (강소성) 광릉현 사람으로 대대로 명문세가라서 동향인 뇌씨・장씨・곡씨・노씨 등 4대 성씨와 필적하였지만 딸을 진교에게 시집보냈다. 진교는 본래 유씨 가문 아들이었으나 집을 나서 고모의 슬하에서 자랐기에 사람들이 이를 두고 비난하였다.

◇重義(의리를 중시하다)

●劉廷式面目有紫光. 未第時, 與隣翁約爲婚, 旣第而回, 翁死, 其女喪明. 女家躬耕貧甚, 以疾辭婚. 廷式曰, "與翁有約, 豈可以翁死女疾而遂背之乎?" 卒娶之.

○(송나라) 유정식은 얼굴과 눈에서 자색 빛이 돌았다. 과거시험에 급제하기 전에 이웃 노인과 혼사를 약속하였는데, 과거시험에 급제하고 나서 돌아오자 노인은 사망하고 그의 딸은 실명한 상태였다. 여자 집은 직접 농사를 지을 정도로 무척 가난하였는데 병을 이유로 결혼을 사양하였다. 그러나 유정식은 "이웃 노인과 약조를 하였거늘 어찌 노인이 사망하고 딸이 실명하였다는 이유로 끝내 배신할 수 있으리오?"라고 말하고는 결국 그녀를 아내로 맞았다.

◇再婚(재혼)

●劉貢父再娶, 歐公詩331)賀之云, "仙家千載一何長? 浮世空驚日月忙. 洞裏桃花332)莫相笑, 劉郎今是老劉郎."

---

331) 詩(시) : 이는 칠언절구七言絶句 <원보原甫 유창劉敞을 놀리다(戱劉原甫)> 2수 가운데 제2수를 인용한 것으로 송나라 구양수歐陽修의 ≪문충집文忠集・외집外集7≫권57에 전한다. 따라서 앞의 '공보貢父'는 유반劉攽(1023-1089)의 형인 유창劉敞(1019-1068)의 자 '원보原甫'의 오기이다.

332) 洞裏桃花(동리도화) : 무릉도원으로 이르는 동굴에 핀 복사꽃. 진晉나라 도연명陶淵明의 <복사꽃 만발한 수원에 대한 글(桃花源記)>에 나오는 무릉도원武陵桃源의 고사에서 유래한 말로 이상향이나 신선세계를 상징한다.

○(송나라) 원보原甫 유창劉敞(1019-1068)이 재혼하자 구양수歐陽修가 다음과 같은 시를 지어 축하해 주었다. “신선의 가문에서 천 년 세월이 어찌 길리오? 덧없는 속세에서는 세월 빨리 흐른다고 부질없이 놀라네. (무릉도원으로 가는) 동굴 속 복사꽃이여 비웃지 마시게, 유랑(유창)도 이제는 늙은 유랑이 되었다네.”

●劉殷, 字長盛. 張宣子[333]以女妻之, 旣婚, 戒其女曰, “劉殷至孝冥感, 才識超世, 終必遠到[334], 汝謹事之.”

○(진晉나라) 유은(?-312)은 자가 장성이다. 장선자가 딸을 그에게 시집보냈는데, 결혼식을 올리고 나자 딸에게 “유은은 귀신도 감동할 정도로 지극히 효성스럽고 재주와 학식이 일반 사람들을 훨씬 능가하기에 결국 틀림없이 대성할 사람이니 너는 그를 잘 모시도록 하거라”라고 훈계하였다.

●劉秀之, 字道寶, 十歲氣識異於群兒. 東海何承天雅[335]相知器, 以女妻之.

○(남조南朝 남제南齊) 유수지는 자가 도보로 열 살에 이미 기개나 학식 면에서 다른 아이들과는 다른 모습을 보였다. (산동성) 동해군 사람 하승천이 평소 그가 대성할 사람임을 알고는 딸을 그에게 시집보냈다.

●劉曄, 字耀卿, 未第時, 娶尙書趙晃之女, 早逝, 再娶趙氏九姨. 宋天禧[336]中, 除曄龍圖[337]待制.

---

333) 張宣子(장선자) : 진晉나라 때 식자識者로 유은劉殷과 동향 사람이자 장인이란 것 외에는 신상에 대해 알려진 바가 없다. ≪진서·유은전≫권88 참조.

334) 遠到(원도) : 멀리까지 도달하다. 대성하거나 고관에 오르는 것을 말한다.

335) 雅(아) : 평소, 원래.

336) 天禧(천희) : 북송北宋 진종眞宗의 연호(1017-1021).

337) 龍圖(용도) : 송나라 때 자정전資政殿과 술고전述古殿 사이에 있었던 장서각藏書閣 이름. 태종太宗의 서예와 문집 및 여러 전적과 그림·보물 등을 소장하였다.

○유엽은 자가 요경으로 과거시험에 급제하기 전에 상서 조황의 딸에게 장가들었으나 아내가 일찍 죽는 바람에 다시 조씨의 아홉 번째 이모에게 장가들었다. 송나라 (진종) 천희(1017-1021) 연간에 유엽을 용도각대제에 제수하였다.

●劉凝之[338]以女妻六合[339]徐長孺. 長孺死, 有子名武.

○(송나라) 응지凝之 유환劉渙은 딸을 (강소성) 육합현 사람 서장유에게 시집보냈다. 서장유가 죽고서 이름이 '무武'인 아들이 태어났다.

●劉純材富室也, 以女妻貧士白厚[340].(見白氏)

○(당나라) 유순재는 부자임에도 딸을 가난한 선비인 백후에게 시집보냈다.(상세한 내용은 뒤의 '백'씨절에 보인다)

●伊陽劉氏家富, 以女妻呂子衡[341].(見呂氏)

○(삼국 오吳나라 때 하남성) 이양현 사람 유씨는 집이 부자인데도 딸을 자형子衡 여범呂範에게 시집보냈다.(상세한 내용은 앞의 '여'씨절 '범기구빈範豈久貧'항에 보인다)

●劉延明[342]爲郭博士快婿[343].

---

338) 劉凝之(유응지) : 남조南朝 유송劉宋 때 은자인 유응지와 송나라 때 사람으로 자가 응지凝之인 유환劉渙 가운데 후자를 가리킨다. 송나라 황정견黃庭堅(1045-1105)의 ≪산곡집山谷集≫권24에 실린 <서장유의 묘비명(徐長孺墓碣)>에 서장유가 유환의 사위라는 기록이 있다.

339) 六合(육합) : 강소성의 속현屬縣 이름. 천하를 뜻할 때도 있다.

340) 白厚(백후) : 신상 미상. 위의 예문은 출처를 ≪경상우기耕桑偶記≫라고 밝힌 오대십국五代十國 남당南唐 풍지馮贄의 ≪운선잡기雲仙雜記≫권4의 기록을 축약하여 인용한 것인데, ≪운선잡기≫에서 인용한 서책들은 대부분 사서史書나 서지書誌에서 언급하지 않은 것들이어서 풍지가 가탁한 위서僞書로 의심받고 있기에 백후가 실존 인물인지 여부도 불분명하다.

341) 呂子衡(여자형) : 삼국 오吳나라 사람 여범呂範. '자형'은 자. 강소성 양주목사揚州牧師를 지냈다. ≪삼국지・오지・여범전≫권56 참조.

342) 劉延明(유연명) : 북조北朝 북위北魏 때 사람 유병劉昞. '연명'은 자. 곽우郭瑀의 제자이자 사위. ≪위서・유병전≫권52 참조.

○(북조北朝 북위北魏) 연명延明 유병劉昞(?-약 440)은 박사 곽우郭瑀가 마음에 쏙 들어한 사위였다.

●劉道原[344]娶郎中[345]蔡巽之女.

○(송나라) 도원道原 유서劉恕(1032-1078)는 낭중을 지낸 채손의 딸에게 장가들었다.

●劉子羽妻卓氏, 封慶國夫人.

○(송나라) 유자우劉子羽(1097-1146)는 탁씨에게 장가들었는데 그녀는 뒤에 경국부인에 봉해졌다.

●劉綱夫妻俱仙.(見樊氏)

○(삼국 오吳나라 때) 유강 부부는 함께 신선이 되었다.(상세한 내용은 앞의 '번'씨절 '선혼仙婚'항에 보인다)

●劉勉之, 字致仲, 朱晦翁之婦翁[346]也.

○(송나라) 유면지(1091-1149)는 자가 치중으로 회옹晦翁 주희朱熹의 장인이다.

●劉穆之娶江氏

---

343) 快婿(쾌서) : 마음에 쏙 드는 사위를 이르는 말.

344) 劉道原(유도원) : 송나라 사람 유서劉恕(1032-1078). '도원'은 자. 비서승祕書丞을 역임하였고, 사학史學에 정통하여 사마광司馬光(1019-1086)과 함께 ≪자치통감資治通鑑≫을 편수하고, ≪자치통감≫에서 빠진 주周나라 위열왕威烈王 23년 이전의 상고시대 역사를 아들인 유희중劉羲仲에게 구술하여 ≪자치통감외기資治通鑑外紀≫를 완성케 하였다. ≪송사·유서전≫권444 참조.

345) 郎中(낭중) : 진한秦漢 이후 왕실의 호위와 시종을 관장하던 벼슬. 삼서三署의 관원인 오관중랑장五官中郎將·좌중랑장左中郎將·우중랑장右中郎將을 설치하여 관장케 하였다. 당송唐宋 때는 상서성尙書省 소속 육부六部의 산하 기관인 4사司(총 24사司)의 실무를 관장하는 기관장의 명칭이 되었다.

346) 婦翁(부옹) : 장인. '부공婦公' '부부婦父' '외구外舅' '처공妻公' '처부妻父' 등 여러 가지 명칭으로도 불렸다.

○(진晉나라) 유목지(360-417)는 강씨에게 장가들었다.

●劉氏・范氏, 世爲婚姻.(左傳[347])
○유씨와 범씨는 대대로 사돈관계를 맺었다.(≪좌전≫)

●依劉. 劉范. 劉郎[348].
○(후한 말엽에 왕찬王粲이) 유표劉表에게 의지하다. 유씨와 범씨. 유씨 젊은이.

◆周(주씨)

▶角音. 汝南. 后稷[349]至太王[350], 文王邑于周, 子孫以國爲氏.
▷음은 각음에 속하고 본관은 (하남성) 여남군이다. (우虞나라) 후직(기棄)에서 (은殷나라) 태왕(고공단보古公亶父)에 이르렀다가 문왕이 주나라에 정착하자 자손들이 나라 이름을 성씨로 삼은 것이다.

◇諤諤(바른 말을 하다)

●周舍事趙簡子[351], 簡子曰, "何以教我?" 舍曰, "願爲諤諤[352]之臣, 執筆墨, 操簡牘, 隨君後, 伺君之過而書."(新序)
○(춘추시대 진晉나라 때) 주사가 간자簡子 조앙趙鞅을 섬기자 조앙이

---

347) 左傳(좌전) : 노魯나라 은공隱公 원년元年(B.C.722년)부터 애공哀公 27년(B.C.468년)까지 약 250년 간의 춘추시대 역사를 기록한 ≪춘추경春秋經≫에 대한 전국시대 노魯나라 좌구명左丘明의 해설서인 ≪춘추좌씨전≫의 약칭.
348) 劉郎(유랑) : 유씨 집안의 젊은이. 당나라 때 시인 유우석劉禹錫의 애칭으로 쓸 때도 있다.
349) 后稷(후직) : 우虞나라 순왕舜王 때 농사를 관장하던 벼슬 이름. 여기서는 이 관직을 맡았던 주周나라의 시조 기棄를 가리킨다.
350) 太王(태왕) : 주周나라 문왕文王의 조부이자 무왕武王의 증조부인 고공단보古公亶父에 대한 존칭. 막내 아들이 왕계王季이고, 손자는 문왕이며, 증손이 바로 주나라를 건국한 무왕武王이다. ≪사기・주본기周本紀≫권4 참조.
351) 趙簡子(조간자) : 춘추시대 진晉나라 때 정경正卿을 지냈던 조앙趙鞅. '간'은 시호이고, '자'는 존칭. 일명 '지보志父'라고도 한다. 진나라의 국정을 장악하여 훗날 조趙나라를 건국하는 기초를 다졌다. ≪사기・조세가趙世家≫권43 참조.
352) 諤諤(악악) : 바른 말로 논쟁을 벌이는 모양.

말했다. “무엇을 내게 가르치겠소?” 그러자 주사가 대답하였다. “바른 말을 하는 신하가 되어 붓과 먹을 손에 쥐고 죽간과 목판을 손에 들고서 주군의 뒤를 따르다가 주군의 잘못을 살펴서 적고자 합니다.”(≪신서·잡사雜事≫권1)

◇安劉(유씨 황실을 안정시키다)

●周勃木强[353]敦厚, 漢高以爲可屬大事, 又曰, “周勃重厚少文, 然安劉氏者必勃也.” 惠帝朝, 爲太尉, 陳平與相結交驩[354]. 呂氏叛, 勃以一節入北軍[355], 士皆左袒[356], 爲劉氏誅諸呂, 漢室以安. 初封絳侯, 食邑八千二百八十戶. 文帝立, 拜丞相.

○주발(?-B.C.169)은 성품이 꿋꿋하면서 중후하였기에 전한 고조가 대사를 맡길 만한 사람이라고 생각하였다. 또 “주발은 입이 무겁고 말솜씨는 부족하지만 우리 유씨 황실을 안정시킬 사람은 분명 주발일 것이오”라고 말한 일이 있다. 혜제 때 태위에 오르자 진평이 그와 결탁하면서 환심을 샀다. (외척인) 여씨 일가가 반란을 일으켰을 때 주발이 부절을 가지고 북군으로 들어서자 군사들이 모두 좌를 자복하더니 유씨 황실을 위해 여씨 일가 사람들을 제거함으로써 한나라 황실이 안정을 찾았다. 처음 강후에 봉해졌을 때 식읍이 1,280호에 이르렀다. 문제가 즉위한 뒤 승상을 배수받았다.

◇眞將軍(진정한 장군)

●周亞夫, 勃次子, 漢文任爲將軍, 軍細柳[357]. 文帝勞之, 嘆曰, “此眞將軍矣!” 景帝以爲太尉, 平七國之亂[358]. 初封條侯.

---

353) 木强(목강) : 성품이 목석처럼 우직하고 꿋꿋한 것을 비유하는 말.
354) 交驩(교환) : 상대방의 환심을 사다. 혹은 혼인관계를 맺다.
355) 北軍(북군) : 전한 고조高祖가 진秦나라 때 군제軍制를 계승하여 섬서성 장안長安에 남군南軍과 함께 설치한 군대 이름.
356) 左袒(좌단) : 왼쪽 소매를 걷어 어깨를 드러내다. 자신이 죄인임을 상징적으로 나타내는 행위를 말한다.
357) 細柳(세류) : 한나라 때 섬서성 장안 북서쪽에 있던 궁관宮觀 이름.
358) 七國之亂(칠국지란) : 전한 경제景帝 때 고조高祖 유방劉邦(B.C.247-B.C.19

○주아부(?-B.C.143)는 주발周勃(?-B.C.169)의 차남으로 전한 문제가 장군에 임명하자 (섬서성 장안의) 세류관에 군대를 주둔시켰다. 문제가 위문차 방문했다가 감탄하여 말했다. "이 사람이야말로 진정한 장군이로다!" 경제는 그를 태위에 임명하여 일곱 개 제후국의 반란을 평정케 하였다. 처음에는 조후에 봉해졌다.

◇期期之對(말을 더듬으며 '에! 에!' 하고 대답하다)

●周昌, 漢高朝, 爲御史大夫[359]. 時上欲易太子, 昌廷爭之强而吃曰, "臣期期[360]知其不可. 陛下[361]欲廢太子, 臣期期不奉詔."

○주창(?-B.C.192)은 전한 고조 때 어사대부를 지냈다. 당시 고조가 태자를 바꾸려고 하자 주창은 조정에서 이에 대해 강력하게 간언하면서도 말을 더듬는 바람에 "신은 에! 에! 그것이 천부당만부당한 일임을 알고 있나이다. 폐하께서 태자를 폐하려고 하신다면 신은 에! 에! 조서를 받들지 않겠나이다"라고 아뢰었다.

◇拾遺左右(황제의 주변에서 황제가 놓치는 일을 거들다)

●周堪, 字少卿, 元帝朝, 領尙書事, 與蕭望之以師傅見尊重. 數宴見, 言治亂事, 與劉向・金敞竝拾遺左右.

---

5)의 조카이자 경제의 숙부인 오왕吳王 유비劉濞가 주동하여 초왕楚王・조왕趙王・교동왕膠東王・교서왕膠西王・제남왕濟南王・치천왕菑川王 등과 함께 당시 권신權臣인 조조晁錯를 제거한다는 명분하에 반란을 일으킨 사건을 가리킨다. ≪한서・오왕유비전≫권35 참조.

359) 御史大夫(어사대부) : 관리들의 비행을 규찰하고 탄핵하는 업무를 관장하는 기관인 어사대御史臺의 주무 장관. 버금 장관으로 어사중승御史中丞이 있고, 휘하에 시어사侍御史와 전중시어사殿中侍御史・감찰어사監察御史・어사승御史丞 등을 거느렸다.

360) 期期(기기) : '에! 에!'하고 말을 더듬는 모양.

361) 陛下(폐하) : 황제에 대한 존칭. '섬돌 아래 공손히 자리한다'는 의미에서 유래하였다. 황제皇帝에게는 '섬돌 아래 있다'는 의미의 '폐하陛下'를, 친왕親王이나 제후에게는 '전각 아래 있다'는 의미의 '전하殿下'를, 고관에게는 '누각 아래 있다'는 의미의 '각하閣下'를, 그리고 신분이나 연령이 높은 사람에게는 '발 아래 있다'는 의미의 '족하足下'를 사용함으로써 상대방의 지위가 낮아질수록 점차 거리를 가까이하는 의미가 담겨 있다.

○(전한) 주감(?-B.C.40)은 자가 소경으로 원제 때 상서의 업무를 총괄하며 소망지와 함께 사부의 자격으로 존중받았다. 자주 연회에 참석해 알현하면서 치란에 관한 일을 아뢰어 유향·김창과 함께 황제의 주변에서 황제가 놓치는 일을 거들었다.

◇因師獲印(스승을 지낸 덕에 관원의 도장을 얻다)

●周福, 字仲進, 甘陵人. 桓帝微時, 受學於福, 及卽位, 擢爲尙書. 時語曰, "因師獲印周仲進." 由是甘陵[362]有南北部[363].(黨錮傳)

○주복은 자가 중진으로 (산동성) 감릉현 사람이다. 환제는 황제에 오르기 전에 주복에게서 학문을 전수받았기에 즉위하자 그를 상서에 발탁하였다. 그래서 당시에 "스승을 지낸 덕에 관원의 도장을 얻은 이는 주중진(주복)이라네"라는 말이 돌았다. 이 때문에 감릉현에는 남부 출신과 북부 출신의 반목이 생겨났다.(≪후한서·당고열전≫권97)

◇黽池逸民(민지현의 은자)

●周黨, 字伯況, 漢建武中, 被徵三聘, 乃肯就車. 陛見帝廷, 伏而不謁, 自陳願守所志. 詔賜帛四十匹, 罷之. 遂隱居黽池.

○주당은 자가 백황으로 후한 (광무제) 건무(25-55) 연간에 황제의 부름을 받아 세 차례나 빙례聘禮가 행해졌는데도 끝내 수레에 오르지 않았다. 섬돌에서 광무제를 보고서도 땅바닥에 엎드린 채 배알하지 않으며 스스로 뜻한 바 지조를 지키고 싶다고 진술하였다. 그래서 비단 40필을 하사하고 임명을 그만두라는 조서가 내려졌다. 주당은 결국 (하남성) 민지현에 은거하였다.

---

362) 甘陵(감릉) : 산동성의 속현屬縣 이름. ≪후한서·당고열전≫권97의 서문에 의하면 방식房植과 주복周福 모두 감릉현 사람인데, 문객들 사이에 반목이 심하여 최초로 당쟁을 유발했다고 한다.

363) 南北部(남북부) : 남부와 북부. 동향 사람인 방식房植과 남부 출신이 우월한지 북부 출신이 우월한지 분쟁이 생긴 사건을 가리킨다.

◇五經縱橫(오경을 두루 잘 알다)

●周擧, 字宣光, 姿貌短陋, 博學洽聞. 京師語曰, "五經縱橫周宣光." 漢順帝朝, 擧茂才[364], 遷幷州刺史, 移書[365]弔介子推[366], 革寒食禁火之俗, 民免凍死之患. 拜光祿大夫[367], 卒. 詔曰, "周擧性侔夷魚(伯夷[368]·史魚[369]), 忠踰隨管[370]." 加賜錢十萬, 以旌素絲之節. 八使[371]巡行. (見馮羨) 子勰.

○주거(?-149)는 자가 선광으로 생김새는 볼품없으나 학문이 해박하고 견문이 넓었다. 그래서 (하남성 낙양) 경사에는 "오경을 두루 잘 아는 이는 주선광(주거)이다"라는 말이 돌았다. 후한 순제 때 무재과

---

364) 茂才(무재) : 한나라 때 시험 과목의 하나인 수재秀才의 별칭. 후한 광무제光武帝 유수劉秀의 휘諱 때문에 '수秀'를 '무茂'로 고쳤다.

365) 移書(이서) : 공문을 발송하거나 서신을 보내는 일을 이르는 말.

366) 介子推(개자추) : 춘추시대 진晉나라 사람. '개介'는 식읍食邑이고, '자子'는 존칭이며, '추推'가 이름이다. '개지추介之推'(개읍의 추)라고도 한다. 문공文公 중이重耳가 공자公子 시절 망명할 때 19년을 모셨는데, 왕위에 오른 뒤 관직을 주지 않자 면산緜山에 은거하였다. 문공이 이를 뉘우치고 그를 부르기 위해 면산에 불을 질렀으나 끝내 나오지 않고 불에 타 죽었다. 불로 데운 음식을 먹지 않는 한식寒食도 여기서 유래하였다. ≪사기·진세가晉世家≫권39 참조.

367) 光祿大夫(광록대부) : 진한秦漢 때 중대부中大夫를 전한 무제武帝가 고친 이름으로 황제의 자문 역할을 담당하였다. 수당隋唐 때는 광록대부光祿大夫 외에도 금자광록대부金紫光祿大夫와 은청광록대부銀靑光祿大夫를 더 설치하였는데, 광록대부는 종2품에 해당하는 서열 3위의 문산관文散官이었고, 금자와 은청은 각각 서열 4위와 5위로서 정3품과 종3품에 해당하였다.

368) 伯夷(백이) : 상商나라 말엽 고죽군孤竹君의 장남. 주周나라 무왕武王의 쿠데타에 항의하다가 막내동생 숙제叔齊와 함께 종남산終南山에서 아사한 고사가 ≪사기·백이열전伯夷列傳≫권61에 전한다.

369) 史魚(사어) : 춘추시대 위衛나라 사관史官. 이름은 추鰌이고 자는 어魚. 현자인 거백옥蘧伯玉을 물리치고 간신인 미자하彌子瑕를 기용한 영공靈公에게 시간尸諫을 하였다는 고사로 유명하다. ≪공자가어孔子家語·곤서困誓≫권5 참조.

370) 隨管(수관) : 춘추시대 때 진秦나라의 대부 수회隨會(범사회范士會)와 제齊나라의 승상 관중管仲(관이오管夷吾)을 아우르는 말.

371) 八使(팔사) : 후한 순제順帝가 각지의 주군州郡을 순찰케 하기 위해 같은 날에 파견한 여덟 명의 사신을 아우르는 말. 주거周擧·두교杜喬·곽준郭遵·풍선馮羨·난파欒巴·장강張綱·주허周栩·유반劉班을 가리킨다. ≪후한서·주거전≫권91 참조.

(수재과)에 급제하여 (산서성) 병주자사로 승진하였는데, (춘추시대 진晉나라) 개자추를 조문하는 공문을 보내 한식날 불을 금지하는 풍습을 혁신하였기에 백성들이 동사하는 환난에서 벗어날 수 있었다. 광록대부를 배수받고서 생을 마쳤다. 그러자 조서를 내려 "주거는 성품이 (주周나라) 백이와 (춘추시대 위衛나라) 사어를 닮았고, 충심이 (춘추시대 진秦나라) 수회隨會(범사회范士會)와 (제齊나라) 관중管仲(관이오管夷吾)을 능가하노라"라고 하였다. 동전 10만 냥을 보태주면서 흰 비단실을 장식한 부절로 공로를 표창하였다. 여덟 명의 사신 가운데 한 사람으로 순행에 나선 일이 있다.(상세한 내용은 앞의 권1 '풍선'에 관한 기록인 '팔준八俊'항에 보인다) 아들은 주협周勰이다.

◇赤壁奇功(적벽전에서 대단한 공을 세우다)

●周瑜, 字公瑾, 吳人, 文武籌略, 萬人之英, 赤壁之戰, 以兵三萬破魏師八十萬. 孫權曰, "公瑾雄烈, 膽略兼人, 開拓荊州, 邈焉寡儔." 程普曰, "與周公瑾交, 若飮醇醪[372], 不覺自醉." 少精意於音樂, 其有缺誤, 必知之. 時語曰, "曲有誤, 周郞顧." 年三十六, 卒於巴丘[373].

○주유(175-210)는 자가 공근이고 (삼국) 오나라 사람으로 학문이나 병법 및 책략 방면에서 누구보다도 뛰어난 재능을 보이더니 적벽에서의 전투 때 3만 명의 군대로 위나라 군대 80만 명을 격파하였다. 그래서 손권은 "공근(주유)은 영웅다우면서 담력이나 지략이 누구보다도 뛰어나다. (호북성) 형주를 개척한 공로는 먼 옛날에도 그와 견줄 이가 없다"고 하였고, 정보는 "주공근(주유)과 교유를 가지면 마치 맛좋은 술을 마실 때 자신도 모르게 취하는 것과 같다"고 하였다. 젊어서부터 음악에 조예가 깊어 오류가 있으면 반드시 알아채곤 하였다. 그래서 당시에 "악곡에 틀린 곳이 있으면 주랑(주유)이 돌아본다네"라는 말이 돌았다. 나이 서른여섯 살에 (강서성) 파구현에서 생을 마쳤다.

---

372) 醇醪(순료) : 맛이 진하고 좋은 술.
373) 巴丘(파구) : 강서성의 속현屬縣 이름.

◇三害(세 가지 해악)

●周處, 字子隱, 膂力絶人, 不修細行. 嘗問父老曰, "今歲豐, 人樂否[374]?" 曰, "三害未除, 何樂之有?" 處曰, "三害云何?" 曰, "南山白額虎[375], 長橋[376]下蛟, 幷子爲三." 處乃入山, 射殺猛獸, 沒水斬蛟, 自勵志好學爲善. 吳人歸晉, 爲御史中丞[377]. 三子玘·靖·札. 玘子勰, 烏程郡公. 靖長子懋, 淸流亭[378]侯, 次子遙, 內史[379], 三子贊, 武鄕縣侯, 四子縉, 都鄕縣侯. 一門五侯.

○주처(약 236-297)는 자가 자은으로 힘이 누구보다도 센 데다가 자질구레한 예절에 얽매이지 않았다. 일찍이 고을 노인에게 "올해 풍년이 들었으니 사람들이 즐거워하지 않습니까?"라고 묻자 노인이 대답하였다. "세 가지 해악이 아직 제거되지 않았거늘 무슨 즐거움이 있겠소?" 주처가 물었다. "세 가지 해악이란 무엇을 말씀하시는 것인지요?" 그러자 노인이 대답하였다. "남산의 사나운 호랑이와 장교 아래 교룡(악어), 그리고 그대까지 합쳐 셋이라오." 주처가 산에 들어가 맹수를 죽이고 물속에 들어가 교룡을 벤 뒤 자신을 채찍질해 학문을 닦고 선행을 행하였다. (삼국) 오나라 사람으로 진나라에 귀순하여 어사중승에 올랐다. 세 아들은 주기周玘·주정周靖·주기周

---

374) 否(부) : 부가의문문을 만드는 어말조사語末助詞.

375) 白額虎(백액호) : 이마가 흰 호랑이. 무척 사나운 호랑이를 상징한다.

376) 長橋(장교) : 강소성 의흥현義興縣에 있던 다리 이름. 후한 때 원태수袁太守라는 사람이 만들었는데 교룡이 살면서 사람들을 해쳐 주처周處(236-297)가 죽였다고 전한다.

377) 御史中丞(어사중승) : 관리들의 비행을 규찰하고 탄핵하는 업무를 관장하는 기관인 어사대御史臺에서 어사대부御史大夫 다음 가는 벼슬. 시대마다 차이는 있으나 당송唐宋 때는 어사대부 휘하에 어사중승 외에도 시어사侍御史·전중시어사殿中侍御史·감찰어사監察御史 등이 있었다.

378) 亭(정) : 중국 고대의 마을 단위. 시골 마을에 10리마다 '정亭'을 설치하고 10정亭을 '향鄕'이라고 하였으며 10향鄕을 '현縣'이라고 하였다. 그래서 '현縣'은 사방 100리에 해당하므로 '백리百里'라고도 한다. 따라서 '정후亭侯'는 봉호를 가리킨다.

379) 內史(내사) : 한나라 이후로 태수太守에 상당하던 제후국의 지방 장관을 가리키는 말. 한나라 때 행정 구역으로는 천자가 직접 관장하는 군郡과 제후국에서 관장하는 군이 있었는데, 전자의 군수를 '태수'라고 하고, 후자의 군수를 '내사'라고 구분하였다.

杞이다. 주기의 아들 주협周勰은 오정군공에 봉해졌다. 주정의 장남 주무周懋는 청류정후에 봉해지고, 차남 주요周遙는 내사를 지냈으며, 삼남 주찬周贊은 무항현후에 봉해지고, 사남 주진周縉은 도향현후에 봉해졌다. 그래서 한 가문에 제후가 다섯 명이나 배출되었다.

◇中興名將(나라를 중흥시킨 명장)

●周訪, 字士達, 少與陶侃[380]友善. 遇相者陳訓, 謂曰, "二君位至方岳[381], 功名略同." 訪小侃一歲. 訪初爲汝南縣功曹[382], 薦侃爲主簿. 晉元帝渡江, 命爲將軍, 平華軼・社弢[383]二寇, 以功遷荊州刺史. 或說王敦曰, "荊州, 用武之國, 公宜自領." 改訪梁州, 訪大怒. 敦手書譬釋[384], 因遺以玉環・玉椀. 訪投諸地曰, "吾豈賈豎[385]可以寶悅乎?" 史臣曰[386], "訪器兼文武, 擁麾仗節, 遠近仰其威風, 推爲中興[387]名將." 長子撫有父風. 撫子楚・楚子瓊有將略, 三世皆爲將軍. 瓊子彪[388], 死節[389]于秦.

○주방(260-320)은 자가 사달로 어려서부터 도간과 절친한 사이였다.

---

380) 陶侃(도간) : 진晉나라 때 사람(257-332). 자는 사행士行. 도연명陶淵明(365-427)의 증조부로 광주자사廣州刺史와 도독都督・재상 등을 역임하였고, 소준蘇峻(?-328)의 반란을 평정하는 등 많은 무공을 세웠으며, 장사군공長沙郡公에 봉해졌다. ≪진서・도간전≫권66 참조.

381) 方岳(방악) : 절도사節度使・관찰사觀察使나 자사刺史・태수太守 같은 지방 수령에 대한 범칭. '방백方伯'이라고도 한다. 각 지방의 주군州郡이나 중국 각 지역을 대표하는 산인 오악五嶽을 가리킬 때도 있다.

382) 功曹(공조) : 군郡에서 서사書史를 관장하는 속관屬官인 공조참군功曹參軍의 약칭.

383) 社弢(사도) : ≪진서・주방전≫권58에 의하면 '두증杜曾'의 오기이다.

384) 譬釋(비석) : 비유적인 표현을 써 가며 해명하다.

385) 賈豎(고수) : 장사치, 장사꾼. 상인에 대한 비칭卑稱.

386) 曰(왈) : 이는 ≪진서・주방전≫권58의 평문을 발췌하여 인용한 것이다.

387) 中興(중흥) : 한 왕조가 세력이 약해진 뒤 동일 왕조가 부흥하는 시기를 통칭하는 말. 후한後漢・동진東晉・남송南宋 등의 시기에 상용되었는데 여기서는 동진을 가리킨다.

388) 彪(표) : ≪진서・주효전周虓傳≫권58에 의하면 '효虓'의 오기이다.

389) 死節(사절) : 절조를 지키다가 죽다, 절조를 위해 목숨을 바치다. 즉 주효周虓가 오호십육국五胡十六國 후진後秦의 장수에게 사로잡혀 산서성 태원군太原郡에 구금당했다가 병사한 것을 말한다. ≪진서・주효전≫권58 참조.

관상가인 진훈을 만나자 그가 말했다. "두 분 모두 지위가 지방 수령에 오르고 공명이 거의 같을 것입니다." 주방은 도간보다 한 살 어렸다. 주방은 처음 (하남성) 여남현의 공조참군을 맡으면서 도간을 주부로 추천하였다. 진나라 원제는 장강을 건너면서(동진東晉) 주방을 장군에 임명해 화일과 두증杜曾 두 반군을 평정케 하였는데, 공을 세워 (호북성) 형주자사로 승진하였다. 그러자 누군가 왕돈에게 말했다. "형주는 군사적 요충지이니 공께서 마땅히 몸소 다스리셔야 할 것입니다." 그래서 주방을 (섬서성) 양주자사로 전근시키자 주방이 대노해 하였다. 왕돈은 손수 서신을 써서 비유적인 표현을 써 가며 해명하고 그참에 옥고리와 옥그릇을 선물로 주었다. 그러나 주방은 그것들을 땅바닥에 내동댕이치며 말했다. "내 어찌 장사치처럼 보배 따위 때문에 화를 풀 수 있으리오?" 사관은 "주방은 역량이 문무를 겸비하여 깃발과 부절을 손에 들었기에 먼 곳이나 가까운 곳이나 어디서든 그의 위세를 앙모하고 나라를 중흥시킨 명장으로 추대하였다"고 평하였다. 장남인 주무周撫(?-365)도 부친의 풍모를 물려받았다. 주무의 아들인 주초周楚(?-371)와 주초의 아들인 주경周瓊도 장수로서의 지략이 뛰어나 세 세대에 걸쳐 모두 장군에 올랐다. 주경의 아들 주효周虓(?-382)는 (오호십육국五胡十六國) 후진後秦에서 절조를 지키다가 죽었다.

◇人倫之鑒(사람을 알아보는 안목)

●周浚有人倫之鑒, 隨王渾平吳, 封武威侯. 三子顗・嵩・謨.

○(진晉나라) 주준(?-289)은 사람을 알아보는 안목이 있어 왕혼을 따라 (삼국) 오나라를 평정하고서 무위후에 봉해졌다. 세 아들은 주의周顗(269-322)・주숭周嵩(?-324)・주모周謨이다.

◇肘懸斗印(팔꿈치에 말만한 도장을 매달다)

●周顗, 字伯仁, 少有重名, 神采秀徹. 庾亮謂曰, "人咸以君方樂廣[390]."

390) 樂廣(악광) : 진晉나라 때 사람. 자는 언보彥輔. 청담淸談에 뛰어났고, 시중

顗曰, "何乃刻畵無鹽391), 唐突392)西施393)?" 王導深重之, 嘗指其腹曰, "此中何有?" 曰, "此中空洞無物, 可容卿等數百人." 晉永昌394)初, 王導以王敦作亂, 每日詣臺待罪. 顗入, 導呼之曰, "伯仁! 以百口累卿!" 顗直入不顧, 但曰, "今年殺諸賊奴, 取金印如斗大, 係肘後," 而上表申救甚至. 爲僕射.

○주의(269-322)는 자가 백인으로 어려서부터 명성을 떨쳤고 인품이나 용모가 출중하였다. 그래서 유양이 그에게 "사람들이 모두들 자네를 악광에 견준다네"라고 하자, 주의는 (농담조로) "어찌 (전국시대 제齊나라의 추녀인 산동성) 무염현 출신 종리춘鍾離春(악광)을 그림으로 그려 (춘추시대 월越나라의 미녀) 서시(주의)의 초상화에 들이댈 수 있단 말입니까?"라고 하였다. 또 왕도가 그를 무척 존중하더니 일찍이 그의 배를 가리키며 "여기에는 무엇이 들어 있소?"라고 하자, 주의는 (농담조로) "이곳은 텅 비어 아무것도 없지만 경 같은 사람들 수백 명을 담을 수 있지요"라고 대답한 적이 있다. 진나라 (원제) 영창(322) 초에 왕도는 왕돈이 반란을 일으키는 바람에 매일 어사대를 찾아가 치죄를 기다렸다. 주의가 입조했을 때 왕도가 그를 부르며 말했다. "백인! 내 백 명이나 되는 식구 때문에 자네에게 폐를 끼쳐야겠네!" 주의는 곧장 입궐하며 고개도 돌리지 않은 채 단지 "올해 여러 반군들을 죽여 크기가 말만한 금도장을 받아서 팔꿈치 뒤에 맸답니다"라고 말하면서도 상소문을 올려 지극정성을 다

侍中・상서령尙書令 등을 역임하였다. ≪진서・악광전≫권43 참조.

391) 無鹽(무염) : 산동성의 속현屬縣 이름. 전국시대 제齊나라 선왕宣王의 못생긴 왕비인 종리춘鍾離春의 출생지이기에 종리춘을 가리키기도 하고 추녀를 비유하기도 한다. 여기서는 악광樂廣을 비유적으로 가리킨다.

392) 唐突(당돌) : 버릇없이 굴다, 함부로 돌진하여 부딪히다.

393) 西施(서시) : 춘추시대 월越나라의 미녀. 성은 시施씨이고, '선시先施' '서자西子' '이광夷光'으로도 불렸다. 월나라 범이范蠡가 오吳나라를 멸망시키기 위해 오나라 왕 부차夫差에게 바쳤는데, 오나라가 망한 뒤에는 범이에게 시집을 가 오호五湖를 유랑하였다고도 하고, 월나라 사람들이 장강長江에 던졌다고도 한다. ≪오월춘추吳越春秋・구천음모외전勾踐陰謀外傳≫권5와 ≪장자莊子・천운편天運篇≫권5 등에 그녀에 관한 기록이 보인다. 뒤에는 미인의 상징적 존재가 되었다. 여기서는 주의周顗 자신을 비유적으로 가리킨다.

394) 永昌(영창) : 진晉 원제元帝의 연호(322).

해 거듭해서 왕도의 구명운동을 펼쳤다. 복야에 올랐다.

◇冬至燕觴(동짓날 술자리를 마련하여 술잔을 건네다)

●周謨, 小字阿奴[395]. 冬至日, 其母李氏置酒, 擧觴賜三子曰, "不謂爾等竝貴, 列吾目前, 吾復何憂?" 嵩曰, "恐不如尊旨. 伯仁志大而才短, 名重而識暗, 非自全之道. 嵩性抗直, 亦不容於世. 惟阿奴碌碌[396], 在母眼下." 後顗·嵩皆爲王敦所殺. 嵩爲御史中丞, 謨爲丹陽尹.

○(진晉나라) 주모는 어렸을 때 자가 아노이다. 동짓날 그의 모친인 이씨가 술상을 차린 뒤 술잔을 들어 세 아들에게 주면서 말했다. "너희들이 모두 고관에 오르리라 생각지도 않았는데 (이렇게 고관에 올라) 내 눈앞에 나란히 서 있으니 내 더 이상 무엇을 걱정하겠느냐?" 그러자 (차남인) 주숭周嵩(?-324)이 말했다. "어머님 뜻대로 되지 않을까 두렵습니다. (맏형인) 백인(주의周顗)은 야망은 크나 재주가 부족해 스스로 보전할 방도가 없습니다. 저는 성격이 강직하여 역시 세상 사람들이 받아 주지 않을 것입니다. 오직 아노(주모)만이 평범하여 어머니 안전에 살아남을 것입니다." 뒤에 주의와 주숭 모두 왕돈에게 살해당했다. 주숭은 어사중승을 지냈고, 주모는 (강소성) 단양윤을 지냈다.

◇早韭晚菘(일찍 자란 부추와 늦게 자란 무)

●周顒, 字彦倫, 隱鍾山. 王儉[397]曰, "卿山中何有?" 曰, "赤米·白鹽·綠葵·紫蓼." 文惠太子[398]問, "菜何味勝?" 曰, "春初早韭, 秋末晚

---

395) 阿奴(아노) : 형이 동생에게, 부친이 아들에게, 조부가 손자에게, 황제가 황후에게, 심지어 부부간에도 친근하게 부르는 애칭을 말한다. 따라서 본래 특정인의 별호는 아니다.

396) 碌碌(녹록) : 평범한 모양. '녹록鹿鹿'으로도 쓴다.

397) 王儉(왕검) : 남조南朝 남제南齊 때 사람(452-489). 왕승작王僧綽의 아들로 28세의 젊은 나이에 상서우복야尙書右僕射에 오르고, ≪주례周禮≫ ≪의례儀禮≫ ≪예기禮記≫에 정통하였다. ≪남제서·왕검전≫권23 참조.

398) 文惠太子(문혜태자) : 남제南齊 무제武帝의 맏아들인 소장무蕭長懋. 몸이 허약하고 비만하여 동궁東宮에서 36세로 죽었다. ≪남제서·문혜태자소장무전≫권21 참조.

菘.” 仕宋, 爲國子博士, 復欲歸隱. 孔稚圭作北山移文399), 嘲之. 子捨留內省400)二十餘年, 梁武稱爲公輔401)器. 後拜相.

○(남조南朝 남제南齊) 주옹(?-488)은 자가 언륜으로 (강소성) 종산에 은거하였다. 왕검이 “경이 사는 산에는 무엇이 있소?”라고 묻자 “붉은 쌀·흰 소금·푸른 아욱·자색 여뀌 등이 있습니다”라고 대답하였다. 또 문혜태자가 “채소는 무엇이 맛이 좋소?”라고 묻자 “초봄에 일찍 자란 부추와 늦가을에 늦게 자란 무입니다”라고 대답하였다. 유송劉宋에서 벼슬길에 올라 국자박사를 지내다가 다시 귀향하여 은거하고자 하였다. 그러자 공치규가 <북산의 산신령이 보내는 글>을 지어 그를 조롱하였다. 아들 주사周捨(469-524)는 조정에서 20년 넘게 머물러 양나라 무제가 재상의 자질이 있다고 칭찬하였다. 뒤에 재상을 배수받았다.

◇貂蟬(초선관)

●周盤龍, 齊永明402)中, 遷光祿大夫, 年老求解職. 上曰, “卿著貂蟬403), 何如兜鍪404)?” 對曰, “此貂蟬自兜鍪中來.”

○주반룡(415-493)은 (남조南朝) 남제南齊 (무제) 영명(483-493) 연간에 광록대부로 승진하였다가 연로하여 사직을 청하였다. 무제가 “경은 (시종관의 모자인) 초선관을 착용해 보니 (장수의 모자인) 투

---

399) 北山移文(북산이문) : 남조南朝 남제南齊 공치규孔稚珪(447-501)가 지은 글. 주옹周顒(?-488)이 회계군會稽郡 북쪽의 종산鍾山에 은거하다가 천자의 부름을 받고 해염현령海鹽縣令이 되어 종산을 지나자 공치규가 산신령의 뜻을 빌어 그가 변심하였다고 풍자하는 내용이 담겨 있다. 양梁나라 소통蕭統(501-531)의 ≪문선文選·서하書下≫권43에 전한다. ‘이문移文’은 상대방에게 발송하는 문서를 뜻한다.

400) 內省(내성) : 궁중이나 조정의 별칭.

401) 公輔(공보) : 천자를 보좌하는 삼공三公과 사보四輔, 즉 재상을 이르는 말. ‘재보宰輔’ ‘보신輔臣’이라고도 한다.

402) 永明(영명) : 남제南齊 무제武帝의 연호(483-493).

403) 貂蟬(초선) : 한나라 이후로 시종관侍從官이 쓰던 모자인 초선관貂蟬冠의 약칭. 매미(蟬) 모양의 장식품과 담비(貂) 꼬리를 꽂은 데서 유래한 말로 ‘선면蟬冕’이라고도 한다.

404) 兜鍪(두무) : 머리에 쓰는 갑옷. 즉 투구를 가리킨다.

구를 착용하는 것과 비교했을 때 어떠하오?"라고 묻자, 주반룡은 "이 초선관도 투구로부터 유래한 것이옵니다"라고 대답하였다.

◇三隱(심양군의 세 명의 은자)

●周續之, 字道祖, 受業於范甯, 通五經・五緯405), 號十經. 旣而閒居, 讀老易. 晉末始入廬山. 時劉遺民406)隱廬山, 陶靖節407)不就徵, 號潯陽三隱.

○주속지(377-423)는 자가 도조로 범영에게서 학문을 전수받아 오경과 오위에 정통해서 '십경'으로 불렸다. 얼마 뒤에는 은퇴하여 ≪노자≫와 ≪역경≫을 공부하였다. 진나라 말엽에 처음 (강서성) 여산으로 들어갔다. 당시 유민遺民 유정지劉程之가 여산에 은거하고 있었고, 정절선생靖節先生 도연명陶淵明이 황제의 부름에 응하지 않고 은거하였기에 ('강서성 심양군의 세 은자'란 의미에서) '심양삼은'으로 불렸다.

◇吟風弄月(자연을 벗삼아 시를 읊조리다)

●周惇頤, 字茂叔, 號濂溪先生. 濂溪有舊橋, 橋有水亭, 釣遊其上, 吟風弄月. 窓前草不除, 言與自家意思一般. 山谷云, "舂陵408)周茂叔, 人品甚高, 胸中灑落409), 如光風410)霽月. 雅意林壑, 初不爲窘束411)." 作

---

405) 五緯(오위) : 오경五經의 위서緯書를 이르는 말. 목성・화성・토성・금성・수성을 아우르는 말인 오성五星의 별칭으로 쓰일 때도 있다.

406) 劉遺民(유유민) : 진晉나라 사람 유정지劉程之. '유민'은 호. 자는 중사仲思. 강서성 여산廬山에 은거하였다.

407) 靖節(정절) : 진晉나라 때 전원시인田園詩人 도연명陶淵明(365-427)의 호. 저서로 ≪도연명집≫ 8권이 전한다. ≪송서宋書・은일열전隱逸列傳・도잠전陶潛傳≫권93에 의하면 도연명은 본명이 '잠潛'이고 '연명淵明'이 자라는 설도 있고, 본명이 '연명'이고 '원량元亮'이 자라는 설도 있는데, 본명이 '연명'이고 '잠'은 은거한 뒤에 개명한 이름인 듯하다.

408) 舂陵(용릉) : 한나라 때 호남성 영원현寧遠縣 북쪽에 두었던 제후국諸侯國에서 유래한 고을 이름으로 주돈이周敦頤(1017-1073)의 본관을 가리킨다.

409) 灑落(쇄락) : 속되지 않은 모양, 고결한 모양.

410) 光風(광풍) : 비가 그치고 해가 나왔을 때 바람이 불어서 초목에 빛이 감도는 것을 이르는 말.

太極圖412)及通書413)數十篇，上接洙泗414)千載之統，下啓河洛415)百世之傳. 晦菴416)贊417)云，"書不盡言，圖不盡意，風月無邊，庭草交翠." 朱雲418)易傳表云，"濮上419)陳摶，以先天圖420)傳种放，放傳穆修，修傳李之才，之才傳邵雍. 放以河洛圖書傳李溉，溉傳許堅，堅傳范諤昌，諤昌傳劉牧. 修以太極圖傳茂叔，茂叔傳二程421)." 宋景祐422)中，奏補423)，熙寧中，除提刑424). 諡元公. 二子壽・燾.

---

411) 窘束(군속) : 속세에 얽매이다, 지나치게 조심하다.

412) 太極圖(태극도) : 우주 만물의 생성 이치를 그린 그림을 이르는 말. 송나라 주돈이周敦頤(1017-1073)의 ≪태극도≫가 가장 널리 알려졌다.

413) 通書(통서) : 송나라 주돈이周敦頤(1017-1073)가 지은 유가류儒家類의 저서인 ≪태극통서太極通書≫의 약칭. 총 1권. ≪송사・예문지≫권205 참조.

414) 洙泗(수사) : 강물 이름인 수수洙水와 사수泗水를 아우르는 말. 춘추시대 노魯나라 공자가 제자들을 가르치던 곳을 가리킨다.

415) 河洛(하락) : 전설상의 도서인 ≪하도河圖≫와 ≪낙서洛書≫를 아우르는 말로서 여기서는 의리義理를 중시한 송나라 때 성리학을 가리킨다.

416) 晦菴(회암) : 송나라 때 성리학性理學의 집대성자이자 대문호인 주희朱熹(1130-1200)의 호. 시호는 문공文公. 저서로 ≪회암집晦庵集≫ 112권・≪자치통감강목資治通鑑綱目≫ 59권 등 다수가 전한다. ≪송사・도학열전道學列傳・주희전≫권429 참조.

417) 贊(찬) : 이는 <여섯 선생의 초상화에 쓴 찬문(六先生畫像贊)> 가운데 <염계선생(濂溪先生)>편을 인용한 것으로 ≪회암집晦庵集・찬贊≫권85에 전한다.

418) 朱雲(주운) : 전한 때 사람으로 ≪역경≫에 정통하여 오록충종五鹿充宗의 콧대를 꺾고 상방검上方劍과 참마검斬馬劍을 빌어 성제成帝의 스승인 안창후安昌侯 장우張禹를 베겠다고 간언하였다가 성제의 노여움을 샀으나 성제가 그의 충정을 알고 훈방하였다는 고사로 유명하다. ≪한서・주운전≫권67 참조. 따라서 이는 송나라 때 유학자인 '주진朱震'의 오기이다. 위의 예문은 주진이 자신의 저서인 ≪한상역전漢上易傳≫을 바치면서 모두에 실은 상소문에 전한다.

419) 濮上(복상) : 하남성의 속현屬縣 이름으로 진단陳摶의 본관을 가리킨다.

420) 先天圖(선천도) : 전설상의 임금인 복희伏羲 때의 ≪역경≫을 그린 그림. 후인의 위작으로 보인다.

421) 二程(이정) : 송나라 때 대유大儒인 정호程顥(1032-1085)와 정이程頤(1033-1107) 형제를 아우르는 말. 두 사람의 전기는 ≪송사・도학열전道學列傳≫권427에 나란히 전한다.

422) 景祐(경우) : 북송北宋 인종仁宗의 연호(1034-1037).

423) 奏補(주보) : 조상의 벼슬에 준해 자손에게 관직을 줄 것을 상주하던 송나라 때 제도를 이르는 말.

424) 提刑(제형) : 각 지방의 형벌을 관장하는 사신인 제점형옥사提點刑獄使의 약칭.

○주돈이周敦頤(1017-1073)는 자가 무숙이고 호가 염계선생이다. (호남성) 염계에는 오래된 다리가 있는데 다리에 물가 정자가 있어 그 위에서 낚시를 즐기며 자연을 벗삼아 시를 읊조렸다. 창문 앞에 잡초를 베지 않고는 자신과 담긴 뜻이 같다는 말을 하였다. 산곡山谷 황정견黃庭堅은 "(호남성) 용릉 사람 주무숙(주돈이)은 인품이 무척 고상하고 마음이 고결하여 마치 빛을 머금은 바람이나 비 갠 밤의 달빛과 같다. 평소 자연에 마음을 두었기에 당초 속세에 얽매이지 않았다"고 하였다. ≪태극도≫와 ≪통서≫ 수십 편을 지어 위로는 (춘추시대 노魯나라) 공자의 천 년 전 법통을 계승하고 아래로는 송나라 때 성리학을 먼 훗날까지 전수할 수 있는 길을 열었다. 회암晦菴 주희朱熹는 찬문에서 "글에서 말로 다 표현하지 않고 도록圖錄에서 생각을 다 밝히지 않은 것은 자연이 끝없이 드넓고 마당의 풀이 푸른 빛을 교차하는 경지와 같다"고 하였고, 주진朱震은 ≪한상역전漢上易傳≫에 실린 상주문에서 "(하남성) 복상현 사람 진단은 ≪선천도≫를 충방에게 전수하고, 충방은 목수에게 전수하고, 목수는 이지재에게 전수하고, 이지재는 소옹에게 전수하였나이다. 충방은 ≪하도≫와 ≪낙서≫를 이개에게 전수하고, 이개는 허견에게 전수하고, 허견은 범악창에게 전수하고, 범악창은 유목에게 전수하였나이다. 목수는 ≪태극도≫를 주돈이에게 전수하고, 주돈이는 정호程顥와 정이程頤 형제에게 전수하였나이다"라고 하였다. 송나라 (인종) 경우(1034-1037) 연간에 조상의 벼슬에 준해 관직을 배수해야 한다는 상소문이 올라갔고, (신종) 희녕(1068-1077) 연간에 제점형옥사提點刑獄使를 제수받았다. 시호는 '원공'이다. 두 아들은 주수周壽와 주도周燾이다.

◇平園老(평화로운 정원에 은거한 늙은이)

●周必大, 字子克, 初字洪道. 紹興中, 中博學宏詞科425), 在翰苑九年,

425) 博學宏詞科(박학굉사과) : 학문이 폭넓고 문장이 뛰어나 조정의 문서를 기초할 만한 인재를 뽑기 위한 과거시험의 하나. 송나라 때는 굉사과宏詞科라고 하다가 휘종徽宗 때 사학겸무과詞學兼茂科라고 하였고, 고종高宗 때 박학굉사

有詩[426]云, "綠槐夾道集昏鴉, 勅使傳宣[427]待賜茶. 歸到玉堂淸不寐, 月鉤初上紫薇花[428]." 嘗[429]言[430]"六十四卦, 惟謙六爻[431]皆吉." 又誦夫子[432]"其恕乎[433]!"一語. 政平生處己以謙, 持物以恕. 退居十五年, 自號平園老叟. 築室, 名曰玉和. 公自序云[434], "和氣謂之玉燭. 方今賢和朝, 物和野, 使皤然[435]一叟得佚老[436]於和氣之內." 淳熙中, 拜右相, 封益公[437]. 子綸知筠州.

○(송나라) 주필대(1126-1204)는 자가 자극이나 본래 자는 홍도였다. (고종) 소흥(1131-1162) 연간에 박학굉사과에 급제하여 한림원에서 9년을 지내면서 시를 지어 "길 양쪽에 자란 푸른 홰나무로 저녁이 되어 까마귀가 모여들더니, 칙명을 받든 사자가 황명을 전하여 차를

과博學宏詞科라고도 하였다.

426) 詩(시) : 이는 칠언절구七言絶句 <숙직하러 입궐하여 황제의 부름을 받고 선덕전에서 질문에 응답하다가 차를 하사받고 물러나다(入直召對選德殿, 賜茶而退)>를 인용한 것으로 송나라 주필대周必大(1126-1204)의 ≪문충집文忠集≫권5에 전한다.

427) 傳宣(전선) : 구두로 황명을 전달하는 것을 이르는 말.

428) 紫薇花(자미화) : 부처꽃. 자미성紫薇省이 중서성中書省의 별칭이므로 조서의 기초를 관장하는 중서성이나 그 소속 관원을 비유하기도 한다.

429) 嘗(상) : 늘, 항상. '상常'과 통용자.

430) 言(언) : 이는 ≪문충집≫ 부록 권2에 수록된 송나라 이벽李壁이 지은 행장行狀에 인용되어 전한다.

431) 六爻(육효) : ≪역경≫에서 괘를 이루는 최소 단위인 효爻 세 개를 결합하면 8괘가 형성되고, 여섯 개를 결합하면 64괘를 이루게 된다. 효 가운데 음陰은 '--'로 표기하고, 양陽은 '—'로 표기한다.

432) 夫子(부자) : 스승이나 장자長者 · 고관 · 부친 · 남편 등에 대한 존칭. 공자의 제자들이 공자를 '부자'라고 부른 것이 대표적인 예이다.

433) 其恕乎(기서호) : 아마도 용서하는 마음이리라! '기其'는 추측 어기조사. 이는 ≪논어 · 위영공衛靈公≫권15에서 "자공이 '한 마디로 죽을 때까지 실천해야 할 것이 있습니까?'라고 묻자, 공자가 '아마도 용서하는 마음이리라! 자신이 하고 싶지 않은 것을 남에게 베풀지 말아야 할 것이다'라고 대답하였다(子貢問曰, 有一言而可以終身行之者乎. 子曰, 其恕乎. 己所不欲, 勿施於人)"고 한 말을 인용한 것이다.

434) 云(운) : 이는 <옥화당에 관한 글(玉和堂記)>이란 제목으로 ≪문충집≫권59에 전한다.

435) 皤然(파연) : 머리카락과 수염이 하얀 모양. 노인을 가리킨다.

436) 佚老(일로) : 편안하게 늙어가다. 즉 은거생활을 누리는 것을 말한다.

437) 益公(익공) : 주필대周必大의 봉호인 '익국공益國公'의 약칭.

하사받기를 기다리다가, 옥당(한림원)으로 돌아오니 정신이 맑아져 잠이 오지 않는데, 초승달이 막 부처꽃 위로 떠오르네"라고 하였다. 그는 늘 "64괘 가운데 오직 겸괘謙卦의 6효만이 모두 길하다"라고 말하고, 또 (춘추시대 노魯나라) 공자의 "아마도 용서하는 마음이리라!"는 말을 외우고 다녔다. 그래서 정사에 종사하면서 평생 겸괘의 정신으로 자신을 다스리고 용서하는 마음으로 남을 대하였다. 은퇴하고서 15년을 보내며 스스로 호를 '평원노수'라고 하고, 집을 짓고서 이름을 '옥화당'이라고 하였다. 주필대는 스스로 서문에서 "온화한 기운을 '옥촉'이라고 한다. 이제 현자들이 조정에서 화목하게 지내고 사람들이 재야에서 화목하게 지내고 있기에 머리카락과 수염이 새하얀 늙은이가 온화한 기운을 받아 편히 은거할 수 있게 되었다"고 하였다. (효종) 순희(1174-1189) 연간에 우승상을 배수받고 익국공益國公에 봉해졌다. 아들 주윤周綸은 (강서성) 균주지주사(균주자사)를 지냈다.

◇夜書墨板(밤에 먹물을 묻힌 목판에다가 적다)

●周嗣武, 字功父, 乾道[438]中, 除夔漕[439]. 居官盡心國事, 取平板方尺, 餘墨塗之, 置枕傍, 夜臥究思, 有得伸臂捫板, 畫粉暗書爲記, 晨起以次施行. 晦翁以爲有德君子.

○(송나라) 주사무는 자가 공보로 (효종) 건도(1165-1173) 연간에 (사천성) 기주夔州의 전운사轉運使를 제수받았다. 관직에 있을 때는 나랏일에 성심을 다 바쳤기에 사방 한 자 되는 평평한 목판을 가져다가 남은 먹물을 거기에 바른 뒤 베개 맡에 두고는 밤에 누워 골몰히 구상을 하면서 팔을 펴서 목판을 만질 수 있으면 그림을 그리는 물감으로 몰래 적어서 기록해 두었다가 새벽에 일어나 순서대로 일을 진행하였다. 그래서 회옹晦翁 주희朱熹는 그를 덕이 있는 군자라고 평하였다.

---

438) 乾道(건도) : 남송南宋 효종孝宗의 연호(1165-1173).
439) 漕(조) : 송나라 때 수로를 통한 군량의 수송과 교통을 관장하던 관원을 이르는 말. '조사漕使' '조신漕臣'의 약칭이자 전운사轉運使의 별칭.

◇望塵知敵(멀리서 먼지만 보고서도 적을 알아보다)

●周德威, 字鎭遠, 望塵知敵. 狀皃雄偉, 勇聞天下.

○(오대五代 후진後晉 때 장수) 주덕위(?-919)는 자가 진원으로 멀리서 먼지만 보고서도 적을 알아보았다. 풍채가 우람한 데다가 용맹하기로 천하에 소문이 파다하였다.

◇仙道(신선술)

●周義山[440]入蒙山, 遇羨門子[441], 再拜, 乞長生訣. 羨門子曰, "子名已在丹臺玉室[442], 何憂不仙?"

○(후한) 주의산이 (사천성) 몽산에 들어가 선문자를 만나서 거듭 절을 올리고는 장수할 수 있는 비결을 가르쳐 달라고 부탁하자 선문자가 대답하였다. "그대는 이름이 이미 단대의 옥실에 있거늘 어찌 신선이 되지 못 할까 걱정하는가?"

●周貫自號木鴈子, 治平・熙寧間, 往來西山[443]. 人問其壽, 答曰, "八十西山作酒仙, 麻鞋踏斷布衣穿. 相逢甲子君休問, 大極光陰不計年."

○(송나라) 주관은 스스로 호를 '목안자'라고 하며 (인종) 치평(1064-1067)과 (신종) 희녕(1068-1077) 무렵에 서산을 왕래하였다. 사람들이 자신의 나이를 물으면 다음과 같은 시로 대답하였다. "여든 살에 서산에서 술을 즐기는 신선이 되었기에, 삼베 신발이 끊어질 정도로 닳고 삼베옷도 구멍이 났다네. 갑자년을 보냈으니 그대 내 나이를 묻지 마시게, 혼돈의 세월을 보냈기에 햇수를 헤아릴 수가 없다네."

---

440) 周義山(주의산) : 후한 때 도사. 자는 계도季道이고 호는 자양도인紫陽道人 혹은 자양진인紫陽眞人. 명나라 요용현廖用賢의 ≪상우록尙友錄≫권13 참조.
441) 羨門子(선문자) : 전설상의 신선 이름.
442) 丹臺玉室(단대옥실) : 신선이 거처하는 방에 대한 미칭美稱.
443) 西山(서산) : 진晉나라 때 도사 간대干大나 당나라 때 선녀 오채란吳采鸞의 고사에도 등장하는 산으로 은자나 도사의 거처를 상징한다.

●周繇與李栖遠等, 謂之十哲444).(見吳罕)

○(당나라) 주주와 이서원 등을 '십철'이라고 한다.(상세한 내용은 앞의 '오'씨절 '오한'에 관한 기록인 '십철十哲'항에 보인다)

●周墀爲起居舍人445), 濡筆, 立右螭坳446)下. 唐武宗朝, 拜相.

○주지(793-851)는 기거사인을 맡았기에 붓에 먹물을 묻힌 채 오른쪽 이요 아래에 시립하였다. 당나라 무종 때 재상을 배수받았다.

●周思臧447), 唐乾封448)後, 與劉禕之等, 號爲北門學士449).

○주사무周思茂는 당나라 (고종) 건봉(666-668) 이후에 유의지 등과 함께 북문학사로 불렸다.

●周昉窮丹靑450)之妙, 寫趙縱451), 得其神氣情性.

---

444) 十哲(십철) : 당나라 의종懿宗 함통咸通(860-873) 연간에 함께 과거시험에 급제한 허당許棠·장교張喬·유탄지兪坦之·극연劇燕·임도任濤·오한吳罕·장빈張蠙·주주周繇·정곡鄭谷·이서원李栖遠·온헌溫憲·이창부李昌符 등 열두 명을 아우르는 말. '십'은 성수成數.

445) 起居舍人(기거사인) : 기거랑起居郞과 함께 황제의 언행을 기록하는 업무를 맡은 벼슬을 이르는 말. 문하성門下省 소속 기거랑은 황제의 왼쪽에서 수행하며 말을 기록하고, 중서성中書省 소속 기거사인은 황제의 오른쪽에서 수행하며 행동을 기록하였다.

446) 螭坳(이요) : 이무기의 머리 형상을 새긴 궁전 앞 섬돌 사이의 평평한 장소를 가리키는 말. 조회 때 사관史官들이 서는 곳으로 '이수螭首' '이두螭頭' '요처坳處'라고도 한다.

447) 周思臧(주사장) : 당나라 고종高宗 때 사람인 '주사무周思茂'의 오기인 듯하다. 자형의 유사성으로 인한 필사 과정상의 단순 오기로 보인다.

448) 乾封(건봉) : 당唐 고종高宗의 연호(666-668).

449) 北門學士(북문학사) : 한림학사翰林學士의 전신. 한림원翰林院의 출입문을 다른 궁문과 달리 황제와의 접견을 편리하게 하려고 북향으로 낸 데서 유래하였다.

450) 丹靑(단청) : 단사丹砂와 청호靑頀. 모두 염료染料의 일종. 결국 그림을 뜻한다.

451) 趙縱(조종) : 당나라 때 사람으로 당대 제일의 명장인 곽자의郭子儀(697-781)의 사위. 호부시랑戶部侍郞·태복경太僕卿 등의 고관을 역임하였다. ≪구당서·곽자의전≫권120 참조.

○(당나라) 주방은 그림 솜씨를 다 발휘하여 조종을 그렸는데 그의 정신과 성품까지도 다 표현해 냈다.

●周麟, 紹興中, 試宏詞[452]第一. 姿儀灑落, 望之如神仙中人.

○(송나라) 주인은 (고종) 소흥(1131-1162) 연간에 굉사과에 응시해 장원급제를 차지하였다. 풍모가 고결하여 멀리서 바라보면 마치 신선 가운데 한 사람처럼 보였다.

●周美成[453]號淸眞居士[454], 元豐中, 獻汴都賦, 除太學士[455].

○(송나라) 미성美成 주방언周邦彦(1056-1121)은 호가 청진거사로 (신종) 원풍(1078-1085) 연간에 <도성인 변경(하남성 개봉開封)을 읊은 부>를 바쳐 태학사를 제수받았다.

●周武仲, 宣和[456]中, 爲館伴使[457], 稱旨[458], 上賜茶・錦・宮花[459].

○(송나라) 주무중은 선화(1119-1125) 연간에 관반사를 맡아 휘종의 마음을 흡족하게 하였기에 휘종이 차와 비단・어사화를 하사하였다.

---

452) 宏詞(굉사) : 학문이 폭넓고 문장이 뛰어나 조정의 문서를 기초할 만한 인재를 뽑기 위한 과거시험의 하나. 송나라 때는 굉사과宏詞科라고 하다가 휘종徽宗 때 사학겸무과詞學兼茂科라고 하였고, 고종高宗 때 박학굉사과博學宏詞科라고도 하였다.

453) 周美成(주미성) : 송나라 때 유명한 사인詞人인 주방언周邦彦(1056-1121). '미성'은 자. 저서로 ≪편옥사片玉詞≫ 3권이 전한다. ≪송사・주방언전≫권444 참조.

454) 居士(거사) : 학식과 덕망을 겸비하고서도 벼슬하지 않거나 은거한 사람에 대한 호칭.

455) 太學士(태학사) : 조정의 주요 문서를 관장하기 위해 당나라 경종景宗 때 처음으로 학사學士보다 높은 직책으로 설치한 벼슬 이름. 보통은 은퇴한 재상이나 고관에게 수여하던 명예직이었다.

456) 宣和(선화) : 북송北宋 휘종徽宗의 연호(1119-1125).

457) 館伴使(관반사) : 송나라 때 외국 손님, 특히 거란족 사신을 접대하기 위해 특별히 설치한 벼슬 이름. 반면 외국 손님을 전송하는 업무를 관장하는 사신은 '송반사送伴使'라고 하였다.

458) 稱旨(칭지) : 황제의 마음을 흡족케 하다, 황제의 의중에 부합하다.

459) 宮花(궁화) : 황제가 특별히 하사하는 어사화御賜花를 이르는 말.

●周絳與景德二十四[460]賢之列.(見邊肅)

○(송나라) 주강은 (진종) 경덕(1004-1007) 때 24현의 반열에 동참한 사람이다.(상세한 내용은 앞의 '변'씨절의 변숙에 관한 기록인 '이십사기二十四氣'항에 보인다)

※女德婚姻(여덕과 혼인)

◇干齋(재실의 금기를 범하다)

●周澤, 漢永平中, 拜太常[461]. 臥病齋宮[462], 妻問之, 澤大怒, 以妻干犯[463]齋禁, 取送獄. 時語曰, "生不願作太常妻, 一年三百六十日, 三百五十九日齋, 一日不齋醉如泥[464]."

○주택은 후한 (명제) 영평(58-75) 연간에 태상경을 배수받았다. 재실에서 병석에 누웠기에 아내가 그에 대해 묻자 주택은 무척 화를 내며 아내가 재실의 금기를 범했다는 이유로 그녀를 데려다가 감옥에 보냈다. 그래서 당시 "살아서 태상경의 아내가 되고 싶지 않나니, 1년 360일 가운데 359일은 재실에서 지내고 하루는 재계하지 않아도 술에 고주망태가 된다네"란 말이 돌았다.

---

460) 二十四賢(이십사현) : 송나라 경덕景德 원년(1004)에 진종眞宗이 숭정전崇政殿에서 대책對策을 실시하였을 때 선발된 24명의 인재를 이르는 말. 변숙邊肅·국중모鞠仲謀·학태충郝太沖·주협朱協·이현李玄·마경馬京·하양何亮·위태소衛太素·진소도陳昭度·최단崔端·조상趙湘·강서姜嶼·등섭滕涉·조광曹廣·주강周絳·사도謝濤·고근미高謹微·장약곡張若谷·진월陳越·황보선皇甫選·육현규陸玄圭·이봉천李奉天·최준도崔遵度와 신상 미상의 한 명을 가리킨다.

461) 太常(태상) : 예악禮樂과 천문天文에 관련된 업무를 관장하는 기관인 태상시太常寺나 그 장관인 태상경太常卿의 약칭. 태상경은 구경九卿 중에서도 서열이 가장 높은 고관高官이었다.

462) 齋宮(재궁) : 재계할 때 거처하는 방인 재실齋室을 이르는 말.

463) 干犯(간범) : 범하다, 어기다. '간干'도 '범犯'의 뜻.

464) 醉如泥(취여니) : 술에 진창 취해 고주망태가 되는 것을 비유한다. '니泥'를 진창이 아닌 흐물흐물거리는 벌레로 보는 설도 있다.

◇連姻貴族(귀족과 사돈을 맺다)

●周浚爲安東將軍, 因出獵, 遇雨, 止李氏家. 時其女絡秀在室, 與婢宰羊豕, 具十人之饌. 旣辨, 不聞人聲, 使覘之, 見一女容止甚美, 因求爲妾. 父兄不許, 絡秀曰, "門戶殄瘁465), 何惜一女? 連姻貴族, 後來庶466)大有益." 許之, 生顗兄弟.

○(진晉나라) 주준(?-289)은 안동장군을 맡아 사냥을 나갔다가 비를 만나자 이씨 집에 머물게 되었다. 당시 그 집안의 딸인 이낙수李絡秀가 방에서 하녀와 함께 양과 돼지를 잡아 열 사람 몫의 음식을 준비하고 있었다. 일이 끝나고 나서도 목소리가 들리지 않자 주준은 사람을 시켜 엿보다가 용모가 무척 아름다운 한 여인을 발견하고는 그김에 그녀를 첩으로 삼겠다고 요청하였다. 하지만 부친과 오빠가 허락하지 않자 이낙수가 말했다. "가문이 몰락한 마당에 어찌 딸 하나를 아끼십니까? 만약 귀족과 사돈을 맺는다면 장래 큰 도움이 될지도 모릅니다." 그래서 혼인을 허락하여 주의周顗 형제를 낳았다.

◇擇婿(여동생의 남편감을 고르다)

●周浚有人倫之鑒. 鄕人史曜微賤, 浚引以爲友, 以妹妻之.

○(진晉나라) 주준(?-289)은 사람을 알아보는 안목이 있었다. 동향 사람인 사요가 신분이 미천한데도 주준은 그를 초빙해 친구로 삼고 여동생을 그에게 시집보냈다.

◇義童(의리를 지킬 줄 아는 아이)

●周恭叔467)幼議母黨468)之婚. 及登科後, 其女雙瞽469), 娶之, 篤愛過於常人. 伊川曰, "某年未三十, 亦做不得此事."

---

465) 殄瘁(진췌) : 매우 곤궁한 모양, 매우 몰락한 모양.
466) 庶(서) : 아마도, 거의.
467) 周恭叔(주공숙) : 송나라 사람 주행기周行己. '공숙'은 자. 호는 부지선생浮沚先生. 정이程頤(1033-1107)의 제자로 본주교수本州敎授를 지냈다. 명나라 능적지凌迪知의 ≪만성통보萬姓統譜≫권61 참조.
468) 母黨(모당) : 모친의 일가친척을 이르는 말.
469) 雙瞽(쌍고) : 양쪽 눈이 멀다. 즉 장님이 되는 것을 말한다.

○(송나라) 공숙恭叔 주행기周行己는 어려서 모친의 일가친척과의 혼인를 얘기한 적이 있는데, 과거시험에 급제한 뒤에는 그 집안의 딸이 장님이 되었는데도 그녀에게 장가들어 범인들보다 더 그녀를 깊이 사랑하였다. 그래서 (주행기의 스승인) 이천선생伊川先生 정이程頤가 "나는 나이 서른이 되기 전에는 역시 이런 일을 할 수 없을 것이오"라고 말한 일이 있다.

●周訪於陶侃故舊也. 以女妻侃之子瞻.

○(진晉나라) 주방(260-320)은 도간과 오래 전부터 알고 지내던 친구였다. 그래서 그는 딸을 도간의 아들인 도섬陶瞻에게 시집보냈다.

●周瑜納小喬.(見喬氏)

○(삼국 오吳나라) 주유는 교씨 가문의 어린 딸을 첩실로 들였다.(상세한 내용은 앞의 '교'씨절에 보인다)

●馬周. 從周470). 伊周471). 蝶爲周472).

○(당나라 때 재상을 지낸) 마주(601-648). (당나라) 장호張鎬(?-764)의 자. (상商나라 때 재상) 이윤伊尹과 (주周나라 때 재상) 주공周公. 나비가 장주莊周가 되다.

470) 從周(종주) : 당나라 사람 장호張鎬(?-764)의 자. 한편으로는 춘추시대 노魯나라 공자가 "은나라의 예법은 질박하기에 나는 주나라의 예법을 따르겠다(殷已慤, 吾從周)"고 말한 ≪예기 · 단궁하檀弓下≫권9의 고사를 가리키는 말로도 볼 수 있다.

471) 伊周(이주) : 상商나라 탕왕湯王 때 재상인 이윤伊尹과 주周나라 무왕武王 때 재상인 주공周公 희단姬旦을 아우르는 말. 명재상을 상징한다.

472) 蝶爲周(접위주) : 나비가 장주莊周가 되다. 전국시대 송宋나라 사람 장자莊子(장주莊周)가 꿈에서 나비가 되어 훨훨 날아다니다가 꿈에서 깬 뒤 자신이 꿈에서 나비가 된 것인지 나비가 현재의 자신이 된 것인지 그 경계가 모호했다는 ≪장자 · 제물론齊物論≫권1의 고사에서 유래한 말로 허망한 꿈이나 허황된 일을 비유한다.

◆丘(구씨)

▶宮音. 河南. 齊太公473)封于營丘474), 其後以地爲姓.

▷음은 궁음에 속하고 본관은 (하남성) 하남군이다. (주周나라 때) 제나라 강태공이 (산동성) 영구에 봉해지자 그 후손이 땅 이름을 성씨로 삼은 것이다.

◇終身祭酒(죽을 때까지 제주를 맡다)

●丘靈鞠先仕宋, 後歸齊, 領東觀475)祭酒476)曰, "人居官, 願數遷, 使我終身爲祭酒, 不恨也." 子遲.

○구영국은 먼저 (남조南朝) 유송劉宋에서 벼슬길에 올랐다가 뒤에는 남제南齊에 귀순하여 동관제주를 맡더니 "남들은 관직을 맡으면 자주 승진하기를 원하지만, 설사 나는 죽을 때까지 제주를 맡는다 해도 여한이 없을 것이오"라고 하였다. 아들은 구지丘遲이다.

◇飛群鳴玉(새 울음소리처럼 패옥 소리를 내다)

●丘遲, 字希範, 八歲能屬文, 辭藻麗逸. 鍾嶸詩評477)云, "遲點綴映媚, 似落花依草." 齊朝爲僕射, 有讓表478)云, "飛翠鳴玉, 出入禁門."

---

473) 太公(태공) : 주周나라 문왕文王의 스승이자 무왕武王 때 재상인 여상呂尙의 별칭. '태공'은 부친에 대한 존칭으로 문왕이 여상을 만나 "우리 선친께서 그대를 기다린 지 오래되었소(吾太公望子, 久矣)"라고 말한 데서 '태공망太公望'이란 별칭이 생겼고, 무왕武王이 재상에 임명하고서 '부친처럼 모셨다'는 의미에서 여상의 성을 붙여 '강태공姜太公'으로도 불렀다. 제齊나라를 봉토로 받았다. ≪사기·제태공세가≫권32 참조.

474) 營丘(영구) : 주周나라 때 강태공이 제齊나라 제후에 봉해지면서 도읍으로 정한 곳으로 지금의 산동성 임치현臨淄縣 일대.

475) 東觀(동관) : 원래 후한後漢 때 낙양洛陽의 남궁南宮에 있던 장서각藏書閣 이름으로 반고班固(32-92) 등에 의해 ≪동관한기東觀漢紀≫가 편찬된 곳으로 유명하다. 뒤에는 국사를 편찬하는 곳의 별칭으로 쓰였다.

476) 祭酒(제주) : 국가의 교육을 총괄하고 제사를 주재하는 벼슬을 이르는 말. 보통은 국자감國子監의 장관인 국자제주國子祭酒를 가리킬 때가 많다.

477) 詩評(시평) : 남조南朝 양梁나라 종영鍾嶸(?-518)이 한위漢魏로부터 양梁나라에 이르기까지 시인 103명을 대상으로 상품上品·중품中品·하품下品의 세 등급을 매겨 품평한 평론서. 지금은 ≪시품詩品≫이란 서명으로 전한다. 총 3권. ≪사고전서간명목록·집부·시문평류詩文評類≫권20 참조.

478) 讓表(양표) : 이는 <유복야를 위해 광록대부를 사양하며 올리는 상소문(爲柳僕射讓光錄表)>이란 제목으로 당나라 구양순歐陽詢(557-641)의 ≪예문류취藝

○구지(464-508)는 자가 희범으로 여덟 살에 이미 글을 지을 줄 알았는데 문사가 무척 아름다웠다. 그래서 (남조南朝 양梁나라) 종영은 ≪시품詩品≫권2에서 "구지의 시는 시어를 아름답게 배치한 것이 마치 떨어지는 꽃잎이 풀에 들러붙은 듯하다"라고 하였다. 남제南齊에서 복야를 맡았다가 관직을 사양하는 상소문을 지어 "비취새처럼 패옥 소리를 울리며 궁문을 출입하였나이다"라고 하였다.

◇不食武昌魚(무창군의 물고기를 먹지 않다)

●丘巨源, 蘭陵人, 除武昌守, 不樂曰, "古云, '不食武昌魚,'" 乃爲餘杭[479]令.

○(남조南朝 남제南齊) 구거원은 (산동성) 난릉현 사람이라서 (호북성) 무창태수를 제수받자 기분이 좋지 않아 "옛말에도 '무창군의 물고기는 먹지 않는다'고 하였네"라고 말하고는 도리어 (절강성) 여항현의 현령을 맡았다.

◇東南之美(동남방의 아름다운 것)

●丘仲孚, 字公信, 少好學讀書, 叔父靈鞠稱爲千里駒[480]. 王儉曰, "東南之美[481], 復見丘生." 梁武時爲山陰令, 吏民敬服, 號稱神明. 政爲天下第一, 時語曰, "二傅[482]沈劉[483], 不如一丘."

○구중부는 자가 공신으로 어려서부터 학문을 좋아하고 글을 즐겨 읽었기에 숙부인 구영국丘靈鞠이 그를 ('천리마'란 의미에서) '천리구'

文類聚·직관부職官部5≫권49에 전한다.

479) 餘杭(여항) : 절강성의 속현屬縣 이름.

480) 千里駒(천리구) : 나이가 어리지만 총명한 사람을 비유하는 말. 전한 때 무제武帝가 하간헌왕河間獻王 유덕劉德(?-B.C.130)을 칭찬하면서 붙여준 별명에서 유래하였다.

481) 東南之美(동남지미) : 동남방에서 아름다운 사물을 가리키는 말로 ≪이아爾雅·석지釋地≫권6에 의하면 절강성 회계산會稽山의 대나무들을 가리킨다.

482) 二傅(이부) : 남조南朝 남제南齊 때 사람인 부승우傅僧祐·부염傅琰 부자를 아우르는 말. ≪남사·구중부전≫권72 및 ≪남제서·부염전≫권53 참조.

483) 沈劉(심유) : 남조南朝 남제南齊 때 사람인 심헌沈憲과 유현명劉玄明을 아우르는 말. ≪남사·구중부전≫권72 참조.

라고 불렀다. 왕검은 "동남방의 아름다운 사물로 다시 구선생을 발견하였다"고 말한 일이 있다. (남조南朝) 양나라 무제 때 (절강성) 산음현의 현령을 맡자 관리와 백성들이 그를 존경하여 '신명'이라고 불렀다. 치적이 천하의 으뜸이라서 당시에 "부승우傅僧祐·부염傅琰 부자와 심헌沈憲·유현명劉玄明이 구중부 한 사람만도 못 하다네"란 말이 돌았다.

◇死節(절조를 지키다가 죽다)

●丘冠先, 字道先, 齊永明中, 位給事中[484). 奉使蠕蠕[485)國, 逼之拜, 丘曰, "能殺我者蠕蠕也, 不能使天子使拜者我也." 遂遇害.

○구관선은 자가 도선으로 (남조南朝) 남제南齊 (무제) 영명(483-493) 연간에 급사중에 올랐다. 황명을 받들고 연연국에 사신으로 갔을 때 자신에게 절을 하라고 윽박지르자 구관선은 "나를 죽일 수 있는 것은 연연국이겠지만, 천자의 사자에게 절을 못 하게 하는 것은 바로 나요"라고 말했다가 결국 살해당하고 말았다.

◇斲石旌功(돌을 깎아 석상을 세워서 공로를 표창하다)

●丘行恭有勇力. 貞觀[486)中, 討高昌[487)有功, 詔斲石爲人馬象, 立昭陵[488)闕前, 以旌其功, 封天水[489)郡公. 丘礪, 紹興中, 知瑞州事, 重建碧落[490)堂. 丘舜中爲朝奉郞[491), 諸女皆能詩. 兄弟內集, 必聯詠爲樂.

---

484) 給事中(급사중) : 황제의 자문과 정사의 논의에 참여하던 벼슬로, 진한秦漢 이래 열후列侯나 장군將軍의 가관加官이었다가, 진晉나라 이후로 정관正官이 되었다. 수당隋唐 이후로는 문하성門下省의 장관인 시중侍中과 버금장관인 문하시랑門下侍郞 다음 가는 요직으로 정령政令에 대한 논의와 시정時政을 담당하였다.

485) 蠕蠕(연연) : 중국 고대 북방의 이민족 이름. '유연柔然'이라고도 하였다.

486) 貞觀(정관) : 당唐 태종太宗의 연호(627-649).

487) 高昌(고창) : 중국 서역에 있던 소수민족 국가 이름. 지금의 신강위구르자치구에 폐허가 남아 있다고 한다.

488) 昭陵(소릉) : 섬서성 예천현醴泉縣에 있는 당나라 태종太宗의 황릉皇陵. 여기서는 사전에 미리 마련한 무덤을 가리킨다.

489) 天水(천수) : 감숙성의 속군屬郡 이름. 여기서는 봉호를 가리킨다.

490) 碧落(벽락) : 하늘이나 선계를 이르는 말.

○(당나라) 구행공(586-665)은 용맹하고 힘이 셌다. (태종) 정관(627-649) 연간에 고창국을 토벌하면서 공을 세우자 조서를 내려 돌을 깎아서 사람과 말의 석상을 만들어 (자신의 무덤인) 소릉의 돌기둥 앞에 세워서 그의 공로를 표창하고 천수군공에 봉하였다. (송나라) 구여는 (고종) 소흥(1131-1162) 연간에 (강서성) 서주지주사를 맡아 벽락당을 중건하였다. 또 (송나라) 구순중은 조봉랑에 임명되었는데 딸들이 모두 시를 잘 지었다. 그래서 형제가 집안에 모이면 늘 함께 시 짓는 일을 소일거리로 삼았다.

◇一代偉人(한 시대를 대표하는 위인)

●丘崈, 字宗卿, 江陰人, 仕宋孝・光・寧三朝. 寧宗嘗稱之曰, "卿三朝舊德, 一代偉人也." 封魏國, 謚文定. 子壽雋刑部尙書[492], 次子壽邁司農卿[493], 孫汲桂陽太守, 俱以名德見稱. 汲生必恭, 必恭生定夫, 定夫生基, 基生元鍾, 歷代名宦.

○구숭(1135-1208)은 자가 종경이고 (강소성) 강음현 사람으로 송나라 효종・광종・영종 세 왕조에서 벼슬을 지냈다. 영종이 일찍이 그를 칭찬하며 "경은 세 왕조에서 오래도록 덕을 베풀었으니 한 시대를 대표하는 위인이라 할 만하오"라고 말한 일이 있다. 위국공에 봉해졌고, 시호는 '문정'이다. 장남 구수준丘壽雋은 형부상서를 지냈고, 차남 구수매丘壽邁는 사농경을 지냈으며, 손자 구급丘汲은 (호남성) 계양태수를 지내면서 모두 덕업으로 칭송을 받았다. 구급은 구필공丘必恭을 낳고, 구필공은 구정부丘定夫를 낳고, 구정부는 구기丘基를 낳고, 구기는 구원종丘元鍾을 낳았는데, 대대로 훌륭한 관리였다.

---

491) 朝奉郎(조봉랑) : 송나라 때 문산관文散官의 하나로 품계가 정6품상正六品上에 해당하였다.

492) 刑部尙書(형부상서) : 조정의 핵심 행정 기관인 상서성尙書省 휘하 육부六部 가운데 옥사獄事와 형벌을 관장하는 부서인 형부刑部의 장관을 이르는 말. 휘하에 시랑侍郎과 낭중郎中・원외랑員外郎 등을 거느렸다.

493) 司農卿(사농경) : 농업과 재정을 관장하던 벼슬로서 구경九卿의 하나. 전한 경제景帝 때 '대농령大農令'을 무제武帝 때 '대사농大司農'으로 개명하였고, 당송唐宋 때는 '사농경司農卿'으로 개명하였다.

●浮丘494). 糟丘495). 東家丘496).

○(전설상의 인물) 부구백浮丘伯. 술지게미 언덕. 동쪽 집에 사는 이웃 사람 공구孔丘.

◆鄒(추씨)

▶角音. 范陽. 宋愍公之後正考父497)食邑於鄒, 因以爲氏. 春秋有鄒氏傳498)十一卷.

▷음은 각음에 속하고 본관은 (하북성) 범양군이다. (춘추시대) 정나라 민공의 후손인 정고보가 추나라를 식읍으로 받자 그참에 이를 성씨로 삼은 것이다. ≪춘추경≫에 관한 해설서로 ≪추씨전≫ 11권이 있었다.

◇三鄒(세 명의 추선생)

●鄒忌以鼓琴見齊王, 王喜之, 後爲齊相. 齊有三鄒子, 前鄒忌, 次鄒衍, 後鄒奭.

○(전국시대 때) 추기가 금을 잘 연주하여 제나라 왕을 알현하자 왕이 그를 좋아하여 뒤에 제나라의 승상이 되었다. 제나라에는 세 명의 추선생이 있었으니 예전 사람은 추기이고, 다음 사람은 추연이고, 이후 사람은 추석이다.

---

494) 浮丘(부구) : 황제黃帝 때 전설상의 인물인 부구백浮丘伯의 준말. ≪열자列子≫에 나오는 '호구자壺丘子', ≪열선전列仙傳≫에 나오는 '부구공浮丘公'과 동일 인물이라는 설이 있다.

495) 糟丘(조구) : 상商나라 마지막 임금인 주왕紂王이 주색에 빠져 생겼다는 술지게미 언덕. 결국 많은 양의 술이나 방탕한 생활을 비유한다.

496) 東家丘(동가구) : 동쪽 집에 사는 공구孔丘. 춘추시대 노魯나라 공자(공구孔丘)의 서쪽 이웃에 살던 어리석은 사람이 공자가 성인인 것을 알아보지 못 하고 공자를 '동쪽 집에 사는 구丘'라고 불렀다는 ≪삼국지·위지魏志·병원전邴原傳≫권11의 남조南朝 유송劉宋 배송지裴松之 주注의 고사에서 유래한 말로 인재를 알아보지 못 하는 것을 비유한다.

497) 正考父(정고보) : 춘추시대 송宋나라 사람으로 공자의 조상. 대공戴公·무공武公·선공宣公 세 군주를 모시며 상경上卿에 올랐으나 태재太宰 화독華督에게 살해당했다. 공보가孔父嘉를 낳아 자를 씨로 삼음으로써 공자의 성씨를 열었다고 전한다. ≪사기·공자세가≫권47 참조.

498) 鄒氏傳(추씨전) : 전국시대 때 사람 추씨가 지은 ≪춘추경≫에 관한 해설서 가운데 하나. 총 11권. 오래 전에 실전된 듯하다. ≪한서·예문지≫권30 참조.

◇黍谷回春(골짜기에 곡식이 자라도록 봄기운을 되돌리다)

●鄒衍事燕惠王, 被譖繫獄, 仰天而哭, 六月霜降. 燕有寒谷, 不生黍稷, 衍吹律而暖氣至. 適梁, 梁王郊迎, 適趙, 平原君[499]側行撇席, 適燕, 燕昭王擁篲先驅. 其見禮於諸侯如此.(劉向別錄[500])

○(전국시대 때) 추연(약 B.C.305-B.C.240)은 연나라 혜왕을 섬기다가 참언을 당해 감옥에 갇히자 하늘을 우러러 통곡을 하였더니 늦여름 6월에도 서리가 내렸다. 연나라에는 한곡이 있어 기장이 자라지 않았으나 추연이 율관律管을 불자 온난한 기운이 찾아왔다. 양나라에 가자 양나라 왕이 몸소 교외까지 나와 환영하였고, 조나라에 가자 평원군이 옆으로 비켜서 수행하고 자리를 닦아 주었으며, 연나라에 가자 연나라 소왕이 손수 빗자루를 들고서 앞서 말을 달리며 길을 안내해 주었다. 그는 이처럼 제후들에게 예우를 받았다.(유향의 ≪별록≫)

◇曳裾王門(제후국 왕의 문하에서 소맷자락을 끌다)

●鄒陽, 齊人也. 漢景帝時, 與嚴忌・枚乘仕吳, 吳王[501]陰有邪謀[502], 陽上書諫, 有云, "蛟龍驤首, 則霧雨咸集. 今臣飾固陋之心, 何王之門, 不可曳長裾[503]乎?" 王不納, 去而之梁, 從孝王游, 介於羊勝・公孫詭之

---

499) 平原君(평원군) : 전국시대 조趙나라 무령왕武靈王의 아들로 본명은 조승趙勝. 평원平原에 봉해져서 '평원군'으로 불렸다. 여러 차례 나라의 위기를 건졌고, 제齊나라 맹상군孟嘗君・위魏나라 신릉군信陵君・초楚나라 춘신군春申君과 함께 사공자四公子로 유명하다. ≪사기・평원군조승전平原君趙勝傳≫권76 참조.

500) 別錄(별록) : 전한 성제成帝 때 유향劉向(약B.C.77-B.C.6)이 조정에서 모은 문헌들을 교감・정리하면서 작성한 서지書誌인 ≪칠략별록七略別錄≫의 약칭. 총 20권. ≪한서・예문지≫도 이에 바탕을 둔 것이라고 한다. ≪수서・경적지≫권33 참조.

501) 吳王(오왕) : 전한 고조高祖 유방劉邦(B.C.247-B.C.195)의 조카이자 경제景帝의 숙부인 유비劉濞. 경제 때 칠국七國의 반란을 주도하였다. ≪한서・오왕유비전≫권35 참조.

502) 邪謀(사모) : 사악한 음모. 결국 역모를 말한다.

503) 曳長裾(예장거) : 긴 옷깃을 당기다. '거裾'는 '금襟'의 뜻. 제왕이나 고관의 휘하에서 식객 노릇하는 것을 비유한다.

間. 勝等譖之, 孝王下之吏. 陽從獄中上書, 有曰, "明月之珠·夜光之璧, 以暗投人, 莫不按劍而相眄者, 無因而至前也. 蟠木[504]根柢, 輪囷離奇[505], 而爲萬乘[506]器者, 以左右爲之先容[507]也." 書奏, 立[508]出之, 卒爲上客.

○추양은 제나라 사람이다. 전한 경제 때 엄기·매승과 함께 오나라에서 벼슬길에 올랐으나 오나라 왕(유비劉濞)이 몰래 역모를 꾸미자 추양이 글을 올려 간언하였는데, 거기에는 "교룡이 고개를 들면 안개와 비가 모여듭니다. 이제 신은 고루한 마음을 먹었으니 어느 왕의 문하에선들 기다란 옷자락을 끌며 식객 노릇을 할 수 없겠습니까?"란 말이 들어 있었다. 그러나 왕이 받아들이지 않았기에 그곳을 떠나 양나라로 가서 효왕 밑에서 지내며 양승과 공손궤 사이에 끼었다. 양승 등이 참언하는 바람에 효왕이 그를 옥리에게 넘기자 추양은 감옥에서 글을 올렸는데, 거기에는 "명월주나 야광주를 몰래 남에게 던질 때 모두들 검을 어루만지며 서로들 흘겨보는 것은 아무런 연유도 없이 앞에 날아들기 때문이고, 굽은 나무의 뿌리가 구불구불한데도 천자가 사용하는 그릇이 될 수 있는 것은 주변의 신하가 추천하기 때문입니다"란 말이 들어 있었다. 상소문이 올라오자 즉시 그를 석방하여 결국 상객으로 대접하였다.

◇撲滿之戒(저금통을 통한 훈계)

●鄒長倩, 一云長信, 公孫弘之故人也. 贈弘生芻[509]一束·素絲[510]一襚

---

504) 蟠木(반목) : 굽은 나무.
505) 輪囷離奇(윤균리기) : 구불구불하게 휘감긴 모양.
506) 萬乘(만승) : 천자의 별칭. 천자가 수레를 만 대 거느리는 데서 유래하였다.
507) 先容(선용) : 원래는 갑옷을 만들기 위해 먼저 인형을 만드는 것을 뜻하는 말로서 중간에서 소개하거나 추천하는 것을 비유한다.
508) 立(입) : 즉시, 바로.
509) 生芻(생추) : 싱싱한 꼴. 후한 서치徐穉(97-168)가 곽태郭太(128-169)의 모친상 때 이를 부조하면서 상을 치를 때 부조로 보내는 돈이나 물품을 상징하는 말이 되었다.
510) 素絲(소사) : 명주실. 위의 예문과 유사한 내용이 ≪서경잡기西京雜記≫권5에도 전하는데, 여기서는 실이 모여서 옷감이 되듯이 자그마한 선행도 가벼이

・撲滿511)一枚, 書遺之曰, "撲滿者, 以土爲之, 蓄錢之具. 有入而無出, 滿則撲之. 士有聚而不散者, 將有撲滿之敗, 可不戒乎?"

○(전한) 추장천은 일명 '장신'이라고도 하였는데 공손홍의 오랜 친구이다. 그는 공손홍에게 싱싱한 꼴 한 묶음과 명주실 한 타래・저금통 한 개를 주고 편지를 써서 건네며 말했다. "'박만'이란 저금통은 흙으로 빚어 만드는데 동전을 담는 그릇입니다. 동전이 들어가는 입구는 있어도 나오는 구멍이 없기에 가득 차면 그것을 부숴야 합니다. 선비 중에 어떤 이는 모으기만 하고 뿌릴 줄을 몰라 저금통을 부숴야 하는 낭패를 겪기도 하니 경계거리로 삼지 않을 수 있겠습니까?"

◇南陽人傑(남양군의 인걸)

●鄒湛, 字開父, 晉人. 少以才學知名, 實爲南陽人傑. 對武帝曰, "蜂蠆作於懷袖, 勇夫爲之驚駭. 猛獸在田, 荷戈而出, 凡夫能之." 累遷國子祭酒512).

○추담(?-약 299)은 자가 개보로 진나라 때 사람이다. 어려서부터 글재주와 학문으로 이름을 떨쳐 실제로 (하남성) 남양군의 인걸로 불렸다. 그는 무제 앞에서 "벌이나 전갈이 품속이나 소매에서 나타난다면 용감한 사람이라 할지라도 그 때문에 깜짝 놀라겠지만, 맹수가 밭에 있으면 창을 짊어지고 나가는 것은 범부라도 할 수 있는 법입니다"라고 하였다. 여러 관직을 거쳐 국자제주로 승진하였다.

여겨서는 안 된다는 함의를 담고 있다고 하였다.

511) 撲滿(박만) : 저금통의 일종. 흙이나 대나무로 만들어 자그마한 구멍을 내서 집어넣기만 하고 꺼내지는 못 하기에 가득찬(滿) 돈을 꺼내려면 부수어야(撲) 하는 기구를 말한다. ≪서경잡기≫권5에 의하면 돈이 넘치면 저금통을 깨야 하듯이 지나친 욕심을 부리면 낭패를 당할 수 있으니 경계해야 한다는 함의를 담고 있다.

512) 國子祭酒(국자제주) : 국가의 교육을 총괄하고 제사를 주재하는 기관인 국자감國子監의 장관 이름. 시대마다 차이가 있어 유림제주儒林祭酒・성균제주成均祭酒・국자제주國子祭酒・대사성大司成 등 다양한 명칭으로 불렸다.

◇送行萬里(만 리 먼 길을 전송해 주다)

●鄒游與顏魯公[513]友善. 顏之使希烈[514]也, 游往送之. 魯公與蔡明遠帖云, "聞明遠與鄒游同來, 欲至采石[515], 計其不久亦合及於淮泗之間." 坡送王子立詩[516]云, "送行萬里一鄒游."

○(당나라) 추유는 노군공魯郡公 안진경顏眞卿과 친한 사이이다. 안진경이 (반군인) 이희열李希烈에게 사신으로 갈 때 추유가 찾아가 그를 전송해 주었다. 안진경은 채명원에게 주는 짧은 서신에서 "듣자하니 그대가 추유와 함께 오다가 채석기에 도착할 것이라고 하니 헤아려 보건대 오래지 않아 역시 회수와 사수 일대까지 분명 다다르시겠군요"라고 하였다. 그래서 (송나라) 동파東坡 소식蘇軾도 <왕자립을 전송하는 시>에서 "(내 동생의) 만 리 길을 전송한 이는 추유(왕자립) 한 사람뿐이었네"라고 하였다.

---

513) 顏魯公(안노공) : 당나라 때 서예의 대가인 안진경顏眞卿(708-784)에 대한 존칭. '노공'은 그의 봉호封號인 노군공魯郡公의 약칭. 저서로 ≪안노공집顏魯公集≫ 16권이 전한다. ≪신당서 · 안진경전≫권153 참조.

514) 希烈(희열) : 당나라 사람 이희열李希烈. 하남성 변주汴州를 할거하여 반란을 일으킨 뒤 스스로 황제를 참칭僭稱하고 국호를 '초楚'라고 하였다가 뒤에 부하 장수인 진선기陳仙奇에게 독살당했다. ≪신당서 · 역신열전逆臣列傳 · 이희열전≫권224 참조. 이희열이 반란을 일으켰을 때 안진경顏眞卿(708-784)이 황명을 받들어 사신으로 가서 그에게 호통을 쳤다는 고사가 ≪신당서 · 안진경전≫권153에 전한다.

515) 采石(채석) : 안휘성 당도현當塗縣의 우저산牛渚山에 있는 아름다운 바위 이름인 채석기采石磯의 준말. 진晉나라 때 온교溫嶠(288-329)가 괴물이 있다는 소문을 듣고 무소뿔을 태워 비춰보려고 하다가 얼마 안 있어 사망했다는 고사로 유명하여 '연서포燃犀浦'로도 불렸다.

516) 詩(시) : 이는 칠언율시七言律詩 <왕자립王子立은 작년에 북쪽으로 돌아가는 (내 동생) 자유子由 소철蘇轍을 전송하느라 먼 길을 왕래하였다. 이제 다시 감강贛江 가에서 서로 만났기에 재미삼아 옛 운자를 이용하여 시를 지어서 작별하는 자리에서 증정한다(王子直去歲送子由北歸, 往反百舍. 今又相逢贛上, 戲用舊韻, 作詩留別)> 가운데 수련首聯의 말구末句를 인용한 것으로 송나라 소식蘇軾의 ≪동파전집東坡全集≫권16에 전한다. 시제詩題에서 '직直'은 다른 판본에 의하면 '립立'의 오기이고, '자유子由'는 소식의 동생인 소철蘇轍의 자이며, '백사百舍'는 백 리를 걷고 하룻밤을 묵는다는 뜻으로 먼 길을 가는 것을 말한다.

◇江山炳靈(강산의 빛나는 영기)

●鄒郁華, 淸虛服道, 非天地間氣517), 江山炳靈518), 則曷由纂懿流光, 若斯之盛? 眞卿幸承餘烈, 敬刻金石以誌之.(顔魯公麻姑壇記519))

○(당나라) 추욱화는 마음을 비운 채 도를 터득하였으니 땅의 특이한 기운과 강산의 빛나는 영기가 아니었다면 어떻게 이처럼 성대하게 의연한 광채를 모았겠는가? 나 안진경은 다행히 남은 열정을 이어받았기에 삼가 금석을 깎아서 이를 기록한다.(노군공魯郡公 안진경顔眞卿의 <마고단에서 쓴 글>)

◇道鄕(도향)

●鄒浩, 字志完. 楊龜山520)序公奏議云521), "道鄕522)鄒公, 自少以道學行義, 知名于時, 蓋仁人君子也. 遇事接物如虛舟, 然堅挺523)之姿如精金, 良玉不可磨磷524)." 元祐中, 爲太學博士. 徽宗卽位, 召拜右正言525), 除中書舍人, 遷吏侍526). 謫昭州, 江水不可飮, 暑月苦於遠汲,

---

517) 天地間氣(천지간기) : 사고전서본에는 '부지기수이夫地氣殊異'로 되어 있어 이를 따른다.

518) 炳靈(병령) : 빛나는 영기. 태산泰山의 산신령을 가리킬 때도 있다.

519) 麻姑壇記(마고단기) : 이는 <(강서성) 무주 남성현의 마고산에 있는 신선의 제단에서 쓴 글(撫州南城縣麻姑山仙壇記)>이란 제목으로 당나라 안진경顔眞卿(708-784)의 ≪안노공집顔魯公集≫권13에 전한다.

520) 楊龜山(양귀산) : 송나라 때 유학자 양시楊時(1054-1135). '귀산'은 호. 자는 중립中立이고 시호는 문정文靖. 정호程顥(1032-1085)·정이程頤(1033-1107) 형제의 제자로 주희朱熹(1130-1200)와 장식張栻(1133-1180)의 선구가 되었다. 공부시랑工部侍郎·용도각직학사龍圖閣直學士 등을 역임하였다. 저서로 ≪귀산집龜山集≫ 42권이 전한다. ≪송사·도학열전道學列傳·양시전≫권428 참조.

521) 云(운) : 이는 <시랑을 지낸 추공(추호鄒浩)의 상주문에 단 서문(鄒公侍郎奏議序)>이란 제목으로 ≪귀산집≫권25에 전한다. ≪송사·추호전≫권345에 의하면 추호鄒浩는 소주韶州로 폄적되기 전에 병부시랑兵部侍郎과 이부시랑吏部侍郎을 지낸 적이 있다.

522) 道鄕(도향) : 송나라 추호鄒浩의 호.

523) 堅挺(견정) : 굳세고 강직한 모양.

524) 磨磷(마린) : 갈아서 얇게 만들다.

525) 正言(정언) : 규간規諫을 관장하는 벼슬. 당나라 때 습유拾遺를 송나라 때 정언正言으로 바꿨다. 습유와 마찬가지로 좌정언左正言과 우정언右正言이 있

所居嶺下, 忽有泉湧, 疏爲小池, 日得四五斛, 名感應泉. 大觀527)中, 復龍圖待制. 子柄.

○(송나라) 추호(1060-1111)는 자가 지완이다. 귀산龜山 양시楊時는 추호의 상주문에 서문을 지어 "도향 추공(추호)은 어려서부터 도학을 닦고 정의를 실천에 옮겨 당대에 이름을 떨쳤으니 어진 군자라 하겠다. 일에 닥치거나 사람을 대할 때는 마치 텅 빈 배처럼 마음을 비우지만, 굳세고 강직한 자세는 마치 정련한 쇠처럼 단단하였으니 좋은 옥은 갈아서 얇게 만들 수 없는 법인가 보다"라고 하였다. (철종) 원우(1086-1093) 연간에 태학박사를 지냈다. 휘종이 즉위하자 그를 불러 우정언에 배수하고 중서사인에 제수하였다가 이부시랑으로 승진시켰다. (광서성) 소주에 폄적되었을 때는 강물을 마실 수 없자 무더운 여름에도 멀리서 물을 긷는 고생을 감내하다가 그가 거처하는 고개 아래서 갑자기 샘물이 솟아나왔기에 물길을 터 작은 연못을 만들어 날마다 네다섯 휘를 얻고는 '감응천'이란 이름을 지었다. (휘종) 대관(1107-1110) 연간에 용도각대제로 복직하였다. 아들은 추병鄒柄이다.

◇國家之光(나라를 빛낼 인재)

●鄒柄, 紹興中, 擢爲御史. 上曰, "直臣之子也! 使言事, 聳動四方, 亦足爲國家之光!"

○(송나라) 추병은 (고종) 소흥(1131-1162) 연간에 어사에 발탁되었다. 고종은 "강직한 신하(추호鄒浩)의 아들이로다! 그에게 정사에 대해 건의케 하면 사방을 뒤흔드니 역시 나라를 빛낼 인재라고 하기에 충분하노라!"고 말한 일이 있다.

는데, 좌정언은 문하성門下省 소속이고 우정언은 중서성中書省 소속이었다.

526) 吏侍(이시) : 상서성尙書省 소속 육부六部 가운데 관리들의 인선人選과 전형銓衡을 관장하는 이부의 버금 장관인 이부시랑吏部侍郎의 준말. 장관은 '상서尙書'라고 하고, 차관을 '시랑'이라고 하며, 휘하에 낭중郎中과 원외랑員外郎을 거느렸다.

527) 大觀(대관) : 북송北宋 휘종徽宗의 연호(1107-1110).

◇少陵戶牖(소릉야로少陵野老 두보杜甫의 창문)

●鄒定, 字應可, 新吳[528]人, 寓居於筠, 有詩名. 嘗過杜工部[529]祠, 賦詩[530]云, "疇昔哦詩憶耒陽[531], 玆因捧檄過祠堂. 一生忠義孤吟裏, 千載凄涼古道傍. 自是風霜侵病骨, 非千牛[532]酒涴[533]詩腸. 明朝解纜[534]秋江上, 問訊先生一辦香[535]." 誠齋誌其墓云, "詩句自徐師川[536], 上遡山谷, 以入少陵[537]戶牖." 官奉議郞[538].

○(송나라) 추정은 자가 응가이고 (강서성) 신오현 사람으로 (강서성) 균주에서 객지생활을 하며 시로 명성을 떨쳤다. 일찍이 (당나라 때) 검교공부원외랑檢校工部員外郞을 지낸 두보杜甫의 사당에 들렀다가 시를 지어 "(당나라 두보가) 옛날에 (호남성) 뇌양현에서 시를 읊조리던 일이 생각나, 이제 격문을 받들고 가던 길에 사당에 들렀네. 평생 충의를 담아 외로이 시를 읊조렸으니, 천 년 뒤에도 오래된 사당 길가는 처량하겠지. 이제부터 바람과 서리가 병에 찌든 뼛속까지 침식할 터이니, 맛좋은 술이 아니면 시 짓는 창자가 더러워지리라.

---

528) 新吳(신오) : 진晉나라 때 강서성 예장군豫章郡에 설치한 현 이름.

529) 杜工部(두공부) : 당나라 때 시인 두보杜甫(712-770)의 별칭. '공부'는 두보가 맡았던 벼슬인 검교공부원외랑檢校工部員外郞의 약칭이다.

530) 詩(시) : 이는 동명의 칠언율시七言律詩를 인용한 것으로 송나라 위경지魏慶之의 ≪시인옥설詩人玉屑≫권19에 전한다.

531) 耒陽(뇌양) : 호남성의 속현屬縣 이름. 당나라 두보杜甫가 만년에 사천성 성도成都를 떠나 여행길에 올랐다가 열흘 동안 굶을 정도로 힘들게 객지생활을 보냈던 곳으로 알려졌다.

532) 千牛(천우) : 예리한 칼이나 임금이 쓰는 어검을 가리키는 말인 천우도千牛刀의 준말. 전국시대 위魏나라 포정庖丁이 수천 마리의 소를 해부하였다는 ≪장자莊子·양생주養生主≫권2의 고사에서 유래한 말로 여기서는 솜씨좋은 장인이 빚은 술을 비유하는 말로 쓰인 듯하다.

533) 涴(오) : 더럽히다. '오汚'와 통용자.

534) 解纜(해람) : 닻줄을 풀다. 즉 배를 띄우는 것을 의미한다.

535) 辦香(판향) : 숭배의 뜻으로 피우는 향을 뜻하는 말로 스승으로 모시는 것을 비유한다. '판辦'은 '판瓣'의 오기.

536) 徐師川(서사천) : 송나라 시인 서부徐俯(?-1140). '사천'은 자. 호는 동호거사東湖居士. 황정견黃庭堅(1045-1105)의 외조카로 강서시파江西詩派의 일인이며, 참지정사參知政事를 지냈다. ≪송사·서부전≫권372 참조.

537) 少陵(소릉) : 당나라 두보杜甫의 자호自號인 '소릉야로少陵野老'의 준말.

538) 奉議郞(봉의랑) : 당송 때 종6품상從六品上에 해당하는 문산관文散官 이름.

내일 아침이면 가을 장강에 배를 띄우며, 선생(두보)께 향을 올려도 되는지(스승으로 모셔도 되는지) 물어 보리라"고 하였다. 성재誠齋 양만리楊萬里는 그의 묘지명을 지어 "시구는 서사천(서부徐俯)을 거쳐 위로 산곡(황정견黃庭堅)으로 거슬러오름으로써 소릉(두보)의 창문으로 들어갔다"고 하였다. 관직은 봉의랑을 지냈다.

●鄒捷爲散騎常侍539), 金谷540)二十四友541)中人.

○(진晉나라) 추첩은 산기상시를 지냈는데 (하남성 낙양에 있는 석숭石崇의) 금곡원에서 교유한 24명의 친구들 가운데 한 사람이다.

●鄒景初, 衡之子也. 慶元542)丙辰, 以春秋擢掄魁543).

○(송나라) 추경초는 추형鄒衡의 아들이다. (영종) 경원 병진년(1196)에 ≪춘추경≫으로 과거시험에서 장원급제를 차지하였다.

●鄒永年, 字天錫, 爲松滋宰544). 山谷有寄鄒松滋苦竹泉詩545).

---

539) 散騎常侍(산기상시) : 황제의 곁에서 잘못을 간언하고 자문에 대비하는 직책으로, 실질적인 권한은 없었으나 대신大臣으로 겸직시키던 존귀한 벼슬이다. 당송 때는 좌·우산기상시를 두어 각각 문하성門下省과 중서성中書省에 나누어 소속시켰다.

540) 金谷(금곡) : 진晉나라 석숭石崇(249-300)이 형주자사荊州刺史·위위경衛尉卿을 지내면서 사신과 상인들의 재물을 갈취하여 하남성 낙양洛陽에 만든 정원인 금곡원金谷園의 준말. 반악潘岳 등 24명의 문인들과 함께 시를 짓지 못하면 벌주를 건네며 교유한 고사로 유명하다. ≪진서·석숭전≫권33 참조.

541) 二十四友(이십사우) : 진晉나라 때 문인 반악潘岳·석숭石崇·좌사左思·육기陸機·육운陸雲·곽창郭彰·유곤劉琨·구양건歐陽建·두빈杜斌·왕수王粹·추영鄒穎·최기崔基·유괴劉瓌·주회周恢·진해陳眩·유눌劉訥·묘징繆徵·지우摯虞·제갈전諸葛詮·화욱和郁·견수牽秀·허맹許猛·유여劉與·두육杜育 등 24명을 가리킨다.

542) 慶元(경원) : 남송南宋 영종寧宗의 연호(1195-1200).

543) 掄魁(윤괴) : 과거시험에서 장원급제를 차지하는 것을 이르는 말.

544) 宰(재) : 현령縣令의 별칭. 주州의 장관인 자사는 '목牧'이라고 하고, 현縣의 장관인 현령은 '재宰'라고 한다.

545) 詩(시) : 이는 칠언절구七言絶句 <(호북성) 송자현령松滋縣令 추영년鄒永年이 고죽림苦竹林의 샘물과 등자로 빚은 술·연밥탕을 부친 것을 읊은 시 3수(鄒松滋寄苦竹泉·橙麴·蓮子湯三首)>를 가리키는 말로 송나라 황정견黃庭堅

○(송나라) 추영년은 자가 천석으로 (호북성) 송자현의 현령을 지냈다. 산곡山谷 황정견黃庭堅에게는 <송자현령 추영년이 고죽림의 샘물을 보내준 것을 읊은 시>가 있다.

●鄒元佐[546]精通五行, 有洪範福祿奧旨五卷. 三奇.(見彭姓)

○(송나라) 원좌元佐 추왕신鄒王臣은 오행에 정통하여 ≪홍범복록오지≫ 5권을 남겼다. 세 명의 기인 가운데 한 사람이다.(상세한 내용은 앞의 '팽'씨절 '오한삼기五恨三奇'항에 보인다)

●鄒至, 字致之, 新昌人, 授諸子各一經, 號五經鄒氏.

○추지는 자가 치지이고 (절강성) 신창현 사람으로 아들들에게 각기 경전을 하나씩 전수하여 '오경추씨'로 불렸다.

※女德婚姻(여덕과 혼인)

◇義聲(의로운 명성)

●鄒德徵妻從夫官于湘陰[547], 遭亂, 爲賊所掠. 將汙之, 不屈節, 死于水. 賊去, 得尸, 義聲動江南. 李華爲作哀節婦賦[548].

○(당나라) 추덕징의 아내는 (호남성) 상음현에서 관직을 맡은 남편을 따라갔다가 반란을 만나 반군에게 납치당했다. 반군이 그녀를 범하려고 하였으나 절조를 굽히지 않고 강물에 투신자살하였다. 반군이 떠난 뒤 시신을 찾아 의로운 명성이 강남 땅을 진동하였다. 이화가 그녀를 위해 <절조를 지킨 아낙을 애도하는 부>를 지었다.

(1045-1105)의 ≪산곡집山谷集≫권7에 전한다. 따라서 위의 예문에서는 어순이 바뀌었기에 바로잡는다.

546) 鄒元佐(추원좌) : 송나라 사람 추왕신鄒王臣. '원좌'는 자. 역술曆術에 조예가 깊었다. ≪강서통지江西通志·방기方技·서주부瑞州府≫권106 참조.

547) 湘陰(상음) : 호남성 장사부長沙府의 속현屬縣 이름.

548) 賦(부) : 이는 동명의 제목으로 당나라 이화李華(약 715-774)의 ≪이하숙문집李遐叔文集≫권1에 전한다.

◇富婚(부자의 결혼식)

●鄒鳳熾[549], 富商也. 時人稱爲鄒駱駝, 以其傴也. 市南山木, 每株估一匹絹, 自云, "山木可盡, 我絹有餘." 其嫁女也, 請朝士賓客數千, 供帳[550]華麗. 及女郎將出, 侍婢圍繞, 綺羅珠翠, 垂釵曳履, 尤艶麗者數百, 人不知誰是新婦.

○(당나라) 추봉치는 부유한 상인이었다. 당시 사람들이 그를 '추낙타'라고 부른 것은 그가 곱추이기 때문이다. 저자 남쪽의 야생나무를 매 그루마다 비단 한 필에 사들이며 스스로 말하기를 "야생나무를 다 사들여도 내 비단은 남아돌 것이오"라고 하였다. 그는 딸을 시집보낼 때 조정의 관료와 손님들을 수천 명 초청하고는 화려하게 잔치를 열었다. 딸과 신랑이 나올 시간이 되었을 때 하녀들이 빙 둘러섰는데, 비단옷을 입고 진주와 비취를 장식하고 비녀를 드리우고 신발을 끌면서 더 화려하게 차려입은 이들이 수백 명이나 되었기에 사람들은 누가 신부인지 알아볼 수 없었다.

●之鄒. 枚鄒[551]隴.

○(전국시대 맹자孟子의 모국인) 추나라로 가다. (전한) 매승枚乘과 추양鄒陽이 교유하던 언덕.

◆牛(우씨)

▶宮音. 隴西. 宋微子[552]之後, 司寇[553]牛父, 子孫以王父字爲氏.

---

549) 鄒鳳熾(추봉치) : 당나라 때 거부. 그에 관한 고사는 송나라 마영이馬永易의 ≪실빈록實賓錄·추낙타≫권8에 전한다.

550) 供帳(공장) : 연회에 쓸 장막이나 도구를 제공하는 일. 결국 잔치를 여는 것을 말한다.

551) 鄒枚(추매) : 전한 때 양효왕梁孝王 유무劉武의 양원梁園에서 교유를 가졌던 당시의 명사인 매승枚乘(?-B.C.141)과 추양鄒陽을 아우르는 말.

552) 微子(미자) : 상商나라 마지막 왕인 주왕紂王의 형으로 본명은 계啓. 모친이 정식 왕비에 책립되기 전에 태어나 서출庶出 신분이고, 동생인 주는 모친이 왕비에 책립된 뒤에 태어나 적출嫡出 신분이다. '미微'는 봉호封號이고, '자子'는 존칭. 앞의 '송'은 상나라 후손들을 봉한 봉토를 가리킨다.

553) 司寇(사구) : 주周나라 때 추관秋官의 장관으로 형부상서에 해당하던 벼슬인

▷음은 궁음에 속하고 본관은 (감숙성) 농서군이다. 송나라 미자의 후손으로 사구를 지낸 우보가 있기에 그의 자손들이 조부의 자를 성씨로 삼은 것이다.

◇牛繼馬(소가 말의 뒤를 잇다)

●牛金仕晉, 爲後將軍. 時玄石圖[554]有牛繼馬後[555]之讖. 宣帝[556]乃忌牛金, 爲二榼, 共一口, 以毒酒鴆之, 而恭王[557]妃夏侯氏通小吏[558]牛氏, 而生元帝焉.

○우금은 진나라에서 벼슬길에 올라 후장군을 지냈다. 당시에 ≪현석도≫에는 '소(우牛씨)가 말(사마司馬씨)의 뒤를 잇는다'는 예언이 들어 있었다. 선제(사마의司馬懿)는 우금을 꺼림직하게 생각하여 술통을 두 개 만들면서 입구를 하나로 합치고는 독주로 그를 독살하였지만, 공왕(사마근司馬覲)의 왕비인 하후씨가 하급관리인 우씨와 간통하여 원제를 낳았다.

◇德量(넓은 도량)

●牛弘, 字顯仁. 有弟弼醉酒, 因射殺弘駕車牛, 弘妻曰, "叔射殺牛, 是異事." 弘曰, "作脯." 妻言至再[559], 弘曰, "已知," 讀書不輟. 隋開皇初,

---

데, 후대에도 형부상서의 별칭으로 사용되었다.

554) 玄石圖(현석도) : 잡가류雜家類의 책인 ≪장액군현석도張掖郡玄石圖≫의 준말. 총 1권. 여기에는 삼국 위魏나라 고당융高堂隆과 맹중孟衆이 지은 두 종류가 있었다고 하는데 오래 전에 실전된 듯하다. ≪수서・경적지≫권34 참조.

555) 牛繼馬後(우계마후) : 소가 말의 뒤를 잇다. 즉 우牛씨 성을 가진 사람이 진晉나라를 세운 사마司馬씨의 뒤를 이어 황제에 오른다는 것을 뜻하는 말인 듯하다.

556) 宣帝(선제) : 진晉나라를 건국한 사마염司馬炎(236-290)의 조부인 사마의司馬懿(179-251)의 시호. 후한 말엽 조조曹操(155-220) 때 태자중서자太子中庶子를 역임하고, 위魏나라 문제文帝 조비曹丕(187-226)의 고명顧命으로 명제明帝를 보필하여 누차 제갈양諸葛亮(181-234)을 격퇴시키기도 하였다. 뒤에 손자인 사마염이 진나라를 건국한 뒤 선제宣帝에 추존追尊하였다. ≪진서・선제기≫권1 참조.

557) 恭王(공왕) : 진晉나라 종실 사람 사마근司馬覲의 봉호. 선제宣帝 사마의司馬懿의 증손자이다. ≪진서・원제본기元帝本紀≫권6 참조.

558) 小吏(소리) : 지위가 낮은 하급관리를 이르는 말. 구실아치, 아전.

559) 至再(지재) : 여러 차례 되풀이하는 것을 뜻하는 말인 '지재지삼至再至三'의

爲祕書監.

○우홍(545-610)은 자가 현인이다. 동생 우필牛弼이 술에 취해 우홍의 수레를 끄는 소를 활로 쏘아 죽이자 우홍의 아내가 말했다. "도련님이 소를 활로 쏘아 죽이다니 괴이한 일입니다." 그러자 우홍이 말했다. "포를 뜨시오." 다시 아내가 되풀이해서 말을 하자 우홍은 "이미 알고 있소"라고 대답하며 글읽기를 멈추지 않았다. 수나라(문제) 개황(581-600) 초에 비서감을 지냈다.

◇宰相才(재상으로서의 자질)

●牛仙客, 本河湟[560]使典[561]. 開元[562]中, 爲河西節度使[563], 能勤職業. 李林甫曰, "仙客宰相才也." 遂以同中書門下三品[564]封豳國公.

○(당나라) 우선객(675-742)은 본래 황하와 황수 일대의 일개 아전이었다. (현종) 개원(713-741) 연간에 (감숙성) 하서절도사를 맡아 맡은 바 직무를 잘 수행하자 이임보가 "우선객은 재상으로서의 자질이 있다"고 칭찬하였다. 뒤에는 결국 동중서문하삼품의 신분으로 빈국공에 봉해졌다.

◇金灘(금모래를 뱉어내는 여울)

●牛僧孺, 字思黯, 元和初, 以賢良方正對策[565]第一. 初爲河南伊闕縣尉[566]. 舊傳, 縣有人入臺, 縣前水中先有灘, 出石礫金沙. 一日灘出, 老

준말.

560) 河湟(하황) : 두 강물인 황하와 황수湟水를 아우르는 말.

561) 使典(사전) : 잡무를 관장하는 하급관리를 일컫는 말. 아전, 서리.

562) 開元(개원) : 당唐 현종玄宗의 연호(713-741).

563) 節度使(절도사) : 당송唐宋 때 한 도道나 여러 주州의 군사·민정·재정 등을 관할하던 벼슬. 송 이후로는 실권이 없이 직함만 있었다.

564) 同中書門下三品(동중서문하삼품) : 당나라 때 핵심 권력 기관인 상서성尙書省·중서성中書省·문하성門下省의 장관인 상서령尙書令·시중侍中·중서령中書令을 재상이라고 하였는데, 상설하지 않는 대신 다른 고관高官 가운데 선임하여 재상으로 대우하였던 벼슬 이름. 동중서문하평장사同中書門下平章事와 뜻이 유사하다.

565) 對策(대책) : 정사政事나 경의經義에 대한 문제에 답안을 제시하는 일. '대책對冊'으로도 쓴다.

吏曰, "此必分司[567]御史. 若是西臺[568], 當有一雙鸂鶒[569]." 牛祝曰, "旣能有灘, 何惜鸂鶒?" 言訖, 一雙飛下, 旬日牛拜察院[570]. 歷事四朝, 罷相, 文宗賜以彝樽[571]龍勺[572], 詔曰, "精金古器, 以比君子." 治第洛陽歸仁里, 多致嘉石美木, 與賓客相娛樂. 封奇章公. 宣宗朝, 加少師[573], 卒.

○(당나라) 우승유(779-847)는 자가 사암으로 (헌종) 원화(806-820) 초에 현량방정과의 대책에 응시하여 장원급제를 차지하였다. 처음에는 (하남성) 하남부 이려현의 현위를 맡았다. 예로부터 전하는 말에 의하면 이려현에서 누군가 어사대에 들어가게 되면 이려현 앞의 시냇물에 먼저 여울이 생겨 조약돌과 금모래를 뱉어낸다고 하였다. 하루는 여울이 출현하자 한 나이 많은 아전이 말했다. "이는 필시 (하남성 낙양의) 분사어사가 되실 조짐입니다. 만약 어사대라고 한다면 응당 비오리 한 쌍이 있어야 할 것입니다." 그러자 우승유가 축원을 올리며 말했다. "기왕 여울이 생겼으니 어찌 비오리가 아깝겠소?" 말이 끝나기 무섭게 비오리 한 쌍이 날아내리더니 열흘도 지나지 않

566) 縣尉(현위) : 각 현의 현령縣令 휘하에서 현령의 업무를 도와 법률과 형벌을 관장하던 속관을 이르는 말. 현의 수장인 현령縣令과 보좌관인 현승縣丞보다 아래의 직책이었다.

567) 分司(분사) : 타 지역에 발령을 받아 직무를 분담하는 것을 뜻하는 말로 주로 배경陪京인 동도東都(하남성 낙양)를 가리킨다.

568) 西臺(서대) : 어사대御史臺의 별칭. 혹은 궁중에서 서쪽에 위치한 중서성中書省이나 형부刑部의 별칭으로 쓰이기도 하였다.

569) 鸂鶒(계칙) : 물새의 일종인 비오리.

570) 察院(찰원) : 당송 때 어사대御史臺 휘하에 설치된 세 부서인 삼원三院 가운데 하나. '삼원'은 시어사侍御史가 소속된 대원臺院과, 전중시어사殿中侍御史가 소속된 전원殿院, 감찰어사監察御史가 소속된 찰원察院을 가리킨다. 여기서는 결국 감찰어사를 가리킨다.

571) 彝樽(이준) : 제사용 술그릇을 이르는 말.

572) 龍勺(용작) : 하夏나라 때 용 문양을 장식한 구기 이름에서 유래한 말로 황제의 구기를 가리킨다. 상商나라 때는 '소작疏勺,' 주周나라 때는 '포작蒲勺'이라고 하였다.

573) 少師(소사) : 천자의 작은 스승인 삼고三孤, 즉 소사少師・소부少傅・소보少保 가운데 하나. 후대에는 태자의 작은 스승인 태자삼소太子三少, 즉 태자소사太子少師・태자소부太子少傅・태자소보太子少保 가운데 하나인 태자소사의 약칭으로도 쓰였다.

아 우승유는 감찰어사를 배수받았다. 네 명의 황제를 두루 모시다가 재상을 그만두자 문종이 제사용 술그릇과 어용 구기를 하사하며 조서를 내려 말했다. "정교한 금속으로 만든 오래된 그릇을 하사하는 것은 군자에 비유하기 위함이로다." 낙양의 귀인리에 집을 지은 뒤 아름다운 돌과 나무를 많이 마련하고서 손님들과 함께 연회를 즐겼다. 기장공에 봉해졌다. 선종 때는 소사를 더 받았다가 생을 마쳤다.

◇禱井(우물물이 나오게 기도를 올리다)

●牛存節仕後梁, 守鄜州, 爲朱友謙夾圍, 欲持久以渴疲之. 存節乃禱, 而鑿井八十, 有水皆甘.

○우존절은 (오대五代) 후량에서 벼슬길에 올라 (섬서성) 부주자사를 지냈는데, 주우겸이 부주를 포위해 시간을 오래 끌어서 갈증으로 지치게 만들려고 하였다. 그래서 우존절이 기도를 올리고 우물을 80개 뚫자 모든 곳에서 달콤한 물이 솟구쳐나왔다.

◇賜綵(채색 비단을 하사하다)

●牛希濟, 蜀[574]臣也, 降於後唐. 明宗召, 賦蜀主降唐詩[575]云, "唐主再懸新日月[576], 蜀王難保舊山川." 明宗曰, "不忘君, 規忠孝也." 賜綵百端[577].

○(오대십국五代十國 때) 우희제는 전촉前蜀의 신하였다가 후당에 투항하였다. 명종이 그를 불러 <전촉의 군주가 후당에 항복한 것을 읊은 시>를 지으라고 하자 "후당의 군주가 다시 새로이 천자의 깃발을 내거니, 전촉의 왕이 옛 산천을 보전하지 못 했네"라고 읊조렸다.

---

574) 蜀(촉) : 오대십국五代十國 때 왕건王建(847-918)이 세운 전촉前蜀을 가리킨다.

575) 詩(시) : 이는 칠언율시七言律詩 <조서를 받들어 전촉前蜀의 군주가 후당後唐에 항복한 것을 읊다(奉詔賦蜀主降唐)> 가운데 함련頷聯을 인용한 것으로 ≪전당시全唐詩 · 우희제≫권760에 전한다.

576) 日月(일월) : 천자의 깃발인 '일월합벽기日月合璧旗'의 준말.

577) 端(단) : 직물의 도량형 단위. 한 장 두 자 길이를 뜻한다. 2장 · 6장이란 설도 있다. 한 필匹의 절반에 해당한다.

그러자 명종은 "옛 군주를 잊지 않았으니 충효의 모범이 되는구려" 라고 말하고는 채색 비단 백 단(50필)을 하사하였다.

◇舞袖破敵(소매를 휘둘러 적을 격파하다)

●牛皋, 岳飛愛將也. 宋建炎[578]中, 廬州守仇愈告急於飛, 飛遣皋以二千騎赴之, 坐未定, 敵甲騎五千破城矣. 皋遙謂曰, "牛皋在此, 展幟示之, 敵愕然." 皋舞袖徑前, 賊疑有伏, 奔潰.

○우고(1087-1147)는 악비가 총애하던 장수였다. 송나라 (고종) 건염(1127-1130) 연간에 (강서성) 여주자사 구유가 악비에게 급전을 알리자 악비는 우고를 시켜 2천 명의 기병을 거느리고 달려가게 하였으나 미처 안정을 찾지 못 하는 바람에 적의 보병과 기병 5천 명이 성을 함락하고 있었다. 그러자 우고가 멀리서 바라보며 말했다. "나 우고가 여기서 깃발을 펼쳐서 보이기만 해도 적이 놀랄 것이오." 우고가 소매를 휘두르며 곧장 앞으로 달려나가자 적은 매복이 있을 것이라고 의심하여 줄행랑을 치고 말았다.

●牛堪, 唐元和中, 太學生也. 及第歸, 韓愈作序[579]送之.

○우감은 당나라 (헌종) 원화(806-820) 연간에 태학생의 신분이었다. 과거시험에 급제하고서 귀향하려고 하자 한유가 글을 지어 그를 전송해 주었다.

※婚姻(혼인)

●牛僧孺長女適苗愔, 次適張洙, 三適張希復, 四適鄧叔.

○(당나라) 우승유(779-847)의 장녀는 묘음에게 시집갔고, 차녀는 장수에게 시집갔고, 셋째 딸은 장희복에게 시집갔고, 넷째 딸은 등숙

578) 建炎(건염) : 남송南宋 고종高宗의 연호(1127-1130).

579) 序(서) : 이는 <과거시험에 급제한 우감을 전송하는 글(送牛堪登第序)>이란 제목으로 송나라 위중거魏仲擧가 엮은 ≪오백가주창려문집五百家注昌黎文集≫ 권20에 전한다.

에게 시집갔다.

●風馬牛[580]. 火牛[581]. 木牛[582].

○서로 아무런 상관이 없는 것을 비유하는 말. (소꼬리에 불 붙은 갈대를 매달아서 공격하는) 화공. 나무를 깎아서 만든 소.

◆侯(후씨)

▶商音. 山谷[583]. 晉侯緡之後, 秦有侯生, 譏伐始皇, 以成坑儒[584]之過. 漢有侯公, 遣之說羽[585], 約平分天下.

▷음은 상음에 속하고 본관은 산곡군이다. (춘추시대) 진나라 후민의 후손으로 진나라에 후생이란 사람이 시황제를 비난함으로써 분서갱유焚書坑儒의 과오를 성사시킨 일이 있다. 한나라 때는 후공이란 사람이 있었는데, 그를 파견해 항우項羽에게 유세해서 천하를 공평하게 나누겠다는 약조를 받아낸 일이 있다.

◇虛左自迎(왼쪽 자리를 비우고 손수 맞이하다)

●侯嬴, 魏隱士也, 爲大梁[586]夷門[587]監者. 信陵君[588]置酒, 大會賓客,

---

580) 風馬牛(풍마우) : 역풍逆風을 좋아하는 말과 순풍順風을 좋아하는 소. 서로 아무런 상관이 없는 것을 비유한다. 바람난 말과 소라 하더라도 거리가 멀어 서로 가까이하지 않는다는 뜻에서 유래한 말로 보는 설도 있다.

581) 火牛(화우) : 소꼬리에 불을 붙이다. 춘추시대 제齊나라 장수 전단田單이 불을 붙인 갈대를 소꼬리에 매달아서 화공을 펼치는 바람에 연燕나라 군대가 패퇴했다는 ≪사기・전단열전≫권82의 고사에서 유래한 말로 화공을 뜻한다.

582) 木牛(목우) : 손쉽게 물건을 운반하기 위해 바퀴를 하나만 단 수레라는 설도 있고, 깃발을 꽂기 위해 나무를 소 모양으로 깎아 만든 것이라는 설도 있다.

583) 山谷(산곡) : 미상. 박물군자가 밝혀주기를 기대한다.

584) 坑儒(갱유) : 진秦나라 시황제始皇帝가 법치주의를 내세우면서 정치적 위협이 될 수 있는 제자백가의 서책을 불태우고 수많은 유학자들을 생매장한 사건인 '분서갱유焚書坑儒의 준말. '진갱秦坑'으로 약칭하기도 한다.

585) 羽(우) : 진秦나라 말엽 초왕楚王 항적項籍(B.C.232-B.C.202)의 자. 본명(적籍)보다는 자(우羽)로 더 알려졌다.

586) 大梁(대량) : 전국시대 위魏나라의 수도인 하남성 개봉開封의 별칭.

587) 夷門(이문) : 하남성 개봉開封의 성문 이름.

588) 信陵君(신릉군) : 전국시대 위魏나라 공자 위무기魏無忌의 봉호. 제나라 맹상군孟嘗君・조趙나라 평원군平原君・초楚나라 춘신군春申君과 함께 사공자四公子로 존경을 받았다. ≪사기・신릉군위무기전信陵君魏無忌傳≫권77 참조.

從車騎虛左589), 自迎侯生, 坐上坐, 賓客皆驚.

○후영은 (전국시대) 위나라 때 은자로 (하남성) 대량(개봉)의 이문을 지키는 직책을 맡았다. 신릉군이 술자리를 마련하여 손님들을 소집하면서 수행하는 수레에 왼쪽 자리를 비우고 손수 후영을 맞이해 상석에 앉히자 손님들이 모두 놀라워하였다.

◇矯世論(세상을 바로잡는 일에 대해 논하는 글)

●侯瑾, 字子瑜, 以禮自牧590), 獨處一房, 如對嚴賓591). 作矯世論.

○(후한) 후근은 자가 자유로 예법으로 자신을 갈고닦았기에 혼자서 방 하나에 거처하면서도 귀한 손님을 대하듯이 하였다. ≪교세론≫을 지었다.

◇臥轍(수레 앞에 눕다)

●侯霸, 字君房. 家累千金592), 篤志好學, 王莽時, 爲臨淮大尹593). 更始594)徵之, 百姓老弱, 相携遮使者, 當道而臥曰, "願乞侯君復留一年." 建武初, 拜尙書令595).

○(후한) 후패는 자가 군방이다. 집에 돈이 엄청 많은데도 열심히 학

---

589) 虛左(허좌) : 왼쪽 자리를 비우다. 즉 수레를 탈 때 귀한 손님을 앉히는 상석이 비었다는 말로 매우 우대함을 비유한다.

590) 自牧(자목) : 스스로 수양하다.

591) 嚴賓(엄빈) : 귀한 손님을 이르는 말.

592) 千金(천금) : 금 천 근斤. '금金'은 '근斤'이나 '일鎰'과 같은 말이고, '천금'은 실수實數라기보다는 많은 양의 금이나 거액을 강조하기 위한 표현이다.

593) 大尹(대윤) : 춘추시대 송宋나라 때 벼슬 이름. 한나라 때는 태수太守의 별칭으로 쓰였고, 당송 때는 경조윤京兆尹의 별칭으로도 쓰였다.

594) 更始(경시) : 전한 유현劉玄(?-25)의 별칭인 경시제更始帝의 약칭이자 연호. 유현은 후한後漢 광무제光武帝 유수劉秀(B.C.6-A.D.57)의 족형族兄으로 광무제가 왕망王莽(B.C.45-A.D.23)을 칠 때 경시장군更始將軍이었고, 제위에 올라 연호를 '경시'(23-24)라고 하였다. 뒤에 주색에 빠져 제위에 오른 지 2년만에 적미적赤眉賊에게 살해당했다. ≪후한서·유현전≫권41 참조.

595) 尙書令(상서령) : 한나라 이후로 문서의 수발과 행정을 총괄하던 상서성尙書省의 장관을 이르는 말. 휘하에 육부六部를 설치하였고, 각 부의 장관인 상서尙書, 차관인 시랑侍郞, 실무자인 낭관郞官 등을 거느렸다.

문에 매진하여 왕망 때 (강소성) 임회태수를 지냈다. 경시제가 그를 부르자 백성들 가운데 노약자까지 나서 서로 손을 잡고 사자의 앞길을 막은 채 길바닥에 누워 "원하옵건대 후태수를 1년만 더 유임시켜 주시옵소서"라고 호소하였다. (광무제) 건무(25-55) 초에 상서령을 배수받았다.

◇位至鼎足(지위가 재상에 오르다)

●侯霸與嚴光有舊. 光至京師, 霸遣使奉書, 光答曰, "君房足下[596], 位至鼎足[597], 甚善. 懷仁輔義天下悅, 阿諛順言腰領[598]絶." 霸卽封奏之.

○후패는 엄광과 오랜 친분이 있었다. 엄광이 (하남성 낙양의) 경사로 가게 되자 후패가 사자를 보내 서신을 바쳤다. 그러자 엄광은 답신에서 "군방(후패) 선생께서 지위가 재상에 오르신다니 무척 좋습니다. 어질고 정의로운 마음을 품으면 천하 사람들이 기뻐하겠지만, 아부하고 순응한다면 중요한 인물들이 관계를 끊을 것입니다"라고 하였다. 후패가 즉시 이를 봉인하여 상주하였다.

◇刻石紀功(바위를 깎아 공로를 기록하다)

●侯君集以材雄稱, 從太宗征伐有功. 平高昌, 刻石紀功而還, 封潞國公, 圖形凌煙閣[599].

○후군집(?-643)은 재능과 용기로 칭송을 받더니 태종을 따라 정벌전에 나서 공을 세웠다. 고창국을 평정하고서 바위를 깎아 공로를 기록한 뒤 돌아와 노국공에 봉해지고 초상화가 능연각에 걸렸다.

---

596) 足下(족하) : 상대방에 대한 존칭. '상대방의 발 아래 공손히 자리한다'는 의미에서 유래하였다. 황제皇帝에게는 '섬돌 아래 있다'는 의미의 '폐하陛下'를, 친왕親王이나 제후에게는 '전각 아래 있다'는 의미의 '전하殿下'를, 고관에게는 '누각 아래 있다'는 의미의 '각하閣下'를, 그리고 신분이나 연령이 높은 사람에게는 '발 아래 있다'는 의미의 '족하足下'를 사용함으로써 상대방의 지위가 낮아질수록 점차 거리를 가까이하는 의미가 담겨 있다.

597) 鼎足(정족) : 세발솥의 다리. 재상인 삼공三公을 비유한다.

598) 腰領(요령) : 허리와 목. 매우 중요하거나 핵심적인 사물을 비유한다.

599) 凌煙閣(능연각) : 공신을 표창하기 위해 지은 누각 이름. 당나라 태종太宗이 정관貞觀 17년(643)에 공신 24명의 초상화를 그려넣은 것으로 유명하다.

◇獬豸觸邪(해태처럼 사악한 무리를 들이받다)

●侯思止爲高元禮奴, 唐武后600)朝, 因告舒王601)謀反, 擢遊擊將軍. 后問, "識字否?" 對曰, "獬豸不識字, 而能觸邪." 后大悅.(酷吏傳) 食籠餠602), 必令縮葱加肉, 號縮葱侍郞603).

○후사지(?-693)는 원래 고원례의 노비였다가 당나라 측천무후 때 서왕(이원명李元名)의 모반을 고한 일 때문에 유격장군에 발탁되었다. 측천무후가 "글자를 아시오?"라고 묻자 후사지는 "해태는 글자를 몰라도 사악한 무리를 들이받을 줄 아옵니다"라고 아뢰어 측천무후가 무척 기뻐하였다.(≪신당서・혹리열전・후사지전≫권209) 만두를 먹을 때는 늘상 파를 덜어내고 고기를 보탰기에 ('파를 덜어내는 시랑'이란 의미에서) '축총시랑'으로 불렸다.

◇石鼎聯句(돌 세발솥을 소재로 연구시를 짓다)

●侯喜, 唐元和中, 有詩聲. 與軒轅彌明指石鼎聯句604), 彌明好句層出, 喜大服.

○후희는 당나라 (헌종) 원화(806-820) 연간에 시로 명성을 떨쳤다. 헌원미명과 돌 세발솥을 가리키며 연구시를 지었는데 헌워미명이 좋은 시구를 계속해서 내놓자 후희가 크게 탄복해 하였다.

---

600) 武后(무후) : 당나라 측천무후則天武后의 약칭. 본명은 무조武曌(624-705). '측천'은 시호로 '측則'은 '측測'과 통용자. 고종高宗의 황후皇后이자 중종中宗 및 예종睿宗의 모후母后였지만, 뒤에 스스로 황제에 올라 국호를 '당唐'에서 '주周'로 개칭하고 15년간 전횡을 일삼았으며, 외척인 무武씨 집안 사람들이 득세할 수 있는 빌미를 제공하였다. '측천황후則天皇后' '무측천武則天' '천후天后' 등 다양한 별칭으로도 불렸다. ≪신당서・측천황후무조기≫권4 참조.

601) 舒王(서왕) : 당나라 고조高祖의 아들이자 고종高宗의 숙부인 이원명李元名의 봉호. ≪신당서・서왕이원명전≫권79 참조.

602) 籠餠(농병) : 만두의 별칭.

603) 侍郞(시랑) : 조정의 각 행정 기관의 버금 장관에 해당하는 벼슬. 즉 중서시랑中書侍郞・문하시랑門下侍郞 및 상서성尙書省의 이부시랑吏部侍郞・호부시랑戶部侍郞 등을 말한다.

604) 聯句(연구) : 두 사람 이상이 모여 한 구절이나 한 연을 돌아가면서 지은 뒤 이를 모아서 완성한 시편을 이르는 말. 전한 무제武帝가 백량대柏梁臺에서 신하들과 함께 <백량시柏梁詩>를 지은 데서 유래하였다.

◇虎榜(과거시험에 급제하다)

●侯繼, 唐貞元中及第, 號龍虎榜605).(見齊姓) 王鍔爲河南尹606), 辟繼爲參謀官, 愈送以詩607)云, “君今得所附, 勢若脫韝鷹.”

○후계는 당나라 (덕종) 정원(785-805) 연간에 과거시험에 급제하여 용호방으로 불렸다.(상세한 내용은 앞의 ‘제’씨절 ‘용호방’항에 보인다) 왕악이 (하남성) 하남윤을 맡아 후계를 불러 참모관에 임명하자 한유韓愈가 다음과 같은 시를 지어 전송하였다. “그대 이제 의지할 데를 얻었으니, 기세가 토시를 벗어난 새매 같겠군요.”

◇蜺龍(무지개를 타는 용)

●侯弘實, 五代時人, 年十三四, 夢爲虹飮于河. 數月有僧相之曰, “此虹龍也.” 後爲節度使.

○후홍실은 오대 때 사람으로 나이 열서너 살 때 무지개가 생기더니 황하의 물을 마시는 꿈을 꾸었다. 몇 개월 뒤에 한 승려가 그의 관상을 보더니 “이 아이는 무지개를 타는 용이다”라고 하였다. 뒤에 절도사가 되었다.

◇勁正之學(바른 학문)

●侯仲良, 字師聖, 呼二程爲舅氏. 伊川嘗謂608), “侯子議論, 只好隔壁

---

605) 龍虎榜(용호방) : 당나라 덕종德宗 때 육지陸贄가 진사시험의 감독관을 맡았을 때 가능賈稜·진우陳羽·구양첨歐陽詹·이관李觀·풍숙馮宿·왕애王涯·이박李博·장계우張季友·유준고劉遵古·허계동許季同·한유韓愈·이강李絳·유승선庾承宣·원결元結·호양胡諒·최군崔群·형책邢冊·배광보裴光輔·만당萬當 등이 급제자 명단에 이름을 올렸는데 세간에서는 이를 ‘용호방’으로 불렀다는 ≪신당서·구양첨≫권203의 고사에서 유래한 말로서 진사과 급제자 명단을 비유한다. ‘호방虎榜’으로 약칭하기도 하고, ‘방榜’은 ‘방牓’으로도 쓴다.

606) 河南尹(하남윤) : 전한 때 동도東都이자 후한 때 수도인 하남성 낙양洛陽 일대를 관장하던 부윤府尹을 이르는 말.

607) 詩(시) : 이는 당나라 한유韓愈(768-824)의 오언고시五言古詩 <(산서성) 하중군의 막부로 부임하는 참모 후계侯繼를 전송하다(送侯參謀赴河中幕)> 가운데 한 연을 인용한 것으로 송나라 위중거魏仲擧가 엮은 ≪오백가주창려문집五百家注昌黎文集·고시≫권4에 전한다.

608) 謂(위) : 이는 송나라 주희朱熹가 엮은 ≪이정외서二程外書≫권11에 전한다.

聽[609]." 朱子[610]曰[611], "其學淸白勁正, 而無深潛醲郁之味." 人有欲館侯子者, 侯子造焉. 其家壁垂佛像, 几積佛書, 侯子去之.

○후중량은 자가 사성으로 정호程顥와 정이程頤 형제를 외숙부로 불렀다. 이천선생 정이는 일찍이 "후선생의 주장은 단지 벽을 사이에 두고 듣기에 좋을 뿐이다"라고 하였다. 주자(주희朱熹)는 "그의 학문은 깨끗하고 바르지만 깊고 진한 맛이 없다"고 하였다. 누군가 후중량을 집에 묵게 하고 싶어하여 후중량이 직접 그를 찾아갔으나, 그의 집 벽에 부처의 초상화가 걸려 있고 안궤에 불경이 쌓여 있자 후중량은 그곳을 떠났다.

●侯瑱, 字伯玉, 討侯景[612]有功. 陳文帝卽位, 授太尉.

○후전은 자가 백옥으로 후경을 토벌하면서 공을 세웠다. (남조南朝) 진나라 문제가 즉위하고서 그를 태위에 임명하였다.

●侯安都善騎射, 爲邑里雄豪. 陳文帝卽位, 遷司空[613].

○후안도는 말타기와 활쏘기를 잘 하여 고을에서 호걸로 인정받았다. (남조) 진나라 문제가 즉위하고서 그를 사공으로 승진시켰다.

---

609) 隔壁聽(격벽청) : 벽을 사이에 두고 듣다. 말에 알맹이가 없는 것을 비유한다.

610) 朱子(주자) : 송나라 때 성리학性理學의 집대성자이자 대문호인 주희朱熹(1130-1200)에 대한 존칭. 자는 원회元晦이고, 호는 회옹晦翁 혹은 회암晦庵이며, 시호는 문文. 저서로 ≪회암집晦庵集≫ 112권 등 다수가 전한다. ≪송사·도학열전道學列傳·주희전≫권429 참조.

611) 曰(왈) : 이는 <흠부欽夫 장식張栻에게 별도의 서신을 드리다(與張欽夫別紙)> 가운데 일부를 인용한 것으로 ≪회암집≫권30에 전한다.

612) 侯景(후경) : 남조南朝 양梁나라 때 사람(503-552). 힘이 세고 무술에 능하여 무제武帝 때 하남왕河南王에 책봉되었으나, 반란을 일으켜 스스로 무제를 죽이고 간문제簡文帝를 옹립하였고, 뒤에는 간문제마저 시해하고 스스로 황제가 되어 '한제漢帝'라고 자처하다가 왕승변王僧辯에 의해 평정되었다. ≪양서·후경전≫권56 참조.

613) 司空(사공) : 벼슬 이름. 소호少昊 때 처음 설치되었는데, 주周나라 때는 동관冬官으로서 치수와 토목공사를 관장하였고, 한나라 이후로는 태위太尉·사도司徒와 함께 삼공三公의 하나였다.

※女德婚姻(여덕과 혼인)

◇繡迴文(회문시를 수놓다)

●侯氏, 張暌之妻. 唐會昌中, 暌戍邊十年, 侯氏繡迴文[614]詩, 作龜形[615]云, "暌離[616]已是十年强[617], 對鏡那[618]堪理舊妝? 聞鴈幾回脩尺素[619]? 見霜先爲製衣裳. 開箱疊揀[620]先垂淚, 拂杵調砧更斷腸. 繡作龜紋獻天子, 願教行客早回鄕." 詣闕獻之, 暌得歸.

○후씨는 장규의 아내이다. 당나라 (무종) 회창(841-846) 연간에 장규가 변방에서 10년이나 수자리를 서자 후씨는 회문시를 수놓아 거북등껍질 모양으로 만들어서 "헤어진 지 하마 10년이 넘었으니, 거울 앞에서 어찌 예전처럼 화장을 할 수 있겠나이까? 기러기 울음소리 들으며 몇 번이나 편지를 썼을까요? 서리를 보면 먼저 남편을 위해 옷을 만든답니다. 상자를 열고 비단 포개면 먼저 두 줄기 눈물이 흐르고, 방망이 들고 다듬잇돌 때리면 다시 애간장이 끊어집니다. 거북등껍질 모양의 시를 수놓아 천자께 바치나니, 정벌 나간 우리 남편 일찍 고향으로 돌아오게 해 주시옵소서"라고 하였다. 대궐로 찾아가 이를 바쳐 장규가 돌아올 수 있었다.

●侯高女嫁官人.(見王適)

○(당나라) 후고의 딸은 관원에게 시집을 갔다.(상세한 내용은 앞의 왕적에 관한 기록인 '왕'씨절의 '기남자奇男子'항에 보인다)

---

614) 迴文詩(회문시) : 어느 방향으로 읽어도 다 뜻이 통하는 시를 이르는 말.
615) 龜形(귀형) : 거북등껍질처럼 가로 세로 무늬를 이루어 어느 방향으로 읽어도 의미를 전달할 수 있게 한 모양을 이르는 말.
616) 暌離(규리) : 서로 떨어지다, 헤어지다.
617) 强(강) : 남다, 넘치다. '여餘'의 뜻.
618) 那(나) : 의문사. 어찌.
619) 尺素(척소) : 서신. 옛날에 한 자 가량 되는 천에 편지를 쓴 데서 유래하였다.
620) 揀(간) : 비단을 뜻하는 말인 '연練'의 오기.

●侯繼圖拾葉題詩.(見任氏)

○(오대십국五代十國 촉蜀나라) 후계도는 잎사귀를 주워서 시를 적었다.(상세한 내용은 뒤의 '임'씨절 '제엽지연題葉之緣'항에 보인다)

●侯道濟娶程珦女.

○(송나라) 후도제는 정향(1006-1090)의 딸에게 장가들었다.

●公侯[621]. 射侯[622]. 武侯[623].

○공작과 후작. 과녁을 맞추다. 무후.

◆婁(누씨)

▶徵音. 譙國. 邾婁[624]國之後, 子孫因氏焉.

▷음은 치음에 속하고 본관은 (안휘성) 초국이다. 주루국의 후손이라서 자손들이 그참에 이를 성씨로 삼은 것이다.

◇脫輓(수레를 끄는 천한 신분에서 벗어나다)

●婁敬, 齊人, 漢高五年, 脫輓[625], 見虞將軍曰, "願見上, 陳便宜[626]." 虞與鮮衣曰, "臣衣帛, 衣帛見, 衣褐, 衣褐見, 不敢易衣." 見上, 說都關中[627]. 上從之, 賜姓劉, 號奉春君, 改封建信侯.

---

621) 公侯(공후) : 중국 고대 봉건제도에서 천자가 제후에게 하사하던 공작公爵·후작侯爵·백작伯爵·자작子爵·남작男爵 가운데 두 작위를 아우르는 말. 결국 고관을 통칭한다.

622) 射侯(석후) : 과녁을 맞추다. 결국 활쏘기를 뜻한다.

623) 武侯(무후) : 삼국 촉蜀나라 재상 제갈양諸葛亮의 시호. 북조北朝 때 순찰이나 범인 검거 등의 업무를 관장하던 무관의 명칭을 가리킬 때도 있다.

624) 邾婁(주루) : 춘추시대 주邾나라. '누婁'는 어말조사語末助辭. 후한 하휴何休(129-182)는 ≪공양전公羊傳·은공원년隱公元年≫권1의 주에서 "주나라 사람들이 말꼬리에 '루'라고 하기에 '주루'라고 하는 것이다(邾人語聲後曰婁, 故曰邾婁)"라고 설명하였다.

625) 脫輓輅(탈만로) : 수레끌채를 끄는 일에서 벗어나다. 즉 가난한 생활에서 벗어나 벼슬에 오르는 것을 비유한다.

626) 便宜(편의) : 그때 그때 시의적절한 시책이나 유용한 정책을 이르는 말.

627) 關中(관중) : 함곡관函谷關 서쪽의 전국시대 진秦나라 땅을 이르는 말로 지

○누경은 제나라 출신 사람으로 전한 고조 5년(B.C.202)에 수레를 끄는 천한 신분에서 벗어나자 우장군을 알현하고서 말했다. "주상을 알현한 자리에서 시의적절한 정책을 아뢰고 싶습니다." 우장군이 깨끗한 옷을 주자 누경이 말했다. "신은 비단옷을 입고 있으면 비단옷을 입은 채 알현하고, 베옷을 입고 있으면 베옷을 입은 채 알현해야지 감히 옷을 바꿔 입을 수는 없습니다." 고조를 알현한 자리에서 관중 땅에 도읍을 정할 것을 아뢰었다. 고조가 그의 말을 따르고는 유씨 성을 하사하고 봉춘군에 봉하였다가 다시 건신후로 바꿔서 봉하였다.

◇跛男子(다리를 저는 남자)

●婁師德, 字宗仁, 有德量. 唐初爲江都尉, 揚州刺史盧承業異之曰, "子台輔器也." 其弟守代州, 敎之耐事. 弟曰, "人有唾面, 潔之而已." 師德曰, "潔之, 是逆其意, 正使自乾耳." 狄仁傑曰, "婁公盛德, 我爲所包容, 久矣." 天授[628]中, 拜鳳閣鸞臺同平章事[629], 爲將相三十年.(本傳) 初袁客師[630]渡江, 見舟中人, 鼻下皆有黑氣, 不渡. 俄有一跛男子負, 直就舟, 客師曰, "此貴人也, 可以濟矣." 男子乃師德也.(袁天綱傳)

○누사덕(630-699)은 자가 종인으로 아량이 넓었다. 당나라 초엽에 (강소성) 강도현의 현위를 맡자 양주자사 노승업이 그를 높이 평가해 "그대는 재상감이오"라고 칭찬하였다. 자신의 동생이 (산서성) 대주자사를 맡자 그에게 참을성을 키우라고 가르쳤다. 그러자 동생이 말했다. "남이 얼굴에 침을 뱉어도 닦으면 그만이지요." 그러자 누사덕이 말했다. "침을 닦는 것은 그 사람의 의도에 역행하는 것이니

금의 섬서성과 사천성 일대를 가리킨다. '관서關西'라고도 한다. 여기서는 결국 전한 때 도읍인 섬서성 장안長安을 가리킨다.

628) 天授(천수) : 당唐 예종睿宗의 연호(690-692).

629) 鳳閣鸞臺同平章事(봉각난대동평장사) : 재상에 준하는 벼슬 이름인 동중서문하평장사同中書門下平章事의 별칭. 당나라 측천무후則天武后(624-705) 때 중서성中書省을 '봉각'으로 개칭하고, 문하성門下省을 '난대'로 개칭한 적이 있다.

630) 袁客師(원객사) : 당나라 태종 때 도사인 원천강袁天綱의 아들로 부친에게서 도술을 물려받았다고 전한다. 한편 '객사'를 원천강의 자로 보는 설도 있다.

저절로 마르게 놔두어야 할 것이네." 그래서 적인걸이 말했다. "누사덕의 훌륭한 인품은 내가 닮고자 한 지 오래되었소." (예종) 천수(690-692) 연간에 봉각난대동평장사를 배수받고 장수와 재상을 30년 동안이나 맡았다.(≪신당서·누사덕전≫권108) 당초 원객사가 장강을 건너려다가 배에 탄 사람을 보았더니 코밑으로 모두들 검은 숨결을 내뱉어 건널 수가 없었다. 얼마 뒤 다리를 저는 남자가 짐을 짊어지고 나타나 곧장 배로 다가오자 원객사가 말했다. "이 분은 귀인이니 건널 수 있게 되었소." 남자는 바로 누사덕이었다.(≪신당서·방기열전方伎列傳·원천강전≫권204)

◇幼悟(어려서부터 영특하다)

●婁機, 字彦發, 幼穎悟, 日誦數百言. 作文以韓柳631)班馬632)爲標的. 攝宰潛川633), 治庠序634), 擇儒士, 而李延光首與選, 擢賢科635), 親書桂枝坊636), 以表其廬, 士益知勸. 宋嘉定637)中, 參大政638), 攝中書令639), 年七十九.

---

631) 韓柳(한류) : 당나라 때 대문호인 한유韓愈(768-824)와 유종원柳宗元(773-819)을 아우르는 말.

632) 班馬(반마) : ≪한서≫의 저자인 후한 사람 반고班固(32-92)와 ≪사기≫의 저자인 전한 사람 사마천司馬遷(B.C.135-?)을 아우르는 말.

633) 潛川(잠천) : ≪송사·누기전≫권410에 절강성 어잠현於潛縣에서 현승縣丞을 지냈다고 한 것으로 보아 어잠현의 별칭인 듯하다.

634) 庠序(상서) : 학교에 대한 총칭. 순왕舜王의 우虞나라 때 학교를 '상庠'이라고 하고, 하夏나라 때 학교를 '서序'라고 한 데서 유래하였다는 설이 있는가 하면, 은殷나라 때 학교를 '서'라고 하고 주周나라 때 학교를 '상'이라고 한 데서 유래하였다는 설이 있다.

635) 賢科(현과) : 과거시험에 대한 미칭美稱. 여기서는 향시鄕試를 가리킨다.

636) 桂枝坊(계지방) : 절강성 여항현餘杭縣의 동네 이름. '계지'는 진晉나라 때 극선郄詵이 현량대책과賢良對策科에 급제하고 나서 과거급제가 계림桂林의 가지 하나 꺾는 것에 불과하다고 말했다는 ≪진서晉書·극선전≫권52의 고사에서 유래한 말로 과거시험에 급제하는 것을 상징한다.

637) 嘉定(가정) : 남송南宋 영종寧宗의 연호(1208-1224).

638) 參大政(참대정) : 주요 정사에 참여하다. 재상인 참지정사參知政事의 자리에 오르는 것을 말한다.

639) 中書令(중서령) : 위진魏晉 이래로 국가의 기무機務·조령詔令·비기祕記 등을 관장하는 최고 행정 기관인 중서성中書省의 장관.

○누기는 자가 언발로 어려서부터 영특하여 매일 수백 자씩 암송하였다. 글을 지을 때는 (당나라) 한유韓愈·유종원柳宗元과 (후한) 반고班固·(전한) 사마천司馬遷을 표준으로 삼았다. (절강성) 잠천에서 현령을 대행할 때는 학교를 세우고 유학자를 선발하였는데, 이연광이 처음 인선에 참여하자 과거시험(향시鄕試)에서 발탁하고는 직접 '계지방'이란 글씨를 써서 그의 집을 표창하니 선비들이 권면할 일을 더 잘 알게 되었다. 송나라 (영종) 가정(1208-1224) 연간에 참지정사에 올랐다가 중서령을 대행하였는데 당시 나이가 79세였다.

●奎婁[640]. 離婁[641].

○규수와 누수. (≪맹자·이루편≫에 나오는 인물인) 이루.

◆樓(누씨)

▶徵音. 杞國. 夏少康[642]之後, 周封杞東樓公, 支孫[643]因以樓爲氏.

▷음은 치음에 속하고 본관은 (하남성) 기국이다. 하나라 소강의 후손을 주나라 때 기나라 동루공에 봉하자 지손들이 그참에 '누'를 성씨로 삼은 것이다.

●樓護, 字君卿, 漢元成[644]間人. 時王氏五侯[645]賓客. 各有所厚, 惟護盡入其門, 咸得其歡心, 與谷永俱爲五侯上客. 長安語曰, "谷子雲[646]筆

---

640) 奎婁(규루) : 이십팔수二十八宿 가운데 서방 백호白虎 7수 중 첫 번째와 두 번째 별자리 이름.

641) 離婁(이루) : ≪맹자≫ '이루편'에 등장하는 시력이 매우 뛰어났다는 전설상의 인물.

642) 少康(소강) : 하夏나라 때 여섯 번째 황제로 상相의 아들.

643) 支孫(지손) : 동일 종파의 자손을 이르는 말.

644) 元成(원성) : 전한 때 황제인 원제元帝와 성제成帝를 아우르는 말.

645) 五侯(오후) : 전한 성제成帝 때 원제元帝의 황후皇后인 왕정군王政君의 외척 평아후平阿侯 왕담王譚(?-B.C.17)·성도후成都侯 왕상王商(?-B.C.25)·홍양후紅陽侯 왕입王立(?-3)·곡양후曲陽侯 왕근王根(?-B.C.2)·고평후高平侯 왕봉시王逢時(?-B.C.9) 등 다섯 명의 제후를 이르는 말. 후에는 황실의 외척이나 부귀한 가문을 상징하는 말로 쓰였다.

646) 子雲(자운) : 전한 사람 곡영谷永(?-약 B.C.8)의 자. ≪한서·곡영전谷永傳≫권85 참조.

札, 樓君卿唇舌." 言其見信用也.(游俠傳) 每旦五侯饋餉之, 君卿乃合五侯所餉爲鯖647), 名五侯鯖.(唐記648))

○누호는 자가 군경으로 전한 원제元帝와 성제成帝 때 사람이다. 당시 왕씨 가문의 다섯 제후들의 손님들은 각기 따로 후대를 받았지만, 오직 누호만은 그들의 집을 모두 드나들며 누구에게나 환심을 샀기에 곡영(?-약 B.C.8)과 함께 다섯 제후의 상객이 되었다. 그래서 (섬서성) 장안에는 "곡자운(곡영)은 글솜씨가 뛰어나고, 누군경(누호)은 말솜씨가 뛰어나다"란 말이 돌았는데, 이는 그들이 신임을 받았다는 말이다.(≪한서·유협전·누호전≫권92) 매일 아침에 다섯 제후가 음식을 선물로 보내면 누호는 도리어 다섯 제후가 보낸 음식을 모아서 특별한 요리를 만들고는 이를 '오후정'이라고 이름 지었다.(≪태평광기·식食·오후정≫권234)

●樓鑰, 趙宋649)人, 善書. 高宗時, 太學650)成, 奉勅書扁.

○누약은 송나라 때 사람으로 글씨를 잘 썼다. 고종 때 태학이 완성되자 칙명을 받들고 편액에 글씨를 썼다.

●樓望, 字次之, 習春秋. 操節淸白, 世稱儒宗.

○누망은 자가 차지로 ≪춘추경≫을 공부하였다. 절조가 맑고 순후하여 세간에서는 그를 유학의 종사라고 칭송하였다.

---

647) 鯖(정) : 진기한 재료를 모아 생선과 고기를 섞어서 만든 요리를 이르는 말.

648) 唐記(당기) : 당나라 역사를 기록한 송나라 사마광司馬光(1019-1086)의 ≪자치통감資治通鑑≫의 한 편명. 그러나 위의 고사는 당나라와 무관하므로 오기이다. 송나라 반자목潘自牧의 ≪기찬연해記纂淵海·음식부飮食部·찬饌≫권90에 의하면 이는 ≪태평광기太平廣記≫의 약칭인 '광기廣記'의 오기이다. 실제로 위의 예문과 유사한 내용이 ≪태평광기·식食·오후정≫권234에 전한다.

649) 趙宋(조송) : 조광윤趙匡胤(927-976)이 세운 송나라를 가리키는 말. 남조南朝 때 무제武帝 유유劉裕가 세운 송나라(유송劉宋)와 구분하기 위해 성씨를 앞에 붙인 것이다.

650) 太學(태학) : 고대 중국에서 귀족의 자제들을 위해 도읍에 설치하였던 교육기관을 이르는 말.

◆牟(모씨)

▶宮音. 平陽. 祝融651)之後, 爲牟子國, 子孫以國爲氏.

▷음은 궁음에 속하고 본관은 (산서성) 평양군이다. 축융의 후손이 모자국을 세우자 자손들이 나라 이름을 성씨로 삼은 것이다.

●牟長, 字君高, 習歐陽尙書652). 漢建武中, 爲博士, 居河內, 諸生從學者, 常千餘人. 註尙書, 俗號牟氏章句653).

○모장은 자가 군고로 ≪구양상서≫를 익혔다. 후한 (광무제) 건무(25-55) 연간에 박사를 맡아 (하남성) 하내군에 거주하자 그를 따라 공부한 학생들이 늘 천 명이 넘었다. ≪서경≫에 주를 달자 세간에서는 이를 ≪모씨장구≫로 불렀다.

●牟融, 字子優, 少博學, 以尙書教授門徒數百人, 名稱州里. 初擧茂才, 漢永平中, 拜司空.

○모융은 자가 자우로 어려서부터 박학하더니 ≪서경≫을 수 백 명의 제자들에게 가르치며 고을에서 명성을 떨쳤다. 처음에는 무재과(수재과)에 급제하더니 후한 (명제) 영평(58-75) 연간에 사공을 배수받았다.

●牟袞, 宋人. 兄弟接迹登科, 號一門四柱.

○모곤은 송나라 때 사람이다. 형제가 뒤를 이어가며 과거시험에 급제하여 ('한 가문에 네 기둥이 있다'는 의미에서) '일문사주'로 불렸다.

---

651) 祝融(축융) : 오제五帝 가운데 두 번째 임금인 전욱顓頊의 아들. 삼황三皇 가운데 마지막 황제, 신농神農의 신하, 황제黃帝의 신하라는 등 여러 설이 있다.

652) 歐陽尙書(구양상서) : 전한 때 박사博士를 지내고 자가 화백和伯인 구양생歐陽生이 정립한 ≪서경≫을 이르는 말. '상서'는 ≪서경≫의 별칭으로 '오래된 글'이란 뜻에서 유래하였다.

653) 章句(장구) : 경전經典을 장章과 구句로 분석하여 연구하는 학문을 지칭하는 말.

●中牟[654]. 貽牟[655]. 岑牟[656].

○(하남성) 중모현. 보리농사가 풍년을 이루다. (북을 치거나 나팔을 부는 사람들이 착용하는 모자인) 잠무.

◆仇(구씨)

▶宮音. 南陽. 宋仇牧[657]之後

▷음은 궁음에 속하고 본관은 (하남성) 남양군으로 (춘추시대) 송나라 구목의 후손이다.

◇碎齒恨君(치아를 부수고 군주를 원망하다)

●仇牧, 宋大夫. 宋萬弑閔公, 牧聞之趍至, 手劍而叱之. 萬擊牧, 碎其首齒.

○구목(?-B.C.682)은 (춘추시대) 송나라 대부이다. 송만이 민공을 시해하자 구목이 이 소식을 듣고서 서둘러 달려가 검을 손에 들고 그를 질타하였다. 그러자 송만이 구목을 공격하여 그의 머리와 치아를 부러뜨렸다.

◇棲鸞(난새가 깃들다)

●仇覽, 一名香, 字季智. 漢延熹[658]中, 爲蒲[659]亭長[660], 化陳元爲孝子.

---

654) 中牟(중모) : 하남성의 속현屬縣 이름.

655) 貽牟(이모) : 보리를 주다. 이는 ≪시경・주송周頌・사문思文≫권26의 "우리에게 밀과 보리를 주셨으니, 천제께서 명을 내려 잘 돌보아주시는 것이네(貽我來牟, 帝命率育)"라는 구절에서 유래한 말로, 보리농사가 풍년을 맞는 것을 말한다. 시에서 '내來'는 밀을 뜻하고, '모牟'는 '모麰'와 통용자로 보리를 뜻한다.

656) 岑牟(잠무) : 북을 치거나 나팔을 부는 사람들이 착용하는 위가 산처럼 뾰족하게 생긴 모자를 이르는 말. '무牟'는 투구나 모자를 뜻하는 '무鍪'와 통용자.

657) 仇牧(구목) : 춘추시대 송宋나라 때 대부大夫로 민공湣公과 함께 살해당했다고 전한다. ≪좌전・장공莊公12년≫권8 참조.

658) 延熹(연희) : 후한後漢 환제桓帝의 연호(158-166).

659) 蒲(포) : 하북성의 속현屬縣 이름.

660) 亭長(정장) : 진한秦漢 때 시골 마을에 10리마다 실치된 정亭에서 치안과 여행객의 숙박을 관장하던 벼슬을 가리키는 말. '정리亭吏' '정원亭員'이라고도 한다. 중국 고대의 행정 체계에 의하면 10정亭을 '향鄕'이라고 하고, 10향鄕을

考城令王渙署爲主簿曰, “聞不罪陳元而化之, 得無少鷹鸇661)之志邪?” 覽曰, “以爲鷹鸇不若鸞鳳.” 渙曰, “枳棘之林, 非鸞鳳所集.” 以一月俸資之. 入學662), 郭泰·符融齎刺663)謁之. 泰下牀爲拜曰, “君泰之師, 非泰之友也.”

○구남은 또 다른 이름이 ‘향香’이고 자는 계지이다. 후한 (환제) 연희(158-166) 연간에 (하북성) 포현의 정장을 지내며 진원을 교화하여 효자로 만들었다. 고성현의 현령인 왕환이 그를 불러 주부에 임명하며 말했다. “듣자하니 진원을 벌주지 않고 그를 교화하였다고 하던데, 송골매처럼 무섭게 대하고 싶은 의지를 삭일 수 있었나 보오?” 그러자 구남이 대답하였다. “송골매보다는 난새나 봉황처럼 행동하는 것이 낫다고 생각했습니다.” 왕환이 말했다. “탱자나무나 가시나무 숲에는 난새나 봉황이 날아들지 않지요.” 한 달치 봉록을 그에게 주었다. 태학太學에 들어가자 곽태와 부융이 명함을 들고서 그를 배알하였다. 곽태가 평상에서 내려와 절을 올리며 말했다. “선생은 저 곽태의 스승이지 친구가 아닙니다.”

◇告老(사직을 아뢰다)

●仇伯工, 字粹夫, 仕宋, 爲戶侍664). 上表牘, 乞致仕云, “乞骸665)以老, 敢希漢傅666)之高風, 鼓腹667)而嬉. 願遂堯民之至樂.”

‘현縣’이라고 하였다.

661) 鷹鸇(응전) : 송골매.

662) 入學(입학) : 태학太學에 들어가는 것을 말한다. ≪후한서·구남전≫권106에는 ‘입태학入太學’으로 되어 있다.

663) 刺(자) : 명첩, 명함을 뜻하는 말.

664) 戶侍(호시) : 상서성尙書省 소속 육부六部 가운데 국가의 재정과 회계에 관한 업무를 관장하는 호부의 버금 장관인 호부시랑戶部侍郎의 약칭. 장관은 ‘상서尙書’라고 하고, 차관을 ‘시랑’이라고 하며, 휘하에 낭중郎中과 원외랑員外郎을 거느렸다.

665) 乞骸(걸해) : ‘고향에 뼈를 묻을 수 있게 해 달라고 간청한다’는 의미에서 유래한 말로 황제에게 사직을 요청할 때 쓰는 겸사謙辭이다. 유사한 말로 ‘걸귀乞歸’ ‘걸병乞病’ ‘걸사乞祠’ ‘걸신乞身’ ‘걸양乞養’ ‘걸퇴乞退’ ‘걸휴乞休’ ‘걸해골乞骸骨’ 등 다양한 표현이 있다

666) 漢傅(한부) : 전한 때 함께 벼슬을 그만두고 고향에 은거한 태자태부太子太

○구백공은 자가 수부로 송나라에서 벼슬길에 올라 호부시랑을 지내다가 상소문을 올려 사직을 요청하며 말했다. "사직하고서 노년을 보내며 감히 전한 때 태자태부太子太傅를 지낸 소광疏廣과 태자소부太子少傅를 지낸 소수疏受의 고상한 풍모를 본받아서 배를 두드리며 기쁨을 누리고자 하옵니다. 바라옵건대 (당唐나라) 요왕 때 백성처럼 크나큰 즐거움을 누릴 수 있게 해 주시옵소서."

●仇璋, 王通門人, 北面[668]受王佐之道, 備聞六經[669]之義.

○(당나라) 구장은 왕통(584-618)의 문인으로서 북쪽을 향해 시립한 채 왕을 보좌하는 도리를 전수받고 경전의 대의를 두루 들었다.

●仇季子治第三十五福地[670]金精山, 在處州.

○구계자는 (절강성) 처주에 있는 제35 복지인 금정산에 집을 마련하였다.

●好仇[671].

○좋은 짝.

傅 소광疏廣과 태자소부太子少傅 소수疏受 두 숙질叔姪을 가리킨다. ≪한서·소광전≫권71 참조.

667) 鼓腹(고복) : 배를 두드리다. 춘추시대 때 초楚나라 출신인 오자서伍子胥(오원伍員)가 오吳나라 저자에서 배를 두드리며 음식을 구걸했다는 ≪사기·범수전范睢傳≫권79의 고사에서 유래한 말로 음식을 배불리 먹거나 한가로운 삶을 비유한다.

668) 北面(북면) : 북쪽을 향하다. 매우 공경하는 것을 비유하는 말. 천자나 스승은 남향으로 앉고 신하나 제자는 북향으로 시립하기에 신하나 제자 노릇하는 것을 비유한다.

669) 六經(육경) : 유가儒家의 대표적인 경서經書인 ≪시경≫ ≪서경≫ ≪역경≫ ≪춘추≫ ≪예기≫ ≪악기≫를 아우르는 말. 결국 경전을 가리킨다.

670) 福地(복지) : 신선이 사는 곳을 이르는 말로 뒤에는 도교道教 사원의 별칭으로 쓰였다. 도서道書에서는 신선들이 사는 곳을 '36동천洞天' '72복지福地'라고 한다.

671) 好仇(호구) : 좋은 짝. 훌륭한 배필. '구仇'는 '구逑'와 통용자.

◆求(구씨)

▶角音.

▷음은 각음에 속한다.

●求仲, 漢隱士也, 與羊仲皆以治車爲業, 挫廉逃名. 蔣元卿[672]舍中, 竹下開三徑, 二人常從之游, 時稱二仲.(嵇康傳[673])

○구중은 전한 때 은자로 양중과 함께 수레를 수리하는 일을 생업으로 삼다가 청렴성 때문에 좌절감을 느끼고 명예를 피해 은거하였다. 원경元卿 장후蔣詡의 집에서는 대나무 아래 길을 세 개 냈는데, 두 사람이 늘 그와 어울렸기에 당시에 '이중'으로 불렸다.(≪혜강전≫)

●冉求[674]. 唐求.(詩人) 營求[675].

○(춘추시대 노魯나라 때 공자의 제자인) 염구. (당나라) 당구.(시인이다) 백방으로 찾다.

◆裘(구씨)

▶角音. 渤海. 魯孟獻子[676]之友裘牧仲之後.

▷음은 각음에 속하고 본관은 (산동성) 발해군이다. (춘추시대) 노나라 맹헌자(중손멸仲孫蔑)의 친구인 구목중의 후손이다.

●裘萬頃, 字元量, 不樂仕進, 以薦者召, 爲司直[677]. 在朝賦詩[678]云,

---

672) 蔣元卿(장원경) : 전한 말엽 사람 장후蔣詡. '원경'은 자. 왕망王莽(B.C.45-A.D.23) 때 벼슬을 그만두고 귀향하여 집 앞에 길을 세 개 내고서 친구인 구중求仲・양중羊仲과 함께 은둔생활을 하였다. ≪한서・장후전≫권72 참조.

673) 嵇康傳(혜강전) : 위의 예문과 유사한 내용이 현전하는 ≪진서晉書・혜강전≫권49에는 보이지 않는다. 아마도 별도의 전기를 가리키거나 출처에 오류가 있는 듯하다.

674) 冉求(염구) : 춘추시대 노魯나라 사람으로 공자의 제자. 자가 '자유子有'라서 '염유冉有'로도 불렸다. ≪사기・중니제자열전仲尼弟子列傳≫권67 참조.

675) 營求(영구) : 백방으로 찾다. '영營'은 모든 수단을 강구하는 것을 말한다.

676) 孟獻子(맹헌자) : 춘추시대 노魯나라 대부 중손멸仲孫蔑. '맹'은 항렬을 나타내고, '헌'은 시호이며, '자'는 존칭이다.

677) 司直(사직) : 법에 따라 곡직을 판단하는 사람을 뜻하는 말로 법관에 해당하

"新築書堂壁未乾, 馬蹄催我上長安679). 兒時只道爲官好, 老去方知行路難. 千里關山千里念, 一番風雨一番寒. 何如靜坐茅齋下, 翠竹蒼梧子細看?" 遂乞歸.(詩話680))

○(송나라) 구만경은 자가 원량으로 벼슬길에 오르는 것을 좋아하지 않다가 누군가 추천하는 바람에 황제의 부름을 받고 법관을 맡았다. 조정에 있을 때 시를 지어 "새로 서당을 지었으나 벽이 채 마르기도 전에, 말발굽이 나를 재촉해 (섬서성) 장안(하남성 개봉)길에 올랐네. 어렸을 때는 그저 관직생활이 좋다고 말했지만, 늙고서야 비로소 인생길 험난하다는 것을 알게 되었네. 천 리에 걸친 관문과 산들이 천 리 멀리 고향을 생각나게 하는데, 한 차례 비바람이 지나가면 한 차례 추위가 몰려오나니, 어찌 초가집 아래 조용히 앉아, 비취빛 대나무와 푸른 오동나무를 꼼꼼히 구경하는 것만하리오?"라고 하였다. 결국 사직을 청하였다.(≪오서당시화娛書堂詩話≫)

●菟裘681). 羊裘682). 狐裘.

○(산동성) 도구. 양가죽으로 만든 갖옷. 여우가죽으로 만든 갖옷.

는 벼슬 이름. 한나라 때는 승상부丞相府의 속관屬官이었고, 후한 때는 사도司徒의 속관이었으며, 북위北魏 이후로는 정위廷尉나 대리시大理寺의 속관이었다. 또 당나라 때는 태자첨사부太子詹事府의 속관 중에 사직이 있기도 하였다.

678) 詩(시) : 이는 칠언율시七言律詩 <도성으로 들어가는 도중에 비바람을 만나 이 시를 짓고서 급기야 사직을 청하다(入京道中風雨, 因賦此, 遂退休)>를 인용한 것으로 송나라 구만경裘萬頃의 ≪죽재시집竹齋詩集≫권2에 전한다.

679) 長安(장안) : 당나라 때 도성. 여기서는 송나라 때 도성인 하남성 개봉開封을 비유적으로 가리킨다.

680) 詩話(시화) : 시에 관한 평론이나 일화를 담은 책. 여기서는 송나라 조여현趙與虤의 ≪오서당시화娛書堂詩話≫를 가리킨다.

681) 菟裘(도구) : 산동성 사수현泗水縣에 있는 땅 이름. 춘추시대 노魯나라 은공隱公이 도구에서 노년을 보내고 싶다고 말했다는 ≪좌전·은공11년≫권3의 고사에서 유래한 말로 은자의 거처를 상징한다.

682) 羊裘(양구) : 양가죽으로 만든 갖옷. 초라한 선비나 은자를 상징한다. 반면에 뒤의 '호구狐裘'는 귀인이나 고관을 상징한다.

◆留(유씨)

▶徵音. 安南. 吳留略爲東海太守, 晉留璠爲江夏令.

▷음은 치음에 속하고 본관은 (호남성) 안남군이다. (삼국) 오나라 때 유약이 (산동성) 동해태수를 지낸 일이 있고, 진나라 때 유번이 (호북성) 강하현령을 지낸 일이 있다.

●留正, 字仲至. 徐處士683)知其必貴, 以女妻之. 虞允文與語, 以宰相器奇之. 宋孝宗朝, 歷四郡, 召還西府684), 拜相, 封國公. 孫元剛中博學宏詞科.

○유정(1129-1206)은 자가 중지이다. 서처사는 그가 필시 고관에 오르리란 것을 알고 딸을 그에게 시집보냈다. 우윤문은 그와 대화를 나누더니 재상감이라고 그를 높이 평가하였다. 송나라 효종 때 네 개 군의 태수를 지내다가 황제의 부름을 받고 서부(추밀원樞密院)로 돌아가 재상을 배수받고 국공에 봉해졌다. 손자인 유원강留元剛은 박학굉사과에 급제하였다.

◆句(구씨)

▶宮音. 平陽. 古句芒685)氏之後. 句姓自宋建炎以來, 以避高宗嫌名686), 各不同, 有易其姓字者, 紹興進士句聲, 是也. 有更其音687)者, 史館修撰688)句濤, 是也. 加金字者, 鉤光祖, 是也. 加絲者, 約紡, 是也. 加草者, 句諶, 是也. 增爲句龍者, 如

683) 處士(처사) : 벼슬하지 않은 선비를 이르는 말.
684) 西府(서부) : 당송唐宋 때 국가의 군사 업무를 총괄하던 장관인 추밀사樞密使의 거처를 이르는 말로 뒤에는 추밀원樞密院의 별칭이 되었다.
685) 句芒(구망) : 나무에 관한 일을 관장하는 벼슬이나 신을 이르는 말. 전설상의 황제인 복희伏羲의 신하란 설도 있고, 소호少皞의 아들이란 설도 있다.
686) 嫌名(혐명) : 이름 중에 음이 서로 유사한 것을 이르는 말. 후한 정현鄭玄(127-200)은 ≪예기·곡례상曲禮上≫권3의 주에서 "'혐명'은 소리가 서로 유사한 것을 말한다. 이를테면 '우禹'와 '우雨', '구丘'와 '구區' 같은 경우이다(嫌名, 謂音聲相近. 若禹與雨, 丘與區也)"라고 설명하였다. 여기서는 송나라 고종(조구趙構)의 이름인 '구構(gòu)'가 '구句(gōu)'와 음이 서로 비슷한 것을 말한다.
687) 更其音(경기음) : 소리를 바꾸다. '구(gōu)'에서 '구(gòu)'로 바꾼 것을 말하는 듯하다.
688) 史館修撰(사관수찬) : 사관史館에서 국사 편찬을 관장하는 벼슬을 가리키는 말.

淵[689], 是也. 改爲勾者, 勾思, 是也. 累世之後, 不復別矣.

▷음은 궁음에 속하고 본관은 (산서성) 평양군으로 옛날 구망씨의 후손이다. '구句'씨 성은 송나라 (고종) 건염(1127-1130) 이래로 고종의 이름(구構)과 소리가 비슷한 글자를 피휘하는 바람에 각기 달라져 성명을 바꾼 사람이 생겨났으니, (고종) 소흥(1131-1162) 연간에 진사시험에 급제한 '구성句聲'이 그러한 예이다. 또 소리를 바꾼 사람도 있는데 사관수찬을 지낸 '구도句濤'가 그러한 예이다. '금金'자를 보탠 사람도 있는데 '구강조鉤光祖'가 그러한 예이다. '사絲'자를 보탠 사람도 있는데 '약방約紡'이 그러한 예이다. '초草'자를 보탠 사람도 있는데 '구심苟諶'이 그러한 예이다. 글자를 '구룡句龍'으로 늘린 사람도 있는데 '구룡연여句龍淵如'가 그러한 예이다. '구勾'로 고친 사람도 있는데 '구사勾思'가 그러한 예이다. 여러 세대가 지난 뒤에는 더 이상 나뉘지 않았다.

●句井疆, 孔門弟子.

○(춘추시대 노魯나라 때) 구정강은 공자 문하의 제자이다.

◆州(주씨)

▶商音.

▷음은 상음에 속한다.

●州綽, 晉勇士, 奔齊. 莊公指殖綽·郭最曰, "是寡人[690]之雄也." 綽曰, "君以爲雄, 誰敢不雄? 平陰[691]之役, 先二子鳴. 二子者, 譬於禽獸, 臣食其肉, 而寢處其皮矣."

○주작은 (춘추시대) 진나라 때 용사였다가 제나라로 망명하였다. (제나라) 장공이 식작과 곽최를 가리키며 말했다. "이들은 과인에게 중

---

689) 如淵(여연) : 송나라 서몽신徐夢莘의 ≪삼조북맹회편三朝北盟會編≫권186권에 의하면 어사중승御史中丞을 지낸 구룡연여句龍淵如의 이름인 '연여'의 오기인 듯하다.

690) 寡人(과인) : 제왕이 자기 자신을 낮춰 부르는 말. '덕이 부족한 사람'이란 겸허의 뜻에서 유래하였다. 진나라 시황제가 자신을 '짐朕'이라고 하면서 뒤에는 제후국 임금의 겸칭이 되었는데, 당나라 때 학자인 공영달孔穎達(574-648)의 주장에 의하면 평상시에는 '과인寡人'이라고 하다가 나라에 흉사凶事가 있으면 '고孤'라고 하였다고 한다.

691) 平陰(평음) : 춘추시대 때 산동성에 있던 땅 이름.

요한 장수들이오.” 그러자 주작이 말했다. “군주께서 중요한 장수라고 생각하신다면 누가 감히 중요한 장수라고 보지 않을 수 있겠습니까? 하지만 (산동성) 평음현에서의 전투 때 두 사람보다 먼저 소리치겠나이다. 두 사람을 짐승에 비유한다면 신은 그들의 고기를 먹고 그들의 가죽 위에서 잠을 자겠나이다.”

●皇州. 韓荊州[692]. 西涼州.

○도성. (당나라) 형주자사荊州刺史 한조종韓祖宗. (감숙성) 서량주.

◆歐(구씨)

▶商音. 平陽.

▷음은 상음에 속하고 본관은 (산서성) 평양군이다.

●歐冶子[693]善作劍. 越王聘之, 作五劍, 一曰純鉤. 越王以示薛燭, 燭曰, “光乎如芙蓉始生.” 曹植表云, “歐冶改視, 鉛刀易價.” 今潭陽縣南石屋山西有鑄劍坑, 卽歐冶作劍之所.

○(춘추시대 때) 구야자는 검을 잘 만들었다. 월나라 왕이 그를 초빙하여 검을 다섯 자루 만들게 하였는데 첫 번째 것을 ‘순구검’이라고 하였다. 월나라 왕이 이를 설촉에게 보여주자 설촉이 “빛이 마치 부용꽃이 처음 폈을 때 같나이다”라고 하였다. (삼국 위魏나라) 조식은 상소문에서 “구야자가 다시 들여다보면 납으로 만든 무딘 칼도 가격

---

692) 韓荊州(한형주) : 당나라 때 호북성 형주자사荊州刺史를 지낸 한조종韓祖宗. 당나라 이백李白(701-762)의 ≪이태백문집李太白文集 · 표表≫권25에 수록된 <(호북성) 형주자사荊州刺史 한조종韓祖宗에게 드리는 글(與韓荊州書)>에 실린 시에 “살아 생전 식읍이 만 호인 제후에 봉해질 필요 없이, 단지 형주자사 한조종과 한 번 일면식을 갖기를 바란다네(生不願封萬戶侯, 但願一識韓荊州)”라는 구절이 있다. 그래서 처음 상대방을 만났을 때 ‘만나뵙게 되어 영광입니다’라는 의미에서 ‘식한識韓’ ‘식형識荊’이란 인사말이 생겨났다.

693) 歐冶子(구야자) : 춘추시대 때 검의 명장名匠. 여덟 자루의 명검을 만들어 다섯 자루를 월越나라 왕에게 바치고, 세 자루는 초楚나라 왕에게 바쳤다고 한다. 그에 관한 기록은 전한 원강袁康의 ≪월절서越絶書 · 외전기보검外傳記寶劍≫권11에 전한다.

이 바뀌나이다"라고 아뢴 일이 있다. 오늘날 (강소성) 담양현 남쪽 석옥산 서쪽에 '주검갱'이 있는데 바로 구야자가 검을 만들던 장소이다.

◆區(구씨)

▶羽音. 闕. 韓文694)音歐. 又冶子之後, 東漢末, 長沙695)有區景.

▷음은 우음에 속하고 본관은 미상. ≪한문고이韓文考異≫권21에서는 음을 '구歐'라고 하였다. 또 (춘추시대 월越나라) 구야자歐冶子의 후손으로서 후한 말엽에 (호남성) 장사군 출신으로 구경이란 사람이 있었다.

◇文義卓然(논리 전개가 훌륭하다)

●區冊, 廣州人. 韓愈送區冊序云, "愈謫居山陽696), 有區生者, 自南海擊697)舟而來, 儀貌甚偉. 坐與之語, 文義卓然."

○(당나라) 구책은 (광동성) 광주 사람이다. 한유는 <구책을 전송하는 글>에서 "나 한유가 (강소성) 산양현에 폄적당했을 때 구생(구책)이란 사람이 (광동성) 남해군으로부터 배를 타고 왔는데 풍모가 무척 뛰어났다. 앉아서 그와 얘기를 나눠 보았더니 논리 전개가 훌륭하기 그지없었다"고 하였다.

◇青玉案(청옥으로 만든 안궤)

●區革, 宜州人, 與黃山谷游, 爲瓊州掾. 山谷贈以青玉案.

○(송나라) 구혁은 (광서성) 의주 사람으로 산곡山谷 황정견黃庭堅과 어울리다가 (해남성) 경주의 속관을 지냈다. 황정견이 그에게 청옥으

---

694) 韓文(한문) : 송나라 때 주희朱熹(1130-1200)가 당나라 한유韓愈(768-824)의 문집에 대해 교감한 책인 ≪한문고이韓文考異≫의 준말. 총 10권. 왕백대王伯大가 50권으로 재편집하였다. ≪사고전서간명목록 · 집부 · 별집류≫권15 참조. 위의 예문은 ≪한문고이≫권21에 수록된 <구책을 전송하는 글(送區冊序)>의 주를 가리킨다.

695) 長沙(장사) : 호남성의 속군屬郡 이름.

696) 山陽(산양) : 강소성의 속현屬縣 이름.

697) 擊(격) : 노를 젓는 것을 뜻하는 말인 '나挐'의 오기이다. 자형의 유사성으로 인한 필사 과정상의 단순 오기로 보인다.

로 만든 안궤를 선물한 일이 있다.

◆由(유씨)

▶羽音. 魏郡.

▷음은 우음에 속하고 본관은 (하북성) 위군이다.

●由余著兵法六篇. 秦穆公用其謀, 拓地千里, 遂霸西戎.

○(춘추시대 때) 유여는 병법 6편을 저술하였다. 진나라 목공이 그의 계책을 활용하여 천 리 땅을 개척하고서 마침내 서융족을 제패하였다.

●許由[698]. 子由.

○(당唐나라 요왕堯王 때 은자) 허유. (송나라) 소철蘇轍(1039-1112)의 자.

■氏族大全卷十一■

698) 許由(허유) : 당唐나라 요왕堯王 때 은자로 알려진 전설상의 인물. 요왕이 왕위를 선양하려고 하자 하북성 기산箕山에 은거하였고, 구주장九州長을 맡기려고 하자 영수潁水에서 귀를 씻었다는 고사가 진晉나라 황보밀皇甫謐(215-282)의 ≪고사전高士傳·허유≫권상에 전한다.

■民族大全卷十二■

□二十一侵(21침)

◆任(임씨)

▶宮音. 樂安. 黃帝[1]十二子以德爲姓, 第一子爲任姓.

▷음은 궁음에 속하고 본관은 (산동성) 낙안군이다. 황제黃帝의 열두 아들은 '덕'을 성씨로 삼았으나 장남은 '임'을 성씨로 삼았다.

◇釣海(바다에서 낚시하다)

●任公子[2]以五十犗[3]爲餌, 投竿東海, 期年[4]不得魚. 已而大魚食之, 鶩揚奮鬐, 海水震蕩, 得而腊之. 制河[5]以東, 蒼梧[6]以北, 莫不厭若魚[7]者.(莊[8]外物)

○임공자는 소 50마리를 미끼로 삼아 동해에 낚시대를 드리웠으나 1년이 지나도록 물고기를 낚지 못 하다가 얼마 지나지 않아 커다란 물고기가 그것을 물더니 몸을 솟구치며 지느러미를 떨치는 바람에

---

1) 黃帝(황제) : 전설상의 임금. 성은 유웅씨有熊氏이고 이름은 헌원軒轅. ≪사기史記・오제본기五帝本紀≫권1에서는 황제를 '오제五帝'(황제黃帝・전욱顓頊・제곡帝嚳・요堯・순舜)의 첫 번째 임금으로 설정한 반면, 속수사고전서본續修四庫全書本 ≪제왕세기・자개벽지삼황自開闢至三皇≫권1에서는 '삼황三皇'(복희伏羲・신농神農・황제黃帝)의 마지막 임금으로 설정하고, 대신 오제의 첫 번째 임금으로 소호少皞를 설정하는 등 설에 따라 차이가 있다.

2) 任公子(임공자) : 전국시대 때 작은 제후국인 임任나라의 공자.

3) 犗(개) : 거세한 소. 결국 소를 가리킨다.

4) 期年(기년) : 1년. '기期'는 돐을 뜻하는 '기朞'와 통용자.

5) 制河(절하) : '절강浙江'의 별칭. '절制'은 '절浙' '절淛'과 통용자.

6) 蒼梧(창오) : 호남성의 속군屬郡이자 산 이름. 순왕舜王의 장지葬地가 있는 곳으로 유명하다.

7) 若魚(약어) : 이 물고기. '약若'은 '차此'의 뜻. '약어'를 해신海神의 이름으로 보는 설도 있다.

8) 莊(장) : 전국시대 송宋나라 장주莊周의 도가사상을 담은 책인 ≪장자莊子≫의 약칭. 총 33편 10권. 진晉나라 곽상郭象(?-312)이 주를 달았다. ≪사고전서간명목록・자부・도가류道家類≫권14 참조.

바닷물이 크게 일렁였지만 결국 그것을 잡아 육포를 떴다. 그래서 절강 동쪽과 창오 이북 사람들 모두가 이 물고기를 배불리 실컷 먹었다.(≪장자・외물≫권9)

◇窖粟(곡식을 저장하다)

●宣曲[9]任氏, 其先爲督運倉吏. 秦之敗, 豪傑爭取金玉, 任氏獨窖倉粟. 楚漢相距滎陽, 民不得耕種, 米碩[10]至萬錢, 豪傑金玉多歸任, 以此起富.

○(섬서성) 선곡현 임씨는 그 선조가 곡식을 운송하는 일을 감독하는 관리였다. 진나라가 전쟁에 패했을 때 호족들이 모두 금과 옥을 취했지만 임씨만은 창고의 곡식을 저장해 두었다. 초나라와 한나라가 서로 (하남성) 영양 땅을 두고 대치하여 백성들이 농사를 지을 수 없어서 쌀이 한 섬에 만 냥까지 오르는 바람에 호족들의 금과 옥이 모두 임씨의 손으로 들어가 임씨가 이 때문에 부자가 될 수 있었다.

◇聖童(성인이 경지에 오른 아이)

●任延, 字長孫, 年十二, 明詩・易・春秋[11], 顯名太學[12], 號任聖童. 漢建武[13]中, 徵爲九眞[14]太守, 敎民婚娶養子. 人生子, 名任.

○임연(5-68)은 자가 장손으로 나이 열두 살에 ≪시경≫ ≪역경≫ ≪춘추경≫에 정통하여 태학에서 이름을 떨치며 '임성동'으로 불렸다. 후한 (광무제) 건무(25-55) 연간에 황제의 부름을 받아 (베트남) 구진태수를 맡아서 백성들에게 결혼과 자식의 양육을 가르쳤다. 그러

---

9) 宣曲(선곡) : 섬서성의 속현屬縣 이름.
10) 碩(석) : 한 섬. 열 말에 해당하는 도량형 단위인 '석石'과 통용자.
11) 春秋(춘추) : 주周나라 춘추시대 때 역사를 기록한 ≪춘추경春秋經≫의 원명. 오경五經의 하나로 지금은 해설서인 ≪좌전左傳≫ ≪곡량전穀梁傳≫ ≪공양전公羊傳≫으로 전한다.
12) 太學(태학) : 고대 중국에서 귀족의 자제들을 위해 도읍에 설치하였던 교육기관을 이르는 말.
13) 建武(건무) : 후한後漢 광무제光武帝의 연호(25-55).
14) 九眞(구진) : 한나라 때 안남安南(베트남)에 설치하였던 군郡 이름.

자 사람들은 아들을 낳으면 이름을 '임'으로 지었다.

◇屯田(둔전)

●任峻漢末從曹操, 爲典農中郎將[15], 募民屯田[16]許下[17]. 軍國之饒起於棗祗[18], 成於任峻. 諡成侯. 次子覽, 關內侯[19].

○임준(?-204)은 후한 말엽에 조조를 추종하여 (농사를 관장하는 무관인) 전농중랑장을 맡아 백성을 모집해서 (하남성) 허하에 둔전을 설치하였다. 군국을 위한 넉넉한 재정은 조지로부터 비롯되어 임준에 의해 완성되었다. 시호는 성후이다. 차남인 임남任覽은 관내후에 봉해졌다.

◇一食萬錢(한 번 식사에 만 냥을 쓰다)

●任愷, 魏人, 性豪侈, 一食萬錢, 猶云, "無下筯處!" 子罕, 字子倫, 有賢行. 時稱爲淸平佳士. 仕晉, 爲大鴻臚[20].

○임개(223-283)는 (삼국) 위나라 사람으로 천성적으로 사치스러워 한 번 식사에 만 냥을 쓰고서도 오히려 "젓가락을 댈 데가 없군!"이라고 하였다. 아들 임한任罕은 자가 자륜으로 행실이 어질어 당시 '청평가사'로 불렸다. 진나라에서 벼슬길에 올라 대홍려를 지냈다.

---

15) 中郎將(중랑장) : 한나라 이후로 삼서三署의 장관인 오관중랑장五官中郎將·좌중랑장左中郎將·우중랑장右中郎將 가운데 하나로 궁중 호위를 관장하던 벼슬 이름. '둔전중랑장'은 둔전을 관장하는 무관武官을 가리킨다.

16) 屯田(둔전) : 주둔군의 식량을 자급자족하기 위해 마련한 농토를 가리키는 말.

17) 許下(허하) : 하남성 허許 땅 일대를 이르는 말. '허'는 춘추전국시대 때 제후국 이름에서 유래하였다.

18) 棗祗(조지) : 후한 말엽 사람으로 조조曹操에게 처음으로 둔전屯田 설치를 건의하였다. ≪삼국지·위지魏志·무제조조전武帝曹操傳≫권1 참조.

19) 關內侯(관내후) : 진한秦漢 때 작호爵號를 받아 경기 일대에 거주할 수는 있지만 식읍食邑은 없었던 작위 이름.

20) 大鴻臚(대홍려) : 한나라 때 제후나 외국 사신의 알현을 주관하는 일을 관장하던 벼슬로 구경九卿의 하나. 뒤에는 '홍려경鴻臚卿'으로 개칭되었다.

◇旗鈴入夢(깃발에 달린 방울이 꿈속에 들어오다)

●任昉, 字彦升. 父遙仕齊, 爲中散大夫[21]. 母裴氏夢五色采旗四角懸鈴, 一鈴落, 入懷中, 遂有娠生昉. 八歲能屬文, 褚彦回[22]謂遙曰, "卿有令子, 所謂'百不爲多, 一不爲少.'" 家聚書萬卷, 所著文章, 數千萬言.

○(남조南朝 양梁나라) 임방(460-508)은 자가 언승이다. 부친 임요任遙는 남제南齊에서 벼슬길에 올라 중산대부를 지냈다. 모친 배씨는 오색 깃발의 네 귀퉁이에 방울이 달려 있다가 방울 하나가 떨어져 품속으로 들어오는 꿈을 꾸고서 급기야 임신을 하더니 임방을 낳았다. 임방은 여덟 살부터 글을 지을 줄 알았기에 언회彦回 저연褚淵이 임요에게 "경에게는 훌륭한 아들이 있으니 이른바 '백 명이라고 해서 많은 것도 아니고 한 명이라고 해서 부족한 것도 아니다'라고 말할 수 있을 것입니다"라고 하였다. 집안에 만 권의 서책을 모았기에 지은 문장이 수천 수만 자에 달하였다.

◇蘭臺聚(어사중승이 마련한 연회에서의 모임)

●任昉, 梁武帝朝, 爲御史中丞[23], 簪裾[24]輻湊[25]. 預其宴者, 殷芸・劉孺・劉顯・劉孝綽[26]・張率・陸倕, 日爲龍門遊[27], 號蘭臺[28]聚. 出爲

---

21) 中散大夫(중산대부) : 전한 왕망王莽(B.C.45-A.D.23) 때 처음 설치된 벼슬로 황제의 자문 역할을 담당하였는데, 당송唐宋 때는 정5품상正五品上에 해당하는 문산관文散官이 되었다.

22) 褚彦回(저언회) : 남조南朝 남제南齊 때 사람 저연褚淵(435-482). '언회'는 자. 유송劉宋 무제武帝의 딸인 시안공주始安公主와 결혼했다가 다시 문제文帝의 딸인 남군공주南郡公主와 결혼하여 부마도위駙馬都尉・상서우복야尙書右僕射에 올랐는데, 남제 때 다시 상서령尙書令에 오르고 남강군공南康郡公에 봉해지자 절조 없는 사람이라고 조롱당했다. ≪남제서・저연전≫권23 참조.

23) 御史中丞(어사중승) : 관리들의 비행을 규찰하고 탄핵하는 업무를 관장하는 기관인 어사대御史臺에서 어사대부御史大夫 다음 가는 벼슬. 시대마다 차이는 있으나 당송唐宋 때는 어사대부 휘하에 어사중승 외에도 시어사侍御史・전중시어사殿中侍御史・감찰어사監察御史 등이 있었다.

24) 簪裾(잠거) : 관에 꽂는 비녀와 차양이 있는 모자. 벼슬아치를 비유한다.

25) 輻湊(복주) : 수레의 바퀴살이 축으로 모이듯이 사람들이 폭주하는 것을 이르는 말. '복주輻輳'로도 쓴다.

26) 劉孝綽(유효작) : 남조南朝 양梁나라 사람 유염劉冉(481-539). '효작'은 자. 본명보다는 자로 더 알려졌다. 형제들이 모두 글재주로 이름을 떨쳤다. ≪양서

新安太守, 卒[29]于官. 謚曰敬子.

○임방(460-508)이 (남조南朝) 양나라 무제 때 어사중승을 맡자 벼슬아치들이 그에게로 모여들었다. 그래서 그가 마련한 연회에 참석한 사람으로 은운·유유·유현·유효작(유염劉冉)·장솔·육수 등이 있었는데, 날마다 훌륭한 학자들과의 교유를 가져 '난대취'로 불렸다. 임방은 조정을 나서 (안휘성) 신안태수를 지내다가 그 직책에서 생을 마쳤다. 시호는 '경자'이다.

◇弘文館(홍문관)

●任敬臣, 字希古, 七歲喪母, 問父英曰, "若何可以報母?" 父曰, "揚名顯親, 可也." 乃刻志從學, 擧孝廉[30]. 虞世南器之, 歲終書上考[31]. 唐初, 詔爲弘文館[32]學士[33].

·유효작전≫권33 참조.

27) 龍門遊(용문유) : 명망이 높은 사람들의 교유를 이르는 말. '용문'은 하남성 낙양 남쪽에 있는 산 이름으로 봄에 바다의 물고기가 황하의 도화랑桃花浪이 불어날 때 이곳의 폭포수를 거슬러 오르면 용이 된다는 전설이 있기에 과거시험에 급제하거나 대학자에게 인정을 받은 사람을 '등용문登龍門'이란 말로 비유하였다.

28) 蘭臺(난대) : 한위진남북조漢魏晉南北朝 때는 어사대御史臺의 별칭이었다가 당나라 때는 비서성祕書省의 별칭으로 쓰였다. 여기서는 결국 어사중승을 지낸 임방을 가리킨다.

29) 卒(졸) : 사대부가 죽었을 때 쓰는 말. ≪예기·곡례하曲禮下≫권5에 의하면 천자의 죽음은 '붕崩'이라고 하고, 공경公卿의 죽음은 '훙薨'이라고 하며, 대부大夫의 죽음은 '졸卒'이라고 하고, 사士의 죽음은 '불록不祿'이라고 하며, 평민의 죽음은 '사死'라고 하여 신분에 따라 죽음에 대한 표현에도 차이를 두었다.

30) 孝廉(효렴) : 한나라 때 관리를 선발하는 제도의 하나. 효렴과孝廉科 외에도 현량방정賢良方正·직언극간直言極諫 등의 과목이 있었다.

31) 上考(상고) : 과거시험이나 고과 성적에서 상위 수준을 차지하는 것을 가리키는 말. '상고' '중고' '하고'의 등급이 있었다.

32) 弘文館(홍문관) : 당나라 때 주요 도서의 편찬·감수·교정 및 제도·의례에 대한 심사를 관장하던 장서각인 '수문관修文館'을 개칭한 이름. 뒤에는 다시 '소문관昭文館'으로 개칭하였다.

33) 學士(학사) : 위진魏晉 이후로 문학과 저술을 관장하던 벼슬. 당송唐宋 때는 학사원學士院을 두어 제고制誥를 전담케 하여 요직으로 꼽혔다. 홍문관학사弘文館學士·집현전학사集賢殿學士·숭문관학사崇文館學士 등이 있었으나 보통은 한림학사翰林學士를 지칭하는 말로 쓰였다. 또한 5품 이상은 학사, 6품 이

○임경신은 자가 희고로 일곱 살에 모친을 여의자 부친인 임영任英에게 물었다. "어떻게 하면 어머니 은혜에 보답할 수 있을까요?" 그러자 부친이 말했다. "명예를 드날려 모친의 이름을 알리면 된단다." 그래서 결심을 하고 학문에 정진하여 효렴과에 급제하였다. 우세남이 그를 높이 평가해 연말에 상급의 고과를 거두었다는 글을 올렸다. 당나라 초엽에 홍문관학사를 맡으라는 조서가 내려졌다.

◇因詩免役(시 덕택에 부역을 면제받다)

●任濤, 筠州人. 唐咸通[34]中進士, 謂之十哲[35]. 見吳罕. 詩名早著, 常侍[36]李隲見其詩, 有'露溥沙鶴起, 人臥釣船流'之句, 特與免役. 鄉民訟之, 隲判云, "江西界內有詩似淸[37]者, 竝與免役."

○임도는 (강서성) 균주 사람이다. 당나라 (의종) 함통(860-873) 연간의 진사시험 급제자 가운데 한 명으로 그들을 '십철'이라고 하였다. 상세한 내용은 앞의 '임'씨절 '십철'항에 보인다. 시인으로서의 명성을 일찌감치 드날리자 상시 이즐이 그의 시 가운데 '이슬 가득한 모래사장에 학이 날아오르고, 사람 누운 고기잡이 배가 강물 따라 흐르네'라는 구절이 있는 것을 보고서 특별히 부역을 면제시켜 주었다. 고을 사람이 이에 대해 송사를 걸자 이즐은 "강서 일대 내에서 임도처럼 시를 지을 수 있는 사람이 있다면 모두 부역을 면제시켜 주겠

상은 직학사直學士라고 구분하기도 하였다.

34) 咸通(함통) : 당唐 의종懿宗의 연호(860-873).

35) 十哲(십철) : 당나라 의종懿宗 함통咸通(860-873) 연간에 함께 과거시험에 급제한 허당許棠·장교張喬·유탄지兪坦之·극연劇燕·임도任濤·오한吳罕·장빈張蠙·주요周繇·정곡鄭谷·이서원李栖遠·온헌溫憲·이창부李昌符 등 열두 명을 아우르는 말. '십'은 성수成數.

36) 常侍(상시) : 황제의 곁에서 잘못을 간언하고 자문에 대비하는 직책인 산기상시散騎常侍의 준말. 실질적인 권한은 없었으나 대신으로 겸직시키던 존귀한 벼슬이다. 좌·우산기상시를 설치하여 각각 문하성門下省과 중서성中書省에 나누어 소속시켰다.

37) 淸(청) : 위의 예문과 유사한 내용이 원나라 신문방辛文房의 ≪당재자전唐才子傳·임도≫권7에도 전하는데, 이에 의하면 임도의 이름인 '도濤'의 오기이다. 문맥상으로도 '청淸'은 부적절하다. 아마도 자형의 유사성으로 인한 필사 과정상의 단순 오기인 듯하다.

다"고 판결하였다.

◇御書閣(황제의 글씨를 보관하는 누각)

●任中師, 字祖聖, 宋仁宗朝, 除右諫議大夫[38]. 上以飛帛[39]書賜之, 及歸, 里中建御書閣, 鄕人榮之. 謚安惠. 兄中立參大政[40]. 謚康懿.

○임중사는 자가 조성으로 송나라 인종 때 우간의대부를 제수받았다. 인종이 비백체의 글씨를 써서 자신에게 하사하자 귀향한 뒤 고향에 어서각을 지었기에 고향 사람들이 영광스럽게 여겼다. 시호는 '안혜'이다. 형 임중정任中正은 참지정사에 올랐다. 시호는 '강의'이다.

◇五知(오지당을 짓다)

●任布, 字應之, 宋慶曆[41]中, 拜樞副[42]. 歸休洛中, 作五知堂, 一知恩, 二知命, 三知足, 四知道, 五知幸. 謚恭惠. 子遜.

○임포는 자가 응지로 송나라 (인종) 경력(1041-1048) 연간에 추밀부사를 배수받았다. (하남성) 낙양으로 귀향하여 쉬면서 오지당을 지었는데, 그 의미는 첫째 은혜를 알고, 둘째 도리를 알고, 셋째 운명을 알고, 넷째 만족을 알고, 다섯째 행운을 알아야 한다는 것이다. 시호는 '공혜'이다. 아들은 임손任遜이다.

---

38) 諫議大夫(간의대부) : 한나라 이래로 임금에게 간언하는 일을 관장하던 벼슬. 당나라 때는 문하성門下省 소속이었으나 송나라 때는 좌·우간의대부를 설치하여 좌간의대부左諫議大夫는 문하성에 소속시키고, 우간의대부右諫議大夫는 중서성中書省에 소속시켰다.

39) 飛白(비백) : 중국의 서체 10종 가운데 하나. 후한 채옹蔡邕(133-192)이 창안한 서체로 필획筆劃에 흰색이 드러나 보이도록 마른 붓으로 쓴 것을 말한다. 팔분八分과 유사하다.

40) 參大政(참대정) : 주요 정사에 참여하다. 재상인 참지정사參知政事의 자리에 오르는 것을 말한다.

41) 慶曆(경력) : 북송北宋 인종仁宗의 연호(1041-1048).

42) 樞副(추부) : 군사기밀을 관장하는 추밀원樞密院의 버금 장관인 추밀부사樞密副使의 약칭.

◇大任小任(대임과 소임)

●任孜, 字道聖, 與弟伋知名于蜀. 東坡[43]謂之大任・小任. 詩[44]云, "大任剛烈世無有, 疾惡如風朱伯厚[45]. 小任溫毅老更文, 寬柔惠愛小馮君[46]." 伋, 字師中, 慶曆中, 倅[47]黃州. 郡人德之, 作任公亭. 蘇轍作記[48]. 孜之子伯雨, 字德翁, 宋元符[49]中, 除正言[50], 上章, 論章惇・蔡卞[51]. 熙寧[52]中, 坐黨論貶.

○임자는 자가 도성으로 동생 임급任伋과 함께 (사천성) 촉주에서 명성을 떨쳤다. 동파東坡 소식蘇軾이 그들을 '대임'과 '소임'으로 부르

---

43) 東坡(동파) : 송나라 때 대문호인 소식蘇軾(1036-1101)의 호. 호북성 황주黃州로 폄적당했을 때 동파에 거주한 데서 비롯되었다. 저서로 ≪동파전집東坡全集≫ 115권이 전한다. ≪송사・소식전≫권338 참조.

44) 詩(시) : 이는 칠언고시七言古詩 <임사중(임급任伋)의 죽음을 애도하는 노래(任師中挽詞)> 가운데 첫 2연을 인용한 것으로 ≪동파전집≫권13에 전한다.

45) 朱伯厚(주백후) : 후한 사람 주진朱震. '백후'는 자. 친구 진번陳蕃(?-168)이 살해당하자 시신을 거두어 장사 지내주고 그의 아들 진일陳逸을 숨겨 주었다가 발각되어 투옥당했다. ≪후한서・진번전≫권96 참조.

46) 小馮君(소풍군) : 전한 사람 풍입馮立. 형 풍야왕馮野王과 함께 번갈아 상군태수上郡太守를 맡아서 치적을 세웠기에 백성들이 그들의 선정善政을 칭송하며 형인 풍야왕을 '대풍군大馮君', 동생 풍입을 '소풍군小馮君'이라고 불렀다. ≪한서・풍입전≫권79 참조.

47) 倅(쉬) : 보좌하다. 자사刺史의 부관副官을 뜻하는 말로서 당나라 때는 별가別駕, 송나라 때는 통판通判을 일컬었다.

48) 記(기) : 이는 <(호북성) 황주의 사중암(임공정任公亭)에서 쓴 글(黃州師中庵記)>이란 제목으로 송나라 소철蘇轍(1039-1112)의 ≪난성집欒城集≫권24에 전한다.

49) 元符(원부) : 북송北宋 철종哲宗의 연호(1098-1100).

50) 正言(정언) : 규간規諫을 관장하는 벼슬. 당나라 때 습유拾遺를 송나라 때 정언正言으로 바꿨다. 습유와 마찬가지로 좌정언左正言과 우정언右正言이 있는데, 좌정언은 문하성門下省 소속이고 우정언은 중서성中書省 소속이었다.

51) 章惇蔡卞(장돈채변) : 송나라 사람 장돈章惇(1035-1105)과 채변蔡卞(1058-1117). 장돈은 왕안석王安石(1021-1086)의 신법新法을 옹호하여 소식蘇軾(1036-1101)의 탄핵을 받았고, 철종哲宗 때 청묘법靑苗法과 면역법免役法을 부활시켰다. 채변은 채경蔡京(1047-1126)의 동생이자 왕안석의 사위로서 상서좌승尙書左丞・지추밀원사知樞密院事 등을 역임하였다. 두 사람 다 ≪송사≫에서는 간신奸臣으로 분류하였다. ≪송사・간신열전・장돈전≫권471과 ≪송사・간신열전・채변전≫권472 참조.

52) 熙寧(희녕) : 북송北宋 신종神宗의 연호(1068-1077).

며 시를 지어 "대임(임자)은 강직한 면에서 세상에 견줄 사람이 없으니, 중풍에 걸리기라도 하듯 악을 싫어하는 것이 (후한 사람) 주백후(주진朱震)와 같고, 소임(임급)은 온화하고 의젓한 성품에 나이 들어 문풍을 바꾸었는데, 관대하고 자애로움이 (전한 사람) 소풍군(풍입馮立)과 같다네"라고 하였다. 동생 임급任伋은 자가 사중으로 (인종) 경력(1041-1048) 연간에 (호북성) 황주에서 통판을 지냈다. 고을 사람들이 그의 은덕을 높이 평가해 임공정을 세웠다. 소철이 그에 관한 글을 지었다. 임자의 아들 임백우任伯雨는 자가 덕옹으로 송나라 (철종) 원부(1098-1100) 연간에 정언을 제수받자 상소문을 올려 장돈과 채변을 비판하였다. (신종) 희녕(1068-1077) 연간에는 붕당에 참여하였다는 이유로 폄적당한 일이 있다.

●任座直言, 魏文侯親下堂迎之, 以爲上客.(史記[53])

○(전국시대 때) 임좌가 직언을 잘 하자 위나라 문후가 몸소 대청에서 내려와 그를 영접하여 상객으로 모셨다.(≪사기≫)

●任鄙力人也. 秦武王好力, 鄙扣關自鬻[54].(史記)

○(전국시대 때) 임비는 힘이 센 장사였다. 진나라 무왕이 장사를 좋아하자 임비는 관문을 두드려 자신의 재능을 팔았다.(≪사기·진본기≫ 권5)

●任安, 衛靑客也. 靑罷諸客, 皆去, 惟任安不去.(衛靑傳)

○(전한) 임안(?-B.C.91)은 위청의 식객이었다. 위청이 식객들을 물리쳐 모두 떠나도 임안만은 떠나지 않았다.(≪한서·위청전≫권55)

---

53) 史記(사기) : 현전하는 ≪사기≫에는 임좌에 관한 기록이 보이지 않는다. 대신 그에 관한 내용이 전한 유향劉向(약 B.C.77-B.C.6)의 ≪설원說苑·봉사奉使≫권12와 ≪신서新序·잡사雜事1≫권1에 전한다. 일문逸文이거나 출처에 오류가 있는 듯하다.

54) 自鬻(자육) : 자기 몸을 팔다, 자신의 재능을 팔다.

●任永與馮宿[55]同隱, 公孫述[56]徵之, 托靑盲[57]不就.

○(후한) 임영은 풍신馮信과 함께 은거생활을 하면서 공손술이 불러도 눈이 침침하다는 핑계를 대 찾아가지 않았다.

●任光, 漢光武功臣, 封何陵侯, 圖形雲臺[58]. 子隗.

○임광(?-29)은 후한 광무제 때 공신으로 하릉후에 봉해지고 운대에 초상화가 걸렸다. 아들은 임외任隗이다.

●任棠, 漢陽幽人[59], 隱居教授. 凡三辭徵命.(見龐參)

○(후한) 임당은 (호북성) 한양군의 은자로 은거생활을 하면서 제자들을 가르쳤다. 도합 세 번이나 황제의 부름을 사양하였다.(상세한 내용은 앞의 '방'씨절 '방참'에 관한 기록인 '재상기宰相器'에 보인다)

●任孝恭讀書一遍, 諷誦無遺. 仕齊, 爲司文侍郎[60].

○임효공(?-548)은 한 번 글을 읽으면 빠짐없이 다 외울 수 있었다. (남조南朝) 남제南齊에서 벼슬길에 올라 사문시랑을 지냈다.

●任圜, 唐明宗立, 爲相. 孔循曰, "天下事, 一則任圜, 二則任圜, 圜乃何

---

55) 馮宿(풍숙) : ≪후한서·이업전李業傳≫권111에 의하면 '풍신馮信'의 오기이다. 당나라 덕종德宗 때 사람인 풍숙과 혼동한 듯하다.

56) 公孫述(공손술) : 전한 말엽 사람(?-36)으로 자는 자양子陽. 왕망王莽(B.C.45-A.D.23)의 신新나라 천봉天鳳(14-19) 연간에 사천성 성도成都에 도읍을 정하고 황제를 자칭하다가 광무제光武帝에 의해 제거당했다. ≪후한서·공손술전≫권43 참조.

57) 靑盲(청맹) : 눈동자가 있으나 시력이 없는 것을 이르는 말. '청광靑狂'이라고도 한다.

58) 雲臺(운대) : 누각 이름. 후한後漢 광무제光武帝 유수劉秀(B.C.6-A.D.57)가 중신들과 국사를 논의하였고, 명제明帝가 부친인 광무제 때의 공신들의 업적을 기리기 위해 등우鄧禹(2-58) 등 28명의 초상화를 그려 넣은 장소로 유명하다.

59) 幽人(유인) : 은자·죄수·총애를 잃은 여자·시름에 젖은 사람 등을 지칭할 때 쓰는 말.

60) 司文侍郎(사문시랑) : 남조南朝 때 설치한 관직 이름. 상세한 내용은 미상.

人!"

○임환(?-927)은 (오대五代) 후당後唐 명종이 즉위하고서 재상에 올랐다. 공순은 "천하의 중요한 일을 첫째도 임환이 처리하고 둘째도 임환이 처리하니 임환은 그 얼마나 대단한 사람이던가!"라고 말한 일이 있다.

※婚姻(혼인)

◇題葉之緣(잎사귀에 시를 써서 맺은 인연)

●任氏能詩. 一日題詩于葉云, "拭翠歛蛾眉[61], 爲郁心中事. 搦管[62]下庭除, 書成'相思'字. 此字不書石, 此字不書紙. 書向秋葉上, 願逐秋風起. 天下有心人, 盡解相思死." 侯繼圖[63]本儒素[64], 倚大慈寺樓, 因秋風四起, 拾此葉, 貯巾篋. 五六年, 與任氏婚. 任見曰, "此吾在左綿[65]時書葉." 侯仕至尙書[66].

○임씨는 시를 잘 지었다. 하루는 잎사귀에 다음과 같은 시를 적었다. "비취빛 화장을 지우고 고운 눈썹 찌푸리는 것은, 마음 속에 우울한 일이 쌓여서이기에, 붓을 쥐자마자 정원 섬돌로 내려가, 잎사귀에 '그대가 그립습니다'라는 글자를 써 보았네. 이 글자를 돌에 새기지

---

61) 蛾眉(아미) : 나방의 촉수처럼 생긴 눈썹. 미녀를 상징한다.

62) 搦管(익관) : 붓대롱을 손에 잡다. 즉 붓을 잡고서 글을 짓는 것을 말한다.

63) 侯繼圖(후계도) : 문헌에 따라 당나라 때 사람이라고도 하고 오대십국五代十國 때 촉蜀나라에서 상서尙書를 지낸 사람이라고도 하는 등 차이가 있는데, 위의 내용이 출처를 ≪옥계편사玉溪編事≫라고 밝힌 송나라 이방李昉(925-996)의 ≪태평광기太平廣記・정수定數15・후계도≫권160에 전하는 것으로 보아 실존 인물인지도 불분명하다.

64) 儒素(유소) : 이름난 선비, 선비로서의 자질, 유학儒學 등을 이르는 말.

65) 左綿(좌면) : 사천성 면주綿州. 면주가 부강涪江의 동쪽(左)에 있기에 생긴 별칭이다.

66) 尙書(상서) : 한나라 이후로 정무政務와 관련한 문서의 발송을 주관하는 일, 혹은 그러한 업무를 관장하던 벼슬을 가리킨다. '상尙'은 '주관한다(主)'는 뜻이다. 후대에는 이부상서吏部尙書나 병부상서兵部尙書와 같이 그런 업무를 관장하는 상서성尙書省 소속 장관을 뜻하는 말로 쓰였다. 휘하에 시랑侍郞과 낭중郞中・원외랑員外郞 등을 거느렸다.

않고, 이 글자를 종이에 쓰지 않는 것은, 가을 잎사귀에다가 적어서, 가을바람 따라 날아오르기를 바라서라네. 세상에 진정한 사랑을 지닌 사람이 있다면, 상사병으로 죽을 수 있다는 것을 잘 이해해 주겠지." 후계도는 본래 이름난 선비로 대자사 누각에서 더부살이를 하고 있었는데, 가을 바람이 사방에서 일어나자 이 잎사귀를 주워 두건 상자에 보관하였다. 그러다가 5, 6년 뒤에 임씨와 결혼하였다. 임씨가 잎사귀를 발견하고는 말했다. "이것은 제가 (사천성) 면주에 있을 때 잎사귀에 쓴 것입니다." 후계도는 벼슬이 상서까지 올랐다.

◇仙遇(선녀와의 만남)

●任生隱嵩山讀書, 夜有女子來曰, "冥數[67]合[68]與君爲姻." 凡三題詩, 其三云, "阮郎迷不悟, 何處伸情素? 明日海山春, 綵舟却歸去." 生竟不納而去. 後數月, 任生病, 爲黃衣[69]吏所攝. 道遇女仙, 笑曰, "嵩山薄命漢! 汝數盡, 更與三年."

○임생이 (하남성) 숭산에 은거하여 글을 읽을 때 밤에 한 여자가 찾아와 말했다. "운명적으로 의당 그대와 혼인을 맺도록 되어 있습니다." 도합 시를 세 수 적었는데 제3수에서 "완씨 낭군(남편감)은 사리를 몰라 깨닫지 못 한 채, 어디서 애정을 펼치고 있을까? 내일이면 바다와 산에 봄이 찾아와, 아름다운 배를 타고 돌아갈 터인데"라고 하였다. 임생은 끝내 받아들이지 않은 채 떠나버렸다. 몇 개월 뒤 임생은 병이 나는 바람에 황색 옷을 입은 관리에게 포섭당했다. 도중에 선녀를 만나자 웃음을 지으며 "숭산의 박명한 사내여! 그대의 운명이 다하였지만 다시 3년을 더 주겠소"라고 하였다.

◇選婿(사윗감을 고르다)

●任瞻, 字育長, 少有令名[70]. 晉武崩[71], 選一百二十挽郞[72], 極一時之

---

67) 冥數(명수) : 하늘이 정한 운수나 운명을 이르는 말.
68) 合(합) : 응당, 분명히. '응應'의 뜻.
69) 黃衣(황의) : 제왕이나 환관, 신선・도사 등이 입는 옷. 여기서는 신선이나 저승사자의 복장을 가리키는 듯하다.

秀, 彦育長與焉. 王安豊[73]從挽郎中選女婿[74], 得四人, 任在其中. 任童少時, 神明可愛, 時人謂, "育長影也好!"

○임첨은 자가 육장으로 어려서부터 훌륭한 명성을 얻었다. 진나라 무제가 사망하자 120명의 만랑을 선발하면서 당시 수재들을 다 동원할 때 임첨이 수장을 맡아 거기에 참여하였다. 안풍공安豊公 왕융王戎(234-305)이 만랑 가운데서 사윗감을 골라 네 명을 얻을 때 임첨도 그속에 들어 있었다. 임첨은 어렸을 때 총명하여 총애를 받았는데 당시 사람들이 "육장(임첨)은 뒷모습도 멋있소!"라고 하였다.

●任遙娶河東裴氏, 高明有德行, 生子助[75].

○(남조南朝 남제南齊) 임요는 고명하면서 덕행을 갖춘 (산서성) 하동군 출신 배씨를 아내로 맞아 아들 임방任昉(460-508)을 낳았다.

●唐崔寧妻任氏, 散家財, 募兵, 擊楊子琳, 破之.

○당나라 최영은 임씨에게 장가들었는데 그녀는 가산을 동원해 병사들을 모집해서 (반군인) 양자림을 공격하여 그를 물리쳤다.

●馮衍妻任氏, 性悍忌.

---

70) 令名(영명) : 훌륭한 명성. '영令'은 '미美'의 뜻.

71) 崩(붕) : 황제나 황후의 죽음을 이르는 말. ≪예기·곡례하曲禮下≫권5에 의하면 천자의 죽음은 '붕崩'이라고 하고, 공경公卿의 죽음은 '훙薨'이라고 하며, 대부大夫의 죽음은 '졸卒'이라고 하고, 사士의 죽음은 '불록不祿'이라고 하며, 평민의 죽음은 '사死'라고 하여, 신분에 따라 죽음에 대한 표현에도 차이를 두었다.

72) 挽郎(만랑) : 만가挽歌를 부르는 사내. 상례喪禮를 관장하는 사람을 가리킨다.

73) 王安豐(왕안풍) : 진晉나라 사람 왕융王戎(234-305)의 별칭. '안풍'은 봉호. 자는 준충濬沖. 하남성 예주자사豫州刺史와 태자태부太子太傅·사도司徒·상서령尙書令 등 고관을 역임하였다. 죽림칠현竹林七賢의 한 사람이었으나 탐욕스럽고 인색하며 아첨을 잘 하는 것으로 평판이 났다. ≪진서·왕융전≫권43 참조.

74) 女婿(여서) : 딸의 남편. 즉 사위를 뜻한다.

75) 助(조) : 앞의 '旗鈴入夢(깃발에 달린 방울이 꿈속에 들어오다)'항에 의하면 '방昉'의 오기이다. 자형의 유사성으로 인한 필사 과정상의 단순 오기로 보인다.

○(후한) 풍연의 아내 임씨는 천성적으로 사납고 시기심이 많았다.

●任生投曹文姬76)以詩而成姻.
○(당나라) 임생은 조문희에게 시를 주어 혼인을 성사시켰다.

●治任77). 大任. 力難任.
○행장을 꾸리다. 큰 소임. 능력상 감당하지 못 하다.

◆陰(음씨)

▶宮音. 始興. 齊管仲78)七世孫修適楚, 爲陰大夫79), 因氏焉. 周有陰不佞, 世居南陽, 折闕, 至西漢末始盛.

▷음은 궁음에 속하고 본관은 (광동성) 시흥군이다. (춘추시대) 제나라 관중(관이오管夷吾)의 7대손인 관수管修가 초나라에 가서 음대부가 되면서 이를 성씨로 삼은 것이다. 주나라 때 음불영이란 사람은 대대로 (하남성) 남양군에 거주하였는데, 세대가 끊겼다가 서한 말엽에 이르러 번성하기 시작하였다.

◇黃羊祀竈(노란 양으로 부뚜막 신에게 제사를 올리다)

●陰子方, 漢宣朝人, 至孝. 臘日晨炊, 竈神形見, 子方再拜受慶, 家有黃羊, 因以祀之. 自是暴至巨富, 田七百餘頃. 子方常言, "我子孫必大."

---

76) 曹文姬(조문희) : 당나라 측천무후則天武后 때 섬서성 장안長安의 기녀. 시와 서예에 솜씨가 좋아 '서선書仙'으로 불렸다고 전한다. 송나라 때 저자 미상의 ≪금수만화곡錦繡萬花谷·기첩妓妾≫전집前集권17에 인용된 장군방張君房의 ≪여정집麗情集≫ 참조.

77) 治任(치임) : 행장을 꾸리다.

78) 管仲(관중) : 춘추시대 제齊나라 사람 관이오管夷吾. '중'은 자. 환공桓公을 여러 차례 암살하려다가 실패하였으나, 포숙아鮑叔牙의 도움으로 환공 밑에서 재상에 올라 부국강병책으로 제나라를 강국으로 만들었다. 이름보다는 자인 '중仲'을 써서 관중管仲으로 흔히 불리며, 변치 않는 우정을 의미하는 '관포지교管鮑之交'라는 고사성어로 유명하다. 저서로 ≪관자管子≫ 24권이 전한다. ≪사기·관중전≫권62 참조.

79) 大夫(대부) : 주周나라 때 신분 구분인 공公·경卿·대부大夫·사士의 하나. 삼공三公과 구경九卿 아래로 상대부上大夫·중대부中大夫·하대부下大夫가 있고, 그 밑으로 다시 상사上士와 중사中士·하사下士가 있었다. 후대에는 벼슬아치에 대한 범칭汎稱으로 쓰기도 하였다.

後有陰典, 爲漢衛尉[80]. 典孫名隣. 隣長子識, 次子興, 女麗華, 爲光烈皇后[81].

○음자방은 전한 선제 때 사람으로 효심이 지극하였다. 선달 납일 새벽에 밥을 지으려 할 때 부뚜막 신이 형체를 드러내자 음자방은 재배하고 축사를 올리고는 집에 노란 양이 있어서 그참에 그것으로 제사를 올렸다. 그때부터 갑자기 거부가 되어 밭이 7백 경이 넘게 되었다. 음자방은 늘 "내 자손들은 틀림없이 크게 될 것이오"라고 말하곤 하였다. 그의 후손 가운데 음전은 한나라 조정에서 (구경의 하나인) 위위경에 올랐다. 음전의 손자는 성명이 음인陰隣이다. 음인의 장남은 음식陰識이고, 차남은 음흥陰興이며, 딸 음여화陰麗華는 (후한 광무제光武帝의 부인인) 광열황후가 되었다.

◇輔導東宮(동궁의 태자를 보필하다)

●陰興, 字君陵, 漢建武中, 爲黃門侍郎[82]. 帝詔興, 欲封之, 興固讓曰, "臣未有先登陷陣之功[83], 而一家竝蒙爵土, 誠爲盈溢." 拜衛尉, 輔導太子. 兄識, 字次伯, 爲侍中[84]. 從兄嵩素[85]與興不相能[86], 興疾言[87]於帝曰, "席廣[88]·陰嵩, 經行明修, 踰於公卿[89]." 子慶·博·員·丹.

---

80) 衛尉(위위) : 궁중의 호위를 관장하던 벼슬로 구경九卿의 하나.
81) 光烈皇后(광열황후) : 후한 광무제光武帝의 후처. '광열'은 시호. 음인陰隣의 딸로 음식陰識(?-59)의 여동생이자 음흥陰興(?-47)의 누나. 전 황후인 곽성통郭聖通이 자식이 없어 폐위당한 뒤 뒤를 이어 황후에 올랐다. ≪후한서·광열음황후본기光烈陰皇后本紀≫권10 참조.
82) 黃門侍郎(황문시랑) : 문하성門下省에 소속되어 궁중의 갖가지 사무를 관장하던 벼슬. 문하시중門下侍中 다음 가는 벼슬로서 당송 이후로는 문하시랑門下侍郎으로 개칭되었다.
83) 先登陷陣之功(선등함진지공) : 선봉에 서서 적진을 함락시키는 공. 즉 전공을 뜻한다.
84) 侍中(시중) : 황제의 측근에서 기거起居를 보살피고 정령政令을 집행하는 일을 관장하는 벼슬. 진晉나라 이후로 재상의 지위에까지 오르고, 수나라 때 납언納言 혹은 시내侍內라고 하였으며, 당송 이후로는 조정의 주요 행정 기관인 삼성三省 가운데 문하성門下省의 수장首長이 되었다.
85) 素(소) : 평소, 원래.
86) 不相能(불상능) : 서로 사이가 좋지 않다, 서로 화목하지 못 하다.
87) 疾言(질언) : 큰 소리로 말하다, 다급히 말하다.

○음흥(?-47)은 자가 군릉으로 후한 (광무제) 건무(25-55) 연간에 황문시랑을 지냈다. 광무제가 음흥에게 조서를 내려 그를 제후에 봉하려고 하자 음흥은 한사코 사양하며 말했다. "신은 아직 이렇다 할 전공을 세우지 못 했는데도 온가족이 나란히 작위와 봉토를 받았으니 진실로 성은이 망극하옵니다." 위위경을 배수받고 태자를 보위하였다. 형 음식陰識(?-59)은 자가 차백으로 시중을 지냈다. 종형 음숭陰嵩은 평소 음흥과 사이가 좋지 않았지만 음흥은 오히려 큰 소리로 광무제에게 "석광과 음숭은 경학이나 행실을 잘 닦은 면에서 삼공과 구경을 능가하나이다"라고 아뢰었다. 아들은 음경陰慶·음박陰博·음원陰員·음단陰丹이다.

◇賢德(성품이 어질고 덕이 많다)

●陰慶有賢德, 推其居第·田園·奴婢, 分與二弟, 但佩印而已. 當代稱美. 漢永平[90]中, 封鮦陽[91]侯.

○음경은 성품이 어질고 덕이 많아 자신의 주택·전원·노비를 모두 두 동생에게 나눠주고 단지 관인만 차는 데 그쳤다. 그래서 당시에 칭송을 받았다. 후한 (명제) 영평(58-75) 연간에 주양후에 봉해졌다.

---

88) 席廣(석광) : 후한 광무제光武帝 때 사람. 음흥陰興의 추천으로 의랑議郎·광록훈光祿勳 등을 역임하였다. ≪후한서·음흥전≫권62 참조.

89) 公卿(공경) : 중국 고대 조정의 최고위 관직인 삼공三公과 구경九卿. 결국은 모든 고관에 대한 총칭이다. '삼공'은 시대마다 차이가 있는데 주周나라 때는 태사太師·태부太傅·태보太保를 지칭하였고, 진秦나라 때는 승상丞相·어사대부御史大夫·태위太尉를 지칭하였으며, 한나라 때는 진나라의 제도를 답습하다가 애제哀帝와 평제平帝 때에 대사마大司馬·대사도大司徒·대사공大司空을 지칭하였으며, 후대에는 태사太師·태부太傅·태보太保를 '삼사三師'로 승격시키고 대신 태위太尉·사도司徒·사공司空을 '삼공'이라고 하기도 하였다. '구경'의 칭호도 시대마다 명칭과 서열에 차이가 있는데, 한나라 때는 태상太常·광록훈光祿勳·위위衛尉·태복太僕·정위廷尉·홍려鴻臚·종정宗正·대사농大司農·소부少府를 '구경'이라 하였고, 수당隋唐 이후로는 구시九寺, 즉 태상太常·광록光祿·위위衛尉·종정宗正·태복太僕·대리大理·홍려鴻臚·사농司農·태부太府의 장관을 '구경'이라고 하였다.

90) 永平(영평) : 후한後漢 명제明帝의 연호(58-75).

91) 鮦陽(주양) : 안휘성의 속현屬縣 이름으로 여기서는 봉호를 가리킨다.

◇霞綬雲(노을이 물들인 자색 구름)

●陰長生與王方平92)修道仙都觀93). 坡94)詩95)云, "眞人96)王遠陰長生, 飛符御氣朝百靈." 蘇子由97)詩98)云, "道士白髮尊, 面若嵐氣99)染. 自言王方平, 學道古有驗. 後有陰長生, 此地亦所占. 竝騎雙龍翔, 霞綬紫雲檐. 陽陽100)玉堂101)上, 與世作豐歉102)."

○(후한 때) 음장생은 방평方平 왕원王遠과 함께 (사천성) 선도관에서 도를 닦았다. (송나라) 동파東坡 소식蘇軾은 시에서 "도사 왕원과 음장생은, 부적을 날리고 기운을 운행하여 온갖 신령들을 조알하였네"라고 하였고, (소식의 동생인) 자유子由 소철蘇轍은 시에서 "도사는 백발의 나이에도 존엄하여, 얼굴이 마치 산천의 독기에 물든 듯 검

---

92) 王方平(왕방평) : 후한 사람 왕원王遠. '방평'은 자. 효렴과孝廉科로 천거되어 중산대부中散大夫를 역임하다가 입산하여 도사가 되었다. 진晉나라 갈홍葛洪(284-363)의 ≪신선전神仙傳・왕원전≫권3과 송나라 이방李昉(925-996)의 ≪태평광기太平廣記・신선神仙7・왕원≫권7에 그에 관한 기록이 전한다.

93) 仙都觀(선도관) : 전한 때 왕방평王方平과 후한 때 음장생陰長生이 불로장생의 도를 닦았다고 전하는 사천성 풍도현酆都縣에 있는 도관道觀 이름. 송나라 때는 '경덕관景德觀' '백학관白鶴觀'이라고도 하였다.

94) 坡(파) : 송나라 때 대문호 소식蘇軾(1036-1101)의 호인 '동파東坡'의 약칭.

95) 詩(시) : 이는 칠언고시七言古詩 <선도관에서 쓰다(留題仙都觀)> 가운데 한 연을 인용한 것으로 소식蘇軾의 ≪동파전집東坡全集≫권26에 전한다.

96) 眞人(진인) : 득도한 도사나 신선에 대한 별칭. 남자 도사는 '진인'이라고 하고, 여자 도사는 '원군元君'이라고 한다.

97) 蘇子由(소자유) : 송나라 사람 소철蘇轍(1039-1112). '자유'는 자. 호는 영빈유로潁濱遺老. 부친인 소순蘇洵(1009-1066) 및 형 소식蘇軾(1036-1101)과 함께 당송팔대가唐宋八大家의 한 사람. 저서로 ≪난성집欒城集≫ 96권이 전한다. ≪송사・소철전≫권339 참조.

98) 詩(시) : 이는 오언고시五言古詩 <선도관은 바로 (후한) 왕방평(왕원)과 음장javascript:;생이 도를 배워 신선이 되었던 산에 있다(仙都觀乃王方平陰長生學道得仙之山)> 가운데 제3연을 제외한 나머지를 인용한 것으로 현전하는 ≪난성집≫에는 수록되지 않았다. 대신 송나라 축목祝穆의 ≪고금사문류취古今事文類聚・선불부仙佛部≫전집前集권34에 수록되어 전한다.

99) 嵐氣(남기) : 질병의 원인이 되는 산천에서 생기는 독기를 이르는 말. '장기瘴氣'와 뜻이 유사하다. 여기서는 얼굴에 검푸른 빛깔이 도는 것을 말한다.

100) 陽陽(양양) : 따사로운 모양, 혹은 선명한 모양.

101) 玉堂(옥당) : 신선세계에 대한 미칭. 부잣집이나 궁궐・후궁・부녀자의 처소를 비유적으로 가리킬 때도 있고, 한림원翰林院의 별칭으로도 쓰였다.

102) 豐歉(풍겸) : 풍년과 흉년.

으스레하였네. 스스로 왕방평(왕원)이라며, 옛날부터 징험이 있는 도를 익혔다고 하였지.(중략) 뒤에 음장생이란 도사가 나타나, 이 땅을 차지하기도 하였는데, 함께 두 마리 용을 타고서 날아올라, 노을이 물든 자색 구름 끝자락으로 가서, 따사로운 신선세계에 머물며, 세상에 풍년과 흉년을 가져다 주었네"라고 하였다.

◇忍垢(오물을 감내하다)

●陰子春身服垢汚脚, 數年一洗, 言"每洗則失財敗事." 在梁州, 以洗足致梁州敗. 山谷[103]詩[104]云, "何須忍垢不濯足, 苦學梁州陰子春?" 仕梁, 爲梁州刺史.

○음자춘은 몸에 더러운 옷을 입고 다리에 오물이 묻어도 몇 년에 한 번 씻으며 "매번 씻을 때마다 재물을 잃고 일을 그르친다"고 하였다. 그러나 (섬서성) 양주에 있을 때는 발을 씻는 바람에 양주가 패하는 결과를 초래한 적이 있다. 그래서 (송나라) 산곡山谷 황정견黃庭堅은 시에서 "어찌 더러운 것을 감내하고 발을 씻지 않으며, 양주의 음자춘을 힘들여 본받을 필요가 있으리오?"라고 하였다. 음자춘은 (남조南朝) 양나라에서 벼슬길에 올라 양주자사를 지냈다.

◇陰何(음갱陰鏗과 하손何遜)

●陰鏗, 字子堅, 工五言. 梅詩[105]云, "花舒雪嘗飄, 照日不俱銷." 詩與何遜齊名, 號陰何體. 爲梁湘東王[106]法曹參軍[107]. 嘗與賓客[108]晏[109],

---

103) 山谷(산곡) : 송나라 사람 황정견黃庭堅(1045-1105). '산곡'은 호. '부옹涪翁'이라고도 한다. 자는 노직魯直. 소식蘇軾(1036-1101)의 제자이자 강서시파江西詩派의 창시자로서 비서승祕書丞과 사천성 부주별가涪州別駕 등을 역임하였다. 저서로 ≪산곡집山谷集≫ 67권이 전한다. ≪송사·문원열전文苑列傳·황정견전≫권444 참조.

104) 詩(시) : 이는 칠언절구七言絶句 <(호북성) 형주의 왕충도가 차를 끓이며 지은 시에 재미삼아 화답한 시 4수(戱答荊州王充道烹茶四首)> 가운데 제2수의 후반부를 인용한 것으로 ≪산곡집≫권10에 전한다.

105) 梅詩(매시) : 이는 다른 문헌에도 두 구절만 전하는 것으로 보아 일시逸詩인 듯하다.

106) 湘東王(상동왕) : 남조南朝 양梁나라 원제元帝 소역蕭繹(508-554)이 즉위하

見行觴[110]者，因回酒炙授之．衆皆笑，鏗曰，“吾儕[111]終日酣酒，而執爵者不知其味，非人情也．”及侯景[112]亂，鏗爲賊擒，或救之得免，乃前行觴者.

○(남조南朝 양梁나라) 음갱은 자가 자견으로 오언시를 잘 지었다. 그는 <매화를 읊은 시>에서 “꽃잎이 펼쳐지고 눈이 날리더니, 햇살을 받아도 함께 녹지를 않는구나”라고 하였다. 시로써 하손과 나란히 명성을 떨치며 ‘음하체’로 불렸다. 양나라 상동왕의 법조참군을 지냈다. 일찍이 손님들과 술자리를 벌였다가 술시중을 드는 사람을 보고는 술과 고기안주를 회수하여 그에게 주었다. 손님들이 모두 웃자 음갱이 말했다. “우리가 하루종일 술을 거나하게 마시는데도 술시중을 드는 사람이 그 맛을 모른다면 인지상정이 아니지요.” 후경이 반란을 일으켜 음갱이 반군에게 붙잡혔을 때 누군가 그를 구해 화를 면할 수 있었는데, 그를 구한 사람은 다름아니라 바로 전에 술시중을 들던 사람이었다.

●陰世師少有節槩．隋邦[113]張掖太守，戎狄[114]憚之.

기 전의 봉호封號. ≪양서・원제기≫권5 참조.

107) 法曹參軍(법조참군) : 왕부王府나 장수・사신・자사・태수의 휘하에서 법률에 관한 업무를 관장하는 속관을 이르는 말.

108) 賓客(빈객) : 손님에 대한 총칭. ‘빈賓’은 신분이 높은 손님을 가리키고, ‘객客’은 수행원과 같이 신분이 낮은 손님을 가리키는 데서 유래하였다.

109) 䜩(연) : 연회를 열다, 술자리를 마련하다. ‘연宴’과 통용자.

110) 行觴(행상) : 술을 권하다, 술잔을 돌리다. 여기서는 결국 술시중을 드는 것을 말한다.

111) 儕(제) : 복수를 나타내는 접미사. ‘등等’ ‘배輩’ ‘조曹’ ‘속屬’과 의미가 유사하다.

112) 侯景(후경) : 남조南朝 양梁나라 때 사람(503-552). 힘이 세고 무술에 능하여 무제武帝 때 하남왕河南王에 책봉되었으나, 반란을 일으켜 스스로 무제를 죽이고 간문제簡文帝를 옹립하였고, 뒤에는 간문제마저 시해하고 스스로 황제가 되어 ‘한제漢帝’라고 자처하다가 왕승변王僧辯에 의해 평정되었다. ≪양서・후경전≫권56 참조.

113) 邦(방) : 자형이 유사한 ‘배拜’의 오기인 듯하다.

114) 戎狄(융적) : 이민족에 대한 총칭. 동방의 이민족을 ‘이夷’, 남방의 이민족을 ‘만蠻’, 서방 이민족을 ‘융戎’, 북방 이민족을 ‘적狄’이라고 한다.

○음세사(565-617)는 어려서부터 절조가 있었다. 수나라가 그를 (감숙성) 장액태수에 임명하자 융족과 적족들이 꺼려하였다.

※女德(여덕)

●陰麗華, 陰典孫女也. 漢光微時, 適新野[115], 聞其美, 嘆曰, "仕宦當作執金吾[116], 娶妻當得陰麗華." 後納爲后. 在位恭儉, 性仁孝.
○음여화는 음전의 손녀이다. 후한 광무제가 평민이었을 때 (하남성) 신야현에 갔다가 그녀의 미모에 대한 소문을 듣고서 탄식하며 말했다. "벼슬길에 오르면 의당 집금오를 맡아야 하고, 장가를 들려면 의당 음여화를 아내로 맞아야 할 것이다." 뒤에 그녀를 황후로 맞아들였다. 음여화는 자리에 있는 동안 공손하고 검소하였으며 성품이 어질고 효성스러웠다.

●華陰. 山陰[117]. 惜分陰.
○(섬서성) 화음현.(혹은 화산의 북쪽) (절강성) 산음현.(혹은 산의 북쪽) 시간을 아끼다.

◆琴(금씨)

▶角音.
▷음은 각음에 속한다.

●琴牢, 字子開, 孔門弟子, 贈南陵伯, 進頓丘侯.
○(춘추시대 노魯나라) 금뇌는 자가 자개이고 공자의 제자로 남릉백을 추증받았다가 돈구후로 승진하였다.

---

115) 新野(신야) : 하남성의 속현屬縣 이름.
116) 執金吾(집금오) : 한나라 때 금오봉金吾棒을 들고 경사京師를 순찰하거나 천자를 호위하는 일을 주관하던 벼슬. '금오金吾'로 약칭하기도 한다. '오吾'가 '막다(衛)'라는 뜻이어서 무기(金)를 들고 비상사태를 막는다(吾)는 의미에서 유래하였다.
117) 山陰(산음) : 절강성 회계군會稽郡의 속현屬縣 이름. 혹은 산의 북쪽.

●琴高[118], 水仙也. 坡詩[119]云, "脚踏赤鮮公[120], 跳下淸泠中."

○(전국시대 조趙나라) 금고는 물의 신선이 되었다. 그래서 (송나라) 동파東坡 소식蘇軾은 시에서 "발로 잉어를 밟은 채,(중략) 맑고 시원한 물속으로 뛰어내렸네"라고 하였다.

◆禽(금씨)

▶角音.

▷음은 각음에 속한다.

●禽滑釐與田子方[121]·段干木[122]受業子夏[123], 爲王者師.

○(전국시대 때 사람) 금활리는 전자방·단간목과 함께 자하子夏 복상卜商에게서 학문을 전수받아 군주의 스승이 되었다.

●禽息, 秦大夫也, 薦百里奚[124]而不納. 穆公出, 息當車, 以頭擊之曰,

---

118) 琴高(금고) : 전국시대 조趙나라 사람으로 잉어를 타고서 신선이 되었다고 한다. 전한 유향劉向(약B.C.77-B.C.6)의 ≪열선전列仙傳≫권상에 그의 전기가 전한다.

119) 詩(시) : 이는 오언고시五言古詩 <개선사開先寺의 수옥정(開先漱玉亭)> 가운데 두 구절을 발췌하여 인용한 것으로 ≪동파전집東坡全集≫권13에 전한다.

120) 赤鮮公(적선공) : 원문에 의하면 잉어의 별칭인 '적혼공赤鯶公'의 오기이다. '혼鯶'은 당나라 황실의 성씨인 '이李'를 피휘避諱하기 위해 음이 같은 '이鯉'를 고쳐 쓴 것이다.

121) 田子方(전자방) : 전국시대 위衛나라 사람. 관가에서 키우다 버린 말을 길에서 보고 측은지심이 발동하여 자신의 돈으로 다시 사들였다는 고사로 유명하다. ≪회남자淮南子·인간훈人間訓≫권18 참조.

122) 段干木(단간목) : 전국시대 위魏나라 사람. 자하子夏의 제자로 벼슬에 뜻을 두지 않아 승상 자리도 마다하였으나 진秦나라 군대가 그의 명성만 듣고도 퇴각하였다는 일화로 유명하다. ≪사기·위세가魏世家≫권44 참조.

123) 子夏(자하) : 춘추시대 노魯나라 공자의 제자인 복상卜商(B.C.507-?). '자하'는 자. 문학에 뛰어난 것으로 알려졌다. ≪사기·중니제자열전仲尼弟子列傳≫권67 참조.

124) 百里奚(백리해) : 춘추시대 진秦나라의 승상. '백리'는 복성複姓. 한편으로는 성이 '백'이고 '리'가 자이며 '해'가 이름이란 설도 있다. 본래는 우虞나라 대부大夫였으나 우나라 군주가 어리석어 진나라 목공穆公에게 귀의해서 패업霸業을 이루었다. 한편으로는 진나라 목공이 양 가죽 다섯 장으로 속죄하여 데려왔다고 하여 '오고대부五羖大夫'로도 불렸다. ≪사기·진본기秦本紀≫권5 참조.

"臣生無補於國, 不如死也." 公感其言, 用百里奚爲相.

○금식은 (춘추시대 때) 진나라 대부로 백리해를 천거하였으나 받아들여지지 않았다. 목공이 외출하자 금식은 수레를 가로막고서 머리로 수레를 들이받으며 말했다. "신은 살아 생전에 나라에 보탬을 주지 못 하고 있으니 차라리 죽는 것이 낫습니다." 목공이 그의 말에 감동을 받아 백리해를 기용하여 승상에 임명하였다.

●禽慶, 王莽時, 與栗融・蘇章, 以儒生去官.

○(전한 말엽 사람) 금경은 왕망 때 율융・소장과 함께 유생의 신분으로 관직을 그만두었다.

◆岑(잠씨)

▶宮音. 南陽. 周文王封異母弟耀之子渠爲岑子, 因氏焉.

▷음은 궁음에 속하고 본관은 (하남성) 남양군이다. 주나라 문왕(희창姬昌)이 배다른 동생인 희요姬耀의 아들 희거姬渠를 잠나라 군주에 봉하자 그참에 성씨로 삼은 것이다.

◇征南公(정남장군)

●岑彭, 字君然, 建武中, 爲征南將軍, 伐蜀, 裝樓船125), 有攻蜀浮橋. 詔報曰, "劍門126)之事, 一由征南公爲重而已." 所向無前, 進至武陽. 公孫述以杖擊地曰, "是何神也?" 一夕駐軍, 地名彭亡. 刺客詐爲亡奴降, 夜刺殺彭. 謚壯侯. 子遵嗣.

○(후한) 잠팽(?-35)은 자가 군연으로 (광무제) 건무(25-55) 연간에 정남장군을 맡아 (사천성) 촉주를 정벌하면서 누선을 만들고 촉주를 공략할 부교를 마련하였다. 그러자 광무제가 조서를 내려 답변하기를 "검문산 일대에서의 전투는 모두 정남장군이 그 중임을 맡으면

---

125) 樓船(누선) : 배 위에 누각을 세운 큰 배. 주로 전선戰船이나 놀잇배로 사용하였다.

126) 劍門(검문) : 촉蜀 지방으로 들어가는 길목에 있는 산 이름. 사천성 검문현劍門縣 북쪽에 있으며 '촉문산蜀門山'이라고도 한다.

그만일 것이오"라고 하였다. 잠팽은 가는 곳마다 앞을 가로막는 장애물이 없이 무양군까지 진격하였다. 그러자 공손술이 지팡이로 땅을 치며 말했다. "이것이 무슨 신의 조화란 말인가?" 하룻밤은 군대를 주둔시켰는데 그곳 지명이 ('팽씨가 죽는다'는 의미의) 팽망이었다. 자객이 도망친 노비로서 투항한다고 속임수를 쓰더니 밤에 잠팽을 암살하였다. 시호는 '장후'이다. 아들 팽준彭遵이 뒤를 이었다.

◇德政謠(덕정을 노래하다)

●岑熙, 彭玄孫[127]也. 順帝朝, 爲魏郡太守, 視事二年, 輿人[128]歌之曰, "我有枳棘, 岑君伐之. 我有蟊賊[129], 岑君遏之. 狗吠不驚, 足下生氂[130]. 含哺鼓腹, 焉知凶災? 美矣岑君! 於戲[131]休兹[132]!"

○(후한) 잠희는 잠팽岑彭(?-35)의 현손이다. 순제 때 (하북성) 위군태수를 맡아 2년 동안 업무를 보자 백성들이 노래를 지어 "내게 탱자나무와 가시나무가 있으면 잠태수(잠희)께서 베어 주시고, 내게 벼 해충이 있으면 잠태수께서 막아 주시네. 개들도 놀라지 않고 발바닥에 털이 자란다네. 배불리 먹으며 배를 두드리니 어찌 흉년을 알리오? 훌륭하도다! 잠태수시여! 아! 태평성대로다!"라고 하였다.

---

127) 玄孫(현손) : 증손자의 아들. 혹은 먼 후손을 의미할 때도 있다.

128) 輿人(여인) : 일반 백성을 이르는 말. 수레를 만드는 사람이나, 마부, 혹은 허드렛 일을 하는 사람을 뜻하기도 한다.

129) 蟊賊(모적) : 벼의 해충을 가리키는 말. ≪시경·소아小雅·대전大田≫권21의 모전毛傳에서는 "벼의 뿌리를 갈아먹는 것을 '모'라고 하고, 벼의 마디를 갈아먹는 것을 '적'이라고 한다(食根曰蟊, 食節曰賊)"고 풀이하였다. 탐관오리를 비유하기도 한다.

130) 足下生氂(족하생리) : 발바닥에 털이 나다. 이와 유사한 예로 ≪한서·선제기宣帝紀≫권7에 "(선제는) 온몸과 발다닥에 털이 있었는데, 누우면 자주 빛을 발했다(身足下有毛, 臥居數有光燿)"는 기록이 보인다. 아마도 고생 없이 편히 지내는 것을 비유하는 말로 보인다.

131) 於戲(어희) : 감탄사. '어희於熙'로도 쓴다.

132) 休兹(휴자) : 아름다운 시절, 태평성대. '휴休'는 '미美'를 뜻하고, '자兹'는 '년年'을 뜻한다.

◇文墨致相(글재주로 재상의 지위까지 오르다)

●岑文本, 字景仁. 少時山亭避暑, 有叩門云, "上淸[133]童子元寶參(奉[134])." 衣上淸五銖之服[135]. 出門, 至墻下, 不見, 掘之, 得古錢一枚. 自是富盛.(傳異志[136]) 年十四, 父之象坐獄, 文本詣司隷[137], 理寃, 作蓮花賦, 合臺[138]稱賞, 父寃遂直[139]. 唐貞觀[140]中, 爲中書令[141]. 或勸營産業, 文本曰, "吾漢南一布衣[142], 徒步入關[143], 所望不過祕書郞[144]·縣令耳. 今無汗馬之勞[145], 以文墨致宰相, 俸祿已重, 况殖産業邪?" 家事皆令其弟文昭主之.

○잠문본(595-645)은 자가 경인이다. 어렸을 때 산속 정자에서 더위를 피하는데 누군가 문을 두드리더니 "상청동자 원보가 알현을 청합

---

133) 上淸(상청) : 신선이 사는 세 장소인 삼청三淸, 즉 옥청玉淸·상청上淸·태청太淸 중의 하나. 혹은 그곳의 신선인 상청영보도군上淸靈寶道君의 약칭을 가리키기도 한다.

134) 奉(봉) : 다른 문헌에 의하면 알현을 뜻하는 말인 '참봉參奉'에서 '봉奉'자가 누락되었기에 첨기한다.

135) 五銖之服(오수지복) : 무게가 5수 나가는 가벼운 옷. 여기서는 결국 오수전五銖錢을 비유한다.

136) 傳異志(전이지) : 위의 예문과 유사한 내용이 당나라 사람 곡신자谷神子가 지은 소설류의 책인 ≪박이기博異記≫에 전하는 것으로 보아 별칭인 '박이지博異志'의 오기인 듯하다. 송나라 증조曾慥의 ≪유설類說≫권24 등 다른 문헌에서도 모두 출처를 ≪박이지≫라고 하였다. 자형의 유사성으로 인한 필사 과정상의 단순 오기로 보인다.

137) 司隷(사례) : 순찰巡察 업무를 관장하는 벼슬인 사례교위司隷校尉의 약칭.

138) 合臺(합대) : 관서 내의 모든 사람을 이르는 말. '합合'은 '도都'의 뜻.

139) 直(직) : 소송에서 이기는 것을 이르는 말.

140) 貞觀(정관) : 당唐 태종太宗의 연호(627-649).

141) 中書令(중서령) : 위진魏晉 이래로 국가의 기무機務·조령詔令·비기祕記 등을 관장하는 최고 행정 기관인 중서성中書省의 장관.

142) 布衣(포의) : 베옷. 벼슬에 오르지 않은 평민 신분을 상징한다.

143) 入關(입관) : 관중關中 땅으로 들어서다. 결국 당나라 때 도성인 섬서성 장안長安으로 들어선 것을 말한다.

144) 祕書郞(비서랑) : 위진魏晉 이래로 국가 도서의 수집·보관·필사에 관한 업무를 관장하는 비서성祕書省 소속의 관원을 이르는 말. 상관으로 비서감祕書監과 비서소감祕書少監·비서승祕書丞이 있다.

145) 汗馬之勞(한마지로) : 말을 땀흘리게 해서 세운 공로. 전공戰功을 비유한다. '한마지공汗馬之功' '한마공汗馬功'이라고도 한다.

이다"라고 하였는데, 신선세계의 5수 짜리 가벼운 옷을 입고 있었다. 문을 나서 담장 아래로 가자 갑자기 사라졌기에 그곳을 팠더니 오래된 동전이 하나 나왔다. 그때부터 집안이 부유해졌다.(≪박이기博異記≫) 나이 열네 살 때 부친인 잠지상岑之象이 옥사에 연루되자 잠문본이 사례교위를 찾아가 억울함을 호소하면서 <연꽃을 읊은 부>를 짓자 관서의 관원들이 모두 칭찬하는 바람에 부친의 억울한 송사가 마침내 해결되었다. 당나라 (태종) 정관(627-649) 연간에 중서령에 올랐다. 누군가 재산을 늘릴 것을 권하자 잠문본은 "나는 한수 남쪽에서 살던 일개 평민 출신으로 걸어서 관중 땅에 들어섰기에 바라는 관직이라곤 비서랑이나 현령에 지나지 않았소. 이제 이렇다 할 전공도 없이 글재주로 재상의 지위까지 올라 봉록이 이미 많거늘 하물며 재산을 늘리다니오?"라고 하였다. 집안일은 모두 동생인 잠문소岑文昭에게 주관케 하였다.

◇江東三岑(강동 일대의 세 잠씨)

●岑羲, 字仲華, 武后146)時, 爲金壇147)令. 時弟仲翔爲長洲令, 仲林148)爲溧水令, 皆有治績. 宰相宗楚客謂本道149)巡察御史150)曰, "毋遺江東三岑." 後皆列淸要151), 皆文本孫也.

---

146) 武后(무후) : 당나라 측천무후則天武后의 약칭. 본명은 무조武曌(624-705). '측천'은 시호로 '측則'은 '측測'과 통용자. 고종高宗의 황후皇后이자 중종中宗 및 예종睿宗의 모후母后였지만, 뒤에 스스로 황제에 올라 국호를 '당唐'에서 '주周'로 개칭하고 15년간 전횡을 일삼았으며, 외척인 무武씨 집안 사람들이 득세할 수 있는 빌미를 제공하였다. '측천황후則天皇后' '무측천武則天' '천후天后' 등 다양한 별칭으로도 불렸다. ≪신당서・측천황후무조기≫권4 참조.

147) 金壇(금단) : 강소성의 속현屬縣 이름. 아래의 장주현長洲縣과 율수현溧水縣도 마찬가지다.

148) 仲林(중림) : ≪신당서・잠희전≫권102에 의하면 '중휴仲休'의 오기이다.

149) 本道(본도) : 금단현 등이 속해 있는 도道. 여기서는 당나라 때 십도十道 가운데 강남동도江南東道를 가리킨다.

150) 御史(어사) : 탄핵을 전담하는 기관인 어사대御史臺 소속의 벼슬에 대한 총칭. 당나라 때는 어사대를 헌대憲臺・숙정대肅正臺라 부르기도 하였다. 시대마다 다소 차이는 있으나, 보통 장관은 어사대부御史大夫, 버금 장관은 어사중승御史中丞이라고 하였으며, 휘하에 시어사侍御史・전중시어사殿中侍御史・감찰어사監察御史・어사승御史丞 등의 속관이 있었다.

○(당나라) 잠희(?-713)는 자가 중화로 측천무후 때 (강소성) 금단현의 현령을 지냈다. 당시 동생인 잠중상岑仲翔은 장주현의 현령을, 잠중휴岑仲休는 율수현의 현령을 맡아 모두 치적을 세우고 있었다. 그래서 재상 종초객이 해당 도의 순찰 업무를 맡은 어사에게 "강동 일대의 세 잠씨를 놓치지 마시게"라고 하였다. 뒤에 다들 요직에 올랐는데 모두가 잠문본岑文本(595-645)의 손자이다.

◇一門三相(한 가문에서 세 명의 재상이 배출되다)

●岑長倩, 文本從子也. 唐垂拱[152]初, 自夏官尙書[153]拜文昌[154]右相・鳳閣鸞臺三品[155]・特進[156]. 文本中書令, 長倩內史[157], 羲侍中, 一門三相.

○잠장천(?-691)은 잠문본岑文本(595-645)의 조카이다. 당나라 (예종) 수공(685-688) 초에 하관상서(병부상서)를 지내다가 (상서성의 우승상인) 문창우상과 봉각난대삼품・특진을 배수받았다. 잠문본은 중서령을 지냈고, 잠장천은 내사를 지냈고, 잠희岑羲(?-713)는 시중

---

151) 淸要(청요) : 지위가 높고 업무가 중요한 요직을 일컫는 말. '청관淸官' '청관淸貫' '청직淸職' '청환淸宦'이라고도 한다.

152) 垂拱(수공) : 당唐 예종睿宗의 연호(685-688).

153) 夏官尙書(하관상서) : 병부상서兵部尙書의 별칭. 측천무후則天武后(624-705) 때 병부상서를 하관상서로 개명한 적이 있다. 휘하에 시랑侍郞과 낭중郞中・원외랑員外郞 등을 거느렸다.

154) 文昌(문창) : 상서성尙書省의 별칭인 '문창천부文昌天府'의 준말. 따라서 '문창우상文昌右相'은 상서성의 우승상인 '상서우승'의 별칭이다.

155) 鳳閣鸞臺三品(봉각난대삼품) : 재상에 준하는 벼슬 이름인 동중서문하삼품同中書門下三品 혹은 동중서문하평장사同中書門下平章事의 별칭. 당나라 측천무후則天武后(624-705) 때 중서성中書省을 '봉각'으로 개칭하고, 문하성門下省을 '난대'로 개칭한 적이 있다.

156) 特進(특진) : 한나라 때 처음 설치되었는데, 열후列侯 가운데 특별한 지위에 있는 자를 임명하였고 품계는 삼공三公의 아래였다. 수당隋唐 이후로는 산관散官이 되었고, 당송 때는 문산관文散官 가운데 종1품인 개부의동삼사開府儀同三司 다음 가는 서열 2위인 정2품의 최고위 산관이었다.

157) 內史(내사) : 벼슬 이름. 수말隋末 당초唐初에 중서성中書省을 내사성內史省으로 개명하면서 중서사인中書舍人을 내사사인內史舍人이라고 한 적이 있다. 한나라 때는 태수太守에 상당하던 제후국의 지방 장관을 가리키는 말로도 쓰였다.

을 지냈기에 한 가문에서 세 명의 재상이 배출되었다.

◇詩出肺肝(시가 폐부 깊숙이서 나오다)

●岑參詩與李杜158)相頡頏159), 歌行則流出肺肝, 無斧鑿痕160). 郊島161)旬鍛月鍊者, 參談笑爲之. 爲嘉州守, 號岑嘉州.

○(당나라) 잠참(약 715-770)은 시 방면에서 이백李白·두보杜甫와 필적할 만하고, 가행체의 경우 폐부 깊숙이서 흘러나와 갈고 다듬은 흔적이 없다. 맹교孟郊와 가도賈島가 몇 날 몇 달에 걸쳐 갈고 다듬은 것을 잠참은 담소하는 가운데 지을 수 있었다. (사천성) 가주자사를 지냈기에 '잠가주'로 불린다.

●岑晊, 字公孝. 李膺·王暢稱其有幹國器.

○(후한) 잠질은 자가 공효이다. 이응과 왕창이 그에게 나라를 다스릴 재량이 있다고 칭찬하였다.

●李白有鳴皋歌送岑徵君162)云163), "白鷗164)兮飛來, 長與君相親."

---

158) 李杜(이두) : 당나라를 대표하는 시인인 이백李白(701-762)과 두보杜甫(712-770)를 아우르는 말. 후한 말엽 당고黨錮 사건에 휘말린 이응李膺(?-169)과 두밀杜密(?-169)을 가리킬 때도 있다.

159) 頡頑(힐완) : '서로 필적하는 모양' '서로 승부를 겨루는 모양'을 뜻하는 말인 '힐항頡頏'의 오기인 듯하다. 자형의 유사성으로 인한 필사 과정상의 단순 오기로 보인다.

160) 斧鑿痕(부착흔) : 도끼로 팬 흔적. 여기서는 문장을 갈고 다듬은 흔적을 비유한다.

161) 郊島(교도) : 당나라 때 시인인 맹교孟郊(751-814)와 가도賈島(779-843)를 아우르는 말.

162) 徵君(징군) : 조정의 초빙을 받으나 응하지 않는 덕망이 높은 은사에 대한 존칭. '징사徵士'라고도 한다.

163) 云(운) : 이는 동명의 악부시樂府詩 가운데 두 구절을 인용한 것으로 이백의 ≪이태백문집李太白文集≫권6에 전하는데, "당시 양원에 눈이 석 자나 쌓였기에 청령지에서 짓다(時梁園三尺雪, 在淸泠池作)"란 부제가 달려 있다. 시제詩題에서 '명고鳴皋'는 하남성에 있는 산 이름이다.

164) 白鷗(백구) : 흰 갈매기. 바닷가 사람이 갈매기와 함께 놀았다는 ≪열자列子·황제黃帝≫권2의 고사와도 관련성이 있는 말로 은거생활을 함축하는 의미가

○(당나라) 이백은 <명고산을 읊은 노래를 지어 잠징군을 전송하다>란 시를 지어 "흰 갈매기가 날아오는 것은, 오래도록 그대와 친해서라오"라고 하였다.

●岑仲, 唐聖曆[165]中, 爲縣令, 登仙, 杏山尋覓仙人杏.

○잠중은 당나라 (예종) 성력(698-700) 연간에 현령을 지내다가 선계에 오르더니 (하남성) 행산에서 (신선의 은행인) 선인행을 찾았다.

◆金(김씨)

▶角音. 少昊[166]金天氏之後. 漢金日磾本匈奴[167]休屠[168]王之子, 武帝賜姓金氏. 漢朝金姓多其後也.

▷음은 각음에 속하고 (전설상의 임금인) 소호 금천씨의 후손이다. 전한 때 김일제는 본래 흉노족 휴도왕의 아들이었는데 무제가 그에게 김씨 성을 하사하였다. 한나라 때 성이 김씨인 사람들은 대부분 그의 후손이다.

◇七葉珥貂(칠대에 걸쳐 시종관을 지내다)

●金日磾, 字翁叔, 漢武任爲侍中, 信愛之. 漢侍中官入侍帝帷, 出負國璽. 冠金貂蟬[169], 金取堅, 蟬取潔, 貂取溫. 又著鵕鸃[170]冠, 著忠勳之節. 封秺侯.(上音姹) 謚敬侯. 與張安世, 皆七葉珥貂[171]. 漢代衣冠[172], 金

담겨 있다.

165) 聖曆(성력) : 당唐 예종睿宗의 연호(698-700).

166) 少昊(소호) : 전설상의 임금인 오제五帝 가운데 첫 번째 인물. 성씨는 '금천金天'씨. '소호少皞'로도 쓴다.

167) 匈奴(흉노) : 중국 상고시대부터 북방에 살던 유목민족을 부르던 이름. 호족胡族이라고도 하였다. 귀방鬼方·훈육獯鬻·험윤玁狁의 후예라고도 하고, 몽고蒙古·돌궐突厥과 동일 종족이라고도 하는 등 여러 설이 있다.

168) 休屠(휴도) : 한나라 때 흉노의 한 부족 이름.

169) 貂蟬(초선) : 한나라 이후로 시종관侍從官이 쓰던 모자를 이르는 말. 매미(蟬) 모양의 장식품과 담비(貂) 꼬리를 꽂은 데서 유래한 말로 '선면蟬冕'이라고도 한다.

170) 鵕鸃(준의) : 꿩의 일종인 금계金鷄의 별칭. 전설상의 신령한 새를 가리키기도 한다.

171) 珥貂(이초) : 담비 꼬리를 꽂다. 황제를 측근에서 모시는 시종관에 오른 것을 비유한다.

張173)爲盛. 弟倫・二子賞・建, 昭帝時, 俱爲侍中. 賞嗣侯, 佩兩綬174), 及孫而衰.

○김일제(B.C.134-B.C.86)는 자가 옹숙으로 전한 무제가 시중에 임명할 정도로 그를 신임하였다. 한나라 때 시중이란 관직은 입궐하면 황제의 침상 휘장에서 시중을 들고, 조정을 나서면 국새를 책임지는 자리였다. 금을 장식한 초선관을 썼는데 금은 강인하다는 뜻을 취한 것이고, 매미는 고결하다는 뜻을 취한 것이며, 담비는 온화하다는 뜻을 취한 것이다. 또 (금계 모양의 모자인) 준의관을 씀으로써 충신으로서의 절조를 드러냈다. 차후에 봉해졌다.(앞 글자의 음은 '차姹'이다) 시호는 '경후'이다. 장안세와 함께 칠대에 걸쳐 시종관을 지냈다. 한나라 때 사대부 집안 가운데 김씨와 장씨 가문이 가장 번성하였다. 동생 김윤金倫과 두 아들인 김상金賞・김건金建은 소제 때 모두 시중을 지냈다. 김상은 차후의 작위를 물려받고 도장끈을 두 가지나 찼지만, 손자에 이르러서는 가문이 쇠퇴하고 말았다.

◇綠車之寵(녹거에 태우는 총애를 베풀다)

●金涉, 敞之子也. 成帝時, 拜侍中, 以綠車載, 送衛尉舍.(綠車, 皇孫輦也.) 涉弟欽, 平帝時, 爲京兆尹175), 以家世忠孝, 遷光祿大夫176).

---

172) 衣冠(의관) : 관복官服과 갓. 사대부나 벼슬아치를 비유한다.

173) 金張(김장) : 전한 때 사람인 김일제金日磾(B.C.134-B.C.86)와 장탕張湯(?-B.C.115)의 가문을 아우르는 말. ≪한서・장탕전≫권59에 의하면 장탕은 전한 무제武帝 때 사람으로 태중대부太中大夫를 지내다가 주매신朱買臣(?-B.C.115)의 참소로 인하여 자살하였다. ≪한서・장탕전≫권59의 찬문贊文에 "장탕의 자손들은 대를 이어가며 선제宣帝와 원제元帝 이래로 시중과 중상시를 지낸 이가 열 명이 넘었다. 공신의 후손 가운데 오로지 김일제와 장탕 집안 사람들만이 임금 가까이서 총애를 받으며 외척과 맞먹었다(張氏之子孫相繼, 自宣元已來, 爲侍中中常侍者, 凡十餘人. 功臣之後, 唯有金氏張氏, 親近貴寵, 比於外戚)"는 기록이 있다.

174) 兩綬(양수) : 두 가지 도장끈. 즉 두 가지 고관을 겸직한 것을 말한다.

175) 京兆尹(경조윤) : 도성으로부터 백 리 안의 경기 지역을 관장하는 벼슬 이름.

176) 光祿大夫(광록대부) : 진한秦漢 때 중대부中大夫를 전한 무제武帝가 고친 이름으로 황제의 자문 역할을 담당하였다. 수당隋唐 때는 광록대부光祿大夫 외에도 금자광록대부金紫光祿大夫와 은청광록대부銀青光祿大夫를 더 설치하였는

○(전한) 김섭은 김창金敞의 아들이다. 성제 때 시중을 배수하고 녹거에 태워 위위경의 숙소로 전송해 주었다.('녹거'는 황손이 타는 가마이다) 김섭의 동생 김흠金欽은 평제 때 경조윤을 지내다가 집안 대대로 충성과 효성을 드러내 광록대부로 승진하였다.

◇遊華山(화산을 유람하다)

●金榜一陳希夷[177]詩集云, "昔有衣冠子金礪遊華山, 問予曰, '向[178]見先生, 先生睡未覺, 亦有道乎?' 予答詩[179]云, '至人本無夢, 其夢亦遊仙云云. 爐裏名爲藥, 壺中別有天.'"

○(송나라) 김방일이 엮은 ≪진희이시집≫에 "예전에 벼슬아치 집안의 자제인 김여가 화산을 유람하다가 내게 '일전에 선생님을 뵌 적이 있는데, 선생님께서 잠에서 깨지 않은 것도 도가 있어서입니까?'라고 묻기에 나는 답시를 지어 '지극한 경지에 오른 사람은 본래 꿈을 꾸지 않지만, 꿈을 꾼다면 역시 선계를 노니는 것이라네.(중략) 화로 속을 이름하여 약이라고 하고, 호리병 속에는 달리 하늘이 있다네'라고 하였다"는 기록이 있다.

●金倫子安上, 惇篤有知, 爲侍中, 封侯. 安上四子常・敞・岑・明.

데, 광록대부는 종2품에 해당하는 서열 3위의 문산관文散官이었고, 금자와 은청은 각각 서열 4위와 5위로서 정3품과 종3품에 해당하였다.

177) 陳希夷(진희이) : 송나라 때 사람 진단陳摶. '희이'는 사호賜號. 도사道士로서 이학理學을 추구하여 주돈이周敦頤(1017-1073)와 소옹邵雍(1011-1077)에게 영향을 주어 성리학性理學의 발단을 열었다는 평가를 받는다. ≪송사・진단전≫권457 참조.

178) 向(향) : 예전에, 일전에. '향嚮'과 통용자.

179) 詩(시) : 이는 오언율시五言律詩 <예전에 벼슬아치 집안의 자제인 김여가 희이선생 진단에게 "제가 일전에 화산을 유람하다가 선생님을 뵌 적이 있는데, 선생님께서 잠에서 깨지 않은 것도 도가 있어서입니까?"라고 묻자 희이선생이 웃음을 지으며 말을 하지 않은 채 다음과 같은 시 두 수로 대답하였다(昔有衣冠子金勵問希夷先生曰, "勵向遊華山, 欲見先生, 先生睡未覺, 亦有道乎? 先生笑而不言, 答以詩二章)> 가운데 제2수의 수련首聯과 경련頸聯을 발췌하여 인용한 것으로 송나라 축목祝穆의 ≪고금사문류취古今事文類聚・초모부肖貌部・면수眠睡≫후집권21에 전한다.

○(전한) 김윤의 아들 김안상金安上은 성품이 성실하면서 지혜가 있더니 시중에 오르고 제후에 봉해졌다. 김안상의 네 아들은 김상金常·김창金敞·김잠金岑·김명金明이다.

●金敞, 元帝時, 爲侍中, 與蕭望之·周堪·劉向同心謀議.

○(전한) 김창은 원제 때 시중을 지내면서 소망지·주감·유향과 함께 일심동체로 의견을 주고받았다.

●金彦東, 漢人, 以金贈王忳得葬.

○김언동은 후한 때 사람으로 금을 왕돈에게 주어 장례를 치르게 해 주었다.

●金彦, 寶慶府人, 宋朝, 擧孝廉, 天下第一, 號義門180)金氏.

○김언은 (호남성) 보경부 사람으로 송나라 때 효렴과에 응시하여 장원급제하고 '의문김씨'로 불렸다.

●金去僞, 晦菴181)門人也. 名見附錄182).

○(송나라) 김거위는 회암晦菴 주희朱熹의 문인이다. 그의 성명은 (≪주자어류朱子語類≫의) 부록에 보인다.

※女德婚姻(여덕과 혼인)

●金節婦者, 安南183)賊帥齊亮之母, 以忠義誨齊亮. 齊亮不聽, 遂絶之,

---

180) 義門(의문) : 의로운 일을 많이 한 가문에 대한 경칭.

181) 晦菴(회암) : 송나라 때 성리학性理學의 집대성자이자 대문호인 주희朱熹(1130-1200)의 호. 시호는 문공文公. 저서로 ≪회암집晦庵集≫ 112권·≪자치통감강목資治通鑑綱目≫ 59권 등 다수가 전한다. ≪송사·도학열전道學列傳·주희전≫권429 참조.

182) 附錄(부록) : 이는 송나라 여정덕黎靖德이 주희朱熹(1130-1200)의 사후에 문인들이 나누어 적어 놓았던 어록을 모아서 엮은 ≪주자어류朱子語類≫ '성씨편'을 가리킨다.

自田而食, 自紡而衣. 唐大曆[184]初, 下詔褒之, 賜兩丁侍養.

○절조 있는 아낙인 김씨는 안남(베트남)에서 반란을 일으킨 장수인 제량의 모친으로 충성과 도의를 제량에게 가르쳤다. 그러나 제량이 말을 듣지 않자 급기야 의절하고서 손수 농사를 지어 먹고 손수 방직을 하여 옷을 해 입었다. 당나라 (대종) 대력(766-779) 초에 조서를 내려 그녀를 포상하고 하인 둘을 하사하여 봉양케 하였다.

●金賞娶霍光之女. 宣帝卽位, 賞遷太僕[185]. 霍氏[186]事萌芽, 賞上書去妻, 獨得不坐.

○(전한) 김상은 곽광의 딸에게 장가들었다. 선제가 즉위하고서 김상은 태복경으로 승진하였다. (외척인) 곽씨 사건이 점차 고개를 들려고 할 때 김상은 글을 올리고 아내와 이혼하는 바람에 홀로 사건에 연루되지 않을 수 있었다.

●籯金[187]. 懷金[188]. 諾金[189].

---

183) 安南(안남) : 지금의 베트남 일대를 이르는 말. 당나라 고종高宗 때 베트남에 안남도호부安南都護府를 설치한 데서 유래하였다. 명나라 이후로는 국외 지역이었다. 광서성 교주交州와 맞닿아 있다.

184) 大曆(대력) : 당唐 대종代宗의 연호(766-779).

185) 太僕(태복) : 황제의 의복과 자리 따위를 관장하고 황제의 측근에서 중요한 명령의 출납을 담당하던 벼슬로서 구경九卿의 하나.

186) 霍氏(곽씨) : 전한 선제宣帝의 부인인 곽황후霍皇后의 외척들이 곽광霍光이 사망한 뒤 전횡을 일삼다가 제거당한 사건을 가리킨다.

187) 籯金(영금) : 금을 광주리에 채우다. 전한 때 위현韋賢이 경전에 정통하여 지위가 승상까지 오르자 "자식에게 황금을 광주리 가득 물려주느니 차라리 자식에게 경서 한 권을 가르치는 것이 낫다(遺子黃金滿籯, 不如教子一經)"는 말이 돌았다는 ≪한서·위현전≫권73의 고사에서 유래한 말로 경전의 귀중함을 비유한다.

188) 懷金(회금) : 금도장을 품다. 고관에 오르는 것을 비유한다. 단순히 금을 품에 지니는 것을 뜻할 때도 있다.

189) 諾金(낙금) : 승낙이 금보다 귀하다. 초楚 땅에 "황금 백 근을 얻느니 차라리 계포의 승낙을 한 번 얻는 것이 낫다(得黃金百斤, 不如季布一諾)"는 속담이 돌았다는 ≪사기·계포전≫권110의 고사에서 유래한 말로 신실한 승낙을 얻는 것을 비유한다.

○금을 광주리에 채우다. 금도장을 품다. 신실한 승낙을 얻다.

◆林(임씨)

▶宮音. 西河. 毅比干[190]之子逃難長林山, 因以林爲姓.

▷음은 궁음에 속하고 본관은 (산서성) 서하군이다. 은殷나라 비간의 아들이 장림산으로 피난하였다가 그참에 '임'을 성씨로 삼은 것이다.

◇德門(군자의 가문)

●林皋爲趙相, 生九子, 國人號爲九德之父·十德之門. 趙王聞而嫉之, 欲誅之, 出令曰, "欲幸諸國, 擇其木果繁者, 伐之." 皋曰, "此王欲殺我父子也." 遂父子相携, 入白雲山. 王聞而嘆曰, "賢哉! 林皋父子也!"

○(전국시대 때) 임고가 조나라 승상을 지내면서 아들을 아홉 명 낳자 백성들이 군자 아홉 명의 부친이자 군자 열 명의 가문이라고 불렀다. 조나라 왕이 이 소문을 듣고서 그를 질투하여 그를 죽이고자 명령을 내리며 "다른 나라에 행차하면서 나무에 과일이 많이 열리는 것들은 다 베어버리고 싶소"라고 하였다. 그러자 임고는 "이는 왕이 우리 부자를 죽이려는 것이다"라고 말하고는 결국 부자가 서로 손을 잡고 백운산으로 들어갔다. 왕이 이 얘기를 듣고서는 탄식하며 말했다. "현명하구나! 임고 부자는!"

◇甘露之瑞(감로가 내리는 상서로운 징조)

●林攢, 唐貞元[191]中, 爲福唐尉[192]. 母亡, 廬墓, 有白鳥來, 甘露降. 詔表其閭, 蠲徭役. 時號闕下林家.

---

190) 比干(비간) : 은殷나라 마지막 왕인 주왕紂王의 이복형. 주왕의 음란함을 간언하다가 살해당했다. 기자箕子·미자微子와 함께 '삼인三仁'으로 칭송받았다. ≪사기·은본기殷本紀≫권3 참조. 따라서 앞의 '의毅'는 '은殷'의 오기인 듯하다.

191) 貞元(정원) : 당唐 덕종德宗의 연호(785-805).

192) 尉(위) : 각 현의 현령縣令 휘하에서 현령의 업무를 도와 법률과 형벌을 관장하던 보좌관인 현위縣尉를 이르는 말. 현의 수장인 현령縣令과 보좌관인 현승縣丞보다 아래의 직책이었다.

○임찬은 당나라 (덕종) 정원(785-805) 연간에 (복건성) 복당현의 현위를 지냈다. 모친이 돌아가신 뒤 무덤 옆에 여막을 짓자 흰 새가 날아들고 감로가 내렸다. 이에 조서를 내려 고을 입구에 정문旌門을 세우고 요역을 면제시켜 주었다. 그래서 당시 사람들은 그의 가문을 '궐하임가'라고 불렀다.

◇翰林人物(한림원의 인물)

●林攄, 字彦福, 宋崇寧[193]人, 用韓維例, 除翰林學士[194]. 宋朝不由科第而除學士者, 惟此二人.

○임터는 자가 언복이고 송나라 (휘종) 숭녕(1102-1106) 때 사람으로 한유를 기용하던 관례에 따라 한림학사를 제수받았다. 송나라 때 과거시험 급제를 거치지 않고 한림학사를 제수받은 사람은 오직 이 두 명뿐이다.

◇西湖處士[195](서호에 사는 처사)

●林逋, 字君復, 少孤, 刻志於學, 結廬小孤山. 喜吟詩, 梅詩'疏影[196]'一聯, 爲世所稱. 有高節, 范文正公[197]贈詩[198]云, "巢由[199]不願仕, 堯

---

193) 崇寧(숭녕) : 북송北宋 휘종徽宗의 연호(1102-1106).

194) 翰林學士(한림학사) : 당나라 현종玄宗 때 처음 설치된 한림원翰林院 소속 학사를 이르는 말. 황명이나 상소문 등 주요 문서의 초안을 작성하고, 황제의 비답批答을 대필하는 등 조정의 주요 문서에 관한 일을 관장하였기에 매우 명예로운 직책으로 여겼다.

195) 處士(처사) : 벼슬하지 않은 선비를 이르는 말.

196) 疏影(소영) : 이는 송나라 임포林逋(968-1028)의 ≪임화정집林和靖集≫권2에 수록된 칠언율시七言律詩 <산속 정원의 어린 매화를 읊은 시 2수(山園小梅二首)> 가운데 제1수의 함련頷聯을 가리키는 말로 내용은 다음과 같다. "맑고 얕은 물 위로 성긴 그림자 가로로 비스듬히 비치고, 달 뜬 황혼녘에 은은한 향기를 띄우는구나(疏影橫斜水淸淺, 暗香浮動月黃昏)"

197) 范文正公(범문정공) : 송나라 때 재상을 지낸 범중엄范仲淹(989-1052)에 대한 존칭. '문정'은 시호. 자는 희문希文. 저서로 ≪범문정집范文正集≫ 29권이 전한다. ≪송사·범중엄전≫권314 참조.

198) 詩(시) : 앞의 두 구절은 오언율시五言律詩 <서호에 사는 임처사(임포)에게 부치다(寄西湖林處士)> 가운데 함련頷聯을 인용한 것이고, 뒤의 두 구절은 오언배율五言排律 <임포 처사에게 부쳐 드리다(寄贈林逋處士)> 가운데 제2연을

舜豈遺人?" "風俗因公厚, 文章到老醇." 蓄雙鶴, 縱之, 飛入雲霄, 歸則復入籠中. 逋或遊西湖諸寺, 有客至, 童子放鶴, 卽棹小舟歸. 眞宗朝, 賜號和靖先生.

○임포(968-1028)는 자가 군복으로 어려서 부모를 여의자 학문에 뜻을 두고서 소고산에 집을 마련하였다. 시를 읊조리기 좋아하더니 <매화를 읊은 시>에서의 '성긴 그림자'란 말로 시작하는 한 연이 세인들의 칭송을 받았다. 고상한 절조가 있었기에 문정공文正公 범중엄范仲淹은 그에게 시를 보내 "(당나라 때) 소보巢父와 허유許由가 벼슬을 원치 않는다고, 요왕과 순왕이 어찌 남에게 주었던가?"라고도 하고, "풍속은 공 덕택에 순후해졌고, 문장은 노년에 이르러 순수해졌네"라고도 하였다. 학을 한 쌍 키웠는데 풀어주면 구름 속으로 날아들었다가 돌아오면 다시 새장 속으로 들어갔다. 임포는 언젠가 서호 근처 여러 절들을 유람하다가 어느 손님이 찾아와 어린 하인이 학을 풀어주자 즉시 작은 배를 저어서 돌아온 일이 있다. 진종 때 '화정선생'이란 호를 하사받았다.

◇高隱處士(고은처사)

●林敏功, 字子仁, 蘄春人. 年十六, 預鄕薦, 下第歸, 嘆曰, "軒冕[200]富貴, 非吾願也." 杜門不出者二十年, 該通六經[201], 貫穿百氏. 宋元符末, 蔡元度[202]薦之, 不就徵. 政和[203]中, 林震爲郡守, 謂同僚曰, "吾宗有

인용한 것인데 두 작품 모두 ≪범문정집≫권3에 전한다.

199) 巢由(소유) : 당唐나라 요왕堯王 때 은자로 알려진 전설상의 인물인 소보巢父와 허유許由를 아우르는 말. 허유가 요왕에게서 왕이 되어 달라는 세속적인 얘기를 들었다고 영수潁水에서 귀를 씻자 소보가 그 물을 자기 소에게 먹일 수 없다며 소를 끌고 상류로 올라갔다는 고사가 진晉나라 황보밀皇甫謐(215-282)의 ≪고사전高士傳·소보≫권상에 전한다. 여기서는 결국 임포를 비유적으로 가리킨다.

200) 軒冕(헌면) : 대부大夫 이상의 관원이 타는 수레와 예복을 뜻하는 말로서 고관을 비유한다.

201) 六經(육경) : 유가儒家의 대표적인 경서經書인 ≪시경≫ ≪서경≫ ≪역경≫ ≪춘추≫ ≪예기≫ ≪악기≫를 아우르는 말. 결국 경전을 가리킨다.

202) 蔡元度(채원도) : 송나라 사람 채변蔡卞(1058-1117). '원도'는 자. 채경蔡京(1047-1126)의 동생이자 왕안석王安石(1021-1086)의 사위로 상서좌승尙書

隱君子." 出郊見之. 及還朝, 擧其隱德, 賜號高隱處士, 旌表[204]其門. 子仁謝表云, "自是難陪英俊之遊, 何敢妄意高尙之事? 臥牛衣[205]而待旦, 寒如之何? 搔鶴髮以興懷, 老其將至." 有詩文千餘篇. 松坡集. 江西宗派[206]法嗣二十五人之一.(見潘[207]姓)

○임민공은 자가 자인으로 (호북성) 기춘현 사람이다. 열여섯 살에 향시에 참여하였다가 낙방하자 귀향하며 탄식조로 말했다. "관직에 올라 부귀영화를 누리는 것은 내가 바랄 바가 아니로구나!" 대문을 걸어잠근 채 20년 동안이나 외출하지 않으면서 경전을 두루 섭렵하고 제자백가를 깊이 파고들었다. 송나라 (철종) 원부(1098-1100) 말엽에 원도元度 채변蔡卞이 그를 천거하였지만 부름에 응하지 않았다. (휘종) 정화(1098-1100) 연간에는 임진이 태수를 맡으면서 동료에게 "우리 가문에 은거한 군자가 있소"라고 말하고는 교외로 나가 그를 접견한 일이 있다. 조정으로 돌아가게 되자 그의 은자로서의 풍모를 천거하여 '고은처사'란 호를 하사받고 대문에 정표를 세우고 표창을 받을 수 있게 하였다. 그러자 아들 임인林仁은 사양의 뜻을 밝히는 상소문을 올려 다음과 같이 말했다. "이제부터 훌륭한 사람들과 교유를 가지기 어렵게 되었으니, 어찌 감히 고상한 일들을 생각할 수 있겠습니까? 쇠덕석에 누워 새벽을 기다린다 해도 추위가 어찌할 수 있겠습니까마는, 학처럼 하얀 머리카락 긁적이며 생각을

左丞・지추밀원사知樞密院事 등 고관을 역임하였다. ≪송사・간신열전姦臣列傳・채변전≫권472 참조.

203) 政和(정화) : 북송北宋 휘종徽宗의 연호(1111-1117).

204) 旌表(정표) : 충효로 모범적인 사람에게 정문旌門을 세워 주거나 편액을 하사해 표창하는 일.

205) 牛衣(우의) : 추울 때 소의 등을 덮어 주는 데 사용하는 쇠덕석. 은거나 청렴한 삶을 상징한다.

206) 江西宗派(강서종파) : 송나라 때 두보杜甫(712-770)의 시풍을 추종한 황정견黃庭堅(1045-1105)과 진사도陳師道(1053-1101) 등 일련의 시인들을 지칭하는 말인 '강서시파江西詩派'의 별칭. 송나라 여본중呂本中이 지은 ≪강서시사종파도江西詩社宗派圖≫란 서명에서 유래하였다.

207) 潘(반) : '서徐'로 표기하는 것이 적절할 듯하다. 강서시파에 관한 상세한 내용은 '반'씨절이 아니라 '서'씨절 서부徐俯에 관한 기록인 '詩派法嗣(강서시파의 사승관계)'항에 보인다.

해 보니 노년이 장차 도래할 것입니다." 시와 산문을 천 편 넘게 남겼다. 문집 이름은 ≪송파집≫이다. 임민공은 강서시파의 법통을 계승한 25인 가운데 한 사람이다.(상세한 내용은 앞의 '서徐'씨절 '시파법사詩派法嗣'항에 보인다)

◇聖賢之擧[208] (성현의 학문)

●林謙之, 莆田人. 宋隆興[209]中, 下第歸, 專心聖賢踐履[210]之學. 晚登仕版[211], 在詞掖[212]多論駁, 不得其言而歸. 號文軒先生.

○임겸지는 (복건성) 포전현 사람이다. 송나라 (효종) 융흥(1163-1164) 연간에 과거시험에서 낙방하자 귀향하여 성현의 자취가 담긴 학문에 정진하였다. 만년에 벼슬길에 올라 한림원에서 소신을 밝히다가 자신의 말이 통하지 않자 귀향하였다. 호는 '문헌선생'이다.

◇風節 (풍모와 절조)

●林大中, 字和叔, 宋寧宗登極, 除中書舍人[213]. 癸丑[214]歲, 朱熹坐客有知天文者曰, "星變, 正人當之." 熹曰, "其[215]林和叔乎!" 已而公果出臺[216], 去國一節, 風誼凜然. 明年熹與公同在從班[217], 相得如平生歡.

---

208) 擧(거) : 본문에 의거해 볼 때 '학學'의 오기인 듯하다. 자형의 유사성으로 인한 필사 과정상의 단순 오기로 보인다.

209) 隆興(융흥) : 남송南宋 효종孝宗의 연호(1163-1164).

210) 踐履(천리) : 행적이나 행동・경력 따위를 이르는 말.

211) 仕版(사판) : 벼슬아치의 명부. 결국 벼슬길에 오르는 것을 말한다.

212) 詞掖(사액) : 황명이나 상주문 등 궁중의 주요 문서들을 관장하는 기관인 한림원翰林院의 별칭. '금란원金蘭院' '금서禁署' '금림禁林' '내서內署' '북원北院' '사림詞林' '오금鼇禁' '오두鼇頭' '오봉鼇峰' '오액鼇掖' '옥당玉堂' '옥서'玉署' '한원翰苑' 등 다양한 별칭으로도 불렸다.

213) 中書舍人(중서사인) : 황명의 기초起草와 출납出納을 관장하는 중서성中書省 소속의 벼슬. 장관인 중서령中書令과 버금 장관인 중서시랑中書侍郎 다음 가는 고관高官이다.

214) 癸丑(계축) : 임대중林大中이 중서사인中書舍人에 오르기 몇 해 전인 송나라 광종光宗 소희紹熙 4년(1193)을 가리킨다.

215) 其(기) : 추측 어기조사.

216) 出臺(출대) : 어사대御史臺와 같은 조정의 관서를 나서는 것을 뜻하는 말로 결국 조정을 떠나는 것을 말한다.

公淸瘦不勝衣，而毅然有任重道遠之意．平生言不出口，而論事有回天之力[218]，古之所謂大臣歟!

○임대중은 자가 화숙으로 송나라 영종이 즉위하면서 중서사인을 제수받았다. (광종光宗 소희紹熙 4년) 계축년(1193)에 주희(1130-1200)의 좌객 가운데 천문학을 잘 아는 사람이 말했다. "별이 변화를 일으키면 바른 사람이 거기에 해당합니다." 그러자 주희가 말했다. "아마도 임화숙(임대중)을 두고 하는 말인가 보오!" 얼마 뒤 임대중은 정말로 조정을 나서게 되었는데 조정을 나선 뒤로도 줄곧 늠름한 풍모를 유지하였다. 이듬해 주희는 임대중과 함께 조정의 신료를 맡으면서 평소 친하게 지낸 사이처럼 마음이 맞았다. 임대중은 옷조차 감당하지 못 할 정도로 몸이 수척하였지만 의연하니 어디서나 중임을 맡을 마음가짐을 지녔었다. 평소 말을 입밖으로 잘 내뱉지는 않았지만 정사를 논하면 천자의 마음도 돌리는 힘이 있었으니 고인들이 말한 대신이라고 평할 만하리라!

●林放，字子丘，魯人，從孔子問禮之本．

○임방은 자가 자구이고 (춘추시대) 노나라 사람으로 공자에게 예법의 본질에 대해 물었다.

●林回[219]棄千金[220]之璧，負赤子[221]而趍．彼以利合，此以天屬．

○(춘추시대 가假나라 사람) 임회는 값을 따질 수 없이 귀한 구슬을 버리고 어린 아들을 등에 업고서 도망쳤다. 저 구슬은 이익 때문에

---

217) 從班(종반) : 조정의 반열에 참가하다. 조정의 신료가 되는 것을 말한다.

218) 回天之力(회천지력) : 천자의 마음을 돌리는 힘. 임금의 마음을 바꿀 수 있는 강한 설득력을 말한다.

219) 林回(임회) : 춘추시대 가假('은殷'의 오자라는 설도 있다)나라 사람. 임회가 망명하면서 고가의 구슬을 버리고 아들을 택했다는 고사는 ≪장자莊子·산목山木≫권7에 전한다.

220) 千金(천금) : 금 천 근斤. '금金'은 '근斤'이나 '일鎰'과 같은 말이고, '천금'은 실수實數라기보다는 많은 양의 금이나 거액을 강조하기 위한 표현이다.

221) 赤子(적자) : 어린 아이. 백성을 비유할 때도 있다.

모은 것이지만 이 아들은 천륜으로 맺은 관계이기 때문이다.

●林湜, 字正甫, 善人君子也. 宋紹興[222]中, 爲監察御史[223].

○임식은 자가 정보로 선한 군자이다. 송나라 (고종) 소흥(1131-1162) 연간에 감찰어사를 지냈다.

※女德(여덕)

●林氏封魏國夫人[224], 劉後村[225]之母也.

○(송나라) 임씨는 위국부인에 봉해졌는데 후촌後村 유극장劉克莊(1187-1269)의 모친이다.

●雞林[226]. 鄧林[227]. 杏林. 翰林[228].

○신라. (전설상의 숲인) 등림. 살구나무 숲. 한림원.

---

222) 紹興(소흥) : 남송南宋 고종高宗의 연호(1131-1162).

223) 監察御史(감찰어사) : 관리들의 비행을 규찰하고 탄핵하는 업무를 관장하는 기관인 어사대御史臺의 속관屬官. 어사대에는 위로 장관인 어사대부御史大夫와 버금 장관인 어사중승御史中丞, 그리고 시어사侍御史・전중시어사殿中侍御史 등의 상관이 있다. 감찰어사는 비록 품계品階는 낮으나, 실무를 관장하였기에 관원들이 가장 두려워하는 존재였다고 한다.

224) 夫人(부인) : 황제의 후처後妻인 비빈妃嬪이나 제후의 적처嫡妻에 대한 존칭. 후에는 고관의 부인에 대한 존칭으로도 쓰였다.

225) 劉後村(유후촌) : 남송 말엽 사람 유극장劉克莊(1187-1269). '후촌'은 호. 자는 잠부潛夫이고 시호는 문정文定. 시문에 뛰어났고 용도각학사龍圖閣學士를 지냈다. 저서로 ≪후촌집後村集≫ 50권과 ≪후촌시화後村詩話≫ 12권이 전한다. 청나라 황종희黃宗羲(1610-1695)의 ≪송원학안宋元學案・애헌학안艾軒學案≫권47 참조.

226) 雞林(계림) : 신라新羅의 별칭.

227) 鄧林(등림) : 신神 과보夸父가 태양과 달리기 시합을 하다가 지쳐서 죽으며 지팡이를 버렸더니 변하여 이루어졌다는 전설상의 숲 이름.

228) 翰林(한림) : 당나라 초기에 각계의 전문가로 구성한 황제의 자문기구인 한림원翰林院의 약칭. 송나라 때는 천문・서예・도화圖畫・의관醫官 4국을 총괄하였고, 명청明淸 때는 사서史書의 편찬이나 저작著作・도서圖書 등의 업무를 관할하였다. 한림학사翰林學士의 약칭으로 쓸 때도 있다.

◆郴(침씨)

▶商音.
▷음은 상음에 속한다.

●郴寶, 晉人, 代居江夏.
○침보는 진나라 때 사람으로 대대로 (호북성) 강하현에 거주하였다.

◆諶(심씨)

▶商音. 河南.
▷음은 상음에 속하고 본관은 (하남성) 하남군이다.

●諶自求, 宋寧宗朝人, 家于盱江[229], 好學能詩. 求師友於千里外, 得意處, 自謂前輩不能及.(異齋集[230])
○심자구는 송나라 영종 때 사람으로 (강서성) 우강현에 거주하며 학문을 좋아하고 시를 잘 지었다. 천 리 밖에서 스승 겸 친구를 찾아 득의해 하더니 스스로 선배들이 미치지 못 할 것이라고 자부하였다.(≪손재집巽齋集≫권12에 수록된 <건창부(우강현)로 돌아가는 심자구를 전송하는 글(送諶自求歸建昌序)>)

●諶仲, 字文疊, 南昌人, 有德行. 漢和帝朝, 郡擧有道[231], 仕至荊州刺史.
○심중은 자가 문첩이고 (강서성) 남창현 사람으로 덕행이 있었다. 후한 화제 때 고을에서 유도과에 천거하여 벼슬이 (호북성) 형주자사

---

229) 盱江(우강) : 강서성 건창부建昌府의 속현屬縣 이름.
230) 異齋集(이재집) : 이는 송나라 구양수도歐陽守道의 문집인 ≪손재집巽齋集≫의 오기인 듯하다. 심자구에 관한 글은 <건창부(우강현)로 돌아가는 심자구를 전송하는 글(送諶自求歸建昌序)>이란 제목으로 ≪손재집≫권12에 전한다. 자형의 유사성으로 인한 필사 과정상의 단순 오기로 보인다.
231) 有道(유도) : 한나라 때 인재를 선발하던 과목인 효렴孝廉·유도有道·방정方正·수재秀才(무재茂才) 가운데 하나. 당나라 때도 이백李白(701-762)이나 고적高適(700-765) 등이 유도과有道科에 천거되었다는 기록이 ≪구당서≫와 ≪신당서≫의 본전本傳에 보인다.

까지 올랐다.

●諶禮, 字秀登, 漢和帝朝, 爲薛令.
○심예는 자가 수등으로 후한 화제 때 (산동성) 설현의 현령을 지냈다.

※女德(여덕)

●諶姆居丹陽郡黃堂232), 潛修至道, 後以銅符233)·鐵券234)·金丹235)·寶章236)傳付許君237). 及還帝鄕, 取香茅一根, 南望擲之, 俾許君認茅落處, 立祠. 今豫章有黃堂觀.
○(진晉나라 때 여도사) 심모는 (강소성) 단양군의 황당에 거처하며 남모르게 지극한 도를 닦다가 뒤에 동부·철권·금단·도서를 허군에게 전수하였다. 천제의 고을로 돌아가자 향기로운 띠풀 한 포기를 취해 남쪽을 바라보며 그것을 던져서 허군에게 띠풀이 떨어지는 곳을 알아내 사당을 세우게 하였다. 그래서 오늘날 (강서성) 예장군에는 황당관이 있다.

---

232) 黃堂(황당) : 태수太守가 집무를 보는 건물을 이르는 말. 멸균과 살충에 효과가 있는 안료인 자황雌黃을 바른 데서 유래하였다. 태수를 비유적으로 가리키기도 한다.
233) 銅符(동부) : 도사가 사용하는 부적이나 신표를 이르는 말.
234) 鐵券(철권) : 전한 고조高祖 이후 황제가 공신에게 대대로 특권을 누리도록 보장해 주기 위해 하사하던 부신符信을 가리키는 말. 둘로 쪼갠 뒤 반은 내장內藏에 보관하고, 반은 공신에게 하사하였다.
235) 金丹(금단) : 먹으면 장수한다는 선약仙藥 이름.
236) 寶章(보장) : 도가의 경전이나 도서道書를 이르는 말.
237) 許君(허군) : 진晉나라 때 도사 허손許遜에 대한 존칭인 허진군許眞君의 준말. 자는 경지敬之. 호북성 정양현령旌陽縣令을 지내서 '허정양'이라고도 하고, 도사여서 '허진군'으로도 불렸다. 오맹吳孟의 제자로 효렴과孝廉科에 천거되었다가 왕실의 혼란을 예견하여 은거하였는데 가솔들을 거느리고 승천하였다고 전한다. 송나라 이방李昉(925-996)의 ≪태평광기太平廣記·신선14·허진군≫ 권14 참조.

◆尋(심씨)

▶隋末有尋相.

▷수나라 말엽에 '심'씨 성을 가진 재상이 있었다.

□二十二覃(22담)

◆譚(담씨)

▶徵音. 齊邦. 譚子國在齊州平陰縣西南, 齊滅之, 譚子奔莒[238], 子孫氏焉. 孟嘗[239]逐於齊而返, 有譚拾子逆之於境.

▷음은 치음에 속하고 본관은 (산동성) 제방이다. (춘추시대 때) 담자국은 제주 평음현 남서쪽에 있었는데, 제나라가 멸망시키자 담나라 군주가 거나라로 도망치면서 자손들이 이를 성씨로 삼은 것이다. (전국시대 때) 맹상군이 제나라에서 쫓겨나 돌아오자 담습자가 그를 국경에서 맞이한 일이 있다.

◇仙道(신선술)

●譚峭得仙, 有詩云, "線作長江扇作天, 靸鞋[240]拋向海東邊. 蓬萊[241]信是無多地, 只在譚生拄杖[242]前."(仙傳[243])

○(오대五代 남당南唐 때 도사) 담초는 신선술을 터득하더니 시를 지어 "실을 장강으로 삼고 부채를 하늘로 삼았기에, 뒷축 없는 신발을

---

238) 莒(거) : 춘추시대 때 작은 제후국 이름.

239) 孟嘗(맹상) : 전국시대 제齊나라의 현자 전문田文의 호. '설공薛公'이라는 봉호封號로 불리기도 하였다. 진秦나라에 사신으로 갔다가 소왕昭王에게 살해될 뻔하였으나 '계명구도鷄鳴狗盜'하는 수하 덕택에 무사히 귀환한 고사로 알려졌다. 조趙나라 평원군平原君·위魏나라 신릉군信陵君·초楚나라 춘신군春申君과 함께 사공자四公子로 유명하다. ≪사기·맹상군전문전孟嘗君田文傳≫권75 참조.

240) 靸鞋(삽혜) : 높은 곳을 오르기 편하게 만든 뒤축이 없는 신발을 이르는 말.

241) 蓬萊(봉래) : 동해東海에 신선이 산다는 전설상의 삼신산三神山인 봉래산蓬萊山·방장산方丈山·영주산瀛洲山 가운데 하나.

242) 拄杖(주장) : 지팡이.

243) 仙傳(선전) : 보통은 전한 유향劉向(약B.C.77-B.C.6)의 ≪열선전列仙傳≫이나 진晉나라 갈홍葛洪(284-363)의 ≪신선전神仙傳≫의 약칭을 가리키지만, 담초譚峭가 오대五代 남당南唐 때 도사인 점을 감안하면 여기서는 남당 사람 심분沈汾이 지은 ≪속선전續仙傳≫을 가리킨다. 위의 내용은 ≪속선전·담초≫권하에 전한다.

바다 동쪽으로 던지면, 봉래산은 실로 좋은 땅이 없어, 고작 담선생의 지팡이 앞에 놓인다네"라고 하였다.(≪속선전續仙傳·담초≫권하)

◇數學(술수학)

●譚忠, 唐元和[244]中, 爲幽州大將[245], 說劉總[246]歸唐曰, "天地之數, 合必離, 離必合. 河北與天下離六十年, 數窮必合." 總從之.

○담충은 당나라 (헌종) 원화(806-820) 연간에 (하북성) 유주의 대장을 맡자 유총에게 당나라로 귀순하라고 설득하며 말했다. "천지의 운수란 합치면 반드시 갈라서고 갈라서면 반드시 합치는 법입니다. 하북 땅이 천하와 갈라선 지 60년이 되었으니 운수가 다하였기에 반드시 합치게 되어 있습니다." 유총이 결국 그의 말을 따랐다.

◇三策(세 가지 정책)

●譚世勣, 字彦威[247], 長沙人. 唐末[248], 中詞學兼茂異科[249], 除給事中[250]. 時北騎南牧, 上奏以守邊爲上策, 守河爲中策, 巡幸江淮下策也.

○담세적(1074-1127)은 자가 언위로 (호남성) 장사군 사람이다. 송나라 때 사학겸무이과에 급제하여 급사중을 제수받았다. 당시 북방에

---

244) 元和(원화) : 당唐 헌종憲宗의 연호(806-820).

245) 大將(대장) : 직급이 높은 군대 지휘관에 대한 범칭.

246) 劉總(유총) : 당나라 때 사람으로 노룡절도사盧龍節度使·천평절도사天平節度使 등을 역임하였다. ≪신당서·유총전≫권212 참조.

247) 彦威(언위) : ≪송사·담세적전≫권357에 의하면 '언성彦成'의 오기이다. 자형의 유사성으로 인한 필사 과정상의 단순 오기로 보인다.

248) 唐末(당말) : '송宋' 내지 '북송北宋'의 오기이다. ≪송사·담세적전≫권357에 의하면 담세적은 송나라 철종哲宗 원부元符(1098-1100) 연간에 과거시험에 급제하였다.

249) 詞學兼茂異科(사학겸무이과) : 학문이 폭넓고 문장이 뛰어나 조정의 문서를 기초할 만한 인재를 뽑기 위한 과거시험 이름. 시대에 따라 '굉과宏詞' '굉사과宏詞科' '박학굉사과博學宏詞科'라고도 하였다.

250) 給事中(급사중) : 황제의 자문과 정사의 논의에 참여하던 벼슬로, 진한秦漢 이래 열후列侯나 장군將軍의 가관加官이었다가, 진晉나라 이후로 정관正官이 되었다. 수당隋唐 이후로는 문하성門下省의 장관인 시중侍中과 버금장관인 문하시랑門下侍郎 다음 가는 요직으로 정령政令에 대한 논의와 시정時政을 담당하였다.

서는 말을 타고 남방에서는 말을 방목하였기에 상주문을 올려 변방을 지키는 것이 상책이고, 황하를 지키는 것이 중책이며, 장강과 회수 일대를 순행하는 것이 하책이라고 아뢰었다.

◇聰悟(총명하다)

●譚惟寅, 肇慶府人, 幼聰悟, 讀書一覽, 終身不忘. 宋紹興末, 梁克家榜[251]登弟[252].

○담유연은 (광동성) 경조부 사람으로 어려서부터 총명하여 글을 한 번만 읽어도 죽을 때까지 잊지 않았다. 송나라 (고종) 소흥(1131-1162) 말엽에 양극가가 장원급제한 과거시험에 합격하였다.

●譚宏寶[253]四世同居, 詔旌表門閭[254], 蠲其租稅.(南史[255])

○(남조南朝 남제南齊) 담홍보譚弘寶는 사대가 함께 살았기에 황제가 조서를 내려 고을 입구에 정문을 세워 표창하고 조세를 감면케 하였다.(≪남사・봉연백전封延伯傳≫권73)

●譚必, 韶州人, 應神童科.

○(송나라) 담필은 (광동성) 소주 사람으로 신동과에 응시하였다.

●譚燠, 南雄人, 擧八行科[256].

---

251) 梁克家榜(양극가방) : 양극가가 장원급제한 과거시험의 합격자 명단을 이르는 말.

252) 登弟(등제) : 급제하다, 합격하다. '제弟'는 '제第'와 통용자.

253) 譚宏寶(담굉보) : 남조南朝 남제南齊 때 담홍보譚弘寶. '굉宏'은 청나라 건륭제乾隆帝의 이름(弘曆)을 피휘避諱하기 위해 고쳐쓴 것이다.

254) 門閭(문려) : 문에 대한 총칭. 고을 입구를 가리킨다.

255) 南史(남사) : 당나라 이연수李延壽가 남조南朝의 유송劉宋부터 진陳나라 말까지 도합 170년의 역사를 간략하게 정리하여 서술한 사서史書. 총 80권. 기존의 ≪송서宋書≫ 등의 내용을 보완한 것은 적고 삭제한 것이 많아 ≪북사北史≫보다는 못 하다는 평을 받는다. ≪사고전서간명목록・사부・정사류正史類≫권5 참조.

256) 八行科(팔행과) : 송나라 때 여덟 가지 품행을 가지고 실시하던 과거시험 과목 가운데 하나인 팔행취사과八行取士科의 준말.

○(송나라) 담오는 (광동성) 남웅현 사람으로 팔행과에 급제하였다.

※女德婚姻(여덕과 혼인)

●譚子娶齊女. 碩人[257]詩云, "譚公維私." 姝妹之夫曰私.

○(춘추시대 때) 담나라 군주가 제나라 여인에게 장가들자 ≪시경·위풍衛風·석인≫권5에서 "담나라 군주는 매부라네"라고 하였다. 여동생의 남편인 매부를 '사私'라고 한다.

●吳琪妻譚氏[258], 守節罵賊而死.

○(송나라) 오기의 아내 담씨는 절조를 지키며 반군에게 욕을 하다가 죽임을 당했다.

◆鐔(담씨)

▶漢書[259], "音徒南切."

▷≪후한서·광무제본기≫권1에 "('담鐔'의) 음은 '도'와 '남'의 반절反切인 '담'이다"라고 하였다.

●鐔顯, 漢和帝朝, 陳寵爲廣漢太守, 王渙爲功曹[260], 顯爲主簿[261], 寵皆引以爲腹心. 及還朝, 對上曰, "顯拾遺補闕, 臣奉詔書而已." 後遷廷尉[262].

---

257) 碩人(석인) : 이는 ≪시경·위풍衛風≫권5에 수록된 노래를 가리킨다.

258) 譚氏(담씨) : 송나라 때 열녀烈女. 그녀에 관한 전기가 ≪송사·열녀열전·담씨전≫권460에 전한다.

259) 漢書(한서) : 위의 예문이 ≪후한서·광무제본기光武帝本紀≫권1에는 '음도남반音徒南反'으로 되어 있는데 의미상에 차이는 없다.

260) 功曹(공조) : 군郡에서 서사書史를 관장하는 속관屬官인 공조참군功曹參軍의 약칭.

261) 主簿(주부) : 한나라 이후로 문서 처리를 관장하는 속관屬官을 이르던 말. 중앙 및 지방의 각 행정 기관에 모두 설치하였다.

262) 廷尉(정위) : 진秦나라 이후로 옥사獄事와 형벌을 관장하는 기관이나 그 장관을 이르는 말. 태상太常·광록훈光祿勳·위위衛尉·태복太僕·홍려鴻臚·종정宗正·대사농大司農·소부少府와 함께 그 관서는 '구시九寺'라고 하고, 그

○담현은 후한 화제 때 사람이다. 진총이 (사천성) 광한태수를 지내면서 왕환을 공조참군에 임명하고 담현을 주부에 임명하였다. 진총은 그들 모두를 기용하여 심복으로 삼았다. 조정으로 돌아가자 화제에게 "담현이 빠뜨린 것을 줍고 부족한 것을 보충하였고 신은 조서를 받들었을 뿐입니다"라고 아뢰었다. 그래서 담현은 뒤에 정위경으로 승진하였다.

◆談(담씨)

▶宮音. 廣平.

▷음은 궁음에 속하고 본관은 (하북성) 광평군이다.

●談弘謩, 唐開成263)中, 爲四門博士264), 與裴度洛瀆265)修禊266)之晏. (見白姓)

○담홍모는 당나라 (문종) 개성(836-840) 연간에 사문박사를 지내며 배도와 함께 낙수에서 재액을 막기 위한 연회를 가진 일이 있다.(상세한 내용은 뒤의 '백'씨절 '수희시水戲詩'항에 보인다)

●談庚, 安吉布衣也. 宋紹興中, 言"本邑去秋園瓜, 竝蔕合而爲一. 此皇帝孝治天下, 故見祥瑞, 以昭天意."

○담경은 (절강성) 안길주 출신의 평민이다. 송나라 (고종) 소흥(1131-1162) 연간에 "저희 고을에서는 지난해 가을에 정원의 참외가 모두 꼭지가 뭉쳐서 하나가 되었습니다. 이는 황제 폐하께서 효로 천하를 다스리시기에 상서로운 징조를 보여 하늘의 뜻을 밝힌 것입니다"라고 아뢴 일이 있다.

장관은 '구경九卿'이라고 하였는데, 삼공三公 다음 가는 최고위 관직이었다.

263) 開成(개성) : 당唐 문종文宗의 연호(836-840).

264) 四門博士(사문박사) : 북조北朝 북위北魏 때 처음 설치한 학교인 사문학四門學에서 교육을 담당하는 벼슬을 이르는 말.

265) 洛瀆(낙독) : 하남성을 흐르는 낙수洛水의 별칭. '독瀆'은 큰 강을 뜻한다.

266) 修禊(수계) : 음력 3월 3일 상사절上巳節에 물가에 나가서 재액災厄을 막기 위해 제를 올리는 일.

●塵談. 手談267). 阿戎268)談.

○세속적인 대화. 바둑. 아들을 낳은 것을 축하하는 덕담.

◆南(남씨)

▶徵音. 汝南. 周大夫南仲之後. 魯有南遺・南蒯.

▷음은 치음에 속하고 본관은 (하남성) 여남군으로 주나라 때 대부를 지낸 남중의 후손이다. (춘추시대) 노나라에는 남유와 남괴라는 사람이 있었다.

◇死節(절조를 위해 죽음을 불사하다)

●南霽雲善騎射. 唐天寶269)末, 祿山270)反, 張巡守睢陽271)受圍, 急築臺以募萬死一生者. 有人喑嗚272)而來, 乃霽雲也. 巡遣求救於臨淮, 賀蘭進明無出師意. 霽雲拔劍, 斷一指示信, 一坐大驚. 城陷, 巡呼曰, "南八273)! 男兒死爾!" 應曰, "公知我者, 敢不死?" 宣宗朝, 圖其像於凌烟閣274). 子承嗣七歲爲婺州別駕275), 賜緋魚袋276), 歷施涪二州.

---

267) 手談(수담) : 바둑을 뜻하는 말인 '위기圍碁'의 별칭.

268) 阿戎(아융) : 진晉나라 사람 왕융王戎(234-305)에 대한 애칭. 자는 준충濬忠이고 시호는 원元. 왕혼王渾의 아들로 죽림칠현竹林七賢의 일인이었으나 뒤에 벼슬길에 올라 하동태수河東太守・예주자사豫州刺史・태자태부太子太傅・사도司徒・상서령尙書令 등의 고관을 역임하였다. 성격이 탐욕스럽고 아첨을 잘 했다는 폄평을 얻었다. ≪진서・왕융전≫권43 참조. 뒤에는 남의 아들에 대한 애칭으로도 쓰였고, 동생을 가리키는 말로도 쓰였다. '아융담'은 누군가 아들을 낳은 것을 축하하는 덕담을 가리킨다.

269) 天寶(천보) : 당唐 현종玄宗의 연호(742-756).

270) 祿山(녹산) : 당나라 사람 안녹산安祿山(703-757). 호족胡族 출신으로 본명은 아락산阿犖山 혹은 알락산軋犖山. 현종玄宗 때 절도사節度使에 올랐고, 양귀비楊貴妃(719-756)의 양자가 되어 총애를 받았으나 양국충楊國忠과 갈등을 빚자 반란을 일으켜 장안長安을 점령하고 스스로 칭제稱帝한 뒤, 국호를 연燕, 연호를 성무聖武라고 하였다. 뒤에 장남 안경서安慶緖(?-759)에게 살해당했다. ≪신당서・역신열전逆臣列傳・안녹산전≫권225 참조.

271) 睢陽(수양) : 안휘성의 속군屬郡 이름.

272) 喑嗚(암오) : 호통치다, 큰소리치다.

273) 南八(남팔) : 남제운을 부르는 호칭. '팔八'은 형제간의 항렬을 가리킨다.

274) 凌烟閣(능연각) : 공신을 표창하기 위해 지은 누각 이름. 당나라 태종太宗이 정관貞觀 17년(643)에 공신 24명의 초상화를 그려넣은 것으로 유명하다.

275) 別駕(별가) : 한나라 이래로 일부 주州・부府・군郡에 설치했던 지방 수령의 보좌관인 '치중별가종사사治中別駕從事史'의 약칭. '치중治中' '치중별가治中別

○남제운은 말타기와 활쏘기에 뛰어난 솜씨를 보였다. 당나라 (현종) 천보(742-756) 말엽에 안녹산이 반란을 일으켰을 때 장순이 (안휘성) 수양군의 태수를 맡았다가 포위를 당하자 급히 누대를 짓고서 목숨을 바칠 군사를 모집하였다. 어떤 사람이 호통을 치며 오는데 다름아니라 남제운이었다. 장순이 그를 시켜 (강소성) 임회군에서 구원병을 구하게 하였으나 하란진명이 군대를 출동시킬 뜻을 내비치지 않았다. 그러자 남제운이 칼을 뽑아 손가락을 하나 자르면서 신의를 보이자 좌중 사람들이 대경실색하였다. 성이 함락당하면서 장순이 "남팔(남제운)! 남아대장부는 죽으면 그만일 것이오!"라고 하자, 남제운도 "공께서 저를 알아주신 바에야 어찌 감히 죽지 않으려고 애쓸 리 있겠습니까?"라고 호응하였다. 선종 때 초상화가 능연각에 걸렸다. 아들 남승사南承嗣는 일곱 살에 (절강성) 무주별가를 맡았다가 비복과 어대를 하사받았고, (호북성) 시주施州와 (사천성) 부주涪州 두 주의 자사를 역임하였다.

◇松滋令(송자현의 현령)

●南卓, 唐人, 因言事, 出爲松滋令. 詩贈從事[277]云, "翱翔曾在玉京[278]天, 墮在江南地幾年? 從事不須輕縣宰, 滿身猶帶御爐煙."

○남탁은 당나라 때 사람으로 국사에 대해 건의하였다가 조정에서 쫓겨나 (호북성) 송자현의 현령을 맡았다. 시를 지어 종사에게 주면서 "일찍이 도성 하늘을 비상하다가, 강남 땅에 떨어진 지 몇 년이나 되었던가? 종사는 모름지기 현령을 경시하지 마시게, 온몸에 아직도 황제께서 피우신 화로의 연기가 맴돌고 있다네"라고 하였다.

駕' '치중종사治中從事' 등으로 약칭하기도 한다.

276) 緋魚袋(비어대) : 당송唐宋 때 5품 이상 고관의 복장인 비복緋服과 어대魚袋(패어佩魚)를 지칭하는 말. '비어緋魚'로 약칭하기도 한다.

277) 從事(종사) : 한漢나라 이후로 승상丞相이나 자사刺史·태수太守 등이 개인적으로 기용하여 잡무를 처리하게 하던 속관屬官을 이르는 말.

278) 玉京(옥경) : 천제天帝의 처소에 대한 미칭美稱으로 경성이나 궁궐을 비유한다.

●南伯逢學仙道, 傳初平279)服松根茯苓280)之訣.

○(진晉나라) 남백봉은 신선술을 배워 황초평黃初平이 소나무 뿌리에 기생하는 복령을 복용하던 비법을 전수받았다.

※女德婚姻(여덕과 혼인)

●南孺子, 季桓子281)之妻, 生男, 則以告君282)而立之.

○(춘추시대 노魯나라 때) 남유자는 계환자(계손사季孫斯)의 아내로서 아들을 낳으면 이를 군주에게 고해 후계자로 세웠다.

●南威之妹美, 晉文公得之, 三日不朝, 遂推而遠之曰, "後世必有以色亡國者!"

○(춘추시대 때) 남위의 여동생이 용모가 아름다워 진나라 문공이 그녀를 첩으로 들였다가 사흘이나 조회를 열지 않더니 결국 그녀를 밀어내고 멀리하며 말했다. "후세에 필시 여색으로 나라를 잃는 사람이 있으리라!"

●南子, 衛靈夫人. 孔子適衛而見之, 夫人在錦帷中再拜, 環珮玉聲璆然283).

○(춘추시대 때) 남자는 위나라 영공靈公의 부인이다. 공자가 위나라에 갔다가 만날 때 부인이 비단 휘장 안에서 거듭 절을 올리자 차고 있던 패옥에서 낭랑한 소리가 울려퍼졌다.

---

279) 初平(초평) : 전설상의 도사인 황초평黃初平의 이름. 그에 관한 고사는 진晉나라 갈홍葛洪(284-363)의 ≪신선전 · 황초평≫권2에 전한다.

280) 茯苓(복령) : 소나무 뿌리에 기생하는 구멍장이버섯과의 버섯. 향료와 약재에 쓰인다.

281) 季桓子(계환자) : 춘추시대 노魯나라 대부大夫 계손사季孫斯. '환'은 시호이고, '자'는 존칭.

282) 君(군) : 춘추시대 노魯나라 애공哀公을 가리킨다.

283) 璆然(구연) : 패옥이 서로 부딪히는 소리를 형용하는 말.

●南楚材娶薛, 後欲別婚貴族. 薛圖形寄詩, 乃止.

○(당나라) 남초재는 설씨에게 장가들었다가 뒤에 귀족과도 달리 혼인을 맺으려 하였다. 설씨가 자신의 초상화를 그리고 시를 지어 부치자 그제서야 그만두었다.

●斗南. 圖南. 終南. 指南[284].

○북두성 남쪽. 남방을 도모하다. (섬서성) 종남산. 지침서.

◆藍(남씨)

▶徵音. 汝南. 出自藍田. 春秋時, 楚大夫藍尹亹.

▷음은 치음에 속하고 본관은 (하남성) 여남군으로 (섬서성) 남전현에서 유래하였다. 춘추시대 때는 초나라에서 대부를 지낸 남윤미란 사람이 있었다.

◇望仙樓(신선을 바라보던 누각)

●藍采和. 唐末時, 有逸士, 襴衫[285]綠袴[286], 黑朮腰帶, 一足靴, 一足跣. 夏服絮衫, 冬臥氷雪, 出氣如蒸, 自號藍采和, 歌曰, "踏踏歌, 藍采和. 世界能幾何? 紅顔三春[287]樹, 流年一擲梭[288]. 古人混混去不少, 今人紛紛來更多, 朝騎鸞鳳到碧落[289]. 暮見桑田[290]生白波, 長景明輝在空際. 金銀宮闕高嵯峨." 曳長繩, 施錢以行, 錢散不收. 後至濠梁[291], 飛升, 遺下靴帶襴衫. 濠州今有望仙樓. 相傳, 采和登仙時, 人聚此樓望之.

---

284) 指南(지남) : 나침반과 같은 기구를 뜻하는 말로 지침서나 안내서를 비유한다.

285) 襴衫(난삼) : 중국 고대 사대부 계층이 입던 일종의 적삼. 하얀 가는 삼베실로 짜고 하단에 검은 천을 덧대어 치마 형태로 만들었다.

286) 綠袴(녹고) : 녹색 바지. 위의 예문의 원전인 당나라 심분沈汾의 ≪속선전續仙傳·남채화藍采和≫권상에는 대구帶鉤를 뜻하는 '육과六銙'로 되어 있다.

287) 三春(삼춘) : 석 달 봄. 결국 봄을 가리킨다. 3년을 뜻할 때도 있다.

288) 擲梭(척사) : 베틀에 앉아 베틀북을 던지다. 즉 베틀에 앉아 베를 짜는 것을 뜻하는 말로 세월이 빨리 흐르는 일이나 인생무상을 비유한다.

289) 碧落(벽락) : 하늘, 혹은 선계를 이르는 말.

290) 桑田(상전) : 뽕나무 밭. 인생무상을 의미하는 상전벽해桑田碧海의 준말.

291) 濠梁(호량) : 호수濠水의 다리. 전국시대 때 도가사상가인 장자莊子와 혜자惠子가 해학적인 담론을 나누던 곳으로 유명하다.

(仙傳)

○남채화에 관한 기록이다. 당나라 말엽에 한 은자가 적삼과 푸른 바지를 입고 검은 차조 줄기로 만든 허리띠를 차고서 한 발에는 가죽신을 신고 한 발은 맨발을 하고 다녔다. 여름에는 솜옷을 입고 겨울에는 얼음이나 눈 위에 누워서 마치 수증기처럼 숨을 내쉬면서 스스로 호를 '남채화'라고 하더니 다음과 같은 노래를 불렀다. "발을 구르며 노래하는 나는 남채화라네. 세상을 살면 얼마나 살 수 있으랴? 젊은 시절의 불그스레한 얼굴은 봄철을 나는 나무 신세라서, 흐르는 세월은 베틀북을 한 번 던지듯 순식간이라네. 고인 중에 아련히 떠나간 사람 적지 않은데, 요즘 사람들은 어지러이 더 많이 찾아오네. 아침에 봉황을 타고서 선계에 갔다가, 저녁에 뽕나무 밭에 하얀 물결 이는 것을 보나니, 영원히 밝은 빛이 허공을 비추는 곳에, 금은을 장식한 아름다운 궁궐이 아득히 높이 솟아 있어라." 긴 새끼줄을 끌고 동전을 매달고 다니면서 동전이 흩어져도 줍지 않았다. 뒤에 호수濠水 다리에 이르러 승천하면서 신발과 허리띠·적삼 등을 남겨두었다. (안휘성) 호주에는 지금도 망선루가 있다. 전하는 말에 의하면 남채화가 선계로 오를 때 사람들이 이 누각에 모여 바라보았다고 한다.(≪속선전續仙傳·남채화≫권상)

◇乘鶴飛仙(학을 타고 선계를 날다)

●藍喬, 龍川[292]人, 後遊洛陽. 布衣百結, 入酒肆中, 一飮數斗, 常置紙百番於足下, 令人片片拽之, 無一破者, 蓋身輕也. 語人曰, "吾羅浮山仙人." 一日復置紙於足下, 令人取盡, 足浮風雲, 翛翛[293]而去. 有仙鶴南來, 空中歷歷聞笙簫.

○(송나라) 남교는 (광동성) 용천현 사람으로 뒤에는 (하남성) 낙양을 떠돌았다. 여기저기 꿰맨 베옷을 입고 술집에 들어가면 한번에 술을 몇 말씩 마시면서 늘 발 아래 종이를 백 장 놓고서 사람들에게 한

292) 龍川(용천) : 광동성의 속현屬縣 이름.
293) 翛翛(소소) : 빠르게 날아오르는 모양.

장씩 잡아당기게 했는데, 한 장도 찢어지지 않는 것은 아마도 몸이 가벼워서였을 것이다. 그는 사람들에게 "나는 (광동성) 나부산의 신선이라오"라고 말하곤 하였다. 하루는 또 발 아래 종이를 두고서 사람들에게 다 잡아당기게 하자 발이 구름 위로 둥둥 뜨더니 휙 하고 날아서 사라졌다. 선학 한 마리가 남쪽으로 날아오는데 공중에서 생황과 퉁소 소리가 또렷이 울려퍼졌다.

◇四卿堂(네 명의 구경을 기리는 대청)

●藍承, 宋天聖[294]中, 與趙誠・宋宜・陳侁於泉州朱明院讀書, 後皆登科, 同時爲列卿[295]. 故朱明院有四卿堂.

○남승은 송나라 (인종) 천성(1023-1031) 연간에 조성・송의・진신과 함께 (복건성) 천주의 주명원에서 글공부를 하다가 뒤에 모두 과거시험에 급제하더니 동시에 구경에 올랐다. 그래서 주명원에는 사경당이 있다.

◇詩名(시로 명성을 떨치다)

●藍元威, 宋朝人, 有詩名. 其寒詩云, "朔風陣陣[296]送將來, 日午柴門寂不開. 靈照[297]只教添短褐, 孟光[298]重喚煖深杯. 苦吟簷角玲瓏玉, 閒撥爐頭榾柮[299]灰. 移步東籬紅日晩, 細看凍蝶尙依梅." 其霜詩錦句云, "潤松盡作龍鍾[300]結, 匝地[301]渾[302]銷鴈齒[303]高," 皆爲時所稱.(詩

294) 天聖(천성) : 북송北宋 인종仁宗의 연호(1023-1031).
295) 列卿(열경) : 반열이 경인 벼슬을 이르는 말. 결국 구경九卿을 가리킨다.
296) 陣陣(진진) : 끊겼다 이어졌다 하는 모양.
297) 靈照(영조) : 당나라 때 도사 방온龐蘊의 딸로 부친의 뒤를 이어 득도하였다고 전한다. 송나라 증조曾慥의 ≪유설類說≫권20에 수록된 ≪전등록傳燈錄≫ 참조.
298) 孟光(맹광) : 후한 사람 양홍梁鴻의 아내. 추녀였지만 부녀자의 도리를 다해 양홍을 공손하게 모신 '거안제미擧案齊眉'의 고사로 유명하다. ≪후한서・일민열전逸民列傳・양홍전≫권113 참조.
299) 榾柮(골돌) : 본래는 장작개비를 뜻하는 말이나 여기서는 그것이 타고서 남긴 재가 많이 쌓여 있는 모양을 뜻하는 말로 쓰인 듯하다.
300) 龍鍾(용종) : 노쇠한 모양. 혹은 눈물처럼 흘러내리는 모양.
301) 匝地(잡지) : 온 땅에 가득하다, 곳곳에 가득차다.

話304))

○남원위는 송나라 때 사람으로 시로 명성을 떨쳤다. 그중 <추위를 읊은 시>에서 "북풍이 불었다 멈췄다 하며 앞날을 보내오는데, 정오 무렵 사립문은 적막하니 열리지 않네. (당나라) 영조는 단지 짧은 베옷을 더 입으라고 하였지만, (후한) 맹광을 다시 불러 술잔을 데워야 하리라. 처마 모퉁이에 달린 영롱한 옥(고드름)을 애써 읊조리고, 화로에 쌓인 재를 한가로이 파헤치다가, 붉은 석양 비치는 저녁 무렵 동쪽 울타리로 걸어가, 겨울 나비 여전히 매화나무에 의지한 모습을 자세히 들여다보네"라고 하고, <서리를 읊은 시> 가운데 비단 문양을 언급한 구절에서 "소나무에 윤기를 내다가 모두 시들어가는 결정체가 되더니, 높은 가지에 가지런히 달려 있던 것이 대지 가득 다 녹아내렸네"라고 한 것 모두 당시 칭송을 받았다.(≪시화≫)

●藍方, 號養素先生, 修道南岳305).(見劉氏)

○남방은 호가 양소선생으로 남악인 형산에서 도를 닦았다.(관련 내용이 앞의 '유'씨절에도 보인다)

●出於藍306). 采藍. 雲藍307).

---

302) 渾(혼) : 모두, 거의.

303) 鴈齒(안치) : 기러기 대열이나 치아처럼 사물이 가지런히 늘어선 모양.

304) 詩話(시화) : 시에 관한 평론이나 일화를 모아 놓은 저서를 이르는 말. 청나라 여악厲鶚(1692-1752)의 ≪송시기사宋詩紀事·남원위≫권82에서는 출처에 대해 명나라 선우單宇가 지은 ≪국파총화菊坡叢話≫라고 하였는데, ≪국파총화≫ 역시 송나라 때 시화서詩話書를 인용한 것으로 보이나 어느 책을 가리키는지는 불분명하다.

305) 南岳(남악) : 중국의 오악五嶽 가운데 하나인 호남성 형산衡山의 별칭. 동악東岳은 태산泰山을, 서악西岳은 화산華山을, 남악은 형산(곽산霍山)을, 북악北岳은 항산恒山을, 중악中岳은 숭산嵩山을 말한다.

306) 出於藍(출어람) : 쪽풀에서 나오다. 이는 "청색은 쪽풀에서 나오지만 쪽빛보다 푸르고, 얼음은 물에서 나오지만 물보다 차갑다(靑, 出之於藍, 而靑於藍, 冰, 出之於水, 而寒於水)"는 ≪순자荀子·권학편勸學篇≫권1의 고사에서 유래한 말로 아들이 부친보다, 제자가 스승보다, 후배가 선배보다 뛰어난 것을 비유한다.

307) 雲藍(운람) : 당나라 단성식段成式이 만든 종이 이름인 '운람지雲藍紙'의 준

○청출어람青出於藍. 쪽풀을 캐다. 운람지雲藍紙.

◆甘(감씨)

▶宮音. 渤海. 夏時侯國也, 以國爲氏. 殷高宗[308]舊學于甘盤[309], 旣乃遯于荒野. 左傳[310], "周甘人與晉大夫爭閻[311]田."

▷음은 궁음에 속하고 본관은 (산동성) 발해군이다. 하나라 때 제후국으로 나라 이름을 성씨로 삼은 것이다. 은(상商)나라 고종이 예전에 감반에게서 배우다가 얼마 뒤 황야로 도망친 일이 있다. ≪좌전·소공昭公9년≫권45에는 "주나라 때 감나라 사람이 진나라 대부와 염 땅의 밭을 놓고 다투었다"는 기록이 있다.

◇息壤(식 땅)

●甘茂事秦武王, 爲左相. 伐韓宜陽[312], 與王盟于息[313]壤, 而行宜陽, 五月不拔. 樗里子[314]果爭之, 王召茂, 欲罷兵. 茂曰, "息壤在彼." 昭王時, 茂亡奔齊, 道逢蘇代, 謂代曰, "吾聞貧人女與富人女會績曰, '我無以買燭, 而子之燭光有餘, 可分我餘光.' 今臣亡而妻子在秦, 願以餘光振之." 孫羅.

○(전국시대 때) 감무는 진나라 무왕을 섬기며 좌승상을 맡았다. 한나라의 (하남성) 의양 정벌에 나서 무왕과 식 땅에서 맹약을 맺고 의양으로 갔지만 5개월이 지나도 함락하지 못 했다. 저리자가 결과적으로 그와 논쟁을 벌이게 되자 무왕이 감무를 소환해 전투를 그만두게 하려고 하였다. 그러자 감무는 "식 땅이 바로 저기에 있나이다"

말. 명칭의 유래에 대해서는 전하는 설이 없으나 아마도 종이의 문양과 빛깔에서 비롯된 듯하다.

308) 高宗(고종) : 상商나라 제23대 왕인 무정武丁의 묘호廟號.

309) 甘盤(감반) : 상商나라 고종高宗(무정武丁) 때의 현신賢臣.

310) 左傳(좌전) : 노魯나라 은공隱公 원년元年(B.C.722년)부터 애공哀公 27년(B.C.468년)까지 약 250년 간의 춘추시대 역사를 기록한 ≪춘추경春秋經≫에 대한 전국시대 노魯나라 좌구명左丘明의 해설서인 ≪춘추좌씨전≫의 약칭.

311) 閻(염) : 춘추시대 때 진晉나라 땅 이름으로 소재지는 미상.

312) 宜陽(의양) : 하남성의 속현屬縣 이름.

313) 息(식) : 춘추전국시대 때 하남성의 땅 이름.

314) 樗里子(저리자) : 전국시대 진晉나라 혜왕惠王의 이복동생. ≪사기·저리자전≫권71 참조.

라고 하였다. 소왕 때 감무는 제나라로 망명하다가 도중에 소대를 만나 그에게 말했다. "제가 듣자하니 가난한 집 딸이 부잣집 딸과 옷감을 모아놓고 '저는 초를 사지 못 하지만 그대는 초가 남아도니 저에게 남은 초를 나눠주셔도 될 것입니다'라고 하였다고 합니다. 이제 신은 망명자 신세이고 처자식이 진나라에 있으니 남은 촛불을 베풀어 주셨으면 합니다." 손자는 감나甘羅이다.

◇策士(책사)

●甘羅年十二事文信侯呂不韋, 不韋言於始皇, 以爲上卿315). 太史公316)曰, "甘羅年少, 出一奇計, 聲稱後世. 雖非篤行君子, 亦戰國一策士也."

○감나는 나이 열두 살부터 문신후 여불위를 섬기다가 여불위가 (진秦나라) 시황제에게 건의하여 상경에 오를 수 있었다. (전한) 태사공은 (≪사기・감나전≫권71에서) "감나는 어린 나이에 기발한 계책을 내놓아 명성이 후세에까지 알려졌다. 비록 독실한 군자는 아닐지라도 역시 전국시대 때 책사라 할 만하다"라고 하였다.

◇懸旌萬里(만리 밖에 깃발을 걸다)

●甘延壽, 字君貺, 少以良家子善騎射, 爲羽林317). 投石拔距318), 嘗超踰羽林亭樓. 漢元帝朝, 與陳湯奉使西域, 斬郅支319). 劉向奏其功, 遂封千戶, 賜黃金百斤, 拜長水校尉320).(見陳湯)

---

315) 上卿(상경) : 군주 다음 가는 최고의 집정관執政官을 가리키는 말로서 '정경正卿'이라고도 한다.

316) 太史公(태사공) : ≪사기史記≫의 저자인 전한前漢 사마담司馬談(?-B.C.110)과 그의 아들 사마천司馬遷(B.C.135-?)에 대한 존칭. 그들 모두 태사령太史令을 지낸 데서 유래하였다. 또 ≪한서・예문지≫권30에 의하면 ≪사기≫의 원명이기도 하다.

317) 羽林(우림) : 전한 무제武帝가 6군郡의 자제들을 뽑아 훈련을 시켜 건장궁建章宮을 호위하게 하면서 부대명을 '건장궁기建章宮騎'라고 하였는데, 뒤에 '우림기羽林騎'로 이름이 바뀐 데서 유래하였다. '하늘의 우림성羽林星을 본받은 것'이라는 설도 있고, '울창한 숲에서 뜻을 취했다'는 설도 있다.

318) 拔距(발거) : 군사훈련 가운데 높이 도약하는 행위를 뜻하는 말. 힘 겨루기를 뜻하는 말로 보는 설도 있다.

319) 郅支(질지) : 한나라 때 흉노족이 세운 나라 이름.

○감연수(?-B.C.25)는 자가 군황으로 어려서 양갓집 자제임에도 말타기와 활쏘기를 잘 하여 우림이 되었다. 돌을 잘 던지고 높이뛰기를 잘 하더니 일찍이 우림정의 누각을 뛰어넘은 적이 있다. 전한 원제 때 진탕과 함께 황명을 받들고 서역에 사신으로 가서 질지국왕의 목을 벴다. 유향이 그의 공로를 상주하여 마침내 식읍이 천 호인 제후에 봉해지고 황금 백 근을 하사받았다가 장수교위를 배수받았다.(상세한 내용은 앞의 '진탕'에 관한 기록인 '현정만리懸旌萬里'항에 보인다)

◇懷遠(먼 곳까지 도모하다)

●甘英, 漢永元[321]九年, 爲班超掾. 超遣之窮臨西海而還. 凡前世所未至, 山經[322]所未詳者, 莫不備其風俗焉.(班超傳)

○감영은 후한 (화제) 영원 9년(97)에 반초의 속관을 지냈다. 반초가 그에게 서해 끝까지 다 순찰하고 돌아오게 한 일이 있다. 무릇 이는 전대에 미처 이루지 못 했던 일이자 ≪산해경山海經≫에서도 상세히 다루지 못 한 내용으로 그곳의 풍속을 다 알아냈다.(≪후한서・반초전≫권77)

◇江表[323]虎臣(강남의 호랑이 같은 신하)

●甘寧爲孫權將, 有計略, 破曹公[324]於烏林[325], 亦江表虎臣[326]也.

---

320) 長水校尉(장수교위) : 전한 무제武帝 때 설치한 8교위校尉, 즉 중루교위中壘校尉・둔기교위屯騎校尉・보병교위步兵校尉・월기교위越騎校尉・장수교위長水校尉・호기교위胡騎校尉・석성교위射聲校尉・호분교위虎賁校尉 가운데 하나로 섬서성 장수長水 일대에서 호인胡人의 기병을 관장하였다.

321) 永元(영원) : 후한後漢 화제和帝의 연호(89-104).

322) 山經(산경) : 신기하고 괴이한 이야기를 모아 놓은 소설류의 책인 ≪산해경山海經≫의 준말. 옛날에는 하夏나라 우왕禹王이 지었다고도 하고 백익伯益이 지었다고도 하였으나 믿을 수 없다. 다만 전한 사마천司馬遷(B.C.135-?)의 ≪사기史記≫에도 인용된 것으로 보아 주진周秦 때의 고서古書임은 분명하다. 옛날에는 지리서地理書의 일종으로 보아 사서史書로 분류하였으나 소설류로 분류하는 것이 타당하다. 진晉나라 곽박郭璞(276-324)이 주를 달았다. 총 18권. ≪사고전서간명목록・자부・소설가류≫권14 참조.

323) 江表(강표) : 장강의 밖. 즉 강남江南의 별칭. 여기서는 결국 삼국 오吳나라를 가리킨다.

○(삼국 오吳나라) 감영은 손권의 장수를 맡아 계략을 짜서 (호북성) 오림에서 조조曹操를 격파하였으니 그 역시 강남(오나라)의 용맹한 장수라 평할 만하다.

◇麟車乘雲(기린이 끄는 수레를 몰고서 구름을 타다)

●甘戰, 字伯武. 許君學道, 付以金丹妙訣. 陳大建[327]元年, 駕麟車, 乘雲而去. 宋政和中, 封精行眞人.(仙傳[328])

○감전은 자가 백무이다. (진晉나라 때) 허군(허손許遜)이 도를 닦고서 금단을 제조하는 비결을 그에게 전수하였다. (남조南朝) 진陳나라 (선제) 태건 원년(569)에 기린이 끄는 수레를 몰고서 구름을 타고 사라졌다. 송나라 (휘종) 정화(1111-1117) 연간에 '정행진인'에 봉해졌다.(≪신선전≫)

◇德政(덕정)

●甘卓, 字季思, 晉梁州刺史. 鎭襄陽, 善於綏撫, 徭役悉除, 市無二價, 西土稱其德政.

○감탁(?-322)은 자가 계사로 진나라 때 (섬서성) 양주자사를 지냈다. (호북성) 양양군을 진수할 때는 백성들을 잘 위무하여 요역을 감면해 주고 저자의 물가를 통일시켰기에 서방 일대에서는 그의 덕정을 칭송하였다.

●甘蠅, 古之善射者, 彎弓而獸鳥下. 弟子飛衛.(列子[329])

---

324) 曹公(조공) : 후한 말엽 조조曹操(155-220)에 대한 존칭. 후에 아들인 문제文帝 조비曹丕(187-226)가 위魏나라를 건국한 뒤 무제武帝로 추존追尊하였다. ≪삼국지·위지·무제조조전≫권1 참조.

325) 烏林(오림) : 호북성의 땅 이름. 적벽赤壁과 이어져 있어 적벽대전赤壁大戰을 비유하기도 한다.

326) 虎臣(호신) : 용맹한 장수를 비유하는 말. 혹은 군주를 측근에서 호위하는 무관을 가리킬 때도 있다.

327) 大建(태건) : 진陳 선제宣帝의 연호(569-582).

328) 仙傳(선전) : 송나라 이후에 나온 신선에 관한 전기를 가리키는 말로 보이나 어느 것을 특정하는지는 불분명하다.

○감승은 옛날에 활을 잘 쏘던 사람으로 그가 활을 당기면 들짐승이 나 날짐승이 모두 몸을 낮췄다. 제자는 비위이다.(≪열자·탕문湯問≫권5)

●甘龍與衛鞅330)爭變法曰, "緣法而治者, 吏習而民安之."

○(전국시대 진秦나라 때) 감용은 위나라 출신 공손앙公孫鞅과 변법에 대해 논쟁을 벌이다가 "법에 따라 다스리면 관리들도 금세 익숙해지고 백성들도 편하게 받아들일 것입니다"라고 하였다.

※婚姻(혼인)

●甘公爲蒼梧太守, 以女妻陶謙.(見陶氏)

○(후한 때) 감공은 (호남성) 창오태수를 지내면서 딸을 도겸(132-194)에게 시집보냈다.(상세한 내용은 앞의 '도'씨절의 '서유기표婿有奇表'항에 보인다)

□二十四鹽(24염)

◆閻(염씨)

▶宮音. 大原. 周武王封泰伯331)曾孫仲奕於閻鄉, 因氏焉. 晉閻嘉與甘大夫爭閻田于周.(左昭九年)

---

329) 列子(열자) : 구본舊本에는 전국시대 정鄭나라 사람인 열어구列禦寇가 지었다고 하였으나, 그의 사후의 기록도 있는 것으로 보아 그의 문인들이 지은 것으로 보인다. 위진魏晉 때 위작으로 보는 설도 있다. 진晉나라 장담張湛이 주를 달았다. 총 8권. ≪사고전서간명목록·자부·도가류道家類≫권14 참조.

330) 衛鞅(위앙) : 전국시대 위衛나라 사람인 공손앙公孫鞅의 별칭. 경감景監의 추천으로 진秦나라 효공孝公을 만났고, 법가法家 사상을 실천한 형명가刑名家로 유명하다. 상商에 봉해져 '상앙商鞅' '상군商君'으로도 불렸다. ≪사기·상군공손앙전商君公孫鞅傳≫권68 참조.

331) 泰伯(태백) : 주周나라 무왕武王의 조부인 계력季歷의 큰 형. ≪사기·주본기≫권4에 무왕의 증조부인 고공단보古公亶父의 장남은 '태백泰伯'이라고 하였다.

▷음은 궁음에 속하고 본관은 (산서성) 태원군이다. 주나라 무왕이 (종조부) 태백의 증손자인 중혁을 염향에 봉하자 그참에 이를 성씨로 삼은 것이다. (춘추시대 때) 진나라 염가가 감대부와 주나라 황실에서 염향의 밭을 놓고 언쟁을 벌인 일이 있다.(≪좌전左傳·소공昭公9년≫권45)

◇臨食三嘆(음식을 앞에 두고 세 번이나 탄식하다)

●閻沒, 晉魏舒屬大夫. 時魏子[332]將受梗陽[333]人女樂, 閻沒·女寬[334]入諫. 魏子召之, 食比置[335], 三嘆. 魏子問其故, 答云, "願以小人之腹爲君子之心, 屬饜而已." 獻子辭梗陽人.(左昭二十八)

○염몰은 (춘추시대) 진나라 위서의 휘하에서 대부를 지냈다. 당시 위자(위서)가 (산서성) 경양 사람이 뇌물로 바친 여자 악사를 받아들이려고 하자 염몰과 여관이 입궐하여 간언하였다. 위서가 그들을 불러 음식을 풍성하게 마련하였는데도 그들이 세 번이나 탄식을 하였다. 위서가 그 연유를 묻자 대답하였다. "소인배의 배를 군자의 마음이라 여기며 마침 흡족하게 먹으려 했기 때문입니다." 그래서 결국 위서는 경양 사람의 뇌물을 사양하였다.(≪좌전左傳·소공昭公28년≫권52)

◇明府(훌륭한 사또)

●閻憲[336]爲綿竹[337]令. 邑人有夜行得遺錦者, 平明[338]送縣. 憲曰, "夜行得錦, 是天賜也." 對曰, "縣有明府[339], 犯此則慙." 人歌之曰, "閻君

---

332) 魏子(위자) : 춘추시대 진晉나라 대부大夫 위강魏絳의 아들 위서魏舒에 대한 존칭. 시호를 따서 위헌자魏獻子라고도 하였다.

333) 梗陽(경양) : 춘추시대 진晉나라의 땅 이름. 지금의 산서성 청서현淸徐縣 일대. '경양 사람'은 송사에 걸리자 위서魏舒에게 뇌물을 바친 사람을 가리킨다.

334) 女寬(여관) : 춘추시대 진晉나라 때 대부大夫 이름.

335) 比置(비치) : 음식을 잘 차려 놓는 것을 이르는 말.

336) 閻憲(염헌) : 후한 때 사람. 송나라 이방李昉(925-996)의 ≪태평어람太平御覽·인사부人事部≫권465에서는 진晉나라 상거常璩의 ≪화양국지華陽國志≫를 인용하면서 '염여閻慮'라고 하였으나, 현전하는 ≪화양국지≫권10이나 권12에서 모두 '염헌'이라고 하였기에 이를 따른다.

337) 綿竹(면죽) : 사천성의 속현屬縣 이름.

338) 平明(평명) : 동이 틀 시간인 인시寅時 무렵이나 새벽을 뜻하는 말.

339) 明府(명부) : 한나라 이후로 군수郡守(태수)나 현윤縣尹을 높여 부르던 말.

賦政明且昶.”

○(후한 때) 염헌은 (사천성) 면죽현의 현령을 지냈다. 고을 사람 중에 누군가 밤에 길을 가다가 버려진 비단을 주워 이튿날 새벽에 현으로 보내왔다. 염헌이 “밤에 길을 가다가 비단을 얻었다면 이는 하늘이 하사한 것일세”라고 하자 그 사람이 대답하였다. “현에 훌륭한 사또가 계신데 이를 범한다면 부끄러운 일일 것입니다.” 그래서 사람들이 노래를 지어 “염사또의 세금 정책은 명쾌하고도 훌륭하다네”라고 하였다.

◇有大節(굳은 절조를 지키다)

●閻纘, 字續伯, 博覽墳典[340], 該通物理, 慷慨有大節, 不修細行. 愍懷太子[341]廢, 纘輿棺詣闕, 上書訟寃. 仕晉, 爲漢中太守.

○염찬은 자가 속백으로 고대 전적을 두루 열람하여 사물의 이치에 정통하였고, 강개한 심경으로 굳은 절조를 지키며 자잘한 예법에 얽매이지 않았다. 민회태자가 폐위당하자 염찬은 (죽음을 각오하였다는 지조를 보이기 위해) 관을 수레에 싣고 궁궐로 찾아가 글을 올려서 태자의 억울함을 호소하였다. 진나라에서 벼슬길에 올라 (섬서성) 한중태수를 지냈다.

◇孝門(효자 가문)

●閻允明至孝行, 著鄕閭, 詔表爲孝門, 復[342]其租調[343]. 自序[344]云,

여기서는 염헌閻憲을 가리킨다.

340) 墳典(분전) : 옛 전적典籍에 대한 총칭. 전설상의 임금인 ‘삼황三皇’ 즉 복희伏羲·신농神農·황제黃帝 세 황제의 무덤에서 나온 책을 의미하는 ‘삼분三墳’과 ‘오제五帝’ 즉 소호少昊·전욱顓頊·제곡帝嚳·당唐·우虞 다섯 왕조의 책을 의미하는 ‘오전五典’의 합칭인 ‘삼분오전三墳五典’의 준말.

341) 愍懷太子(민회태자) : 진晉나라 혜제惠帝의 장남 사마휼司馬遹. ‘민회’는 시호. 가황후賈皇后의 사주를 받은 환관宦官 손여孫慮에게 살해당했다. ≪진서晉書·민회태자전愍懷太子傳≫권53 참조.

342) 復(복) : 세금을 면제해 주다.

343) 租調(조조) : 조세에 대한 총칭. 곡식으로 내는 세금을 ‘조租’라고 하고, 원래 1년에 20일간 요역徭役을 치러야 하는데 요역 대신 비단을 내는 것을 ‘용

“願盡膝下之歡, 忘懷軒冕之貴.”

○(수나라) 염윤명은 효성이 지극하여 고향에서 이름이 알려졌기에 효자 가문을 표창하고 세금을 면제하라는 조서가 내려졌다. 그는 스스로 쓴 글에서 “부모님 슬하에서 효도하는 즐거움을 다 누리고 싶기에 고관대작에 오를 생각을 품지 않으련다”고 하였다.

◇馳譽丹靑(그림 솜씨로 명성을 날리다)

●閻立本, 唐貞觀中, 爲主爵郎中[345]. 上與侍臣[346]泛春苑池, 見異鳥容與[347], 詔坐者賦詩, 而召立本, 侔狀. 閣外傳呌[348]畫師至, 則俯伏池左, 硏吮[349]丹粉, 羞悵流汗. 因歸, 戒其子, “愼勿習之.” 總章[350]元年, 拜右相. 時姜恪以戰功拜左相, 故曰, “左相宣威沙漠, 右相馳譽丹靑[351].” 兄立德將作大監[352], 弟立行衛尉卿, 立德子玄邃司農卿[353]. 父子兄弟四大卿監[354].

庸’이라고 하고, 일정한 직물로 내는 세금을 ‘조調’라고 하는 데서 유래하였다.

344) 自序(자서) : 이는 ≪수서·효의열전孝義列傳≫권72과 ≪북사北史·효행열전孝行列傳≫권84에 인용되어 전한다.

345) 主爵郎中(주작낭중) : 상서성尙書省 육부六部 가운데 이부吏部의 휘하에서 봉작封爵에 관한 일을 관장하던 벼슬. 당나라 이후로는 사봉낭중司封郎中이라고 하였다.

346) 侍臣(시신) : 임금을 가까이서 모시는 신하를 이르는 말.

347) 容與(용여) : 한가로이 유유자적하는 모양.

348) 傳呼(전호) : 소리쳐서 부르거나 명을 내리는 것을 이르는 말.

349) 硏吮(연연) : 먹 따위를 갈아서(硏) 붓에 적시는(吮) 것을 이르는 말.

350) 總章(총장) : 당唐 고종高宗의 연호(668-670).

351) 丹靑(단청) : 단사丹砂와 청호靑頀. 모두 염료染料의 일종. 결국 그림을 뜻한다.

352) 將作大監(장작대감) : 궁궐과 종묘宗廟·능침陵寢 및 기타 토목공사를 관장하던 기관인 장작감將作監의 장관. 시대에 따라 장작소부將作少府·장작대장將作大匠·장작감將作監 등으로도 불렸다.

353) 司農卿(사농경) : 농업과 재정을 관장하던 벼슬로서 구경九卿의 하나. 전한 경제景帝 때 ‘대농령大農令’을 무제武帝 때 ‘대사농大司農’으로 개명하였고, 당송唐宋 때는 ‘사농경司農卿’으로 개명하였다.

354) 大卿監(대경감) : 태상시太常寺·종정시宗正寺·광록시光祿寺 등의 장관인 구경九卿과 국자감國子監·장작감將作監·군기감軍器監 등의 장관인 6감監을 비롯하여 각 기관의 장관에 대한 총칭. 기관의 명칭과 규모는 시대마다 다소의 차이가 있다. 당나라 때는 9시·5감이 있었고, 송나라 때는 9시·6감이 있

○염입본(?-673)은 당나라 (태종) 정관(627-649) 연간에 주작낭중을 지냈다. 태종이 시신들과 함께 춘원지에서 배를 타고 노닐다가 기이한 새가 한가로이 헤엄치는 것을 보고서는 좌중에 명을 내려 시를 짓게 하면서 염입본을 불러 그 모습을 그리게 하였다. 누각 밖에서 화공(염입본)이 도착했다는 전갈을 올리자 바로 춘원지 왼쪽(동쪽)에 엎드려 물감을 갈아 붓을 적시면서도 수치심에 진땀을 흘렸다. 그래서 염입본은 집에 돌아와 자식들에게 훈계하였다. "절대로 그림을 배우지 말거라." (고종) 총장 원년(668)에 우승상을 배수받았다. 당시 강각이 전공을 세워 좌승상을 배수받았기에 "좌승상은 사막에서 맹위를 떨쳤고, 우승상은 그림 솜씨로 명성을 날린다"는 말이 돌았다. 형 염입덕閻立德은 장작대감을 지냈고, 동생 염입행閻立行은 위위경을 지냈으며, 염입덕의 아들 염현수閻玄邃는 사농경을 지냈다. 부자와 형제 네 사람이 모두 구경과 대감에 올랐다.

◇文館學士(수문관태학사)

●閻朝隱, 唐中宗朝, 修文館[355]大學士[356]. 張說論[357]近世文, "朝隱若麗服靚妝, 燕歌趙舞, 觀者忘疲."

○염조은은 당나라 중종 때 수문관태학사에 올랐다. 장열은 근세의 문장을 논하면서 "염조은의 글을 보면 마치 아름다운 옷을 입고 곱게 화장한 여인이 연 지방 노래를 부르고 조 지방 춤을 추면 구경하는 사람들이 피곤한 줄 모르는 것과 같다"고 평하였다.

었다.

355) 修文館(수문관) : 당나라 때 국가의 주요 도서의 편찬·감수·교정 및 제도·의례에 대한 심사를 관장하던 관서 이름. 뒤에는 '홍문관弘文館' '소문관昭文館'으로 개칭되기도 하였다.

356) 大學士(태학사) : 조정의 주요 문서를 관장하기 위해 당나라 경종景宗 때 처음으로 학사學士보다 높은 직책으로 설치한 벼슬 이름. 보통은 은퇴한 재상이나 고관에게 수여하던 명예직이었다. '태大'는 '태太'와 통용자.

357) 論(논) : 당나라 장열張說의 평문은 ≪신당서·문예열전文藝列傳·낙빈왕전駱賓王傳≫권201에 인용되어 전한다.

◇雅望(우아한 명망)

●閻伯嶼, 唐時爲豫章都督[358]. 王勃滕王閣記[359]云, "都督閻公之雅望, 棨戟[360]遙臨."

○염백서는 당나라 때 (강서성) 예장군의 도독을 지냈다. 왕발은 <등왕각에서 쓴 글>에서 "도독을 맡은 염공께서 우아한 명망을 떨치며 의장용 창을 세우고 멀리 굽어보시네"라고 하였다.

◇高唐館(고당관)

●閻欽受[361], 宋朝御史, 宿濠州高唐[362]館, 有詩云, "借問襄王安在哉? 山川此地勝樓臺. 今宵寓宿高唐館, 神女何曾入夢來?"

○염흠수는 송나라 때 어사를 맡아 (안휘성) 호주의 고당관에 투숙하자 시를 지어 "묻노니 (전국시대 초楚나라) 양왕은 어디에 있을까? 산천 아름다운 이 땅에 누대는 그대로라네. 오늘 밤 고당관에 투숙하였거니와, 무산신녀는 언제나 꿈속으로 들어오려나?"라고 하였다.

●北魏閻仁慶爲龍驤將軍. 子毗篆書草隸, 妙絶當世.

○(북조北朝) 북위 사람 염인경은 용양장군을 지냈다. 아들 염비閻毗는 전서와 초서・예서 방면에서 당대에 뛰어난 솜씨를 보였다.

●閻慶禮爲敷城太守. 歲以家粟千萬賑恤貧者, 人賴以濟.

---

358) 都督(도독) : 군사軍事 업무를 총괄하는 장관을 이르는 말.

359) 滕王閣記(등왕각서) : 이 글은 <등왕각에서 쓴 글(滕王閣序)>이란 제목으로 당나라 왕발王勃(649-676)의 문집인 ≪왕자안집王子安集≫권5에 전한다. '등왕각'은 당나라 고조高祖의 아들인 등왕滕王 이원영李元嬰이 홍주도독洪州都督을 지낼 때 강서성 남창군南昌郡에 지은 누각을 가리킨다.

360) 棨戟(계극) : 비단으로 싸거나 기름칠을 한 나무 창. 의장에 사용하던 것으로 고관을 상징한다.

361) 閻欽受(염흠수) : '염흠애閻欽愛'로 된 문헌도 있는데 오기인 듯하다.

362) 高唐(고당) : 전국시대 초楚나라 회왕懷王(아들인 양왕襄王이란 설도 있다)과 무산巫山 신녀神女가 운우雲雨의 정을 나눴다고 전하는 전설상의 누대 이름이자 송옥宋玉이 지은 부賦 이름. 송옥의 부는 남조南朝 양梁나라 소통蕭統(501-531)이 엮은 ≪문선文選・정情≫권19에 전한다.

○염경례는 (산서성) 부성태수를 지냈다. 해마다 집안의 곡식 수천 수만 섬으로 가난한 사람들을 구제하였기에 사람들이 그 덕에 목숨을 건질 수 있었다.

●閻安中, 宋紹興中, 進士, 唱名363), 王十朋第一, 安中第二.

○염안중은 송나라 (고종) 소흥(1131-1162) 연간에 진사시험에 급제하였는데, 합격자 명단을 발표할 때 왕십붕이 장원을 차지하고 염안중이 차석을 차지하였다.

●閻溫, 字伯儉, 爲上郅364)令, 立忠節.(魏志)

○(삼국 위魏나라) 염온은 자가 백검으로 (감숙성) 상규현上邽縣의 현령을 지내며 충절비를 세웠다.(≪삼국지·위지·염온전≫권18)

※婚姻(혼인)

●閻伯嶼壻吳子章隨婦翁365), 守洪都366), 時滕王閣落成, 子章作記, 欲於席上出以誇客. 王勃爲之, 閻意不悅.

○(당나라 때) 염백서의 사위인 오자장은 (강서성) 홍도태수를 맡은 장인을 따라나섰다가 당시 등왕각이 완성되자 글을 지어 연회석상에서 제출하여 손님들에게 자랑하고 싶어하였다. 그러나 왕발이 그 글을 짓는 바람에 염백서가 내심 불쾌해 하였다.

---

363) 唱名(창명) : 전시殿試가 끝난 뒤 황제가 직접 과거시험 합격자의 이름을 부르는 일.

364) 上郅(상질) : ≪삼국지·위지·염온전≫권18에 의하면 감숙성 천수군天水郡의 속현屬縣인 '상규上邽'의 오기이다. 자형의 유사성으로 인한 필사 과정상의 단순 오기로 보인다.

365) 婦翁(부옹) : 장인. '부공婦公' '부부婦父' '외구外舅' '처공妻公' '처부妻父' 등 여러 가지 명칭으로도 불렸다.

366) 洪都(홍도) : 강서성 남창군南昌郡의 별칭. 홍주洪州의 치소治所가 있었기에 이런 별칭이 생겼다.

●杜純[367]妻閻氏有賢行.

○(송나라) 두순의 아내 염씨는 행실이 어질었다.

●閭閻[368]. 南閻[369].

○여염집. 남염.

◆嚴(엄씨)

▶宮音. 天水. 羋姓之後楚莊王支孫[370], 以謚爲姓. 莊氏, 漢明帝諱莊, 故漢書改爲嚴. 如嚴助・嚴光之類皆然.

▷음은 궁음에 속하고 본관은 (감숙성) 천수군이다. '미羋'성의 후손이자 (춘추시대) 초나라 장왕의 지손이 시호(莊)를 성씨로 삼았으나, '장'씨의 경우 후한 명제의 이름이 '장莊'이어서 ≪한서≫에서는 '장莊'을 '엄嚴'으로 고쳐 썼다. 이를테면 엄조・엄광 같은 이들이 모두 그러한 예이다.

◇先進(가장 먼저 승진하다)

●嚴助, 會稽[371]人. 漢武朝, 以賢良[372]對策[373], 擢爲中大夫[374]. 是時

---

367) 杜純(두순) : 송나라 사람. 자는 효석孝錫. 시어사侍御史・병부시랑兵部侍郎 등을 역임하였다. ≪송사・두순전≫권330 참조.

368) 閭閻(여염) : 평범한 일반 가정집을 이르는 말. 이에 대해 ≪한서・순리열전循吏列傳≫권89의 당나라 안사고顔師古(581-645) 주에서는 "'여'는 마을 입구를 뜻하고, '염'은 마을 안에 있는 대문을 뜻한다(閭, 里門也, 閻, 里中門也)"고 풀이하였다.

369) 南閻(남염) : 불교에서 말하는 사대주四大洲 가운데 하나인 남섬부주南贍部洲의 별칭.

370) 支孫(지손) : 동일 종파의 자손을 이르는 말.

371) 會稽(회계) : 춘추전국시대 때는 절강성 소흥시紹興市 일대를 '회계'라고 하다가, 진한秦漢 때는 오군吳郡(강소성 소주시蘇州市 일대)으로 이전하였고, 후한後漢 이후로 다시 오군을 복원하면서 회계군 역시 원래 지역(절강성 소흥시 일대)으로 복원시켰다.

372) 賢良(현량) : 한나라 이후로 각 지방에서 추천한 인재 중에서 관리를 선발하던 과거시험의 하나로 현량문학과賢良文學科나 현량방정과賢良方正科의 준말.

373) 對策(대책) : 정사政事나 경의經義에 대한 문제에 답안을 제시하는 일. '대책對冊'으로도 쓴다.

374) 中大夫(중대부) : 진한秦漢 이후로 의론을 주관하던 벼슬 가운데 하나. 태중대부大中大夫・중대부中大夫・간대부諫大夫가 있었다.

上親任司馬相如・枚皐等, 而助最先進. 每令助等與大臣辨論, 中外相應以義理之文. 後因侍宴從容, 乞爲會稽太守, 上與之. 數年上賜之書曰, "君厭承明之廬[375], 懷故土, 間者[376], 闊焉[377]久不聞問[378], 其[379]以春秋對." 助上書謝, 留爲侍中. 後坐與淮南王[380]交通, 棄市[381].

○엄조(?-B.C.122)는 (강소성) 회계군 사람이다. 전한 무제 때 현량과에 응시해 대책을 잘 해서 중대부에 발탁되었다. 당시 무제는 사마상여와 매고 등을 신임하였지만 오히려 엄조가 가장 먼저 승진하였다. 매번 엄조 등에게 대신들과 상의케 하였기에 조정 안팎의 사람들이 서로 논리적인 글로써 응대하게 되었다. 뒤에 황제를 모시고 연회에 참석하여 조용히 얘기할 기회가 생겼기에 회계태수를 맡고 싶다고 요청하자 무제가 이를 허락하였다. 몇 년 뒤 무제가 그에게 친서를 내려 "그대는 승명려에서 지내는 것을 싫어하고 고향을 그리워하였소만, 근자에 오래도록 치적을 세웠다는 보고가 올라오지 않고 있으니 ≪춘추경≫의 체례로 대답해 보라"고 하였다. 엄조가 글을 올려 사례하자 시중에 유임시켰다. 뒤에는 회남왕과 내통했다는 죄목 때문에 기시형을 당했다.

◇近古逸民(옛 은자의 풍모에 가깝다)

●嚴遵, 字君平, 西漢時人, 卜筮[382]於成都市. 日閱數人, 每依卦辭, 敎

---

375) 承明之廬(승명지려) : 한나라 때 시종관侍從官들이 숙직하던 건물 이름으로 보통 '승명려承明廬'라고 하였다. 황제의 신임을 받는 근신近臣이나 조정의 고관을 상징한다.

376) 間者(간자) : 그 뒤로, 근래.

377) 闊焉(활언) : 시간이 오래 지난 모양.

378) 聞問(문문) : 좋은 명성을 떨치다, 치적을 세웠다는 보고가 올라오다.

379) 其(기) : 명령 어기조사.

380) 淮南王(회남왕) : 전한 사람 유장劉長의 봉호. 고조高祖 유방劉邦(B.C.247-B.C.195)의 막내아들이자 ≪회남자淮南子≫의 저자로 유명한 유안劉安(B.C.179-B.C.122)의 부친. 뒤에 폐위당해 사천성 촉주蜀州에서 사망하였다. ≪한서・회남려왕유장전淮南厲王劉長傳≫권44 참조.

381) 棄市(기시) : 죄수를 사형에 처하고 시체를 저자 거리에 내다버려 본보기를 보이는 형벌을 일컫는 말.

382) 卜筮(복서) : 길흉을 알기 위해 점치는 일을 이르는 말. 거북 껍질(귀갑龜

人以忠孝. 曰, "得百錢, 足以自養[383]," 則閉肆下簾, 而讀老子[384]. 揚雄少從之學曰, "其風聲足以激貪勵俗, 亦近古之逸民也." 蜀人羅沖爲具車馬衣糧, 勸之仕, 君平曰, "我有餘, 君不足, 奈何以不足奉有餘?" 沖曰, "吾家萬金[385], 子無儋石[386]之儲, 何謂有餘?" 曰, "吾嘗宿子家, 見子晝夜汲汲, 未嘗有足. 今我賣卜, 不下床而錢至, 尙餘數百. 塵埃厚寸, 不知所用, 明我有餘而子不足也." 益州牧[387]李强召爲從事, 不就. 年九十餘, 以其業終.

○엄준은 자가 군평이고 전한 때 사람으로 (사천성) 성도의 저자에서 점을 쳤다. 날마다 몇 명에게 점을 보면서 매번 괘사에 근거하여 사람들에게 충효를 가르쳤다. 그는 "백 냥만 벌면 먹고사는 데 지장이 없다"고 하면서 가게문을 닫고 주렴을 내리고서 ≪노자≫를 공부하였다. 양웅은 어려서부터 그를 따라 공부하면서 "그의 명성은 탐욕을 물리치고 풍속을 바꾸기에 충분하기에 역시 옛 은자의 풍모에 가깝다고 할 만하다"라고 말했다. (사천성) 촉주 사람 나충이 그를 위해 수레·말·옷·식량을 마련하고서 벼슬에 오르라고 권하자 엄준이 말했다. "나는 넘쳐나고 그대는 부족하거늘 어찌 부족한 사람이 넘치는 사람을 봉양할 수 있겠소?" 나충이 말했다. "저희 집에는 거금이 있지만 선생에게는 재산이 조금도 없거늘 어찌 넘친다는 말씀을 하십니까?" 그러자 엄준이 대답하였다. "내 일찍이 그대 집에서 묵은 적이 있는데, 그대가 밤낮으로 급급해 하며 전혀 여유가 없는

甲)을 이용하는 것을 '복卜'이라고 하고, 점대(시초蓍草)를 이용하는 것을 '서筮'라고 한다.

383) 自養(자양) : 스스로를 봉양하다. 즉 생계를 꾸리는 것을 뜻한다. '자봉自奉'이라고도 한다.

384) 老子(노자) : 춘추시대 때 사람 이이李耳에 대한 존칭이자 그의 저서 이름. 이이의 자는 백양伯陽·중이重耳·담聃이고, 호는 노군老君. '노담老聃' '노래자老萊子' '이노군李老君' 등 여러 별칭으로도 불렸다.

385) 萬金(만금) : 금 만 근斤. '금金'은 '근斤'이나 '일鎰'과 같은 말로, '만금'은 실수實數라기보다는 많은 양의 금이나 거액을 강조하기 위한 표현이다.

386) 儋石(담석) : 한두 섬. 가난한 살림형편을 비유한다. '담儋'은 '석石'의 두 배인 두 섬을 뜻한다.

387) 牧(목) : 자사刺史의 별칭. 주州의 장관인 자사는 '목牧'이라고 하고, 현縣의 장관인 현령은 '재宰'라고 한다.

것을 보았소. 이제 나는 점을 팔지만 침상에서 내려오지 않고서도 돈이 찾아오기에 오히려 수백 냥이나 남아돌고 있소. 티끌 따위야 두께가 몇 치 된다 한들 쓸 데를 알 수 없는 법이니 나는 넘치고 그대는 부족하다는 것을 잘 알 수가 있소." (사천성) 익주자사 이강이 그를 불러 종사에 임명하려고 하였으나 취임하지 않았다. 나이 90살이 넘어서도 본업에 충실하다가 생을 마쳤다.

◇嚴顔之學(엄팽조와 안안락의 학파)

●嚴彭祖, 字公子, 與顔安樂俱事眭孟. 孟弟子百餘人, 惟二子能質問疑義. 孟曰, "春秋之義, 在二子矣!" 由是公羊[388]春秋有嚴顔之學. 宣帝朝, 爲博士.

○(전한) 엄팽조는 자가 공자로 안안락과 함께 휴맹을 스승으로 섬겼다. 휴맹의 제자가 백 명이 넘었지만 오직 이 두 사람만이 의심스러운 부분에 대해 질의를 잘 하였다. 그래서 휴맹은 "≪춘추경≫의 본의가 두 사람에게 달려 있구나!"라고 하였다. 이 때문에 (전국시대 제齊나라) 공양고公羊高의 ≪춘추경≫에 엄팽조와 안안락의 학파가 생겨났다. 선제 때 박사를 지냈다.

◇客星閣(객성관)

●嚴光, 字子陵, 小字狂奴. 少有高名, 與光武同學. 帝卽位, 光披羊裘[389], 釣澤中. 乃備安車[390]玄纁[391], 聘之, 三反乃至. 除諫議大夫, 不屈, 去, 耕于富春山. 後人名其釣處, 爲嚴陵瀨云. 釣臺在桐廬縣南,

---

388) 公羊(공양) : ≪춘추경春秋經≫의 주석서 가운데 하나인 ≪공양전公羊傳≫의 저자 전국시대 제齊나라 사람 공양고公羊高를 가리키는 말. 후한 하휴何休(129-182)의 주注와 당나라 서언徐彦의 소疏가 있으나 오류와 번다함이 있다는 평이 있다. 총 20권. ≪사고전서간명목록·경부·춘추류春秋類≫권3 참조.

389) 羊裘(양구) : 양가죽으로 만든 갖옷. 초라한 선비나 은자를 상징한다.

390) 安車(안거) : 연로한 고관이나 귀부인이 편히 탈 수 있게 제작한 수레를 이르는 말.

391) 玄纁(현훈) : 폐백幣帛으로 사용하던 검은 비단과 붉은 비단을 아우르는 말. 결국 고급 비단을 가리킨다.

東西二臺, 各高數百丈. 有羊裘軒・客星392)館・招隱堂.

○(후한) 엄광(B.C.37-A.D.43)은 자가 자릉이고 어렸을 때 자는 광노이다. 어려서부터 명성을 떨치며 광무제와 함께 공부하였다. 광무제가 즉위하고서도 엄광은 양 갖옷을 걸치고 연못에서 낚시를 즐겼다. 그래서 안거와 고급 비단을 준비해 그를 초빙하였지만 세 번이나 되풀이하고서야 찾아왔다. 간의대부를 제수하였으나 뜻을 굽히지 않고 사직한 뒤 (절강성) 부춘산에서 농사를 지었다. 후인들은 그가 낚시하던 곳을 '엄릉뢰'로 이름 지었다고 한다. (엄광이 낚시하던 누대인) 조대는 (절강성) 동려현 남쪽에 있는데, 동쪽과 서쪽에 나뉘어 있는 두 누대는 각기 높이가 수백 장에 달한다. 또 양구헌・객성관・초은당이 있다.

◇知天文(천문학을 잘 알다)

●嚴譔, 字善思, 唐武后時, 爲太史令393). 長安394)元年, 熒惑395)入月, 犯天關396), 譔曰, "當亂臣伏罪." 歲餘張柬之誅二張397). 先是, 爲監察御史, 公直敢言, 后令按問, 告密者皆引虛伏罪.

○엄선은 자가 선사로 당나라 측천무후 때 태사령을 지냈다. (예종)

392) 客星(객성) : 항성이 아니라 혜성이나 유성처럼 일시적으로 나타나는 별에 대한 총칭. 후한 때 광무제光武帝가 친구인 엄광嚴光과 허물없이 지내자 태사太史가 '객성客星(엄광)이 제좌帝座(광무제)를 범접한다'고 간언하였다는 고사에서 비롯된 말로 결국 엄광을 비유적으로 가리킨다.

393) 太史令(태사령) : 진한秦漢 때 사서史書의 편찬과 천문・역법을 총괄하던 벼슬. 위진魏晉 이후로 사서 편찬을 저작랑著作郎이 전담하면서부터는 주로 천문과 역법을 관장하게 되었다.

394) 長安(장안) : 당唐 예종睿宗의 연호(701-704).

395) 熒惑(형혹) : 화성火星의 별칭. '나타나는 시기가 일정치 않아 사람들을 미혹시킨다'는 뜻에서 유래하였다. 고대 중국에서는 목성은 '세성歲星', 화성은 '형혹熒惑', 토성은 '진성鎭星', 금성은 '태백太白', 수성은 '신성辰星'이라고 불렀다. ≪수서・율력지律曆志≫권18 참조.

396) 天關(천관) : 북극성의 별칭. '북신北辰'이라고도 한다.

397) 二張(이장) : 당나라 측천무후則天武后(624-705) 때 무후의 총애를 믿고 전횡을 일삼던 장역지張易之(?-705)와 장창종張昌宗(?-705) 형제를 가리키는 말.

장안 원년(701)에 형혹성(화성)이 달을 침입하고 북극성을 범접하자 엄선은 "분명 난신이 죄를 자복할 것입니다"라고 아뢰었다. 그러자 한 해 남짓 지나서 장간지가 장역지張易之·장창종張昌宗 형제를 주살하였다. 이보다 앞서 감찰어사를 맡으면서 공정하고 강직한 태도로 과감하게 간언한 적이 있는데, 측천무후가 사람을 시켜 조사케 하자 밀고한 사람들이 모두 거짓을 자인하고 죄를 자복하였다.

◇材吏(능력 있는 관리)

●嚴挺之, 名浚, 資質軒秀, 擢制科[398], 調義興尉, 號材吏. 累遷給事中, 俄改濮·汴二州刺史. 重交游, 許與生死, 不易. 開元[399]中, 九齡[400]薦爲尙書左丞, 知吏部[401]. 天寶初, 李林甫擠之, 降爲詹事[402], 卒.

○(당나라) 엄정지는 본명이 '준浚'으로 자질이 뛰어나 제과에 급제하더니 (강소성) 의흥현의 현위를 발령받아 ('능력 있는 관리'라는 의미에서) '재리'로 불렸다. 여러 관직을 거쳐 급사중으로 승진하였다가 얼마 뒤 다시 (산동성) 복주濮州와 (하남성) 변주汴州 두 주의 자사로 자리를 옮겼다. 남들과 교유할 때는 목숨도 허락하면서 변치 않는 의리를 중시하였다. (현종) 개원(713-741) 연간에는 장구령이 그를 상서좌승상에 추천하여 이부를 관장하였다. (현종) 천보(742-756) 연간에는 이임보가 배척하는 바람에 태자첨사로 강등당했다가 생을 마쳤다.

---

398) 制科(제과) : 당송 때 진사시험 외에 황제가 친히 치르는 과거시험을 이르는 말. '전시殿試' '정시廷試'라고도 한다.

399) 開元(개원) : 당唐 현종玄宗의 연호(713-741).

400) 九齡(구령) : 당나라 사람 장구령張九齡(678-740). 자는 자수子壽. 문학 방면에서 당대 제일로 이름을 떨쳤다. 이임보李林甫(?-752)의 세력을 누르려다가 오히려 파직당했다. 저서로 ≪곡강집曲江集≫ 20권이 전한다. ≪신당서·장구령전≫권99 참조.

401) 吏部(이부) : 상서성尙書省 휘하 육부六部 가운데 하나로 관리의 인선人選과 전형銓衡을 관장하던 기관 이름.

402) 詹事(첨사) : 동궁(태자궁)의 잡무와 물품 공급을 관장하던 벼슬인 태자첨사太子詹事의 약칭.

◇挺之有兒(엄정지嚴挺之에게 이런 아들이 있었다니!)

●嚴武, 字季鷹, 幼豪爽. 母裴氏不爲挺之所荅, 獨厚其妾英. 武八歲袖鐵鎚, 就英寢, 碎其首. 左右驚, 白挺之, 以爲戲殺. 武曰, "安有大臣厚妾而薄妻者? 兒故殺之, 非戲殺也." 父奇之曰, "眞嚴挺之子!" 天寶中, 爲劍南[403]節度使[404], 最厚杜甫. 甫嘗登武床, 睨之曰, "嚴挺之乃有此兒!" 武累欲殺之, 母救, 免.

○(당나라) 엄무(726-765)는 자가 계응으로 어려서부터 성격이 호방하였다. 모친 배씨는 엄정지에게 제대로 대접받지 못 한 반면 엄정지는 유독 첩실인 영을 후대하였다. 엄무는 여덟 살의 나이로 철퇴를 소매에 숨긴 채 영의 침실로 들어가 그녀의 머리를 부쉈다. 주변 사람들이 깜짝 놀라 엄정지에게 아뢨지만 엄정지는 장난으로 죽인 줄 생각하였다. 그러자 엄무가 대답하였다. "어찌 대신의 몸으로 첩실을 후대하고 본처를 박대하는 일이 있을 수 있습니까? 저는 일부러 그녀를 죽인 것이지 장난으로 죽인 것이 아닙니다." 부친이 그를 대견하게 여겨 "진정 나 엄정지의 아들이로다!"라고 하였다. (현종) 천보(742-756) 연간에 (사천성) 검남절도사를 맡아 두보를 가장 후대해 주었다. 두보는 일찍이 (술에 취해) 엄무의 평상에 올라서 그를 노려보며 "엄정지에게 도리어 이런 아들이 있었다니!"라고 말한 적이 있다. 엄무가 누차 그를 죽이려 하였지만 모친이 구해 주는 바람에 두보는 화를 면했다.

◇歷三鎭(세 번진藩鎭의 장수를 역임하다)

●嚴綬初過湖州于閺(無問切)鄕, 尉李達飯他客, 不接之. 後達適幷州, 謁綬, 綬方晏, 謂曰, "吾昔羈旅, 君不顧我, 今我亦不敢留公." 達慚. 綬才不踰中人[405], 而歷三鎭, 所奏辟位將相者九人. 憲宗朝, 拜左僕射[406],

---

403) 劍南(검남) : 당나라 때 설치한 도道 이름. 중국 서남부 검문산劍門山 이남의 사천성 일대를 가리킨다.

404) 節度使(절도사) : 당송唐宋 때 한 도道나 여러 주州의 군사·민정·재정 등을 관할하던 벼슬. 송 이후로는 실권이 없이 직함만 있었다.

405) 中人(중인) : 중류층의 백성을 가리키는 말. '중민中民'이라고도 한다.

封鄭國公.

○(당나라) 엄수(746-822)가 처음에 (절강성) 호주의 우문향('閿'은 '무'와 '문'의 반절음인 '문'이다)에 들렀을 때 현위를 맡고 있던 이달이 다른 손님들에게는 음식을 주면서 그는 접대해 주지 않았다. 뒤에 이달이 (산서성) 병주로 폄적당해 엄수를 알현했을 때 엄수가 한창 연회를 열고 있다가 그에게 말했다. "내가 옛날에 객지생활을 할 때 그대가 나를 돌보지 않았으니 이제 나도 감히 그대를 머물게 할 수가 없구려." 이달이 부끄러워하였다. 엄수는 재능이 보통 사람보다 뛰어나지 않았음에도 세 번진의 장수를 역임하였는데, 그가 상주하여 부름을 받아서 장수와 재상의 지위에 오른 사람이 아홉 명이나 되었다. 헌종 때 좌복야를 배수받고 정국공에 봉해졌다.

◇歌姬賭帶(가희로써 허리띠를 상대로 내기를 걸다)

●嚴續有歌姬, 唐鎬有通犀[407]帶. 唐有慕姬之意, 嚴有欲帶之心, 各出姬解帶, 賭之, 唐采[408]大勝. 乃酌酒, 姬歌一曲而別, 續悵然遣之.

○(오대십국五代十國 남당南唐 때) 엄속에게는 가희가 있고 당호에게는 무소뿔로 만든 허리띠가 있었다. 당호는 가희를 소유하고 싶은 마음이 있었고, 엄속은 허리띠를 가지고 싶은 마음이 있어서 각자 가희를 내놓고 허리띠를 풀어 내기를 했는데 당호의 패가 대승을 거두었다. 그래서 술을 따르자 가희가 노래를 한 곡 부르며 작별인사를 올렸고, 엄속은 서글픈 표정을 지으며 그녀를 보내주었다.

●嚴安上書, 武帝召見曰, "公等安在? 何相見之晩?" 拜郎中[409].

---

406) 僕射(복야) : 진秦나라 때 처음 설치되었고, 한나라 때는 5상서尙書 가운데 한 명을 복야에 임명하여 조정의 핵심 행정 기관인 상서성尙書省의 업무를 총괄하게 하였는데, 뒤에 권한이 막강해지자 좌·우복야를 두면서 당송唐宋 때까지 지속되었다. 보통 승상丞相의 지위를 겸하였다.

407) 通犀(통서) : 무소뿔의 일종. 양쪽의 뿔이 서로 통하는 데서 이름이 유래하였다.

408) 采(채) : 도박에 사용하는 윷처럼 생긴 패를 이르는 말.

409) 郎中(낭중) : 진한秦漢 이후 왕실의 호위와 시종을 관장하던 벼슬. 삼서三署

○(전한) 엄안이 글을 올리자 무제가 그를 불러 접견하고는 "공들은 어디에 있었는가? 어찌하여 이리로 뒤늦게 만나게 되었는가?"라고 말하고는 낭중을 배수하였다.

●嚴震, 德宗朝, 封馮翊[410]郡王. 子公弼治行爲山南[411]第一.
○(당나라) 엄진은 덕종 때 빙익군왕에 봉해졌다. 아들 엄공필嚴公弼은 치적이 산남도에서 으뜸갔다.

※女德婚姻(여덕과 혼인)

◇萬石嚴媪(다섯 명의 고관을 배출한 엄씨 가문의 모친)

●嚴延年兄弟, 五人皆至大官[412]. 東海號其母曰萬石[413]嚴媪.
○(전한) 엄연년(?-B.C.58) 형제는 다섯 명이 모두 고관에 올랐다. 그래서 (산동성) 동해군에서는 그들 모친을 '만석엄온'이라고 불렀다.

◇教子以禮(아들에게 예법을 가르치다)

●嚴氏, 名憲, 爲杜有道妻. 十二歲而嫁, 十八而婺居[414], 有子名植, 有女名韡. 教以禮度, 植遂名顯, 韡亦有淑德. 傅玄求韡爲繼室[415], 遂成

의 관원인 오관중랑장五官中郞將·좌중랑장左中郞將·우중랑장右中郞將을 설치하여 관장케 하였다. 당송唐宋 때는 상서성尙書省 소속 육부六部의 산하 기관인 4사司(총 24사司)의 실무를 관장하는 기관장의 명칭이 되었다.

410) 馮翊(풍익) : 섬서성의 속군屬郡 이름.

411) 山南(산남) : 당나라 때 종남산終南山과 태화산太華山 남쪽에 설치한 도道 이름. 지금의 호북성과 사천성 일대를 가리킨다.

412) 大官(대관) : 고관高官. 황제의 음식과 연향燕享을 관장하는 벼슬인 '태관太官'을 가리킬 때도 있다.

413) 萬石(만석) : 부자가 모두 봉록이 2천석인 고관에 올라 부자지간의 봉록이 도합 만 석에 달하는 것을 이르는 말. 전한 때 사람인 석분石奮이 네 아들과 함께 2천석의 고관에 올라 '만석군萬石君'으로 불렸다는 ≪사기·석분전≫권103과 ≪한서·석분전≫권46의 고사에서 유래하였다.

414) 婺居(무거) : 과부를 뜻하는 말인 '이거嫠居'의 오기인 듯하다. 자형의 유사성으로 인한 필사 과정상의 단순 오기로 보인다.

415) 繼室(계실) : 원래는 제후諸侯의 원비元妃가 죽은 뒤 후처後妻로 삼은 두 번

婚. 玄前妻之子咸, 六歲嘗隨其母省侍, 嚴氏曰, "千里駒也!" 以其妹之女妻之.

○(진晉나라 때) 엄씨는 이름이 '헌憲'으로 두유도의 아내가 되었다. 열두 살에 시집을 가 열여덟 살에 과부가 되면서 두식杜植이란 아들과 두화杜韡란 딸을 두었다. 예의와 법도를 가르쳐 두식이 결국 명성을 떨쳤고, 두화 역시 정숙한 품덕을 지녔다. 부현이 두화를 첩실로 달라고 하여 결국 혼사를 치렀다. 부현의 전처의 아들인 부함傅咸은 여섯 살에 일찍이 모친을 따라 귀성하였는데 엄씨가 그를 보고서는 "천리마일세!"라고 하였다. 그래서 자신의 여동생의 딸을 그에게 시집보냈다.

●嚴灌夫娶愼氏, 無嗣而出之. 愼氏別之以詩, 遂止.

○(당나라) 엄관부는 신씨에게 장가들었다가 후사가 없자 그녀를 내쫓으려 하였다. 신씨가 시를 지어 작별인사를 올리자 결국 그만두었다.

●師嚴. 許嚴. 戒嚴.

○스승은 존엄해야 한다. 근엄하다고 인정하다. 계엄령.

◆廉(염씨)

▶角音. 河東. 顓帝416)曾孫大廉之後, 以王父417)字爲氏. 廉絜, 孔門弟子也, 封服成伯.

▷음은 각음에 속하고 본관은 (산서성) 하동군이다. 전욱顓頊 황제의 증손자인 대렴의 후손이 조부의 자를 성씨로 삼은 것이다. (춘추시대 노魯나라) 염결은 공자 문하의 제자로 복성백에 봉해졌다.

째 왕비를 이르는 말이었으나, 후에는 일반인의 후처를 가리키는 말로도 쓰였다.

416) 顓帝(전제) : 전설상의 임금인 오제五帝 가운데 두 번째 황제인 전욱顓頊의 별칭. 씨氏는 '고양高陽'이고, 성姓은 '희姬'이며, 황제黃帝의 증손자이다. ≪제왕세기 · 오제≫권2 참조.

417) 王父(왕부) : 할아버지의 별칭. 할머니는 '왕모王母'라고 한다.

◇刎頸交(생사를 같이 할 수 있는 우정)

●廉頗, 趙良將, 以勇氣聞於諸侯, 拜爲上卿. 與藺相如[418]爲刎頸交[419]. 强秦不能加兵於趙者, 以此兩人在也. 趙王信秦反間[420], 頗亡, 之魏. 後乃遣使至魏, 視頗可用否. 頗對使者, 一飯斗粟・肉十斤, 被甲[421]上馬, 以示可用. 郭開與使者金, 歸報曰, "廉將軍年老, 尙善飯. 然與臣坐, 頃之, 三遺屎[422]矣." 遂不復召.

○(전국시대 때) 염파는 조나라의 명장으로 용기가 제후들에게 알려지더니 상경에 임명되었다. 인상여와는 생사를 같이 할 수 있는 우정을 맺었다. 막강한 진나라가 조나라와 전쟁을 벌이지 못 한 것도 이 두 사람이 있었기 때문이다. 그러나 조나라 왕이 진나라의 속임수를 믿는 바람에 염파는 망명하여 위나라로 갔다. 뒤에 오히려 사자를 위나라로 파견해 염파가 기용할 만한지 살피자 염파는 사자를 마주하고 앉아 한 끼 식사에 곡식 한 말과 고기 열 근을 먹어치우고 갑옷을 입고 말에 올라 기용할 만하다는 것을 과시하였다. 그러나 곽개가 사자에게 금을 주면서 돌아가 "염장군은 연로한데도 여전히 밥을 잘 먹습니다. 하지만 신과 함께 앉으면서 잠깐 사이에도 세 번이나 대변을 보았습니다"라고 보고케 하였다. 그래서 결국 다시 부르지 않았다.

◇襦袴之歌(저고리와 바지를 읊은 노래)

●廉范, 字叔度, 漢明帝朝, 爲蜀郡大守. 百姓歌之曰, "廉叔度, 來何暮?

---

418) 藺相如(인상여) : 전국시대 조趙나라 사람. 진秦나라 소왕昭王의 협박을 물리치고 화씨벽和氏璧을 되찾아가지고 돌아온 '완벽完璧'이란 고사와 자신의 출세를 질시하는 장군 염파廉頗를 넓은 도량으로 감화시켜 함께 조나라의 흥성을 이루었다는 '문경지교刎頸之交'의 고사로 유명하다. ≪사기・인상여전≫권81 참조.

419) 刎頸交(문경교) : 생사를 같이 할 수 있는 친한 친구를 이르는 말인 '문경지교刎頸之交'의 준말.

420) 反間(반간) : 거짓으로 적과 손을 잡고 적국을 혼란에 빠뜨리는 일, 또는 정보를 빼돌려 본국에 보고하는 일을 이르는 말.

421) 被甲(피갑) : 갑옷을 입다. '피被'는 '피披'와 통용자.

422) 遺屎(유시) : 대변을 보다. '시屎'는 '시矢'로도 쓴다.

不禁火[423], 民安作. 昔無襦, 今五袴." 與慶鴻爲刎頸交, 時語曰, "前有管鮑[424], 後有慶廉."

○염범은 자가 숙도로 후한 명제 때 (사천성) 촉군태수를 지냈다. 백성들이 그에 대해 "염숙도(염범)께서 어찌 이리도 늦게 오셨단 말인가? 불을 금지하지 않아 백성들이 마음 놓고 일을 하기에, 옛날에는 저고리조차 없다가 지금은 바지가 다섯 벌이나 된다네"라고 노래하였다. 경홍과 생사를 같이 할 수 있는 우정을 맺었기에 당시에 "전에 (춘추시대 제齊나라의) 관중管仲과 포숙아鮑叔牙가 있었다면, 뒤에는 경홍과 염범이 있다"는 말이 돌았다.

●飛廉[425]. 孝廉. 高士廉[426].

○(전설상의 인물) 비렴. (과거시험의 하나인) 효렴과. (당나라) 사렴士廉 고검高儉(577-647).

◆詹(첨씨)

▶羽音. 河間. 周宣王次子賜姓詹, 封詹侯. 晉人使詹嘉處瑕[427], 以守桃林[428]之塞.

---

423) 禁火(금화) : 불의 사용을 금지하다. 춘추시대 진晉나라 문공文公 중이重耳가 공자公子 시절 망명하였을 때 개자추介子推가 19년을 모셨는데, 문공이 왕위에 오른 뒤 관직을 주지 않자 면산緜山에 은거하였고, 문공이 자신을 불러내기 위해 불을 질렀으나 끝내 나오지 않아 불에 타 죽었기에 그의 넋을 기리기 위해 불의 사용을 금하였다는 ≪사기·진세가晉世家≫권39의 한식寒食에 얽힌 고사에서 유래하였다. 여기서는 염범廉范이 마음놓고 불을 쓰게 해 백성들이 편해졌다는 것을 말한다.

424) 管鮑(관포) : 춘추시대 제齊나라 대부大夫 관중管仲(관이오管夷吾)과 포숙아鮑叔牙를 아우르는 말. 두터운 우정을 뜻하는 고사성어인 '관포지교管鮑之交'로 유명하다. ≪사기·관안열전管晏列傳≫권62 참조.

425) 飛廉(비렴) : 은殷나라 때 달리기를 잘 했다는 전설상의 인물. 풍신風神의 별칭을 가리킬 때도 있다.

426) 高士廉(고사렴) : 당나라 때 사람 고검高儉(577-647). 자인 '사렴'으로 더 알려졌다. 봉호는 허국공許國公과 신국공申國公. 수隋나라에서 치례랑治禮郎을 지내다가 당나라에 투항한 뒤 태자우서자太子右庶子·이부상서吏部尙書·상서우복야尙書右僕射 등을 역임하였다. ≪구당서·고사렴전≫권65 참조.

427) 瑕(하) : 춘추시대 때 진晉나라의 고을 이름. 지금의 산서성 운성현運城縣 일대.

(文十三) 使詹桓伯辟於晉.(昭九)

▷음은 우음에 속하고 본관은 (하북성) 하간군이다. 주나라 선왕의 차남이 '첨'씨 성을 하사받고 첨후에 봉해졌다. (춘추시대 때) 진나라 사람들이 첨가에게 (산서성) 하읍에 머물면서 도림의 요새를 지키게 한 일이 있다.(≪좌전左傳·문공文公13년≫권19) 또 (천자가) 첨환백을 파견해 진나라를 꾸짖은 일이 있다.(≪좌전·소공昭公9년≫권45)

◇粒餌引魚(밥알을 미끼로 삼아 물고기를 끌어당기다)

●詹何, 楚詹尹之後, 以獨繭絲[429]爲綸, 芒針爲鉤, 荊條爲竿, 剖粒爲餌, 引盈尺之魚於百仞之淵, 綸不絶, 竿不撓.(列子)

○첨하는 (전국시대) 초나라 첨윤의 후손으로 누에고치 실 한 올로 낚시줄을 만들고, 가시로 낚시바늘을 만들고, 싸리나무 가지로 낚시대를 만들고, 밥알 반쪽으로 떡밥을 만들었지만, 백 길 깊이 연못에서 한 자나 되는 물고기를 끌어당겨도 낚시줄이 끊어지지 않고 낚시대가 휘지 않았다.(≪열자·탕문湯問≫권5)

◇世官(대대로 벼슬하다)

●詹洸爲福州侯官[430]令. 子豪移家建陽[431], 生三子, 一居嚴陵, 一居信城, 一居婺女, 之間留武夷者二. 在唐有詹肇, 爲御史中丞, 詹沆爲侍御史[432]. 在宋有詹庠, 爲工侍[433].

---

428) 桃林(도림) : 하남성에 있는 땅 이름.

429) 獨繭絲(독견사) : 커다란 누에고치에서 나온 한 올의 실을 이르는 말. 커다란 누에고치 하나에서 계속해서 나온 질 좋은 실을 뜻하는 말로 보는 설도 있으나, 전후 대비 관계로 이어지는 문맥에 비추어 볼 때 전자로 풀이하는 것이 더 적절해 보인다.

430) 侯官(후관) : 후한 때 복건성福建省 민후현閩侯縣 북쪽에 설치하였던 현 이름.

431) 建陽(건양) : 복건성의 속현屬縣 이름.

432) 侍御史(시어사) : 주周나라 때 주하사柱下史에서 유래한 벼슬로서 위진魏晉 이후로는 주로 관리들의 비리를 규찰하였다. 당송唐宋 때는 어사대御史臺 소속으로 어사대부御史大夫·어사중승御史中丞 다음 가는 벼슬이었다.

433) 工侍(공시) : 조정의 핵심 행정 기관인 상서성尙書省 휘하의 육부六部 가운데 국가의 중요한 건설과 수리·교통 등에 관한 일을 관장하는 기관인 공부의 버금 장관인 공부시랑工部侍郎의 약칭.

○(후한 때) 첨광은 (복건성) 복주 후관현의 현령을 지냈다. 아들 첨호詹豪는 건양현으로 이사하여 세 아들을 낳았는데, 한 명은 엄릉현에 거주하고 한 명은 신성현에 거주하고 한 명은 무녀현에 거주하였으니 그들 가운데 무이산 일대에 남은 사람은 둘이다. 당나라 때는 첨조라는 사람이 어사중승을 지냈고, 첨항이란 사람이 시어사를 지냈다. 송나라 때는 첨상이란 사람이 공부시랑을 지냈다.

◇忠節(충절)

●詹良臣爲縉雲尉, 方臘434)犯境, 守忠節, 罵賊而死. 徽宗朝, 官其二子. 長子大萬, 紹興中, 拜簽書435), 尋436)參大政.

○(송나라) 첨양신은 (절강성) 진운현의 현위를 지내다가 방납이 경내를 침범하자 충절을 지키며 반군에게 욕을 하는 바람에 살해당했다. 휘종 때 그의 두 아들에게 관직을 주었다. 장남인 첨대만詹大萬은 (고종) 소흥(1131-1162) 연간에 첨서추밀원사簽書樞密院事를 배수받았다가 얼마 뒤 참지정사參知政事에 올랐다.

●詹邈, 施州人, 元祐437)中, 擢倫魁438)之選.

○(송나라) 첨막은 (호북성) 시주 사람으로 (철종) 원우(1086-1093) 연간에 과거시험에서 장원급제를 차지하였다.

●詹眩, 字晉卿, 淳熙439)中, 進士第一人.

○(송나라) 첨현은 자가 진경으로 (효종) 순희(1174-1189) 연간에 진

434) 方臘(방납) : 송나라 사람. 휘종徽宗 때 마니교 신도들을 이용하여 호북성 목주睦州에서 반란을 일으켜 고종高宗 때까지 세력을 떨치다가 동관童貫에 의해 진압당했다. ≪송사·방납전≫권468 참조.

435) 簽書(첨서) : 첨서추밀원사簽書樞密院事의 약칭. '첨원簽院' '첨추簽樞'라고도 하는데, 동지추밀원사同知樞密院事·추밀부사樞密副使와 함께 추밀원樞密院의 장관인 추밀사樞密使나 지추밀원사知樞密院事를 보좌하는 역할을 담당하였다.

436) 尋(심) : 얼마 뒤, 얼마 안 있어.

437) 元祐(원우) : 북송北宋 철종哲宗의 연호(1086-1093).

438) 倫魁(윤괴) : '여러 사람 가운데 으뜸'이란 뜻으로 장원급제를 뜻한다.

439) 淳熙(순희) : 남송南宋 효종孝宗의 연호(1174-1189).

사과에 응시해 장원급제를 차지하였다.

●詹範, 宋靖康440)中, 官于汴, 逃歸行在所441). 高宗曰, "卿忠臣也."
○첨범은 송나라 (흠종) 정강(1126-1127) 연간에 (하남성) 변경에서 관직생활을 하다가 (금나라로부터) 도망쳐 행재소로 귀순하였다. 그러자 고종이 "경은 충신이오"라고 하였다.

●詹適爲御史臺主簿. 東坡有和詹適飮饌亭詩442), "江上同三黜, 天涯又一樽."
○(송나라) 첨적은 어사대의 주부를 지냈다. 동파東坡 소식蘇軾은 <첨적이 손정巽亭에서 술을 마시며 지은 시에 화답하는 시>를 지어 "장강 가로 함께 세 번이나 쫓겨나더니, 하늘 끝에서 또 다시 술잔을 함께 들게 되었군요"라고 하였다.

※女德(여덕)

●詹茂先443)妻有寄夫詩, "錦江之上探春444)回, 消盡寒光落盡梅. 爭445)得兒夫446)似春色, 一年一度一歸來?"
○(송나라 때) 첨광무詹光茂의 아내는 남편에게 부치는 시를 지어 "금

440) 靖康(정강) : 북송北宋 흠종欽宗의 연호(1126-1127).
441) 行在所(행재소) : 임금이 출행할 때 머무는 곳을 이르는 말. '행재行在'로 약칭하기도 한다.
442) 詩(시) : 이는 오언율시五言律詩 <선덕랑宣德郞 첨적詹適이 손정에서 조촐하게 술상을 차리고 지은 시에 차운하다(次韻詹適宣德小飮巽亭)> 가운데 함련頷聯을 인용한 것으로 송나라 소식蘇軾(1036-1101)의 ≪동파전집東坡全集≫ 권18에 전한다. 따라서 위의 예문에서 '찬饌'은 '손巽'의 오기이다.
443) 詹茂先(첨무선) : 위의 예문과 유사한 고사가 송나라 오증吳曾의 ≪능개재만록能改齋漫錄≫권8에 전하는데, 이에 의하면 '첨광무詹光茂'의 오기이다. 첨광무는 송나라 인종仁宗 때 사람이란 것 외에 알려진 바가 없다.
444) 探春(탐춘) : 정월대보름 밤에 도성의 남녀들이 교외로 놀러 나가던 당송唐宋 때의 세시 풍속을 이르는 말.
445) 爭(쟁) : 의문사. 어찌. '즘怎' '하何'의 뜻.
446) 兒夫(아부) : 남편에 대한 호칭. '아녀자의 사내'란 뜻에서 유래하였다.

강 가로 봄맞이하러 나섰다가 돌아오니, 서늘한 햇살 다 사라져 매화도 모두 떨어지고 말았구나. 남편이 봄빛처럼 1년에 한 번만 돌아오는 것을 어찌하리오?"라고 하였다.

□二十七咸(27함)

◆氾(범씨)

▶音泛.

▷음은 '범'이다.

◇農師(농업을 가르치는 스승)

●氾朥之[447]撰農書十八篇. 劉向別錄[448]云, "使敎田, 三輔[449]有好田者師之." 漢武時, 爲議郞[450], 遷御史.

○범승지氾勝之는 ≪농서≫ 18편을 지었다. 유향은 ≪별록≫에서 "그에게 농사를 가르치라고 하자 경기 일대에서 좋은 밭을 가진 사람들이 그를 스승으로 섬겼다"고 하였다. 전한 무제 때 의랑을 지내다가 어사로 승진하였다.

◇五龍(제북오룡)

●氾昭, 漢桓靈[451]間人. 濟北英賢傳[452]云, "氾昭・戴所・徐晏・夏隱・

---

447) 氾朥之(범권지) : 위의 예문은 ≪한서・예문지≫권30의 기록을 인용한 것인데, 이에 의하면 '범승지氾勝之'의 오기이다.

448) 別錄(별록) : 전한 성제成帝 때 유향劉向(약B.C.77-B.C.6)이 조정에서 모은 문헌들을 교감・정리하면서 작성한 서지書誌인 ≪칠략별록七略別錄≫의 약칭. 총 20권. ≪한서・예문지≫도 이에 바탕을 둔 것이라고 한다. ≪수서・경적지≫권33 참조.

449) 三輔(삼보) : 전한 경제景帝 때 주작중위主爵中尉와 좌내사左內史・우내사右內史를 두었다가, 전한 무제武帝 때 장안 동쪽을 관장하는 경조윤京兆尹과 장릉長陵 이북을 관장하는 좌빙익左馮翊, 위성渭城 서쪽을 관장하는 우부풍右扶風으로 관제를 바꾸었는데, '삼보'는 이들 세 장관 혹은 그들이 관장하는 지역을 통칭한다. 결국 경기 지역을 가리킨다.

450) 議郞(의랑) : 한나라 때 광록훈光祿勳 소속의 낭관郞官으로 자문에 응하고 인재를 초빙하는 업무를 맡아 보던 벼슬 이름.

劉彬, 時人號爲濟北五龍.”

○범소는 후한 환제桓帝와 영제靈帝 때 사람이다. ≪제북영현전≫에 “범소・대소・서안・하은・유빈에 대해 당시 사람들은 ‘제북오룡’이라고 불렀다”고 하였다.

◇琴書(금과 독서로 소일하다)

●氾滕[453]擧孝廉, 爲郞中. 散家財五十萬, 以施宗族, 柴門灌園, 琴書自適.

○(진晉나라) 범등氾騰은 효렴과에 급제하여 낭중을 지냈다. 집의 재산 50만 냥을 꺼내 친족에게 나눠주고 집을 검소하게 꾸미고 정원에 물을 주면서 금 연주와 독서로 소일하며 한적한 삶을 누렸다.

◇世儒(집안 대대로 유학을 닦다)

●晉氾毓奕世[454]儒業, 敦睦九族[455]. 時人號其家, 兒無常母, 衣無常主. 撰春秋釋疑.

○진나라 범육은 집안 대대로 유학을 닦으며 온가족이 화목하게 지냈다. 당시 사람들은 그의 가족에 대해 아이들에게는 일정한 모친이 없고 옷도 일정한 주인이 없다고 하였다. 저서로 ≪춘추석의≫가 있다.

●氾衷與索靖等, 馳名海內[456], 人號燉煌五龍.(見索氏)

---

451) 桓靈(환령) : 후한 말엽 황제인 환제桓帝와 영제靈帝를 아우르는 말.

452) 濟北英賢傳(제북영현전) : 누가 언제 지었는지는 알려진 바가 없다. 다만 송나라 왕응린王應麟(1223-1296)의 ≪소학감주小學紺珠≫권7에 인용되어 전하는 것으로 보아 송나라 이전의 서책임은 분명해 보인다.

453) 氾滕(범등) : ≪진서・범등전≫권94에 의하면 ‘범등氾騰’의 오기이다.

454) 奕世(혁세) : 여러 세대를 뜻하는 말. ‘혁엽奕葉’이라고도 한다.

455) 九族(구족) : 고조부高祖父부터 현손玄孫까지 9대를 가리키는 말. 즉 고조・증조・조부・부친・본인・아들・손자・증손・현손을 말한다. 결국은 일가친척을 두루 가리킨다. ‘구종九宗’ ‘구속九屬’ ‘구친九親’이라고도 한다.

456) 海內(해내) : 천하를 이르는 말. 고대 중국인들이 사방이 바다였다고 생각한데서 비롯되었다. 옛날에는 온세상을 ‘천하天下’ ‘사해四海’ ‘육합六合’ ‘구주九

○(진晉나라) 범충은 삭정 등과 함께 천하에 명성을 떨쳤기에 사람들은 그들을 '돈황오룡'으로 불렀다.(관련 내용이 뒤의 '삭'씨절에도 보인다)

●晉氾稚春有操行, 七世同居, 家人無怨色.(淵明457)與子疏)

○진나라 범치춘은 지조와 행실이 돈독하였기에 일곱 세대가 함께 살아도 가족들 사이에 원망하는 기색이 없었다.(도연명陶淵明의 <아들 도엄陶儼 등에게 주는 글>)

◆咸(함씨)

▶羽音. 汝南.

▷음은 우음에 속하고 본관은 (하남성) 여남군이다.

●漢咸宣爲御史, 幾二十年.(酷吏傳)

○전한 때 함선은 어사를 거의 20년 가까이 지냈다.(≪한서·혹리열전·함선전≫권90)

●咸冀宣, 唐開元十八學士之一, 圖形含象亭458).(見庾子元459))

○함기선은 당나라 (현종) 개원(713-741) 연간에 임명된 18명의 한림학사 가운데 한 사람으로 함상정에 초상화가 걸렸다.(관련 내용은 앞의 강자원康子元에 관한 기록인 '초봉선의草封禪儀'항에 보인다)

州' '신주神州' '우주宇宙' 등 다양한 어휘로 표현하였다.

457) 淵明(연명) : 진晉나라 때 전원시인田園詩人 도연명陶淵明(365-427). ≪송서宋書·은일열전隱逸列傳·도잠전陶潛傳≫권93에 의하면 도잠은 본명이 '잠'이고 '연명淵明'이 자라는 설도 있고, 본명이 '연명'이고 '원량元亮'이 자라는 설도 있는데, 본명이 '연명'이고 '잠'은 은거한 뒤에 개명한 이름인 듯하다. 도연명의 글은 <아들 도엄陶儼 등에게 주는 글(與子儼等疏)>이란 제목으로 ≪도연명집≫권7에 전한다.

458) 含象亭(함상정) : 하남성 낙양洛陽의 상양궁上陽宮에 있는 정자 이름. 당나라 개원開元(713-741) 연간에 현종玄宗이 이곳에서 장열張說 등 18명을 한림학사翰林學士에 임명하였다는 고사가 송나라 왕응린王應麟(1223-1296)의 ≪옥해玉海·예문藝文·당개원십팔학사도唐開元十八學士圖≫권57에 전한다.

459) 庾子元(유자원) : 이는 '강자원康子元'의 오기이다. 자형의 유사성으로 인한 필사 과정상의 단순 오기로 보인다.

◆凡(범씨)

●姬姓之後, 以國爲姓. 傳460)云, "凡・蔣・邢・茅, 周公461)之胤," 是也.

○('범'씨는 주周나라) '희'씨 성의 후손이 나라 이름을 성씨로 삼은 것이다. ≪좌전左傳・희공僖公24년≫권14에서 "범씨・장씨・형씨・모씨는 주공(희단姬旦)의 후손이다"라고 한 것도 바로 이를 두고 한 말이다.

■氏族大全卷十二■

460) 傳(전) : 노魯나라 은공隱公 원년元年(B.C.722년)부터 애공哀公 27년(B.C.468년)까지 약 250년 간의 춘추시대 역사를 기록한 ≪춘추경春秋經≫에 대한 전국시대 노魯나라 좌구명左丘明의 해설서인 ≪춘추좌씨전春秋左氏傳≫의 약칭. ≪춘추좌전≫ ≪좌씨전≫ ≪좌전≫으로 약칭하기도 한다.

461) 周公(주공) : 주周나라 무왕武王 희발姬發의 동생이자 성왕成王 희송姬誦의 숙부인 희단姬旦에 대한 존칭. 성왕이 나이가 어려 섭정攝政을 하였고, 성왕이 성장한 뒤 물러나 노魯나라를 봉토封土로 받았다. ≪사기・노주공세가魯周公世家≫권33 참조.